XVIIIe siècle

LES LUMIÈRES

La contestation sociale et politique qui marque le XVIIIe siècle et annonce la Révolution est préparée en profondeur par les écrivains et philosophes des Lumières. Ces auteurs ont une arme commune, la littérature d'idée, et un combat commun : lutter contre le fanatisme et l'intolérance, défendre la raison et le progrès, réclamer plus de justice et d'égalité. De nouvelles formes littéraires apparaissent en réaction contre celles codifiées du classicisme : le roman d'apprentissage, le roman épistolaire et le conte philosophique. Le projet monumental de l'*Encyclopédie* dans sa volonté d'éclairer, de confronter et de diffuser les connaissances reste l'œuvre maîtresse des Lumières.

Textes fondateurs

- *De l'esprit des lois*, Montesquieu, 1748
- *Lettres philosophiques*, Voltaire, 1734
- *L'Encyclopédie*, Diderot et d'Alembert, 1751 à 1772

Écrivains représentatifs

Jean-Jacques Rousseau
(1712-1778)

Montesquieu
(1689-1755)

Denis Diderot
(1713-1784)

Voltaire
(1694-1778)

Beaumarchais
(1732-1799)

Conception graphique intérieur et couverture	Aude Cotelli • www.entrelessignes.net
Mise en page	Aude Cotelli
Photogravure	Couleurs d'image
Iconographie	Geoffroy Mauze
Relecture typographique	Marjolaine Revel
Responsable d'édition	Marie Bourboulou, assistée d'Alexis Roume

© Magnard – Paris, 2011
5, allée de la 2e D.B., 75015 Paris
www.magnard.fr
ISBN : 978-2-210-44113-2

Achevé d'imprimer par G. Canale & C. en juillet 2012
N° editeur : 2011_2685 – Dépôt Légal : avril 2011

empreintes littéraires

Français

2e

Livre unique

Sous la coordination de
Fabienne PEGORARO-ALVADO
Professeur agrégée de Lettres modernes
Lycée Cézanne, Aix en Provence

Coralie DOUX-POUGET
Professeur certifiée de Lettres modernes
Lycée Corot, Douai

Estelle MARIE PROVOST
Professeur agrégée de Lettres modernes
Lycée Gambetta, Arras
Coordination du chapitre « Théâtre »

Sandrine NUNEZ
Professeur agrégée de Lettres classiques
Collège Roquepertuse, Velaux

Anne PIERRE
Professeur certifiée de Lettres classiques
Lycée Georges Cuvier, Montbéliard

Alice QUANTIN
Professeur agrégée de Lettres modernes
Lycée Madame de Staël, Montluçon

Cécile RICHAUDEAU
Professeur agrégée de Lettres modernes
Lycée Chérioux, Vitry-sur-Seine

Myriam ZABER
Professeur agrégée de Lettres modernes
Lycée Teilhard de Chardin, St Maur des Fossés

Les auteurs et les éditions Magnard remercient vivement
Fabienne Laplace (lycée Merleau-Ponty, Rochefort),
Albertine Benedetto (lycée Jean Aicard, Hyères) et
Isabelle Calleja-Roque (université de Provence, IUFM
Avignon-Aix) pour leur relecture et leurs suggestions,
ainsi que tous les enseignants qui ont participé aux
études menées sur ce manuel.

MAGNARD
www.magnard.fr

Programmes de français
en Seconde générale et technologique

BO spécial n°9 du 30 septembre 2010

Présentation générale

Dans la continuité de l'enseignement qui a été donné au collège, il s'agit avant tout d'amener les élèves à dégager les significations des textes et des œuvres. À cet effet, on privilégie deux perspectives : l'étude de la littérature dans son contexte historique et culturel et l'analyse des grands genres littéraires. C'est en se fondant sur l'étude des textes et des œuvres que l'on donne aux élèves des connaissances d'histoire littéraire. Ainsi se mettent en place peu à peu les repères nécessaires à la construction d'une culture commune. On veille également à leur apporter des connaissances concernant les grands genres littéraires et leurs principales caractéristiques de forme, de sens et d'effets, afin de favoriser le développement d'une conscience esthétique. Enfin, chaque objet d'étude doit permettre de construire chez l'élève l'ensemble des compétences énumérées plus haut : compétences d'écriture et d'expression aussi bien que de lecture, d'interprétation et d'appréciation. Le programme fixe quatre objets d'étude qui peuvent être traités dans l'ordre souhaité par le professeur au cours de l'année. À l'intérieur de ce cadre, celui-ci organise librement des séquences d'enseignement cohérentes, fondées sur une problématique littéraire. L'étude de trois œuvres au moins et de trois groupements au moins sur une année est obligatoire. Les extraits qui constituent les groupements de textes (cf. infra les corpus) ne font pas obligatoirement l'objet d'une lecture analytique ; certains d'entre eux peuvent être abordés sous la forme de lectures cursives, selon le projet du professeur. Les textes et documents qui ouvrent sur l'histoire des arts ou sur les langues et cultures de l'Antiquité pourront trouver leur place au sein des groupements : ils ne constituent pas nécessairement un ensemble séparé. Il est par ailleurs vivement recommandé de faire lire aux élèves, dans le cadre des groupements de textes ou dans celui des projets culturels de la classe, des textes appartenant à la littérature contemporaine.

Contenus : les objets d'étude

Le roman et la nouvelle au XIXe siècle : réalisme et naturalisme. L'objectif est de montrer aux élèves comment le roman ou la nouvelle s'inscrivent dans le mouvement littéraire et culturel du réalisme ou du naturalisme, de faire apparaître les caractéristiques d'un genre narratif et la singularité des œuvres étudiées, et de donner des repères dans l'histoire de ce genre.

Corpus. Un roman ou un recueil de nouvelles du XIXe siècle, au choix du professeur. Un ou deux groupements de textes permettant d'élargir et de structurer la culture littéraire des élèves, en les incitant à problématiser leur réflexion en relation avec l'objet d'étude concerné. On peut ainsi, en fonction du projet, intégrer à ces groupements des textes et des documents appartenant à d'autres genres ou à d'autres époques, jusqu'à nos jours. Ces ouvertures permettent de mieux faire percevoir les spécificités du siècle ou de situer le genre dans une histoire plus longue. En relation avec l'histoire des arts, un choix de textes et de documents montrant comment l'esthétique réaliste concerne plusieurs formes d'expression artistique et traverse tout le XIXe siècle. On peut réfléchir en amont à la façon dont les arts visuels, notamment, ont introduit la réalité quotidienne, qu'elle soit naturelle ou sociale, dans le champ de l'art et déterminé des choix esthétiques qui entrent en résonance avec l'évolution du genre romanesque, depuis le XVIIe jusqu'au XXe siècle. L'influence de la photographie sur les romanciers du XIXe siècle peut également faire l'objet d'un travail avec les élèves.

La tragédie et la comédie au XVIIe siècle : le classicisme. L'objectif est de faire connaître les caractéristiques du genre théâtral et les effets propres au tragique ou au comique. Il s'agit aussi de faire percevoir les grands traits de l'esthétique classique et de donner des repères dans l'histoire du genre.

Corpus. Une tragédie ou une comédie classique, au choix du professeur. Un ou deux groupements de textes permettant d'élargir et de structurer la culture littéraire des élèves, en les incitant à problématiser leur réflexion en relation avec l'objet d'étude concerné. On peut ainsi, en fonction du projet, intégrer à ces groupements des textes et des documents appartenant à d'autres genres ou à d'autres époques, jusqu'à nos jours. Ces ouvertures permettent de mieux faire percevoir les spécificités et la diversité du siècle ou de situer le genre dans une histoire plus longue. En relation avec les langues et cultures de l'Antiquité, un choix de textes et de documents permettant de découvrir les œuvres du théâtre grec et latin. On étudie quelques personnages types de la comédie, quelques figures historiques ou légendaires qui ont inspiré la tragédie. On s'interroge en particulier sur les emprunts et les réécritures.

La poésie du XIXe au XXe siècle : du romantisme au surréalisme. L'objectif est de faire percevoir aux élèves la liaison intime entre le travail de la langue, une vision singulière du monde et l'expression des émotions. Le professeur amène les élèves à s'interroger sur les fonctions de la poésie et le rôle du poète. Il les rend sensibles aux liens qui unissent la poésie aux autres arts, à la musique et aux arts visuels notamment. Il leur fait comprendre, en partant des grands traits du romantisme et du surréalisme, l'évolution des formes poétiques du XIXe au XXe siècle.

Corpus. Un recueil ou une partie substantielle d'un recueil de poèmes, en vers ou en prose, au choix du professeur. Un ou deux groupements de textes permettant d'élargir et de structurer la culture littéraire des élèves, en les incitant à problématiser leur réflexion en relation avec l'objet d'étude concerné. On peut ainsi, en fonction du projet, intégrer à ces groupements des textes et des documents appartenant à d'autres genres ou à d'autres époques, jusqu'à nos jours. Ces ouvertures permettent de mieux faire percevoir les spécificités du siècle ou de situer le genre dans une histoire plus longue. En relation avec l'histoire des arts, un choix de textes et de documents permettant d'aborder, aux XIXe et XXe siècles, certains aspects de l'évolution de la peinture et des arts visuels, du romantisme au surréalisme.

Genres et formes de l'argumentation : XVIIe et XVIIIe siècles. L'objectif est de faire découvrir aux élèves que les œuvres littéraires permettent, sous des formes et selon des modalités diverses, l'expression organisée d'idées, d'arguments et de convictions et qu'elles participent ainsi de la vie de leur temps. On s'intéresse plus particulièrement au développement de l'argumentation, directe ou indirecte, à l'utilisation à des fins de persuasion des ressources de divers genres et à l'inscription de la littérature dans les débats du siècle. On donne de la sorte aux élèves des repères culturels essentiels pour la compréhension des XVIIe et XVIIIe siècles.

Corpus. Un texte long ou un ensemble de textes ayant une forte unité : chapitre de roman, livre de fables, recueil de satires, conte philosophique, essai ou partie d'essai, etc., au choix du professeur. Un ou deux groupements de textes permettant d'élargir et de structurer la culture littéraire des élèves, en les incitant à problématiser leur réflexion en relation avec l'objet d'étude concerné. On peut ainsi, en fonction du projet, intégrer à ces groupements des textes et des documents appartenant à d'autres genres ou à d'autres époques, jusqu'à nos jours. Ces ouvertures permettent de mieux faire percevoir les spécificités du siècle ou de situer l'argumentation dans une histoire plus longue. En relation avec les langues et cultures de l'Antiquité, un choix de textes et de documents permettant de donner aux élèves des repères concernant l'art oratoire et de réfléchir à l'exercice de la citoyenneté. On aborde en particulier les genres de l'éloquence (épidictique, judiciaire, délibératif) et les règles de l'élaboration du discours (*inventio, dispositio, elocutio, memoria, actio*).

L'étude de la langue

L'étude de la langue se poursuit en classe de seconde, dans le prolongement de ce qui a été vu au collège et dans la continuité du socle commun : il s'agit de consolider et de structurer les connaissances et les compétences acquises et de les mettre au service de l'expression écrite et orale ainsi que de l'analyse des textes. Dans le cadre des activités de lecture, d'écriture et d'expression orale, on a soin de ménager des temps de réflexion sur la langue. Ces activités sont également l'occasion de vivifier et d'exercer les connaissances linguistiques et de leur donner sens. Si nécessaire, des leçons ponctuelles doivent permettre de récapituler de manière construite et cohérente les connaissances acquises. L'initiation à la grammaire de texte et à la grammaire de l'énonciation,

qui figure au programme de la classe de troisième, se poursuit en seconde par la construction d'une conscience plus complète et mieux intégrée de ces différents niveaux d'analyse. La mise en œuvre des connaissances grammaticales dans les activités de lecture et d'expression écrite et orale s'en trouve facilitée. Pour cela :

– Au niveau du mot et de la phrase, les éventuelles lacunes en matière de morphologie et de syntaxe doivent être comblées.

– Au niveau du texte, on privilégie les questions qui touchent à l'organisation et à la cohérence de l'énoncé

– Au niveau du discours, la réflexion sur les situations d'énonciation, sur la modalisation et sur la dimension pragmatique est développée.

– Le vocabulaire fait l'objet d'un apprentissage continué, en relation notamment avec le travail de l'écriture et de l'oral : on s'intéresse à la formation des mots, à l'évolution de leurs significations et l'on fait acquérir aux élèves un lexique favorisant l'expression d'une pensée abstraite.

– Poursuivant l'effort qui a été conduit au cours des années du collège, le professeur veille à ce que les élèves possèdent une bonne maîtrise de l'orthographe.

L'organisation de l'enseignement doit permettre une évaluation régulière des compétences langagières en vue de l'accompagnement personnalisé.

Activités et exercices

L'appropriation par les élèves de ces connaissances et de ces capacités suppose que soient mises en place des activités variées permettant une approche vivante des apprentissages. Le professeur vise, dans la conception de son projet et dans sa réalisation pédagogique, à favoriser cet engagement des élèves dans leur travail. Une utilisation pertinente des technologies numériques peut y contribuer. En outre, des exercices plus codifiés, auxquels on a soin d'entraîner les élèves, permettent de vérifier leur progression dans les apprentissages et de proposer régulièrement des évaluations sommatives, au minimum deux chaque trimestre. Il est souhaitable, en complément, qu'un certain nombre d'activités de lecture, de recherche et d'écriture puissent être réalisées en relation avec le travail mené, au CDI, avec le professeur documentaliste.

Activités

– Pratiquer les diverses formes de la lecture scolaire : lecture cursive, lecture analytique.

– Lire et analyser des images, fixes et mobiles.

– Comparer des textes, des documents et des supports.

– Faire des recherches documentaires et en exploiter les résultats.

– Pratiquer diverses formes d'écriture (fonctionnelle, argumentative, fictionnelle, poétique, etc.).

– S'exercer à la prise de parole, à l'écoute, à l'expression de son opinion, et au débat argumenté.

– Mémoriser des extraits.

– Mettre en voix et en espace des textes.

– Nota bene : la lecture analytique et la lecture cursive

sont deux modalités différentes de lecture scolaire : la lecture analytique vise la construction progressive et précise de la signification d'un texte, quelle qu'en soit l'ampleur ; elle consiste donc en un travail d'interprétation que le professeur conduit avec ses élèves, à partir de leurs réactions et de leurs propositions. La lecture cursive, forme courante de la lecture, peut être pratiquée hors de la classe ou en classe. Elle est prescrite par le professeur et fait l'objet d'une exploitation dans le cadre de la séquence d'enseignement.

– Les élèves sont en outre incités à mener, hors de la classe, de nombreuses lectures personnelles dont le cours de français vise à leur donner l'habitude et le goût.

Exercices

Écriture d'argumentation : initiation au commentaire littéraire, initiation à la dissertation. Écriture d'invention. Écriture de synthèse et de restitution. Exposé oral. Entretien oral. La pratique de l'ensemble des activités, écrites et orales, favorise l'acquisition des compétences nécessaires à la réussite des exercices codifiés, auxquels on initie progressivement les élèves dès la seconde, en vue des épreuves anticipées de français.

L'éducation aux médias en seconde

Durant toute leur scolarité au lycée, les élèves font un usage régulier d'outils et de supports numériques pour chercher, organiser et produire de l'information ou pour communiquer dans le cadre de leur travail scolaire. Par ailleurs, ils sont encouragés à pratiquer des activités utilisant différents médias (radio, presse écrite, audiovisuel principalement). Cet usage courant ne signifie pas pour autant qu'ils en comprennent les logiques fondamentales ni qu'ils aient une conscience claire des enjeux et des incidences de ces technologies sur leurs modes de penser et d'agir. Il est donc nécessaire de leur faire acquérir une distance et une réflexion critique suffisantes pour que se mette en place une pratique éclairée des ces différents supports, en leur montrant ce qu'ils impliquent du point de vue de l'accès aux connaissances, de la réception des textes et des discours, de l'utilisation et de l'invention des langages, comme du point de vue des comportements et des modes de relations sociales qu'ils engendrent. Le professeur de lettres a un rôle majeur à jouer pour faire acquérir cette compétence aux élèves. Son objectif est de développer leur autonomie afin de les aider à se servir librement et de manière responsable des médias modernes, comme supports de pratiques citoyennes mais aussi créatives. En français, l'accent sera mis sur les questions d'énonciation (comprendre les procédures à l'œuvre dans différents types de textes, de discours et de dispositifs médiatiques, en lien avec leurs conditions de production et de diffusion) et d'interprétation (comprendre comment se construit et se valide une interprétation). Pour faire acquérir par les élèves cette compétence en matière de culture de l'information et des médias, une collaboration du professeur de lettres avec le professeur documentaliste est vivement recommandée.

L'histoire des arts en seconde

Au lycée les professeurs de Lettres doivent apporter leur contribution à l'enseignement de l'histoire des arts, dans le cadre des programmes de français tels qu'ils sont définis par le présent texte. Aussi, pour chacun des objets d'étude du programme, en seconde comme en première, les corpus intègrent des choix de textes et de documents définis en relation avec l'histoire des arts ou avec les langues et cultures de l'Antiquité. L'enseignement de l'histoire des arts est transversal et trouve sa place dans l'ensemble des disciplines. Il est d'autant plus naturel que les Lettres y prennent leur part que la littérature occupe parmi les arts une place majeure et que son étude privilégie au lycée deux perspectives complémentaires : celle de l'histoire littéraire et celle de la caractérisation des grands genres. Si la périodisation du programme d'histoire des arts ne correspond pas toujours à celle qui prévaut dans ceux des classes de seconde et de première en français, l'étude des relations entre la littérature et les autres arts est bien un aspect essentiel de cet enseignement dans son ensemble, qui compte parmi ses finalités le développement d'une conscience esthétique permettant d'apprécier les œuvres, d'analyser l'émotion qu'elles procurent et d'en rendre compte. Cet enseignement contribue en outre de manière essentielle à la constitution d'une culture humaniste qui implique la capacité à établir, dans la profondeur historique, des liens entre les différents arts, à comprendre le jeu de leurs correspondances, mais aussi la spécificité des moyens d'expression et des supports dont ils usent. La nécessaire précision des notions et des analyses dans le cours de français au lycée ne doit pas être ressentie comme un enfermement préjudiciable à la discipline elle-même : les ouvertures vers les autres arts doivent permettre d'enrichir les interprétations, de développer le goût pour les œuvres et de vivifier les apprentissages. Les liens ménagés entre certains objets d'étude et les langues et cultures de l'Antiquité mettent en évidence la relation privilégiée entre le français, les langues anciennes et les œuvres qui nous viennent de l'Antiquité et du Moyen Âge. Cette relation tient également aux valeurs humanistes dont l'école est porteuse et dont la transmission suppose que soient fréquentées les sources encore vives de notre culture. Elle recoupe le plus souvent, dans ces programmes, l'histoire des arts. Tant pour ce qui est du théâtre que pour ce qui concerne la littérature d'idées, en seconde et en première, les indications données ouvrent aux professeurs la possibilité de prendre appui sur des textes et des documents qui renvoient à certaines des thématiques du programme de cet enseignement : champ anthropologique, champ historique et social, et champ esthétique, en particulier.

Avant-propos

▶ **Un livre unique**

Proposer un livre unique offre la possibilité de travailler, lors d'une même séance, divers aspects du programme.
La première partie Lectures (I) présente un ensemble de textes et d'images correspondant au nouveau programme de seconde.
Les trois autres parties Étude de la langue (II), Outils d'analyse (III) et Méthodes bac (III) proposent chacune des fiches de leçon et une série d'exercices progressifs.
La navigation est facilitée par la présence de nombreux renvois entre la partie Lectures et les autres parties.

▶ **Les repères, l'histoire littéraire et la culture générale**

Entrer dans une œuvre ou un corpus, dans un genre ou un mouvement littéraire et culturel nécessite une contextualisation.
- Des pages **Repères** proposent une vue d'ensemble historique, artistique et littéraire. Nous avons choisi de les placer en ouverture de chapitre afin que la culture générale occupe la place qui lui est due : elles sont conçues de manière dynamique et esthétique (textes et documents iconographiques divers y sont présentés). Elles proposent des activités afin de susciter le plaisir, moteur essentiel de la curiosité intellectuelle et du goût pour la culture. Elles peuvent être abordées soit en ouverture de chapitre, soit au fur et à mesure des études menées, les deux types de pratique pouvant se combiner puisque ces pages, riches, ne peuvent être épuisées en une seule lecture.
- Des dossiers **Histoire des arts** proposent, dans chaque chapitre, l'étude d'un ensemble iconographique problématisé autour d'un thème, d'une figure mythique, d'un genre...
- Une rubrique **Contexte** accompagne chaque extrait et fait le point sur un aspect politique, social, scientifique, esthétique...
- Des fiches **Synthèses** en fin de séquence font le point sur un aspect de chaque genre littéraire.

▶ **L'iconographie**

L'iconographie est riche et aborde tous les genres (peinture, sculpture, bande dessinée, affiche, film...). Un chapitre de la partie **Méthodes** (IV) est consacré à la lecture d'image (fixe et mobile). Ainsi, les savoirs de ces fiches peuvent être réinvestis dans les nombreuses **Lectures d'images** proposées dans les séquences. En outre, la plupart des iconographies accompagnant les extraits font très souvent l'objet d'un questionnement.

▶ **L'étude de la Langue**

Conformément aux nouveaux programmes, nous proposons des activités de langue. Les élèves prennent ainsi conscience du lien fondamental entre maîtrise de la langue et du lexique, compréhension et expression.
- La partie Langue (II) se construit dans le prolongement des acquis du collège : maîtrise de la syntaxe, de la conjugaison, des catégories grammaticales.
- La maîtrise de la langue et l'enrichissement du lexique sont également en permanence présents parallèlement à l'étude des textes et documents :
  – Des fiches de vocabulaire à la fin de chaque séquence de la partie Lectures proposent des exercices variés autour d'un thème en lien avec la séquence : l'enrichissement du lexique est ainsi progressif et continu.
  – Des points de vocabulaire ou de grammaire accompagnent le questionnaire de chaque texte.

▶ **Les épreuves de l'EAF**

Les exercices des EAF exigent une initiation dès la classe de 2ᵉ.
- La partie **Méthodes** (IV) propose des chapitres consacrés à cette initiation, organisés autour du paragraphe argumentatif et des trois types de sujet, ainsi que du corpus et de la question de synthèse.
- Dans la partie Lectures (I), les extraits sont systématiquement accompagnés d'une question de synthèse développant les capacités de restitution des élèves et d'une rubrique « **Vers le bac** » proposant des exercices divers afin de favoriser la maîtrise progressive des exercices de l'EAF.
- À la fin de chaque chapitre, les pages « **Corpus – vers le bac** » proposent un travail sur un corpus de textes, avec une méthode guidée pour analyser le corpus et répondre à la question de synthèse, ainsi que trois sujets bac.

▶ **Les nouveaux médias**

Conformément aux nouveaux programmes et au rôle de l'outil informatique dans notre société, de nombreuses activités encouragent l'usage d'internet, la visite de sites est suggérée afin de prolonger les études, de développer et de nourrir la curiosité intellectuelle de l'élève.

▶ **La place de l'élève**

Si ce manuel est bien évidemment destiné à être utilisé en classe, il espère aussi devenir un compagnon pour l'élève, compagnon susceptible de lui apporter appétit et plaisir, ouverture d'esprit et autonomie.
- Les séquences sont problématisées afin qu'un extrait, une image... soient immédiatement placés dans un questionnement favorisant sa compréhension et ses hypothèses d'interprétation.
- Les questionnaires sont progressifs et organisés autour de quelques axes.
- Des **Pistes de lectures** sont proposées à la fin de chaque chapitre, ainsi que des **Lectures croisées** qui peuvent être envisagées en lectures cursives pour un travail autonome ou en groupes.
- La partie Méthodes (IV) est construite dans un strict et progressif vis-à-vis entre des fiches Méthodes expliquées pas à pas et leur Application, à partir d'un exemple.

SOMMAIRE

PARTIE I ❧ Lecture

CHAPITRE 1 Du réalisme au naturalisme

œuvre intégrale

histoire des arts

CHAPITRE **2** Le théâtre classique

œuvre intégrale

CHAPITRE 3 Du romantisme au surréalisme

CHAPITRE 4 Diversité du langage argumentatif

PARTIE II ❧ Langue

Chaque fiche est suivie d'exercices d'application.

PARTIE III ❧ Outils d'analyse

Chaque fiche est suivie d'exercices d'application.

PARTIE IV ❧ Méthodes vers le Bac

Chaque fiche est suivie d'exercices d'application.

ANNEXES

PARTIE I

Lectures

▶▶ Vincent Van Gogh, *La Lectrice de roman* (détail),
huile sur toile (73 x 92 cm), 1888, Japon.

CHAPITRE 1

Du réalisme au naturalisme

Le XIXe siècle connaît de grands bouleversements politiques, scientifiques et techniques. Une nouvelle aspiration apparaît chez les écrivains et artistes : rendre compte de l'évolution de la société, être témoin de leur temps.

▶▶ Gustave Caillebotte, *Les Raboteurs de parquet* (détail), huile sur toile (102 x 146,5 cm), 1875, musée d'Orsay, Paris.

POLITIQUE	1830	1840	1850	1860	1870	1880	1890	1900

Monarchie de Juillet — *IIᵉ Rép* — *Second Empire* — *IIIᵉ République*

1830, révolution de juillet • 1848, révolution de février, • suffrage universel (masculin) • 1851, coup d'État de • Napoléon Bonaparte • 1864, droit de grève • 1871, Commune de Paris • 1894, affaire Dreyfus

SOCIÉTÉ

Opération Haussmann «Paris embellie»

1839, 1ᵉʳ daguerréotype • 1852, 1ᵉʳ grand magasin : Le Bon Marché • 1885, 1ᵉʳ vaccin antirabique de Pasteur • 1900, Exposition universelle

1859, *De l'origine des espèces*, Darwin — 1865, *Introduction à l'étude de la médecine expérimentale*, Claude Bernard

La classe ouvrière

La révolution industrielle s'accompagne de l'éclosion du paupérisme, pauvreté durable et massive des ouvriers (journée de travail de 14 heures, salaires misérables, sous-alimentation, habitats insalubres, maladies, accidents, alcoolisme...). Les révoltes se multiplient et les ouvriers adhèrent aux idées socialistes qui voient le jour. Les lois sociales sont rares et peu respectées (1841 : interdiction de faire travailler des enfants de moins de 8 ans et, de nuit, ceux de moins de 13 ans ; 1864 : reconnaissance du droit de grève ; 1875 : interdiction de faire travailler au fond des mines des enfants de moins de 12 ans ; 1884 : autorisation de former des syndicats).

Question Tout au long du XIXᵉ siècle, un livret accompagne l'ouvrier. De quoi s'agit-il ? Quel est son rôle ?

Exposés
• Qu'est-ce que le paternalisme ?
• Socialisme utopique/socialisme scientifique
• Les Canuts

Jules Adler, *La Grève au Creusot*, huile sur toile (231 x 302 cm), 1899, Écomusée du Creusot.

Instabilité politique et mutations sociales

La vie politique

• Le siècle s'ouvre avec **l'Empire de Napoléon Iᵉʳ** (1804-1815) ; la défaite de Waterloo permet le retour à la monarchie rétablie sous **la Restauration** (Louis XVIII règne de 1815 à 1824 ; Charles X jusqu'en 1830).
• **La révolution de 1830** entraîne la chute de Charles X qui avait réduit la liberté d'expression et le droit de vote.
Un autre roi lui succède jusqu'en 1848 : Louis-Philippe, roi-citoyen sous **la monarchie de Juillet**. Cette monarchie est, comme la précédente, constitutionnelle, mais sans cesse ébranlée par les revendications de la bourgeoisie (classe qui monte en puissance grâce au développement des banques, des entreprises, l'entrée de la France dans le capitalisme), les révoltes des ouvriers et les agitations républicaines.
• **La révolution de 1848** marque la chute de Louis-Philippe et la fin de la monarchie.
• **La IIᵉ République** (1848-1851) fait abolir l'esclavage, la censure et la peine de mort. Mais ces acquis sont aussi éphémères que cette république qui s'achève avec le coup d'État de Napoléon III en décembre 1851.
• **Le Second Empire** (1852-1870) connaît un retour à l'ordre, à la censure (qui attaque Flaubert et son roman *Madame Bovary*, jugé contraire à la morale), à la répression. Cette période est marquée par la révolution industrielle, le profit et l'augmentation massive du nombre d'ouvriers.

Une société de classes

Avec la chute de l'Ancien Régime, la société française a profondément changé. Malgré la création d'une noblesse d'Empire sous le règne de Napoléon Iᵉʳ et la Restauration de la monarchie, c'est une société de classes qui s'installe avec l'émergence ou le renforcement de nouvelles catégories sociales : la **bourgeoisie**, qui détient le capital, et la **classe ouvrière**.

1. Ouverture du boulevard Henri-IV, perspective tracée par Haussmann entre la colonne de la Bastille et le dôme du Panthéon, 1877.

2. Vue actuelle du boulevard Henri-IV.

1. Sur le site du *Figaro*, recherchez l'article «Paris avant et après Haussmann» et consultez les photographies.
2. Expliquez le rôle d'Haussmann dans la transformation de Paris.

La révolution industrielle

• «Ce qui caractérise notre temps, c'est cette fougue, cette activité dévorante», écrit Zola. La société, essentiellement agraire, s'industrialise. Ce processus transforme considérablement la société, l'économie, l'environnement, etc.
• «Le fer tuera la pierre et les temps sont proches», affirme Zola:
– le perfectionnement de la métallurgie permet le développement du chemin de fer, la construction de ponts métalliques;
– le développement de grands travaux dont ceux du **baron Haussmann** transforment profondément Paris;
– de nombreuses découvertes ou perfectionnements technologiques (usage massif de la machine à vapeur, électricité, etc.) voient le jour.
• Le progrès devient une valeur essentielle.

Les découvertes scientifiques: une nouvelle approche de l'homme

• Au XVIIIe siècle commence un vaste travail d'identification et de classification des espèces mené notamment par Carl von Linné (1707-1778), Buffon (1707-1788) et Lamarck (1744-1829). Les sciences se développent et la confiance en elles grandit.
• Au XIXe siècle, un esprit positiviste s'installe, qui veut appliquer à l'homme et aux sociétés les méthodes de la physique: observations et mathématisation des observations afin d'expliquer les tempéraments, le destin des individus et des sociétés.
• Dans *L'Origine des espèces* (1859), **Darwin** montre que les espèces évoluent et que l'homme est le terme d'une longue transformation des êtres vivants.
• Dans *Introduction à l'étude de la médecine expérimentale* (1865), **Claude Bernard** affirme que la biologie doit reposer sur l'observation des espèces.
• Les sciences se penchent sur l'homme pour expliquer d'où vient le caractère (les «tares» comme l'alcoolisme, les maladies mentales, la criminalité...), explorent l'hérédité: une nouvelle approche de l'homme se dessine dans les domaines psychiatrique, neurologique (les écrivains suivent les cours de Charcot qui étudie l'hystérie) ou génétique.

L'évolutionnisme de Darwin

L'évolutionnisme de Darwin provoque une vive et longue controverse: en affirmant que l'être humain n'est qu'un animal évolué, Darwin fait voler en éclats la différence de nature entre l'animal et l'homme et l'incontestable supériorité de ce dernier à laquelle il substitue une simple différence de degré. Darwin révolutionne le statut et la place de l'homme dans la nature.

Honoré Daumier, *Nadar élevant la photographie à la hauteur de l'Art*, lithographie, 1862.

La photographie

Les premières images photographiques apparaissent au XIXe siècle, avec l'invention du daguérreotype (1839). Beaucoup de peintres s'inspirent de cette technique : Courbet utilise des clichés comme croquis préparatoires. Le photographe Nadar réalise des portraits de personnalités (Manet, Zola, etc.) et la première vue aérienne de Paris (1858).
▶ Dossier histoire des arts, p. 77

🖥 1. Sur le site du musée d'Orsay, consultez le « Catalogue des œuvres ». Cherchez le tableau de Courbet *Un enterrement à Ornans*.
2. Pourquoi cette œuvre a-t-elle pu choquer ?

Une révolution visuelle

• Au XIXe siècle, des peintres rompent avec les méthodes et les sujets imposés par les professeurs de l'Académie de peinture : la plupart d'entre eux voient leurs œuvres refusées au « Salon », lieu d'exposition de l'époque, par le jury de l'Académie. En réaction émerge un « Salon des refusés », marquant la naissance d'une modernité en peinture, en opposition au goût officiel.

• Les peintres de l'école de Barbizon, **Corot** (*Souvenir de Mortefontaine*, 1864) et **Millet** (*Les Glaneuses*, 1857 ▶ Dossier histoire des arts, p. 49 ; *L'Angélus*, 1859), ainsi que les peintres du réalisme et de l'impressionnisme renouvellent la peinture et scandalisent car ils préfèrent peindre la réalité de leur époque plutôt que de représenter des sujets mythologiques ou historiques.

Le réalisme pictural et ses maîtres : Courbet et Manet

• **Courbet** (1819-1877) est le premier à revendiquer le terme « réaliste » : pour lui, la peinture est « un art vivant, essentiellement concret, représentant des choses réelles et existantes », comme le dur monde du travail (*Les Casseurs de pierres*, 1849). Il détourne le grand format réservé à la peinture d'histoire pour décrire un événement ordinaire ou sa propre histoire (▶ Dossier histoire des arts, p. 30). Courbet est alors surnommé le « peintre du laid ».

Gustave Courbet, *Les Casseurs de pierres*, huile sur toile (156 x 259 cm), 1849, détruite en 1945.

• Proposé au Salon de 1863, *Le Déjeuner sur l'herbe* de **Manet** (1832-1883) (▶ Dossier histoire des arts, p. 49) fait scandale et rejoint le nouveau Salon des refusés où les bourgeois vont s'esclaffer. Cette femme nue, entre des hommes habillés, est vue comme une prostituée. La technique employée choque aussi : Manet laisse beaucoup de zones dans un flou voulu. Comme pour l'*Olympia* plus tard (1865) (▶ Lecture d'image, p. 40) qualifiée de « gorille femelle », ce qui choque alors, ce n'est pas le nu mais son traitement, hors de tout contexte mythologique idéalisant.

Gustave Caillebotte, *Le Pont de l'Europe*, huile sur toile (124 x 180 cm), 1876, musée du Petit Palais, Genève.

• **Caillebotte** (1848-1894) est proche d'eux dans le choix de ses sujets tirés du monde contemporain (*Le Pont de l'Europe* ou *Les Raboteurs de parquet*, 1875 ▶ p. 16) ; si sa technique (netteté du dessin) est académique, ses points de vue font penser à la photographie (▶ Dossier histoire des arts, p. 79).

• **Degas** (1834-1917) a, quant à lui, un univers très personnel ; il s'intéresse surtout aux champs de courses ou aux danseuses de ballets. Il peint aussi des femmes nues ou dénudées, à la toilette, tout comme **Toulouse-Lautrec** (1864-1901) qui, lui, est fasciné par le monde des cafés, des exclus et des prostituées.

Autour des impressionnistes

• Les impressionnistes peignent également des sujets modernes, mais leur technique est originale : ils mettent en valeur les effets de lumière et de couleur au détriment de l'exactitude du dessin, chère à l'Académie. Le terme « impressionnisme » vient du célèbre tableau *Impression, soleil levant* peint par **Monet** (1840-1926), qui est d'ailleurs le peintre principal de ce mouvement. Cherchant à saisir l'instant et les variations de lumière et de couleur, il se consacre à des séries : *La Gare Saint-Lazare* (▶ Lecture d'image, p. 101) et *La Cathédrale de Rouen* (▶ Dossier histoire des arts, p. 78) sont ainsi représentées à différents moments de la journée et de l'année. À partir de 1883, il s'installe à Giverny où il s'inspire de son jardin pour peindre ses *Nymphéas*.

• **Pissarro** (1830-1903) et **Sisley** (1839-1899) sont deux autres peintres inspirés par les paysages. **Renoir** (1841-1919) aime les sujets voluptueux ; la sensualité des corps habillés ou dénudés est mise en valeur par les palpitations de la lumière qui peut se faire tournoyante, tout comme dans le *Moulin de la Galette* (1876) ou *Le Déjeuner des canotiers* (1881).

ZOLA, critique d'art

Zola est d'abord critique à l'égard des tableaux de Caillebotte : « C'est une peinture tout à fait anti-artistique, une peinture claire comme le verre, bourgeoise, à force d'exactitude. La photographie de la réalité, lorsqu'elle n'est pas rehaussée par l'empreinte originale du talent artistique, est une chose pitoyable » (*Lettres*, 1876).

Claude Monet, *Les Nymphéas,* huile sur toile (diam. 90 cm), 1908, musée municipal A.-G. Poulain, Vernon.

Exposés
• Les peintres de Barbizon
• Daumier et la caricature

Honoré Daumier, *Le Père Goriot*, gravure, 1855.

BALZAC
et *La Comédie humaine*

Une fresque

La Comédie humaine coiffe l'ensemble de la production romanesque de Balzac, soit une centaine de titres. L'œuvre n'est donc pas constituée de romans isolés : ils sont réunis dans une fresque qui couvre un demi-siècle (1799-1850), explore tous les milieux et de nombreuses régions de France.

Les personnages

Balzac donne vie à 2000 personnages fictifs, et à partir du *Père Goriot*, en 1835, il pose les fondations de son œuvre, unique et originale car les personnages circulent d'un roman à l'autre. Ainsi, Rastignac, pauvre mais ambitieux, apparaît dans *Le Père Goriot*, mais aussi dans *Les Illusions perdues, La Peau de chagrin*, etc. Vautrin, ancien forçat, que l'on découvre dans *Le Père Goriot*, revient dans *Splendeurs et misères des courtisanes*.

Le mouvement réaliste : décrire la réalité telle qu'elle est

Les origines du réalisme

- La question de la ressemblance se pose dès l'Antiquité. Les philosophes grecs Platon et Aristote utilisent le terme *mimesis* (imitation) pour désigner la représentation de la réalité par la littérature ou la peinture qui copient la nature.
- Ce n'est qu'au XIXe siècle que le terme « réalisme » est utilisé pour définir un mouvement littéraire.
- Le 10 juillet 1856 paraît pour la première fois la revue *Réalisme*. Un groupe d'auteurs (**Champfleury, Duranty, les Goncourt**, etc.) baptise la tendance qui domine le roman depuis 1830 et qui consiste à rendre compte de la réalité telle qu'elle existe, à être « une reproduction exacte, complète, sincère du milieu social de l'époque où l'on vit [...] aussi simple que possible pour être comprise de tout le monde ».

ÉMILE ZOLA

Zola saluant le buste de Balzac, dessin de **Gill**, 1878, maison Émile Zola, Médan.

Les caractéristiques de la littérature réaliste

- La littérature réaliste veut décrire son époque dans tous ses aspects (**Stendhal** utilise le sous-titre *Chronique de 1830* pour son roman *Le Rouge et le Noir*) et présente les transformations économiques et sociales (*Bel Ami* de **Maupassant** met en scène l'ascension sociale d'un arriviste). Les réalistes explorent :
  - la vie quotidienne et ses rites (noces, enterrement), la banalité du quotidien (**Flaubert** peint l'ennui d'une petite bourgeoise dans *Madame Bovary*), les hommes et les femmes au travail ;
  - le langage du peuple, la misère populaire ;
  - les différents milieux, les vices et les mesquineries humaines (**Balzac** explore la petite bourgeoisie de province, comme le monde des malfrats dont Vautrin est l'emblème).
- Le mouvement n'a pas d'influence en poésie et préfère le genre narratif, qui permet l'illusion de réel que les réalistes accentuent par : un cadre contemporain (évocation de lieux, personnalités ou évènements réels), un milieu social préalablement étudié par l'écrivain, la multiplication de descriptions.
- La littérature réaliste intègre l'histoire des personnages dans le cours général de l'Histoire.

A. Lernot, *Flaubert faisant l'autopsie de Madame Bovary*, caricature parue dans *La Parodie*, 1869.

> **LES MANIFESTES RÉALISTES**
> - Revue *Le Réalisme*, Duranty, 1856.
> - Préface au *Réalisme*, Champfleury, 1857.

Le mouvement naturaliste : l'ambition scientifique du roman

• En 1868, **Zola**, dans la préface à la deuxième édition de *Thérèse Raquin*, emploie le mot « naturalisme » pour la première fois. Un nouveau mouvement, héritier direct du réalisme, naît. De 1878 à 1885, autour de **Zola**, à Médan, **Huysmans, Maupassant, Daudet, Vallès**, etc. se retrouvent pour discuter des sujets à traiter, des récentes découvertes de la science et des conséquences sur le roman :
– Le romancier doit se faire observateur, le plus objectif possible.
– La littérature est une science qui doit vérifier des principes : le roman devient le laboratoire où expérimenter comment un individu subit les influences de son milieu et de son hérédité (**Zola** crée la famille des Rougon-Macquart).
– La vie du peuple reste le sujet de prédilection des auteurs : **Zola** décrit le travail à la mine, les bas-fonds parisiens (*Germinal* ou *L'Assommoir*), **les frères Goncourt** racontent l'histoire d'une domestique dans *Germinie Lacerteux*.
• Si la forme narrative reste privilégiée, quelques tentatives théâtrales méritent d'être notées (**Zola** adapte au théâtre son roman *Thérèse Raquin*). Contre le drame romantique jugé trop invraisemblable, le théâtre naturaliste veut représenter des « tranches de vie », dans le décor le plus réaliste possible. Mais le public se lassera vite de ce théâtre naturaliste, c'est pourquoi il reste méconnu.

LES MANIFESTES NATURALISTES
• *Les Soirées de Médan*, 1880.
• *Le Roman expérimental*, Zola, 1880.
• Préface à *Pierre et Jean*, Maupassant, 1888.

1. Sur le site de la BnF, consultez l'exposition consacrée à Zola.
2. Cherchez des exemples de notes, d'ébauches et de plans.

Zola et *Les Rougon-Macquart*

L'influence du milieu
Les 20 romans ont pour cadre historique le Second Empire (1852-1870). Le monde ouvrier apparaît dans *Germinal* (1885), la bourgeoisie dans *La Curée* (1872), etc.

L'hérédité
L'histoire concerne une famille sur plusieurs générations. L'ancêtre est Adélaïde Fouque (qui sombre dans la folie), de laquelle sont issues deux branches : celle de son union avec Rougon (paysan) et celle de sa relation, à la mort de son mari, avec Macquart (malfrat alcoolique).

Les « Carnets d'enquêtes »
Zola prend des notes et esquisse des croquis, visite les mines du Nord pour *Germinal* ou la Bourse pour *L'Argent*.

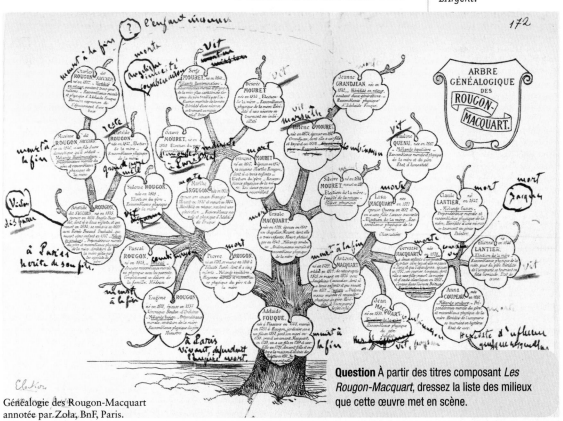

Généalogie des Rougon-Macquart annotée par Zola, BnF, Paris.

Question À partir des titres composant *Les Rougon-Macquart*, dressez la liste des milieux que cette œuvre met en scène.

Une nouvelle réaliste

Texte intégral

▶ **Qu'est-ce qu'une nouvelle ?**

Guy de Maupassant, *Aux champs* (1882)

▶ Biographie p. 538

À Octave Mirbeau[1]

1   Les deux chaumières étaient côte à côte, au pied d'une colline, proches d'une petite ville de bains. Les deux paysans besognaient dur sur la terre inféconde pour élever tous leurs petits. Chaque ménage en avait quatre. Devant les deux portes voisines, toute la marmaille grouillait du matin au soir. Les deux aînés avaient six
5 ans et les deux cadets quinze mois environ ; les mariages et, ensuite les naissances, s'étaient produits à peu près simultanément dans l'une et l'autre maison.

    Les deux mères distinguaient à peine leurs produits dans le tas ; et les deux pères confondaient tout à fait. Les huit noms dansaient dans leur tête, se mêlaient sans cesse ; et, quand il fallait en appeler un, les hommes souvent en criaient trois avant
10 d'arriver au véritable.

    La première des deux demeures, en venant de la station d'eaux de Rolleport, était occupée par les Tuvache, qui avaient trois filles et un garçon ; l'autre masure abritait les Vallin, qui avaient une fille et trois garçons.

    Tout cela vivait péniblement de soupe, de pomme de terre et de grand air. À sept
15 heures, le matin, puis à midi, puis à six heures, le soir, les ménagères réunissaient leurs mioches pour donner la pâtée, comme des gardeurs d'oies assemblent leurs bêtes. Les enfants étaient assis, par rang d'âge, devant la table en bois, vernie par cinquante ans d'usage. Le dernier moutard avait à peine la bouche au niveau de la planche. On posait devant eux l'assiette creuse pleine de pain molli dans l'eau où
20 avaient cuit les pommes de terre, un demi-chou et trois oignons ; et toute la lignée mangeait jusqu'à plus faim. La mère empâtait elle-même le petit. Un peu de viande au pot-au-feu, le dimanche, était une fête pour tous, et le père, ce jour-là, s'attardait au repas en répétant : « Je m'y ferais bien tous les jours. »

    Par un après-midi du mois d'août, une légère voiture s'arrêta brusquement
25 devant les deux chaumières, et une jeune femme, qui conduisait elle-même, dit au monsieur assis à côté d'elle :

    – Oh ! regarde, Henri, ce tas d'enfants ! Sont-ils jolis, comme ça, à grouiller dans la poussière.

    L'homme ne répondit rien, accoutumé à ces admirations qui étaient une douleur
30 et presque un reproche pour lui.

    La jeune femme reprit :

    – Il faut que je les embrasse ! Oh ! comme je voudrais en avoir un, celui-là, le tout petit.

    Et, sautant de la voiture, elle courut aux enfants, prit un des deux derniers, celui des Tuvache, et, l'enlevant dans ses bras, elle le baisa passionnément sur ses joues
35 sales, sur ses cheveux blonds frisés et pommadés de terre, sur ses menottes qu'il agitait pour se débarrasser des caresses ennuyeuses.

---

1. journaliste et écrivain français (1848-1917), auteur, notamment du *Journal d'une femme de chambre*.

▶▶ **Jean-François Millet**, *L'Angélus* (détail), huile sur toile (55 x 66 cm), 1857, musée d'Orsay, Paris.

Puis elle remonta dans sa voiture et partit au grand trot. Mais elle revint la semaine suivante, s'assit elle-même par terre, prit le moutard dans ses bras, le bourra de gâteaux, donna des bonbons à tous les autres ; et joua avec eux comme une gamine, tandis que son mari attendait patiemment dans sa frêle voiture.

Elle revint encore, fit connaissance avec les parents, reparut tous les jours, les poches pleines de friandises et de sous.

Elle s'appelait Mme Henri d'Hubières.

Un matin, en arrivant, son mari descendit avec elle ; et, sans s'arrêter aux mioches, qui la connaissaient bien maintenant, elle pénétra dans la demeure des paysans.

Ils étaient là, en train de fendre du bois pour la soupe ; ils se redressèrent tout surpris, donnèrent des chaises et attendirent. Alors la jeune femme, d'une voix entrecoupée, tremblante commença :

– Mes braves gens, je viens vous trouver parce que je voudrais bien... je voudrais bien emmener avec moi votre... votre petit garçon...

Les campagnards, stupéfaits et sans idée, ne répondirent pas.

Elle reprit haleine et continua.

– Nous n'avons pas d'enfants ; nous sommes seuls, mon mari et moi... Nous le garderions... voulez-vous ?

La paysanne commençait à comprendre. Elle demanda :

– Vous voulez nous prend'e Charlot ? Ah ben non, pour sûr.

Alors M. d'Hubières intervint :

– Ma femme s'est mal expliquée. Nous voulons l'adopter, mais il reviendra vous voir. S'il tourne bien, comme tout porte à le croire, il sera notre héritier. Si nous avions, par hasard, des enfants, il partagerait également avec eux. Mais s'il ne répondait pas à nos soins, nous lui donnerions, à sa majorité, une somme de vingt mille francs, qui sera immédiatement déposée en son nom chez un notaire. Et, comme on a aussi pensé à vous, on vous servira jusqu'à votre mort, une rente de cent francs par mois. Avez-vous bien compris ?

La fermière s'était levée, toute furieuse.

– Vous voulez que j'vous vendions Charlot ? Ah ! mais non ; c'est pas des choses qu'on d'mande à une mère çà ! Ah ! mais non ! Ce serait abomination.

L'homme ne disait rien, grave et réfléchi ; mais il approuvait sa femme d'un mouvement continu de la tête.

Mme d'Hubières, éperdue, se mit à pleurer, et, se tournant vers son mari, avec une voix pleine de sanglots, une voix d'enfant dont tous les désirs ordinaires sont satisfaits, elle balbutia :

– Ils ne veulent pas, Henri, ils ne veulent pas !

Alors ils firent une dernière tentative.

– Mais, mes amis, songez à l'avenir de votre enfant, à son bonheur, à...

La paysanne, exaspérée, lui coupa la parole :

– C'est tout vu, c'est tout entendu, c'est tout réfléchi... Allez-vous-en, et pi, que j'vous revoie point par ici.

C'est-i permis d'vouloir prendre un éfant comme ça !

Alors Mme d'Hubières, en sortant, s'avisa qu'ils étaient deux tout-petits, et elle demanda à travers ses larmes, avec une ténacité de femme volontaire et gâtée, qui ne veut jamais attendre :

– Mais l'autre petit n'est pas à vous ?

Le père Tuvache répondit :

– Non, c'est aux voisins ; vous pouvez y aller si vous voulez.

Camille Corot, *Cour d'une maison de paysans aux environs de Paris*, huile sur toile (46 x 56 cm), vers 1865, musée d'Orsay, Paris.

Et il rentra dans sa maison, où retentissait la voix indignée de sa femme.

Les Vallin étaient à table, en train de manger avec lenteur des tranches de pain qu'ils frottaient parcimonieusement[2] avec un peu de beurre piqué au couteau, dans une assiette entre eux deux.

M. d'Hubières recommença ses propositions, mais avec plus d'insinuations, de précautions oratoires, d'astuce.

Les deux ruraux hochaient la tête en signe de refus ; mais quand ils apprirent qu'ils auraient cent francs par mois, ils se considérèrent, se consultant de l'œil, très ébranlés.

100 Ils gardèrent longtemps le silence, torturés, hésitants. La femme enfin demanda :

– Qué qu't'en dis, l'homme ?

Il prononça d'un ton sentencieux :

– J'dis qu'c'est point méprisable.

Alors Mᵐᵉ d'Hubières, qui tremblait d'angoisse, leur parla de l'avenir du petit, de son bonheur, et de tout l'argent qu'il pourrait leur donner plus tard.

105

Le paysan demanda :

– C'te rente de douze cents francs, ce s'ra promis d'vant l'notaire ?

M. d'Hubières répondit :

– Mais certainement, dès demain.

110 La fermière, qui méditait, reprit :

– Cent francs par mois, c'est point suffisant pour nous priver du p'tit ; ça travaillera dans quéqu'z'ans c' t'éfant ; i nous faut cent vingt francs.

Mᵐᵉ d'Hubières trépignant d'impatience, les accorda tout de suite ; et, comme elle voulait enlever l'enfant, elle donna cent francs en cadeau pendant que son mari faisait un écrit. Le maire et un voisin, appelés aussitôt, servirent de témoins complaisants[3].

115

Et la jeune femme, radieuse, emporta le marmot hurlant, comme on emporte un bibelot désiré d'un magasin.

Les Tuvache sur leur porte, le regardaient partir muets, sévères, regrettant peut-être leur refus.

120

On n'entendit plus du tout parler du petit Jean Vallin. Les parents, chaque mois, allaient toucher leurs cent vingt francs chez le notaire ; et ils étaient fâchés avec leurs voisins parce que la mère Tuvache les agonisait d'ignominies[4], répétant sans cesse de porte en porte qu'il fallait être dénaturé pour vendre son enfant, que c'était une horreur, une saleté, une corromperie[5].

125 Et parfois elle prenait en ses bras son Charlot avec ostentation[6], lui criant, comme s'il eût compris :

– J't'ai pas vendu, mé, j't'ai pas vendu, mon p'tiot. J'vends pas m's éfants, mé. J'sieus pas riche, mais vends pas m's éfants.

Et, pendant des années et encore des années, ce fut ainsi chaque jour des allusions

130 grossières qui étaient vociférées devant la porte, de façon à entrer dans la maison voisine. La mère Tuvache avait fini par se croire supérieure à toute la contrée parce qu'elle n'avait pas vendu Charlot. Et ceux qui parlaient d'elle disaient :

– J'sais ben que c'était engageant, c'est égal, elle s'a conduite comme une bonne mère.

135 On la citait ; et Charlot, qui prenait dix-huit ans, élevé dans cette idée qu'on lui répétait sans répit, se jugeait lui-même supérieur à ses camarades, parce qu'on ne l'avait pas vendu.

2. en petite quantité.
3. arrangeants.
4. couvrir de honte.
5. déformation de « corruption ».
6. de manière théâtrale.

Les Vallin vivotaient à leur aise, grâce à la pension. La fureur inapaisable des Tuvache, restés misérables, venait de là.

140 Leur fils aîné partit au service. Le second mourut ; Charlot resta seul à peiner avec le vieux père pour nourrir la mère et deux autres sœurs cadettes qu'il avait.

Il prenait vingt et un ans, quand, un matin, une brillante voiture s'arrêta devant les deux chaumières. Un jeune monsieur, avec une chaîne de montre en or, descendit, donnant la main à une vieille dame en cheveux blancs. La vieille dame lui

145 dit :

– C'est là, mon enfant, à la seconde maison.

Et il entra comme chez lui dans la masure des Vallin.

La vieille mère lavait ses tabliers ; le père, infirme, sommeillait près de l'âtre. Tous deux levèrent la tête, et le jeune homme dit :

150 – Bonjour, papa ; bonjour maman.

Ils se dressèrent, effarés. La paysanne laissa tomber d'émoi son savon dans son eau et balbutia :

– C'est-i té, m'n éfant ? C'est-i té, m'n éfant ?

Il la prit dans ses bras et l'embrassa, en répétant : « Bonjour, maman ». Tandis

155 que le vieux, tout tremblant, disait, de son ton calme qu'il ne perdait jamais : « Te v'là-t'i revenu, Jean ? ». Comme s'il l'avait vu un mois auparavant.

Et, quand ils se furent reconnus, les parents voulurent tout de suite sortir le fieu[7] dans le pays pour le montrer. On le conduisit chez le maire, chez l'adjoint, chez le curé, chez l'instituteur.

160 Charlot, debout sur le seuil de sa chaumière, le regardait passer.

Le soir, au souper il dit aux vieux :

– Faut-i qu'vous ayez été sots pour laisser prendre le p'tit aux Vallin !

Sa mère répondit obstinément :

– J'voulions point vendre not'éfant !

165 Le père ne disait rien.

Le fils reprit :

– C'est-i pas malheureux d'être sacrifié comme ça !

Alors le père Tuvache articula d'un ton coléreux :

170 – Vas-tu pas nous r'procher d't'avoir gardé ?

Et le jeune homme, brutalement :

– Oui, j'vous le r'proche, que vous n'êtes que des niants[8]. Des parents comme vous, ça fait l'malheur des éfants. Qu'vous mériteriez que j'vous quitte.

175 La bonne femme pleurait dans son assiette. Elle gémit tout en avalant des cuillerées de soupe dont elle répandait la moitié :

– Tuez-vous donc pour élever d's éfants !

Alors le gars, rudement :

180 – J'aimerais mieux n'être point né que d'être c'que j'suis. Quand j'ai vu l'autre, tantôt, mon sang n'a fait qu'un tour. Je m'suis dit : « V'là c'que j'serais maintenant ! ».

Il se leva.

185 – Tenez, j'sens bien que je ferai mieux de n'pas rester ici, parce que j'vous le reprocherais du matin au soir, et que j'vous ferais une vie d'misère. Ça, voyez-vous, j'vous l'pardonnerai jamais !

7. déformation du mot « fils ».

8. déformation de « niais ».

Silvestro Lega, *La Visite à la nourrice* (détail), 1873, huile sur toile (56 x 93 cm), palais Pitti, Florence.

Chapitre 1 • Du réalisme au naturalisme   27

Les deux vieux se taisaient, atterrés, larmoyants.

190 Il reprit :

– Non, c't'idée-là, ce serait trop dur. J'aime mieux m'en aller chercher ma vie aut'part !

Il ouvrit la porte. Un bruit de voix entra. Les Vallin festoyaient avec l'enfant revenu.

195 Alors Charlot tapa du pied et, se tournant vers ses parents, cria :

– Manants[9], va !

Et il disparut dans la nuit.

9. grossiers, sans éducation.

Questions

▶ Cadre et structure d'un récit, p. 429

▶ Histoire et récit, p. 432

Prolongements

• Comparez la nouvelle de Maupassant et l'adaptation cinématographique (*Aux champs*, 1986, d'Hervé Baslé).

• Comparez la portée de cette nouvelle et celle du film d'Étienne Chatiliez, *La vie est un long fleuve tranquille* (1987).

• Comparez la vision de la différence sociale de «Aux champs» et celle du poème de Baudelaire «Le Joujou du pauvre», ▶ p. 261

La composition de la nouvelle

1. Quel est le schéma narratif ?

2. Étudiez les rythmes du récit : comparez temps du récit et temps de l'histoire ; repérez les étapes (scènes, sommaires, ellipses).

3. Quel type de discours domine ? Quelle focalisation ? À votre avis, pourquoi ?

Les personnages

4. Quels aspects de la vie des paysans les paragraphes d'ouverture mettent-ils en valeur ?

5. Que remarquez-vous dans la représentation des deux familles dans cette même ouverture ?

6. Quel registre Maupassant emploie-t-il dans cette ouverture ? Quel regard le narrateur porte-t-il sur les paysans ?

7. Relevez tous les marqueurs sociaux qui distinguent les paysans des aristocrates.

8. Quels traits de caractère peut-on attribuer à Mme d'Hubières à partir de ses paroles et de son comportement ? et à son époux ?

9. Comparez les deux couples de paysans : quelles valeurs chaque couple défend-il ? Quels traits de caractères dominants se dessinent ? Quel est le rôle de l'homme et de la femme dans chaque couple ?

Les enjeux de la nouvelle

10. Pourquoi le dénouement et particulièrement la dernière phrase sont-ils cruels ?

11. Pour qui le lecteur prend-il parti ? Sa position change-t-elle en cours de lecture ? Comment ?

12. Quelle vision de la société cette nouvelle propose-t-elle ?

QU'EST-CE QU'UNE NOUVELLE ?

Le XIXe siècle : âge d'or de la nouvelle

• La nouvelle connaît son essor au XIXe siècle ; Maupassant (qui en écrivit environ 300), Balzac, Flaubert, etc. rédigent, parallèlement à leur œuvre romanesque, de nombreuses nouvelles.

• Cette forme adaptée à la publication dans les journaux (la presse en pleine expansion favorise la diffusion des nouvelles) convient à l'époque : «Nous sommes de plus en plus pressés ; notre esprit veut des plaisirs rapides ou de l'émotion en brèves secousses : il nous faut du roman abrégé […]» (Jules Lemaître, critique littéraire).

• La nouvelle explore principalement deux voies : le réalisme et le fantastique.

Caractéristiques de la nouvelle

• L'action est resserrée sur un événement, une courte période, même si la nouvelle envisage souvent les répercussions de cet événement sur toute la vie des personnages.

• Les personnages sont peu nombreux.

• La fin est souvent inattendue : c'est la chute de la nouvelle.

• Cette chute appelle donc une relecture et une réinterprétation de la nouvelle.

Le refus de l'idéalisation

▶ **Quelles nouvelles réalités les romanciers font-ils entrer en littérature ? Comment remettent-ils en cause les représentations du monde qui les précèdent ?**

▶▶▶ Camille Corot, *Le Beffroi de Douai* (détail), huile sur toile (46 x 38 cm), 1871, musée du Louvre, Paris

Une œuvre « manifeste » : *L'Atelier du peintre* de Gustave Courbet

Le contexte

L'Atelier, peint en 1855, est en rupture avec l'académisme* qui le précède. Destiné à l'Exposition universelle qui le refuse, il est rejeté par les critiques*. Courbet fait ériger un Pavillon du Réalisme en face de l'Exposition universelle, où il présente sa toile.

L'œuvre

La toile, très grande, représente le peintre dans son atelier alors que les grands formats étaient traditionnellement réservés à des scènes historiques, religieuses ou mythologiques. Les personnages, grandeur nature, qui l'entourent, sont des gens du monde réel, que l'académisme* juge indignes de figurer sur une œuvre d'art.

La palette est sombre et austère. Contrairement aux œuvres de la période précédente, sa facture* n'est pas lisse, les touches de peinture sont visibles et le dessin manque de fini* (en particulier dans le décor).

La portée de l'œuvre

Courbet revendique son ambition : faire passer le monde réel avant les conventions artistiques. « C'est le monde qui vient se faire peindre chez moi », écrit Courbet.

Le vocabulaire de la peinture

Académisme : désigne le style traditionnel dispensé par l'Académie au XIXᵉ. Ces principes sont : la hiérarchie des genres et des formats, le choix de sujets nobles, la précision du dessin, la peinture en atelier plutôt qu'en plein air, l'imitation des Anciens et de la nature, etc. Le mot a pris une connotation péjorative face à l'art moderne.

Critique d'art : il rédige des comptes-rendus des Salons dans la presse, décrit les œuvres, juge, veut forger le goût du public. À la suite de Diderot (XVIIIᵉ s.), des écrivains s'intéressent aux beaux-arts et donnent leur avis (Zola, Baudelaire, Gautier, etc.).

Facture : écriture picturale, épaisseur de la pâte, répartition des empâtements.

Fini : qui est peint avec un soin recherché.

Synthèse En vous aidant des éléments ci-dessus, rédigez deux ou trois paragraphes dans lesquels vous récapitulerez les grandes caractéristiques du mouvement réaliste en peinture.

Le mannequin qui sert de modèle au peintre représente l'académisme.
Il est dans l'ombre.

Gustave Courbet, *L'Atelier du peintre*,
huile sur toile (361 x 598 cm),
1855, musée d'Orsay, Paris.

L'enfant en sabots
au premier plan
est un mendiant
ou un berger.

Courbet est au centre
de la toile, mêlé aux
autres mortels, ancré
dans la réalité.

Les personnages ont peu de consistance,
chacun semble absorbé dans sa rêverie. Il
n'y a pas d'action ou de communication
véritable.

La femme nue, en pleine lumière,
symbolise la Vérité.

▶ Biographie p. 536

Gustave Flaubert,
Madame Bovary (1857)

▶ Biographie p. 536

⊕ CONTEXTE

Le mariage, au
XIXe siècle, n'est pas
essentiellement fondé
sur l'amour; un «bon
mariage» doit
apporter prestige et
ressources financières,
accroître un
patrimoine en vue de
sa transmission. La
sexualité apparaît
souvent comme un
mal nécessaire à la
reproduction, les
époux font parfois
chambre à part et
pratiquent
l'abstinence pour
limiter les naissances.
L'épouse doit rester
vertueuse; l'époux, en
revanche, a souvent
des maîtresses qui lui
apportent plaisir et
prestige.

Charles, médecin, et Emma sont mariés et parents de la petite Berthe. Emma a, peu après la naissance de sa fille, commencé une relation adultère avec Rodolphe, avec lequel elle projette de s'enfuir. Ils rêvent séparément de leur avenir.

1   Quand il rentrait au milieu de la nuit, il n'osait pas la réveiller. La veilleuse de porcelaine arrondissait au plafond une clarté tremblante, et les rideaux fermés du petit berceau faisaient comme une hutte blanche qui se bombait dans l'ombre, au bord du lit. Charles les regardait. Il croyait entendre l'haleine légère de son enfant.
5 Elle allait grandir maintenant; chaque saison, vite, amènerait un progrès. Il la voyait déjà revenant de l'école à la tombée du jour, toute rieuse, avec sa brassière tachée d'encre, et portant au bras son panier; puis il faudrait la mettre en pension, cela coûterait beaucoup; comment faire? Alors il réfléchissait. Il pensait à louer une petite ferme aux environs, et qu'il surveillerait lui-même, tous les matins, en allant voir ses
10 malades. Il en économiserait le revenu, il le placerait à la caisse d'épargne; ensuite il achèterait des actions, quelque part, n'importe où; d'ailleurs la clientèle augmenterait; il y comptait, car il voulait que Berthe fût bien élevée, qu'elle eût des talents, qu'elle apprît le piano. Ah! qu'elle serait jolie, plus tard, à quinze ans, quand, ressemblant à sa mère, elle porterait, comme elle, dans l'été, de grands chapeaux de paille!
15 on les prendrait de loin pour les deux sœurs. Il se la figurait travaillant le soir auprès d'eux, sous la lumière de la lampe; elle lui broderait des pantoufles; elle s'occuperait du ménage; elle emplirait toute la maison de sa gentillesse et de sa gaieté. Enfin, ils songeraient à son établissement: on lui trouverait quelque brave garçon ayant un état solide; il la rendrait heureuse; cela durerait toujours.

20   Emma ne dormait pas, elle faisait semblant d'être endormie; et, tandis qu'il s'assoupissait à ses côtés, elle se réveillait en d'autres rêves.

    Au galop de quatre chevaux, elle était emportée depuis huit jours vers un pays nouveau, d'où ils ne reviendraient plus. Ils allaient, ils allaient, les bras enlacés, sans parler. Souvent, du haut d'une montagne, ils apercevaient tout à coup quelque
25 cité splendide avec des dômes, des ponts, des navires, des forêts de citronniers et des cathédrales de marbre blanc, dont les clochers aigus portaient des nids de cigognes. On marchait au pas, à cause des grandes dalles, et il y avait par terre des bouquets de fleurs que vous offraient des femmes habillées en corset rouge. On entendait sonner des cloches, hennir les mulets, avec le murmure des guitares et le
30 bruit des fontaines, dont la vapeur s'envolant rafraîchissait des tas de fruits, disposés en pyramides au pied des statues pâles, qui souriaient sous les jets d'eau. Et puis ils arrivaient, un soir, dans un village de pêcheurs, où des filets bruns séchaient au vent, le long de la falaise et des cabanes. C'est là qu'ils s'arrêtaient pour vivre; ils habiteraient une maison basse, à toit plat, ombragée d'un palmier, au fond d'un
35 golfe, au bord de la mer. Ils se promèneraient en gondole, ils se balanceraient en hamac; et leur existence serait facile et large comme leurs vêtements de soie, toute chaude et étoilée comme les nuits douces qu'ils contempleraient. Cependant, sur l'immensité de cet avenir qu'elle se faisait apparaître, rien de particulier ne surgissait; les jours, tous magnifiques, se ressemblaient comme des flots; et cela se balan-
40 çait à l'horizon, infini, harmonieux, bleuâtre et couvert de soleil. Mais l'enfant se mettait à tousser dans son berceau, ou bien Bovary ronflait plus fort, et Emma ne s'endormait que le matin, quand l'aube blanchissait les carreaux et que déjà le petit Justin, sur la place, ouvrait les auvents de la pharmacie.

Eva Gonzalès, *Jeune fille au réveil*, huile sur toile (81,5 x 100 cm), vers 1877, Kunsthalle, Brême.

Questions

▶ Les figures de style, p. 420
▶ Narrateur et focalisations, p. 426
▶ Les discours rapportés, p. 437

Grammaire
«Ah! qu'elle (…) chapeaux de paille!» (l. 13)
Cette phrase est au discours indirect libre. Transformez-la au discours direct, puis au discours indirect. Choisissez judicieusement le verbe de parole introducteur.

▶ Modes, temps et valeurs, p. 395

▶ Imiter un style et transposer un texte, p. 478

Le point de vue du narrateur

1. Selon quel point de vue est rédigé ce passage? Comment ce point de vue est-il construit?

2. Interprétez cette construction : que symbolise-t-elle?

3. Étudiez, dans le comportement des époux, les éléments qui les séparent.

Les rêves d'Emma et de Charles

4. Étudiez la vision du bonheur selon la rêverie de Charles : quelles sont ses préoccupations, les valeurs auxquelles il est attaché?

5. Étudiez la vision du bonheur selon Emma : quels éléments dominent sa rêverie? Relevez quelques poncifs (clichés) romantiques.

6. Comparez le style employé par Flaubert dans le 1er et le 3e paragraphe. Pourquoi peut-on dire qu'il contribue à mettre en évidence les différences entre les rêveries de Charles et d'Emma?

7. Montrez, en vous appuyant sur les figures de style utilisées, que le narrateur prend une certaine distance – ironique – par rapport aux deux visions du bonheur.

Synthèse En vous appuyant sur vos réponses aux questions précédentes, présentez les deux visions de l'amour que propose ce texte.

Vers le bac **S'entraîner au sujet d'invention**

À la manière de Flaubert, rédigez, en focalisation interne à la 3e personne, la rêverie d'un personnage de façon à mettre en évidence sa propre vison du bonheur.

▶ Biographie p. 537

Joris-Karl Huysmans,
En rade (1887)

⊕ CONTEXTE

Campagne et nature sont des thèmes récurrents de la littérature et de la poésie depuis l'Antiquité. À cette époque, la poésie pastorale (ou poésie bucolique) peint, de manière très idéalisée, les mœurs de la campagne, les amours des bergers, les douceurs et la simplicité heureuse de la vie champêtre par opposition aux agitations de la vie urbaine. Au XIXᵉ siècle, la nature, thème incontournable du romantisme, est célébrée par Vigny ou Hugo.

Jacques Marles et sa femme Louise, désargentés, quittent Paris où la vie est trop chère et trouvent refuge à la campagne, chez un oncle. Ils espèrent y faire des économies et se reposer. La désillusion est sévère…

1   Ils ne soufflaient mot et comme ils fauchaient du blé couché par des pluies, ils peinaient, se crachaient dans les mains, et leurs sapes[1] criaient sur le blé qui tombait avec un long déchirement d'étoffe.

– Eh là ! bonnes gens ! c'en est un ouvrage que le blé versé ! soupirait l'oncle
5   Antoine, et il ajouta cette remarque qui ne plut guère à Jacques : Vrai que tu sues, mon neveu, à ne rien faire !

Quelle fournaise ! pensa le jeune homme, qui s'assit en tailleur et se tassa, cherchant à s'abriter le corps dans le cercle d'ombre projeté par les ailes de son large chapeau de paille. Et quelle blague que l'or des blés ! se dit-il, regardant au loin ces
10   bottes couleur d'orange sale, réunies en tas. Il avait beau s'éperonner, il ne pouvait parvenir à trouver que ce tableau de la moisson si constamment célébrée par les peintres et les poètes, fût vraiment grand. C'était, sous un ciel d'un imitable bleu, des gens dépoitraillés et velus, puant le suint[2], et qui sciaient en mesure des taillis de rouille. Combien ce tableau semblait mesquin […] ! Oui, va, geins, se dit-il,
15   s'adressant mentalement à l'oncle Antoine qui se lamentait, les deux mains sur le ventre, soupirant :

– C'est-il donc point malheureux que du blé mou comme ça !

– Ah çà, quoi donc que t'as, toi, fit-il, après un silence, en regardant Jacques. Qu'est-ce qui te prend ?

20   – Je suis dévoré et partout à la fois, s'écria le jeune homme. C'était soudain une invasion de gale, une démangeaison atroce que les écorchures des ongles n'arrêtait pas. Il se sentait le corps enveloppé d'une petite flamme et, peu à peu, à la passagère jouissance de la peau grattée jusqu'au sang, succédaient une brûlure plus qu'aiguë, un énervement à crier, une douleur à rendre fou ! […]

25   Que le diable emporte la campagne ! se dit-il ; il quitta les moissonneurs. Il fallait qu'il se déshabillât, qu'il pût se lacérer
30   à l'aise.

1. faux.
2. matière grasse sécrétée par la peau du mouton et qui imprègne sa laine.

Julien Dupré, *Les Faucheurs de luzerne*, huile sur toile
(117 x 150 cm), 1880, musée d'Orsay, Paris.

Victor Hugo,
Les Chansons des rues et des bois (1865)

Saison des semailles. Le soir

1 C'est le moment crépusculaire.
J'admire, assis sous un portail,
Ce reste de jour dont s'éclaire
La dernière heure du travail.

5 Dans les terres, de nuit baignées,
Je contemple, ému, les haillons
D'un vieillard qui jette à poignées
La moisson future aux sillons.

Sa haute silhouette noire
10 Domine les profonds labours.
On sent à quel point il doit croire
À la fuite utile des jours.

Il marche dans la plaine immense,
Va, vient, lance la graine au loin,
15 Rouvre sa main, et recommence,
Et je médite, obscur témoin,

Pendant que, déployant ses voiles,
L'ombre, où se mêle une rumeur,
Semble élargir jusqu'aux étoiles
20 Le geste auguste du semeur.

Vincent Van Gogh, *Le Semeur au soleil couchant*,
huile sur toile (64 x 80,5 cm), 1888,
Rijksmuseum, Amsterdam.

Questions

► Narrateur et focalisations, p. 426
► **Décrire une image, p. 514**

Vocabulaire
« pastoral », « bucolique », « champêtre », « rustique », « campagnard », etc. Complétez ces familles de mots après avoir cherché les origines étymologiques de ces différents termes et leurs connotations.

► **Histoire et formation des mots, p. 411**
► **Le sens des mots, p. 412**

► **Imiter un style et transposer un texte, p. 478**

Huysmans: campagne et désagréments
1. Quelle focalisation est adoptée pour la description de la moisson ? Justifiez votre réponse et expliquez l'intérêt de ce point de vue.
2. Comment le tableau de la moisson est-il dénigré ? (Relevez les éléments dépréciatifs concernant : le blé, les moissonneurs et la saison)
3. Pourquoi l'épisode des aoûtats achève-t-il de désacraliser la campagne ?
4. Quelle vision des paysans se dégage de ce texte ?

Hugo : la campagne magnifiée
5. Montrez que l'état d'esprit du témoin est radicalement différent de celui du texte de Huysmans.
6. Par quels procédés le poème de Victor Hugo magnifie-t-il la nature et le travail du paysan, « le geste auguste du semeur » (v. 20) ?

Comparaison des tableaux
Comment les deux tableaux illustrent-ils les deux visions offertes par les textes ? Étudiez les couleurs, les personnages, le décor.

Synthèse En vous appuyant sur les éléments d'étude, montrez que les deux textes présentent deux visions opposées de la campagne et du travail des champs.

Vers le bac **S'entraîner au sujet d'invention**
Choisissez un événement, un lieu, un personnage, etc., et proposez-en deux visions : l'une idéalisée et poétique (à la manière de Hugo), l'autre réaliste voire satirique (à la manière de Huysmans).

Guy de Maupassant,
Une vie (1883)

▶ Biographie p. 538

⊕ CONTEXTE

N'étant pas obligatoire jusqu'en 1882, l'instruction des filles est souvent confiée aux institutions religieuses (couvent). Peu soucieuse de développer l'esprit des jeunes filles ou de les préparer aux réalités de l'amour, l'Église veut former des épouses dociles et aptes aux tâches domestiques. Tandis qu'elles doivent absolument rester vierges avant le mariage, les hommes disposent au fil du siècle d'une plus grande liberté dans ce domaine. Le Code Napoléon (1807) consacre l'infériorité juridique de la femme.

Fille d'un baron, Jeanne est sortie du couvent à dix-sept ans et vit en Normandie avec ses parents. « L'âme virginale et nourrie de rêves », elle vient d'épouser Julien, vicomte de Lamare, jeune homme séduisant et désargenté. Avant la nuit de noces, son père lui rappelle pudiquement qu'elle appartient dorénavant tout entière à son mari... Alors que Jeanne s'est couchée, Julien vient la rejoindre dans son lit.

1 Elle fit un soubresaut comme pour se jeter à terre lorsque glissa vivement contre sa jambe une autre jambe froide et velue ; et, la figure dans ses mains, éperdue, prête à crier de peur et d'effarement, elle se blottit tout au fond du lit.

Aussitôt, il la prit en ses bras, bien qu'elle lui tournât le dos, et il baisait voracement son cou, les dentelles flottantes de sa coiffure de nuit et le col brodé de sa chemise.

Elle ne remuait pas, raidie dans une horrible anxiété, sentant une main forte qui cherchait sa poitrine cachée entre ses coudes. Elle haletait bouleversée sous cet attouchement brutal ; et elle avait surtout envie de se sauver, de courir par la maison, de s'enfermer quelque part, loin de cet homme.

Il ne bougeait plus. Elle recevait sa chaleur dans son dos. Alors son effroi s'apaisa encore et elle pensa brusquement qu'elle n'aurait qu'à se retourner pour l'embrasser.

À la fin, il parut s'impatienter, et d'une voix attristée : « Vous ne voulez donc point être ma petite femme ? » Elle murmura à travers ses doigts : « Est-ce que je ne le suis pas ? » Il répondit avec une nuance de mauvaise humeur : « Mais non, ma chère, voyons, ne vous moquez pas de moi. »

Elle se sentit toute remuée par le ton mécontent de sa voix ; et elle se tourna tout à coup vers lui pour lui demander pardon.

Il la saisit à bras-le-corps, rageusement, comme affamé d'elle ; et il parcourait de baisers rapides, de baisers mordants, de baisers fous, toute sa face et le haut de sa gorge, l'étourdissant de caresses. Elle avait ouvert les mains et restait inerte sous ses efforts, ne sachant plus ce qu'elle faisait, ce qu'il faisait, dans un trouble de pensée qui ne lui laissait rien comprendre. [...]

Eugène Delacroix, *Roméo faisant ses adieux à Juliette*, huile sur toile (62 x 49 cm), 1845, collection privée.

1. elle avait l'esprit égaré.
2. affligée, éplorée (sens étymologique fort).
3. deux jeunes babyloniens, Pyrame et Thisbé, se sont donné secrètement rendez-vous la nuit : mais quand Pyrame découvre sur le lieu du rendez-vous le voile ensanglanté de son amie – en réalité souillé par le sang d'une lionne blessée – il se suicide de désespoir. Thisbé se tue à son tour en découvrant le corps sans vie de son amant.

Sans se soucier des réactions de sa femme, Julien parvient à ses fins.

Que se passa-t-il ensuite ? Elle n'en eut guère le souvenir, car elle avait perdu la tête[1] ; il lui sembla seulement qu'il lui jetait sur les lèvres une grêle de petits baisers reconnaissants.

Puis il dut lui parler et elle dut lui répondre. Puis il fit d'autres tentatives qu'elle repoussa avec épouvante ; et comme elle se débattait, elle rencontra sur sa poitrine ce poil épais qu'elle avait déjà senti sur sa jambe, et elle se recula de saisissement.

Las enfin de la solliciter sans succès, il demeura immobile sur le dos.

Alors elle songea ; elle se dit, désespérée jusqu'au fond de son âme, dans la désillusion d'une ivresse rêvée si différente, d'une chère attente détruite, d'une félicité crevée : « Voilà donc ce qu'il appelle être sa femme ; c'est cela ! c'est cela ! »

Et elle resta longtemps ainsi, désolée[2], l'œil errant sur les tapisseries du mur, sur la vieille légende d'amour[3] qui enveloppait sa chambre.

Mais, comme Julien ne parlait plus, ne remuait plus, elle tourna lentement son regard vers lui, et elle s'aperçut qu'il dormait ! Il dormait, la bouche entrouverte, le visage calme ! Il dormait !

Elle ne le pouvait croire, se sentant indignée, plus outragée par ce sommeil que par sa brutalité, traitée comme la première venue. Pouvait-il dormir une nuit pareille ? Ce qui s'était passé entre eux n'avait donc pour lui rien de surprenant ? Oh ! elle eût mieux aimé être frappée, violentée encore, meurtrie de caresses odieuses jusqu'à perdre connaissance.

Questions

▶ Narrateur et focalisations, p. 426
▶ Les figures de style, p. 420

Vocabulaire
Relevez dans le texte tous les termes qui appartiennent au lexique de la peur et indiquez le sens précis de chacun.

▶ Le sens des mots, p. 412

Une jeune femme naïve et terrifiée

1. De quel point de vue la scène est-elle racontée ? Quel en est l'intérêt ?
2. Analysez la peur qui s'empare de Jeanne durant cette nuit. Déterminez-en la cause en commentant l'attitude de la jeune femme aux lignes 14 à 19. Montrez que la jeune mariée ne semble pas du tout préparée aux réalités de la nuit de noces.

Un époux égoïste et brutal

3. Que sait-on de ce que pense et ressent Julien au cours de cette nuit ?
4. Relevez les termes qui caractérisent le comportement de Julien : comment pourriez-vous qualifier son attitude ? Que laisse entendre la dernière interrogation de Jeanne ?

Une cruelle désillusion

5. Sur quels détails triviaux voire crus le narrateur insiste-t-il ? Dans quelle intention ?
6. Repérez la succession d'oxymores qui expriment la désillusion de Jeanne et commentez-les. Quel élément de la chambre symbolise ironiquement cette désillusion ?
7. Expliquez la colère finale de Jeanne. Par quels procédés est-elle mise en valeur ?
8. À quoi ressemble, au fond, pour Jeanne cette nuit de noces ?

Synthèse Montrez que le récit de cette nuit de noces est caractéristique du refus d'idéalisation des auteurs du réalisme.

Vers le bac **S'entraîner au sujet d'invention**

En vous inspirant de Maupassant, rédigez deux pages dans lesquelles un personnage, qui rêvait d'un événement, est victime d'une cruelle désillusion.

▶ Imiter un style et transposer un texte, p. 478

▶ Biographie p. 539

✪ CONTEXTE

Dans sa volonté de représenter le réel, le naturalisme aborde certains thèmes crus : douleurs de l'enfantement (*Une vie*, de Maupassant), violence, déchéance morale, etc. L'expression « pot-bouille » désigne la cuisine quotidienne. Par ce titre, Zola signifie que, derrière une façade luxueuse, le comportement des familles bourgeoises n'a rien de vertueux.

Émile Zola,
Pot-Bouille (1882)

*Dans un grand immeuble situé rue de Choiseul à Paris, M*ᵐᵉ *Josserand règne en tyran sur son mari, ses filles et ses domestiques. Elle proclame avec fierté que l'embonpoint de sa bonne, Adèle, est dû aux bons traitements qu'elle lui réserve ; Adèle est simplement enceinte, mais elle cache son secret à tout le monde.*

La malheureuse, du reste, se serait à étouffer. Elle trouvait son ventre raisonnable ; seulement, il lui semblait bien lourd tout de même, quand elle devait laver sa cuisine. Les deux derniers mois furent affreux de douleurs endurées, avec une obstination de silence héroïque.

5 Ce soir-là, Adèle monta se coucher vers onze heures. La pensée de la soirée du lendemain[1] la terrifiait : encore trimer, encore être bousculée par Julie[1] ! et elle ne pouvait plus aller, elle avait tout le bas en compote. [...]

Les premières contractions la prennent dans la nuit.

Même lorsque son ventre la laissait un peu respirer, elle souffrait là, sans arrêt, d'une souffrance fixe et têtue. Et, pour se soulager, elle s'était empoigné les fesses à pleines mains, elle se les soutenait, pendant qu'elle continuait à marcher en se dandinant, les jambes nues, couvertes jusqu'aux genoux de ses gros bas. Non, il n'y avait pas de bon Dieu ! Sa dévotion[2] se révoltait, sa résignation de bête de somme qui lui avait fait accepter sa grossesse comme une corvée de plus finissait par lui échapper. Ce n'était donc pas assez de ne jamais manger à sa faim, d'être le souillon sale et gauche, sur 15 lequel la maison entière tapait : il fallait que les maîtres lui fissent un enfant ! Ah ! les salauds ! Elle n'aurait pu dire seulement si c'était du jeune ou du vieux, car le vieux l'avait encore assommée, après le Mardi gras. L'un et l'autre, d'ailleurs, s'en fichaient pas mal, maintenant qu'ils avaient eu le plaisir et qu'elle avait la peine ! Elle devrait aller accoucher sur leur paillasson, pour voir leur tête. Mais sa terreur la reprenait : on 20 la jetterait en prison, il valait mieux tout avaler. [...]

Adèle perd les eaux.

Et elle était à peine recouchée, que le travail d'expulsion commença.

Alors, pendant près d'une heure et demie, se déclarèrent des douleurs dont la violence augmentait sans cesse [...] et des crampes atroces l'étreignaient à chaque reprise du travail, les grandes douleurs la bouclaient d'une ceinture de fer. Enfin, 25 les os crièrent, tout lui parut se casser, elle eut la sensation épouvantée que son derrière et son devant éclataient, n'étaient plus qu'un trou par lequel coulait sa vie ; et l'enfant roula sur le lit, entre ses cuisses, au milieu d'une mare d'excréments et de glaires[3] sanguinolentes.

Elle avait poussé un grand cri, le cri furieux et triomphant des mères. Aussitôt, 30 on remua dans les chambres voisines, des voix empâtées de sommeil disaient : « Eh bien ! quoi donc ? on assassine !... Y en a une qu'on prend de force !... Rêvez donc pas tout haut ! » Inquiète, elle avait repris le drap entre les dents, elle serrait les jambes et ramenait la couverture en tas sur l'enfant, qui lâchait des miaulements de petit chat. Mais elle entendit Julie ronfler de nouveau, après s'être retournée ; 35 pendant que Lisa[4], rendormie, ne sifflait même plus. [...]

La bonne réussit à couper elle-même le cordon et à expulser le placenta.

Après s'être habillée, elle enveloppa l'enfant de vieux linge, puis le plia dans deux

1. Adèle doit aider Julie, une autre domestique, à faire la vaisselle chez l'amie qui reçoit à dîner Mᵐᵉ Josserand.
2. attachement à la religion, grande piété.
3. sécrétions.

4. domestiques des
familles de
l'immeuble. Elles
dorment toutes au
dernier étage dans
leur chambre de
bonne.
5. concierge de
l'immeuble.
6. utilisée pour ne
pas salir son lit.
7. pot de chambre.

journaux. Il ne disait rien, son petit cœur battait pourtant. Comme elle en avait oublié de regarder si c'était un garçon ou une fille, elle déplia les papiers. C'était une fille. Encore une malheureuse ! de la viande à cocher ou à valet de chambre, comme cette Louise[4], trouvée sous une porte ! Les domestiques dormaient toujours, et elle put sortir, se faire tirer en bas le cordon par M. Gourd[5] endormi, aller poser son paquet dans le passage Choiseul dont on ouvrait les grilles, puis remonter tranquillement. Elle n'avait rencontré personne. Enfin, une fois dans sa vie, la chance était pour elle !

Tout de suite, elle arrangea la chambre. Elle roula la toile cirée[6] sous le lit, alla vider le pot[7], revint donner un coup d'éponge par terre. Et, exténuée, d'une blancheur de cire, le sang coulant toujours entre ses cuisses, elle se recoucha, après s'être tamponnée avec une serviette. Ce fut ainsi que Mme Josserand la trouva, lorsqu'elle se décida à monter vers neuf heures, très surprise de ne pas la voir descendre. La bonne s'étant plainte d'une diarrhée affreuse qui l'avait épuisée toute la nuit, madame s'écria :

– Pardi ! vous aurez encore trop mangé ! Vous ne songez qu'à vous emplir.

Charles-François Marchal, *Le Dernier Baiser*, huile sur toile (107 x 81 cm), 1858, musée des Beaux Arts, Rennes.

Questions

► Les figures de style, p. 420
► Narrateur et focalisations, p. 426
► Les discours rapportés, p. 437
► Les registres comique, p. 464 et pathétique, p. 466

Vocabulaire
Le mot « travail » figure à plusieurs reprises dans l'extrait : recherchez-en l'origine étymologique ainsi que ses différentes acceptions, anciennes et actuelles. Montrez que cet extrait en illustre les différents sens.

Le récit réaliste d'un accouchement

1. Comment les pensées et paroles de la bonne sont-elles rapportées ? Quel niveau de langue est employé ? Indiquez l'intérêt de ces choix.
2. À partir de la structure narrative du texte, pouvez-vous indiquer les différentes étapes d'un accouchement ?
3. Montrez que Zola ne dissimule pas certains détails réels et crus de l'accouchement. Pourquoi, selon vous, les détracteurs de Zola ont-ils pu qualifier ses romans de littérature « obscène », « ordurière » ?

La misère d'une domestique

4. Analysez les réactions de Mme Josserand et des domestiques de l'immeuble : quel effet produisent-elles sur le lecteur ?
5. Quelle est, pendant cette nuit, la priorité de la bonne ? Pourquoi ?
6. Relevez et analysez les figures de style employées pour désigner la bonne et son enfant. Comment les domestiques sont-elles considérées dans cet immeuble ?
7. Montrez que Zola fait dans cet extrait une violente satire de la bourgeoisie.

Lecture d'image Quels éléments du tableau suggèrent qu'une mère va abandonner son nouveau-né ? Renseignez-vous sur cette pratique au XIXe siècle.

Synthèse Montrez que cette scène est aux antipodes du récit attendu de « l'heureux événement ».

Édouard Manet,
Olympia (1863)

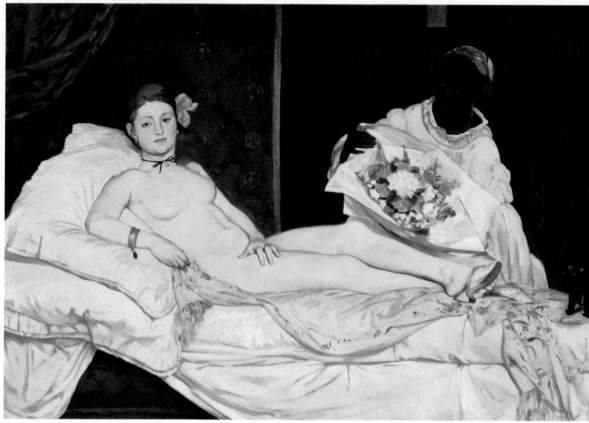

Édouard Manet, *Olympia,* huile sur toile (130,5 x 190 cm), 1863, musée d'Orsay, Paris.

▲ Peint en 1863, *Olympia* représente Victorine Meurent, actrice et modèle qui posa souvent pour Manet. Initialement destiné au Salon des refusés (accueillant les œuvres rejetées par le Salon officiel) qui se tient pour la 1ʳᵉ fois à Paris en 1863 à l'initiative de Napoléon III, le tableau de Manet est finalement exposé au Salon officiel en 1865. Il fait immédiatement scandale et provoque des ricanements. Le Salon des refusés illustre l'émergence, à cette époque, d'une modernité en peinture qui s'oppose au goût officiel et à l'académisme.

Méthode

▶ **Décrire une image,** p. 514
▶ **Interpréter une image,** p. 519

Situer un tableau dans son contexte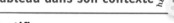

ÉTAPE 1 Identifier une œuvre
• Observez la date de l'œuvre, ses dimensions.
• Quel est son sujet ?
• Cherchez des informations sur son auteur.

ÉTAPE 2 Chercher des repères dans l'histoire des arts
• À quel courant artistique l'œuvre appartient-elle ?
• De quelle peinture s'agit-il (religieuse, mythologique, portrait, etc.) ?

ÉTAPE 3 Comprendre l'originalité de l'œuvre
• Fait-elle écho à d'autres œuvres ? Quel thème réactualise-t-elle ?
• Quelles ruptures introduit-elle par rapport à ces œuvres antérieures ?

Le Titien,
La Vénus d'Urbin (1538)

◄ Ce tableau illustre la tradition transgressée par Manet. Peint entre 1538 et 1539, il renferme plusieurs symboles, notamment le coffre sur lequel deux servantes sont penchées : il peut être considéré comme coffre de mariage destiné à recueillir les éléments du trousseau de la future mariée.

Le Titien, *La Vénus d'Urbin*, huile sur toile (119 x 165 cm), 1538, galerie des Offices, Florence.

Questions

Lecture du tableau de Manet

1. Citez les éléments de 1er plan et de 2d plan.
2. Décrivez la composition du tableau par ses lignes.
3. Quelles couleurs dominent ? Commentez ce choix. Quels sont les effets produits ?
4. Décrivez la pose, le visage et l'expression d'Olympia.
5. Commentez la présence du bouquet apporté par la servante : quelle peut être sa provenance ? Que peut-on en conclure quant à la « profession » d'Olympia ? Quels autres détails vont dans ce sens ?

Comparaison des tableaux

6. Comparez les titres des tableaux de Manet et du Titien. Comment celui de Manet rompt-il avec la tradition ? Que suggère-t-il ?
7. Quels éléments du tableau peint par Titien Manet reprend-il ? Quels éléments modifie-t-il ? Quels éléments élimine-t-il ? Commentez ces choix.
8. Comparez le choix des couleurs dans les deux tableaux.

Prolongements

• Cherchez quel roman des *Rougon-Macquart* de Zola met en scène un personnage proche d'Olympia.
• Cherchez le tableau de Manet directement inspiré par ce personnage de Zola.

Synthèse Face à la critique, Zola prend la défense de Manet :

« Lorsque nos artistes nous donnent des Vénus, ils corrigent la nature, ils mentent. Édouard Manet s'est demandé pourquoi mentir, pourquoi ne pas dire la vérité ; il nous a fait connaître Olympia, cette fille de nos jours, que vous rencontrez sur les trottoirs et qui serre ses maigres épaules dans un mince châle de laine déteinte. »

L'Événement illustré, 10 mai 1868.

En vous appuyant sur la lecture du tableau, rédigez un paragraphe soulignant la pertinence du jugement de Zola.

Émile Zola,
L'Assommoir (1877)

▶ Biographie p. 539

○ CONTEXTE

Le souci du réalisme passe aussi par la volonté de restituer très fidèlement la langue du peuple. Dans la préface de *L'Assommoir,* Zola croit voir dans l'emploi de ce langage populaire la raison principale du scandale suscité par son roman : « On s'est fâché contre les mots. Mon crime est d'avoir eu la curiosité littéraire de ramasser et de couler dans un moule très travaillé la langue du peuple. Ah ! la forme, là est le grand crime ! ».

Malgré l'alcoolisme de son mari Coupeau, Gervaise parvient à tenir sa petite blanchisserie à Paris, mais elle commence à manquer d'argent et à céder à la gourmandise. À l'occasion de sa fête, elle invite à dîner ses voisins – ouvriers, petits artisans ou commerçants. Alors que les invités ont déjà dévoré goulûment plusieurs plats, Gervaise vient d'apporter triomphalement l'oie rôtie, clou du festin.

1   Par exemple, il y eut là un fameux coup de fourchette : c'est-à-dire que personne de la société ne se souvenait de s'être jamais collé une pareille indigestion sur la conscience. Gervaise, énorme, tassée sur les coudes, mangeait de gros morceaux de blanc, ne parlant pas, de peur de perdre une bouchée ; et elle était seulement un peu
5   honteuse devant Goujet[1], ennuyée de se montrer ainsi, gloutonne comme une chatte. Goujet, d'ailleurs, s'emplissait trop lui-même, à la voir toute rose de nourriture. Puis, dans sa gourmandise, elle restait si gentille et si bonne ! Elle ne parlait pas, mais elle se dérangeait à chaque instant, pour soigner le père Bru[2] et lui passer quelque chose de délicat sur son assiette. C'était même touchant de regarder cette
10 gourmande s'enlever un bout d'aile de la bouche, pour le donner au vieux, qui ne semblait pas connaisseur et qui avalait tout, la tête basse, abêti de tant bâfrer, lui dont le gésier avait perdu le goût du pain. Les Lorilleux passaient leur rage sur le rôti ; ils en prenaient pour trois jours, ils auraient englouti le plat, la table et la boutique, afin de ruiner la Banban[3] du coup. Toutes les dames avaient voulu de la
15 carcasse ; la carcasse, c'est le morceau des dames. Mme Lerat, Mme Boche, Mme Putois grattaient des os, tandis que maman Coupeau, qui adorait le cou, en arrachait la viande avec ses deux dernières dents. [...] Cependant, Clémence achevait son croupion, le suçait avec un gloussement des lèvres, en se tordant de rire sur sa chaise, à cause de Boche qui lui disait tout bas des indécences. Ah ! nom de Dieu !
20 oui, on s'en flanqua une bosse ! Quand on y est, on y est, n'est-ce pas ? et si l'on ne se paie qu'un gueuleton par-ci, par-là, on serait joliment godiche de ne pas s'en fourrer jusqu'aux oreilles. Vrai, on voyait les bedons se gonfler à mesure. Les dames étaient grosses. Ils pétaient dans leur peau, les sacrés goinfres ! La bouche ouverte, le menton barbouillé de graisse, ils avaient des faces pareilles à des derriè-
25 res, et si rouges, qu'on aurait dit des derrières de gens riches, crevant de prospérité.

    Et le vin donc, mes enfants ! ça coulait autour de la table comme l'eau coule à la Seine. Un vrai ruisseau, lorsqu'il a plu et que la terre a soif. [...] Le vin décrassait et reposait du travail, mettait le feu au ventre des fainéants ; puis, lorsque le far-
30 ceur[4] vous jouait des tours, eh bien ! le roi n'était pas votre oncle, Paris vous appartenait. Avec ça que l'ouvrier, éreinté[5], sans le sou, méprisé par les bourgeois, avait tant de sujets de gaieté, et qu'on était bien venu de lui reprocher une cocarde[6] de temps à autre, prise à la seule fin de voir la vie en rose ! Hein ! à cette heure, justement, est-ce qu'on ne se fichait pas de l'empereur ? Peut-être bien que l'empereur
35 lui aussi était rond, mais ça n'empêchait pas, on se fichait de lui, on le défiait bien d'être plus rond et de rigoler davantage. Zut pour les aristos ! Coupeau envoyait le monde à la balançoire[7].

1. ouvrier modèle, amoureux de Gervaise.
2. homme misérable qui vit dans une niche sous l'escalier de l'immeuble.
3. surnom méprisant donné par les Lorilleux à Gervaise qui boîte.
4. le vin.
5. éreinté.
6. une cuite.
7. envoyait promener.

Brueghel l'Ancien, *Le Repas de noces*, huile sur chêne (114 x 164 cm), 1568, Kunsthistorisches Museum, Vienne.

Questions

▶ Les discours rapportés,
p. 437
▶ Les figures de style, p. 420

Un banquet populaire festif

1. Quelle place le corps et la nourriture occupent-ils dans la fête ? Étudiez les marques de la sensualité liée au plaisir du festin.

2. Identifiez le niveau de langue employé par les personnages. Trouvez un passage où ce niveau de langue contamine le style du narrateur : pourquoi cela a-t-il pu choquer le lecteur de l'époque ?

3. En identifiant différents procédés d'écriture (types de phrases, types de discours, figures de style, etc.), montrez quels avantages offre, selon le narrateur et/ou les personnages, l'absorption démesurée de nourriture et d'alcool.

Une étude critique des convives

4. Montrez que le repas révèle les relations entre les invités et avec leur hôtesse.

5. Quels travers des invités le narrateur suggère-t-il ?

6. Les invités s'opposent-ils politiquement à ceux qui les dirigent voire les exploitent ?

7. Qu'est-ce qui dans cet extrait laisse pressentir la déchéance à venir de Gervaise ?

Vocabulaire

Relevez dans le texte dix termes ou expressions argotiques et trouvez un synonyme dans un niveau de langue courant et soutenu.

Synthèse Montrez que ce récit de banquet est ambivalent : éloge de la fête populaire, il souligne aussi tous les travers des convives.

Vers le bac   **Trouver des arguments**

Dans la préface de *L'Assommoir*, Zola affirme qu'il s'agit d'« une œuvre de vérité, le premier roman sur le peuple, qui ne mente pas et qui ait l'odeur du peuple ». À partir de l'extrait étudié, trouvez trois arguments qui pourraient étayer l'affirmation de Zola.

Louis-Ferdinand Céline,
Voyage au bout de la nuit (1932)

> ▶ Dans *Voyage au bout de la nuit* (1932), **Céline** transcrit des souvenirs de sa vie tourmentée et errante, notamment l'expérience traumatisante de la Première Guerre mondiale qui fera de lui un pacifiste inconditionnel. Soucieux de « retrouver l'émotion du ˝parlé˝ à travers l'écrit », il invente un nouveau style.

Envoûté par la musique d'une parade militaire, Bardamu s'engage dans l'armée. Il découvre l'horreur des combats de 1914 et l'humiliation hiérarchique : dans l'extrait suivant il évoque l'attitude du commandant Pinçon.

1 « Allez-vous-en tous ! Allez rejoindre vos régiments ! Et vivement ! qu'il gueulait.

– Où qu'il est le régiment, mon commandant ? qu'on demandait nous…

– Il est à Barbagny.

5 – Où que c'est Barbagny ?

– C'est par là ! »

Par là, où il montrait, il n'y avait rien que la nuit, comme partout d'ailleurs, une nuit énorme qui bouffait la route à deux pas de nous et même qu'il n'en sortait du noir qu'un petit bout de route grand comme la langue.

10 Allez donc le chercher son Barbagny dans la fin d'un monde ! Il aurait fallu qu'on sacrifiât pour le retrouver son Barbagny au moins un escadron tout entier ! Et encore un escadron de braves ! Et moi qui n'étais point brave et qui ne voyais pas du tout pourquoi je l'aurais été brave, j'avais évidemment encore moins envie que personne de retrouver son Barbagny, dont il nous parlait d'ailleurs lui-même

15 absolument au hasard. C'était comme si on avait essayé en m'engueulant très fort de me donner l'envie d'aller me suicider. Ces choses-là on les a ou on ne les a pas.

De toute cette obscurité si épaisse qu'il vous semblait qu'on ne reverrait plus son bras dès qu'on l'étendait un peu plus loin que l'épaule, je ne savais qu'une chose, mais cela alors tout à fait certainement, c'est qu'elle contenait des volontés

20 homicides énormes et sans nombre.

Cette gueule d'État-major n'avait de cesse dès le soir revenu de nous expédier au trépas et ça le prenait souvent dès le coucher du soleil. On luttait un peu avec lui à coups d'inertie, on s'obstinait à ne pas le comprendre, on s'accrochait au cantonnement pépère tant bien que mal, tant qu'on pouvait, mais enfin quand on

25 ne voyait plus les arbres, à la fin, il fallait consentir tout de même à s'en aller mourir un peu ; le dîner du général était prêt.

© Éditions Gallimard.

Otto Dix, *La Guerre* (détail), technique mixte (204 x 102 cm), 1929-1932, Gemäldegalerie, Dresde.

▶ **Décrire une image,** p. 514

Questions

1. Recherchez ce qui relève du langage populaire d'une part, du langage soutenu d'autre part. Quel est l'effet produit ?
2. Quels points communs mais aussi quelles différences remarquez-vous concernant le style des textes de Zola (▶ **p. 42**) et de Céline ?
3. Pourquoi Bardamu peut-il être qualifié d'« anti-héros » ?
4. Quelle image de la guerre Bardamu donne-t-il ?
5. Montrez que l'extrait fait une violente satire de l'état-major.

Lecture d'image Comment la déshumanisation des soldats est-elle rendue ? Analysez les éléments (lignes, couleurs) qui suggèrent le chaos et l'enfer de la guerre.

LE RÉEL ET LE VRAI

1 SYNONYMES

Les termes de la colonne de gauche expriment différents degrés de proximité avec le réel et la vérité. Reliez chacun à ses synonymes de la 2ᵉ colonne.

	a. idéal
	b. chimérique
	c. irréel
	d. indéniable
A. vrai	**e.** possible
	f. fictif
	g. trompeur
B. vraisemblable	**h.** plausible
	i. indubitable
	j. incertain
C. douteux	**k.** discutable
	l. sujet à caution
	m. véridique
D. illusoire	**n.** authentique
	o. certain
	p. imaginaire
	q. incontestable
	r. probable

2 CHASSER L'INTRUS

Remplacez les mots en italique par un des synonymes proposés. Puis trouvez l'intrus.
altérer – provocateur – contrefaire – trompeur – imitateur – hypocrisie.
a. C'est un *fauteur de troubles*, il trouve toujours le moyen de semer la zizanie.
b. Son raisonnement est complexe et nuancé, il serait difficile de le résumer sans le *fausser*.
c. Il a *falsifié* sa voix pour n'être pas reconnu au téléphone.
d. Par des serments *fallacieux*, il a réussi à séduire une riche héritière.
e. Ce matin encore il répétait ses serments en ma présence : quelle *fausseté* !
f. C'est un *faussaire* très habile qui trompe les plus grands spécialistes de Rembrandt.

3 DE L'ADJECTIF AU VERBE

Complétez les phrases suivantes avec le verbe de même famille que l'adjectif qualificatif en gras.
a. Indiscutable : qu'on ne peut...
b. Indéniable : qu'on ne peut...
c. Irréfutable : qu'on ne peut...
d. Incontestable : qu'on ne peut...

e. Incertain : qu'on ne peut...
f. Indubitable : dont on ne peut...
g. Crédible : qu'on peut...
h. Fiable : à quoi/qui on peut se...
i. Authentique : que l'on peut...

4 DE L'ADJECTIF AU NOM

Complétez les phrases suivantes par le nom de même famille que l'adjectif qualificatif en gras.
a. Il reste **dubitatif** devant le prétexte invoqué : il a des... .
b. Ce témoignage est **vrai** : on ne peut douter de sa... .
c. Il est **certain** d'avoir vu cet homme ce jour-là : il ne manque pas de... .
d. Il est **probable** qu'il vienne : les... de sa venue sont grandes.
e. Ses rêves sont **chimériques** : il poursuit des... .
f. Sa description est **objective** : elle est conforme à l'... dont il est question.
g. Son jugement est **subjectif** : il fait intervenir les sentiments et préférences du... qui s'exprime.

5 DEVINETTES

a. Vous savez ce qu'est une *fable*. Mais que signifie *fabuler* ? Qu'est-ce qu'un *affabulateur* ?
b. Une *preuve* apporte des certitudes. Quel est l'adjectif qui correspond à ce nom ? Comment qualifier un témoignage qui permet de prouver un fait ?
c. Des rêves sont dits *chimériques* quand ils sont irréalisables. Mais qu'est-ce que la *chimère* de la mythologie ?
d. Tout le monde sait ce que *rêver* signifie, mais qui connaît l'adjectif utilisé pour désigner ce qui relève du rêve ?
e. Un *illusionniste* est ainsi nommé car, par son art de la magie, il crée des illusions. Comment expliquer la formation du mot *prestidigitateur* ?
f. Une personne est *crédible* quand elle est fiable, qu'on peut lui faire confiance. Quel adjectif de même famille qualifie celle qui croit tout et n'importe quoi ?

EXPRESSION ÉCRITE

Sujet
En réemployant le plus de mots possible de cette page, imaginez le dialogue de deux amis face à une toile signée Picasso : l'un est persuadé qu'il s'agit d'un faux, l'autre qu'il est face au tableau du maître.

● LE RÉALISME DEVANT LA JUSTICE

Ernest Pinard,
Réquisitoire (1857)

▶ Le procureur impérial **Ernest Pinard** instruit le dossier contre *Madame Bovary* (1857) contre Eugène Sue (ses *Mystères du peuple, Histoire d'une famille de prolétaires à travers les âges* sont accusés d'attaquer l'autorité : le livre est retiré de la vente) et Charles Baudelaire (six poèmes des *Fleurs du mal* sont supprimés). Ces procès sont révélateurs de l'ordre moral qui règne sous le Second Empire et du poids de la censure.

Madame Bovary paraît en feuilleton dans La Revue de Paris *avec des coupes dont Flaubert se plaint ; le roman est pourtant attaqué en justice. Flaubert est finalement acquitté.*

1 On nous dira comme objection générale : mais, après tout, le roman est moral au fond, puisque l'adultère est puni ?

À cette objection, deux réponses : je suppose l'œuvre morale, par hypothèse, une conclusion morale ne pourrait pas amnistier[1] les détails lascifs[2] qui peuvent s'y
5 trouver. Et puis je dis : l'œuvre au fond n'est pas morale.

Je dis, messieurs, que des détails lascifs ne peuvent pas être couverts par une conclusion morale, sinon on pourrait raconter toutes les orgies imaginables, décrire toutes les turpitudes[3] d'une femme publique, en la faisant mourir sur un grabat[4] à l'hôpital. Il serait permis d'étudier et de montrer toutes ses poses lascives ! Ce serait
10 aller contre toutes les règles du bon sens. Ce serait placer le poison à la portée de tous et le remède à la portée d'un bien petit nombre, s'il y avait un remède. Qui est-ce qui lit le roman de M. Flaubert ? Sont-ce des hommes qui s'occupent d'économie politique ou sociale ? Non ! Les pages légères de *Madame Bovary* tombent en des mains plus légères, dans des mains de jeunes filles, quelquefois de femmes
15 mariées. Eh bien ! lorsque l'imagination aura été séduite, lorsque cette séduction sera descendue jusqu'au cœur, lorsque le cœur aura parlé aux sens, est-ce que vous croyez qu'un raisonnement bien froid sera bien fort contre cette séduction des sens et du sentiment ? Et puis, il ne faut pas que l'homme se drape trop dans sa force et dans sa vertu, l'homme porte les instincts d'en bas et les idées d'en haut, et, chez
20 tous, la vertu n'est que la conséquence d'un effort, bien souvent pénible. Les peintures lascives ont généralement plus d'influence que les froids raisonnements. Voilà ce que je réponds à cette théorie, voilà ma première réponse, mais j'en ai une seconde.

Je soutiens que le roman de *Madame Bovary*, envisagé au point de vue philoso-
25 phique, n'est point moral. Sans doute madame Bovary meurt empoisonnée ; elle a beaucoup souffert, c'est vrai ; mais elle meurt à son heure et à son jour, mais elle meurt, non parce qu'elle est adultère, mais parce qu'elle l'a voulu ; elle meurt dans tout le prestige de sa jeunesse et de sa beauté ; elle meurt après avoir eu deux amants, laissant un mari qui l'aime, qui l'adore, qui trouvera le portrait de Rodol-
30 phe, qui trouvera ses lettres et celles de Léon, qui lira les lettres d'une femme deux fois adultère, et qui, après cela, l'aimera encore davantage au-delà du tombeau. Qui peut condamner cette femme dans le livre ? Personne. Telle est la conclusion.

1. pardonner.
2. sensuels.
3. déshonneur.
4. lit misérable.

Questions

1. Quelle est la fonction de chaque paragraphe dans l'argumentation ? Montrez que la construction est rigoureuse.
2. Reformulez les différents arguments de Pinard contre le roman. Sont-ils recevables ? Pourquoi ? Que révèlent-ils de la vision morale du Second Empire ?
3. Quels procédés d'écriture donnent de la force à cette argumentation ?

▶ L'argumentation directe, p. 449
▶ Les types de raisonnements et d'arguments, p. 456

● LE NATURALISME DEVANT SES CONTEMPORAINS

Ferragus, « La littérature putride », (1868)

▶ «**Ferragus**» est le pseudonyme de Louis Ulbach, journaliste et écrivain dont les articles satiriques attirent souvent les foudres de la censure impériale.

Le 23 janvier 1868, Ferragus publie dans Le Figaro *un article polémique intitulé «La Littérature putride» qui attaque violemment* Thérèse Raquin *de Zola. «Ma curiosité a glissé ces jours-ci dans une flaque de boue et de sang qui s'appelle* Thérèse Raquin», *écrit-il.*

Honoré Daumier, *L'Avocat plaidant*, aquarelle, encre et gouache (15,9 x 21,6 cm), vers 1845, collection Armand Hammer, Los Angeles.

1   Il s'est établi depuis quelques années une école monstrueuse de romanciers, qui prétend substituer l'éloquence du charnier à l'éloquence de la chair, qui fait appel aux curiosités les plus chirurgicales, qui
5 groupe les pestiférés pour nous en faire admirer les marbrures, qui s'inspire directement du choléra, son maître, et qui fait jaillir le pus de la conscience.

Les dalles de la morgue ont remplacé le sopha de Crébillon[1]; Manon Lescaut[2] est devenue une cuisinière sordide, quittant le graillon pour la boue des trottoirs, Faublas[3] a besoin d'assassiner et de voir pourrir ses victimes pour rêver d'amour;
10 ou bien, cravachant les dames du meilleur monde, lui qui n'a rien lu, il met les livres du marquis de Sade[4] en action.

Germinie Lacerteux, Thérèse Raquin, La Comtesse de Chalis[5], bien d'autres romans qui ne valent pas l'honneur d'être nommés (car je ne me dissimule pas que je fais une réclame à ceux-ci) vont prouver ce que j'avance.

15 Je ne mets pas en cause les intentions; elles sont bonnes; mais je tiens à démontrer que dans une époque à ce point blasée, pervertie, assoupie, malade, les volontés les meilleures se fourvoient et veulent corriger par des moyens qui corrompent. On cherche le succès pour avoir des auditeurs, et on met à sa porte des linges hideux en guise de drapeaux pour attirer les passants.

1. canapé et titre d'un conte libertin de Crébillon fils (1742).
2. héroïne éponyme d'un roman censuré de l'abbé Prévost (1731).
3. héros d'un roman libertin de Jean-Baptiste Louvet de Couvray (1787-90).
4. écrivain libertin du XVIIIᵉ siècle. Son nom a donné « sadisme ».
5. héroïne et titre d'un roman d'Ernest Feydeau (1867).

Questions

▶ Les figures de style, p. 420

1. Sur quelle métaphore filée l'argumentation du premier paragraphe s'appuie-t-elle? Commentez son efficacité.

2. Quelle est la fonction des références littéraires du deuxième paragraphe dans l'argumentation?

3. Reformulez les deux reproches énoncés dans le dernier paragraphe.

Prolongements

En vous appuyant sur les textes et images étudiés, organisez un débat autour des mouvements réaliste et naturaliste. Un groupe d'élèves se chargera de trouver les arguments du réquisitoire, un autre groupe cherchera les arguments de la plaidoirie.

Dossier

La représentation du corps, le renouveau réaliste

L'héritage de l'Antiquité : le corps idéalisé

• Le corps nu est très souvent représenté dans la Grèce antique. Il est plus souvent masculin que féminin, il évolue vers des poses souples et naturelles grâce au *contrapposto* (déhanché par rapport à la jambe d'appui) et au mouvement des bras, poses qui hantent l'art occidental. Les corps sont idéalisés (perfection des proportions et de l'anatomie, petit pénis pour l'homme, sexe parfaitement lisse pour la femme). La matière, souvent le marbre blanc, met en relief douceur des courbes et aspect lisse.

• Dès la Renaissance, l'étude de l'anatomie (par l'imitation des œuvres de l'Antiquité, le modèle vivant, et la dissection) fait partie de la formation des peintres et des sculpteurs, l'anatomie est enseignée dans les académies d'art. L'art antique et la mythologie sont une source d'inspiration essentielle.

Torse dit de « L'Aphrodite de Cnide », sculpture en marbre de Paros, IIᵉ siècle ap. J.-C., musée du Louvre, Paris.

⚙ Du corps idéalisé au corps réel : réalisme contre académisme

Gustave Courbet, *La Source*, huile sur toile (128 x 97 cm), 1868, musée d'Orsay, Paris.

Jean-Auguste-Dominique Ingres, *La Source*, huile sur toile (163 x 80 cm), 1856, musée d'Orsay, Paris.

Confronter deux tableaux

1. Relevez tous les éléments du tableau d'Ingres qui sont inspirés de la statuaire grecque tant dans le décor que dans le corps représenté.

2. Comment Courbet refuse-t-il cet héritage ? Relevez notamment des éléments de vérité de sa représentation du corps.

Le réalisme, une révolution artistique?

❂ Le corps au travail

Comprendre les spécificités du réalisme

1. Qu'est-ce que le glanage?
2. Comment ce tableau représente-t-il la pratique du glanage? Vous serez notamment attentif:
– à la composition et à la nature du rapport entre 1er plan et 2d plan;
– à la position et à l'activité des personnages.
3. Quels points communs remarquez-vous dans la représentation du corps dans ce tableau, celui de Caillebote (▶ p. 20) et celui de Dupré (▶ p. 34)?

Jean-François Millet, *Les Glaneuses*, huile sur toile (83,6 x 111 cm), 1857, musée d'Orsay, Paris.

❂ La représentation du corps: le « scandale réaliste »

Émile Zola, « Édouard Manet », 1867.
Le Déjeuner sur l'herbe est la plus grande toile d'Édouard Manet, celle où il a réalisé le rêve que font tous les peintres: mettre des figures de grandeur naturelle dans un paysage. [...] Cette femme nue a scandalisé le public, qui n'a vu qu'elle dans la toile. Bon Dieu! quelle indécence: une femme sans le moindre voile entre deux hommes habillés! Cela ne s'était jamais vu. [...] La foule [...] a cru que l'artiste avait mis une intention obscène et tapageuse dans la disposition du sujet [...]. Ce qu'il faut voir dans le tableau, ce n'est pas un déjeuner sur l'herbe, c'est le paysage entier, avec ses vigueurs et ses finesses, avec ses premiers plans si larges, si solides, et ses fonds d'une délicatesse si légère; c'est cette chair ferme modelée à grands pans de lumière, ces étoffes souples et fortes, et surtout cette délicieuse silhouette de femme en chemise qui fait dans le fond, une adorable tache blanche au milieu des feuilles vertes, c'est enfin cet ensemble vaste, plein d'air, ce coin de la nature rendu avec une simplicité si juste, toute cette page admirable dans laquelle un artiste a mis tous les éléments particuliers et rares qui étaient en lui.

Edouard Manet, *Le Déjeuner sur l'herbe*, huile sur toile (208 x 264,5 cm), 1863, musée d'Orsay, Paris.

Confronter texte et tableau

En vous aidant du texte de Zola et après avoir relevé tous les éléments de rupture de ce tableau, imaginez un dialogue entre un défenseur du tableau de Manet et un partisan de l'académisme.

Séquence 3

Le personnage réaliste : un héros ?

> **Que deviennent les attributs du héros traditionnel ?**
Quelle vision de l'homme les romanciers proposent-ils ?

LIENS AVEC LA PARTIE LANGUE

▶ Modes, temps et valeurs, p. 395
▶ L'énonciation, p. 417

LIENS AVEC LA PARTIE OUTILS D'ANALYSE

▶ Narrateur et focalisations, p. 426
▶ La description : formes et fonctions, p. 435
▶ Histoire et récit, p. 432
▶ Les discours rapportés, p. 437
▶ Les registres tragique et pathétique, p. 466

LIENS AVEC LA PARTIE MÉTHODES VERS LE BAC

▶ Lire un sujet d'invention, p. 474
▶ Imiter un style et transposer un texte, p. 478
▶ Construire un paragraphe argumentatif, p. 485

▶▶▶**Gustave Caillebotte**, *Un balcon* (détail), huile sur toile (69 x 62 cm), 1880, collection particulière.

Guy de Maupassant,
Bel-Ami (1885)

▶ Biographie p. 538

⊕ CONTEXTE

Le mot d'ordre attribué à François Guizot, ministre sous la Restauration (« Enrichissez-vous par le travail et par l'épargne ! »), révèle l'importance grandissante des milieux financiers et inspire aux écrivains une nouvelle figure : celle de l'opportuniste. Balzac crée l'ambitieux Rastignac sous la Restauration. Dans la société fin de siècle, Bel-Ami, « affamé d'argent et privé de conscience », incarne l'arriviste absolu.

Fils de cabaretiers, sans argent ni travail, Georges Duroy connaît grâce aux femmes – ce qui lui vaut son surnom de Bel-Ami – une ascension sociale et journalistique fulgurante : après avoir séduit Mme de Marelle, bourgeoise bohème attachante, puis épousé une journaliste de talent, il conquiert le cœur de la femme de Walter, patron du puissant journal La Vie française *et, après son divorce, celui de leur fille Suzanne. Par peur du scandale, Walter cède sa fille à Georges – devenu entre-temps baron Du Roy de Cantel – et le nomme rédacteur en chef. À la fin du roman le mariage est célébré en grande pompe dans l'église de la Madeleine à Paris (église où ont lieu les sacrements des personnes célèbres).*

1 L'encens répandait une odeur fine de benjoin[1], et sur l'autel le sacrifice divin s'accomplissait ; l'Homme-Dieu[2], à l'appel de son prêtre, descendait sur la terre pour consacrer le triomphe du baron Georges Du Roy.

Bel-Ami, à genoux à côté de Suzanne, avait baissé le front. Il se sentait en ce 5 moment presque croyant, presque religieux, plein de reconnaissance pour la divinité qui l'avait ainsi favorisé, qui le traitait avec ces égards. Et sans savoir au juste à qui il s'adressait, il la remerciait de son succès.

Lorsque l'office fut terminé, il se redressa, et donnant le bras à sa femme, il passa dans la sacristie[3]. Alors commença l'interminable défilé des assistants[4]. Geor-10 ges, affolé de joie, se croyait un roi qu'un peuple venait acclamer. Il serrait des mains, balbutiait des mots qui ne signifiaient rien, saluait, répondait aux compliments : « Vous êtes bien aimable. »

Soudain il aperçut Mme de Marelle ; et le souvenir de tous les baisers qu'il lui avait donnés, qu'elle lui avait rendus, le souvenir de toutes leurs caresses, de ses 15 gentillesses, du son de sa voix, du goût de ses lèvres, lui fit passer dans le sang le désir brusque de la reprendre. Elle était jolie, élégante, avec son air gamin et ses yeux vifs. Georges pensait : « Quelle charmante maîtresse, tout de même. »

Elle s'approcha un peu timide, un peu inquiète[5], et lui tendit la main. Il la reçut dans la sienne et la garda. Alors il sentit l'appel discret de ses doigts de femme, la 20 douce pression qui pardonne et reprend. Et lui-même il la serrait, cette petite main, comme pour dire : « Je t'aime toujours, je suis à toi ! »

Leurs yeux se rencontrèrent, souriants, brillants, pleins d'amour. Elle murmura de sa voix gracieuse : « À bientôt, mon-25 sieur. »

Il répondit gaiement : « À bientôt, madame. »

Et elle s'éloigna.

D'autres personnes se poussaient. La 30 foule coulait devant lui comme un fleuve. Enfin elle s'éclaircit. Les derniers assistants partirent. Georges reprit le bras de Suzanne pour retraverser l'église.

1. résine aromatique utilisée comme encens.
2. le Christ.
3. salle de l'église dans laquelle sont conservés les objets du culte.
4. ceux qui assistent à la cérémonie.
5. Du Roy a frappé sa maîtresse lors d'une querelle concernant son mariage avec Suzanne.

Illustration de **Ferdinand Bac** pour une édition de 1899 du roman *Bel-Ami*.

Elle était pleine de monde, car chacun avait regagné sa place, afin de les voir
35 passer ensemble. Il allait lentement, d'un pas calme, la tête haute, les yeux fixés sur
la grande baie ensoleillée de la porte. Il sentait sur sa peau courir de longs frissons,
ces frissons froids que donnent les immenses bonheurs. Il ne voyait personne. Il ne
pensait qu'à lui.

Lorsqu'il parvint sur le seuil, il aperçut la foule amassée, une foule noire, bruis-
40 sante, venue là pour lui, pour lui Georges Du Roy. Le peuple de Paris le contemplait et l'enviait.

Puis, relevant les yeux, il découvrit là-bas, derrière la place de la Concorde, la
Chambre des députés. Et il lui sembla qu'il allait faire un bond du portique de la
Madeleine au portique du Palais-Bourbon[6].

45 Il descendit avec lenteur les marches du haut perron entre deux haies de spectateurs. Mais il ne les voyait point ; sa pensée maintenant revenait en arrière, et
devant ses yeux éblouis par l'éclatant soleil flottait l'image de Mme de Marelle
rajustant en face de la glace les petits cheveux frisés de ses tempes, toujours défaits
au sortir du lit.

6. siège des députés
(actuelle Assemblée
nationale).

Questions

▶ Narrateur et
focalisations, p. 426
▶ Les registres et
effets du texte, p. 460

Vocabulaire
Cherchez l'origine
antique du mot
« triomphe »
(expliquez les
circonstances et
l'organisation de
cette cérémonie).
Puis montrez que le
mariage de Bel-Ami
est célébré comme
un « triomphe » de
l'Antiquité.

Le triomphe de Bel-Ami

1. Quelle focalisation prédomine dans l'extrait ? Quel en est l'intérêt ? Que sait-on
des pensées et des sentiments des deux
femmes ?
2. Étudiez le jeu des regards (ceux de la
foule et de Georges). Quel trait de caractère de Georges ce jeu révèle-t-il ? Quels
sentiments la foule éprouve-t-elle envers
lui ? Quel est son rôle dans cette scène ?
3. Montrez que le mariage de Georges est
d'abord une consécration personnelle.

Le cynisme du séducteur

4. Comparez la place qu'occupent dans la
scène Suzanne et Mme de Marelle. Qu'en
déduisez-vous ?
5. Quels sentiments et pensées de Georges
profanent le lieu sacré qu'est l'église ?
6. Montrez que le narrateur conserve une
distance ironique vis-à-vis du personnage éponyme.

7. Montrez que cet extrait fait la satire de la
société de l'époque.

L'arrivisme de Rastignac (▶ Texte écho ci-contre)

8. Relevez les étapes de l'évolution de Rastignac : quel rôle joue-t-il auprès du père
Goriot ? Quelles nouvelles valeurs semble-t-il adopter à la fin du roman ? Quel
événement a provoqué son évolution ?
Pourquoi ?
9. Relevez un commentaire du narrateur à
propos de l'Église : quel regard porte-t-il
sur cette institution ? Quelles images
sont données de la capitale et de la
société parisienne sous la Restauration ?
10. De la Restauration au Second Empire, de
nombreuses années séparent les deux
personnages : comparez l'arrivisme de
Rastignac à celui de Bel-Ami.

Synthèse Montrez que Bel-Ami est un héros ambigu : héros triomphant selon la tradition
romanesque, mais aussi un anti-héros, « graine de gredin » selon Maupassant.

▶ Lire un sujet
d'invention, p. 474
▶ Imiter un style et
transposer un texte,
p. 478

> Vers le bac   **S'entraîner au sujet d'invention**

Un journaliste, passé à la concurrence et qui s'est brouillé avec son ancien ami Du Roy, a
assisté à la cérémonie du mariage et en fait un compte-rendu féroce dans les colonnes de
son journal. Rédigez cet article.

Texte écho

▶ Biographie p. 534

Honoré de Balzac,
Le Père Goriot (1835)

Le défi de Rastignac : « À nous deux, maintenant ! », gravure de **Laisné**, 1832.

Le père Goriot a voué sa vie à ses filles, Anastasie et Delphine : après les avoir mariées à des aristocrates, il leur donne toute sa fortune pour satisfaire leurs caprices, et loge dans une pension misérable ; une ultime demande d'argent de leur part le met au désespoir et entraîne une crise d'apoplexie. Eugène de Rastignac – étudiant et voisin de Goriot – veille le mourant, attendant en vain la venue de ses filles. Après avoir vendu sa montre pour régler les frais de l'enterrement, il suit le convoi jusqu'à l'église Saint-Étienne-du-Mont (dans le Quartier latin).

1   Arrivé là, le corps fut présenté à une petite chapelle basse et sombre, autour de laquelle l'étudiant chercha vainement les deux filles du père Goriot ou leurs maris. […] En attendant les deux prêtres, l'enfant de chœur et le bedeau[1], Rastignac serra la main de
5   Christophe, sans pouvoir prononcer une parole.

    […] Les deux prêtres, l'enfant de chœur et le bedeau vinrent et donnèrent tout ce qu'on peut avoir pour soixante-dix francs dans une époque où la religion n'est pas assez riche pour prier gratis. Les gens du clergé chantèrent un psaume, le *Libera*, le *De profundis*[2]. Le
10   service dura vingt minutes. Il n'y avait qu'une seule voiture de deuil pour un prêtre et un enfant de chœur, qui consentirent à recevoir avec eux Eugène et Christophe.

    – Il n'y a point de suite, dit le prêtre, nous pourrons aller vite, afin de ne pas nous attarder, il est cinq heures et demie.

    Cependant, au moment où le corps fut placé dans le corbillard, deux voitures
15   armoriées[3], mais vides, celle du comte de Restaud et celle du baron de Nucingen, se présentèrent et suivirent le convoi jusqu'au Père-Lachaise. À six heures, le corps du père Goriot fut descendu dans sa fosse, autour de laquelle étaient les gens[4] de ses filles, qui disparurent avec le clergé aussitôt que fut dite la courte prière due au bonhomme pour l'argent de l'étudiant. Quand les deux fossoyeurs eurent jeté
20   quelques pelletées de terre sur la bière pour la cacher, ils se relevèrent et l'un d'eux, s'adressant à Rastignac, lui demanda leur pourboire. Eugène fouilla dans sa poche et n'y trouva rien ; il fut forcé d'emprunter vingt sous à Christophe. Ce fait, si léger en lui-même, détermina chez Rastignac un accès d'horrible tristesse. Le jour tombait, un humide crépuscule agaçait les nerfs, il regarda la tombe et y ensevelit sa
25   dernière larme de jeune homme, cette larme arrachée par les saintes émotions d'un cœur pur, une de ces larmes qui, de la terre où elles tombent, rejaillissent jusque dans les cieux. Il se croisa les bras, contempla les nuages, et le voyant ainsi, Christophe le quitta.

    Rastignac, resté seul, fit quelques pas vers le haut du cimetière et vit Paris tortueu-
30   sement[5] couché le long des deux rives de la Seine, où commençaient à briller les lumières. Ses yeux s'attachèrent presque avidement entre la colonne de la place Vendôme et le dôme des Invalides, là où vivait ce beau monde dans lequel il avait voulu pénétrer. Il lança sur cette ruche bourdonnante[6] un regard qui semblait par avance en pomper le miel, et dit ces mots grandioses : « À nous deux maintenant ! »
35   Et pour premier acte du défi qu'il portait à la Société, Rastignac alla dîner chez Mme de Nucingen[7].

1. employé laïc d'une église.
2. prières pour les défunts.
3. ornées d'emblèmes propres à une famille noble.
4. domestiques.
5. de façon sinueuse et, au sens figuré, de façon sournoise, hypocrite.
6. participe présent de « bour donner ».
7. fille du père Goriot, maîtresse de Rastignac.

Émile Zola,
La Fortune des Rougon (1871)

▶ Biographie p. 539

● CONTEXTE

Après la révolution de 1848, Louis-Napoléon Bonaparte est élu président de la IIᵉ République. Mais il se considère comme héritier de l'Empire et ses conflits avec l'Assemblée nationale le conduisent au coup d'État du 2 décembre 1851. Les républicains dressent des barricades dans Paris, l'insurrection est réprimée dans le sang le 4 décembre tout comme les résistances républicaines en province. Napoléon III met ainsi fin à la IIᵉ République et impose le Second Empire qui dure jusqu'au 2 septembre 1870, date de la défaite des Français face aux Prussiens à Sedan.

Premier volume du cycle des Rougon-Macquart, La Fortune des Rougon *se déroule à Plassans, ville imaginaire inspirée par Aix-en-Provence où naquit Zola. Ce premier volume pose les bases de la généalogie des personnages du cycle. Il se déroule au moment du coup d'état de Napoléon III. Cette période de troubles permet à Pierre Rougon et à sa femme, Félicité, d'intriguer opportunément en faveur de l'Empire grâce aux conseils de leur fils Eugène (proche des organisateurs du coup d'État à Paris) et de conquérir la position sociale dont ils rêvent depuis trente ans ! Leur « salon jaune » devient le lieu de rassemblement des ennemis de la République et Pierre Rougon passe pour un héros en faisant tomber quelques républicains dans un piège sanglant. La scène clôt le roman.*

1   Et, chez les Rougon, le soir, au dessert, des rires montaient dans la buée de la table, toute chaude encore des débris du dîner. Enfin ils mordaient aux plaisirs des riches ! Leurs appétits, aiguisés par trente ans de désirs contenus, montraient des dents féroces. Ces grands inassouvis, ces fauves maigres, à peine lâchés de la veille
5   dans les jouissances, acclamait l'Empire naissant, le règne de la curée¹ ardente. Comme il avait relevé la fortune des Bonaparte, le coup d'État fondait la fortune des Rougon.

Pierre se mit debout, tendit son verre, en criant :

« Je bois au prince Louis, à l'empereur ! »

10   Ces messieurs, qui avaient noyé leur jalousie dans le champagne, se levèrent tous, trinquèrent avec des exclamations assourdissantes. Ce fut un beau spectacle. Les bourgeois de Plassans, Roudier, Granoux, Vuillet et les autres, pleuraient, s'embrassaient, sur le cadavre à peine refroidi de la République. Mais Sicardot eut une idée triomphante. Il prit, dans les cheveux de Félicité, un nœud de satin rose qu'elle
15   s'était collé par gentillesse² au dessus de l'oreille droite, coupa un bout de satin avec son couteau à dessert, et vint le passer solennellement à la boutonnière³ de Rougon. Celui-ci fit le modeste […] :

« Non, je vous en prie, c'est trop tôt. Il faut attendre que le décret ait paru. »

« Sacrebleu, s'écria Sicardot, voulez-vous bien garder ça ! c'est un vieux soldat
20   de Napoléon qui vous décore ! »

Tout le salon jaune éclata en applaudissements. Félicité se pâma. Granoux le muet, dans son enthousiasme, monta sur une chaise, en agitant sa serviette et en prononçant un discours qui se perdit au milieu du vacarme. Le salon jaune triomphait, délirait.

25   Mais le chiffon de satin rose, passé à la boutonnière de Pierre, n'était pas la seule tache rouge dans le triomphe des Rougon. Oublié sous le lit de la pièce voisine, se trouvait encore un soulier au talon sanglant⁴. Le cierge qui brûlait auprès de M. Peirotte⁵, de l'autre côté de la rue, saignait dans l'ombre comme une blessure ouverte. Et, au loin, au fond de l'aire Saint-Mittre, sur la pierre tombale, une mare
30   de sang se caillait⁶.

---

1. part de la proie que l'on donne aux chiens de la meute. Au figuré : ruée. – 2. coquetterie. – 3. Eugène a promis à son père la Légion d'honneur. – 4. Pierre a marché par inadvertance sur un des cadavres sanglants, fruits de ses manigances. – 5. bourgeois tué lors du combat entre les insurgés républicains et les soldats. Rougon hérite de sa place de receveur. – 6. allusion à la mort de Silvère, neveu de Rougon et républicain, exécuté.

René Prinet, *Le Balcon*,
huile sur toile
(186 x 156 cm), 1900,
musée des Beaux-Arts,
Caen.

Questions

▸ L'énonciation, p. 417
▸ Les figures de style, p. 420

▸ Narrateur et focalisations, p. 426
▸ Les registres, p. 464 et 466

Vocabulaire
«Sanglant», «saignait», «sang», etc. Complétez la famille étymologique du mot «sang» et donnez la définition des mots que vous aurez trouvés.

Le dîner et les convives

1. Relevez le champ lexical dominant le 1er paragraphe. Quelle figure de style ce champ lexical construit-il? Quelle vision des bourgeois rassemblés cette figure de style propose-t-elle?

2. Comment la grossièreté des protagonistes est-elle soulignée? Étudiez leur comportement, leur langage.

3. Montrez que l'«idée triomphante» (l. 14) de Sicardot résume la mentalité de ces bourgeois. Relevez l'antiphrase qui synthétise cette vulgarité générale.

4. Montrez que la vision de «la table» contenue dans la 1re phrase est symboli-

que: relevez toutes les allusions aux événements historiques qui, dans la suite du texte, font écho (sur le plan politique) à cette description de la table.

Les couleurs

5. Relevez le lexique des couleurs.

6. Étudiez la symbolique des couleurs dans ce passage.

Les registres

7. Dégagez les différents registres et montrez le rôle qu'ils jouent dans le jugement du narrateur.

8. Quels sentiments Zola veut-il faire éprouver au lecteur?

Synthèse Quelle vision ce dénouement donne-t-il des bourgeois et du régime politique qui s'ouvre?

Vers le bac **Illustrer une thèse**

«Le premier homme qui passe est un héros suffisant», affirme Zola. Illustrez cette citation en un paragraphe à l'aide des exemples de ce texte, en insistant sur la médiocrité, la vulgarité des personnages présents.

▸ Construire un paragraphe argumentatif, p. 485

▶ Biographie p. 539

⊕ CONTEXTE

« Qui pourra jamais expliquer, peindre ou comprendre Napoléon ? Un homme qu'on représente les bras croisés, et qui a tout fait ! [...] un homme qui pouvait tout faire, parce qu'il voulait tout » (Balzac). Objet dès son vivant d'une véritable légende, Napoléon Bonaparte fascine par son destin, sa politique audacieuse, ses incessantes campagnes militaires. Napoléon inspire de nombreux auteurs : Chateaubriand, Hugo, Balzac, Stendhal (dont les héros sont souvent des admirateurs de l'empereur).

Stendhal,
La Chartreuse de Parme (1839)

Héros de La Chartreuse de Parme, *Fabrice Del Dongo admire Napoléon Bonaparte. Quand il apprend que ce dernier, exilé sur l'île d'Elbe, est revenu au pouvoir, il quitte le duché de Parme pour prêter main-forte à l'empereur. À 17 ans, sans aucune expérience militaire, il rejoint les soldats napoléoniens à Waterloo où se livre la bataille contre les Anglais qui signe la défaite définitive de Napoléon, le 18 juin 1815.*

Nous avouerons que notre héros était fort peu héros en ce moment. Toutefois la peur ne venait chez lui qu'en seconde ligne ; il était surtout scandalisé de ce bruit qui lui faisait mal aux oreilles. L'escorte[1] prit le galop ; on traversait une grande pièce de terre labourée, située au-delà du canal, et ce champ était jonché de cada-
5 vres.

— Les habits rouges ! les habits rouges[2] ! criaient avec joie les hussards de l'escorte, et d'abord Fabrice ne comprenait pas ; enfin, il remarqua qu'en effet presque tous les cadavres étaient vêtus de rouge. Une circonstance lui donna un frisson d'horreur ; il remarqua que beaucoup de ces malheureux vivaient encore ; ils
10 criaient évidemment pour demander du secours, et personne ne s'arrêtait pour leur en donner. Notre héros, fort humain, se donnait toutes les peines du monde pour que son cheval ne mît les pieds sur aucun habit rouge. L'escorte s'arrêta ; Fabrice, qui ne faisait pas assez d'attention à son devoir de soldat, galopait toujours en regardant un malheureux blessé.

15 — Veux-tu bien t'arrêter, blanc-bec ! lui cria le maréchal des logis. Fabrice s'aperçut qu'il était à vingt pas sur la droite en avant des généraux, et précisément du côté où ils regardaient avec leur lorgnette.

Fabrice revient se ranger derrière les généraux et découvre que la maréchal Ney est présent.

[...] il contemplait, perdu dans une admiration enfantine, ce fameux prince de la Moskova[3], le brave des braves.
20 Tout à coup, on partit au grand galop. Quelques instants après, Fabrice vit, à vingt pas en avant, une terre labourée qui était remuée d'une façon singulière. Le fond des sillons était plein d'eau, et la terre fort humide, qui formait la crête de ces sillons, volait en petits fragments noirs lancés à trois ou quatre pieds de haut. Fabrice remarqua en passant cet effet singulier ; puis sa pensée se remit à songer à
25 la gloire du maréchal[4]. Il entendit un cri sec auprès de lui : c'étaient deux hussards qui tombaient atteints par des boulets ; et, lorsqu'il les regarda, ils étaient déjà à vingt pas de l'escorte. Ce qui lui sembla horrible, ce fut un cheval tout sanglant qui se débattait sur la terre labourée, en engageant ses pieds dans ses propres entrailles ; il voulait suivre les autres : le sang coulait dans la boue.
30 Ah ! m'y voilà donc enfin au feu ! se dit-il. J'ai vu le feu ! se répétait-il avec satisfaction. Me voici un vrai militaire. À ce moment, l'escorte allait ventre à terre, et notre héros comprit que c'était les boulets qui faisaient voler la terre de toutes parts. Il avait beau regarder du côté d'où venaient les boulets, il voyait la fumée blanche de la batterie à une distance énorme, et, au milieu du ronflement égal et
35 continu produit par les coups de canon, il lui semblait entendre des décharges beaucoup plus voisines ; il n'y comprenait rien du tout.

1. il s'agit de l'escorte d'un groupe de généraux à laquelle Fabrice s'est joint par hasard.
2. uniforme des soldats anglais.
3. bataille de la campagne de Russie de Napoléon (7 décembre 1812).
4. il s'agit du maréchal Ney.

Denis Dighton, *La Bataille de Waterloo*, huile sur toile, vers 1815, collection privée.

Questions

▶ Narrateur et focalisations,
p. 426
▶ Le registre comique,
p. 464

Vocabulaire
À partir de « guerre » et
« belliqueux » (dont vous
chercherez si besoin le
sens dans le dictionnaire),
constituez la famille
étymologique de la guerre.

Le point de vue

1. Quelle focalisation est adoptée pour la narration ?
2. Qui est représenté par le pronom indéfini « on » (l. 3 et 20) ? Comment ce pronom participe-t-il à la construction du point de vue ?

Fabrice dans la bataille

3. Commentez les 2 occurrences du mot « héros » et leurs connotations à la 1re ligne.

4. Par quels sentiments successifs Fabrice est-il traversé tout au long du texte ?
5. Relevez les différents effets de décalages ironiques entre les réalités de la guerre et la compréhension qu'en a Fabrice.
6. Relevez les différents effets de décalages ironiques entre le déroulement de la bataille et les préoccupations de Fabrice.
7. Cette page vous semble-t-elle essentiellement destinée à ridiculiser Fabrice ? Justifiez votre réponse.

Synthèse Montrez que le texte de Stendhal développe et éclaire la phrase qui ouvre l'extrait : « Nous avouerons que notre héros était fort peu héros en ce moment » (l. 1).

► Biographie p. 536

Victor Hugo,
Les Misérables (1862)

1   Ils étaient trois mille cinq cents[1]. Ils faisaient un front d'un quart de lieue. C'étaient des hommes géants sur des chevaux colosses. Ils étaient vingt-six escadrons ; et ils avaient derrière eux, pour les appuyer, la division de Lefebvre-Desnouettes[2], les cent six gendarmes d'élite, les chasseurs de la garde, onze cent quatre-vingt-dix-sept hommes, et les lanciers de la garde, huit cent quatre-vingts lances. Ils portaient le casque sans crins et la cuirasse de fer battu, avec les pistolets d'arçon dans les fontes et le long sabre-épée. […]

L'aide de camp Bernard leur porta l'ordre de l'empereur. Ney[3] tira son épée et prit la tête. Les escadrons énormes s'ébranlèrent.

10   Alors on vit un spectacle formidable.

Toute cette cavalerie, sabres levés, étendards et trompettes au vent, formée en colonne par division, descendit, d'un même mouvement et comme un seul homme, avec la précision d'un bélier de bronze qui ouvre une brèche, la colline de la Belle-Alliance, s'enfonça dans le fond redoutable où tant d'hommes déjà étaient tombés, y disparut dans la fumée, puis, sortant de cette ombre, reparut de l'autre côté du vallon, toujours compacte et serrée, montant au grand trot, à travers un nuage de mitraille crevant sur elle, l'épouvantable pente de boue du plateau de Mont-Saint-Jean. Ils montaient, graves, menaçants, imperturbables ; dans les intervalles de la mousqueterie et de l'artillerie, on entendait ce piétinement colossal. Étant deux divisions, ils étaient deux colonnes ; la division Wathier avait la droite, la division Delord avait la gauche. On croyait voir de loin s'allonger vers la crête du plateau deux immenses couleuvres d'acier. Cela traversa la bataille comme un prodige.

Rien de semblable ne s'était vu depuis la prise de la grande redoute[4] de la Moskowa[5] par la grosse cavalerie ; Murat[6] y manquait, mais Ney s'y retrouvait. Il semblait que cette masse était devenue monstre et n'eût qu'une âme.

1. il s'agit de la bataille de Waterloo.
2. général.
3. maréchal d'Empire.
4. fort.
5. bataille de la Campagne de Russie de Napoléon (7 septembre 1812).
6. maréchal d'Empire.

Questions

► Narrateur et focalisations, p. 426
► Le registre épique, p. 460

Deux points de vue

1. Comparez la focalisation adoptée par les textes de Stendhal (► p. 56) et de Hugo. Commentez les effets obtenus.
2. Qui le pronom indéfini « on » (l. 10 et 21) représente-t-il dans le texte de Hugo ? Comparez cet emploi avec celui du texte de Stendhal (► p. 56).

Une bataille, deux visions

3. Sur quels aspects de la bataille chaque texte insiste-t-il ?
4. Comparez les tonalités des deux textes.
5. Quelles visions de la bataille et de l'armée ces deux textes proposent-ils ?
6. Quel texte, selon vous, donne la vision la plus réaliste de la bataille de Waterloo ? Justifiez votre réponse.

► Imiter un style et transposer un texte, p. 478

Vers le bac   S'entraîner au sujet d'invention

Rédigez deux courts textes racontant le même match de foot ou de tout autre sport collectif de votre choix : le premier à la manière de Hugo, le second à la manière de Stendhal.

Gustave Flaubert,
L'Éducation sentimentale (1869)

▶ **Biographie p. 536**

⊙ CONTEXTE

Inspiré par une passion éprouvée par Flaubert dès 16 ans pour Mme Schlésinger, Frédéric Moreau incarne, aux yeux de l'auteur, l'inadéquation entre une époque qui hésite entre monarchie, république et empire, et une jeunesse condamnée à voir ses rêves transformés en illusions. Dans une lettre de 1864, il écrit : « Je veux faire l'histoire morale des hommes de ma génération ; "sentimentale", serait plus vrai. C'est un livre d'amour, de passion ; mais de passion telle qu'elle peut exister maintenant, c'est-à-dire inactive. »

Éperdument amoureux de Mme Arnoux depuis longtemps mais trop timide pour passer à l'acte, Frédéric Moreau prépare enfin un rendez-vous et loue une chambre sur le trajet de leur prochaine promenade. Mais elle ne vient pas au rendez-vous : son fils tombe gravement malade, elle voit dans cet événement la condamnation divine de ses sentiments pour Frédéric. Celui-ci attend vainement puis rend visite à Rosanette, dite la Maréchale, femme légère et entretenue. En arrière-fond se déroule la révolution de 1848.

Frédéric entra dans le boudoir. La Maréchale parut, en jupon, les cheveux sur le dos, bouleversée.

– Ah ! merci, tu viens me sauver ! c'est la seconde fois ! tu n'en demandes jamais le prix, toi !

5 – Mille pardons ! dit Frédéric, en lui saisissant la taille dans les deux mains.

– Comment ? que fais-tu ? balbutia la Maréchale, à la fois surprise et égayée par ces manières.

Il répondit :

– Je suis à la mode, je me réforme.

10 Elle se laissa renverser sur le divan, et continuait à rire sous ses baisers.

Ils passèrent l'après-midi à regarder, de leur fenêtre, le peuple dans la rue. Puis il l'emmena dîner aux Trois-Frères-Provençaux. Le repas fut long, délicat. Ils s'en revinrent à pied, faute de voiture.

À la nouvelle d'un changement de ministère[1], Paris avait changé. Tout le monde 15 était en joie ; des promeneurs circulaient, et des lampions à chaque étage faisaient une clarté comme en plein jour. Les soldats regagnaient lentement leurs casernes,

1. le 23 février 1848, Louis-Philippe remplace le ministre Guizot par Molé.

Jean Béraud, *Dîner aux Ambassadeurs*, huile sur bois (37 x 45 cm), XXe siècle, musée Carnavalet, Paris.

2. un détachement militaire tire sur un groupe de manifestants croisés sur ce boulevard. La fusillade fait une centaine de victimes. Le lendemain, le roi s'enfuit des Tuileries.
3. dentelle.

harassés, l'air triste. On les saluait en criant: « Vive la ligne! » Ils continuaient sans répondre. Dans la garde nationale, au contraire, les officiers, rouges d'enthousiasme, brandissaient leur sabre en vociférant: « Vive la réforme! » et ce mot-là, chaque fois, faisait rire les deux amants. Frédéric blaguait, était très gai.

Par la rue Duphot, ils atteignirent les boulevards. Des lanternes vénitiennes, suspendues aux maisons, formaient des guirlandes de feux. Un fourmillement confus s'agitait en dessous; au milieu de cette ombre, par endroits, brillaient des blancheurs de baïonnettes. Un grand brouhaha s'élevait. La foule était trop compacte, le retour direct impossible; et ils entraient dans la rue Caumartin, quand, tout à coup, éclata derrière eux un bruit, pareil au craquement d'une immense pièce de soie que l'on déchire. C'était la fusillade du boulevard des Capucines[2].

– Ah! on casse quelques bourgeois, dit Frédéric tranquillement, car il y a des situations où l'homme le moins cruel est si détaché des autres, qu'il verrait périr le genre humain sans un battement de cœur.

La Maréchale, cramponnée à son bras, claquait des dents. Elle se déclara incapable de faire vingt pas de plus. Alors, par un raffinement de haine, pour mieux outrager en son âme Mme Arnoux, il l'emmena jusqu'à l'hôtel de la rue Tronchet, dans le logement préparé pour l'autre.

Les fleurs n'étaient pas flétries. La guipure[3] s'étalait sur le lit. Il tira de l'armoire les petites pantoufles. Rosanette trouva ces prévenances fort délicates.

Vers une heure, elle fut réveillée par des roulements lointains; et elle le vit qui sanglotait, la tête enfoncée dans l'oreiller.

– Qu'as-tu donc, cher amour?

– C'est excès de bonheur, dit Frédéric. Il y avait trop longtemps que je te désirais.

Questions

► Les figures de style, p. 420
► Histoire et récit, p. 432
► Les registres tragique et pathétique, p. 466

La composition du récit

1. Analysez la composition du récit: relevez les alternances entre l'intrigue principale et l'arrière-plan historique; repérez les différents rythmes du récit (sommaires, scènes, ellipses, etc.).
2. Quelles sont les différentes phases des événements de l'arrière-plan historique?

Les personnages

3. Comment les deux personnages, ensemble ou séparément, réagissent-ils aux événements?
4. Comment l'humeur des personnages évolue-t-elle tout au long du texte?
5. Par quelle phrase et quelle métaphore le récit relie-t-il l'histoire de Frédéric et l'histoire de la révolution? Éclaircissez ce lien tout au long du texte en vous appuyant sur des citations précises.
6. Quelle lecture symbolique peut-on faire de la phrase: « Les fleurs n'étaient pas flétries » (l. 35)? Reliez cette lecture à la chute du texte.
7. Pourquoi Frédéric est-il pathétique dans cette page?

Synthèse Comment Flaubert fait-il le portrait d'un jeune homme passif, caractéristique des personnages réalistes?

Vers le bac **S'entraîner au commentaire**

Construire le plan détaillé du commentaire de ce texte à partir des axes suivants:
I. Des amours joyeuses mais factices…
II. sur fond d'un événement politique dramatique.

► Lire une page de récit, p. 488

► Biographie p. 539

Émile Zola,
Les romanciers naturalistes (1881)

Zola mène, parallèlement à son œuvre de romancier, un travail de théoricien et rédige des textes, des articles, des préfaces dans lesquels il présente et défend la doctrine naturaliste : Mes haines, Causeries littéraires et artistiques *(1866),* Le roman expérimental *(1880),* Les romanciers naturalistes *(1881).*

1   Fatalement le romancier tue les héros, s'il n'accepte que le train ordinaire de l'existence commune. Par héros, j'entends les personnages grandis outre mesure, les pantins changés en colosses. Quand on se soucie peu de la logique, du rapport des choses entre elles, des proportions précises de toutes les parties de l'œuvre, on
5   se trouve bientôt emporté à vouloir faire preuve de force, à donner tout son sang et tous ses muscles au personnage pour lequel on éprouve des tendresses particulières. De là, ces grandes créations, ces types hors nature, debout, et dont les noms restent. Au contraire les bonshommes se rapetissent et se mettent à leur rang, lorsqu'on éprouve la seule préoccupation d'écrire une œuvre vraie, pondérée, qui
10   soit le procès-verbal fidèle d'une aventure quelconque. Si l'on a l'oreille juste en cette matière, la première page donne le ton des autres pages, une tonalité harmonique s'établit, au-dessus de laquelle il n'est plus permis de s'élever, sans jeter la plus abominable des fausses notes. On a voulu la médiocrité courante de la vie, et il faut y rester. […]
15   Le romancier naturaliste affecte de disparaître complètement derrière l'action qu'il raconte. Il est le metteur en scène caché du drame. Jamais il ne se montre au bout d'une phrase. On ne l'entend ni rire ni pleurer avec ses personnages, pas plus qu'il ne se permet de juger leurs actes. C'est même cet apparent désintéressement qui est le train le plus distinctif. On chercherait en vain une conclusion, une mora-
20   lité, une leçon quelconque tirée des faits. Il n'y a d'étalés, de mis en lumière, uniquement que les faits, louables ou condamnables. L'auteur n'est pas un moraliste, mais un anatomiste qui se contente de dire ce qu'il trouve dans le cadavre humain. Les lecteurs concluront, s'ils le veulent, chercheront la vraie moralité, tâcheront de tirer une leçon du livre. Quant au romancier, il se tient à l'écart, surtout par un
25   motif d'art, pour laisser à son œuvre une unité impersonnelle, son caractère de procès-verbal écrit à jamais sur le marbre.

Questions

1. Comment le 1er paragraphe est-il construit ? Repérez le terme qui articule les deux temps de l'argumentation de Zola et relevez les oppositions qui structurent ce paragraphe.

2. De quelle qualité le romancier naturaliste doit-il faire preuve selon Zola dans le 2e paragraphe ? Justifiez votre réponse.

Synthèse Dans quelle mesure les extraits de romans réalistes et naturalistes que vous avez lus correspondent-ils à la thèse de Zola exposée dans le 2e paragraphe ?

• LE PERSONNAGE DE ROMAN AU XXᴇ SIÈCLE

Albert Camus,
L'Étranger (1942)

> ▶ Né en Algérie, **Camus** (1913-1960) est romancier, dramaturge et essayiste. Durant la Seconde Guerre mondiale, il est journaliste militant pour la Résistance. Son œuvre, couronnée en 1957 par le prix Nobel, est fondée sur la conscience de l'absurdité de l'existence humaine. « L'absurde naît de cette confrontation entre l'appel humain et le silence déraisonnable du monde » (*Le mythe de Sisyphe*, 1947). Seule la révolte et l'action permettent de donner sens à l'existence.

Meursault, héros de L'Étranger *vit à Alger. Le roman s'ouvre sur la mort de sa mère, qu'il enterre sans verser une larme, et se poursuit en évoquant la vie de Meursault entre son travail de bureau, quelques amis et Marie, jeune femme avec qui il entretient une liaison. Son patron vient de le convoquer pour lui offrir une promotion.*

1   Il avait l'intention d'installer un bureau à Paris qui traiterait ses affaires sur la place, et directement, avec les grandes compagnies et il voulait savoir si j'étais disposé à y aller. Cela me permettrait de vivre à Paris et aussi de voyager une partie de l'année. « Vous êtes jeune, et il me semble que c'est une vie qui doit vous plaire. »

5   J'ai dit que oui mais que dans le fond cela m'était égal. Il m'a demandé alors si je n'étais pas intéressé par un changement de vie. J'ai répondu qu'on ne changeait jamais de vie, qu'en tous cas toutes se valaient et que la mienne ici ne me déplaisait pas du tout. Il a eu l'air mécontent, m'a dit que je répondais toujours à côté, que je n'avais pas d'ambition et que cela était désastreux dans les affaires. Je suis

10 retourné travailler alors. J'aurais préféré ne pas le mécontenter, mais je ne voyais pas de raisons pour changer ma vie. En y réfléchissant bien, je n'étais pas malheureux. Quand j'étais étudiant, j'avais beaucoup d'ambitions de ce genre. Mais quand j'ai dû abandonner mes études, j'ai très vite compris que tout cela était sans importance réelle.

15   Le soir, Marie est venue me chercher et m'a demandé si je voulais me marier avec elle. J'ai dit que cela m'était égal et que nous pourrions le faire si elle le voulait. Elle a voulu savoir alors si je l'aimais. J'ai répondu comme je l'avais déjà fait une fois, que cela ne signifiait rien mais que sans doute je ne l'aimais pas. « Pourquoi m'épouser alors ? » a-t-elle dit. Je lui ai expliqué que cela n'avait aucune

20 importance et que si elle le désirait, nous pouvions nous marier.

© Éditions Gallimard.

Questions

Un « étrange » point de vue

1. Quel point de vue la narration adopte-t-elle ?

2. Le discours est narratif, pourtant les passages purement narratifs sont rares : par quel type de discours la narration est-elle envahie ? Repérez tous les passages concernés par ce type de discours. Quel est l'effet produit notamment par rapport au point de vue ?

Le personnage de Meursault

3. Quelle formule récurrente Meursault emploie-t-il face aux propositions de son patron et de Marie ?

4. Relevez les deux formules qui concernent ce que Meursault pense de sa vie. Que remarquez-vous ? Expliquez pourquoi la forme choisie par Meursault crée un effet de distance.

5. Relevez les autres preuves de l'indifférence de Meursault.

Synthèse Montrez que ce passage éclaire certains aspects du titre de l'œuvre : *L'Étranger*. À quoi Meursault est-il « étranger » ? Pourquoi nous apparaît-il comme « étranger » ?

Honoré Daumier,
« Le Ban quier », *Les Types français,*
(1835)

◄ **Légende :** « Le Banquier, appelé capacité financière parce qu'il n'est pas autre chose qu'un récipient, un coffre exclusivement propre aux finances. »

Honoré Daumier, « Le Ba nquier », dessin publié dans *Le Charivari,* 1835.

🖥 Consultez le site de la BnF consacré à Daumier.

LA CARICATURE
histoire des arts

Définition. Du latin populaire *caricare* (qui signifie « charger » ou « exagérer »), la caricature représente, en les accentuant pour les ridiculiser, les aspects déplaisants ou risibles.

La caricature au XIXᵉ siècle. Le développement dès le début du siècle des périodiques illustrés favorise la caricature. Les plus connus sont *La Caricature* et *Le Charivari*. La caricature politique est censurée (loi de 1835).

Daumier (1808-1879). Ce fils de vitrier publie des caricatures politiques qui lui valent procès, amendes et emprisonnements. Il se tourne donc vers la caricature de mœurs et dessine les séries comme *Les Bons Bourgeois* ou *Les Types français*.

► Décrire une image, p. 514

Prolongements

• Cherchez, sur le site du musée du Louvre, le tableau de Jean-Auguste-Dominique Ingres intitulé *Louis François Bertin*. Quels éléments communs pouvez-vous remarquer entre le tableau d'Ingres et la caricature de Daumier ?

Questions

1. Quel plan est utilisé pour représenter le banquier ? Quel est l'intérêt de ce choix ?
2. Relevez tous les signes extérieurs de richesse.
3. Quels adjectifs peut-on employer pour qualifier l'expression du visage du banquier ?

Synthèse Rédigez un paragraphe soulignant le rapport entre la caricature et sa légende.

▶ **Biographie p. 536**

Gustave Flaubert,
L'Éducation sentimentale (1869)

⊙ **CONTEXTE**

En février 1848,
Flaubert assiste au
saccage des
Tuileries : se mêlant
pour une fois de
politique, il prend le
parti de la
monarchie et porte
un regard sans
concession sur les
révolutionnaires. Si,
à l'instar de
Stendhal, Flaubert
considère que « la
politique dans une
œuvre littéraire,
c'est un coup de
pistolet au milieu
d'un concert,
quelque chose de
grossier », il
reconnaît
néanmoins, avec
l'auteur de *La
Chartreuse de Parme*,
qu'« il n'est pas
possible de (lui)
refuser son
attention ».

Pendant les journées révolutionnaires de février 1848 – qui balaient la monarchie et instaurent la IIe République –, Frédéric Moreau, héros du roman, accompagné de son ami Hussonnet, assiste à Paris à l'invasion du palais des Tuileries, d'où le roi Louis-Philippe vient de s'enfuir.

1   Tout à coup *la Marseillaise* retentit. Hussonnet et Frédéric se penchèrent sur la rampe. C'était le peuple. Il se précipita dans l'escalier, en secouant à flots vertigineux des têtes nues, des casques, des bonnets rouges, des baïonnettes et des épaules, si impétueusement, que des gens disparaissaient dans cette masse grouillante
5   qui montait toujours, comme un fleuve refoulé par une marée d'équinoxe, avec un long mugissement, sous une impulsion irrésistible. En haut, elle se répandit, et le chant tomba.

On n'entendait plus que les piétinements de tous les souliers, avec le clapotement des voix. La foule inoffensive se contentait de regarder. Mais, de temps à autre, un
10   coude trop à l'étroit enfonçait une vitre ; ou bien un vase, une statuette déroulait d'une console, par terre. Les boiseries pressées craquaient. Tous les visages étaient rouges, la sueur en coulait à larges gouttes ; Hussonnet fit cette remarque :

– Les héros ne sentent pas bon !

– Ah ! vous êtes agaçant, reprit Frédéric.

15   Et poussés malgré eux, ils entrèrent dans un appartement où s'étendait, au plafond, un dais[1] de velours rouge. Sur le trône, en dessous, était assis un prolétaire à barbe noire, la chemise entr'ouverte, l'air hilare et stupide comme un magot[2]. D'autres gravissaient l'estrade pour s'asseoir à sa place.

– Quel mythe ! dit Hussonnet. Voilà le peuple souverain !

20   Le fauteuil fut enlevé à bout de bras, et traversa toute la salle en se balançant.

– Saprelotte[3] ! comme il chaloupe[4] ! Le vaisseau de l'État est ballotté sur une mer orageuse ! Cancane-t-il ! cancane-t-il[5] !

On l'avait approché d'une fenêtre, et, au milieu des sifflets, on le lança.

– Pauvre vieux ! dit Hussonnet, en le voyant tomber dans le jardin, où il fut
25   repris vivement pour être promené ensuite jusqu'à la Bastille, et brûlé.

Alors, une joie frénétique éclata, comme si, à la place du trône, un avenir de bonheur illimité avait paru ; et le peuple, moins par vengeance que pour affirmer sa possession, brisa, lacéra les glaces et les rideaux, les lustres, les flambeaux, les tables, les chaises, les tabourets, tous les meubles, jusqu'à des albums de dessins, jusqu'à des
30   corbeilles de tapisserie. Puisqu'on était victorieux, ne fallait-il pas s'amuser ! La canaille s'affubla ironiquement de dentelles et de cachemires. Des crépines[6] d'or s'enroulèrent aux manches des blouses, des chapeaux à plumes d'autruche ornaient la tête des forgerons, des rubans de la Légion d'honneur firent des ceintures aux prostituées. Chacun satisfaisait son caprice ; les uns dansaient, d'autres buvaient.
35   Dans la chambre de la reine, une femme lustrait ses bandeaux[7] avec de la pommade ; derrière un paravent, deux amateurs jouaient aux cartes ; Hussonnet montra à Frédéric un individu qui fumait son brûle-gueule[8] accoudé sur un balcon ; et le délire redoublait son tintamarre continu des porcelaines brisées et des morceaux de cristal qui sonnaient, en rebondissant, comme des lames d'harmonica.

40   Puis la fureur s'assombrit. Une curiosité obscène fit fouiller tous les cabinets, tous les recoins, ouvrir tous les tiroirs. Des galériens enfoncèrent leurs bras dans la couche

1. étoffe tendue.
2. macaque, singe.
3. ancien juron.
4. balancer.
5. danser le cancan
(danse populaire
tapageuse).
6. dentelles et
franges.
7. faisait briller ses
cheveux.
8. pipe à tuyau très
court.

9. une prostituée.

des princesses, et se roulaient dessus par consolation de ne pouvoir les violer. D'autres, à figures plus sinistres, erraient silencieusement, cherchant à voler quelque chose ; mais la multitude était trop nombreuse. Par les baies des portes, on n'apercevait dans l'enfilade des appartements que la sombre masse du peuple entre les dorures, sous un nuage de poussière. Toutes les poitrines haletaient ; la chaleur de plus en plus devenait suffocante ; les deux amis, craignant d'être étouffés, sortirent.

45

Dans l'antichambre, debout sur un tas de vêtements, se tenait une fille publique[9], en statue de la Liberté, – immobile, les yeux grands ouverts, effrayante.

Job, dessin satirique de Louis-Philippe, roi de France, publié en 1894.

▶ Prudhomme incarne au XIXe siècle le bourgeois sot, conformiste et donneur de leçons. Les caricaturistes ont souvent donné au visage du roi Louis-Philippe la forme d'une poire.

Questions

▶ Les figures de style, p. 420
▶ Narrateur et focalisations, p. 426
▶ Les discours rapportés, p. 437
▶ Le registre épique, p. 460

Grammaire
Réécrivez au discours indirect libre le dialogue de Frédéric et de son ami Hussonnet.

1. Repérez les différentes étapes de l'invasion des Tuileries. Analysez au fur à mesure les motivations du peuple.
2. Quel regard chacun des deux amis porte-t-il sur l'événement ?
3. En analysant les métaphores et la symbolique des couleurs, montrez que le peuple acquiert une dimension épique.
4. En l'absence du roi, quel objet symbolise l'adversaire des insurgés ? Montrez ce que le combat a de dérisoire.

5. Qui compose le peuple ? Pourquoi son comportement ressemble-t-il à celui d'un animal ?
6. Quelle(s) image(s) le narrateur donne-t-il du peuple révolutionnaire ?

Lecture d'image Comment Job ridiculise-t-il les révolutionnaires ? Quelle image donne-t-il du pouvoir ?

Synthèse Montrez que, tout en exaltant la dimension épique du peuple, Flaubert propose une vision distanciée, ironique et dégradée des révolutionnaires.

Vers le bac **Illustrer une thèse**

▶ Construire un paragraphe argumentatif, p. 485

Flaubert écrit : « L'auteur, dans son œuvre, doit être comme Dieu dans l'univers, présent partout et visible nulle part ». À partir de l'étude de cet extrait, rédigez un paragraphe argumentatif qui illustre le paradoxe formulé par l'écrivain.

▶ **Biographie p. 539**

⊕ CONTEXTE

Depuis le 14 juin 1791, la loi Le Chapelier interdit aux ouvriers, aux paysans et aux artisans de s'organiser dans des corporations ou des coalitions. Les organisations ouvrières sont interdites. Les ouvriers ne peuvent ni se syndiquer ni faire grève ! Cette loi ne sera abrogée qu'en 1864, qui voit naître le droit de grève. En 1884, la loi Waldeck-Rousseau qui autorise les syndicats achève de faire disparaître la loi Le Chapelier.

Émile Zola,
Germinal (1885)

À Montsou (lieu fictif ressemblant aux villes minières du Nord de la France), les mineurs sont en grève depuis deux mois afin de protester contre les diminutions de salaires que la Compagnie des Mines leur a imposées. Affamés, exaspérés, ils veulent obliger les non-grévistes à se joindre à leur mouvement dans l'espoir de faire plier la Compagnie. Les bourgeois qui voient arriver le groupe se cachent dans une grange.

1 Le roulement de tonnerre approchait, la terre fut ébranlée, et Jeanlin galopa le premier, soufflant dans sa corne.

« Prenez vos flacons, la sueur du peuple qui passe ! » murmura Négrel[1], qui, malgré ses convictions républicaines, aimait plaisanter la canaille avec les dames.

5 Mais son mot spirituel fut emporté dans l'ouragan des gestes et des cris. Les femmes avaient paru, près d'un millier de femmes, aux cheveux épars, dépeignés par la course, aux guenilles montrant la peau nue, des nudités de femelles lasses d'enfanter des meurt-de-faim. Quelques-unes tenaient leur petit entre les bras, le soulevaient, l'agitaient, ainsi qu'un drapeau de deuil et de vengeance. D'autres,
10 plus jeunes, avec des gorges gonflées de guerrières, brandissaient des bâtons ; tandis que les vieilles, affreuses, hurlaient si fort, que les cordes de leurs cous décharnés semblaient se rompre. Et les hommes déboulèrent ensuite, deux mille furieux, des galibots, des haveurs, des raccommodeurs[2], une masse compacte qui roulait d'un seul bloc, serrée, confondue, au point qu'on ne distinguait ni les culottes
15 déteintes, ni les tricots de laine en loques, effacés dans la même uniformité terreuse. Les yeux brûlaient, on voyait seulement les trous des bouches noires, chantant *La Marseillaise*, dont les strophes se perdaient en un mugissement confus, accompagné par le claquement des sabots sur la terre dure. Au-dessus des têtes, parmi le hérissement des barres de fer, une hache passa, portée toute droite ; et cette hache
20 unique, qui était comme l'étendard de la bande, avait, dans le ciel clair, le profil aigu d'un couperet de guillotine.

« Quels visages atroces ! » balbutia Mme Hennebeau[3].

Négrel dit entre ses dents :

« Le diable m'emporte si j'en reconnais un seul ! D'où sortent-ils donc ces ban-
25 dits-là ? »

Et, en effet, la colère, la faim, ces deux mois de souffrance et cette débandade enragée au travers des fosses avaient allongé en mâchoires de bêtes fauves les faces placides des houilleurs de Montsou. À ce moment, le soleil se couchait, les derniers rayons, d'un pourpre sombre, ensanglantaient la plaine. Alors, la route sembla
30 charrier du sang, les femmes, les hommes continuaient à galoper, saignant comme des bouchers en pleine tuerie.

« Oh ! superbe ! » dirent à mi-voix Lucie et Jeanne, remuées dans leur goût d'artiste par cette belle horreur.

Elles s'effrayaient pourtant, elles reculèrent près de Mme Hennebeau, qui s'était
35 appuyée sur une auge. L'idée qu'il suffisait d'un regard, entre les planche de cette porte disjointe, pour qu'on les massacrât, la glaçait. Négrel se sentait blêmir, lui aussi, très brave d'ordinaire, saisi là d'une épouvante supérieure à sa volonté, une de ces épouvantes qui soufflent de l'inconnu. Dans le foin, Cécile[4] ne bougeait plus. Et les autres, malgré leur désir de détourner les yeux, ne le pouvaient pas, regar-
40 daient quand même.

1. ingénieur de la Compagnie.
2. *galibots, haveurs* et *raccommodeurs* : des mineurs employés à des tâches diverses (manœuvrer les berlines, extraire la houille, entretenir les galeries)
3. épouse du directeur et maîtresse de Négrel.
4. fiancée de Négrel.

5. période d'activité sexuelle où les mammifères cherchent à s'accoupler. Ici, période de grande excitation.

6. repas abondant (familier).

C'était la vision rouge de la révolution qui les emporterait tous, fatalement, par une soirée sanglante de cette fin de siècle. Oui, un soir, le peuple lâché, débridé, galoperait ainsi sur les chemins ; et il ruissellerait du sang des bourgeois. Il promènerait des têtes, il sèmerait l'or des coffres éventrés. Les femmes hurleraient, les hommes auraient ces mâchoires de loups, ouvertes pour mordre. Oui, ce serait les mêmes guenilles, le même tonnerre de gros sabots, la même cohue effroyable, de peau sale, d'haleine empestée, balayant le vieux monde, sous leur poussée débordante de barbares. Des incendies flamberaient, on ne laisserait pas debout une pierre des villes, on retournerait à la vie sauvage dans les bois, après le grand rut[5], la grande ripaille[6], où les pauvres, en une nuit, efflanqueraient les femmes et videraient les caves des riches. Il n'y aurait plus rien, plus un sou des fortunes, plus un titre des situations acquises, jusqu'au jour où une nouvelle terre repousserait peut-être. Oui, c'étaient ces choses qui passaient sur la route, comme une force de la nature, et ils en recevaient le vent terrible au visage.

45

50

Germinal, film de **Claude Berri**, 1993.

Questions

▶ Histoire et formation des mots, p. 411
▶ Les figures de style, p. 420
▶ La description : formes et fonctions, p. 435
▶ Le registre épique, p. 460

Grammaire
Quel mode domine le dernier paragraphe ? Quelle est sa fonction ?

▶ Modes, temps et valeurs, p. 395

▶ Lire une page de récit, p. 488

1. Le 1er paragraphe contient une métaphore concernant les manifestants : laquelle ? Relevez tous les termes qui filent cette métaphore à travers le texte. Quels sont les effets de cette figure de style ?

2. Par quels procédés le paragraphe décrivant le flot des manifestants donne-t-il une impression de masse inquiétante ?

3. Étudiez les étapes des réactions des bourgeois. Que remarquez-vous ?

4. Montrez que la vision du dernier paragraphe est terrifiante.

5. Montrez que ce texte présente une dimension épique. Relevez les procédés qui permettent cette vision.

6. Quel regard le narrateur porte-t-il sur le peuple ? Justifiez votre réponse.

Synthèse Cherchez le sens et les symboles du titre, *Germinal*, choisi par Zola pour son œuvre. Puis, rédigez un paragraphe expliquant comment cet extrait justifie ce titre.

Vers le bac **S'entraîner au commentaire**
Rédigez une partie du commentaire consacrée à la vision terrifiante du peuple en colère, en suivant la démarche proposée :
a. Une masse compacte, animalisée par la métaphore filée (1 paragraphe).
b. Masse rendue plus menaçante par le point de vue des bourgeois dont la peur va grandissant (1 paragraphe).

Chapitre 1 • Du réalisme au naturalisme **67**

▶ Biographie p. 536

Gustave Flaubert,
Madame Bovary (1857)

Enfermée dans une vie conjugale plate et monotone qui ne répond pas à son tempérament romantique et exalté, Emma Bovary rêve, prend des amants, et contracte des dettes. Menacée de saisie, elle s'empoisonne à l'arsenic en se disant : « Ah, c'est bien peu de chose, la mort ! [...] je vais m'endormir et tout sera fini ! » Le récit de son agonie, longue et atroce, que Flaubert mène sur une dizaine de pages, dément cruellement cette pensée. Il s'agit ici de la dernière étape de son agonie : Emma reçoit l'extrême-onction.

○ CONTEXTE

L'agonie d'Emma a choqué les contemporains parce qu'elle n'épargne pas les détails crus : les vomissements, « le corps couvert de taches brunes », la « figure bleuâtre », etc. Flaubert s'est d'ailleurs servi d'ouvrages de médecine afin que son récit respecte la violente réalité d'un empoisonnement à l'arsenic.

1   Elle tourna sa figure lentement, et parut saisie de joie à voir tout à coup l'étole violette, sans doute retrouvant au milieu d'un apaisement extraordinaire la volupté perdue de ses premiers élancements mystiques[1], avec des visions de béatitude éternelle qui commençaient.

5   Le prêtre se releva pour prendre le crucifix ; alors elle allongea le cou comme quelqu'un qui a soif, et, collant ses lèvres sur le corps de l'Homme-Dieu, elle y déposa de toute sa force expirante le plus grand baiser d'amour qu'elle eût jamais donné. Ensuite il récita le *Misereatur* et l'*Indulgentiam*[2], trempa son pouce droit dans l'huile et commença les onctions : d'abord sur les yeux, qui avaient tant convoité 10 toutes les somptuosités terrestres ; puis sur les narines, friandes de brises tièdes et de senteurs amoureuses ; puis sur la bouche, qui s'était ouverte pour le mensonge, qui avait gémi d'orgueil et crié dans la luxure[3] ; puis sur les mains, qui se délectaient aux contacts suaves, et enfin sur la plante des pieds, si rapides autrefois quand elle courait à l'assouvissement de ses désirs, et qui maintenant ne marcheraient plus.

15   Le curé s'essuya les doigts, jeta dans le feu les brins de coton trempés d'huile, et revint s'asseoir près de la moribonde pour lui dire qu'elle devait à présent joindre ses souffrances à celles de Jésus-Christ et s'abandonner à la miséricorde divine.

    En finissant ses exhortations, il essaya de lui mettre dans la main un cierge béni, symbole des gloires célestes dont elle allait tout à l'heure être environnée. Emma, 20 trop faible, ne put fermer les doigts, et le cierge, sans M. Bournisien[4], serait tombé à terre.

    Cependant elle n'était plus aussi pâle, et son visage avait une expression de sérénité, comme si le sacrement l'eût guérie.

25   Le prêtre ne manqua point d'en faire l'observation ; il expliqua même à Bovary que le Seigneur, quelquefois, prolongeait l'existence 30 des personnes lorsqu'il le jugeait convenable pour leur salut ; et Charles se rappela un jour où, ainsi près de mourir, elle avait reçu la communion.

1. Emma a été éduquée au couvent.
2. Flaubert écourte les formules latines, ce qui sera considéré comme sacrilège lors du procès.
3. recherche des plaisirs sexuels.
4. c'est le nom du curé.

Albert Fourié, *La Mort de Mme Bovary* (détail), huile sur bois (24,5 x 35,5 cm), 1883, musée des Beaux Arts, Rouen.

5. bonne d'Emma.
6. Homais, athée, symbole de médiocrité, sur « la croix d'honneur » duquel se clôt le roman.
7. médecin.
8. personnage qui apparaît en contrepoint des infidélités d'Emma.

35 – Il ne fallait peut-être pas se désespérer, pensa-t-il.

En effet, elle regarda tout autour d'elle, lentement, comme quelqu'un qui se réveille d'un songe ; puis, d'une voix distincte, elle demanda son miroir, et elle resta penchée dessus quelque temps, jusqu'au moment où de grosses larmes lui découlè-
40 rent des yeux. Alors elle se renversa la tête en poussant un soupir et retomba sur l'oreiller.

Sa poitrine aussitôt se mit à haleter rapidement. La langue tout entière lui sortit hors de la bouche ; ses yeux, en roulant, pâlissaient comme deux globes de lampe qui s'éteignent, à la croire déjà morte, sans l'effrayante accélération de ses côtes,
45 secouées par un souffle furieux, comme si l'âme eût fait des bonds pour se détacher. Félicité[5] s'agenouilla devant le crucifix, et le pharmacien lui-même[6] fléchit un peu les jarrets, tandis que M. Canivet[7] regardait vaguement sur la place. Bournisien s'était remis en prière, la figure inclinée contre le bord de la couche, avec sa longue soutane noire qui traînait derrière lui dans l'appartement. Charles était de l'autre côté, à genoux, les bras étendus vers Emma. Il avait pris ses mains et il les
50 serrait, tressaillant à chaque battement de son cœur, comme au contrecoup d'une ruine qui tombe. À mesure que le râle devenait plus fort, l'ecclésiastique précipitait ses oraisons ; elles se mêlaient aux sanglots étouffés de Bovary, et quelquefois tout semblait disparaître dans le sourd murmure des syllabes latines, qui tintaient comme un glas de cloche.

55 Tout à coup, on entendit sur le trottoir un bruit de gros sabots, avec le frôlement d'un bâton ; et une voix s'éleva, une voix rauque, qui chantait :

> *Souvent la chaleur d'un beau jour*
> *fait rêver fillette à l'amour.*

Emma se releva comme un cadavre que l'on galvanise, les cheveux dénoués, la
60 prunelle fixe, béante.

> *Pour amasser diligemment*
> *Les épis que la faux moissonne*
> *Ma Nanette va s'inclinant*
> *Vers le sillon qui nous les donne.*

65 – L'Aveugle[8] ! s'écria-t-elle.

Et Emma se mit à rire, d'un rire atroce, frénétique, désespéré, croyant voir la face hideuse du misérable, qui se dressait dans les ténèbres éternelles comme un épouvantement.

> *Il souffla bien fort ce jour-là*
70 > *Et le jupon court s'envola*

Une convulsion la rabattit sur le matelas. Tous s'approchèrent. Elle n'existait plus.

► Histoire et récit, p. 432

Vocabulaire
Faites une recherche sur le « bovarysme » : donnez-en la définition, et à partir des différents extraits de *Madame Bovary* (► p. 32 et p. 68), expliquez pourquoi Mme Bovary a donné son nom à ce phénomène psychologique.

Questions

1. Étudiez le rythme de la narration. S'agit-il d'une scène ou d'un sommaire ? Pourquoi ? Quelles sont les différentes étapes de cette page ?

2. Relevez toutes les réactions du corps d'Emma. Par quels procédés sont-elles rendues plus spectaculaires ou pathétiques ?

3. Relevez les différentes activités, postures des personnages qui entourent Emma. Qu'en concluez-vous sur les sentiments qui animent chacun ?

4. Relevez toutes les allusions au passé d'Emma. Sur quels aspects insistent-elles ?

5. Que symbolisent l'Aveugle et sa chanson ?

Synthèse Montrez que cette page propose bien un « mélange du sacré et du voluptueux », comme l'affirme le Procureur impérial Pinard (► p. 46).

Jules et Edmond de Goncourt,
Germinie Lacerteux (1865)

▶ **Biographie p. 536**

⊙ CONTEXTE

La consommation de vin et d'alcool, notamment liée à la multiplication des débits de boissons en France, connaît un spectaculaire accroissement au cours du XIXe siècle dans toutes les couches de la population. D'origine très ancienne, surnommée «fée verte», l'absinthe connut un vif succès. Très vite, elle est accusée de provoquer des hallucinations, de rendre fou voire criminel, et d'aliéner plus particulièrement la classe ouvrière. Elle est interdite en France en 1915.

1. camarade de Germinie.

Le personnage éponyme de Germinie Lacerteux, *roman salué par Zola, est très largement inspiré par la bonne des frères Goncourt, Rose Malingre, dont ils découvrent la double vie, après sa mort grâce au journal qu'elle tenait.*

1 Dans la torture de cette vie, où elle souffrait mort et passion, Germinie, cherchant à étourdir les horreurs de sa pensée, était revenue au verre qu'elle avait pris un matin des mains d'Adèle[1] et qui lui avait donné une journée d'oubli. De ce jour, elle avait bu. […]

5 D'abord, elle avait eu besoin, pour boire, d'entraînement, de société, du choc des verres, de l'excitation de la parole, de la chaleur des défis ; puis bientôt elle était arrivée à boire seule. C'est alors qu'elle avait bu dans le verre à demi plein, remonté sous son tablier et caché dans un recoin de la cuisine ; qu'elle avait bu solitairement et désespérément ces mélanges de vin blanc et d'eau-de-vie qu'elle avalait coup sur
10 coup jusqu'à ce qu'elle y eût trouvé ce dont elle avait soif : le sommeil. Car ce qu'elle voulait ce n'était point la fièvre de tête, le trouble heureux, la folie vivante, le rêve éveillé et délirant de l'ivresse ; ce qu'il lui fallait, ce qu'elle demandait, c'était le noir bonheur du sommeil, d'un sommeil sans mémoire et sans rêve, d'un sommeil de plomb tombant sur elle comme un coup d'assommoir sur la tête d'un
15 bœuf : et elle le trouvait dans ces liqueurs mêlées qui la foudroyaient et lui couchaient la face sur la toile cirée de la table de cuisine.

Dormir de ce sommeil écrasant, rouler, le jour, dans cette nuit, cela était devenu pour elle comme la trêve et la délivrance d'une existence qu'elle n'avait plus le courage de continuer ni de finir. Un immense besoin de néant, c'était tout ce qu'elle
20 éprouvait dans l'éveil. Les heures de sa vie qu'elle vivait de sang-froid, en se voyant elle-même, en regardant dans sa conscience, en assistant à ces hontes, lui semblaient si abominables ! Elle aimait mieux les mourir. Il n'y avait plus que le sommeil au monde pour lui faire tout oublier, le sommeil congestionné de l'Ivrognerie qui berce avec les bras de la Mort.

Questions

1. Par quel procédé le texte fait-il de la boisson une obsession ? Quelle est l'autre obsession de Germinie et par quels procédés le texte la met-il en relief ?

2. Quelle figure de style relie ces deux obsessions ?

3. Quelles étapes de la déchéance de Germinie les frères Goncourt mettent-ils en scène ? Dans quel but ?

4. Montrez que Germinie est un personnage pathétique. Justifiez votre réponse.

Vocabulaire
«Morphée», «Hypnos», «Somnus», «Léthé», etc., sont autant d'éléments des mythologies grecque et latine. Identifiez-les et établissez les familles de mots auxquelles ils ont donné naissance.

Synthèse Montrez que cet extrait fait de Germinie Lacerteux une victime.

Vers le bac   **Défendre une thèse**
Lisez l'extrait de *L'Assommoir* (▶ p. 438), puis mettez-vous dans la peau d'un journaliste de l'époque et rédigez un pamphlet contre les méfaits de l'alcool.

▶ **Biographie p. 539**

Émile Zola,
Mes haines (1866)

Dans Mes haines, *Zola traite des thèmes artistiques et littéraires de son temps. Ici, il s'intéresse au roman des frères Goncourt,* Germinie Lacerteux.

Edgar Degas, *L'Absinthe* (détail), huile sur toile (92 x 68 cm), 1875, musée d'Orsay, Paris.

1   L'histoire de cette fille est simple et peut se lire couramment. Il y a, je répète, dualité en elle : un être passionné et violent, un être tendre et
5   dévoué. Un combat inévitable s'établit entre ces deux êtres ; la victoire que l'un va remporter sur l'autre dépend uniquement des événements de la vie, du milieu ; mettez Germinie dans une
10   autre position, et elle ne succombera pas ; donnez-lui un mari, des enfants à aimer, et elle sera excellente mère, excellente épouse. Mais si vous ne lui accordez qu'un époux indigne, si vous
15   tuez son enfant, vous frappez dangereusement sur son cœur, vous la poussez à la folie : l'être tendre et dévoué s'irrite et disparaît, l'être passionné et violent s'exalte et grandit. Tout le livre est dans cette lutte entre les besoins du cœur et les besoins du corps, dans la victoire de la débauche sur l'amour. Nous assistons au spectacle navrant d'une déchéance de la nature humaine ; nous avons sous les yeux un cer-
20   tain tempérament, riche en vices et en vertus, et nous étudions quel phénomène va se produire dans le sujet au contact de certains faits, de certains êtres. Ici, je l'ai dit et je ne saurais trop le redire, je me sens l'unique curiosité de l'observateur ; je n'éprouve aucune préoccupation étrangère à la vérité, à la parfaite déduction des sentiments, à l'art vigoureux et vivant qui va me rendre dans sa réalité un des cas
25   de la vie humaine, l'histoire d'une âme perdue au milieu des luttes et des désespoirs de ce monde. Je ne me crois pas le pouvoir de demander plus qu'une œuvre vraie et énergiquement créée.

Questions

▶ **Repères littéraires, p. 22**
▶ **Les figures de style, p. 420**
▶ **Les registres tragique et pathétique, p. 466**
▶ **Décrire une image, p. 514**

1. Quels sont les deux éléments qui déterminent le destin de Germinie ?
2. Relevez toutes les expressions de la « dualité » de Germinie.
3. Comment Zola met-il en évidence la démarche scientifique du romancier et comment montre-t-il que *Germinie Lacerteux* est un « roman expérimental » ?

Lecture d'image Comment le peintre met-il en scène la solitude et la détresse de la jeune femme ? Étudiez la composition, les poses, les regards, les couleurs, etc.

Synthèse Montrez que l'extrait de *Germinie Lacerteux* laisse bien deviner la « dualité » que Zola voit dans ce personnage et le « combat inévitable [qui] s'établit entre ces deux êtres ».

● LE PERSONNAGE DE ROMAN AU XXE SIÈCLE

Nathalie Sarraute,
Le Planétarium (1959)

▶ D'origine russe et juriste de formation **Nathalie Sarraute** (1900-1999) décide de se consacrer totalement à l'écriture. Proche du nouveau roman, elle écrit des romans (*Le Planétarium*, 1959), des pièces de théâtre (*Pour un oui ou pour un non*, 1982) et connaît un réel succès avec son autobiographie (*Enfance*, 1983). Ses œuvres explorent ce qu'elle appelle les « tropismes », les mouvements infimes de la conscience, la « sous-conversation » intime que déclenche autrui.

Alain Guimier presse sa tante Berthe de lui céder son grand appartement dont elle n'occupe que quelques pièces et propose de la reloger dans un deux pièces. La vieille dame refuse. Au cours d'une conversation – dont les circonstances restent imprécises – une femme appelée Fernande apprend à un petit cercle réuni autour d'elle qu'Alain aurait menacé sa tante de la faire expulser. Les membres du groupe commentent la nouvelle.

1 « Moi ça me dépasse complètement, je l'avoue, ce n'est pas pour me vanter… mais chez moi, dans ma famille, c'est impensable, tout ça… Je ne parle même pas d'employer des procédés pareils, évidemment il ne peut en être question, mais d'essayer, même par la persuasion… Quand je pense combien de fois ma mère, la 5 pauvre femme, elle ne vivait pourtant que pour ses enfants, combien de fois elle nous a proposé, mais jamais, ni mes sœurs ni moi, on n'aurait osé… – Bien sûr, voyons, vous surtout, ah non, je ne vous imagine pas… Mais nous c'est pareil, on n'est pourtant pas des modèles de vertu, des petits saints, mais de là… Ah non, c'est honteux, heureusement que c'est tout de même une exception, des monstres 10 pareils… Je n'exagère pas, ça peut la tuer, ce qu'ils font là, c'est fragile, vous savez, les gens âgés… c'est vraiment de la graine d'assassins, vos petits Guimier… »

« Mais comme vous êtes terribles. Vous êtes méchants. Moi vous aurez beau dire tout ce que vous voudrez contre les Guimier, je ne le croirai pas tant que je ne l'aurai pas vu de mes yeux. Et encore… Je trouve les Guimier absolument char-15 mants. Voilà. Ils sont beaux. Intelligents. Affectueux. Alain adore sa tante et elle le lui rend… »

La voix forte, assurée, résonne à leurs oreilles comme un de ces haut-parleurs qui avertissent les voyageurs dans les gares. Ils sursautent. Ils se dressent. Qu'est-ce que c'est ? Que s'est-il passé ? Où ont-ils été transportés ? Où sont-ils ? Ils regardent 20 de tous leurs yeux.

Voici les Guimier. Un couple charmant. Gisèle est assise auprès d'Alain. Son petit nez rose est ravissant. Ses jolis yeux couleur de pervenche brillent. Alain a un bras passé autour de ses épaules. Ses traits fins expriment la droiture, la bonté. Tante Berthe est assise près d'eux. Son visage, qui a dû être beau autrefois, ses yeux 25 jaunis par le temps sont tournés vers Alain. Elle lui sourit. Sa petite main ridée repose sur le bras d'Alain d'un air de confiance tendre.

Mais on éprouve en les voyant comme une gêne, un malaise. Qu'est-ce qu'ils ont ? On a envie de les examiner de plus près, d'étendre la main… Mais attention. Un cordon les entoure. Tant pis, il faut voir. Il faut essayer de toucher… Oui, c'est 30 bien cela, il fallait s'en douter. Ce sont des effigies. Ce ne sont pas les vrais Guimier.

Attention. Pas de folies. C'est interdit de toucher aux poupées. On doit les contempler à distance. Il y a des gardiens partout. Les voilà déjà qui fixent sur les curieux leur regard hébété. S'ils se penchent par-dessus le cordon, s'ils étendent la 35 main vers ces faux Guimier, les gardiens vont actionner le dispositif d'alarme. Les cars de police vont arriver.

© Éditions Gallimard.

René Magritte, *Les Amants*,
1928, huile sur toile
(54 x 73 cm), Australian
National Gallery, Canberra.

Questions

▶ **Décrire une image, p. 514**
▶ **Interpréter une image,
p. 519**

1. Une information concernant ceux qui commentent la nouvelle manque : laquelle ? Que pensez-vous du contenu de leurs propos ?
2. Où pourrait-on situer les interlocuteurs au début de l'extrait ? Quelles autres suppositions peut-on faire par la suite ?
3. Qui le pronom « on » peut-il désigner dans les deux derniers paragraphes ?
4. Montrez que les personnages du dialogue sont inconsistants.

5. Relevez dans la description des Guimier et de la tante (au 4e paragraphe) les informations qui respectent les habitudes du lecteur forgées par le roman du XIXe siècle. Quels éléments plongent néanmoins le lecteur dans l'univers du conte de fées ? Qu'apprend-on par la suite qui conforte cette impression ?

Lecture d'image Après avoir observé le tableau et son titre, proposez une interprétation possible de la toile.

Synthèse Montrez que tous les personnages de l'extrait « ne sont », comme l'affirme l'auteur, « que des apparences ».

LE PERSONNAGE EN CRISE DANS LE ROMAN DU XXe SIÈCLE

La dégradation du héros (devenu un être ordinaire ▶ **p. 61**) se poursuit au XXe siècle : la découverte de l'inconscient et le traumatisme résultant des guerres mondiales achèvent de mettre à mal sa représentation traditionnelle (un être cohérent qui est porteur de valeurs). S'y ajoute la critique d'un roman qui crée l'illusion que les personnages sont réels alors qu'ils ne sont que des êtres littéraires (Paul Valéry, André Breton, etc.).

Crise d'identité du personnage

Privé de prénom par Camus (*L'Étranger*, ▶ **p. 62**), portant un nom réduit à une initiale (Kafka, *Le Procès*, 1925) ou le même que d'autres (Faulkner, *Le Bruit et la fureur*, 1929), le personnage subit une crise d'identité, révélatrice de la déshumanisation ou de l'absurdité du monde.

Nouveau roman : l'exploration des « flux de conscience »

Dans *L'Ère du soupçon* (1956) Nathalie Sarraute prend acte de la dissolution du personnage au XXe siècle : « Il a, peu à peu, tout perdu : ses ancêtres, sa maison soigneusement bâtie […], ses vêtements et son corps, et surtout, ce bien précieux entre tous, son caractère qui n'appartient qu'à lui, et souvent jusqu'à son nom ». Critiquant la construction en « trompe-l'œil » d'un caractère trop cohérent, les auteurs du nouveau roman (▶ **p. 88**) veulent – au moyen d'une écriture de l'intime, syncopée et faite de heurts – restituer les « flux de conscience », avec leur opacité, leurs incohérences et leurs ruptures temporelles.

LE PERSONNAGE

1 ANTONYMES

Reliez chacun des adjectifs suivants à son antonyme. Cherchez les mots que vous ne connaissez pas dans le dictionnaire.

A. aquilin	**1.** robuste
B. glabre	**2.** trapu
C. chétif	**3.** retroussé
D. élancé	**4.** vermeil
E. hirsute	**5.** barbu
F. blême	**6.** bouffi
G. émacié	**7.** peigné

2 DE L'ADJECTIF AU NOM

Pour chacun des adjectifs qualificatifs proposés, trouvez le nom correspondant dont vous chercherez, si besoin, le sens dans le dictionnaire.

a. fat – ingénu – dédaigneux – candide – ravi – affligé – hardi – serein – pudique – sournois – humble – courroucé – ingénieux

b. bedonnant – gracieux – svelte – cambré – corpulent – mince – vigoureux – charnu – poilu – robuste – bouffi – flétri – mat – livide

3 SYNONYMES

Réécrivez les phrases suivantes en remplaçant chaque terme en italique par son synonyme choisi dans la liste proposée.

extase – satisfaction – allégresse – entrain – plaisir

a. Il éprouva un immense *contentement* à s'affaler dans un fauteuil avec le sentiment du devoir accompli.

b. Les personnages de *La Chartreuse de Parme* de Stendhal sont pleins d'*enjouement*.

c. La *liesse* régnait dans la ville illuminée, des cris de joie retentissaient au milieu de la musique des fanfares.

d. Le jour où son fils tant désiré naquit, il sut qu'il avait atteint la *béatitude*.

e. Les *joies* de la vie sont innombrables !

4 CLASSER

Classez les synonymes suivants par ordre croissant selon qu'ils désignent un sentiment plus ou moins fort.

a. La colère : irritation – mécontentement – exaspération – fureur – agacement – contrariété – rage – hargne

b. La haine : antipathie – détestation – ressentiment – inimitié – hostilité – exécration

c. Le chagrin : peine – affliction – souffrance – tristesse – déception

d. La surprise : ébahissement – stupéfaction – étonnement – consternation – stupeur – ahurissement – saisissement

5 DU NOM À L'ADJECTIF

Indiquez, pour tous les noms de l'exercice précédent, l'adjectif correspondant.

6 COMPLÉTER

Complétez les phrases suivantes de façon à donner la définition des mots en italique.

a. Être le *contempteur* d'un projet, c'est le… .

b. Être *concupiscent*, c'est être plein de… .

c. Être *présomptueux* ou *fat* c'est manquer de… .

d. Se comporter avec *vilenie*, c'est se conduire de façon… .

e. *Idolâtrer* quelqu'un, c'est… .

f. Être *rogue*, c'est se montrer… .

g. Un homme *belliqueux* est… .

7 DEVINETTES

a. La *vengeance* du comte de Monte-Cristo, personnage de Dumas, est célèbre. Quel adjectif de même famille qualifie un tempérament prompt à la vengeance ?

b. La *morgue* est le lieu où reposent les morts en attendant l'inhumation. Mais que signifie ce terme quand il s'agit d'un trait de caractère ?

c. *Altitude*, *altesse* et *altier* appartiennent à la même famille étymologique. Que signifie l'adjectif qualificatif de cette liste ?

d. *Une gueule :* pas besoin d'explication. Mais qu'est-ce qu'une femme *bégueule* ?

e. *Félicité* est le prénom que porte le personnage de *Un cœur simple* de Flaubert. De quoi s'agit-il quand ce terme désigne un état psychologique ?

f. *Descendre,* tout le monde sait faire ! Mais en quoi consistent l'acte de *condescendre* et la *condescendance* ?

g. Il vous est arrivé d'éprouver du *chagrin*. Mais savez-vous ce que signifie ce terme quand il est adjectif qualificatif ? Qu'est-ce qu'un caractère *chagrin* ?

h. Quelle différence faites-vous entre *infliger* et *affliger* ?

EXPRESSION ÉCRITE

Sujet

Décrivez le physique et le caractère que l'on peut supposer être ceux du personnage de Daumier à partir de l'expression de son visage et de sa gestuelle. ▶ **Lecture d'image :** « Le Banquier », p. 63

LES PERSONNAGES DE ROMAN AUX XIXᵉ ET XXᵉ SIÈCLES

Imaginaire ou historique, singulier ou collectif (▶ « le peuple », p. 66), lieu (▶ « le Voreux », p. 84) ou objet (▶ « le train », p. 104), le personnage est un « être de papier », mais l'écrivain crée l'illusion que cet être fictif est réel. Le réalisme rompt avec la tradition, héritée de l'Anti quité, du héros doté de qualités physiques et morales exceptionnelles (à l'instar des demi-dieux de l'épopée comme Ulysse ou Énée).

1 LE PERSONNAGE RÉALISTE

▶ L'identité et le portrait

L'état civil (nom, âge) lui donne vie. Son nom peut renseigner sur son origine sociale (➜ **Ex. :** Eugène **de** Rastignac, ▶ **p. 53**), un trait de caractère (➜ **Ex. :** Vautrin, proche de « vautour », suggère un homme inquiétant, ▶ **p. 82**). Placé dans un milieu précis, le personnage est doté de traits physiques et moraux qui informent sur sa psychologie (➜ **Ex. :** portrait de Vautrin, ▶ **p. 82**).

▶ La vie intérieure

Grâce au point de vue interne, aux discours rapportés et (au XXᵉ siècle) au monologue intérieur, le lecteur pénètre dans une conscience : l'auteur crée **l'illusion d'une vie intérieure**.

2 LE PERSONNAGE : UN ÊTRE EN ÉVOLUTION

▶ Son action

Le personnage existe par **son action** et **son interaction avec les autres personnages**. Force agissante **(actant)**, il peut être **sujet** ou **objet** de l'action, **destinateur** (celui qui initie l'action), **destinataire** (celui pour lequel l'action est accomplie), **adjuvant** (qui aide le sujet) ou **opposant**.

▶ Son évolution

L'intrigue **transforme le héros** : il découvre de nouveaux univers, adopte de nouvelles valeurs (➜ **Ex. :** le cynisme de Rastignac, ▶ **p. 53**), apprend la vie. Dans l'œuvre de Balzac ou Zola, le lecteur suit son évolution d'un roman à l'autre.

3 LE PERSONNAGE, UN ÊTRE PORTEUR DE SENS

À travers ses personnages, l'auteur propose une certaine vision du monde et de l'homme.

▶ Un représentant du monde

Il permet à un auteur d'analyser une situation sociale ou politique (➜ **Ex. :** grâce à Frédéric, Flaubert dénonce une époque peu propice à l'accomplissement des rêves, ▶ **p. 59** ; Zola critique un régime à travers ses bourgeois arrivistes, ▶ **p. 54**), de révéler les conséquences des injustices sociales (➜ **Ex. :** le peuple misérable en colère est une menace, ▶ **p. 66**).

▶ Un représentant de l'homme

Il peut représenter une tendance (➜ **Ex. :** la passivité ▶ **p. 59**), un défaut (➜ **Ex. :** l'arrivisme, ▶ **p. 51** et ▶ **p. 53**) que chacun porte en soi. Habité par une passion, il devient un **type** chez Balzac (➜ **Ex. :** Rastignac est le type de l'ambitieux) et peut même s'élever au rang de mythe (➜ **Ex. :** le bovarysme est forgé sur le nom de Madame Bovary).

4 LE PERSONNAGE AU XXᵉ SIÈCLE : LA DÉCONSTRUCTION

Conflits mondiaux et découverte de l'inconscient ébranlent la représentation de l'homme : le personnage romanesque entre en crise. Plongé dans un monde absurde (➜ **Ex. :** *L'Étranger* de Camus ▶ **p. 62**), contraint de rester dans l'anonymat ou réduit au rang d'accessoire (➜ **Ex. :** Nathalie Sarraute, ▶ **p. 72**), il perd ses attributs traditionnels, et devient « **anti-héros** ».

La description : du miroir au symbole

▶ Le romancier doit-il simplement « photographier » le réel ? Comment se concilient objectivité et imagination créatrice ?

▶▶▶ Jean Béraud, *Kiosque parisien* (détail), huile sur tissu (35,5 x 26,5 cm), 1880, Walters Art Museum, Baltimore, USA.

Dossier

▶ **Quelles influences la photographie a-t-elle eues sur la société ?**

1. Photographie et art du portrait

⚙ L'image prend le pouvoir

Inventé dès le début du XIXᵉ siècle, le procédé est rapidement amélioré et exploité notamment pour **archiver** (l'État fait photographier toutes les œuvres du patrimoine) et **informer** (les 1ᵉʳ reportages-photo apparaissent). Le photographe devient chroniqueur de l'Histoire, témoin des faits sociopolitiques, (la guerre de Crimée, 1854-1856, et la guerre de Sécession, 1861-1865, sont couvertes). Cette invention permet aussi de **saisir des moments intimes** (évènements familiaux).

⚙ Le portrait : véritable phénomène de société

Une véritable « daguerréotypomanie » s'installe : chacun veut son portrait et collectionner ceux des autres. La commercialisation des images de célébrités débute dès 1850 ! Baudelaire ironise : « La société immonde se rua comme un seul narcisse pour contempler sa triviale image sur le métal » (*Salon de 1859*)
Le portrait est un moyen de mettre en scène l'ascension sociale de ceux qui ne peuvent s'offrir un portrait peint. Les clients sont essentiellement bourgeois.

⚙ Le portrait scientifique

Le portrait judiciaire : identifier et surveiller

En 1832, le marquage des prisonniers au fer rouge est interdit. Comment alors repérer les récidivistes ? **Bertillon** (1853-1914) chef de l'identité judiciaire à la préfecture de Paris, invente l'anthropométrie judiciaire, méthode d'identification des criminels. Entre toise, compas et autres instruments de mesure, l'appareil photo joue un rôle clé dans la constitution de fichiers de criminels, puis dans l'identification de tous les individus à travers la carte d'identité.

Le portrait ethnographique : classer et hiérarchiser

La photographie permet aux ethnologues de définir des types en fonction de caractéristiques physiques. Ils sont persuadés de détenir un outil objectif et neutre capable de reproduire fidèlement la réalité.

> 🖥 Consultez
> « Trésors photographiques de la Société de géographie » sur le site de la BnF.

> Cherchez qui est Nadar. En quoi consiste son travail ?

Alphonse Bertillon, créateur de l'anthropométrie judiciaire. Autoportrait signalétique obtenu selon sa méthode le 7 août 1912.

Indien Dakota avec un calumet, photographie d'**Edward S. Curtis**, vers 1907.

Sitting Bull, chef de la tribu des Sioux Hunkpapa, photographie de **David Barry**, vers 1885.

> **Comparer deux photographies**
> Observez la pose de l'Indien et le décor des deux photographies. Laquelle vous paraît la plus authentique, la plus respectueuse ? Pourquoi ? Que pensez-vous de la prétendue neutralité de la photographie ?

Dossier

2. Photographie et peinture : rivalité ou complémentarité ?

L'apparition de la photographie suscite des inquiétudes («À partir d'aujourd'hui, la peinture est morte», affirme un peintre en 1939), ou de rejet (le peintre Ingres lance une pétition contre elle), mais aussi curiosité et intérêt. La photographie est-elle rivale ou complice de la peinture ? Lance-t-elle un défi aux peintres : faire mieux dans la représentation du réel ? Libère-t-elle au contraire les peintres du souci de ressemblance en leur permettant d'explorer d'autres voies ? Elle oblige les peintres à s'interroger sur le sens de leur pratique.

✿ Le renouveau pictural à l'ère de la photographie

Saisir l'instant

Procédé lié à la lumière et permettant de saisir l'instant, la photographie renouvelle le regard du peintre ainsi que sa palette et sa technique.

Sous l'influence de la photographie, les impressionnistes deviennent les peintres des variations atmosphériques : ils restituent leur perception visuelle à l'aide de petites touches colorées et fragmentées.

Émile Zola, *L'Œuvre*, 1886

Dans L'Œuvre, *Zola représente l'île de la Cité sous les yeux de Claude Lantier, personnage inspiré du peintre Cézanne.*

À toutes les heures, par tous les temps, la Cité se leva devant lui, entre les deux trouées du fleuve. Sous une tombée de neige tardive, il la vit fourrée d'hermine, au-dessus de l'eau couleur de boue, se détachant sur un ciel d'ardoise claire. Il la vit, aux premiers soleils, s'essuyer de l'hiver, retrouver une enfance, avec les pousses vertes des grands arbres du terre-plein. Il la vit, un jour de fin brouillard, se reculer, s'évaporer, légère et tremblante comme un palais des songes. Puis, ce furent des pluies battantes qui la submergeaient, la cachaient derrière l'immense rideau tiré du ciel à la terre ; des orages, dont les éclairs la montraient fauve, d'une lumière louche de coupe-gorge, à demi détruite par l'écroulement des grands nuages de cuivre ; des vents qui la balayaient d'une tempête, aiguisant les angles, la découpant sèchement, nue et flagellée, dans le bleu pâli de l'air.

> **Comparer l'entreprise de Monet et le texte de Zola**
>
> Comment la peinture a-t-elle influencé l'écriture de Zola ?

Claude **Monet**, *La Cathédrale de Rouen, le portail soleil matinal, harmonie bleue,* huile sur toile (91 x 63 cm), 1893, musée d'Orsay, Paris.

Claude **Monet**, *La Cathédrale de Rouen, le portail et la tour Saint-Romain, effet du matin, harmonie blanche,* huile sur toile (106 x 73 cm), 1893, musée d'Orsay, Paris.

Claude **Monet**, *La Cathédrale de Rouen, soleil du jour,* huile sur toile (99,7 x 65,7 cm), 1893, The Metropolitan Museum of Art, New-York.

Représenter le mouvement et la vitesse

La vitesse est au cœur du XIXe siècle : tout s'accélère. Peintres et photographes veulent apprivoiser le mouvement. À l'aide de 12 appareils qui se déclenchent successivement, la photographie décompose le mouvement et annonce le cinématographe.

Décentrer le regard

La photographie oriente la peinture vers des points de vue et des cadrages surprenants. La composition académique soucieuse d'équilibre et de symétrie est remise en question.

Édouard Muybridge, étude photographique du mouvement de la course d'un cheval (détail), 1878.

William Turner, *Pluie, vapeur et vitesse*, huile sur toile (91 x 122 cm), 1844, National Gallery, Londres.

Gustave Caillebotte, *Périssoires*, huile sur toile (155 x 108 cm), 1878, musée de Beaux Arts, Rennes.

Comprendre l'influence de la photographie sur les peintres

1. Comment le tableau de Turner parvient-il, en une seule image, à donner une vision saisissante de la vitesse du train ?

2. Pourquoi peut-on dire que la photographie a influencé l'œuvre de Caillebotte ?

⊙ La photographie en débat

Organiser un débat

Êtes-vous d'accord avec la condamnation de la photographie par Baudelaire ? Organisez un débat au sein de la classe.

Faire un exposé

Après avoir fait des recherches concernant Man Ray et Cartier-Bresson, choisissez 2 photographies de chaque artiste que vous présenterez à la classe en expliquant pourquoi vous leur accordez une valeur artistique.

Charles Baudelaire, *Salon*, 1859

Il faut donc qu'elle rentre dans son propre devoir, qui est d'être la servante des arts et des sciences [...] Qu'elle enrichisse rapidement l'album du voyageur et rende à ses yeux la précision qui manquerait à sa mémoire, qu'elle orne la bibliothèque du naturaliste, exagère les animaux microscopiques, fortifie même de quelques renseignements les hypothèses de l'astronomie ; qu'elle soit enfin le secrétaire et le garde-note de quiconque a besoin dans sa profession d'une absolue exactitude matérielle, jusque-là rien de mieux. Qu'elle sauve de l'oubli les ruines pendantes, les livres, les estampes et les manuscrits que le temps dévore, les choses précieuses dont la forme va disparaître et qui demandent une place dans les archives de notre mémoire, elle sera remerciée et applaudie. Mais s'il lui est possible d'empiéter sur le domaine de l'impalpable et de l'imaginaire, sur tout ce qui ne vaut que parce que l'homme y ajoute de son âme, alors malheur à nous !

▶ **Biographie p. 539**

⊕ CONTEXTE

Au XIXe siècle, la province est synonyme de médiocrité : « La France […] est partagée en deux grandes zones : Paris et la province, la province jalouse de Paris » (Balzac). Elle est un terrain d'observation pour les auteurs réalistes : *Une vie* de Maupassant se déroule en Normandie ; Balzac intitule une section de sa *Comédie humaine* : « Scènes de la vie de province », et *Madame Bovary* de Flaubert est sous titré : *Mœurs de province*.

Stendhal,
Le Rouge et le Noir (1830)

Sous-titré « Chronique de 1830 », Le Rouge et le Noir s'inspire d'un fait-divers. Une affaire criminelle réelle forme donc le canevas du roman qui met en scène Julien Sorel, fils d'un « scieur de planches », et retrace l'ascension sociale de ce dernier (grand admirateur de Napoléon Bonaparte), de la « petite ville » de Verrières où il entre comme précepteur chez M. et Mme de Rênal, jusqu'à Paris. Ce texte est l'incipit du roman.

La petite ville de Verrières peut passer pour l'une des plus jolies de la Franche-Comté. Ses maisons blanches avec leurs toits pointus de tuiles rouges s'étendent sur la pente d'une colline, dont des touffes de vigoureux châtaigniers marquent les moindres sinuosités. Le Doubs coule à quelques centaines de pieds au-dessous de
5   ses fortifications bâties jadis par les Espagnols, et maintenant ruinées.

Verrières est abritée du côté du nord par une haute montagne, c'est une des branches du Jura. Les cimes brisées du Verra se couvrent de neige dès les premiers froids d'octobre. Un torrent, qui se précipite de la montagne, traverse Verrières avant de se jeter dans le Doubs, et donne le mouvement à un grand nombre de
10   scies à bois ; c'est une industrie fort simple et qui procure un certain bien-être à la majeure partie des habitants plus paysans que bourgeois. Ce ne sont pas cependant les scies à bois qui ont enrichi cette petite ville. C'est à la fabrique des toiles peintes, dites de Mulhouse, que l'on doit l'aisance générale qui, depuis la chute de Napoléon, a fait rebâtir les façades de presque toutes les maisons de Verrières.

À peine entre-t-on dans la ville que l'on est étourdi par le fracas d'une machine bruyante et terrible en apparence. Vingt marteaux pesants, et retombant avec un bruit qui fait trembler le pavé, sont élevés par une roue que l'eau du torrent fait mouvoir. Chacun de ces marteaux fabrique, chaque jour, je ne sais combien de milliers de clous. Ce sont de jeunes filles fraîches et jolies qui présentent aux coups
20   de ces marteaux énormes les petits morceaux de fer qui sont rapidement transformés en clous. Ce travail, si rude en apparence, est un de ceux qui étonnent le plus le voyageur qui pénètre pour la première fois dans les montagnes qui séparent la France de l'Helvétie[1]. Si, en entrant à Verrières, le voyageur demande à qui appartient cette belle fabrique de clous qui assourdit les gens qui montent la grande rue,
25   on lui répond avec un accent traînard : *Eh ! elle est à M. le maire.*

Pour peu que le voyageur s'arrête quelques instants dans cette grande rue de Verrières, qui va en montant depuis la rive du Doubs jusque vers le sommet de la colline, il y a cent à parier contre un qu'il verra paraître un grand homme à l'air affairé et important.
30   À son aspect tous les chapeaux se lèvent rapidement. Ses cheveux sont grisonnants, et il est vêtu de gris. Il est chevalier de plusieurs ordres, il a un grand front, un nez aquilin, et au total sa figure ne manque pas d'une certaine régularité : on trouve même, au premier aspect, qu'elle réunit à la dignité du maire de village cette sorte d'agrément qui peut encore se rencontrer avec quarante-huit ou cinquante
35   ans. Mais bientôt le voyageur parisien est choqué d'un certain air de contentement de soi et de suffisance mêlé à je ne sais quoi de borné et de peu inventif. On sent enfin que le talent de cet homme-là se borne à se faire payer bien exactement ce qu'on lui doit, et à payer lui-même le plus tard possible quand il doit

Tel est le maire de Verrières, M. de Rênal.

1. Suisse.

Gustave Courbet, *Vue d'Ornans*, huile sur toile (73 x 92,1 cm), milieu des années 1850, The Metropolitan Museum of Art, New York.

Questions

► Narrateur et focalisations, p. 426
► Cadre et structure d'un récit, p. 429
► La description : formes et fonctions, p. 435
► **Étudier un film, p. 522**

Grammaire
À quel temps est écrit ce texte ? Précisez les différentes valeurs et effets de l'emploi de ce temps.

► Mode, temps et valeurs, p. 395

► Imiter un style et transposer un texte, p. 478

La complexité du point de vue

1. Repérez les différentes étapes de la description. À quel procédé cinématographique l'organisation de cette description fait-elle penser ?

2. Quel point de vue domine chacune de ces étapes ? Justifiez votre réponse.

3. À qui le narrateur délègue-t-il le point de vue ? Relevez précisément toutes les mentions puis expliquez le rôle de ces différents relais pour le lecteur.

4. Quels sens sont sollicités ? Justifiez votre réponse notamment en commentant les sonorités de la phrase qui ouvre le 3ᵉ paragraphe.

Une description réaliste

5. Quels éléments spatio-temporels permettent d'ancrer cette description d'une ville fictive dans la réalité ? Relevez les effets de réel.

6. Qu'apprend-on des habitants de Verrières ? Relevez les précisions sociologiques et économiques.

Le maire

7. Repérez les deux moments de la description de M. de Rênal et caractérisez-les.

8. Montrez que ce portrait est satirique. Relevez le vocabulaire dépréciatif, les effets d'ironie, etc.

Synthèse Par quels procédés cette description parvient-elle à donner l'illusion de la réalité ?

Vers le bac **S'entraîner au sujet d'invention**
En vous inspirant de la démarche et des procédés de Stendhal pour décrire Verrière, présentez votre lycée ou bien la ville, le village, le quartier où vous habitez.

▶ **Biographie p. 534**

Honoré de Balzac,
Le Père Goriot (1835)

Au début du roman, le narrateur fait le portrait des différents pensionnaires hébergés en 1819 par Mme Vauquer – dont la pension est située dans le Quartier latin à Paris. L'un d'eux, dénommé Vautrin et âgé d'une quarantaine d'années, se fait passer pour un ancien commerçant.

● CONTEXTE

Balzac est le premier écrivain à systématiser le retour des personnages d'une œuvre à l'autre : si Vautrin apparaît pour la première fois dans *Le Père Goriot,* le lecteur peut suivre son évolution dans *Illusions perdues* (1836-1843) et *Splendeurs et misères des courtisanes* (1838-1847) où, sous l'identité d'un mystérieux homme d'église espagnol, l'abbé Carlos Herrera, il devient policier. Ces différentes apparitions donnent l'impression de suivre le parcours d'une véritable personne, renforçant ainsi l'illusion de réalité.

1. voix intermédiaire entre le baryton et la basse.

Il était un de ces gens dont le peuple dit : Voilà un fameux gaillard ! Il avait les épaules larges, le buste bien développé, les muscles apparents, des mains épaisses, carrées et fortement marquées aux phalanges par des bouquets de poils touffus et d'un roux ardent. Sa figure, rayée par des rides prématurées, offrait des signes de dureté que démentaient ses manières souples et liantes. Sa voix de basse-taille[1], en harmonie avec sa grosse gaieté, ne déplaisait point. Il était obligeant et rieur. Si quelque serrure allait mal, il l'avait bientôt démontée, rafistolée, huilée, limée, remontée, en disant : « Ça me connaît. » Il connaissait tout d'ailleurs, les vaisseaux, la mer, la France, l'étranger, les affaires, les hommes, les événements, les lois, les hôtels et les prisons. Si quelqu'un se plaignait par trop, il lui offrait aussitôt ses services. Il avait prêté plusieurs fois de l'argent à Mme Vauquer et à quelques pensionnaires ; mais ses obligés seraient morts plutôt que de ne pas le lui rendre, tant, malgré son air bonhomme, il imprimait de crainte par un certain regard profond et plein de résolution. À la manière dont il lançait un jet de salive, il annonçait un sang-froid imperturbable qui ne devait pas le faire reculer devant un crime pour sortir d'une position équivoque.

Comme un juge sévère, son œil semblait aller au fond de toutes les questions, de toutes les consciences, de tous les sentiments. Ses mœurs consistaient à sortir après le déjeuner, à revenir pour dîner, à décamper pour toute la soirée, et à rentrer vers minuit, à l'aide d'un passe-partout que lui avait confié madame Vauquer. Lui seul jouissait de cette faveur. Mais aussi était-il au mieux avec la veuve, qu'il appelait maman en la saisissant par la taille, flatterie peu comprise ! La bonne femme croyait la chose encore facile, tandis que Vautrin seul avait les bras assez

Illustration de **Quint**, *Vautrin*, 1922, Maison de Balzac, Paris

2. café mêlé d'eau-de-vie ou de rhum.
3. Rastignac.
4. le père Goriot.
5. poète latin (55-140 après J.-C.) qui dénonça violemment les vices de Rome dans ses *Satires*.

longs pour presser cette pesante circonférence. Un trait de son caractère était de payer généreusement quinze francs par mois pour le *gloria*[2] qu'il prenait au dessert. Des gens moins superficiels que ne l'étaient ces jeunes gens emportés par les tourbillons de la vie parisienne[3], ou ces vieillards indifférents[4] à ce qui ne les touchait pas directement, ne se seraient pas arrêtés à l'impression douteuse que leur causait Vautrin. Il savait ou devinait les affaires de ceux qui l'entouraient, tandis que nul ne pouvait pénétrer ni ses pensées ni ses occupations. Quoiqu'il eût jeté son apparente bonhomie, sa constante complaisance et sa gaieté comme une barrière entre les autres et lui, souvent il laissait percer l'épouvantable profondeur de son caractère. Souvent une boutade digne de Juvénal[5], et par laquelle il semblait se complaire à bafouer les lois, à fouetter la haute société, à la convaincre d'inconséquence avec elle-même, devait faire supposer qu'il gardait rancune à l'état social, et qu'il y avait au fond de sa vie un mystère soigneusement enfoui.

THÉORIES À PRÉTENTIONS SCIENTIFIQUES ET ART DU PORTRAIT AU XIXᵉ SIÈCLE

- Pour composer le portrait de leurs personnages, des écrivains réalistes (Stendhal, Balzac) se sont intéressés à diverses théories qui établissaient des liens entre physique et psychologie.
- Connue depuis l'Antiquité, mais érigée en science par Lavater (1741-1801), la **physiognomonie** considère que la physionomie d'une personne, les traits de son visage (saillie du menton, forme de la tête etc.), donnent un aperçu de son caractère ou de sa personnalité.
- La **phrénologie** de Franz Joseph Gall (1758-1828) défend l'idée selon laquelle les bosses du crâne (la fameuse « bosse des maths » ou la prétendue « bosse du crime » située au-dessus de l'oreille) reflètent le caractère d'un individu. Animé par la volonté de tout expliquer de façon scientifique, Balzac fait allusion à ces théories pour décrire le père Goriot : « De jeunes étudiants en Médecine, ayant remarqué l'abaissement de sa lèvre inférieure et mesuré le sommet de son angle facial, le déclarèrent atteint de crétinisme [...] ».
- Ces pseudos-sciences, adoptées par les Nazis pour prouver la supériorité de la race aryenne, sont depuis largement discréditées.

Questions

▶ Les figures de style, p. 420
▶ Narrateur et focalisations, p. 426

Grammaire
Relevez dans ce portrait de Vautrin les expressions de l'opposition ou de la concession.

1. Dégagez les différentes étapes du portrait de Vautrin. Quelle focalisation le narrateur adopte-t-il pour nous présenter ce personnage ?
2. Montrez que, conformément à la théorie de la physiognomonie, le narrateur déduit du physique de Vautrin certains traits de caractère.
3. Relevez sous forme de deux colonnes les traits de caractère qu'affiche Vautrin et ceux qu'il tente de dissimuler. Comment

parvient-il à ne pas éveiller de soupçons ? Quelle impression ce portrait produit-il sur le lecteur ?
4. Par quels procédés le savoir de Vautrin est-il mis en avant ? Après avoir analysé ses domaines de compétence et relu la dernière phrase, faites des suppositions sur son passé.
5. Quel rôle Vautrin se donne-t-il secrètement face à la société des hommes ?

Synthèse Montrez que, conformément aux théories de la physiognomonie, le physique de Vautrin laisse pressentir sa vraie personnalité.

Vers le bac **Développer un axe du commentaire**
Le portrait de Vautrin révèle un personnage complexe et ambigu, qui pourrait être étudié selon deux axes. Développez au choix l'un de ces deux axes :
I. Un homme en apparence débonnaire.
II. Un personnage inquiétant.

Émile Zola,
Germinal (1885)

▶ Biographie p. 539

➕ CONTEXTE

Au XIXe siècle, la classe ouvrière vit misérablement, travaille 14 heures par jour, six jours par semaine (femmes et enfants travaillent aussi) et ne connaît aucun droit. Le désespoir est grand, aboutit à des révoltes et des grèves sévèrement réprimées, à la déchéance et à l'alcoolisme.

▶ Repères historiques, p. 18

Dans cet extrait de Germinal, *le plus célèbre roman de Zola, qui peint les difficiles conditions de travail des ouvriers et leurs luttes contre le capitalisme, Étienne Lantier découvre le « Voreux », le plus grand puits de la mine où il vient de se faire embaucher.*

1   Il ne comprenait bien qu'une chose : le puits avalait des hommes par bouchées de vingt et de trente, et d'un coup de gosier si facile, qu'il semblait ne pas les sentir passer. Dès quatre heures, la descente des ouvriers commençait. Ils arrivaient de la baraque, pieds nus, la lampe à la main, attendant par petits groupes d'être en nombre suffisant. Sans un bruit, d'un jaillissement doux de bête nocturne, la cage de fer

5   montait du noir, se calait sur les verrous, avec ses quatre étages contenant chacun deux berlines pleines de charbon. Des mouliyeurs, aux différents paliers, sortaient les berlines, les remplaçaient par d'autres, vides ou chargées à l'avance des bois de taille. Et c'était dans les berlines vides que s'empilaient les ouvriers, cinq par cinq, jusqu'à quarante d'un coup, lorsqu'ils tenaient toutes les cases. Un ordre partait du

10   porte-voix, un beuglement sourd et indistinct, pendant qu'on tirait quatre fois la corde du signal d'en bas, « sonnant à la viande », pour prévenir de ce chargement de chair humaine. Puis, après un léger sursaut, la cage plongeait silencieuse, tombait comme une pierre, ne laissait derrière elle que la fuite vibrante du câble.

« C'est profond ? demanda Étienne à un mineur, qui attendait près de lui, l'air somnolent.

20   – Cinq cent cinquante-quatre mètres, répondit l'homme. Mais il y a quatre accrochages au-dessus, le premier à trois cent vingt. »

Tous deux se turent, les yeux sur le câble qui remontait. Étienne reprit :

25   « Et quand ça casse ?

– Ah ! quand ça casse… »

Le mineur acheva d'un geste. Son tour était arrivé, la cage avait reparu, de son

30   mouvement aisé et sans fatigue. Il s'y accroupit avec des camarades, elle replongea, puis jaillit de nouveau au bout de quatre minutes à peine, pour engloutir une autre charge

Cage chargée de personnel remontant du fond de la mine (800 mètres), carte postale, XIXe siècle.

d'hommes. Pendant une demi-heure, le puits en dévora de la sorte, d'une gueule
35 plus ou moins gloutonne, selon la profondeur de l'accrochage où ils descendaient,
mais sans un arrêt, toujours affamé, de boyaux géants capables de digérer un peuple. Cela s'emplissait, s'emplissait encore, et les ténèbres restaient mortes, la cage
montait du vide dans le même silence vorace.

Écho de l'Antiquité

Thésée et le Minotaure dans le labyrinthe, mosaïque
romaine (56,5 x 58 cm), 350, Kunsthistorisches Museum,
Vienne.

▲ Le Minotaure est un monstre fabuleux de la mythologie
grecque à corps d'homme et tête de taureau. Enfermé dans une
prison, le «labyrinthe», construit par Dédale, il exige que sept
jeunes gens et sept jeunes filles lui soient envoyés en sacrifice
tous les ans.

Questions

Vocabulaire
Quelle différence
établissez-vous entre
« ouvrier » et
« prolétaire » ?
Reconstituez l'étymologie
et la famille de ces deux
mots.

▶ Histoire et formation des
mots, p. 411
▶ Le sens des mots, p. 412
▶ Les figures de style, p. 420

▶ Narrateur et focalisations,
p. 426
▶ La description : formes et
fonctions, p. 435

▶ Lire une page de récit,
p. 488

Points de vue et écriture réaliste

1. Montrez que la scène est décrite du point
de vue de Lantier, novice, mais que certains éléments, que vous indiquerez, ne
peuvent relever de son point de vue. De
quel point de vue relèvent-ils ?
2. Pourquoi les deux points de vue participent-ils de l'écriture réaliste ?

La vision de la mine

3. Quels éléments de la condition ouvrière
découvre-t-on en même temps que Lantier ?
4. Étudiez la métamorphose de la mine et les
procédés (figures de style, champs lexicaux, etc.) qui permettent cette transformation.
5. Quels éléments du mythe du Minotaure
sont présents dans la description de
Zola ? Justifiez votre propos en vous
appuyant sur des citations précises.

Synthèse Zola se limite-t-il à une description neutre et objective dans cet extrait ?
Quelles dimensions donne-t-il au Voreux ?

Vers le bac **Développer un axe du commentaire**
Construisez le plan détaillé du commentaire à partir des deux axes proposés :
I. Une description réaliste...
II. ...qui décrit mieux encore les réalités de la mine grâce à sa dimension symbolique.

Gustave Flaubert,
Madame Bovary (1857)

▶ **Biographie p. 536**

○ CONTEXTE

La description est essentielle pour donner l'illusion du réel. Chez les écrivains réalistes, on note donc une attention grandissante portée notamment aux objets. *Madame Bovary* présente la description précise d'un certains nombre d'objets : la casquette de Charles Bovary, la pièce montée du mariage, etc. Ces pages sont devenues mythiques : morceaux de la mémoire collective, mais aussi inspiratrices des voies qu'explore le nouveau roman au milieu du xxe siècle.

Ce passage est situé au début du roman.

1   Nous avions l'habitude, en entrant en classe, de jeter nos casquettes par terre, afin d'avoir ensuite nos mains plus libres ; il fallait, dès le seuil de la porte, les lancer sous le banc, de façon à frap-
5   per contre la muraille en faisant beaucoup de poussière ; c'était là le *genre*.

Mais, soit qu'il n'eût pas remarqué cette manœuvre ou qu'il n'eût osé s'y soumettre, la prière était finie que le *nouveau* tenait encore
10   sa casquette sur ses deux genoux. C'était une de ces coiffures d'ordre composite, où l'on retrouve les éléments du bonnet à poil, du chapska[1], du chapeau rond, de la casquette de loutre et du bonnet de coton, une de
15   ces pauvres choses, enfin, dont la laideur muette a des profondeurs

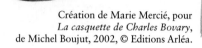

Création de Marie Mercié, pour
La casquette de Charles Bovary,
de Michel Boujut, 2002, © Editions Arléa.

d'expression comme le visage d'un imbécile. Ovoïde et renflée de baleines, elle commençait par trois boudins circulaires ; puis s'alternaient, séparés par une bande
20   rouge, des losanges de velours et de poils de lapin ; venait ensuite une façon de sac qui se terminait par un polygone cartonné, couvert d'une broderie de soutache[2] compliquée, et d'où pendait, au bout d'un long cordon trop mince, un petit croisillon de fils d'or, en manière de gland. Elle était neuve ; la visière brillait.

– Levez-vous, dit le professeur.

25   Il se leva ; sa casquette tomba. Toute la classe se mit à rire.

Il se baissa pour la reprendre. Un voisin la fit tomber d'un coup de coude, il la ramassa encore une fois.

– Débarrassez-vous donc de votre casque, dit le professeur qui était un homme d'esprit.

30   Il y eut un rire éclatant des écoliers, qui décontenança le pauvre garçon, si bien qu'il ne savait s'il fallait garder sa casquette à la main, la laisser par terre ou la mettre sur sa tête.

Il se rassit et la posa sur ses genoux.

– Levez-vous, reprit le professeur, et dites-moi votre nom.

35   Le *nouveau* articula, d'une voix bredouillante, un nom inintelligible.

– Répétez !

Le même bredouillement de syllabes se fit entendre, couvert par les huées de la classe.

– Plus haut ! cria le maître, plus haut !

40   Le *nouveau*, prenant alors une résolution extrême, ouvrit une bouche démesurée et lança à pleins poumons, comme pour appeler quelqu'un, ce mot : *Charbovari*.

1. coiffe militaire d'origine polonaise.
2. galon décorant un uniforme ou un vêtement féminin.

Michel Boujut,
La Casquette de Charles Bovary (2002)

▶ Né en 1940, **Michel Boujut** est journaliste, écrivain et essayiste. Il a l'idée de demander à une vingtaine de dessinateurs d'imaginer et de représenter la casquette de Charles Bovary.

1. procédé qui consiste à incruster une image en elle-même, à représenter une œuvre dans le même genre d'œuvre.
2. allusion à l'œuvre de Proust, *À la recherche du temps perdu* (début XXᵉ siècle).
3. Queneau, dans *Exercices de style*, propose une centaine de versions d'un même épisode.

1   C'est un souvenir qui vient de loin : de l'école communale de Jarnac, Charente, vers 1950. Cette fois-là, le maître avait choisi sa dictée hebdomadaire au tout début de *Madame Bovary*, page deux de la première partie. Mise en abyme[1]. Charles Bovary, petit nouveau au collège de Rouen, un « gars de la campagne », rougis-
5   sant et bredouillant, y est la risée de ses camarades. À cause de   sa casquette. Et quelle casquette ! […]
    Ce livre est né de ça. D'un souvenir qui s'entête et qui refait surface. Un demi-siècle plus tard, à la recherche de la casquette perdue[2], j'ai proposé à
10   des dessinateurs, des peintres des créateurs de mode de s'emparer de cette fascinante construction mentale, pour mieux l'illustrer, l'interpréter, la réinventer ou la trahir. Exercice de style[3]. Comment s'y sont-ils pris ? La réponse est
15   entre vos mains. Variations sur « une pauvre chose », tout un monde dans la casquette textuelle, la casquette à tiroirs d'un enfant.

© Éditions Arléa.

Illustration de Jacques Tardi, pour *La casquette de Charles Bovary*, de Michel Boujut, 2002, © Éditions Arléa.

Questions

▶ Narrateur et focalisations, p. 426

La casquette de Charles

1. Quelle focalisation est utilisée ici ? Quelle est sa fonction dans cette page ?
2. Relevez, dans la description de la casquette, les différents noms de coiffe, les matières et les formes. Quel adjectif du texte résume l'ensemble ? Quel groupe nominal exprime l'impossibilité de nommer l'objet avec exactitude ?
3. Comment et pourquoi la casquette est-elle personnifiée ?
4. Quels éléments du caractère de Charles le texte laisse-t-il deviner ? Justifiez.

Le souvenir de Boujut

5. Pourquoi le souvenir de Boujut relève-t-il de la « mise en abyme » ?
6. Relisez le titre de l'œuvre de Proust donné en note et expliquez le lien entre ce titre et le texte de Boujut.
7. Quels points communs relient la démarche de Queneau dans *Exercices de style* et l'idée de Boujut pour son livre ? Quels aspects diffèrent ?
8. Comment comprenez-vous l'expression « casquette textuelle » (l. 16) ?

Synthèse Est-il facile de se représenter la casquette de Charles ? Pourquoi ?

Vers le bac   **S'entraîner au commentaire**
À partir de ces deux axes, construisez le plan détaillé du commentaire.
I. Une description soucieuse du détail…
II. …destinée à symboliser un personnage ridicule.

• LE NOUVEAU ROMAN

► D'abord ingénieur agronome, **Alain Robbe-Grillet** (1922-1908) se tourne vers la littérature et le cinéma. Il est considéré comme le chef de file du nouveau roman dont il se fait le théoricien dans ***Pour un nouveau roman*** (1963). Ses romans, ***La Jalousie*** (1957) ou ***Les Gommes***, explorent des voies nouvelles qui déconstruisent le roman traditionnel.

Alain Robbe-Grillet,
Les Gommes (1953)

Dans cet extrait, Wallas, qui enquête sur une tentative d'assassinat, s'apprête à déjeuner. L'expression «nouveau roman» concerne des romans publiés aux Éditions de Minuit au milieu du XXᵉ siècle et écrits par des auteurs (Nathalie Sarraute, Georges Perec, Claude Simon, Michel Butor, etc.) ayant en commun le même refus des catégories qui fondent le roman du XIXᵉ siècle : l'intrigue passe au 2ᵈ plan ; le personnage tend à se dissoudre ; les objets envahissent l'espace romanesque (Perec, par exemple, intitule un de ses romans : Les Choses).

1   Wallas introduit son jeton dans la fente et appuie sur un bouton. Avec un ronronnement agréable de moteur électrique, toute la colonne d'assiettes se met à descendre ; dans la case vide située à la partie inférieure apparaît, puis s'immobilise, celle dont il s'est rendu acquéreur. Il la saisit, ainsi que le couvert qui l'accompagne, et pose le tout sur une table libre. Après avoir opéré de la même façon pour
5   une tranche du même pain, garni cette fois de fromage, et enfin pour un verre de bière, il commence à couper son repas en petits cubes.

    Un quartier de tomate en vérité sans défaut, découpé à la machine dans un fruit d'une symétrie parfaite. La chair périphérique, compacte et homogène, d'un beau
10   rouge de chimie, est régulièrement épaisse entre une bande de peau luisante et la loge où sont rangés les pépins, jaunes, bien calibrés, maintenus en place par une mince couche de gelée verdâtre le long d'un renflement du cœur. Celui-ci, d'un rose atténué légèrement granuleux, débute, du côté de la dépression inférieure, par un faisceau de veines blanches, dont l'une se prolonge jusque vers les pépins – d'une
15   façon peut-être un peu incertaine.

    Tout en haut, un accident à peine visible s'est produit : un coin de pelure, décollé de la chair sur un millimètre ou deux, se soulève imperceptiblement.

© Éditions de Minuit.

Questions

Prolongements

Traitez le sujet suivant : une goutte d'eau glisse sur le miroir embué de votre salle de bains. En une vingtaine de lignes, décrivez cette goutte de manière précise (couleur, forme, mouvement, etc.).

1. Pourquoi les circonstances du repas présentent-elles un monde quelque peu déshumanisé ?
2. Montrez que la gestuelle de Wallas participe à la représentation de ce monde.
3. Relevez et classez les différents aspects du quartier de tomate que la description met en valeur. La manière dont la description est menée participe-t-elle à la représentation de ce monde déshumanisé ?
4. Relevez la phrase nominale du texte. Commentez son rôle.

Synthèse Comment cette description met-elle en place l'idée du triomphe des objets sur la conscience et l'anéantissement du sujet ?

• L'HYPERRÉALISME

▶ Né en 1958, **Ron Mueck**, sculpteur australien, vit et travaille en Grande-Bretagne. Il conçoit marionnettes et mannequins pour le cinéma et la publicité avant d'exposer, à partir de 1996, ses sculptures en tant qu'artiste à part entière. Toujours beaucoup plus grandes ou plus petites que le modèle réel, elles reproduisent de façon époustouflante le corps humain.

Ron Mueck, *Big Man* (2000)

Ron Mueck, *Big man*, résine pigmentée de polyester sur fibre de verre, (203.2 x 120.7 x 204,5 cm), 2000, exposition « Mélancolie », Grand Palais, Paris, 2005.

▲ Mouvement essentiellement pictural d'origine américaine apparu à la fin des années 1960, l'hyperréalisme se caractérise par une représentation de la réalité si précise qu'il est difficile pour le spectateur, médusé et fasciné, de distinguer peinture et photographie. Le peintre travaille à partir d'une photographie qui peut être par exemple projetée sur la toile.
Ce courant représente des paysages urbains, des images de la société de consommation : le peintre hyperréaliste a pour ambition de faire un constat froid et parfaitement objectif.

Prolongements

• Faites un exposé sur d'autres œuvres de Ron Mueck : quelles préoccupations retrouve-t-on d'une œuvre à l'autre ?

• Faites un exposé sur la peinture hyperréaliste, ses enjeux, la place du travail et de la virtuosité, les interrogations sur l'art qu'elle permet.

• Organisez un débat : l'art hyperréaliste : un art à part entière ?

Questions

1. Observez la sculpture et relevez les éléments qui rapprochent cette représentation de la réalité.

2. Qu'expriment l'attitude et l'expression du visage ?

3. Quels effets cette sculpture a-t-elle sur le spectateur ?

4. Comment peut-on rapprocher les démarches du sculpteur et de Robbe-Grillet ci-contre ?

a. Quels points communs pouvez-vous trouver ?

b. Par quels aspects ces représentations de la réalité diffèrent-elles cependant ?

L'ESPACE

1 ÉTYMOLOGIE

L'élément « cosmos » est issu du grec *Kosmos* qui signifie « ordre », « univers ». Il a donné naissance à plusieurs mots. Associez chaque terme à sa définition.

A. cosmétique
B. cosmopolite
C. cosmographie
D. macrocosme
E. microcosme
F. cosmique
G. cosmologie

1. astronomie descriptive qui repère les mouvements des objets célestes
2. qui concerne le cosmos, l'univers
3. qui concerne les soins de beauté
4. univers considéré par rapport au microcosme que constitue l'homme
5. science qui étudie l'univers et ses lois
6. qui subit, s'accommode ou comprend les influences de nombreux pays
7. homme considéré comme un petit univers, une image réduite du monde ou de la société

2 EMPLOIS

Recopiez les phrases suivantes en remplaçant les expressions en italique par des mots choisis dans l'exercice 1.

a. Paul prend des cours d'astronomie, il s'initie à la *description des astres et de l'univers*.
b. New York est une ville *où vivent des personnes venues de tous les horizons du monde*.
c. Selon Victor Hugo, le roman contient tout un *monde en modèle réduit*.
d. Des corps *appartenant à l'espace* ne cessent de circuler loin au-dessus de nos têtes.

3 VOCABULAIRE DE LA VILLE

La famille étymologique concernant la ville a deux étymons : *urbs* (signifie « ville » en latin) et *polis* (signifie « ville » en grec). Complétez les phrases suivantes avec des mots formés à partir de *urbs* ou de *polis*.

a. La vie u… est fatigante.
b. Il manifestait toujours une politesse raffinée qui témoignait de son aisance dans le monde : il faisait preuve d'u… .
c. Le pape a donné une bénédiction u… .
d. Le dépeuplement des campagnes favorise toujours l'u… .
e. Les nations civilisées et raffinées sont p… .
f. L'agent de p… réglait la circulation.
g. Paris, Londres ou New York sont de grandes m… .

4 DE L'ADJECTIF AU NOM

Indiquez le nom correspondant aux adjectifs suivants. Vous chercherez le sens des mots que vous ne connaissez pas.

exigu – vaste – étroit – contigu – ample – restreint – petit – gigantesque – oblique

5 MÊMES SONORITÉS, SENS DIFFÉRENT

Voici des couples de mots de même famille mais dont le sens et l'emploi ne sont pas les mêmes. Employez-les dans deux phrases différentes afin de souligner cette différence.

largeur/largesse ; spatial/spacieux ; ampleur/amplitude

6 DE L'ESPACE À LA PENSÉE

a. *Dériver* signifie « modifier une trajectoire » : mais qu'est-ce qu'un *dérivatif* ?
b. *Errer* a donné *erreur*. Quel est l'adjectif correspondant à *erreur* ?
c. Vous savez ce que signifie *tourner à gauche*, mais en quoi consiste l'action de *gauchir un fait* ?
d. On *progresse* sur un chemin ou dans ses résultats scolaires. Que fait-on quand on *digresse* ? Quel est le nom correspondant à ce verbe ?
e. On emprunte une *déviation* en cas de travaux ou d'embouteillages. Mais qu'est-ce qu'une *déviance* ?
f. *Errance* est le substantif correspondant au verbe *errer*. De quoi parle-t-on quand on emploie le substantif *errements* ?
g. Vous savez ce qu'est l'*altitude*. Mais dans quel cas emploie-t-on l'adjectif de même famille : *altier* ?

7 SENS PROPRE, SENS FIGURÉ

Employez les mots suivants dans deux phrases : au sens propre, puis au sens figuré.

écart – diverger – gauche – droit – cheminer – aplomb

EXPRESSION ÉCRITE

Sujet 1

Décrivez précisément le lieu où vous vous trouvez sans utiliser une seule fois l'expression « il y a ». Vous introduirez notamment des verbes de perception (apercevoir, remarquer, etc.) et des verbes de mouvement.

Sujet 2

Votre esprit vagabonde… Rédigez un paragraphe pour décrire ce voyage intérieur en multipliant les verbes et expressions concernant l'espace pour décrire votre pensée. N'hésitez pas à introduire du vocabulaire n'apparaissant pas dans cette page.

LA DESCRIPTION RÉALISTE ET NATURALISTE

Le statut de la description change avec l'apparition des courants réaliste et naturaliste. Si le roman est un miroir, son outil indispensable est la description qui permet de voir la réalité. Mais l'auteur réaliste est aussi un « illusionniste » (Maupassant) qui métamorphose le réel pour mieux l'appréhender.

1 UNE TECHNIQUE QUI S'INSPIRE DE LA PEINTURE

Les écrivains réalistes côtoient les peintres de leur époque et sont influencés par eux. On note des thèmes communs : le peuple au travail, les paysages urbains, etc., mais aussi des démarches communes : Zola saisit la variation de la lumière comme les impressionnistes, il fait plusieurs descriptions de Paris sous des éclairages différents ▸ **Dossier Histoire des arts, p. 78.**

2 UNE DESCRIPTION MOTIVÉE

Le romancier introduit une situation qui justifie la pause descriptive :

▸ Le regard ou l'action d'un personnage
Un personnage est mis en situation d'observer un objet, un lieu, une scène, un autre personnage : la description se fait en focalisation interne. (➜ **Ex. :** Lantier qui découvre le Voreux voit le puits de mine comme un monstre ▸ **p. 84**). Un personnage est mis en situation d'agir sur un objet, une machine, un lieu, etc. (➜ **Ex. :** Flaubert décrit la casquette que Charles Bovary tient sur ses genoux ▸ **p. 86**).

▸ L'ignorance d'un personnage
Un personnage explique à un novice l'usage d'une machine, l'organisation d'un lieu. (➜ **Ex. :** c'est un mineur expérimenté qui indique à Lantier la profondeur du Voreux ▸ **p. 84**).

3 UN TRAVAIL PRÉCIS ET MINUTIEUX

▸ Donner l'illusion de réalité : fonction mimétique
Pas de réalité sans objets, bâtisses, paysages, etc. Le roman doit donc enregistrer (Balzac se veut « secrétaire ») cette présence du monde et les « petits détails vrais ». La description n'a pas ici d'ambition particulière sinon de faire exister le monde tel qu'il est dans la réalité.

▸ Transmettre un savoir : fonction documentaire et didactique
L'écrivain commence par se documenter sur le milieu, le métier, etc., qu'il veut mettre en scène. La description a une fonction documentaire lorsqu'elle délivre des informations ; elle se fait didactique en insérant le vocabulaire spécifique à un milieu, un métier. (➜ **Ex. :** *Germinal* permet de découvrir le monde de la mine ▸ **p. 84**).

▸ Donner une dimension métaphorique : fonction symbolique
La description peut avoir une portée symbolique par le biais de la métaphore. Les traits d'un visage (▸ **p. 82**), un vêtement (▸ **p. 86**) sont révélateurs d'un caractère ; l'architecture d'une demeure laisse deviner le devenir des habitants...

4 DE L'OBJECTIVITÉ À LA SUBJECTIVITÉ

Décrire le monde tel qu'il est suppose la neutralité, mais il est évident que la description réaliste n'est pas qu'un enregistrement passif. « L'art est un produit humain, une sécrétion humaine », selon Zola. Et le tempérament s'exprime dans un style. Certaines descriptions ont recours au registre épique, à la métaphore, à la comparaison.

Émile Zola, *La Bête humaine* : l'ambition scientifique du roman

▶ Comment le romancier naturaliste fait-il du roman le terrain de ses expérimentations ? Comment concilie-t-il œuvre romanesque et nouvelles connaissances scientifiques concernant l'homme ?

▶▶▶**Claude Monet**, *Vue de la gare Saint-Lazare à Paris et du train de Normandie* (détail), huile sur toile (60 x 80 cm), 1877, Art Institute, Chicago.

Émile Zola,
La Bête humaine, chapitre II (1890)

▶ Biographie p. 539

✚ CONTEXTE

Zola souhaite écrire « un roman du crime », « un drame violent à donner le cauchemar à tout Paris ». Dans ce roman jonché de cadavres où presque tous les personnages ont du sang sur les mains les crimes se succèdent. Zola s'inspire de plusieurs faits divers sanglants relatés dans les journaux à sensation de son époque et aussi des sinistres exploits de Jack l'Éventreur qui terrorise Londres en 1888. S'il a choqué plus d'un de ses contemporains, Zola voulait plaire à un public avide de frissons mais aussi expliquer comment un individu peut devenir un criminel.

1. la Croix-de-Maufras est située au bord de la ligne de chemin de fer.

Au cours d'une visite chez sa tante Phasie à la Croix-de-Maufras, le mécanicien Jacques Lantier est attiré par sa cousine Flore qui, par pudeur, le repousse, mais au moment où elle s'abandonne enfin, Jacques est pris soudain d'une folle envie de l'égorger et doit s'enfuir pour échapper à sa pulsion meurtrière...

Alors, Jacques, les jambes brisées, tomba au bord de la ligne[1], et il éclata en sanglots convulsifs, vautré sur le ventre, la face enfoncée dans l'herbe. Mon Dieu ! il était donc revenu, ce mal abominable dont il se croyait guéri ! Voilà qu'il avait voulu la tuer, cette fille ! Tuer une femme, tuer une femme ! cela sonnait à ses
5 oreilles, du fond de sa jeunesse, avec la fièvre grandissante, affolante du désir. Comme les autres, sous l'éveil de la puberté, rêvent d'en posséder une, lui s'était enragé à l'idée d'en tuer une. Car il ne pouvait se mentir, il avait bien pris les ciseaux pour les lui planter dans la chair, dès qu'il l'avait vue, cette chair, cette gorge, chaude et blanche. Et ce n'était point parce qu'elle résistait, non ! c'était
10 pour le plaisir, parce qu'il en avait une envie, une envie telle, que, s'il ne s'était pas cramponné aux herbes, il serait retourné là-bas, en galopant, pour l'égorger. Elle, mon Dieu ! cette Flore qu'il avait vue grandir, cette enfant sauvage dont il venait de se sentir aimé si profondément. Ses doigts tordus entrèrent dans la terre, ses sanglots lui déchirèrent la gorge, dans un râle d'effroyable désespoir.
15 Pourtant, il s'efforçait de se calmer, il aurait voulu comprendre. Qu'avait-il donc de différent, lorsqu'il se comparait aux autres ? Là-bas, à Plassans, dans sa jeunesse, souvent déjà il s'était questionné. Sa mère Gervaise, il est vrai, l'avait eu très jeune, à quinze ans et demi ; mais il n'arrivait que le second, elle entrait à peine dans sa quatorzième année,
20 lorsqu'elle était accouchée du premier, Claude ; et aucun de ses deux frères, ni Claude, ni Étienne, né plus tard, ne semblait souffrir d'une mère si enfant et d'un père gamin

Paul Cézanne, *La Femme étranglée*, huile sur toile
(31 x 25 cm), 1870, musée d'Orsay, Paris.

2. Lantier abandonne Gervaise et leurs deux enfants, Claude et Étienne; plus tard, il vit aux crochets du nouveau ménage que Gervaise forme avec Coupeau.

3. dans *L'Œuvre*, Claude se suicide.

4. sa mère Gervaise et son grand-père Antoine Macquart sont alcooliques.

5. dans *La Fortune des Rougon*, Antoine Macquart est un braconnier bestial qui bat Adélaïde, sa maîtresse, vit dans les bois et est accusé de manger les enfants.

6. les femmes qu'il a envie d'égorger.

comme elle, ce beau Lantier[2], dont le mauvais cœur devait coûter à Gervaise tant de larmes. Peut-être aussi ses frères avaient-ils chacun son mal, qu'ils n'avouaient pas, l'aîné[3] surtout qui se dévorait à vouloir être peintre, si rageusement, qu'on le disait à moitié fou de son génie. La famille n'était guère d'aplomb, beaucoup avaient une fêlure. Lui, à certaines heures, la sentait bien, cette fêlure héréditaire ; non pas qu'il fût d'une santé mauvaise, car l'appréhension et la honte de ses crises l'avaient seules maigri autrefois ; mais c'étaient, dans son être, de subites pertes d'équilibre, comme des cassures, des trous par lesquels son moi lui échappait, au milieu d'une sorte de grande fumée qui déformait tout. Il ne s'appartenait plus, il obéissait à ses muscles, à la bête enragée. Pourtant, il ne buvait pas, il se refusait même un petit verre d'eau-de-vie, ayant remarqué que la moindre goutte d'alcool le rendait fou. Et il en venait à penser qu'il payait pour les autres, les pères, les grands-pères, qui avaient bu, les générations d'ivrognes[4] dont il était le sang gâté, un lent empoisonnement, une sauvagerie qui le ramenait avec les loups mangeurs de femmes, au fond des bois[5].

[…] Puisqu'il ne les[6] connaissait pas, quelle fureur pouvait-il avoir contre elles ? car, chaque fois, c'était comme une soudaine crise de rage aveugle, une soif toujours renaissante de venger des offenses très anciennes, dont il aurait perdu l'exacte mémoire. Cela venait-il donc de si loin, du mal que les femmes avaient fait à sa race, de la rancune amassée de mâle en mâle, depuis la première tromperie au fond des cavernes ? Et il sentait aussi, dans son accès, une nécessité de bataille pour conquérir la femelle et la dompter, le besoin perverti de la jeter morte sur son dos, ainsi qu'une proie qu'on arrache aux autres, à jamais. Son crâne éclatait sous l'effort, il n'arrivait pas à se répondre, trop ignorant, pensait-il, le cerveau trop sourd, dans cette angoisse d'un homme poussé à des actes où sa volonté n'était pour rien, et dont la cause en lui avait disparu.

Un train, de nouveau, passa avec l'éclair de ses feux, s'abîma en coup de foudre qui gronde et s'éteint, au fond du tunnel ; et Jacques, comme si cette foule anonyme, indifférente et pressée, avait pu l'entendre, s'était redressé, refoulant ses sanglots, prenant une attitude d'innocent. Que de fois, à la suite d'un de ses accès, il avait eu ainsi des sursauts de coupable, au moindre bruit ! Il ne vivait tranquille, heureux, détaché du monde, que sur sa machine. Quand elle l'emportait dans la trépidation de ses roues, à grande vitesse, quand il avait la main sur le volant du changement de marche, pris tout entier par la surveillance de la voie, guettant les signaux, il ne pensait plus, il respirait largement l'air pur qui soufflait toujours en tempête. Et c'était pour cela qu'il aimait si fort sa machine, à l'égal d'une maîtresse apaisante, dont il n'attendait que du bonheur.

MÉDECINE ET CRIMINALITÉ

• Le « type » du criminel passionne médecins et écrivains au XIXe siècle. Dans son roman Zola veut classer par catégories les criminels sur le modèle de classification des espèces vivantes. Tirant les conséquences des travaux de Darwin (▶ p. 19) qui influencèrent le choix du titre *La Bête humaine*, Zola s'appuie sur les ouvrages de médecins qui expliquent les pulsions criminelles de façon physiologique voire génétique.

• Dans *L'Homme criminel* (1876) Cesare Lombroso, influencé par la phrénologie (▶ p. 83) décrit le criminel comme un être primitif au visage reconnaissable : faible capacité crânienne, mâchoire développée, arcades sourcilières saillantes, oreilles à anse.

• Dans son *Traité philosophique et physiologique de l'hérédité naturelle* (1850) le Docteur Lucas étudie la transmission héréditaire de certains traits de caractère, innés ou acquis. Mais tout comme le sociologue Gabriel Tarde dans son ouvrage *La criminalité comparée* (1886), Zola croit aussi à l'influence du milieu et des circonstances sur le criminel. Toutes ces théories impliquent que certains hommes sont fortement prédisposés à commettre des crimes et entraînent alors un vaste débat sur la responsabilité du criminel et sa possible guérison.

Par peur de voir la prédiction s'accomplir et d'être un jour ▶
détrôné par l'un de ses enfants, Saturne (Cronos dans la
mythologie grecque), père des dieux de l'Olympe, dévore
chacun d'eux à la naissance. Remplacé par une grosse pierre
enveloppée de langes, son fils Zeus (Jupiter) échappe à ce
destin fatal et finit par prendre le pouvoir.

▶ **Décrire une image, p. 514**
▶ **Interpréter une image,
p. 519**

Lecture d'image Analysez les
procédés (choix des couleurs,
lumière, cadrage, expressivité de
Saturne, etc.) qui concourent à
rendre la monstruosité de la
situation. Montrez que, tout en
étant épouvanté par son geste,
Saturne a conscience de devoir
accomplir son crime.

Francisco Goya, *Saturne dévorant l'un de ses fils*, huile sur toile
(146 x 83 cm), 1823, musée du Prado, Madrid.

Questions

▶ Les figures de style, p. 420
▶ Narrateur et focalisations,
p. 426
▶ Les discours rapportés,
p. 437

Vocabulaire
Recherchez le sens
étymologique des termes
« bête » et « animal ».
Dressez une liste de mots
appartenant à la famille
étymologique de chacun
d'eux. Précisez les
connotations attachées à
ces deux termes.

▶ Le sens des mots, p. 412

1. Qui est Jacques ? Quelle est sa place au
sein de la famille des Rougon-Macquart ?
2. Quels moyens (focalisation, discours rapporté) le narrateur emploie-t-il pour faire
connaître au lecteur les pensées de Jacques ? Indiquez les différentes étapes de
son introspection.
3. Quels sont les symptômes de son mal ?
Dans quelles circonstances apparaît-il ?
Quel rôle joue alors sa machine ?

4. En vous appuyant sur les procédés du
texte (métaphore, champs lexicaux), montrez que cette folie transforme Jacques en
« bête ».
5. Quelle figure de style dans le deuxième
paragraphe désigne le mal dont souffrent
Jacques et sa famille ? Expliquez-la.
6. Quelles sont, d'après Jacques, les deux
causes à l'origine de son mal ?

Synthèse Montrez que le comportement meurtrier de Jacques est déterminé par une double
hérédité.

▶ Construire un paragraphe
argumentatif, p. 485

Vers le bac   **Rédiger un paragraphe argumentatif**
Écrivez un paragraphe pour montrer que Jacques est victime d'un véritable dédoublement de
personnalité : il a la conscience d'un homme mais les pulsions d'une bête fauve.

La Bête humaine, chapitre I

Le sous-chef de gare Roubaud vient de découvrir que sa jeune femme Séverine, filleule du président de la compagnie, Grandmorin, a aussi été sa maîtresse. Fou de jalousie, il la brutalise et parvient à lui arracher des aveux.

1 La fureur de Roubaud ne se calmait point. Dès qu'elle semblait se dissiper un peu, elle revenait aussitôt, comme l'ivresse, par grandes ondes redoublées, qui l'emportaient dans leur vertige. Il ne se possédait plus, battait le vide, jeté à toutes les sautes du vent de violence dont il était flagellé[1], retombant à l'unique besoin
5 d'apaiser la bête hurlante au fond de lui. C'était un besoin physique, immédiat, comme une faim de vengeance, qui lui tordait le corps et qui ne lui laisserait plus aucun repos, tant qu'il ne l'aurait pas satisfaite.

Sans s'arrêter, il se tapa les tempes de ses deux poings, il bégaya, d'une voix d'angoisse :

« Qu'est-ce que je vais faire ? »

Cette femme, puisqu'il ne l'avait pas tuée tout de suite, il ne la tuerait pas main-tenant. Sa lâcheté de la laisser vivre exaspérait sa colère, car c'était lâche, c'était parce qu'il tenait encore à sa peau de garce, qu'il ne l'avait pas étranglée. Il ne pouvait pourtant la garder ainsi. Alors, il allait donc la chasser, la mettre à la rue,
15 pour ne jamais la revoir ? Et un nouveau flot de souffrance l'emportait, une exécra-ble[2] nausée le submergeait tout entier, lorsqu'il sentait qu'il ne ferait pas même ça. Quoi, enfin ? Il ne restait qu'à accepter l'abomination[3] et qu'à remmener cette femme au Havre, à continuer la tranquille vie avec elle, comme si de rien n'était. Non ! non ! la mort plutôt, la mort pour tous les deux, à l'instant ! Une telle détresse
20 le souleva, qu'il cria plus haut, égaré :

« Qu'est-ce que je vais faire ? »

Du lit où elle restait assise, Séverine le suivait toujours de ses grands yeux. Dans la calme affection de camarade qu'elle avait eue pour lui, il l'apitoyait déjà, par la douleur démesurée où elle le voyait. Les gros mots, les coups, elle les aurait excu-
25 sés, si cet emportement fou lui avait laissé moins de surprise, une surprise dont elle ne revenait pas encore. Elle, passive, docile, qui toute jeune s'était pliée aux désirs d'un vieillard[4], qui plus tard avait laissé faire son mariage, simplement désireuse d'arranger les choses, n'arrivait pas à comprendre un tel éclat de jalousie, pour des fautes anciennes, dont elle se repentait ; et, sans vice, la chair mal éveillée encore,
30 dans sa demi-inconscience de fille douce, chaste malgré tout, elle regardait son mari, aller, venir, tourner furieusement, comme elle aurait regardé un loup, un être d'une autre espèce. Qu'avait-il donc en lui ? Il y en avait tant sans colère ! Ce qui l'épouvantait, c'était de sentir l'animal, soupçonné par elle depuis trois ans, à des grognements sourds, aujourd'hui déchaîné, enragé, prêt à mordre. Que lui dire,
35 pour empêcher un malheur ?

À chaque retour, il se retrouvait près du lit, devant elle. [...] Et elle se faisait caressante, l'attirant, levant ses lèvres pour qu'il les baisât. Mais, tombé près d'elle, il la repoussa, dans un mouvement d'horreur.

« Ah ! garce, tu voudrais maintenant... Tout à l'heure, tu n'as pas voulu, tu
40 n'avais pas envie de moi... Et, maintenant, tu voudrais, pour me reprendre, hein ? Lorsqu'on tient un homme par là, on le tient solidement... Mais ça me brûlerait, d'aller avec toi, oui ! je sens bien que ça me brûlerait le sang d'un poison. »

Il frissonnait. L'idée de la posséder, cette image de leurs deux corps s'abattant sur le lit, venait de le traverser d'une flamme. Et, dans la nuit trouble de sa chair, au fond
45 de son désir souillé qui saignait, brusquement se dressa la nécessité de la mort.

1. fouetté.
2. épouvantable.
3. horreur qui entraîne de la répulsion.
4. son parrain, Grandmorin.

« Pour que je ne crève pas d'aller encore avec toi, vois-tu, il faut avant ça que je crève l'autre… Il faut que je le crève, que je le crève ! »

Sa voix montait, il répéta le mot, debout, grandi, comme si ce mot, en lui apportant une résolution, l'avait calmé. Il ne parla plus, il marcha lentement jusqu'à la table, y regarda le couteau, dont la lame, grande ouverte, luisait. D'un geste machinal, il le ferma, le mit dans sa poche.

50

« L'homme descend vers la brute », illustration de **Grandville** pour *Le Magasin Pittoresque*, 1843.

Questions

▶ Le sens des mots, p. 412
▶ Les figures de style, p. 420
▶ Narrateur et focalisations, p. 426
▶ Les discours rapportés, p. 437

Grammaire
Justifiez l'accord du participe « tuée » (l. 11). Trouvez dans l'extrait d'autres accords de participes que vous justifierez.

1. Comment le lecteur a-t-il accès aux pensées et aux paroles de Roubaud et de Séverine ? Quel est l'intérêt de ces choix ?
2. Repérez les différentes étapes de la délibération de Roubaud : quelles solutions successives envisage-t-il après l'aveu de Séverine ? Pourquoi repousse-t-il chacune d'elles ? Expliquez précisément pour quelle raison il décide de tuer Grandmorin.
3. Montrez que sous l'effet de la jalousie, Roubaud ressemble, comme Jacques Lantier, à une « bête humaine ». Aidez-vous des champs lexicaux et des métaphores de l'extrait, ainsi que du niveau de langue et de la figure de style employée dans ses deux dernières répliques.
4. Pourquoi le tempérament de Séverine l'empêche-t-il de comprendre son mari ?
5. Comparez la folie criminelle de Roubaud à celle de Jacques : comment s'en rapproche-t-elle ? Pourquoi est-elle radicalement différente ?

Lecture d'image Examinez la légende et les différentes étapes de transformation. Quel type d'évolution Grandville parodie-t-il ? Comment expliquer une telle transformation ? Qui le dessinateur satirique accuse-t-il implicitement ?

Synthèse En vous appuyant sur les éléments d'étude, montrez que le projet criminel de Roubaud est déterminé par son tempérament et par les circonstances.

▶ L'accord du participe, p. 404

Vers le bac **S'entraîner au sujet d'invention**
Un personnage vient de découvrir un secret de famille et ne sait comment réagir : doit-il passer outre et se comporter comme s'il ne savait rien ? Ou bien réagir ouvertement ? Mais comment ? Sous la forme d'un récit à la troisième personne, rédigez sa délibération.

Sigmund Freud,
Malaise dans la civilisation (1929)

▶ Père de la psychanalyse, **Sigmund Freud** (1856-1939) identifie trois «blessures narcissiques» dans la représentation que l'homme se fait de lui-même. Copernic a établi que la Terre n'est pas le centre de l'univers (XVIe siècle). Darwin montre que nous ne sommes que le terme d'une évolution des espèces (XIXe siècle). Enfin, Freud lui-même prouve que l'homme, qui se sentait toujours supérieur par sa conscience de soi et sa raison, est avant tout le jouet de forces inconscientes et de «pulsions» qu'il ne maîtrise pas.

Bien que Zola érige la médecine en modèle, certains critiques ont vu en lui un explorateur de l'inconscient qui montre avant Freud le rôle essentiel des pulsions de vie et de mort chez l'homme. Les deux hommes ont du reste assisté aux séances publiques du psychiatre Charcot. Dans l'extrait suivant, Freud développe le concept de pulsion de mort et s'oppose à la prétendue bonté de la nature humaine.

1   L'homme n'est point cet être débonnaire[1], au cœur assoiffé d'amour, dont on dit qu'il se défend quand on l'attaque, mais un être, au contraire, qui doit porter au compte de ses données instinctives une bonne somme d'agressivité. Pour lui, par conséquent, le prochain n'est pas seulement un auxiliaire et un objet sexuel possi-
5   bles, mais aussi un objet de tentation. L'homme est, en effet, tenté de satisfaire son besoin d'agression aux dépens de son prochain, d'exploiter son travail sans dédommagements, de l'utiliser sexuellement sans son consentement, de s'approprier ses biens, de l'humilier, de lui infliger des souffrances, de le martyriser et de le tuer. *Homo homini lupus*[2] : qui aurait le courage, en face de tous les enseignements de
10   la vie et de l'histoire, de s'inscrire en faux contre cet adage ? Dans certaines circonstances favorables […], l'agressivité se manifeste aussi de façon spontanée, démasque sous l'homme la bête sauvage qui perd alors tout égard pour sa propre espèce. Quiconque évoquera dans sa mémoire les horreurs des grandes migrations des peuples, ou de l'invasion des Huns ; celles commises par les fameux Mongols
15   de Gengis Khan ou de Tamerlan, ou celles que déclencha la prise de Jérusalem par les pieux croisés, sans oublier enfin celles de la dernière guerre mondiale, devra s'incliner devant notre conception et en reconnaître le bien-fondé.

Cette tendance à l'agression, que nous pouvons déceler en nous-mêmes et dont nous supposons à bon droit l'existence chez autrui, constitue le facteur principal
20   de perturbation dans nos rapports avec notre prochain ; c'est elle qui impose à la civilisation tant d'efforts. Par suite de cette hostilité primaire qui dresse les hommes les uns contre les autres, la société civilisée est constamment menacée de ruine. L'intérêt du travail solidaire ne suffirait pas à la maintenir : les passions instinctives sont plus fortes que les intérêts rationnels. La civilisation doit tout mettre en œuvre
25   pour limiter l'agressivité humaine […] de là aussi cet idéal imposé d'aimer son prochain comme soi-même, idéal dont la justification véritable est précisément que rien n'est plus contraire à la nature humaine primitive.

Traduction de Ch. et J. Odier, 1971 © Éditions PUF.

1. bon, doux.
2. « L'homme est un loup pour l'homme » (Plaute).

Charles Le Brun, *Trois têtes d'hommes ressemblant à des loups* (détail), mine de plomb (20,5 x 28,5 cm), XVIIe siècle, musée du Louvre, Paris.

Questions

1. Quelle tendance du psychisme humain Freud souligne-t-il ? Montrez que le roman de Zola semble confirmer la thèse de Freud.

2. Quelle métaphore employée par Zola retrouve-t-on ici ? A-t-elle la même signification que dans *La Bête humaine* ?

3. Selon Freud, à quel problème la société est-elle confrontée ? Comment Freud justifie-t-il le commandement chrétien d'« aimer son prochain » ?

4. Quel constat Zola fait-il concernant l'évolution de la civilisation dans son roman ? Qui de Zola ou de Freud vous paraît le plus optimiste ?

La Bête humaine, chapitre v

● CONTEXTE

Zola explore aussi dans son roman les dysfonctionnements du monde judiciaire. À la fin du Second Empire, les journaux d'opposition républicaine exploitent les affaires de mœurs ou de corruption : les procès de notables comme Grandmorin comportent alors un arrière-plan politique. L'avancement des magistrats ne relève pas toujours non plus du mérite. Ces deux problèmes peuvent entraîner des erreurs judiciaires.

Camy-Lamotte, secrétaire général au ministère de la Justice, a compris que Séverine et son mari avaient assassiné Grandmorin, mais par calcul, il décide de n'en rien dire au juge d'instruction Denizet persuadé de la culpabilité d'un pauvre homme...

1 « [...] Je vous ai seulement fait venir pour étudier avec vous certains points graves. Cette affaire est exceptionnelle, et la voici devenue toute politique : vous le sentez, n'est-ce pas ? Nous allons donc nous trouver peut-être forcés d'agir en hommes de gouvernement... Voyons, en toute franchise, d'après vos interrogatoi-

5 res, cette fille, la maîtresse de ce Cabuche[1], a été violentée, hein ? »

Le juge eut sa moue d'homme fin, tandis que ses yeux disparaissaient à demi derrière ses paupières.

« Dame ! je crois que le président[2] l'avait mise en un vilain état, et cela ressortira sûrement du procès... Ajoutez que, si la défense est confiée à un avocat de l'oppo-

10 sition, on peut s'attendre à un déballage d'histoires fâcheuses, car ce ne sont pas ces histoires qui manquent, là-bas, dans notre pays. »

Ce Denizet n'était pas si bête, quand il n'obéissait plus à la routine du métier, trônant dans l'absolu de sa perspicacité et de sa toute-puissance. Il avait compris pourquoi on le mandait, non au ministère de la Justice, mais au domicile particu-

15 lier du secrétaire général.

« Enfin, conclut-il, voyant que ce dernier ne bronchait pas, nous aurons une affaire assez malpropre. »

M. Camy-Lamotte se contenta de hocher la tête. Il était en train de calculer les résultats de l'autre procès, celui des Roubaud. À coup sûr, si le mari passait aux

20 assises, il dirait tout, sa femme débauchée elle aussi, lorsqu'elle était jeune fille, et l'adultère ensuite, et la rage jalouse qui devait l'avoir poussé au meurtre sans compter qu'il ne s'agissait plus d'une domestique et d'un repris de justice, que cet employé, marié à cette jolie femme, allait mettre en cause tout un coin de la bourgeoisie et du monde des chemins de fer.

1. Louisette, sœur de Flore et femme de chambre de Grandmorin, violée par ce dernier, meurt chez son ami Cabuche, repris de justice qui vit dans les bois.
2. Grandmorin est commandeur de la Légion d'honneur, membre du conseil d'administration des chemins de fer de l'Ouest et ancien président de la Cour de Rouen. Il a ses entrées au palais des Tuileries.
3. Cabuche est tailleur de pierres.
4. Cabuche était amoureux de Louisette.

25 Puis, savait-on jamais sur quoi l'on marchait, avec un homme comme le président ? Peut-être tomberait-on dans des abominations imprévues. Non, décidément, l'affaire des Roubaud, des vrais coupables,

30 était plus sale encore. C'était chose résolue, il l'écartait, absolument. À en retenir une, il aurait penché pour que l'on gardât l'affaire de l'innocent Cabuche.

« Je me rends à votre système, dit-il

35 enfin à M. Denizet. Il y a, en effet, de fortes présomptions contre le carrier[3], s'il avait à exercer une vengeance légitime[4]... Mais que tout cela est triste, mon Dieu ! et que de boue il faudrait remuer !... Je sais bien

40 que la justice doit rester indifférente aux conséquences, et que, planant au-dessus des intérêts... »

Deux juges discutent à propos d'un coupable, illustration de **Jossot** tirée de *L'Assiette au Beurre*, 1901.

5. un poste vacant.
6. la croix de la
Légion d'honneur.
7. ses origines
paysannes ont
retardé son
avancement.
8. agressive,
grincheuse.

45 Il n'acheva pas, termina du geste, pendant que le juge, silencieux à son tour, attendait d'un air morne les ordres qu'il sentait venir. Du moment où l'on acceptait sa vérité à lui, cette création de son intelligence, il était prêt à faire aux nécessités gouvernementales le sacrifice de l'idée de justice. Mais le secrétaire, malgré son habituelle adresse en ces sortes de transactions, se hâta un peu, parla trop vite, en maître obéi.

« Enfin, on désire un non-lieu… Arrangez les choses pour que l'affaire soit classée.

– Pardon, monsieur, déclara M. Denizet, je ne suis plus le maître de l'affaire, elle

50 dépend de ma conscience. »

Tout de suite, M. Camy-Lamotte sourit, redevenant correct, avec cet air désabusé et poli qui semblait se moquer du monde.

« Sans doute. Aussi est-ce à votre conscience que je m'adresse. Je vous laisse prendre la décision qu'elle vous dictera, certain que vous pèserez équitablement le

55 pour et le contre, en vue du triomphe des saines doctrines et de la morale publique… Vous savez, mieux que moi, qu'il est parfois héroïque d'accepter un mal, si l'on ne veut pas tomber dans un pire… Enfin, on ne fait appel en vous qu'au bon citoyen, à l'honnête homme. Personne ne songe à peser sur votre indépendance, et c'est pourquoi je répète que vous êtes le maître absolu de l'affaire, comme du reste

60 l'a voulu la loi. »

Jaloux de ce pouvoir illimité, surtout lorsqu'il était près d'en user mal, le juge accueillait chacune de ces phrases d'un hochement de tête satisfait.

« D'ailleurs, continua l'autre, avec un redoublement de bonne grâce dont l'exagération devenait ironique, nous savons à qui nous nous adressons. Voici long-

65 temps que nous suivons vos efforts, et je puis me permettre de vous dire que nous vous appellerions dès maintenant à Paris, s'il y avait une vacance[5]. […] Votre place y est marquée, c'est une question de temps… Seulement, puisque j'ai commencé à être indiscret, je suis heureux de vous annoncer que vous êtes porté pour la croix[6], au 15 août prochain. »

70 Un instant, le juge se consulta. Il aurait préféré l'avancement, car il calculait qu'il y avait au bout une augmentation d'environ cent soixante-six francs par mois ; et, dans la misère décente où il vivait[7], c'était plus de bien-être, sa garde-robe renouvelée, sa bonne Mélanie mieux nourrie, moins acariâtre[8]. Mais la croix, pourtant, était bonne à prendre. Puis, il avait une promesse. Et lui qui ne se serait

75 pas vendu, nourri dans la tradition de cette magistrature honnête et médiocre, il cédait tout de suite à une simple espérance, à l'engagement vague que l'administration prenait de le favoriser. La fonction judiciaire n'était plus qu'un métier comme un autre, et il traînait le boulet de l'avancement, en solliciteur affamé, toujours prêt à plier sous les ordres du pouvoir.

Questions

▶ L'énonciation, p. 417
▶ Narrateur et focalisations, p. 426
▶ Décrire une image, p. 514
▶ Interpréter une image, p. 519

1. Que redoutent les deux hommes de justice si Cabuche ou Roubaud sont accusés de l'assassinat de Grandmorin ?

2. À quel principe déterminant selon Camy-Lamotte la justice doit-elle se soumettre ? Qui le « On » désigne-t-il dans « On désire un non lieu » (l. 48).

3. Relevez et analysez les différents arguments avancés par Camy-Lamotte pour orienter l'instruction.

4. Quelles raisons peuvent pousser le juge à sacrifier la vérité ?

5. Le narrateur vous paraît-il neutre ? Observez notamment la ligne 62 de « Jaloux » à « user mal » et la dernière ligne.

Lecture d'image ▶ p. 99 Quel défaut des juges le caricaturiste critique-t-il ? Comment le souligne-t-il ?

Claude Monet,
La Gare Saint-Lazare (1877)

Claude Monet, *La Gare Saint-Lazare*, huile sur toile (75 x 105 cm), 1877, musée d'Orsay, Paris.

▲ Cette toile fait partie d'un ensemble représentant le même sujet, première série du peintre (▶ **p. 78**). Monet vient de quitter Argenteuil où il peignait la campagne, il obtient l'autorisation de poser son chevalet dans la gare et il devient peintre de la vie moderne. Emblème de la révolution industrielle, promesse de progrès et de liberté, le chemin de fer connaît un développement spectaculaire à l'époque. C'est l'ingénieur qui conçut le Pont de l'Europe peint par Caillebotte (▶ **Repères artistiques, p. 21**) qui réalisa l'agrandissement de cette gare avec les matériaux symboles des temps nouveaux : le fer et le verre.

Questions

La composition

1. Décrivez les lignes qui structurent ce tableau. Quel élément cette composition permet-elle de mettre en valeur ?

2. Où se trouve le chevalet du peintre ? Quel est l'effet produit ?

3. Quels éléments sont placés au premier plan ? au 2d plan ? en arrière fond ? Repérez le Pont de l'Europe. Pourquoi, selon-vous, Monet relie-t-il ainsi la gare et la ville ?

4. Par quels autres moyens picturaux gare et ville sont-elles reliées ?

L'atmosphère

5. Comment Monet parvient-il à exprimer l'effervescence qui règne dans ce lieu ?

6. Étudiez la facture la touche et les couleurs : quels sont les effets produits ?

7. Isolez un détail où la peinture tend à l'abstraction.

▶ Décrire une image, p. 514
▶ Interpréter une image, p. 519

⊕ CONTEXTE

Dans les romans
policiers du
XIXᵉ siècle, le juge est
souvent un être
perspicace, qui finit
par découvrir la
vérité. Mais dans la
phase autoritaire du
Second Empire,
certains écrivains
novateurs se voient
attaqués en justice
pour immoralité
(procès de
Baudelaire, Flaubert
et Eugène Sue en
1857 ▶ p. 46). La
figure du juge est
alors déconsidérée.
En 1898, Zola
s'opposera lui-même
à la condamnation
de Dreyfus, victime
de l'antisémitisme de
la fin de siècle.

La Bête humaine, chapitre XII

Séverine a attiré Roubaud à la Croix-de-Maufras pour que son amant Jacques puisse les débarrasser d'un mari gênant ; mais le mécanicien, pris d'un accès de folie meurtrière, la tue. Cabuche, qui rôdait autour de la maison de Séverine, dont il est épris, est retrouvé près du corps de la jeune femme quand Roubaud arrive au rendez-vous fixé ; les deux hommes sont arrêtés et Roubaud, qui nie toute implication dans le meurtre de Séverine, finit par avouer au juge Denizet l'assassinat de Grandmorin.

1   Mais, à mesure qu'il[1] contait l'histoire, sa femme souillée toute jeune par Grandmorin, sa rage de jalousie en apprenant ces ordures, et comment il avait tué, et
pourquoi il avait pris les dix mille francs, les paupières du juge se relevaient, dans
un froncement de doute, tandis qu'une incrédulité irrésistible, l'incrédulité profes-
5 sionnelle, distendait sa bouche, en une moue goguenarde. Il souriait tout à fait,
lorsque l'accusé se tut. Le gaillard était encore plus fort qu'il ne pensait : prendre
le premier meurtre pour lui, en faire un crime purement passionnel, se laver ainsi
de toute préméditation de vol, surtout de toute complicité dans l'assassinat de
Séverine, c'était certes une manœuvre hardie, qui indiquait une intelligence, une
10 volonté peu communes. Seulement, cela ne tenait pas debout.

    « Voyons, Roubaud, il ne faut pas nous croire des enfants… Vous prétendez alors
que vous étiez jaloux, ce serait dans un transport de jalousie que vous auriez tué ?

    – Certainement.

    – Et si nous admettons ce que vous racontez, vous auriez épousé votre femme,
15 en ne sachant rien de ses rapports avec le président… Est-ce vraisemblable ? Tout
au contraire prouverait, dans votre cas, la spéculation offerte, discutée, acceptée.
On vous donne une jeune fille élevée comme une demoiselle, on la dote, son protecteur devient le vôtre, vous n'ignorez pas qu'il lui laisse une maison de campagne
par testament, et vous prétendez que vous ne vous doutiez de rien, absolument de
20 rien ! Allons donc, vous saviez tout, autrement votre mariage ne s'explique plus…
D'ailleurs la constatation d'un simple fait suffit à vous confondre. Vous n'êtes pas
jaloux, osez dire encore que vous êtes jaloux.

    – Je dis la vérité, j'ai tué dans une rage de jalousie.

    – Alors, après avoir tué le président pour des rapports anciens, vagues, et que
25 vous inventez du reste, expliquez-moi comment vous avez pu tolérer un amant à
votre femme, oui, ce Jacques Lantier, un gaillard solide, celui-là ! Tout le monde
m'a parlé de cette liaison, vous-même ne m'avez pas caché que vous la connaissiez… Vous les laissiez libres d'aller ensemble, pourquoi ? »

    Affaissé, les yeux troubles, Roubaud regardait fixement le vide, sans trouver
30 une explication. Il finit par bégayer :

    « Je ne sais pas… J'ai tué l'autre, je n'ai pas tué celui-ci.

    – Ne me dites donc plus que vous êtes un jaloux qui se venge, et je ne vous
conseille pas de répéter ce roman à messieurs les jurés, car ils en hausseraient les
épaules… Croyez-moi, changez de système, la vérité seule vous sauverait. »

35   Dès ce moment, plus Roubaud s'entêta à la dire, cette vérité, plus il fut convaincu
de mensonge. […] Le juge raffinait la psychologie de l'affaire, avec un véritable amour
du métier. Jamais, disait-il, il n'était descendu si à fond de la nature humaine ; et c'était
de la divination plus que de l'observation, car il se flattait d'être de l'école des juges
voyeurs et fascinateurs, ceux qui d'un coup d'œil démontent un homme. Les preuves,
40 du reste, ne manquaient plus, un ensemble écrasant. Désormais, l'instruction avait une
base solide, la certitude éclatait éblouissante, comme la lumière du soleil.

1. Roubaud.

Fédor Dostoïevski,
Crime et Châtiment (1866)

▶ **Dostoïevski** est l'un des romanciers russes majeurs du xixᵉ siècle. Après une jeunesse tourmentée (mort de ses parents, épilepsie, dettes contractées au jeu) et une vie d'errance en Europe, il est enfin reconnu dans son pays après la publication de *Crime et châtiment* (1866) et de *L'Idiot* (1868).

Les romans de Dostoïevski révèlent une foi ardente, un questionnement métaphysique constant et le souci de retranscrire dans toute leur complexité les mouvements de l'âme. Dans Crime et Châtiment, *Raskolnikov assassine une vieille usurière et sa sœur pour leur dérober leur argent. Bien que l'ancien étudiant nie, le juge d'instruction Porphyre Petrovitch a compris qu'il était coupable. Il lui expose alors ses intentions.*

1 « Je vous ferai arrêter sans doute ; et bien que je sois venu (contrairement à tous les usages) pour vous avertir de tout cela, je vous déclare néanmoins (toujours contre les usages) que ce n'est pas mon intérêt de le faire. En second lieu je suis venu pour…

5 – Eh bien pourquoi en second lieu ? (Raskolnikov était encore tout haletant).

– Mais, je vous l'ai déjà dit, c'est parce que je vous dois des explications, je ne veux pas que vous me preniez pour un monstre, d'autant que je suis sincèrement disposé envers vous, que vous le croyiez ou non. En conséquence et c'est le troisième point, je suis venu vous faire une proposition ouverte et sans arrière-pensée :

10 je vous engage à crever l'abcès en allant vous dénoncer. Ce sera pour vous infiniment plus avantageux et ce le sera également pour moi, car je serai ainsi débarrassé de ce poids. Eh bien, est-ce assez franc de ma part ? […] Ainsi, jugez : en ce moment pour moi peu importe votre attitude, c'est donc uniquement dans votre seul intérêt que je m'adresse à vous. Dieu m'est témoin, Rodion Romanytch[1], que mieux vau-

15 drait vous dénoncer. »

1. Raskolnikov.

Traduction de Jean Chuzeville, 1948 © Éditions Gallimard.

Questions

▶ Le sens des mots, p. 412
▶ L'énonciation, p. 417
▶ Les registres et effets du texte, p. 460

Vocabulaire
Trouvez un synonyme de
« confondre » (l. 21)
« convaincu » (l. 15)
« démonter » (l. 39).

Les aveux de Roubaud ▶ p. 102

1. Quelle focalisation le narrateur adopte-t-il dans le premier et le dernier paragraphe ? Quel est l'intérêt de ce choix ?
2. Sur quel critère se fonde la réflexion du juge pour établir la culpabilité du prévenu ? Dégagez les différentes étapes de son raisonnement. Pourquoi la vérité devient-elle alors un « roman » (l. 33) à ses yeux ?
3. Quel défaut empêche le juge de voir la vérité ? Par quels procédés le narrateur prend-il ses distances avec les certitudes du juge ?
4. Quel(s) rôle(s) le narrateur joue-t-il dans cet extrait ?

Deux juges bien différents

5. Zola déclarait vouloir prendre le contrepied de *Crime et Châtiment* : en quoi les juges Denizet et Petrovitch sont-ils radicalement différents ?

Synthèse En vous appuyant sur les textes 3 et 4, montrez que Zola procède à une véritable satire de la magistrature sous le Second Empire.

La Bête humaine, chapitre x

Prise d'un accès de jalousie, Flore veut faire dérailler la Lison où se trouvent Jacques et Séverine. Elle réussit à engager sur la voie le chariot de Cabuche chargé de blocs de pierre : le train le heurte sans que Jacques puisse freiner à temps. Au milieu des cadavres, Séverine est indemne ; Flore vient de dégager Jacques des décombres.

CONTEXTE

La création de réseaux ferroviaires révolutionne les transports et modifie le paysage urbain. Symbole de progrès, le train inquiète aussi (catastrophes des années 1880). Voulant faire « le grand poème du chemin de fer », Zola fait du train un personnage majeur de son roman, comme la mine du Voreux dans *Germinal* (▶ p. 84) ou la machine à distiller l'alcool dans *L'Assommoir*. Le train acquiert une dimension épique voire mythique.

1   Enfin, Jacques ouvrit les paupières. Ses regards troubles se portèrent sur elles[1], tour à tour, sans qu'il parût les reconnaître. Elles ne lui importaient pas. Mais ses yeux ayant rencontré, à quelques mètres, la machine qui expirait, s'effarèrent d'abord, puis se fixèrent, vacillants d'une émotion croissante. Elle, la Lison, il la
5   reconnaissait bien, et elle lui rappelait tout, les deux pierres en travers de la voie, l'abominable secousse, ce broiement qu'il avait senti à la fois en elle et en lui, dont lui ressuscitait, tandis qu'elle, sûrement, allait en mourir. Elle n'était point coupable de s'être montrée rétive[2]; car, depuis sa maladie contractée dans la neige[3], il n'y avait pas de sa faute, si elle était moins alerte ; sans compter que l'âge arrive, qui
10   alourdit les membres et durcit les jointures. Aussi lui pardonnait-il volontiers, débordé d'un gros chagrin, à la voir blessée à mort, en agonie. La pauvre Lison n'en avait plus que pour quelques minutes. Elle se refroidissait, les braises de son foyer tombaient en cendre, le souffle qui s'était échappé si violemment de ses flancs ouverts, s'achevait en une petite plainte d'enfant qui pleure. Souillée de terre et de
15   bave, elle toujours si luisante, vautrée sur le dos, dans une mare noire de charbon, elle avait la fin tragique d'une bête de luxe qu'un accident foudroie en pleine rue. Un instant, on avait pu voir, par ses entrailles crevées, fonctionner ses organes, les pistons battre comme deux cœurs jumeaux, la vapeur circuler dans les
20   tiroirs[4] comme le sang de ses veines ; mais, pareilles à des bras convulsifs, les bielles[4] n'avaient plus que
25   des tressaillements, les révoltes dernières de la vie, et son âme s'en allait avec la force qui la faisait vivante, cette haleine immense dont elle ne par-
30   venait pas à se vider toute. La géante éventrée s'apaisa encore, s'endormit peu à

1. Flore et Séverine.
2. récalcitrante ; se dit d'une monture qui refuse d'obéir.
3. la Lison a connu une panne au même endroit lors d'une tempête de neige. C'est à cette occasion que Flore a surpris un baiser entre Jacques et Séverine.
4. les tiroirs distribuent la vapeur d'un côté ou de l'autre du piston et les bielles entraînent les roues.

Émile Zola lors de son voyage de Paris à Mantes sur une locomotive, alors qu'il cherchait du « document vécu » pour son roman *La Bête humaine*, *L'Illustration*, 8 mars 1890.

35 peu d'un sommeil très doux, finit par se taire. Elle était morte. Et le tas de fer, d'acier et de cuivre, qu'elle laissait là, ce colosse broyé, avec son tronc fendu, ses membres épars, ses organes meurtris, mis au plein jour, prenait l'affreuse tristesse d'un cadavre humain, énorme, de tout un monde qui avait vécu et d'où la vie venait d'être arrachée, dans la douleur.

40 Alors, Jacques, ayant compris que la Lison n'était plus, referma les yeux avec le désir de mourir lui aussi, si faible d'ailleurs, qu'il croyait être emporté dans le dernier petit souffle de la machine.

LES TRAVAUX PRÉPARATOIRES DE ZOLA

• Le dossier préparatoire de *La Bête humaine* est un manuscrit conséquent (733 pages) qui regroupe les travaux de Zola avant la rédaction de son roman : une ébauche générale, des plans, mais aussi tout le travail de documentation et d'enquête (notes de lecture, compte-rendu de visite ou de conversations avec des experts, vocabulaire spécifique, coupures de presse, essais de titre, etc.).

• Le travail de Zola est méthodique : alliant pouvoir d'invention et vérité du document, il souhaite inverser le rapport traditionnel entre imagination et réel : déployer sa créativité d'écrivain à partir du travail de documentation et d'enquête, et organiser la fiction à partir du réel.

• Zola commence toutefois par rédiger une ébauche générale qui fixe les grands thèmes de l'intrigue (monde du rail, étude d'un crime, instruction judiciaire) et procède seulement après à un travail de documentation et d'enquête très minutieux. Il rédige des notes à partir d'informations recueillies dans des livres ou sur le terrain auprès d'experts (rencontre avec P. Lefèvre, sous-directeur de la ligne de l'Ouest, qui l'informe sur la vie des cheminots, prise de notes sur l'ouvrage de l'ingénieur, *Les Chemins de fer*), il visite la gare Saint-Lazare (► p. 101) et celle du Havre et voyage lui-même en train jusqu'à Mantes (15 avril 1889) aux côtés du mécanicien et du chauffeur. Cette connaissance progressivement enrichie des chemins de fer stimule alors son imagination, l'amène à préciser la fonction de certains personnages (Roubaud, sous-chef) ou de certains lieux et à élaborer un second plan détaillé. Commence alors à Médan (5 mai 1889) la rédaction du premier chapitre du roman.

Questions

► **Les figures de style**, p. 420
► **Narrateur et focalisations**, p. 426
► **Les registres et effets du texte**, p. 460

1. Montrez que la description du train est documentée et technique. Quel effet produit-elle sur le lecteur ?

2. En vous appuyant sur les figures de style du texte, étudiez la métamorphose de la Lison en un véritable être vivant.

3. De quel point de vue l'agonie de la Lison est-elle perçue ? Justifiez votre réponse.

4. Analysez les liens qui unissent Jacques à sa machine.

5. Comment ce récit acquiert-il une dimension épique, voire fantastique ?

Grammaire
Quelle est la valeur des verbes au présent ?

Synthèse Zola affirme que « tous les efforts de l'écrivain tendent à cacher l'imaginaire sous le réel » : montrez que le style de cette page métamorphose le réel.

Vers le bac **S'entraîner au sujet d'invention**

En vous inspirant de Zola, faites la description d'un objet que vous personnifierez. N'oubliez pas d'évoquer les liens qui vous unissent à lui.

La Bête humaine, chapitre XII

⊕ CONTEXTE

Inquiet de
l'expansion
prussienne en
Europe et poussé par
un incident
diplomatique
humiliant, le
gouvernement
français déclare la
guerre à la Prusse le
19 juillet 1870. En
sous-effectif, mal
préparée et mal
commandée, l'armée
de l'empereur essuie
diverses défaites
dont celle de Sedan
(2 septembre). La
capitulation de
Napoléon III entraîne
la chute du Second
Empire.

Ivre, le chauffeur Pecqueux cherche querelle à Jacques, son ami et mécanicien qu'il a surpris avec sa propre maîtresse Philomène. Ils se battent alors qu'ils conduisent un train chargé de soldats partant au front.

Il y eut deux cris terribles, qui se confondirent, qui se perdirent. Les deux hommes, tombés ensemble, entraînés sous les roues par la réaction de la vitesse, furent coupés, hachés, dans leur étreinte, dans cette effroyable embrassade, eux qui avaient si longtemps vécu en frères. On les retrouva sans tête, sans pieds, deux troncs sanglants qui se serraient encore, comme pour s'étouffer.

Et la machine, libre de toute direction, roulait, roulait toujours. Enfin, la rétive, la fantasque, pouvait céder à la fougue de sa jeunesse, ainsi qu'une cavale indomptée encore, échappée des mains du gardien, galopant par la campagne rase. La chaudière était pourvue d'eau, le charbon dont le foyer venait d'être rempli, s'embrasait ; et, pendant la première demi-heure, la pression monta follement, la vitesse devint effrayante. Sans doute, le conducteur-chef, cédant à la fatigue, s'était endormi. Les soldats, dont l'ivresse augmentait, à être ainsi entassés, subitement s'égayèrent de cette course violente, chantèrent plus fort. On traversa Maromme, en coup de foudre. Il n'y avait plus de sifflet, à l'approche des signaux, au passage des gares. C'était le galop tout droit, la bête qui fonçait tête basse et muette, parmi les obstacles. Elle roulait, roulait sans fin, comme affolée de plus en plus par le bruit strident de son haleine.

À Rouen, on devait prendre de l'eau ; et l'épouvante glaça la gare, lorsqu'elle vit passer, dans un vertige de fumée et de flamme, ce train fou, cette machine sans mécanicien ni chauffeur, ces wagons à bestiaux emplis de troupiers qui hurlaient des refrains patriotiques. Ils allaient à la guerre, c'était pour être plus vite là-bas, sur les bords du Rhin […] Déjà, au loin, le roulement du monstre échappé s'entendait. Il s'était rué dans les deux tunnels qui avoisinent Rouen, il arrivait de son galop furieux, comme une force prodigieuse et irrésistible que rien ne pouvait plus arrêter. Et la gare de Sotteville fut brûlée, il fila au milieu des obstacles sans rien accrocher, il se replongea dans les ténèbres, où son grondement peu à peu s'éteignit.

Mais, maintenant, tous les appareils télégraphiques de la ligne tintaient, tous les cœurs battaient, à la nouvelle du train fantôme[1] qu'on venait de voir passer à Rouen et à Sotteville. On tremblait de peur : un express qui se trouvait en avant, allait sûrement être rattrapé. Lui, ainsi qu'un sanglier dans une futaie[2], continuait sa course, sans tenir compte ni des feux rouges, ni des pétards[3]. Il faillit se broyer, à Oissel, contre une machine-pilote[4] ; il terrifia Pont-de-l'Arche, car sa vitesse ne semblait pas se ralentir. De nouveau, disparu, il roulait, il roulait, dans la nuit noire, on ne savait où, là-bas.

Qu'importaient les victimes que la machine écrasait en chemin ! N'allait-elle pas quand même à l'avenir, insoucieuse du sang répandu ? Sans conducteur, au milieu des ténèbres, en bête aveugle et sourde qu'on aurait lâchée parmi la mort, elle roulait, elle roulait, chargée de cette chair à canon, de ces soldats, déjà hébétés[5] de fatigue, et ivres, qui chantaient.

1. rappelle la légende
nordique – mise
en musique par
R. Wagner en 1843
– du *Vaisseau
fantôme* qui, privé de
son pilote, s'écrase
sur un rocher
sombre.
2. forêt d'arbres très
élevés. La métaphore
du sanglier désignait
Jacques après le
meurtre de Séverine.
3. utilisés pour la
signalisation des
trains.
4. machine de service
utilisée en gare.
5. abrutis.

Hans Baluschek, *Chemin de fer dans la ville*, huile sur carton (22 x 34 cm), 1890, collection privée.

Questions

▶ Les figures de style, p. 420
▶ Le registre épique, p. 460
▶ Le registre fantastique,
p. 462

Le récit réaliste d'une catastrophe

1. Repérez tous les procédés qui contribuent à rendre réalistes l'emballement du train et l'effroi des spectateurs. La course folle du train est-elle pour autant vraisemblable ?

2. En quoi la mort des deux hommes est-elle choquante ? À quels fratricides célèbres fait-elle penser ?

Une vision fantastique et épique

3. Comment l'environnement crée-t-il une atmosphère infernale, apocalyptique ?

4. Classez toutes les images épiques et fantastiques employées pour désigner le train ; sur quels aspects insistent-elles ?

Dimensions symboliques du train

5. Comment peut-on interpréter la mort et le démembrement de Jacques à la fin du roman ?

6. Montrez que le train est devenu le symbole de la folie humaine et de « l'instinct de mort » (Gilles Deleuze).

7. Comment les soldats, qui incarnent la France, sont-ils présentés ? Montrez que le train symbolise aussi la fin d'un régime.

8. À partir des éléments d'étude précédents, indiquez quelles formes de fatalité semble incarner le train.

Vocabulaire
Recherchez l'étymologie et les différents sens du mot « monstre » (l. 22).

▶ Le sens des mots, p. 412

Synthèse Au chapitre II, Tante Phasie évoque l'invention du train : « Ah ! c'est une belle invention, il n'y a pas à dire. On va vite, on est plus savant... Mais les bêtes sauvages restent des bêtes sauvages, et on aura beau inventer des mécaniques meilleures, il y aura quand même des bêtes sauvages dessous. » Dans un développement structuré, analysez l'ambivalence du train dans le roman, symbole de modernité et d'humanité, mais aussi figure de la monstruosité humaine et de l'instinct de destruction.

▶ Justifier sa réponse en insérant des exemples, p. 484
▶ Construire un paragraphe argumentatif, p. 485

Vers le bac **Illustrer une thèse**
Dans une lettre à Henry Céard (1885), Zola affirme : « J'ai l'hypertrophie du détail vrai, le saut dans les étoiles sur le tremplin de l'observation exacte. La vérité monte d'un coup d'aile jusqu'au symbole ». En vous appuyant sur l'étude d'exemples précis du roman, rédigez un paragraphe argumentatif pour illustrer ce propos de l'écrivain.

Dossier

Connu dans les années 30 pour son engagement politique et social et son sens aigu du réel, Jean Renoir a adapté plusieurs œuvres de Maupassant et de Zola ; il transpose l'action de La Bête humaine à son époque, sous le Front populaire : nationalisée quelques mois avant la sortie du film, la SNCF est une entreprise modèle, symbole du progrès fondé sur le travail des ouvriers. Dans le passage qui précède, Jacques Lantier, pris d'une pulsion meurtrière a tué sa maîtresse Séverine ; profondément perturbé, il a confié à son mécanicien et ami Pecqueux qu'il en « crèverait ». Le train vient de partir et atteint une vitesse considérable, Lantier le conduit assisté de Pecqueux. Les photogrammes suivants appartiennent à la séquence finale du film.

Photogrammes 1 à 6 : bruit assourdissant du train qui roule de plus en plus vite.

Photogramme 1. 12″

Photogramme 2. 5″

Photogramme 3. 4″

Photogramme 4. 3″
Lantier : « Je peux plus ! je peux plus ! »

Photogramme 5. 2″
Pecqueux : « Écoute Lantier ! Lantier ! ». *(Lantier finit par assommer Pecqueux).*

Photogramme 6. 4″
(Pecqueux fait arrêter le train dès qu'il a repris conscience. Il ferme les yeux de son ami retrouvé en contrebas de la voie).

Photogramme 7. 6″

Musique lyrique et apaisée de J. Kosma pour les deux derniers photogrammes.

L'agent de la SNCF : « Il faut songer à dégager la voie. On va tirer le train jusqu'à la prochaine gare et je vais rester avec lui. »

Photogramme 8. 17″

Questions

▶ **Étudier un film**, p. 522

Prolongements
• Fritz Lang a proposé une version hollywoodienne du roman de Zola dans *Désirs humains* (1954). Recherchez les principales différences d'interprétation.
• Cherchez quelles œuvres réalistes et naturalistes – notamment de Zola, Maupassant, Flaubert, Maxime Gorki, etc. – Renoir a adaptées au cinéma.

Photogramme 1

1. Montrez que la caméra épouse le regard de Lantier.
2. Soyez attentif au choix du cadrage, à la luminosité et à la bande-son : montrez qu'ils suggèrent les tourments du personnage.

Photogramme 2

3. Quel est l'intérêt du contre-champ après le plan précédent ?
4. Que peut-on lire sur le visage de Lantier ? Comment ses sentiments sont-ils mis en valeur ?

Photogramme 3

5. Analysez tous les procédés (cadrage, hors-champ, vitesse et bruit du train) qui accroissent la tension et provoquent le suspense.

Photogrammes 4, 5 et 6

6. Observez la durée des plans 4 et 5 par rapport aux plans précédents : quelle impression ce changement produit-il ?
7. Observez le cadrage, le mouvement et la durée du photogramme 6 : à quoi ressemble la mort de Lantier ?

Photogramme 7

8. Quel effet le changement de luminosité et de bande-son produit-il ?
9. En vous appuyant sur l'attitude de Pecqueux et les paroles de l'agent de la SNCF, dégagez les rôles tenus par chacun d'eux.

10. Examinez les procédés (angle de vue, plan) qui mettent en valeur les deux hommes.

Photogramme 8

11. Quel personnage le plan final exclut-il de façon surprenante ? Quels hommes et quels éléments du décor y sont mis en valeur ?

Interprétation de l'intégralité de la séquence

12. Montrez que la séquence finale idéalise, dans un esprit « Front populaire », le monde du rail et des cheminots.
13. Qui le titre du film désigne-t-il ?

Comparaison entre le film de Renoir et le roman de Zola

14. Comparez les relations de Pecqueux avec Lantier dans les deux œuvres. Pourquoi, selon vous, Renoir n'a-t-il pas été fidèle au roman ?
15. Pourquoi le Lantier de Renoir paraît-il plus sympathique ?
16. Comparez l'image et la symbolique du train chez Renoir et Zola.
17. Quels personnages du roman sont absents du film ? Quels autres les remplacent ? Sur quel moment de la journée s'achève chaque œuvre ? Commentez cette différence.
18. Montrez que Renoir s'éloigne de la folie généralisée du roman de Zola et préfère insister sur l'histoire d'une folie individuelle.

Synthèse Commentant son film en 1939, Renoir affirme : « *La Bête humaine* de Zola rejoint les grandes œuvres des tragiques grecs. Jacques Lantier, simple mécanicien de chemin de fer pourrait être de la famille des Atrides. » D'après la séquence finale du film, montrez que Lantier ressemble à un héros tragique.

LE DROIT ET LA JUSTICE

1 FAMILLE ÉTYMOLOGIQUE

Voici une liste de termes dont la plupart sont issus du mot latin *culpa* signifiant « faute ».
a. Trouvez les intrus, étrangers à la famille.
b. Quels sont les deux termes synonymes ? Donnez leur définition.

couple – coupable – faire son mea-culpa – culpabilité – sculpter – disculper – inculpé – (dé)culpabiliser – inculquer – battre sa coulpe.

2 LE MOT JUSTE

a. Associez chaque adjectif de la liste A à son synonyme de la liste B :
Liste A : neutre, équitable, autorisé, injuste, défendu.
Liste B : licite, inique, prohibé, impartial, juste.
b. Associez chaque terme de la colonne de gauche à sa définition à droite.

a. comparaître | 1. en l'absence de l'intéressé
b. à huis clos | 2. déclarer innocent
c. faire appel | 3. se présenter à un tribunal
d. acquitter | 4. témoigner devant un tribunal
e. par contumace | 5. demander la révision du procès
f. faire une déposition | 6. sans public

3 SUBTILITÉS JURIDIQUES...

a. Quelle différence faites-vous entre les termes suivants ? Expliquez la formation de ces mots en recourant à leur étymologie.
homicide – meurtre – assassinat – crime.
b. Quels mots de la liste suivante sont synonymes ? Donnez la définition des mots ou expressions ayant un sens légèrement différent.
incarcéré – détenu – mis en examen – emprisonné – écroué.

4 MÊMES SONORITÉS, SENS DIFFÉRENT

Voici des couples de mots de même famille mais dont le sens et l'emploi ne sont pas les mêmes. Employez-les dans deux phrases différentes afin de souligner cette différence.
légal/légitime – juridique/judiciaire – une infraction/une effraction – un tribun/un tribunal – un jury/un juré – habile à/habilité à – une plaidoirie/un plaidoyer – une réquisition/un réquisitoire.

5 ADJECTIFS DE SUBSTITUTION

Réécrivez les phrases suivantes en remplaçant le terme ou l'expression en italique par l'adjectif approprié choisi dans la liste ci-dessous :
passible de – illégal – irréfutable – recevable.

a. Acheter des contrefaçons de grandes marques *peut entraîner des* poursuites judiciaires.
b. La demande en révision du procès paraît pertinente : la cour de cassation l'a donc jugée *acceptable*.
c. Le charlatan a été condamné pour exercice *frauduleux* de la médecine.
d. L'argumentation très rigoureuse de la partie adverse semble *impossible à contrecarrer*.

6 QUESTION D'AUDIENCE

Précisez le sens du nom « audience ».
a. Ce reportage télévisé a atteint un record d'*audience* exceptionnel.
b. L'ambassadeur de Roumanie a demandé *audience* au président de la République.
c. L'*audience* est levée !
d. Après l'émotion suscitée par les dernières révélations du témoin, le président du tribunal a suspendu l'*audience*.
e. L'affaire a captivé l'opinion publique : l'*audience* des grands jours se presse devant les grilles du palais.

7 DEVINETTES

a. Vous savez ce qui est *interdit* : mais que signifie « rester *interdit* face à une situation » ?
b. Quel adjectif composé sur le mot *serment* emploie-t-on pour désigner un témoin qui a prêté serment ?
c. Le médecin *prescrit* des médicaments. Mais qu'est-ce qu'un crime *imprescriptible* ?
d. Zorro est un *justicier*. Est-il aussi un *justiciable* ?
e. Tout le monde sait ce qu'est une personne *détenue*. Qui connaît le nom correspondant à cet adjectif ?
f. On parle souvent de l'*exclusion* sociale, ethnique... Savez-vous ce qu'est la *réclusion* ?

EXPRESSION ÉCRITE

Sujet

Le verbe grec *krino* (qui signifie « trier » puis « juger » en grec) a donné naissance à plusieurs mots dont voici quelques-uns : recherchez-en au besoin le sens. En utilisant le plus grand nombre possible de ces termes, rédigez un extrait de récit policier où un inspecteur mène l'enquête pour découvrir l'identité d'un criminel.

crible – criblé – crise – crime – criminel – criminalité – discriminer – incriminer – récriminer – critère – critique – hypocrite – discerner – concerner

L'AMBITION SCIENTIFIQUE DE *LA BÊTE HUMAINE*

Dix-septième volume des Rougon-Macquart, La Bête Humaine *raconte l'histoire du « détraquement » d'un homme, Jacques Lantier, issu d'une famille dégénérée et appartenant à une société vivant sous un régime en déliquescence, à la fin du Second Empire.*

1 LA DÉMARCHE EXPÉRIMENTALE

Après 1850, la science triomphante – la médecine notamment – influence les écrivains : dans *Le Roman expérimental* (1880), Zola affirme vouloir transposer en littérature **la démarche expérimentale** du biologiste Claude Bernard (▶ Repères littéraires, p. 22) : **observateur de la réalité**, l'écrivain doit **aussi être un expérimentateur** et adopter **un style neutre, objectif.**

2 UN TRAVAIL DE DOCUMENTATION ET D'OBSERVATION

La Bête humaine explore **trois univers** (les criminels, les cheminots, les magistrats) pour lesquels Zola se documente. Pour le domaine ferroviaire il s'inspire de coupures de presse relatant des déraillements, prend en notes l'ouvrage d'un spécialiste mais enquête aussi sur le terrain en voyageant en train et en visitant des gares (▶ p. 105). Concernant les criminels il s'appuie sur les travaux de médecins de son époque, mais il s'inspire aussi d'affaires célèbres de l'époque relatant l'assassinat de notables dans un train. Enfin pour élaborer son intrigue judiciaire il demande à un fils de notaire de lui rédiger une série de notes pour le déroulement de l'affaire Grandmorin.

3 L'EXPERIMENTATION ET LES RÉSULTATS

▶ **Conditions de l'expérience**
Les personnages sont dotés d'une **hérédité** (➜ Ex. : Jacques Lantier ▶ p. 96) ou d'un **tempérament** (➜ Ex. : jalousie de Roubaud ▶ p. 96, vanité du juge Denizet ▶ p. 99).
Après avoir placé ses personnages **dans un milieu** donné (monde cheminot marqué par la pénibilité du travail et les mesquineries de voisinage, monde judiciaire corrompu) et dans certaines **circonstances** (jalousie de Roubaud et de Flore), Zola observe et note les résultats.

▶ **Les résultats**
L'expérimentation montre que, soumis à de telles conditions, les personnages sont entraînés sur la voie du crime (➜ Ex. : l'assassinat de Grandmorin par Roubaud, le meurtre de Séverine par son amant Jacques ▶ p. 102, le déraillement de la Lison par Flore ▶ p. 104, etc.) ou de l'erreur judiciaire par calcul politique (➜ Ex. : Camy-Lamotte, ▶ p. 99) ou excès de psychologie (➜ Ex. : le juge Denizet ▶ p. 102). Zola révèle ainsi, tapie en chaque homme, « la bête humaine », que le progrès technologique ne peut refréner.

4 UN STYLE PERSONNEL

Zola cherche à **concilier style impartial, presque invisible du scientifique et vision créatrice, personnelle de l'écrivain.**

▶ **Position neutre… et subjective de l'écrivain**
Tout en se proclamant neutre, Zola propose une vision très pessimiste de l'individu : folie criminelle, partialité et incompétence des magistrats, etc.

▶ **La métamorphose du réel**
Personnage à part entière (▶ p. 104), devenu figure monstrueuse par le biais des métaphores (▶ p. 106), le train incarne la pulsion de mort de Jacques, de l'être humain en général et d'un régime qui envoie ses soldats au massacre.

August Strindberg,
Mademoiselle Julie (1888)

▶ **Auguste Strindberg** est un écrivain et auteur dramatique suédois. Sa première période créatrice se déroule sous l'influence du naturalisme avec un roman, *La Chambre rouge* (1879), et trois pièces : *Père* (1887), *Mademoiselle Julie*, une tragédie naturaliste, et *Les Créanciers* (1888).

Pendant la nuit de la Saint-Jean (fête qui célèbre le solstice d'été fin juin et qui est traditionnellement accompagnée de grands feux) et en l'absence du comte, sa fille Julie, exaltée par les circonstances, provoque dans la cuisine le maître d'hôtel et se donne à lui. Profitant de la situation, Jean la pousse à voler son père et à s'enfuir avec lui. Mais le comte rentre, Jean reprend son rôle et suggère à Julie de se suicider… Cet extrait se situe juste avant que Julie ne se donne à Jean.

1 *(Elle le couve du regard.)*

JEAN. – Vous savez que vous êtes bizarre !

MADEMOISELLE. – Peut-être ! Mais vous aussi !… Tout est bizarre, d'ailleurs ! La vie, les hommes, tout est une masse de boue qui dérive, dérive sur l'eau jusqu'à ce
5 qu'elle sombre, sombre ! Je fais un rêve qui revient de temps en temps et que je me rappelle en ce moment… je suis grimpée sur un pilier et je ne vois aucune possibilité de descendre ; j'ai le vertige lorsque je baisse les yeux, mais il faut que je descende, seulement, je n'ai pas le courage de me lancer en bas ; je n'arrive pas à me maintenir, et j'ai envie de pouvoir tomber ; mais je ne tombe pas ; et tout de même,
10 je ne connaîtrai pas de calme que je ne sois arrivée en bas ! pas de repos avant d'être parvenue en bas, sur le sol, et si j'arrive sur le sol, je voudrais descendre sous terre… Avez-vous ressenti quelque chose comme cela ?

JEAN. – Non ! Je rêve, d'ordinaire, que je suis étendu sous un arbre élevé, dans une sombre forêt. Je veux monter, monter à la cime et regarder autour de moi le pas
15 sage lumineux où le soleil brille, dévaliser le nid là-haut où se trouvent les œufs d'or. Et je grimpe, je grimpe, mais le tronc est tellement épais, tellement lisse, et il y a tellement loin jusqu'à la première branche. Mais je sais que si seulement j'atteignais cette première branche, j'irais à la cime comme par une échelle. Je ne l'ai pas encore atteinte, mais je l'atteindrai, quand même ce ne serait qu'en rêve !

20 MADEMOISELLE. – Me voilà à bavarder de rêves avec vous ! Venez donc ! Rien que dans le parc ! *(Elle lui offre le bras et ils s'en vont)*

JEAN. – Nous n'avons qu'à dormir sur neuf fleurs de la Saint-Jean cette nuit, nos rêves se réaliseront[1], Mademoiselle !

*(Parvenus à la porte, Mademoiselle et Jean se retournent. Jean porte la main à l'un
25 de ses yeux.)*

MADEMOISELLE. – Faites voir ce que vous avez dans l'œil !

JEAN. – Oh, ce n'est rien… un grain de poussière seulement… ça va passer tout de suite.

MADEMOISELLE. – C'est la manche de ma robe qui vous a effleuré ; asseyez-vous,
30 je vais vous soigner ! *(Le prend par le bras et l'assoit ; lui saisit la tête et la renverse ; de la pointe de son mouchoir, elle cherche à enlever le grain de poussière)* Restez tranquille !… *(Lui donne une tape sur la main)* Eh bien, veut-il obéir !… Ma parole, il tremble, ce grand fort gaillard ! *(Lui tâte le biceps)* Avec des bras pareils !

JEAN, *ton d'avertissement*. – Mademoiselle Julie !

35 *(Kristin[2] s'est réveillée, elle s'en va ivre de sommeil, vers la droite se coucher)*

MADEMOISELLE. – Oui, Monsieur Jean.

JEAN. – Attention ! Je ne suis qu'un homme[3] !

MADEMOISELLE. – Veut-il rester tranquille !… Voilà ! C'est parti ! Baisez-moi la main et remerciez-moi !

1. croyance populaire selon laquelle une jeune femme non mariée qui mettait sous son oreiller neuf fleurs de la Saint-Jean, voyait en rêve son futur mari.
2. Kristin est promise à Jean.
3. en français dans le texte.

4. présomption,
arrogance.

5. dans la *Bible*
(Genèse xxxix), la
femme de Putiphar
essaie en vain de
séduire Joseph, fils de
Jacob.

40 JEAN, *se lève*. – Mademoiselle Julie ! Écoutez-moi !... Kristin est partie se coucher maintenant !... Voulez-vous m'écouter !

MADEMOISELLE. – Baisez-moi la main d'abord !

JEAN. – Écoutez-moi !

MADEMOISELLE. – Baisez-moi la main d'abord !

45 JEAN. – Bon, mais ne vous en prenez qu'à vous-même !

MADEMOISELLE. – De quoi ?

JEAN. – De quoi ? Êtes-vous une enfant, à vingt-cinq ans ? Vous ne savez pas que c'est dangereux de jouer avec le feu ?

MADEMOISELLE. – Pas pour moi ; je suis assurée !

50 JEAN. – Non, vous ne l'êtes pas ! Et même si vous l'êtes, il y a des produits inflammables dans le voisinage !

MADEMOISELLE. – Vous voulez dire vous ?

JEAN. – Oui ! Ce n'est pas parce que c'est moi, mais parce que je suis un homme jeune...

MADEMOISELLE. – D'aspect avantageux... Quelle incroyable fatuité[4] ! Un Don Juan peut-être ! Ou un Joseph[5] ! Sur mon âme, je crois bien que c'est un Joseph !

JEAN. – Vous croyez ?

MADEMOISELLE. – Pour un peu, j'en aurais peur ! *(Jean s'avance hardiment et veut la prendre par la taille pour l'embrasser)*

MADEMOISELLE, *lui administre une gifle*. – Vous n'avez pas honte !

Traduit par Régis Boyer,
1997, © Flammarion.

Mademoiselle Julie,
d'August Strinberg, mis en
scène par **Luc Bondy** avec
Davide Dalmani et Tove
Dahlberg, 2005, festival
d'Aix-en-Provence.

Questions

▶ La double énonciation,
p. 442

1. Pourquoi les circonstances sont-elles propices à l'entreprise de séduction amoureuse ?

2. Que nous apprennent les didascalies ?

3. Expliquez le rêve de chaque personnage en le mettant en rapport avec son statut social ; que semble rechercher chacun d'entre eux ?

4. Comment le dialogue suggère-t-il la distance sociale qui sépare les deux personnages ?

5. Analysez le jeu cruel auquel se livre Julie. Pourquoi est-elle persuadée de maîtriser la situation ?

Prolongements

Lisez *Thérèse Raquin* (1867) de Zola (ce roman qui a fortement marqué Strindberg comme *Mademoiselle Julie* analyse les causes et les conséquences d'un adultère).
Dans la préface de *Thérèse Raquin*, Zola affirme que les deux amants, Thérèse et Laurent, sont « souverainement dominés par leurs nerfs et leur sang, dépourvus de libre arbitre, entraînés [...] par les fatalités de leur chair, [...] des brutes humaines, rien de plus ». Les personnages de Strindberg vous paraissent-ils conçus de la même façon ?

Charles Dickens,
Les Aventures d'Olivier Twist
(1837-1839)

Orphelin dès sa naissance, Olivier Twist vit à l'hospice où sa mère, sur le point d'accoucher, a été amenée après avoir été « trouvée étendue dans la rue ». À l'âge de 10 ans, il est placé comme apprenti dans une entreprise de pompes funèbres où il est maltraité par tous. Après une punition plus injuste et plus violente que les précédentes, il décide de s'enfuir à Londres.

1   Ce ne fut pas avant qu'on l'eût laissé seul dans le silence et l'immobilité du sombre atelier de l'entrepreneur[1] qu'Olivier s'adonna aux sentiments que le traitement qu'il avait subi ce jour-là pouvait bien éveiller chez un simple enfant. Il avait écouté les injures avec une expression dédaigneuse, il avait supporté le fouet sans

5   une plainte, ayant senti se gonfler dans son cœur une fierté qui aurait étouffé tout cri jusqu'au bout, l'eût-on rôti tout vif. Mais maintenant qu'il n'y avait plus personne pour le voir ou l'entendre, il tomba à genoux sur le sol et, cachant sa figure dans ses mains, pleura des larmes telles que – Dieu le veuille pour l'honneur de notre nature ! – peu d'enfants aussi jeunes auront jamais l'occasion d'en verser

10   devant Lui !

    Longtemps, Olivier demeura immobile dans cette attitude. La flamme de la chandelle vacillait dans la bobèche[2] quand il se releva. Après avoir regardé précautionneusement alentour et écouté avec attention, il déverrouilla doucement la porte et

15   jeta un coup d'œil au-dehors.

    C'était une nuit froide et sombre. Les étoiles parurent, aux yeux de l'enfant, plus éloignées de la terre qu'il ne les avait jamais vues auparavant ; il n'y avait pas de vent, et les

20   ombres ténébreuses portées par les arbres sur le sol prenaient du fait de leur immobilité une apparence sépulcrale[3] et funèbre. Il referma doucement la porte. Après avoir profité des dernières lueurs de la chandelle

25   pour rassembler dans un mouchoir les quelques effets qu'il possédait, il s'assit sur un banc et attendit le matin.

Traduction de Francis Ledoux, © Éditions Gallimard.

Oliver Twist, film de **Roman Polanski**, 2005.

► **Charles Dickens** (1812-1870) est un romancier anglais extrêmement populaire, auteur notamment de *David Copperfield*, œuvre largement autobiographique. À 12 ans, il voit son père emprisonné pour une dette chez le boulanger, il est obligé de quitter l'école pour travailler. Il reprend ses études, travaille chez un notaire puis comme reporter. Il publie ses romans en feuilletons dans des revues et rencontre le succès. Ses œuvres mettent souvent en scène des enfants malheureux et permettent de découvrir la misère qui règne dans les bas-fonds de Londres à son époque.

1. son lit est un matelas jeté sous le comptoir au milieu des cercueils.
2. coupelle du chandelier qui recueille la cire des bougies.
3. qui évoque la tombe, la mort.

Prolongements

• Faites un exposé : les enfants au travail au XIXe siècle.

• Qu'en est-il du respect de l'enfant et de ses droits dans le monde d'aujourd'hui ?

Questions

1. Quels aspects du caractère d'Olivier apparaissent dans cet extrait ? Justifiez votre réponse.

2. Par quels procédés l'ampleur du chagrin d'Olivier est-elle soulignée ?

3. Relevez les mots et expressions appartenant au champ lexical de la lumière. Quel est le rôle de chacun dans cette page ?

4. Comment est accentué le pathétique de la situation de l'enfant quand il se retrouve dans la rue ?

PISTES DE LECTURE

1 LECTURES CROISÉES

La Mère sauvage de Guy de Maupassant (1884)
Le Silence de la mer de Vercors (1941)
Attentat d'Assia Djebar (1996)

Lisez les trois nouvelles proposées *La Mère sauvage*, *Le Silence de la mer* et *Attentat*. Vous pouvez travailler par groupe, chaque groupe choisira son axe d'étude et le présentera à l'oral.

> **AXE D'ÉTUDE 1** Trois nouvelles réalistes
>
> **AXE D'ÉTUDE 2** Différents modes de résistance
>
> **AXE D'ÉTUDE 3** Image des envahisseurs et de la guerre

© Éditions Flammarion

© Éditions Le Livre de Poche

© Éditions Actes Sud

2 D'AUTRES LECTURES

Les Raisins de la colère
de John Steinbeck (1939)

© Éditions Gallimard

Chassée par la sécheresse et la pauvreté à l'époque de la crise de 1929, la famille Joad se lance dans une aventureuse traversée des États-Unis pour rejoindre la terre promise : la Californie.

Eureka Street
de Robert McLiam Wilson (1997 pour la traduction française)

© Éditions L'Univers Poche-10/18

À Belfast où la menace terroriste est permanente, on découvre une galerie de personnages qui ne perdent pas leur bonne humeur et tentent de survivre entre absurdité cocasse et tragédie.

L'Enfant multiple
d'Andrée Chedid (2004)

© Éditions J'ai lu

Entre son père, musulman d'Égypte, et sa mère, chrétienne libanaise, Omar-Jo est un enfant heureux vivant à Beyrouth. On est en 1987 : la guerre sévit et une explosion fait basculer sa vie...

Un barrage contre le Pacifique
de Marguerite Duras (1950)

© Éditions Gallimard

Dans le Sud de l'Indochine française, en 1931, une veuve malade vit misérablement avec ses deux enfants, Joseph et Suzanne. La mère veut marier sa fille à monsieur Jo, un homme laid mais riche...

Sous le soleil des Scorta
de Laurent Gaudé (2004)

© Éditions Actes Sud

Dans un petit village du Sud de l'Italie, les Scorta vivent pauvrement : leur lignée, issue d'un viol, est née dans la honte, mais ils vont tenter, de père en fils, de défier le destin...

Meurtre pour mémoire
de Didier Daeninckx (1984)

© Éditions Gallimard

En 1961, peu avant l'indépendance de l'Algérie, une manifestation oppose à Paris, des Algériens et des policiers : Thiraud, professeur d'histoire, en fait partie...

TEXTE A

Honoré de Balzac, « Avant-propos à *La Comédie humaine* », 1842

Si Buffon a fait un magnifique ouvrage en essayant de représenter dans un livre l'ensemble de la zoologie, n'y avait-il pas une œuvre de ce genre à faire pour la Société ? [...] La Société française allait être l'historien, je ne devais être que le secrétaire. En dressant l'inventaire des vices et des vertus, en rassemblant les principaux faits des passions, en peignant les caractères, en choisissant les événements principaux de la Société, en composant des types par la réunion des traits de plusieurs caractères homogènes, peut-être pouvais-je arriver à écrire l'histoire oubliée par tant d'historiens, celle des mœurs. [...]

S'en tenant à cette reproduction rigoureuse, un écrivain pouvait devenir un peintre plus ou moins fidèle [...] ; mais, pour mériter les éloges que doit ambitionner tout artiste, ne devais-je pas étudier les raisons ou la raison de ces effets sociaux, surprendre le sens caché dans cet immense assemblage de figures, de passions et d'événements ? [...] Ainsi dépeinte, la Société devait porter avec elle la raison de son mouvement.

TEXTE B

Les frères Goncourt, « Préface à *Germinie Lacerteux* », 1865

Vivant au dix-neuvième siècle, dans un temps de suffrage universel, de démocratie, de libéralisme, nous nous sommes demandé si ce qu'on appelle « les basses classes » n'avaient pas droit au Roman : si ce monde sous un monde, le peuple, devait rester sous le coup de l'interdit littéraire et des dédains d'auteurs qui ont fait jusqu'ici le silence sur l'âme et le cœur qu'il peut avoir. [...] Aujourd'hui que le Roman s'élargit, qu'il commence à être la grande forme sérieuse, passionnée, vivante, de l'étude littéraire et de l'enquête sociale, qu'il devient, par l'analyse et par la recherche psychologique, l'Histoire morale contemporaine, aujourd'hui que le Roman s'est imposé les études et les devoirs de la science, il peut en revendiquer les libertés et les franchises.

TEXTE C

Émile Zola, « Préface aux *Rougon-Macquart* », 1871

Je veux expliquer comment une famille, un petit groupe d'êtres, se comporte dans une société en s'épanouissant pour donner naissance à dix, à vingt individus qui paraissent, au premier coup d'œil, profondément dissemblables, mais que l'analyse montre intimement liés les uns aux autres. L'hérédité a ses lois comme la pesanteur.

Je tâcherai de trouver et de suivre, en résolvant la double question des tempéraments et des milieux, le fil qui conduit mathématiquement d'un homme à un autre homme. Et quand je tiendrai tous les fils, quand j'aurai entre les mains tout un groupe social, je ferai voir ce groupe à l'œuvre comme acteur d'une époque historique, je le créerai agissant dans la complexité de ses efforts, j'analyserai à la fois la somme de volonté de chacun de ses membres et la poussée générale de l'ensemble.

TEXTE D

Guy de Maupassant, « Le roman », Préface à *Pierre et Jean*, 1887

Le réaliste, s'il est un artiste, cherchera, non pas à nous montrer la photographie banale de la vie, mais à nous en donner la vision plus complète, plus saisissante, plus probante que la réalité même.

Raconter tout serait impossible, car il faudrait alors un volume au moins par journée, pour énumérer les multitudes d'incidents insignifiants qui emplissent notre existence. [...] Voilà pourquoi l'artiste, ayant choisi son thème, ne prendra dans cette vie encombrée de hasards et de futilités que les détails caractéristiques utiles à son sujet, et il rejettera tout le reste, tout l'à-côté. [...] Faire vrai consiste donc à donner l'illusion complète du vrai, suivant la logique ordinaire des faits, et non à les transcrire servilement dans le pêle-mêle de leur succession.

J'en conclus que les Réalistes de talent devraient s'appeler plutôt des Illusionnistes.

▶ ▶ ▶ **Sujet Bac**

I. Après avoir lu les textes du corpus, répondez à la question suivante :

Quels éléments communs peut-on dégager des différentes visions que proposent ces quatre auteurs quant au rôle et aux caractéristique du roman tel qu'ils le conçoivent ?

II. Traitez ensuite l'un des sujets suivants :

• **Commentaire** Vous commenterez le texte d'Émile Zola (texte C).

• **Dissertation** L'écrivain réaliste se donne la mission de représenter et faire comprendre au lecteur le monde dans lequel il vit. Pensez-vous que cette mission constitue le rôle essentiel du romancier ? Vous répondrez à cette question en vous appuyant sur les textes du corpus, sur les textes étudiés en classe et sur votre culture personnelle.

• **Écriture d'invention** Critique littéraire, vous rédigez un article dans lequel vous remettez en cause la conception réaliste du roman et proposez une autre vision.

Méthode Analyser un corpus de textes

▶ Comprendre une question, p. 482

ÉTAPE 1 Analyser la question posée
  Repérez les mots-clés.

ÉTAPE 2 Rechercher des éléments de réponse en relevant des citations
  • Montrez, en relevant des citations dans chacun des textes, que le héros singulier n'est plus le centre du roman, mais que celui-ci s'intéresse à l'individu dans son milieu, voire à un groupe, à une catégorie sociale tout entière.
  • Tous les auteurs considèrent que le premier devoir de l'écrivain est l'observation objective de la vie réelle. Relevez dans les différents textes les éléments qui témoignent de cet aspect du travail du romancier.
  • Montrez que les auteurs des documents A, B et C veulent donner au roman un modèle scientifique. Justifiez votre réponse par des citations précises.
  • À quelle autre discipline les textes A, B, C font-il référence ? Pourquoi ?
  • Montrez que le travail du romancier reste fondé sur son tempérament et sa créativité. Relevez les passages qui en témoignent.

▶ Confronter les textes, p. 528

ÉTAPE 3 Construire un plan de réponse
  • Un nouveau héros.
  • Une observation objective.
  • Des disciplines scientifiques comme modèles.
  • Mais un véritable travail de création.

▶ Rédiger une réponse synthétique, p. 530

ÉTAPE 4 Rédiger la réponse

CHAPITRE 2

Le théâtre classique

Le XVIIe siècle est dominé par la figure de Louis XIV, aussi appelé Louis le Grand. Après une période de forte instabilité, le royaume aspire à la « grandeur », cela se traduit notamment dans le domaine des arts et des lettres. Les artistes sont en quête d'un idéal de mesure et de stabilité qui leur permette d'atteindre une perfection dont le modèle est hérité de l'Antiquité.

▶▶▶ *Le Bourgeois Gentilhomme* de Molière, mis en scène par **Benjamin Lazar**, avec Olivier Martin et Benjamin Lazar, 2004, théâtre du Trianon, Paris.

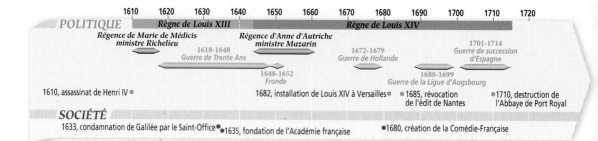

POLITIQUE — Règne de Louis XIII — Règne de Louis XIV

Régence de Marie de Médicis
ministre Richelieu

Régence d'Anne d'Autriche
ministre Mazarin

1701-1714
Guerre de succession
d'Espagne

1618-1648
Guerre de Trente Ans

1672-1679
Guerre de Hollande

1648-1652
Fronde

1688-1699
Guerre de la Ligue d'Augsbourg

1610, assassinat de Henri IV • 1682, installation de Louis XIV à Versailles• • 1685, révocation de l'édit de Nantes • 1710, destruction de l'Abbaye de Port Royal

SOCIÉTÉ

1633, condamnation de Galilée par le Saint-Office• •1635, fondation de l'Académie française • •1680, création de la Comédie-Française

Une journée à la cour de Versailles

Le Roi-Soleil est le principal acteur d'une mise en scène à laquelle les courtisans participent. Assister au « petit » et au « grand lever » du roi est un immense privilège pour une centaine de favoris. Pour rejoindre la chapelle où est dite la messe, le roi traverse la galerie des Glaces où tous veulent se faire remarquer par la remise d'une lettre ou par l'élégance fastueuse d'une tenue. Le roi tient ensuite conseil avec ses ministres. L'après-midi est dévolu aux promenades ou à la chasse. Après le souper du « grand couvert », le roi salue les dames de la cour. Le coucher du roi donne également lieu à une cérémonie publique.

Le renforcement de l'autorité royale

• L'assassinat d'**Henri** IV (1589-1610) par Ravaillac marque la transition entre les XVIᵉ et XVIIᵉ siècles.
• **Marie de Médicis, mère de Louis** XIII, puis **Anne d'Autriche, mère de Louis** XIV, vont tour à tour gouverner le royaume à la place de leur fils en attendant qu'il soit en âge de régner. Ces périodes de Régence participent à l'affaiblissement du pouvoir royal. Par ailleurs, le pouvoir est confronté au mécontentement de la noblesse qui refuse que le système féodal soit remis en cause par une monarchie de plus en plus absolutiste.
• Malgré tout, l'autorité royale parvient progressivement à se renforcer. En effet, **Marie de Médicis**, puis **Louis** XIII avec l'aide du ministre **Richelieu** déjouent les complots de grands aristocrates. Quant à **Mazarin**, qui dirige le pays avec **Anne d'Autriche**, il mate **la Fronde, grande révolte des nobles** (1648-1652).

Pierre Mignard, *Portrait équestre de Louis* XIV *couronné par la Victoire*, huile sur toile (359 x 260 cm), 1692, musée du Château, Versailles.

L'apogée de la monarchie absolue de droit divin : Louis XIV (1643-1715)

Question Comment ce portrait officiel de Louis XIV contribue-t-il à faire l'éloge de la guerre ?

• En 1661, à la mort de Mazarin, **Louis** XIV décide de régner seul. S'il est conseillé, il n'en demeure pas moins un monarque absolu. La toute-puissance est concentrée sur sa personne et n'émane que d'elle. Le caractère absolutiste de la monarchie, renforcé par l'autorité divine qui lui est conférée, n'est pas un fait nouveau mais Louis XIV porte cet absolutisme à son apogée.
• Ainsi, il organise avec son ministre **Colbert** la centralisation du royaume en développant un réseau d'intendants de police, de justice, de finances et d'armée sur le territoire.
• À partir de 1673, il prive le Parlement du pouvoir de présenter des « remontrances », c'est-à-dire de la possibilité de lui adresser un discours soulignant les inconvénients éventuels des édits et des ordonnances avant leur enregistrement.
• La glorification du règne de **Louis** XIV passe par des textes écrits à sa louange, des portraits officiels, des monuments érigés à sa gloire, des fêtes données en son honneur.

Sur le site officiel du château de Versailles, faites une recherche sur les costumes portés à la cour, thème d'une exposition intitulée « Fastes de cour ».

Le Roi-Soleil et la « domestication » de la noblesse

• **Louis** XIII et son ministre **Richelieu** contrent les ambitions de la noblesse. La décapitation de Henri II, duc de Montmorency, en 1632 par le pouvoir royal, ainsi que l'interdiction des duels (qui va notamment à l'encontre de l'honneur, une des valeurs de la morale aristocratique) sont des exemples qui témoignent de la volonté royale d'asseoir l'absolutisme.

• **Louis** XIV poursuit cette tâche. Il installe la noblesse, d'abord au Louvre, puis à Versailles. Ils sont trois à dix mille nobles à s'y rendre chaque jour. Cette société hiérarchisée de courtisans est tenue par le devoir de plaire au roi, car il donne son accord dans l'attribution de charges (fonctions rémunérées), de pensions, de logements ou encore de privilèges et titres honorifiques. L'étiquette (règles strictes qui codifient la communication entre le roi et ses sujets) régit cette vie de cour.

Dans l'ombre du pouvoir

Les troubles religieux

Alors que la France du XVIe siècle est affaiblie, Henri IV parvient à pacifier le pays, notamment grâce à l'**édit de Nantes** (1598) qui permet la coexistence des protestants et des catholiques au sein d'un même État. Un siècle plus tard, cet édit est révoqué par Louis XIV (1684) et le royaume est à nouveau en proie à des conflits religieux. Les protestants, mais aussi les jansénistes, subissent cette répression.

Guerres et famines

• Le règne de Louis XIV voit également s'accroître les inégalités : alors que la paysannerie porte le lourd fardeau des impôts, le **clergé** et la **noblesse** en sont dispensés. Les famines de 1693-1694 et celles de l'hiver 1709 sont de véritables fléaux pour les villages. Les révoltes paysannes, sont réprimées dans le sang.

• Le XVIIe siècle est le théâtre de guerres de conquête. À partir de 1688, une guerre mondiale s'étend en Europe et outre-Atlantique. Cette guerre dite de la **ligue d'Augsbourg** est coûteuse et meurtrière et elle aggrave les conséquences des terribles famines.

• Enfin, la **guerre de succession d'Espagne** finit d'assombrir la fin du règne de Louis XIV. À sa mort en 1715, le Roi-Soleil laisse un pays exsangue.

Louis le Nain, *La Charrette* ou *Le Retour de la fenaison*, huile sur toile (56 x 72 cm), 1641, musée du Louvre, Paris.

Question Quelles réalités sociales sont données à voir dans ce tableau de Louis le Nain ?

La querelle du coloris : Rubens contre Poussin

La «querelle du coloris» est le nom donné à un vif débat esthétique qui anime le dernier quart du XVIIe siècle. S'affrontent, dans le domaine pictural, les partisans de la primauté de la couleur et ceux qui défendent le primat du dessin. Les premiers ont pour référence Rubens ; les seconds défendent la technique de Nicolas Poussin (▶ **Lecture d'image, p. 204**). Cette querelle est déterminante dans l'évolution des techniques picturales et voit la «victoire» des partisans de la couleur et de Rubens, qui influenceront le XVIIIe siècle.

Exposés
- Les jardins de Le Nôtre
- La musique baroque

L'ornementation baroque

- Le XVIe siècle, synonyme d'humanisme, s'achève sur une crise qui signe la fin des espérances renaissantes. (▶ Repères historiques et littéraires, p. 120 et p. 124).
- En réaction contre l'austérité des réformistes et en adéquation avec l'idée selon laquelle l'homme et le monde sont dominés par l'inconstance, l'instabilité, s'affirme l'art baroque (terme emprunté au portugais *barroco* qui désigne à l'origine une perle impure de forme irrégulière). Architecture et sculpture baroques sont ainsi caractérisées par la liberté des formes et l'abondance des ornements, qui s'expriment notamment dans l'œuvre de l'artiste italien **Le Bernin** (1598-1680).
- Le baroque domine la scène musicale jusqu'au XVIIIe siècle. L'importance donnée à l'ornementation est identique et les œuvres de **Lully** (1632-1687) et **Marin Marais** (1656-1728) en témoignent.

Le Bernin, *L'Extase de sainte Thérèse d'Ávila*, sculpture en marbre, 1647, chapelle Cornaro de Santa Maria della Vittoria, Rome.

Question Comment Le Bernin crée-t-il l'impression de mouvement et d'abandon dans la sculpture ?

L'idéal classique : régularité, sobriété, rationalité

- En réponse à l'ostentation baroque se développe une esthétique de la mesure, synonyme d'harmonie, de sobriété et de raison (▶ Repères littéraires, p. 124) ; le but étant d'atteindre un idéal de beauté intemporel défini d'après l'héritage gréco-latin.
- En architecture et en sculpture, les compositions privilégient les lignes droites, la géométrie, la symétrie. **Le Vau** (1612-1670), premier architecte du roi en 1654, et **Hardouin Mansart** (1646-1708) travaillent dans cet esprit pour la conception du château de Versailles. Cette rigueur se reflète aussi dans les jardins à la française de **Le Nôtre** (1613-1700).
- **La peinture** est dominée par les figures de **Nicolas Poussin** (1594-1665) et **Charles Le Brun** (1619-1690), qui peignent de nombreux tableaux historiques et allégoriques (▶ Lecture d'image, p. 204). Ils privilégient le dessin, visent un idéal de clarté et une forme d'épure qui s'opposent aux courbes et à la profusion du baroque.

Peter Paul Rubens, *Chasse aux tigres*, huile sur toile (256 x 324 cm), vers 1616, musée des Beaux Arts, Rennes.

Question Comparez le traitement des couleurs dans ce tableau de Rubens et dans celui de Poussin (*L'Enlèvement des Sabines*, ▶ p. 204).

Vue aérienne du château de Versailles, prise depuis un cerf-volant, 2006.

Une réalité artistique complexe

Il ne faut cependant pas réduire la vie artistique à une opposition stérile entre baroque et classicisme.

De fait, ces esthétiques ont pu se rencontrer, fusionner pour créer ce qui fait la spécificité des beaux-arts français au xviie siècle. Ainsi en est-il de Versailles, emblème du classicisme qui abrite, par exemple, la célèbre galerie des Glaces, lieu où règne l'apparat et les effets en trompe l'œil qu'affectionne le baroque. Le château accueille aussi, en 1664, les Plaisirs de l'île enchantée, somptueuse fête marquée par la profusion et accompagnée par la musique baroque de Lully.

« Baroque » et « classicisme » sont des désignations qui ont été forgées *a posteriori* pour qualifier les deux styles qui animent le xviie siècle.

🖥 **1.** Sur le site du château de Versailles, dans la partie « Documentation jeunesse », cherchez les informations relatives aux fêtes de cour sous le règne de Louis xiv.
2. En quoi ces fêtes sont-elles l'occasion, pour le roi, de développer et soutenir les arts tout en glorifiant sa personne ?

L'évolution du terme « classique »

Au xviie siècle, l'adjectif « classique » signifie « antique ». En 1751, dans *Le Siècle de Louis xiv*, Voltaire est le premier à qualifier ainsi les artistes prônant la mesure et l'équilibre au rang des plus grands artistes de l'Antiquité. C'est donc un qualificatif élogieux. Au xixe, le terme, employé par les romantiques, se colore de manière péjorative pour désigner des œuvres tournées vers le passé.

Aujourd'hui, le terme désigne des œuvres qui, inscrites dans la longévité, représentent un certain idéal.

Viole de gambe, bois, vers 1680, The Metropolitan Museum of Art, New York.

Les moralistes classiques

Au XVIIe siècle, un moraliste est un écrivain dont les réflexions sur les mœurs, la nature et la condition humaine oscillent entre la philosophie et la psychologie. Dans ses *Maximes*, La Rochefoucauld (1613-1680) fait part de son pessimisme. À l'aide de très courtes sentences, il livre un portrait sévère de l'homme, influencé par la vanité, les passions et l'amour-propre. La raison doit lui permettre de dresser un constat lucide sur lui-même afin qu'il tende vers l'idéal de l'honnête homme. La Bruyère (1645-1696) rejoint ce constat en brossant dans *Les Caractères* des portraits sans complaisance des acteurs du théâtre mondain.

Les excès du baroque

Le mouvement baroque qui se répand dans toute l'Europe au début du XVIIe siècle signe la fin de l'idéal humaniste. Les guerres de religion et l'instabilité politique font émerger de nouveaux questionnements métaphysiques et artistiques. Le déséquilibre, le changement et la démesure caractérisent le baroque. Ainsi, de nombreuses œuvres ont pour thème l'illusion, l'inconstance et la mort (▶ Dossier histoire des arts, p. 368). Certaines pièces de **Corneille** témoignent de cette esthétique (*L'Illusion comique, Médée,* etc.).

La mesure classique

La doctrine classique

C'est une réaction au courant baroque. L'ordre, l'équilibre et la mesure en sont les maîtres mots. La raison est alors considérée comme le seul moyen d'accéder à la vérité universelle et à la perfection esthétique. Tandis que le philosophe Descartes invente une méthode rationaliste, **Pascal** proscrit l'imagination qu'il considère comme une chimère. Trompeuses et sources de désordre, les passions sont condamnées notamment par les moralistes comme **La Rochefoucauld** ou **La Bruyère**, ou par un dramaturge comme **Racine**.

Cette quête de perfection s'appuie sur l'imitation des Anciens. Les œuvres de l'Antiquité sont considérées comme des modèles à suivre. **Racine** s'inspire, par exemple, d'Aristophane pour sa pièce *Les Plaideurs* et d'Euripide pour *Iphigénie* et *Phèdre*.

Exposés
- La Querelle des Anciens et des Modernes
- La préciosité

Sur le site de la Comédie-Française, dans la rubrique « Histoire et patrimoine », sélectionnez « Il était une fois » pour retrouver ses origines et son histoire.

Jean-Auguste-Dominique Ingres, *Homère déifié*, huile sur toile (386 x 512 cm), 1827, musée du Louvre, Paris.

Question Quel principe classique illustre cette œuvre ?

L'honnête homme

Il incarne socialement cet idéal de mesure. Il s'agit souvent d'un courtisan qui désire plaire à son souverain. Pour cela, il doit faire preuve d'élégance dans les divertissements mondains, manifester son art de la conversation, sa culture et sa finesse d'esprit sans jamais tomber dans la pédanterie. Il est un modèle de modération et se voit incarné, par exemple, par la figure de Philinte dans *Le Misanthrope* de **Molière**.

Les règles classiques

Elles découlent de ce souci d'ordre et de raison. Tandis que des grammairiens fixent la langue française, des académies sont créées qui édictent des normes et contrôlent la production littéraire. Ainsi en est-il de l'**Académie française**, créée par Richelieu en 1635. Le genre théâtral qui triomphe alors est le miroir de cette doctrine dont l'enjeu est le plaisir et l'instruction des spectateurs.

Julie Philipault, Jean Racine lisant *Athalie* devant Louis xiv et Mme de Maintenon, huile sur toile (114 x 146 cm), 1819, musée du Louvre, Paris.

Le grand théâtre du pouvoir

Les liens entre le pouvoir et le théâtre sont étroits. Le roi y voit l'un des moyens d'imposer le goût classique et de faire rayonner la grandeur de la monarchie. Louis xiv donne de somptueuses fêtes à Versailles à l'occasion de la création de pièces dans lesquelles il joue et danse parfois. Louis xiii et son ministre Richelieu, par la création de théâtres parisiens, et par la suite Louis xiv qui crée la Comédie-Française, ont favorisé et encouragé les dramaturges. Mais il faut plaire : en effet, les artistes doivent trouver un protecteur princier ou royal qui leur assure un revenu régulier (une pension) et une protection contre la censure qui émane soit du pouvoir royal, soit de l'institution religieuse. Les dramaturges prennent soin de rédiger des introductions élogieuses à leurs pièces pour plaire à leur mécène.

La querelle du *Cid*

En janvier 1637, le jeune Corneille fait jouer avec succès sa nouvelle pièce, *Le Cid*. Mais un conflit éclate entre les partisans et les opposants de la tragi-comédie. Ces derniers la condamnent au nom des règles classiques. L'Académie française est sollicitée pour émettre un avis tranché : l'institution nouvellement créée condamne la pièce. Le théâtre classique, dans son souci de respecter les règles et de garantir la morale, triomphe. Désormais, la reconnaissance artistique ne pourra se départir de ces principes.

Question Faites des recherches plus précises sur la querelle du *Cid*. Quels sont les arguments des camps qui s'affrontent ?

Question Quelles relations entre l'écrivain et le monarque sont données à voir dans ce tableau ?

LES MANIFESTES CLASSIQUES
- *L'Art poétique*, Boileau, 1674.
- *La Pratique du théâtre*, abbé d'Aubignac, 1657.
- *Trois Discours sur le poème dramatique*, Corneille, 1660.

Le valet, maître du jeu

▶ **Quelles sont les caractéristiques du « type » comique du valet ?
Quelle est l'évolution de la figure du valet ?**

LIENS AVEC LA PARTIE LANGUE

▶ Modes, temps et valeurs, p. 395
▶ Histoire et formation des mots,
p. 411
▶ Le sens des mots, p. 412

LIENS AVEC LA PARTIE OUTILS D'ANALYSE

▶ Les discours rapportés, p. 437
▶ Texte et représentation, p. 439
▶ La double énonciation, p. 442
▶ Démontrer/délibérer/convaincre/persuader,
p. 453
▶ Le registre comique, p. 464
▶ Les registres tragique et pathétique, p. 466

LIENS AVEC LA PARTIE MÉTHODES VERS LE BAC

▶ Lire un sujet d'invention, p. 474
▶ Construire un paragraphe argumentatif, p. 485
▶ Lire une page de théâtre, p. 493
▶ Rédiger une dissertation, p. 506
▶ Décrire une image, p. 514
▶ Interpréter une image, p. 519

▶▶▶ *Arlequin, Pierrot et la voisine* (détail), illustration de la chanson « Au clair de la lune »,
image d'Épinal, XIXᵉ siècle.

▶ Biographie p. 538

Molière,
Les Fourberies de Scapin (1671)

◯ CONTEXTE

Avant d'être un personnage de Molière, Scapin est l'un des nombreux personnages de la *commedia dell'arte* italienne. Scapin, dont le nom vient de l'italien et signifie « s'échapper », est un valet qui se sort de situations périlleuses grâce à sa ruse et son imagination.

Scapin s'est fait la promesse de se venger de l'avarice de son maître Géronte : il le fait entrer dans un sac pour échapper aux attaques imaginaires de rivaux qui veulent le tuer.

1 SCAPIN, *lui remet la tête dans le sac.* – Prenez garde, en voici un autre qui a la mine d'un étranger. *(Cet endroit est de même que celui du Gascon pour le changement de langage et le jeu de théâtre.)* « Parti[1], moi courir comme une Basque[2], et moi ne pouvre point troufair de tout le jour sti tiable de Gironte. » *(À Géronte, avec sa*
5 *voix ordinaire.)* Cachez-vous bien. « Dites-moi un peu, fous, Monsir l'homme, s'il ve plaît, fous savoir point où l'est sti Gironte que moi cherchair ? – Non, Monsieur, je ne sais point où est Géronte. – Dites-moi-le, fous, frenchemente, moi li fouloir pas grande chose à lui. L'est seulement pour le donnair une petite régal sur le dos d'une douzaine de coups de bâtonne, et de trois ou quatre petites coups d'épée au
10 trafers de son poitrine. – Je vous assure, Monsieur, que je ne sais pas où il est. – Il me semble que j'y fois remuair quelque chose dans sti sac. – Pardonnez-moi, Monsieur. – Li est assurément quelque histoire là-tetans. – Point du tout, Monsieur. – Moi l'avoir enfie de tonner ain coup d'épée dans sti sac. – Ah ! Monsieur, gardez-vous-en bien. – Montre-le-moi un peu, fous, ce que c'être là. – Tout beau ! Monsieur.
15 – Quement ? tout beau ? – Vous n'avez que faire de vouloir voir ce que je porte. – Et moi, je le fouloir foir, moi. – Vous ne le verrez point. – Ah ! que de badinemente ! – Ce sont hardes qui m'appartiennent. – Montre-moi fous, te dis-je. – Je n'en ferai

1. mis pour « pardi ».
2. expression signifiant « courir très vite ».

Les Fourberies de Scapin, de Molière, mis en scène par **Omar Porras**, 2010, théâtre Forum Meyrin, Genève.

3. quelqu'un qui
parle une langue en
l'estropiant.

rien. – Toi ne faire rien ? – Non. – Moi pailler de ste bâtonne dessus les épaules de toi. – Je me moque de cela. – Ah ! toi faire le trôle ! *(Donnant des coups de bâton sur le sac et criant comme s'il les recevait.)* Ahi ! ahi ! ahi ! Ah ! Monsieur, ah ! ah ! ah ! – Jusqu'au refoir. L'être là un petit leçon pour li apprendre à toi à parlair insolentemente. » Ah ! Peste soit du baragouineux[3] ! Ah !

GÉRONTE, *sortant la tête du sac.* – Ah ! je suis roué.

SCAPIN. – Ah ! je suis mort.

GÉRONTE. – Pourquoi diantre faut-il qu'ils frappent sur mon dos ?

SCAPIN, *lui remettant la tête dans le sac.* – Prenez garde, voici une demi-douzaine de soldats tout ensemble. *(Il contrefait plusieurs personnes ensemble.)* « Allons, tâchons à trouver ce Géronte, cherchons partout. N'épargnons point nos pas. Courons toute la ville. N'oublions aucun lieu. Visitons tout. Furetons de tous les côtés. Par où ironsnous ? Tournons par là. Non, par ici. À gauche. À droite. Nenni. Si fait. » *(À Géronte, avec sa voix ordinaire.)* Cachez-vous bien. « Ah ! camarades, voici son valet. Allons, coquin, il faut que tu nous enseignes où est ton maître. – Eh ! Messieurs, ne me maltraitez point. – Allons, dis-nous où il est. Parle. Hâte-toi. Expédions. Dépêche vite. Tôt. – Eh ! Messieurs, doucement. *(Géronte met doucement la tête hors du sac et aperçoit la fourberie de Scapin.)* – Si tu ne nous fais trouver ton maître tout à l'heure, nous allons faire pleuvoir sur toi une ondée de coups de bâton. – J'aime mieux souffrir toute chose que de vous découvrir mon maître. – Nous allons t'assommer. – Faites tout ce qu'il vous plaira. – Tu as envie d'être battu ? – Je ne trahirai point mon maître. – Ah ! tu en veux tâter ? Voilà… – Oh ! » *(Comme il est prêt de frapper, Géronte sort du sac et Scapin s'enfuit.)*

GÉRONTE. – Ah ! infâme ! Ah ! traître ! Ah ! scélérat ! C'est ainsi que tu m'assassines !

Acte III, scène 2.

Questions

▸ Texte et représentation,
p. 439
▸ La double énonciation,
p. 442
▸ Le registre comique,
p. 464

▸ Lire une page de théâtre,
p. 493

Vocabulaire
Faites une recherche sur l'étymologie du verbe « rouer » et sur sa famille lexicale. Que signifie une « rouerie » ?

▸ Histoire et formation des mots, p. 411
▸ Le sens des mots, p. 412

▸ Rédiger une dissertation,
p. 506

Le carnaval comique

1. Si le comique de situation est bien présent, un autre type de comique domine dans cet extrait : lequel ? Analysez les procédés des deux types de comique.
2. Mettez en parallèle l'avant-dernière réplique de Scapin et la dernière de Géronte. Que peut-on en déduire à propos des relations entre maître et valet ?

Scapin, un véritable comédien

3. Combien de rôles Scapin joue-t-il ? Combien de rôles le comédien qui interprète Scapin joue-t-il ?
4. En étudiant les didascalies des répliques de Scapin, montrez qu'il est un fabuleux comédien. Entraînez-vous à la lecture d'une des tirades de Scapin en prenant en compte tous les rôles qu'il endosse.
5. N'y a-t-il que Géronte qui croie en l'existence de personnages imaginaires ? Qui, au théâtre, est placé dans une situation similaire ?

Arlequin de Goldoni (texte écho)

6. Quels éléments participent au dynamisme de cette scène ?
7. Donnez un exemple qui illustre d'une part le comique de situation, d'autre part le comique de geste.
8. Pourquoi peut-on dire que Scapin est le double inversé d'Arlequin ?

Synthèse Rédigez un paragraphe dans lequel vous montrerez que la scène de Molière illustre différents types de comique.

Vers le bac **S'entraîner à la dissertation**

Dans l'« Avertissement au lecteur » de *L'Amour médecin*, Molière affirme : « Les comédies ne sont faites que pour être jouées, et je ne conseille de lire celle-ci qu'aux personnes qui ont des yeux pour découvrir dans la lecture tout le jeu du théâtre. » La scène étudiée confirme-t-elle cette affirmation ?

Carlo Goldoni,
Arlequin serviteur de deux maîtres
(1753)

▶ **Carlo Goldoni**
(1707-1793) est un dramaturge italien du siècle des Lumières. Il se réapproprie la *commedia dell'arte* mais il enlève tout ce qui pouvait la rabaisser en farce vulgaire. Il invente le théâtre choral : tous les personnages contribuent à l'intrigue qui n'est plus conduite par un seul. La distinction entre les protagonistes et les personnages secondaires est abolie. Ses grandes comédies sont ***La Locandiera*** et ***Les Rustres***.

Arlequin est conduit à servir deux maîtres à la fois, mais chacun ignore que son valet est employé par un autre. Il s'agit de Florindo Aretusi qui, accusé d'être l'assassin de Federigo Rasponi, est venu se cacher à Venise, et de Béatrice, la sœur de Federigo Rasponi, qui emprunte l'identité de ce dernier pour retrouver son amant, qui n'est autre que Florindo.

1 ARLEQUIN. – Assez, assez ! Par pitié !

BÉATRICE. – Tiens, coquin ! Ça t'apprendra à ouvrir mes lettres.

(Elle jette la batte sur le sol et sort.)

ARLEQUIN, *une fois Béatrice disparue.* – Nom d'un petit bonhomme ! Saperlipo-
5 pette ! Corbleu ! Morbleu ! Ventrebleu ! C'est comme ça qu'on traite un homme de
ma sorte ? Battre quelqu'un comme moi ? Les serviteurs, quand ils ne font pas bien
leur service, on les chasse mais on ne les bat point !

FLORINDO, *qui est sorti de l'hôtellerie sans être vu d'Arlequin.* – Qu'est-ce que tu
marmonnes ?

10 ARLEQUIN, *voyant Florindo, à part.* – Gare ! *(Criant dans la direction par où est
sortie Béatrice:)* On ne bat pas ainsi le serviteur d'autrui ! C'est un affront que
vous avez fait à mon maître !

FLORINDO. – Oui, c'est un affront qui m'est fait. Qui est celui qui t'a battu ?

ARLEQUIN. – Je ne sais pas, monsieur. Je ne le connais pas.

15 FLORINDO. – Pourquoi t'a-t-il battu ?

ARLEQUIN. – Parce que… Parce que j'avais craché sur son soulier.

FLORINDO. – Et tu te laisses battre ainsi ? Sans broncher, sans même essayer de te
défendre ? Et tu exposes ton maître à un tel affront, à une telle insulte ? *(Ramassant
la batte):* Espèce d'âne, poltron que tu es ! Puisque tu aimes être battu, je vais te
20 satisfaire, je vais te battre, moi aussi.

(Il le roue de coups et puis rentre dans l'hôtellerie.)

ARLEQUIN. – À présent, je puis dire que je suis bien le valet de deux maîtres. J'ai eu
mon salaire de l'un et de l'autre.

(Il entre dans l'hôtellerie.)

Texte français de Michel Arnaud, 1961, © L'Arche.

Marc Chagall, *Le Cirque : les arlequins*, 1922, huile sur toile (37,3 x 57,7 cm), musée d'art moderne et contemporain, Strasbourg.

▶ Biographie p. 538

● CONTEXTE

Le valet au XVIIe siècle est chargé des tâches domestiques. Puisqu'il réside le plus souvent sous le toit de ses maîtres, il est donc un observateur privilégié de leur vie privée. C'est ce que les dramaturges n'ont eu de cesse d'exploiter. Tour à tour adjuvant ou opposant au maître, il devient progressivement un personnage nécessaire à la conduite de l'intrigue et donc un « type » incontournable au sein des comédies.

Molière,
L'École des femmes (1662)

Arnolphe, un bourgeois, veut épouser sa pupille Agnès qu'il tient recluse. Mais il apprend, par son rival, que son projet est menacé. Horace, le fils de son meilleur ami qui ignore qu'Arnolphe se fait appeler Monsieur de la Souche, lui confie être amoureux de la jeune fille qu'il voit en secret. Le vieux barbon (homme âgé) multiplie donc les recommandations à Georgette et Alain, ses valets, pour éviter toute intrusion inopportune du jeune premier. Le maître leur fait répéter leur rôle.

1   ALAIN. – Monsieur…
ARNOLPHE. –   Approchez-vous ; vous êtes mes fidèles,
Mes bons, mes vrais amis, et j'en sais des nouvelles.
ALAIN. – Le notaire…
ARNOLPHE. –   Laissons, c'est pour quelqu'autre jour.
On veut à mon honneur jouer d'un mauvais tour ;
5   Et quel affront pour vous, mes enfants, pourrait-ce être,
Si l'on avait ôté l'honneur à votre maître !
Vous n'oseriez après paraître en nul endroit,
Et chacun, vous voyant, vous montrerait au doigt.
Donc, puisque autant que moi l'affaire vous regarde,
10 Il faut de votre part faire une telle garde
Que ce galant ne puisse en aucune façon…
GEORGETTE. – Vous nous avez tantôt montré notre leçon.
ARNOLPHE. – Mais à ces beaux discours gardez bien de vous rendre.
ALAIN. – Oh ! vraiment…
GEORGETTE. –   Nous savons comme il faut s'en défendre.
15 ARNOLPHE, *à Alain*. – S'il venait doucement : « Alain, mon pauvre cœur,
Par un peu de secours soulage ma langueur. »
ALAIN. – « Vous êtes un sot. »
ARNOLPHE, *à Georgette*. –   Bon ! « Georgette, ma mignonne,
Tu me parais si douce et si bonne personne. »
GEORGETTE. – « Vous êtes un nigaud. »
ARNOLPHE, *à Alain*. –   Bon ! « Quel mal trouves-tu
20 Dans un dessein honnête et tout plein de vertu ? »
ALAIN. – « Vous êtes un fripon. »
ARNOLPHE, *à Georgette*. –   Fort bien. « Ma mort est sûre
Si tu ne prends pitié des peines que j'endure. »
GEORGETTE. – « Vous êtes un benêt[1], un impudent[2]. »
ARNOLPHE. –   Fort bien.
« Je ne suis pas un homme à vouloir rien pour rien,
25 Je sais quand on me sert en garder la mémoire :
Cependant par avance, Alain, voilà pour boire,
Et voilà pour t'avoir, Georgette, un cotillon[3].
(Ils tendent tous deux la main, et prennent l'argent.)
Ce n'est de mes bienfaits qu'un simple échantillon.
Toute la courtoisie, enfin, dont je vous presse,
30 C'est que je puisse voir votre belle maîtresse. »

1. niais, sot.
2. effronté, insolent.
3. jupon de paysanne.

GEORGETTE, *le poussant.* –
« À d'aut res ! »
ARNOLPHE. – Bon, cela !
ALAIN, *le poussant.* – « Hors d'ici ! »
ARNOLPHE. – Bon !
GEORGETTE, *le poussant.* – « Mais tôt ! »
ARNOLPHE. – Bon ! Holà ! c'est assez.
GEORGETTE. – Fais-je pas comme il faut ?
ALAIN. – Est-ce de la façon que vous voulez l'entendre ?
ARNOLPHE. – Oui, fort bien, hors l'argent, qu'il ne fallait pas
[prendre.
GEORGETTE. – Nous ne nous sommes pas souvenus de ce
[point.
ALAIN. –
Voulez-vous qu'à l'instant nous recommencions ?
ARNOLPHE. – Point.
Suffit. Rentrez tous deux.
ALAIN. – Vous n'avez rien qu'à dire.
ARNOLPHE. – Non, vous dis-je, rentrez, puisque je le désire.
Je vous laisse l'argent. Allez : je vous rejoins.
Ayez bien l'œil à tout, et secondez mes soins.

Acte IV, scène 4.

L'École des femmes, de Molière, mis en scène par **Jean-Pierre Vincent**, avec Daniel Auteuil et Michèle Goddet, 2008, théâtre de l'Odéon, Paris.

▶ Texte et représentation, p. 439
▶ Le registre comique, p. 464

Vocabulaire
Faites une recherche sur la famille lexicale du terme « courtoisie » (v. 29) (la cour, le courtisan, etc.), puis sur l'évolution de sa signification dans le temps.

▶ Histoire et formation des mots, p. 411
▶ Le sens des mots, p. 412

▶ Construire un paragraphe argumentatif, p. 485

Questions

Les relations du maître avec ses valets

1. Comment Arnolphe fait-il pour convaincre et persuader les valets de l'aider ?
2. Quel mode verbal domine dans la dernière réplique d'Arnolphe ? Quel trait de caractère est ainsi souligné ?

La répétition générale

3. Quels sont les indices qui prouvent que l'on assiste à une répétition théâtrale ?
4. Dans cette scène, quels sont les différents rôles qu'endosse Arnolphe ?

Une scène comique

5. Que révèlent les didascalies sur le comportement des valets ? Selon vous, seront-ils à la hauteur de leur emploi ?
6. Quelles sont les caractéristiques de Georgette et d'Alain ? En quoi sont-elles représentatives du « type » du valet ?

Lecture d'image Après avoir étudié les costumes et la position des acteurs, dites à quel passage de l'extrait l'image peut correspondre. Pourquoi illustre-t-elle « le théâtre dans le théâtre » ?

Synthèse Rédigez un paragraphe dans lequel vous montrerez que ce passage est une scène de « théâtre dans le théâtre ».

▶ **Biographie p. 538**

Jean Racine,
Les Plaideurs (1668)

Léandre souhaite épouser Isabelle qui est séquestrée par son père, Chicanneau. Il décide avec son valet, l'Intimé, de le duper. Ce dernier, déguisé en huissier, lui fait croire qu'il la verbalise au sujet d'une querelle que le vieux bourgeois a eue précédemment. Il lui fait, en réalité, signer un contrat de mariage.

CONTEXTE

Parce qu'il se veut souvent le reflet de la vie en société et qu'il donne à entendre de nombreuses voix, le théâtre semble le lieu idéal pour réfléchir à la notion de justice. Alors que la tragédie classique invite le spectateur à s'interroger sur les responsabilités et la gravité du rôle de roi, la comédie se plaît, quant à elle, à moquer les «gens de robe» (juges et avocats) qui sont si peu justes dans leurs décisions.

1 L'INTIMÉ. — Monsieur, je ne suis pas pour vous désavouer :
Vous aurez la bonté de me le bien payer.
CHICANNEAU. — Moi, payer ? En soufflets[1].
L'INTIMÉ. —   Vous êtes trop honnête :
Vous me le paîrez bien.
CHICANNEAU. —   Oh ! tu me romps la tête.
5 Tiens, voilà ton paîment.
L'INTIMÉ. —   Un soufflet ! Écrivons :
Lequel Hiérôme, après plusieurs rébellions,
Aurait atteint, frappé, moi sergent, à la joue,
Et fait tomber, d'un coup, mon chapeau dans la boue.
CHICANNEAU. — Ajoute cela.
L'INTIMÉ. —   Bon : c'est de l'argent comptant ;
10 J'en avais bien besoin. *Et, de ce non content,*
Aurait avec le pied réitéré. Courage !
Outre plus, le susdit serait venu, de rage,
Pour lacérer ledit présent procès-verbal.
Allons, mon cher monsieur, cela ne va pas mal.
15 Ne vous relâchez point.
CHICANNEAU. —   Coquin !
L'INTIMÉ. —   Ne vous déplaise,
Quelques coups de bâton, et je suis à mon aise.
CHICANNEAU. — Oui-da : je verrai bien s'il est sergent.
L'INTIMÉ, *en posture d'écrire.* —   Tôt donc,
Frappez : j'ai quatre enfants à nourrir.
CHICANNEAU. —   Ah ! pardon !
Monsieur, pour un sergent[2] je ne pouvais vous prendre ;
20 Mais le plus habile homme enfin peut se méprendre.
Je saurai réparer ce soupçon outrageant.
Oui, vous êtes sergent, monsieur, et très sergent.
Touchez là : vos pareils sont gens que je révère ;
Et j'ai toujours été nourri par feu mon père
25 Dans la crainte de Dieu, monsieur, et des sergents.
L'INTIMÉ. — Non, à si bon marché l'on ne bat point les gens.
CHICANNEAU. — Monsieur, point de procès.
L'INTIMÉ. —   Serviteur. Contumace[3],
Bâton levé, soufflet, coup de pied. Ah !
CHICANNEAU. —   De grâce,
Rendez-les-moi plutôt ;
L'INTIMÉ. —   Suffit qu'ils soient reçus,
30 Je ne les voudrais pas donner pour mille écus.

Acte II, scène 4.

Dessin de **Maurice Sand**, *Notaire en 1725*, tiré de *Masques et Bouffons*, 1860.

1. gifles.
2. huissier qui est chargé de signifier les actes de procédure puis de les faire appliquer.
3. refus d'un prévenu à comparaître.

Aristophane,
Les Guêpes (vers 422 av. J.-C.)

▶ **Aristophane** (vers
446 av. J.-C. –
385 av. J.-C.) est un
dramaturge grec de
l'Antiquité. Vivant à
Athènes qu'il
considère comme
décadente, il entend
prévenir les citoyens
des abus politiques
ou sociaux
(***Lysistrata***) et
dresse une satire
des mœurs
judiciaires (***Les
Oiseaux*** et ***Les
Guêpes***).

*Bdélycléon emploie deux serviteurs qui doivent empêcher son père d'exercer son métier
de juge car il expédie les procès pour gagner plus d'argent.*

1   Bdélycléon. – Dieu me pardonne, j'ai plutôt idée qu'aujourd'hui ils ont fait la
grasse matinée. C'est toujours en pleine nuit qu'ils passent, avec des lanternes, en
fredonnant de vieux airs mélisidonophryniciens[1] en guise d'appel.
Second Serviteur. – Eh bien ! si c'est nécessaire, nous les bombarderons alors à
5   coups de cailloux.
Bdélycléon. – Mais, grand idiot, ces espèces de vieilles barbes, si on les excite, ça fait
comme les guêpes. Ils possèdent comme elles dans le derrière, pour vous piquer, un
dard des plus pointus ; ils vous assaillent en bourdonnant, vifs comme des étincelles.
Second Serviteur. – Ne te fais pas de bile. Avec des cailloux je me fais fort de
10   disperser tout un essaim de juges.
Le Coryphée, *entraînant les choreutes*[2] – En avant, marche ! Et du nerf ! Comias, tu
traînes. Sapristi, tu n'es plus ce que tu étais jadis, résistant comme une peau de chien ;
maintenant Charinadès est meilleur marcheur que toi. Hé ! Strymodoros de Conthylè,
le meilleur des juges, Evergidès est-il quelque part par là ? Et Chabès de Phlya ? Or
15   voilà présent tout ce qui reste, hélas, ah ! la la la la la ! de cette brillante jeunesse du
temps où devant Byzance nous étions, toi et moi, camarades de veille. Tu te rappelles
aussi cette nuit où rôdant de pair, nous avons emporté le mortier de la boulangère ?
Nous l'avons mis en petits morceaux pour faire cuire de la pimprenelle. Mais accé-
lérons, mes amis ; c'est maintenant le tour du procès Lachès. On dit partout qu'il
20   possède une ruche pleine d'argent. Aussi Cléon, notre protecteur, nous a-t-il donné
l'ordre d'arriver à l'heure avec trois jours de réserve en colère concentrée pour le
punir de ses crimes. Mais pressons-nous, chers collègues, avant que le jour vienne.

1. allusion à une
pièce de théâtre *Les
Phéniciennes* de
Phrynichos
2. personnages
formant le chœur

Traduction de Marc-Jean Alfonsi, 1966, © Flammarion.

Questions

▶ Texte et représentation,
p. 439
▶ Le registre comique,
p. 464

Vocabulaire
Faites une recherche
autour du mot « chicane ».
Que pensez-vous du nom
du personnage
« Chicanneau » ? Et de
celui de « l'Intimé » ?
Portent-ils bien leur nom ?

▶ Histoire et formation des
mots, p. 411
▶ Le sens des mots, p. 412

▶ Construire un paragraphe
argumentatif, p. 485

Renversement du rapport de force
1. Quels procédés traduisent les violences
verbales et physiques entre les deux
hommes ▶ **p. 132** ?
2. Comment l'Intimé parvient-il à inverser
les rôles ?

La critique de la justice de Racine
3. À quoi correspondent les passages en italique ? Pourquoi est-ce révélateur du
caractère procédurier de la justice ?
4. Étudier le champ lexical de l'argent.
Qu'en déduisez-vous à propos du but que
poursuit Racine dans cette pièce ?

**La critique de la justice
d'Aristophane (écho de l'Antiquité)**
5. Sur quelle figure de style la dernière réplique de Bdélycléon repose-t-elle ? Que traduit-elle à propos du comportement des
juges ?
6. Dans la réplique du Coryphée, quelles sont
les critiques contre les juges ?
7. Si Racine et Aristophane font la satire de
la justice, il existe cependant des différences dans leurs cibles : lesquelles ?

Synthèse En vous appuyant sur le texte de Racine (▶ p. 132) rédigez deux paragraphes
dans lesquels vous montrerez d'une part que l'Intimé possède des caractéristiques traditionnelles du valet (les coups reçus, l'attrait de l'argent), d'autre part qu'il est aussi maître du
jeu et que les rôles sont ainsi inversés.

Jean de La Fontaine,
Fable IX, 9 (1679)

► La Fontaine
(1621-1695) s'est
inspiré pour écrire
cette fable de
Phèdre, un écrivain
latin de l'Antiquité
lui-même imitateur
d'Esope, un
fabuliste grec. La
Fontaine s'inscrit
donc dans la
tradition classique
de l'imitation des
Anciens ainsi que
dans celle de la
satire de la justice.

Cette fable met en scène le juge Perrin Dandin. Or, ce personnage n'est pas une création du fabuliste. Perrin Dandin apparaît pour la première fois dans le Tiers Livre *de Rabelais. Il s'agit d'un citoyen qui s'érige en juge. Ce personnage se retrouve dans* Les Plaideurs *de Racine. Ce nom propre a fini par désigner le type du juge ridicule.*

L'Huître et les Plaideurs

1   Un jour deux pèlerins[1] sur le sable rencontrent
Une huître que le flot y venait d'apporter :
Ils l'avalent des yeux, du doigt ils se la montrent ;
À l'égard de la dent il fallut contester.
5   L'un se baissait déjà pour amasser la proie ;
L'autre le pousse, et dit : « Il est bon de savoir
Qui de nous en aura la joie.
Celui qui le premier a pu l'apercevoir
En sera le gobeur ; l'autre le verra faire.
10   – Si par là l'on juge l'affaire,
Reprit son compagnon, j'ai l'œil bon, Dieu merci.
– Je ne l'ai pas mauvais aussi,
Dit l'autre ; et je l'ai vue avant vous, sur ma vie.
– Eh bien ! vous l'avez vue ; et moi je l'ai sentie ».
15   Pendant tout ce bel incident,
Perrin Dandin arrive : ils le prennent pour juge.
Perrin fort gravement ouvre l'huître, et la gruge[2],
Nos deux messieurs le regardant.
Ce repas fait, il dit d'un ton de président :
20   « Tenez, la cour vous donne à chacun une écaille
Sans dépens[3], et qu'en paix chacun chez soi s'en aille ».
Mettez ce qu'il en coûte à plaider aujourd'hui ;
Comptez ce qu'il en reste à beaucoup de familles ;
Vous verrez que Perrin tire l'argent à lui,
25   Et ne laisse aux plaideurs que le sac et les quilles[4].

1. qui font un pèlerinage religieux.
2. mange, avale.
3. frais de procédure.
4. il les chasse.

Questions

La fable : un divertissement plaisant

1. Repérez les différentes étapes du schéma narratif de la fable.
2. Quels procédés font de cette fable une histoire plaisante à lire ?

La fable : une satire des hommes et de la justice

3. Comment qualifier l'attitude des deux pèlerins avant l'arrivée du juge ? Peut-on y lire une critique implicite ?

4. Quelle image est donnée de Perrin Dandin ? Justifiez. À quel registre peut-on l'associer ?

5. Quel est le champ lexical dominant dans les quatre derniers vers ? Quelle critique est formulée ?

André Derain,
Arlequin et Pierrot (1924)

André Derain, *Arlequin et Pierrot*, huile sur toile (175 x 175 cm), 1924, musée de l'Orangerie, Paris.

► Les peintres, de Watteau au XVIIe siècle à Picasso au XXe siècle, se sont inspirés à de nombreuses reprises des figures théâtrales d'Arlequin et de Pierrot. Ils incarnent deux types de valets de la *commedia dell'arte*, théâtre populaire italien du XVIe siècle.

Prolongements
• Pour approfondir le personnage d'Arlequin, lisez *L'Île des esclaves* de Marivaux (1725).
• Le poème « Crépuscule », tiré du recueil *Alcools* (1913) de Guillaume Apollinaire, fait écho aux clowns tristes de Derain.
• Regardez le film *Les Enfants du paradis* de Marcel Carné, 1945. Il met en scène le personnage de Baptiste qui s'inspire de la figure de Pierrot.

► Décrire une image, p. 514
► Interpréter une image, p. 519

Questions

Les éléments de la *commedia dell'arte*

1. Quels indices vous aident à identifier Arlequin et Pierrot ?
2. Étudiez la posture des deux personnages.
3. Montrez que les personnages ne sont pas statiques.

Une inquiétante étrangeté

4. Dans quel cadre spatial se déroule la scène ? Soyez attentifs au ciel : que constatez-vous ? Quels effets sont ainsi produits ?
5. Observez les visages d'Arlequin et de Pierrot : quel sentiment semble les habiter ?
6. Regardez attentivement les instruments de musique. Que constatez-vous ? Comment l'interpréter ?

Synthèse Dans un livre d'art, les auteurs analysent ainsi les figures d'Arlequin et de Pierrot : « Bien sûr le clown est double, il incarne à la fois la comédie et le drame, la dérision et le pathétique. Chaque fois qu'il se fait botter le derrière ou taper dessus à coups de bâton, ça fait rire, mais ça fait mal aussi. Or, c'est cette souffrance que les artistes ont choisi de représenter. Et ce, pour une raison simple : cette souffrance, c'est la leur. Le clown triste, la victime de la cruauté du monde, c'est l'artiste. »
Marie-Isabelle et Frédéric Taddeï, *D'Art d'art*, 2008, © Éditions du Chêne – Hachette Livre.
En vous appuyant sur la lecture du tableau de Derain, rédigez un paragraphe soulignant la pertinence de ce jugement.

▶ **Biographie p. 534**

Beaumarchais,
Le Mariage de Figaro (1784)

Figaro, valet du comte Almaviva, doit épouser Suzanne. Mais le comte, pourtant marié, veut exercer son «droit de cuissage». Persuadé que Suzanne n'est pas opposée à cette idée, Figaro livre, dans ce monologue, son désarroi.

⊕ **CONTEXTE**

Le «droit de cuissage» signifie qu'un seigneur pourrait légalement partager la couche de l'épouse d'un de ses vassaux lors de la nuit de noces. Or, il n'existe aucune loi faisant mention de ce droit. Il s'agit d'une invention qui vise à faire passer les seigneurs du Moyen Âge pour des hommes puissants qui abusent de leur pouvoir.

1   Figaro, *seul, se promenant dans l'obscurité, dit du ton le plus sombre.* – Ô femme ! femme ! femme ! créature faible et décevante !… nul animal créé ne peut manquer à son instinct : le tien est-il donc de tromper ?… Après m'avoir obstinément refusé quand je l'en pressais devant sa maîtresse ; à l'instant qu'elle me donne sa parole,
5   au milieu même de la cérémonie… Il riait en lisant, le perfide ! et moi comme un benêt… Non, monsieur le Comte, vous ne l'aurez pas… vous ne l'aurez pas. Parce que vous êtes un grand seigneur, vous vous croyez un grand génie !… Noblesse, fortune, un rang, des places, tout cela rend si fier ! Qu'avez-vous fait pour tant de biens ? Vous vous êtes donné la peine de naître, et rien de plus. Du reste, homme
10   assez ordinaire ; tandis que moi, morbleu ! perdu dans la foule obscure, il m'a fallu déployer plus de science et de calculs, pour subsister seulement, qu'on n'en a mis depuis cent ans à gouverner toutes les Espagnes : et vous voulez jouter… On vient… c'est elle… ce n'est personne. — La nuit est noire en diable, et me voilà faisant le sot métier de mari, quoique je ne le sois qu'à moitié ! *(Il s'assied sur un*
15   *banc.)* Est-il rien de plus bizarre que ma destinée ? Fils de je ne sais pas qui, volé par des bandits, élevé dans leurs mœurs, je m'en dégoûte et veux courir une carrière honnête ; et partout je suis repoussé ! J'apprends la chimie, la pharmacie, la chirurgie, et tout le crédit d'un grand seigneur peut à peine me mettre à la main une lancette vétérinaire ! — Las d'attrister des bêtes malades, et pour faire un
20   métier contraire, je me jette à corps perdu dans le théâtre : me fusse-je mis une pierre au cou ! […]
    Las de nourrir un obscur pensionnaire, on me met un jour dans la rue ; et comme il faut dîner, quoiqu'on ne soit plus en prison, je taille encore ma plume, et demande à chacun de quoi il est question : on me dit que, pendant ma retraite économique,
25   il s'est établi dans Madrid un système de liberté sur la vente des productions, qui s'étend même à celles de la presse ; et que, pourvu que je ne parle en mes écrits ni de l'autorité, ni du culte, ni de la politique, ni de la morale, ni des gens en place, ni des corps[1] en crédit, ni de l'Opéra, ni des autres spectacles, ni de personne qui tienne à quelque chose, je puis tout imprimer librement, sous l'inspection de deux
30   ou trois censeurs. Pour profiter de cette douce liberté, j'annonce un écrit périodique, et, croyant n'aller sur les brisées d'aucun autre, je le nomme *Journal inutile.* Pou-ou ! je vois s'élever contre moi mille pauvres diables à la feuille[2], on me supprime, et me voilà derechef sans emploi ! […]
    Ô bizarre suite d'événements ! Comment cela m'est-il arrivé ? Pourquoi ces choses
35   et non pas d'autres ? Qui les a fixées sur ma tête ? Forcé de parcourir la route où je suis entré sans le savoir, comme j'en sortirai sans le vouloir, je l'ai jonchée d'autant de fleurs que ma gaieté me l'a permis : encore je dis ma gaieté sans savoir si elle est à moi plus que le reste, ni même quel est ce «moi» dont je m'occupe : un assemblage informe de parties inconnues ; puis un chétif être imbécile ; un petit animal
40   folâtre ; un jeune homme ardent au plaisir, ayant tous les goûts pour jouir, faisant tous les métiers pour vivre ; maître ici, valet là, selon qu'il plaît à la fortune ; ambitieux par vanité, laborieux par nécessité, mais paresseux… avec délices ! orateur

1. institutions, organismes sociaux.
2. écrivains qui rédigeaient des feuilles imprimées à caractère pamphlétaire, injurieux, pornographique.

45 selon le danger; poète par délassement; musicien par occasion; amoureux par folles bouffées, j'ai tout vu, tout fait, tout usé. Puis l'illusion s'est détruite et, trop désabusé… Désabusé…! Suzon, Suzon,
50 Suzon! que tu me donnes de tourments!… J'entends marcher… on vient. Voici l'instant de la crise. *(Il se retire près de la première coulisse à sa*
55 *droite.)*

Acte V, scène 3.

Le Mariage de Figaro, de Beaumarchais, mis en scène par **Ned Grujic**, 2005, Théâtre 13, Paris.

Questions

► Le registre comique, p. 464
► Les registres tragique et pathétique, p. 466
► **Lire une page de théâtre, p. 493**

Grammaire
Quel temps principal domine le récit de Figaro ? Donnez la valeur de ce temps. Quels sont les effets ainsi créés ?

► Modes, temps et valeurs, p. 395

Figaro, un valet traditionnel

1. Quels éléments contribuent au comique de la scène ?
2. Quelles sont les différentes critiques formulées contre les maîtres ?
3. Quels éléments de la biographie de Figaro correspondent au parcours traditionnel d'un valet ?

L'émancipation du valet

4. Quels sont les éléments qui s'en éloignent ?

5. Quel rôle le cadre spatio-temporel de ce monologue peut-il jouer ?
6. Quels différents éléments ce monologue emprunte-t-il au tragique ?
7. Montrez que Figaro questionne son identité tout au long du monologue.

Lecture d'image Comment les choix de mise en scène participent-ils à l'atmosphère méditative de la scène ?

Synthèse Rédigez un paragraphe dans lequel vous montrerez que Figaro est « l'opposé des valets » comme le déclare Beaumarchais dans sa *Préface*.

Vers le bac **S'entraîner au sujet d'invention**

Lors d'une répétition de l'acte V, scène 3 du *Mariage de Figaro* de Beaumarchais, un metteur en scène discute avec le comédien qui joue Figaro. Ce dernier insiste dans son jeu sur le comique présent dans le monologue. Mais le metteur en scène lui demande au contraire de mettre en valeur les éléments tragiques du texte. Chacun défend sa position en argumentant. Imaginez ce dialogue.

► **Lire un sujet d'invention, p. 474**

• VISAGES MODERNES DU VALET

Jean Genet,
Les Bonnes (1947)

▶ Jean Genet
(1910-1986) est un écrivain sulfureux. Sa vie lui fournit les grands thèmes de ses œuvres romanesques (***Notre-Dame des fleurs***, 1944) et théâtrales (***Le Balcon***, 1956 ; ***Les Paravents***, 1961). Les questions de la marginalité, de l'identité sexuelle et du Mal hantent ses écrits.

En février 1933, les sœurs Léa et Christine Papin, domestiques dans une famille bourgeoise au Mans, assassinent sauvagement leur maîtresse Mᵐᵉ Lancelin et sa petite fille. Dans Les Bonnes, *pièce en un acte, Jean Genet s'inspire de ce fait divers qui a défrayé la chronique. Il crée les personnages de Claire et de Solange qui sont au service de madame. En son absence, la « cérémonie » commence : Claire incarne madame et Solange joue le rôle de Claire.*

[...]

1   SOLANGE, *froidement.* – Assez ! Dépêchez-vous. Vous êtes prête ?
    CLAIRE. – Et toi ?
    SOLANGE, *doucement d'abord.* – Je suis prête, j'en ai assez d'être un objet de dégoût. Moi aussi, je vous hais...
5   CLAIRE. – Doucement, mon petit, doucement...
    (Elle tape doucement l'épaule de Solange pour l'inciter au calme.)
    SOLANGE. – Je vous hais ! Je vous méprise. Vous ne m'intimidez plus. Réveillez le souvenir de votre amant, qu'il vous protège. Je vous hais ! Je hais votre poitrine pleine de souffles embaumés. Votre poitrine... d'ivoire ! Vos cuisses... d'or ! Vos
10 pieds... d'ambre ! *(Elle crache sur la robe rouge.)* Je vous hais !
    CLAIRE, *suffoquée.* – Oh ! oh ! mais...
    SOLANGE, *marchant sur elle.* – Oui madame, ma belle madame. Vous croyez que tout vous sera permis jusqu'au bout ? Vous croyez pouvoir dérober la beauté du ciel et m'en priver ? Choisir vos parfums, vos poudres, vos rouges à ongles, la soie, le
15 velours, la dentelle et m'en priver ? Et me prendre le laitier ? Avouez ! Avouez le laitier ! Sa jeunesse, sa fraîcheur vous troublent, n'est-ce pas ? Avouez le laitier. Car Solange
20 vous emmerde !
    CLAIRE, *affolée.* – Claire ! Claire !
    SOLANGE. – Hein ?
    CLAIRE, *dans un murmure.* – Claire, Solange, Claire.
25 SOLANGE. – Ah ! oui, Claire. Claire vous emmerde ! Claire est là, plus claire que jamais. Lumineuse !
    (Elle gifle Claire.)
    CLAIRE. – Oh ! oh ! Claire... vous...
30 oh !
    SOLANGE. – Madame se croyait protégée par ses barricades de fleurs, sauvée par un exceptionnel destin, par le sacrifice. C'était compter sans
35 la révolte des bonnes. La voici qui monte, madame. Elle va crever et

Les Bonnes, de Jean Genet, mis en scène par **Louis Jouvet** avec Monique Mélinand et Yvette Etiévant, 1947, théâtre de l'Athénée, Paris.

dégonfler votre aventure. Ce monsieur n'était qu'un triste voleur et vous une…

40 CLAIRE. – Je t'interdis !

SOLANGE. – M'interdire ! Plaisanterie ! Madame est interdite. Son visage se décompose. Vous désirez

45 un miroir ?

(Elle tend à Claire un miroir à main.)

CLAIRE, *se mirant avec complaisance.* – J'y suis

50 plus belle ! Le danger m'auréole, Claire, et toi tu n'es que ténèbres…

SOLANGE. – … infernales ! Je sais. Je connais la tirade.

55 Je lis sur votre visage ce qu'il faut vous répondre et j'irai jusqu'au bout. Les deux bonnes sont là – les dévouées servantes ! Devenez plus belle pour les mépriser. Nous ne vous craignons plus. Nous sommes enveloppées, confondues dans nos exhalaisons, dans nos fastes, dans notre haine pour vous. Nous prenons forme, madame. Ne riez pas. Ah !

60 surtout ne riez pas de ma grandiloquence…

CLAIRE. – Allez-vous-en.

SOLANGE. – Pour vous servir, encore, madame ! Je retourne à ma cuisine. J'y retrouve mes gants et l'odeur de mes dents. Le rot silencieux de l'évier. Vous avez vos fleurs, j'ai mon évier. Je suis la bonne. Vous au moins vous ne pouvez pas me

65 souiller. Mais vous ne l'emporterez pas en paradis. J'aimerais mieux vous y suivre que de lâcher ma haine à la porte. Riez un peu, riez et priez vite, très vite ! Vous êtes au bout du rouleau ma chère ! *(Elle tape sur les mains de Claire qui protège sa gorge.)* Bas les pattes et découvrez ce cou fragile. Allez, ne tremblez pas, ne frissonnez pas, j'opère vite et en silence. Oui, je vais retourner à ma cuisine, mais avant je

70 termine ma besogne.

(Elle semble sur le point d'étrangler Claire. Soudain un réveille-matin sonne. Solange s'arrête. Les deux actrices se rapprochent, émues, et écoutent, pressées l'une contre l'autre.)

© Éditions Gallimard.

Les Bonnes, de Jean Genet, mis en scène par **Alain Timar** avec Odile Grosset-Grange et Lisa Pajon, 2006, théâtre des Halles, Paris.

Questions

1. Étudiez les répliques et les didascalies se rapportant au personnage de Solange. Quel sentiment l'anime ?

2. Quelles fonctions le miroir joue-t-il dans cette scène ?

3. Comparez l'évocation du corps de madame et celui de Solange. Que révèle-t-elle de leur relation ?

4. À quel univers renvoient les termes de « tirade » et de « grandiloquence » ? Comment comprendre ces allusions ?

5. Quel objet met un terme à cette cérémonie ? Quel symbole peut-on y lire ? Quelle suite peut-on imaginer ?

Lecture d'images La mise en scène de 1947 accorde une large place au décor : qu'est-ce qui est mis ainsi en évidence ? Quelles sont les caractéristiques du décor de la mise en scène de 2006 ? Comment ces choix scénographiques éclairent-ils le texte ?

Prolongements

Le meurtre des sœurs Papin a aussi inspiré des cinéastes : vous pourrez notamment regarder *La Cérémonie* de Claude Chabrol (1995) ou *Les Blessures assassines* de Jean-Pierre Denis (2000).

● VISAGES MODERNES DU VALET

Samuel Beckett,
Fin de partie (1957)

▶ **Samuel Beckett**
(1906-1989) met
souvent en scène
des couples de
personnages. Par
exemple, Vladimir et
Estragon d'une part
et Lucky et Pozzo
d'autre part dans *En
attendant Godot*
(1952), Winnie et
Willie dans *Oh les
beaux jours* (1963)
ou encore Hamm et
Clov dans *Fin de
partie* (1957).
Dépendants l'un de
l'autre, ces
personnages ne
peuvent exister
seuls. Leur *alter ego*
les fait exister en les
dominant ou en les
soumettant.

Dans Fin de partie, *pièce en un acte, Hamm, aveugle et paralysé, cloué sur son fauteuil, dialogue sans fin avec son serviteur Clov. Chacun joue irrémédiablement son rôle sans qu'aucune échappatoire ne se profile.*

[…]

1   HAMM. – Tu n'en as pas assez ?
CLOV. – Si ! *(Un temps.)* De quoi ?
HAMM. – De ce… de cette… chose.
CLOV. – Mais depuis toujours. *(Un temps.)* Toi non ?
5   HAMM, *morne.* — Alors il n'y a pas de raison pour que ça change.
CLOV. – Ça peut finir. *(Un temps.)* Toute la vie les mêmes questions, les mêmes réponses.
HAMM. – Prépare-moi. *(Clov ne bouge pas.)* Va chercher le drap. *(Clov ne bouge pas.)* Clov.
10   CLOV. – Oui.
HAMM. – Je ne te donnerai plus rien à manger.
CLOV. – Alors nous mourrons.
HAMM. – Je te donnerai juste assez pour t'empêcher de mourir. Tu auras tout le temps faim.
15   CLOV. – Alors nous ne mourrons pas. *(Un temps.)* Je vais chercher le drap.
(Il va vers la porte.)

Fin de partie, de Samuel Beckett, mis en scène par **Bernard Levy** avec Gilles Arbona et Thierry Bosc, 2006, théâtre de L'Athénée, Paris.

HAMM. – Pas la peine. *(Clov s'arrête.)* Je te donnerai un biscuit par jour. *(Un temps.)* Un biscuit et demi. *(Un temps.)* Pourquoi restes-tu avec moi ?

CLOV. – Pourquoi me gardes-tu ?

20 HAMM. – Il n'y a personne d'autre.

CLOV. – Il n'y a pas d'autre place.

(Un temps.)

HAMM. – Tu me quittes quand même.

CLOV. – J'essaie.

25 HAMM. – Tu ne m'aimes pas.

CLOV. – Non.

HAMM. – Autrefois tu m'aimais.

CLOV. – Autrefois !

HAMM. – Je t'ai trop fait souffrir. *(Un temps.)* N'est-ce pas ?

30 CLOV. – Ce n'est pas ça.

HAMM, *outré.* – Je ne t'ai pas trop fait souffrir ?

CLOV. – Si.

HAMM, *soulagé.* – Ah ! Quand même ! *(Un temps. Froidement.)* Pardon. *(Un temps. Plus fort.)* J'ai dit, Pardon.

35 CLOV. – Je t'entends. *(Un temps.)* Tu as saigné ?

HAMM. – Moins. *(Un temps.)* Ce n'est pas l'heure de mon calmant ?

CLOV. – Non.

(Un temps.)

HAMM. – Comment vont tes yeux ?

40 CLOV. – Mal.

HAMM. – Comment vont tes jambes ?

CLOV. – Mal.

HAMM. – Mais tu peux bouger.

CLOV. – Oui.

45 HAMM, *avec violence.* – Alors bouge ! *(Clov va jusqu'au mur du fond, s'y appuie du front et des mains.)* Où es-tu ?

CLOV. – Là.

HAMM. – Reviens ! *(Clov retourne à sa place à côté du fauteuil.)* Où es-tu ?

CLOV. – Là.

50 HAMM. – Pourquoi ne me tues-tu pas ?

CLOV. – Je ne connais pas la combinaison du buffet.

© Les Éditions de Minuit.

Questions

Prolongements

• Jouez cette scène. Votre jeu a-t-il mis en évidence des éléments comiques ? Si oui, lesquels ?

• Vous pouvez lire une pièce d'un autre dramaturge de l'absurde : *La Leçon* d'Eugène Ionesco (1950), qui met en scène le rapport de force entre un professeur et son élève.

1. Quelles relations semblent unir les deux personnages ?

2. Depuis quand semblent-ils liés ? Que révèle notamment l'étude des didascalies ?

3. Montrez que les deux personnages ont l'air de souffrir. Selon vous, quelle est l'origine des souffrances de Clov ?

4. Clov est-il un domestique docile et serviable ?

5. Selon vous, quelle est cette « chose » dont parle Hamm ?

Lecture d'image Le décor est-il réaliste ? Que pensez-vous de sa sobriété ? Ces choix de mise en scène reflètent-ils la lecture que vous avez faite de ce texte ?

LA COMÉDIE

1 EMPLOIS COMIQUES

Chaque phrase illustre un sens différent du terme « comique ». Rédigez la définition complète du mot en mentionnant les différentes significations qu'il peut revêtir.

a. Mes comiques préférés vont bientôt monter sur scène.
b. *Le Roman comique* de Scarron raconte l'histoire d'une troupe de théâtre tout comme l'œuvre de Corneille, *L'Illusion comique*.
c. La démarche et l'allure de cet enfant sont comiques.
d. Lorsque le valet se voit infliger des coups, cela illustre le comique de geste.

2 DRÔLE DE « TYPE » !

a. Qu'est-ce qu'« un type » dans le genre théâtral ? Lesquels connaissez-vous ?
b. Que désigne ce terme aujourd'hui ?
c. L'évolution du sens vous paraît-elle cohérente ?

3 QUELLE COMÉDIE !

a. **Dans cette liste, cherchez l'intrus. Justifiez votre réponse.**
coups de théâtre – soufflets – quiproquos – rebondissements – péripéties

b. **Définissez les expressions suivantes, puis trouvez-en d'autres avec le terme « rire ».**
rire jaune – rire gras – rire à gorge déployée

c. **Les mots suivants sont des termes dont les maîtres affublent les valets. Donnez-en une définition précise, puis trouvez-en d'autres dans les textes étudiés.**
fourbe – coquin – vaurien

d. **Les termes suivants sont souvent confondus. Quelle est leur signification ? Y a-t-il des synonymes ?**
burlesque – grotesque – grivois – trivial

e. **Définissez les termes suivants. Faites une phrase pour illustrer chacun. Quel champ lexical retrouve-t-on ? Est-ce surprenant ?**
dialogue de sourds – malentendu – cacophonie

4 ÉTYMOLOGIE

Les mots suivants ont une origine inattendue. Retrouvez-la puis essayez de comprendre les évolutions de sens des termes proposés.
satire – farce – comédie – grotesque
a. Une grotte richement ornée de peintures murales.
b. Le chant d'une procession.
c. Une macédoine, un mélange.
d. Hachis d'aliments.

5 VOCABULAIRE DE LA CRITIQUE

Associez chaque terme à sa définition.
parodie – caricature – ironie – sarcasme – mot d'esprit – satire
a. Imitation d'un langage ou d'un genre pour en tirer des effets comiques.
b. Pointe spirituelle.
c. Forme d'insolence moqueuse qui s'attaque à un individu ou à une situation.
d. Critique virulente qui s'attaque à une personne ou à une situation en suscitant le comique.
e. Grossissement des traits d'une personne ou d'une situation pour la tourner en ridicule.
f. Décalage comique entre ce qui prétend être dit et ce qui est dit réellement.

6 DEVINETTES

a. Tous les personnages ne sont pas des hypocrites, pourtant les termes « personnage » et « hypocrite » ont un point commun : lequel ? Penchez-vous sur leur étymologie.
b. Une « mascarade » désigne des actions hypocrites, mais quel est son sens propre ? Selon vous, à quel autre terme de la même famille lexicale est-il lié ?
c. Le terme « dupe » a une étymologie tout à fait surprenante : le terme désigne la huppe d'un oiseau, ce qui lui donne une apparence stupide. Quels sont les deux autres volatiles qui désignent des dupes ?
d. Au football, le joueur « feinte » souvent son adversaire : quel est le verbe correspondant ? Quel est l'autre verbe qui correspond à ce nom ?
e. Vous savez en quoi consistent les métiers d'acteur et de comédien. Pourtant, il existe une différence entre ces deux termes : laquelle ?
f. Les valets font souvent preuve d'impertinence, mais sont-ils toujours pertinents ? Quelle différence faites-vous entre ces deux termes ? Faites une phrase pour illustrer chaque terme.

EXPRESSION ÉCRITE

Sujet 1
Imaginez un dialogue théâtral dans lequel un valet raconte à la soubrette dont il est amoureux le bon tour qu'il vient de jouer à son maître.
Sujet 2
Imaginez un dialogue théâtral dans lequel un maître est mécontent de son valet. À vous d'inventer les raisons de sa colère et les manifestations verbales et physiques de sa violence.

LA COMÉDIE

La comédie, à la différence de la tragédie, s'ancre dans un milieu social bourgeois ou populaire, à une époque contemporaine du dramaturge, et promet un dénouement heureux. Elle connaît cependant des évolutions formelles et thématiques.

1 LA COMÉDIE ANTIQUE

Rattachée, comme la tragédie, au culte de Dionysos, la comédie grecque désigne tout d'abord les chants donnés lors d'une sorte de carnaval en l'honneur du dieu du vin. Les protagonistes sont exclusivement des hommes et le chœur (avec à sa tête le coryphée) commente l'action. Tous portent des masques. Le genre connaît son apogée à Athènes avec Aristophane, dont les pièces sont des charges virulentes qui caricaturent les institutions et les mœurs (▸ p. 134).

2 LA FARCE

Aux xve et xvie siècles, la farce met en scène les tracas de la vie quotidienne à travers des personnages codifiés : les types. Ces intrigues simples sont propices aux comiques de situation (déguisement), de gestes (coups) et de mots. Sa morale s'ancre dans l'action et le réel. Alors qu'elle est méprisée au début du xviie siècle, la farce trouve en Molière son ardent défenseur.
→ **Ex. :** Arnolphe dans *L'École des femmes* de Molière incarne le type du vieillard amoureux (▸ p. 130).

3 LA *COMMEDIA DELL'ARTE*

Elle apparaît vers le milieu du xvie siècle. Les comédiens improvisent à partir d'un canevas en le truffant de plaisanteries (les *lazzi*) et d'acrobaties. Les personnages correspondent à des types : Arlequin, Scaramouche, Pierrot, etc. Ils sont reconnaissables à leur silhouette, leur costume et leur masque. La monarchie a accueilli les Comédiens-Italiens que Molière admirait, mais les chasse en 1697 car le pouvoir ne peut tolérer la veine satirique de leurs comédies. Au xviiie siècle, Carlo Goldoni (▸ p. 129) en Italie et Marivaux en France lui redonnent ses lettres de noblesse.

4 LA COMÉDIE CLASSIQUE

▌ **Les règles de la comédie**
La comédie au xviie siècle ne jouit pas du même prestige que la tragédie. Elle adopte néanmoins les règles esthétiques en vigueur dans le théâtre classique.

▌ **Les comédies**
– **La comédie de mœurs** évoque les problèmes sociaux de l'époque : le mariage arrangé, la fausse dévotion, le charlatanisme, la préciosité, etc.
– **La comédie de caractère** met en scène des personnages rongés par un défaut, ce qui en fait des types, mais leur complexité les rend attachants.
– **La comédie d'intrigue** suit souvent le même canevas : deux jeunes gens s'aiment et s'emploient à déjouer les projets de vieillards grâce à leurs valets.
– **La grande comédie** combine ces différentes voies.

▌ **Les visées de la comédie**
La comédie a une visée principale : il s'agit de **plaire**. Ainsi, pour divertir le roi et la cour à Versailles, Molière invente **la comédie-ballet** qui mêle chant et danse aux répliques (*Le Bourgeois gentilhomme*, *Le Malade imaginaire*).
Mais elle a aussi une **visée morale**. Elle entend suivre le précepte *castigare ridendo mores* : « corriger les mœurs par le rire ». Il s'agit de mettre à nu les ridicules et les travers des hommes en société pour qu'ils puissent se corriger (▸ p. 132).

Séquence 2

Le théâtre
ou le lieu du conflit

▷ Comment le théâtre devient-il le lieu d'expression privilégié du conflit intérieur et du conflit avec les autres ?

LIENS AVEC LA PARTIE LANGUE

▶ Classes et fonctions, p. 392
▶ Histoire et formation des mots, p. 411

LIENS AVEC LA PARTIE OUTILS D'ANALYSE

▶ Texte et représentation, p. 439
▶ La double énonciation, p. 442
▶ Démontrer/délibérer/convaincre/persuader, p. 453
▶ Le registre comique, p. 464
▶ Les registres tragique et pathétique, p. 466

LIENS AVEC LA PARTIE MÉTHODES VERS LE BAC

▶ Lire un sujet d'invention, p. 474
▶ Construire un paragraphe argumentatif, p. 485
▶ Lire une page de théâtre, p. 493
▶ Lire un sujet de dissertation, p. 502
▶ Préparer un exposé, p. 512
▶ Décrire une image, p. 514
▶ Interpréter une image, p. 519

▶▶▶ *Britannicus* de Jean Racine, mis en scène par **Jean-Louis Martin-Barbaz**, 2009, Théâtre 14, Paris.

Jerzy Grotowski
Le Prince constant (1965)

L'acteur Ryzard Cieslak dans *Le Prince constant* de Juliusz Słowacki (1965), mis en scène par **Jerzy Grotowski**.

▲ *Le Prince constant* est une pièce de l'auteur romantique polonais Słowacki. La photographie a été prise au moment de la création du spectacle par le metteur en scène Grotowski. Ryzard Cieslak joue ici le prince constant, retenu prisonnier par le roi de Fez. La photographie est prise au moment où le personnage prononce son ultime monologue au sein duquel il choisit de sacrifier sa vie pour sauver sa ville de la domination musulmane.

Questions

Prolongements

• Faites des recherches sur les choix en matière de costumes et de décors au XVIIᵉ siècle.
• Recherchez ce qu'était la « pompe matérielle » et trouvez quel en était le but.

1. Citez brièvement les éléments qui composent la photographie. Quelle est l'impression d'emblée créée ? Par quels choix de mise en scène est-elle renforcée ?
2. Décrivez avec précision la posture du comédien. Commentez le choix de la position à genoux.
3. Faites les remarques qui s'imposent sur le travail expressif du visage. Quelle est l'émotion traduite ? Quelle est celle suscitée chez les spectateurs ?

4. Quels sont, selon vous, les éléments les plus représentatifs du travail en tension du comédien ?
5. Montrez que ce travail corporel est à mettre en lien avec l'intensité dramatique propre au monologue délibératif. Quelles conclusions peut-on en tirer concernant le rapport entre la parole et le jeu des comédiens ?
6. Un tel choix de mise en scène était-il envisageable au XVIIᵉ siècle ? Pourquoi ?

▶ Décrire une image, p. 514
▶ Interpréter une image, p. 519

Synthèse Larthomas, dans un ouvrage intitulé *Le Langage dramatique*, envisage le théâtre comme un « langage total ». En vous appuyant sur l'étude de la photographie, rédigez un paragraphe soulignant la pertinence de cette formule.

Pierre Corneille,
Le Cid (1637)

▶ Biographie p. 535

⊕ CONTEXTE

Au siècle classique, l'honneur, qui désigne par son étymologie un hommage rendu aux dieux ou aux personnes, est une des vertus premières de l'héroïsme. Lorsque la dignité morale du héros est mise à mal par un outrage, le duel doit permettre de laver l'affront. C'est alors une pratique sociale courante. Richelieu l'interdit en 1626. Les duellistes encourent la peine de mort, car le duel est considéré comme crime de « lèse-majesté ».

Rodrigue et Chimène s'aiment mais leurs pères se querellent car le père de Rodrigue s'est vu confier le privilège de l'éducation du prince. Pour cet affront, Don Diègue demande à son fils de le venger. Rodrigue, après avoir tué Don Gomes en duel, cherche à voir Chimène. Elvire, la gouvernante de cette dernière, lui déconseille cette entrevue et lui ordonne de se cacher.

1   CHIMÈNE. – Enfin je me vois libre, et je puis sans contrainte
De mes vives douleurs te faire voir l'atteinte ;
Je puis donner passage à mes tristes soupirs ;
Je puis t'ouvrir mon âme et tous mes déplaisirs.
5   Mon père est mort, Elvire ; et la première épée
Dont s'est armé Rodrigue, a sa trame coupée,
Pleurez, pleurez, mes yeux, et fondez-vous en eau !
La moitié de ma vie a mis l'autre au tombeau,
Et m'oblige à venger, après ce coup funeste,
10   Celle que je n'ai plus sur celle qui me reste.
ELVIRE. – Reposez-vous, Madame.
CHIMÈNE. –   Ah ! que mal à propos
Dans un malheur si grand tu parles de repos !
Par où sera jamais ma douleur apaisée,
Si je ne puis haïr la main qui l'a causée ?
15   Et que dois-je espérer qu'un tourment éternel,
Si je poursuis un crime, aimant le criminel ?
ELVIRE. – Il vous prive d'un père, et vous l'aimez encore !
CHIMÈNE. – C'est peu de dire aimer, Elvire : je l'adore ;
Ma passion s'oppose à mon ressentiment ;
20   Dedans mon ennemi je trouve mon amant ;
Et je sens qu'en dépit de toute ma colère,
Rodrigue dans mon cœur combat encor mon père :
Il l'attaque, il le presse, il cède, il se défend,
Tantôt fort, tantôt faible, et tantôt triomphant ;
25   Mais, en ce dur combat de colère et de flamme,
Il déchire mon cœur sans partager mon âme ;
Et quoi que mon amour ait sur moi de pouvoir,
Je ne consulte point pour suivre mon devoir :
Je cours sans balancer où mon honneur m'oblige.
30   Rodrigue m'est bien cher, son intérêt m'afflige ;
Mon cœur prend son parti ; mais, malgré son effort,
Je sais ce que je suis, et que mon père est mort.
ELVIRE. – Pensez-vous le poursuivre ?
CHIMÈNE. –   Ah ! cruelle pensée !
Et cruelle poursuite où je me vois forcée !
Je demande sa tête, et crains de l'obtenir :
35   Ma mort suivra la sienne, et je le veux punir !
ELVIRE. – Quittez, quittez, Madame, un dessein si tragique ;
Ne vous imposez point de loi si tyrannique.

CHIMÈNE. – Quoi ! mon père étant mort et presque entre
[mes bras,
Son sang criera vengeance, et je ne l'orrai pas[1] !
Mon cœur, honteusement surpris par d'autres charmes,
Croira ne lui devoir que d'impuissantes larmes !
Et je pourrai souffrir qu'un amour suborneur
Sous un lâche silence étouffe mon honneur !
ELVIRE. – Madame, croyez-moi, vous serez excusable
D'avoir moins de chaleur contre un objet aimable[2],
Contre un amant si cher : vous avez assez fait,
Vous avez vu le Roi ; n'en pressez point l'effet,
Ne vous obstinez point en cette humeur étrange.
CHIMÈNE. – Il y va de ma gloire, il faut que je me venge ;
Et de quoi que nous flatte un désir amoureux,
Toute excuse est honteuse aux esprits généreux[3].
ELVIRE. – Mais vous aimez Rodrigue, il ne vous peut déplaire.
CHIMÈNE. – Je l'avoue.
ELVIRE. –   Après tout, que pensez-vous donc faire ?
CHIMÈNE. – Pour conserver ma gloire et finir mon ennui[4],
Le poursuivre, le perdre, et mourir après lui.

Acte III, scène 3.

Le Cid, de Corneille, mis en scène par **Thomas Le Douarec** avec Marie Parouty, Clio Van De Walle et Olivier Bernard, 2009, théâtre Comédia, Paris.

1. futur du verbe « ouïr » – entendrai. – 2. digne d'être aimé. – 3. étymologiquement, l'homme généreux est « celui qui a de la naissance », il désigne donc un noble. Au XVIIe siècle, la générosité est considérée comme une des vertus premières des valeurs chevaleresques au même rang que la vaillance, le courage et la grandeur d'âme. – 4. tourment.

Questions

▶ La double énonciation, p. 442
▶ Les registres tragique et pathétique, p. 466

Vocabulaire
Que signifie aujourd'hui « avoir du charme » ? Le sens du terme « charme » s'est appauvri au fil du temps. Retrouvez son étymologie. Que constatez-vous ? Proposez un synonyme pour le vers de Chimène : « Mon cœur, honteusement surpris par d'autres charmes ».

Les termes du dilemme tragique
1. Quelles sont les deux notions inconciliables qui s'opposent ? Pourquoi ce dilemme est-il tragique ?
2. Dans deux colonnes, reformulez, d'une part, les arguments en faveur de Rodrigue, et d'autre part ceux en faveur de son père.

La violence du déchirement
3. Comment s'exprime physiquement cette dualité pour Chimène ?
4. Montrez que le combat entre Rodrigue et le père de Chimène se poursuit au-delà de la mort de ce dernier.

5. Elvire participe-t-elle à l'apaisement du cœur de Chimène ? Justifiez votre réponse.

La résolution
6. Quelle est la décision finale prise par Chimène ? Quelle figure de style repérez-vous dans le dernier vers ? Comment le comprenez-vous ?

Lecture d'image Quel est le troisième personnage qui assiste à ce dilemme ? Étudiez son attitude et celle de Chimène. Que traduisent-elles quant à leur relation ? Comment la mise en scène parvient-elle à rendre présent le défunt père de Chimène ? Pourquoi ce choix est-il pertinent ?

Synthèse Rédigez un paragraphe argumentatif qui reformule clairement les termes du dilemme auquel est confrontée Chimène.

▶ Lire un sujet d'invention, p. 474

Vers le bac   **S'entraîner au sujet d'invention**
Après avoir écouté le dilemme de Chimène, Elvire prend position et l'invite à faire le choix soit de l'amour, soit de l'honneur. Imaginez cette tirade.

▶ Biographie p. 538

Molière,
L'École des femmes (1662)

⊙ CONTEXTE

Agnès est la pupille d'Arnolphe, ce qui désigne au XVIIᵉ siècle une personne mineure orpheline d'au moins l'un de ses parents, et placée sous la garde d'un tuteur. Elle ne peut se marier sans son consentement et dépend de lui financièrement.

Arnolphe entend épouser sa pupille, Agnès, mais celle-ci aime en secret un jeune homme, Horace. Ce dernier, qui ignore l'identité véritable du barbon (homme âgé), lui fait part des sentiments amoureux qu'éprouve Agnès à son égard. Arnolphe se retrouve seul et médite sur ce coup du sort.

1   ARNOLPHE. – Comme il faut devant lui que je me mortifie !
     Quelle peine à cacher mon déplaisir cuisant !
     Quoi ? pour une innocente un esprit si présent !
     Elle a feint d'être telle à mes yeux, la traîtresse,
5   Ou le diable à son âme a soufflé cette adresse.
     Enfin me voilà mort par ce funeste écrit.
     Je vois qu'il a, le traître, empaumé son esprit[1],
     Qu'à ma suppression[2] il s'est ancré chez elle ;
     Et c'est mon désespoir et ma peine mortelle.
10   Je souffre doublement dans le vol de son cœur,
     Et l'amour y pâtit[3] aussi bien que l'honneur,
     J'enrage de trouver cette place usurpée[4],
     Et j'enrage de voir ma prudence trompée.
     Je sais que, pour punir son amour libertin,
15   Je n'ai qu'à laisser faire à son mauvais destin,
     Que je serai vengé d'elle par elle-même ;
     Mais il est bien fâcheux de perdre ce qu'on aime.
     Ciel ! puisque pour un choix j'ai tant philosophé,
     Faut-il de ses appas m'être si fort coiffé[5] !
20   Elle n'a ni parents, ni support, ni richesse ;
     Elle trahit mes soins, mes bontés, ma tendresse :
     Et cependant je l'aime, après ce lâche tour,
     Jusqu'à ne me pouvoir passer de cet amour.
     Sot, n'as-tu point de honte ? Ah ! je crève, j'enrage,
25   Et je souffletterais mille fois mon visage.
     Je veux entrer un peu, mais seulement pour voir
     Quelle est sa contenance après un trait si noir.
     Ciel, faites que mon front soit exempt de disgrâce ;
     Ou bien, s'il est écrit qu'il faille que j'y passe,
30   Donnez-moi tout au moins, pour de tels accidents,
     La constance qu'on voit à de certaines gens !

Acte III, scène 5.

1. subjugué.
2. pour prendre ma place.
3. souffrir.
4. volée.
5. être séduit.

L'*École des femmes* de Molière, mis en scène par **Didier Bezace** avec Pierre Arditi, 2001, cour d'honneur du palais des Papes au festival d'Avignon.

L'ÉCOLE DES FEMMES

MOLIÈRE

AINSI QUE JE VOUDRAI, JE TOURNERAI CETTE ÂME ;
COMME UN MORCEAU DE CIRE ENTRE MES MAINS ELLE EST,

Photographie de couverture : Pierre Arditi (Arnolphe - Acte III, scène 3) - École des Femmes - Répétition Théâtre de la Commune, 2001
Photographie libre de droit presse - pour toute autre utilisation, contacter l'auteur : Jean-Philippe Granier © www.spectacle-urbain.com

► Le registre comique, p. 464
► Les registres tragique et pathétique, p. 466
► **Interpréter une image, p. 519**

Vocabulaire
« Mais il est bien fâcheux de perdre ce qu'on aime. » (v. 17) Dans ce vers, que signifie l'adjectif ? Que signifie cet adjectif lorsqu'il est employé pour une personne ? Quelle manie ont « les fâcheux » dans la pièce de Molière ? Qui désignent-ils au XVIIe siècle ?

► Histoire et formation des mots, p. 411

Questions

Arnolphe, un héros tragique ?

1. Quels sentiments animent Arnolphe ? Quels procédés stylistiques les traduisent ?

2. « Elle n'a ni parents, ni support, ni richesse ; /Elle trahit mes soins, mes bontés, ma tendresse » (v. 20-21). Que traduit la figure de style employée à deux reprises dans ces vers ?

3. Quelles sont les différentes appellations qu'Arnolphe donne à Agnès puis à Horace ? Que constatez-vous ?

4. À qui s'adresse Arnolphe en dernier ressort ? Quels sont les effets créés ?

5. Quels thèmes renvoient aux caractéristiques du dilemme tragique ?

Le dilemme tragique parodié

6. Quels signes montrent qu'Arnolphe est victime de son amour-propre ?

7. Quelle figure de style récurrente traduit le mieux le comique de caractère ?

8. Quels autres éléments font basculer ce monologue vers le comique ?

Lecture d'image Quelles caractéristiques du personnage sont mises en avant dans cette image ? Justifiez le choix de cette dernière comme support pour l'affiche du spectacle. Commentez le texte qui l'accompagne.

Synthèse Rédigez un paragraphe dans lequel vous montrerez que ce monologue a des aspects tragiques. Vous pouvez, pour vous aider, vous référer à l'étude du texte précédent.

▶ Biographie p. 538

Molière,
Le Misanthrope (1666)

● CONTEXTE

La vie mondaine, au XVIIᵉ siècle, occupe une place importante. Les «mondains» (personnes qui adoptent les usages en vigueur dans la société des gens en vue, qui fréquentent le monde et en aiment les mondanités) dominent la vie sociale. Les lieux privilégiés sont les salons. La maîtresse de maison reçoit, selon des règles fixes (jours et heures), ses habitués venus pour converser. Cette pratique, née au XVIIᵉ siècle, connaîtra un succès encore plus grand au XVIIIᵉ siècle.

Quand débute la pièce, le rideau s'ouvre sur un lieu, le salon de Célimène – espace unique où se déroule l'action – dans lequel le spectateur découvre deux hommes en train de converser de manière vive, Philinte et Alceste, les personnages principaux de la pièce.

1 PHILINTE. – Qu'est-ce donc ? Qu'avez-vous ?
ALCESTE, *assis.* –   Laissez-moi, je vous prie.
PHILINTE. – Mais encor dites-moi quelle bizarrerie…
ALCESTE. – Laissez-moi là, vous dis-je, et courez vous cacher.
PHILINTE. – Mais on entend les gens au moins sans se fâcher.
5 ALCESTE. – Moi, je veux me fâcher, et ne veux point entendre.
PHILINTE. – Dans vos brusques chagrins je ne puis vous comprendre,
Et quoique amis enfin, je suis tout des premiers…
ALCESTE, *se levant brusquement.* – Moi, votre ami ? Rayez cela de vos papiers.
J'ai fait jusques ici profession de l'être ;
10 Mais, après ce qu'en vous je viens de voir paraître,
Je vous déclare net que je ne le suis plus,
Et ne veux nulle place en des cœurs corrompus.
PHILINTE. – Je suis donc bien coupable, Alceste, à votre compte[1] ?
ALCESTE. – Allez, vous devriez mourir de pure honte ;
15 Une telle action ne saurait s'excuser,
Et tout homme d'honneur s'en doit scandaliser.
Je vous vois accabler un homme de caresses,
Et témoigner pour lui les dernières tendresses ;
De protestations, d'offres et de serments,
20 Vous chargez la fureur[2] de vos embrassements ;
Et quand je vous demande après quel est cet homme,
À peine pouvez-vous dire comme il se nomme ;
Votre chaleur pour lui tombe en vous séparant,
Et vous me le traitez, à moi, d'indifférent.
25 Morbleu ! c'est une chose indigne, lâche, infâme,
De s'abaisser ainsi jusqu'à trahir son âme ;
Et si, par un malheur, j'en avais fait autant,
Je m'irais, de regret, pendre tout à l'instant.
PHILINTE. – Je ne vois pas, pour moi, que le cas soit pendable[3],
30 Et je vous supplierai d'avoir pour agréable
Que je me fasse un peu grâce sur votre arrêt,
Et ne me pende pas pour cela, s'il vous plaît.
ALCESTE. – Que la plaisanterie est de mauvaise grâce !
[…]

Acte I, scène 1

Papposilène jouant des crotales, figurine en terre cuite, IIIᵉ siècle av. J.-C., musée du Louvre, Paris.

1. selon vous.
2. la passion, l'excès.
3. qu'il mérite d'être blâmer.

Pieter Bruegel l'Ancien, *Le Misanthrope*,
huile sur toile (86 x 85 cm), 1568,
musée national de Capodimonte, Naples.

▶ Le type comique du misanthrope a sans doute été créé en mémoire d'un personnage historique : le philosophe Timon qui vécut au Vᵉ siècle avant J.-C. Il refusait tout commerce avec les hommes. Sur sa tombe figure l'épitaphe suivante : «Je hais les méchants parce qu'ils sont méchants, et les autres parce qu'ils ne haïssent pas les méchants».

histoire des arts

Faites des recherches sur les maîtres de la peinture flamande et sur la pratique singulière de Bruegel.

Questions

▶ Texte et représentation, p. 439
▶ Le registre comique, p. 464

Vocabulaire
Cherchez l'étymologie du terme «misanthrope». Quel est l'antonyme de ce terme ? Cherchez d'autres mots construits de la même manière.

▶ Histoire et formation des mots, p. 411

Une scène de rupture

1. Justifiez le choix fait par Molière d'ouvrir la pièce sur une scène de querelle. Dans quelle position se trouve le spectateur ?
2. Quel est l'enjeu de la dispute ? Quels sont les vers les plus révélateurs des reproches adressés à Philinte par Alceste ?
3. Quels procédés sont mobilisés pour traduire, au mieux, la vivacité de l'échange ?

Deux caractères opposés

4. Quel portrait peut-on esquisser des deux personnages en présence ?
5. Montrez que Philinte est l'incarnation du modèle social de l'honnête homme (▶ Repères littéraires, p. 124).

6. Quels éléments font d'Alceste un personnage excessif et comique ?

Un conflit comique

7. Pourquoi le discours d'Alceste est-il proche de celui d'un moraliste ?
8. Montrez cependant que la dimension comique du texte, et du conflit, l'emporte. Justifiez votre réponse.

Lecture d'image Quelle image de la misanthropie Bruegel nous offre-t-il dans son tableau ? Montrez que la représentation s'appuie sur une série de contrastes.

Synthèse En vous appuyant sur les éléments d'étude, présentez, de manière synthétique, les deux conceptions de la vie sociale incarnées par Philinte et Alceste.

Vers le bac **S'entraîner à la dissertation**

▶ Construire un paragraphe argumentatif, p. 485
▶ Lire un sujet de dissertation, p. 502

Dans sa *Lettre à d'Alembert sur les spectacles* Rousseau s'attaque à Molière et remet en cause le traitement qu'il réserve au personnage d'Alceste : «Vous ne sauriez me nier deux choses : l'une qu'Alceste dans cette pièce est un homme droit, sincère, estimable, un véritable homme de bien ; l'autre que l'Auteur lui donne un personnage ridicule. C'en est assez ce me semble, pour rendre Molière inexcusable».
Rédigez un paragraphe qui propose une argumentation en faveur de la démarche de Molière en vous appuyant sur des exemples empruntés au texte.

▶ **Biographie p. 535**

⊕ CONTEXTE

En 1635, la France
entre en guerre
contre l'Espagne,
participant ainsi à
son tour à la logique
des conflits armés
qui a déchiré
l'Europe et que l'on
a appelée «la guerre
de Trente Ans». Or,
lorsque cette
intervention
française se produit,
Philippe IV, roi
d'Espagne, et Louis
XIII, roi de France,
sont liés,
doublement. Chacun
d'eux est en effet
marié à la sœur de
l'autre. La guerre
franco-espagnole
est, de ce fait,
considérée par
beaucoup comme
une guerre fratricide
(▶ **Repères
historiques**,
p. 120).

Pierre Corneille,
Horace (1640)

*Deux familles sont unies par des liens amicaux et amoureux : les Horaces de Rome et les
Curiaces d'Albe. Les deux cités entrent en guerre. Chaque ville doit désigner trois champions
qui se livreront un combat singulier pour défendre l'honneur de leur patrie. Le sort décide
d'opposer les trois frères de chacune des deux familles. Au moment où prend place notre
extrait, Horace et Curiace (époux de Camille, sœur d'Horace) viennent d'apprendre
l'identité des combattants d'Albe.*

[...]

1 CURIACE. – Il est vrai que nos noms ne sauraient plus périr.
L'occasion est belle, il nous la faut chérir.
Nous serons les miroirs d'une vertu bien rare ;
Mais votre fermeté tient un peu du barbare :
5 Peu, même des grands cœurs, tireraient vanité
D'aller par ce chemin à l'immortalité.
À quelque prix qu'on mette une telle fumée,
L'obscurité vaut mieux que tant de renommée.
Pour moi, je l'ose dire, et vous l'avez pu voir,
10 Je n'ai point consulté pour suivre mon devoir ;
Notre longue amitié, l'amour, ni l'alliance,
N'ont pu mettre un moment mon esprit en balance ;
Et puisque par ce choix Albe montre en effet
Qu'elle m'estime autant que Rome vous a fait,
15 Je crois faire pour elle autant que vous pour Rome.
J'ai le cœur aussi bon, mais enfin je suis homme :
Je vois que votre honneur demande tout mon sang,
Que tout le mien consiste à vous percer le flanc,
Près d'épouser la sœur, qu'il faut tuer le frère,
20 Et que pour mon pays j'ai le sort si contraire.
Encor qu'à mon devoir je coure sans terreur,
Mon cœur s'en effarouche, et j'en frémis d'horreur ;
J'ai pitié de moi-même, et jette un œil d'envie
Sur ceux dont notre guerre a consumé la vie,
25 Sans souhait toutefois de pouvoir reculer.
Ce triste et fier honneur m'émeut sans m'ébranler.
J'aime ce qu'il me donne, et je plains ce qu'il m'ôte ;
Et si Rome demande une vertu plus haute,
Je rends grâces aux dieux de n'être pas Romain,
30 Pour conserver encor quelque chose d'humain.
HORACE. – Si vous n'êtes Romain, soyez digne de l'être ;
Et si vous m'égalez, faites-le mieux paraître.
La solide vertu dont je fais vanité
N'admet point de faiblesse avec sa fermeté ;
35 Et c'est mal de l'honneur entrer dans la carrière
Que dès le premier pas regarder en arrière.
Notre malheur est grand ; il est au plus haut point ;
Je l'envisage entier, mais je n'en frémis point :

▶ Considéré comme un chef d'œuvre du style néoclassique, sous l'influence de l'œuvre de Poussin, (▶ **Lecture d'image, p. 204**), le tableau représente les trois Horaces jurant, devant leur père, de défendre la Patrie. Ce serment passe par l'échange des regards concentrés sur un même point focal : la poignée des épées qui symbolise l'impératif de l'engagement guerrier. David célèbre ainsi le courage et le sacrifice patriotique.

Jacques-Louis David, *Le Serment des Horaces,* huile sur toile (330 x 425 cm), 1784, musée du Louvre, Paris.

Contre qui que ce soit que mon pays m'emploie,
40 J'accepte aveuglément cette gloire avec joie ;
Celle de recevoir de tels commandements
Doit étouffer en nous tous autres sentiments.
Qui, près de le servir, considère autre chose,
À faire ce qu'il doit lâchement se dispose ;
45 Ce droit saint et sacré rompt tout autre lien.
Rome a choisi mon bras, je n'examine rien :
Avec une allégresse aussi pleine et sincère
Que j'épousai la sœur, je combattrai le frère ;
Et pour trancher enfin ces discours superflus,
50 Albe vous a nommé, je ne vous connais plus.

Acte II, scène 3.

Questions

▶ Démontrer, délibérer, convaincre, persuader, p. 453
▶ Les registres tragique et pathétique, p. 466

Vocabulaire
Quelle est l'étymologie du terme « barbare » ? Reconstituez l'histoire du mot et précisez l'évolution de ses acceptions.

▶ Histoire et formation des mots, p. 411

1. Comment qualifier la réaction de chacun des personnages à l'annonce de la décision ? Justifiez votre réponse.
2. Montrez que Corneille, par les voix d'Horace et surtout de Curiace, met l'accent sur le pathétique de la situation.
3. Pourquoi cet échange constitue-t-il une opposition de deux systèmes de valeurs ? (Appuyez-vous sur la forme des répliques, le système énonciatif, le lexique, etc.)

4. Montrez que cet affrontement s'accompagne d'une violence verbale extrême.
5. Précisez la nature exacte des attaques formulées.
a. Relevez les vers qui se font écho et s'opposent : analysez les jeux de symétrie (construction et lexique).
b. « Albe vous a nommé, je ne vous connais plus » (v. 50). Analysez les procédés qui font la force et la violence de ce vers qui conclut l'extrait.

Synthèse En vous appuyant sur les éléments d'étude, analysez la montée en puissance de la tension en montrant que les points de vue des deux hommes sont incompatibles.

▶ Préparer un exposé, p. 512

Vers le bac **S'entraîner pour l'oral**
Vous expliquerez, dans un exposé construit, les raisons pour lesquelles la pièce de Corneille a pour titre le seul prénom « Horace ».

▶ Biographie p. 538

Jean Racine,
Britannicus (1669)

➕ **CONTEXTE**

Les contemporains de Racine voient dans la monarchie une forme de gouvernement naturel. Certes, le roi a tout pouvoir mais, en gouvernant avec sagesse et raison, il doit éviter de sombrer dans l'exercice tyrannique de sa volonté. Louis XIV lui-même insiste sur ces principes lorsqu'il rédige ses *Mémoires à l'usage du Dauphin*. Il s'oppose en cela au despotisme impérial incarné par Néron.
(▶ **Repères historiques, p. 120**)

La rivalité de Néron et de Britannicus est double. Elle se situe sur le plan politique, mais aussi sur le plan amoureux puisque tous deux sont épris de la même femme : Junie, enlevée par Néron au début de la pièce. Elle vient de révéler à Britannicus le chantage exercé par Néron pour l'éloigner de lui. Le spectateur assiste alors à l'unique entrevue entre les deux hommes. L'échange tourne à la joute verbale.

[…]

1 BRITANNICUS.– Je puis mettre à ses[1] pieds ma douleur ou ma joie
Partout où sa bonté consent que je la[1] voie ;
Et l'aspect de ces lieux où vous la retenez
N'a rien dont mes regards doivent être étonnés.

5 NÉRON.– Et que vous montrent-ils qui ne vous avertisse
Qu'il faut qu'on me respecte et que l'on m'obéisse ?
BRITANNICUS.– Ils ne nous ont pas vu l'un et l'autre élever,
Moi pour vous obéir, et vous pour me braver ;
Et ne s'attendaient pas lorsqu'ils vous virent naître

10 Qu'un jour Domitius[2] me dût parler en maître.
NÉRON. – Ainsi par le destin nos vœux sont traversés :
J'obéissais alors, et vous obéissez.
Si vous n'avez appris à vous laisser conduire,
Vous êtes jeune encore, et l'on peut vous instruire.

15 BRITANNICUS. – Et qui m'en instruira ?
NÉRON. –   Tout l'Empire à la fois,
Rome.
BRITANNICUS. – Rome met-elle au nombre de vos droits
Tout ce qu'a de cruel l'injustice et la force,
Les emprisonnements, le rapt et le divorce ?
NÉRON. – Rome ne porte point ses regards curieux

20 Jusque dans des secrets que je cache à ses yeux.
Imitez son respect.
BRITANNICUS. –   On sait ce qu'elle en pense.
NÉRON. – Elle se tait du moins : imitez son silence.
BRITANNICUS. – Ainsi Néron commence à ne plus se forcer.
NÉRON. – Néron de vos discours commence à se lasser.

25 BRITANNICUS. – Chacun devait bénir le bonheur de son règne.
NÉRON. – Heureux ou malheureux, il suffit qu'on me craigne.
BRITANNICUS. – Je connais mal Junie, ou de tels sentiments
Ne mériteront pas ses applaudissements.
NÉRON. – Du moins, si je ne sais le secret de lui plaire,

30 Je sais l'art de punir un rival téméraire.
BRITANNICUS. – Pour moi, quelque péril qui me puisse accabler,
Sa seule inimitié peut me faire trembler.
NÉRON. – Souhaitez-la : c'est tout ce que je vous puis dire.
BRITANNICUS. – Le bonheur de lui plaire est le seul où j'aspire.

35 NÉRON. – Elle vous l'a promis, vous lui plairez toujours.
BRITANNICUS. – Je ne sais pas du moins épier ses discours.

1. dans toute cette réplique Britannicus, l'emploi du pronom personnel « la » et des adjectifs possessifs « ses » et « sa » évoque Junie.
2. patronyme de Néron avant qu'il ne soit adopté par Claude, oncle et époux de sa mère, Agrippine.

3. allusion à une scène de la pièce (II, 6) dans laquelle Néron s'est caché pour assister à une entrevue entre les deux amants après avoir pris soin de dicter ses paroles à Junie.

40 Je la laisse expliquer sur tout ce qui me touche,
Et ne me cache point pour lui fermer la bouche[3].
Néron. – Je vous entends. Hé bien, gardes !

Acte III, scène 8.

Britannicus de Jean Racine, mis en scène par **Jean-Louis Martin-Barbaz**, avec Antoine Rosenfeld, Jean-Christophe Laurier et Vanessa Krycève, 2009, Théâtre 14, Paris.

Questions

▶ **Les registres tragique et pathétique, p. 466**
▶ **Les registres didactique, polémique et satirique, p. 470**
▶ **Lire une page de théâtre, p. 493**

Grammaire
«Heureux ou malheureux, il suffit qu'on me craigne» (v. 26). Quelle est la classe grammaticale de «on»? Interprétez l'emploi qu'en fait ici Néron.

▶ **Classes et fonctions, p. 392**

1. Qui mène le dialogue ? Pourquoi est-ce le signe d'un certain courage ?
2. Quelle est la nature des attaques proférées par Britannicus ? Quels procédés en accentuent la violence ? Qu'en déduisez-vous concernant le registre dominant dans cet échange ?
3. Montrez que l'on passe du plan politique au plan amoureux. Dans quel domaine la supériorité de Britannicus s'affirme-t-elle ?

4. Comment Néron affirme-t-il, quant à lui, sa domination politique ? Quels éléments de son discours font de lui un véritable tyran ?
5. Comment la montée en puissance de la tension se traduit-elle ? Analysez sa dimension pathétique et tragique.
a. Analysez la forme des répliques, soyez attentif à leur enchaînement.
b. Prenez en compte les jeux de l'énonciation.
c. Montrez que Néron passe de la menace voilée à la menace directe.

Synthèse En vous appuyant sur vos réponses aux questions précédentes, dites pourquoi, face à une telle scène, le spectateur éprouve terreur et pitié.

VOCABULAIRE

LE LANGAGE

1 ÉTYMOLOGIE

Le terme grec *logos* peut désigner le discours (écrit ou oral). Il a donné naissance à plusieurs mots. Associez chacun des termes suivants à sa définition.

A. logorrhée
B. polylogue
C. logomachie
D. apologue
E. monologue

1. querelle de mots
2. échange engageant la parole de plusieurs personnes
3. bref récit dont se dégage une vérité morale
4. discours qu'un personnage seul en scène se fait à lui-même
5. besoin de parler irrésistible et intarissable

2 SYNONYMES

Une «tirade» est un long développement continu concernant une même idée. Plus spécifiquement, au théâtre, c'est une longue réplique débitée par un personnage, sans interruption de la part de son ou ses interlocuteurs. Voici une liste de termes dont vous justifierez l'emploi en tant que synonymes du mot «tirade».

chapelet – cascade – kyrielle – baratin – couplet – tartine

3 LE VERBE «DIRE»

Remplacez le verbe «dire» par un synonyme en tenant compte du contexte. Plusieurs réponses sont souvent possibles.

a. Durant le procès, les témoins convoqués à la barre ont *dit* qu'ils n'avaient rien vu.
b. Dans les situations conflictuelles, Marie garde généralement son calme. Mais, ce jour-là, sans que personne ne comprenne, elle s'est soudain mise à *dire* des menaces.
c. Soumis à un questionnaire intensif depuis plusieurs jours, il a été contraint de *dire* toute la vérité.
d. Le règlement du lycée *dit* que les portables sont interdits dans l'enceinte de l'établissement.
e. Surtout, ne *dites* pas mon secret !
f. C'est une vraie commère ! Elle passe son temps à *dire* des méchancetés sur tout le monde.
g. Cela fait cent fois que vous me *dites* de songer à mon avenir professionnel !

4 HISTOIRE DES MOTS

Recherchez l'étymologie et l'histoire des mots suivants. Choisissez-en 3 que vous illustrerez par des exemples empruntés à votre imagination.

galimatias – charabia – pataquès – cacographie – baragouin – jargon – grimoire

5 PAROLES, PAROLES...

Le verbe *loqui*, en latin, signifie «parler». Il est à l'origine de nombreux termes, dont certains que vous devrez trouver pour remplacer la périphrase par le nom adéquat.

a. Lorsque l'on articule correctement, on a une bonne... .
b. Se parler à soi-même, c'est faire un... .
c. Lorsque l'on veut séduire et convaincre son auditoire, on fait preuve... .
d. Prononcer un discours de circonstance, c'est faire une... .
e. Parvenir à articuler sans remuer les lèvres, c'est être un... .

6 DEVINETTES

a. Dans l'Antiquité, la *sibylle* est une prophétesse qui interprète les oracles. Mais que sont des propos *sibyllins* ?
b. Le *miel* est connu pour sa douceur ; que signifie, alors, le fait de tenir des propos *mielleux* ?
c. Un *orateur* est quelqu'un habitué à prendre la parole en public, mais qu'est-ce qu'un *oratorio* ?
d. Dans la Bible, les descendants de Noé prétendent construire la tour de *Babel* pour atteindre le Ciel. Qu'appelle-t-on le *babélisme* ?
e. *Hermès* est, dans la mythologie, le messager des dieux. Qu'est-ce qu'un langage *hermétique* ?
f. Le *fiel* désigne un liquide amer, verdâtre, contenu dans la bile. Qu'est-ce qu'un discours *fielleux* ?

EXPRESSION ÉCRITE

Sujet 1

Vous êtes journaliste. Vous avez assisté à un débat politique au cours duquel les orateurs ont parlé longuement et parfois de manière confuse. Rédigez le compte-rendu de ce débat en employant un maximum de termes présents dans les exercices.

Sujet 2

Imaginez les verbes de parole susceptibles d'introduire les répliques de l'échange entre Britannicus et Néron dans le texte de Racine (▸ p. 154).

Ex. : Néron **déclare** :

«Ainsi par le destin nos vœux sont traversés :
J'obéissais alors, et vous obéissez».

Prenez soin de varier les verbes introducteurs en vous inspirant de l'exercice 3.

LE CONFLIT AU THÉÂTRE

Parce qu'il est dynamique et violent et qu'il oppose les cœurs et les valeurs, le conflit tragique ou comique participe à la devise classique qui est de plaire et d'instruire.

1 LE CONFLIT AVEC SOI-MÊME

▶ **Le dilemme**

La tragédie met en scène des personnages en proie aux tourments du dilemme. Ce terme désigne un choix entre deux possibilités qui s'avèrent toutes deux insatisfaisantes. En effet, deux valeurs inconciliables s'opposent (Pierre Corneille, *Le Cid* ▶ p. 146).

▶ **Lieux de parole**

Le **monologue** est un des lieux privilégiés du conflit intérieur. Cette convention théâtrale permet au spectateur d'avoir accès aux pensées du héros. Il est l'apanage de la tragédie.
→ **Ex.:** Molière en fait la parodie à travers le personnage d'Arnolphe (▶ p. 148).
Le **confident** dans la tragédie recueille la parole douloureuse du héros. Il l'invite à se livrer, l'écoute et le conseille comme le fait Elvire pour Chimène (▶ p. 146).

▶ **La résolution**

L'argumentation se déploie entre une thèse et son contraire en suivant les hésitations du cœur et/ou de la raison. Cette **pause délibérative** fait réfléchir le spectateur au sujet du débat moral qui est posé: le théâtre remplit alors sa visée instructive. Cette parole doit faire advenir l'action.

2 LE CONFLIT AVEC LES AUTRES

▶ **Le conflit, moteur de l'intrigue**

Le conflit nourrit l'intrigue. C'est pour cela que le schéma dramatique de l'œuvre suit ses différentes étapes. L'acte premier permet d'exposer les origines historiques ou légendaires du conflit. Puis le conflit, qui constitue le nœud de l'intrigue, grandit soit en suscitant terreur et pitié dans la tragédie, soit en provoquant le rire dans la comédie. Le dénouement tragique est le plus souvent synonyme de mort et s'oppose à celui de la comédie qui voit triompher l'amour et la jeunesse.
→ **Ex.:** Arnolphe donne Agnès à Horace dans *L'École des femmes* ▶ p. 148.

▶ **Les enjeux du conflit**

Dans la comédie, le spectateur voit tour à tour s'opposer des caractères (→ **Ex.:** Molière, *Le Misanthrope* ▶ p. 150), des classes sociales ou bien encore des générations (→ **Ex.:** Molière, *L'École des femmes* ▶ p. 148). Dans la tragédie, les aspirations au bonheur se heurtent aux impératifs moraux dictés par le religieux ou le politique. Si le conflit assure une fonction de séduction auprès du spectateur, il lui permet aussi de garder la distance nécessaire à la réflexion que remplit la visée instructive du théâtre classique.

▶ **De la joute verbale aux coups**

Le conflit théâtral est par essence verbal. Chaque personnage se fait le porte-parole d'une thèse. Tour à tour, les personnages exposent leurs arguments dans des **tirades** et le dialogue met ainsi en évidence la confrontation de deux systèmes de pensée (→ **Ex.:** Pierre Corneille, *Horace* ▶ p. 152). Lorsque le dialogue est plus vif, les tirades deviennent des **stichomythies** (→ **Ex.:** Jean Racine, *Britannicus* ▶ p. 154).
Il peut devenir physique lorsque les mots se révèlent impuissants à réconcilier les adversaires. Mais si la tragédie cache la violence aux spectateurs par souci de **bienséance**, il devient un **spectacle jubilatoire** dans la comédie.

Jean Racine, *Phèdre* (1677) : la passion classique

Œuvre intégrale

▶ **Comment la passion amoureuse est-elle représentée sur la scène théâtrale du XVIIe siècle ?**

▶▶▶ *Phèdre* de Sénèque, mis en scène par **Julie Recoing**, 2008, théâtre de Nanterre.

Alexandre Cabanel,
Phèdre (1880)

▶ Partisan d'une peinture académique, en opposition avec les esthétiques naturaliste et impressionniste incarnées par Zola ou Manet (▶ **Lecture d'image p. 40**), Alexandre Cabanel privilégie la peinture d'histoire et le portrait. Membre des Beaux-Arts, il fait partie du jury du Salon officiel. Il s'impose, au moment même où naît la modernité en peinture dans la cadre du Salon des refusés, comme le défenseur du goût officiel.

Alexandre Cabanel, *Phèdre*, huile sur toile (195 x 285 cm), 1880, musée Fabre, Montpellier.

Questions

▶ Décrire une image, p. 514
▶ Interpréter une image, p. 519

Prolongements
Pour mieux comprendre l'opposition entre l'esthétique défendue par Cabanel et celle défendue par Zola, comparez ce tableau avec le tableau *Olympia* de Manet, (▶ **Lecture d'image, p. 40**).

Description du tableau

1. Décrivez la composition du tableau en vous appuyant sur les lignes directrices.
2. Quelles remarques pouvez-vous faire concernant la position de chacun des personnages et l'espace qu'il occupe ?
3. Quelles sont les couleurs utilisées ? Comment contribuent-elles à la mise en relief de la jeune femme allongée ?
4. Quels détails permettent de rendre compte de la noblesse du personnage ainsi que de la richesse du lieu ?

Interprétation du tableau

5. Analysez les jeux de lumière opérés par le peintre. Mettez-les en rapport avec le nom de Phèdre après avoir effectué les recherches étymologiques requises pour comprendre la signification première de ce prénom.
6. Que pouvez-vous dire de la pose adoptée par Phèdre ? De celle de ses suivantes ? Que traduisent-elles ? À quel extrait de la pièce pouvez-vous relier cette peinture ? Pourquoi ?
7. Cabanel rend-il compte de manière réaliste de l'état physique et moral de Phèdre ?

Synthèse Le tableau de Cabanel a remporté un grand succès au Salon officiel de 1880. Émile Zola, quant à lui, fait un réquisitoire sévère contre cette œuvre :

« Voyez cette misère ? Voyez Monsieur Cabanel avec une Phèdre. La peinture en est creuse, comme toujours, d'une tonalité morne où les couleurs vives s'attristent elles-mêmes et tournent à la boue. Quant au sujet, que dire de cette Phèdre sans caractère qui pourrait être aussi bien une Cléopâtre que Didon ? C'est un dessus de pendule quelconque, une femme couchée et qui a l'air maussade. »

En vous appuyant sur la lecture du tableau, rédigez un paragraphe s'opposant aux critiques de Zola.

▶ **Biographie p. 538**

◉ CONTEXTE

Au XVIIᵉ siècle, le corps humain s'expose peu, en particulier sur la scène tragique. En 1649, cependant, le philosophe Descartes, dans un ouvrage intitulé *Les Passions de l'âme*, propose une exploration innovante des liens entre passions et modifications du corps (immobilité, frémissement, langueur, etc.). Certains auteurs, dont Racine, vont s'inspirer de ces travaux pour nourrir une représentation nouvelle des états d'âme.

Jean Racine,
Phèdre, Acte I, scène 3 (1677)

Cet extrait correspond à l'entrée en scène de l'héroïne éponyme de la pièce. Son apparition a été préparée dans les scènes précédentes. Au moment où le spectateur s'apprête à la découvrir, il sait qu'elle est « une femme mourante et qui cherche à mourir ». Elle fait son entrée accompagnée d'Œnone, sa nourrice et confidente, qui ignore la cause du mal dont elle souffre.

1 PHÈDRE. – N'allons point plus avant. Demeurons, chère Œnone.
Je ne me soutiens plus ; ma force m'abandonne.
Mes yeux sont éblouis du jour que je revoi,
Et mes genoux tremblants se dérobent sous moi.
5 Hélas !
        (Elle s'assied.)
ŒNONE. – Dieux tout-puissants, que nos pleurs vous apaisent !
PHÈDRE. – Que ces vains ornements, que ces voiles me pèsent !
Quelle importune main, en formant tous ces nœuds,
A pris soin sur mon front d'assembler mes cheveux ?
Tout m'afflige, et me nuit, et conspire à me nuire.
10 ŒNONE. – Comme on voit tous ses vœux l'un l'autre se détruire !
Vous-même, condamnant vos injustes desseins,
Tantôt à vous parer vous excitiez¹ nos mains ;
Vous-même, rappelant votre force première,
Vous vouliez vous montrer et revoir la lumière,
15 Vous la voyez, Madame, et prête à vous cacher,
Vous haïssez le jour que vous veniez chercher !
PHÈDRE. – Noble et brillant auteur d'une triste famille,
Toi, dont ma mère osait se vanter d'être fille,
Qui peut-être rougis du trouble où tu me vois,
20 Soleil, je te viens voir pour la dernière fois !
ŒNONE. – Quoi ! vous ne perdrez point cette cruelle envie ?
Vous verrai-je toujours, renonçant à la vie,
Faire de votre mort les funestes apprêts ?
PHÈDRE. – Dieux ! que ne suis-je assise à l'ombre des forêts !
25 Quand pourrai-je, au travers d'une noble poussière,
Suivre de l'œil un char fuyant dans la carrière ?
ŒNONE. – Quoi, Madame ?
PHÈDRE. –   Insensée ! où suis-je ? et qu'ai-je dit ?
Où laissé-je égarer mes vœux et mon esprit ?
Je l'ai perdu : les dieux m'en ont ravi l'usage.
30 Œnone, la rougeur me couvre le visage :
Je te laisse trop voir mes honteuses douleurs,
Et mes yeux, malgré moi, se remplissent de pleurs.
[...]

1. encourager, pousser.

L'actrice **Sarah Bernhardt**
dans le rôle de Phèdre,
vers 1875.

▶ Texte et représentation,
p. 439
▶ Les registres tragique et
pathétique, p. 466
▶ **Interpréter une image,**
p. 519

Figures de style
«Soleil, je te viens voir
pour la dernière fois»
(v. 20) et «Quand pourrai-
je, au travers d'une noble
poussière,/Suivre de l'œil
un char fuyant dans la
carrière ? » (v. 25-26).
Identifiez les figures de
style présentes dans ces
vers. Inventez deux
phrases exploitant ces
mêmes figures et mettant
en relief l'effet recherché.

Questions

1. Quelles sont les caractéristiques physiques et morales de Phèdre au moment de
son entrée en scène ? Quels sont les vers
les plus révélateurs ?
2. Quel rôle joue l'unique didascalie du
texte dans la compréhension de l'état du
personnage ?
3. Montrez que les premières répliques de
Phèdre constituent un chant de mort :
appuyez-vous sur le rythme, la musicalité des phrases, les sonorités convoquées, etc.
4. Que pouvez-vous dire de l'échange mis
en place entre Phèdre et Œnone ? Est-ce

vraiment un dialogue ? Que traduit-il ?
Justifiez votre réponse.
5. Quel rapport Phèdre entretient-elle avec
la lumière du jour ? Pourquoi ? Mettez en
parallèle la première réplique de Phèdre
avec les derniers vers de son ultime réplique (▶ **texte 4, p. 168**). Quelle conclusion pouvez-vous en tirer ?

Lecture d'image Montrez que le jeu des
comédiennes rend particulièrement bien
compte de la détresse à laquelle l'héroïne
est en proie.

Euripide,
Hippolyte (428 av. J.-C.)

▶ **Euripide** (vers
480 av. J.-C. – 406
av. J.-C.) est un
dramaturge grec
ami de Socrate. En
retrait par rapport à
la vie politique,
sociale et militaire
de son époque,
marquée par la
guerre du
Péloponnèse (432
av. J.-C. – 404 av.
J.-C.), il mène une
réflexion amère sur
la misère de la
condition humaine
et sur la capacité de
l'homme à exercer
une quelconque
liberté. L'extrait
proposé appartient
au premier épisode
de la pièce.

1   PHÈDRE. – Soulevez mon corps, redressez ma tête. Chères amies, mes membres
affaiblis sont près de se dissoudre. Esclaves fidèles, soutenez mes mains défaillantes.
Que ce vain ornement pèse sur ma tête ! Détache-le ; laisse flotter mes cheveux sur
mes épaules.

5   LA NOURRICE. – Prends courage ma fille, et n'agite pas ton corps avec tant d'inquiétude ; tu supporteras plus facilement ton mal, avec du calme et une noble
résolution. Souffrir est la condition nécessaire des mortels.

PHÈDRE. – Hélas ! hélas ! que ne puis-je, au bord d'une source limpide, puiser une
eau pure pour me désaltérer ! Que ne puis-je, couchée à l'ombre des peupliers, me
10   reposer sur une verte prairie !

LA NOURRICE. – Ô ma fille ! que dis-tu ? Ne va pas parler ainsi devant la foule ; ne
tiens pas ces discours, œuvre de la démence !

Traduction de M. Artaud, 1857, © Univers Poche-Pocket.

La tristesse de Phèdre amoureuse et repoussée par Hippolyte, bas-relief de sarcophage, IIIe siècle, musée archéologique, Palerme.

Écho de l'Antiquité

Sénèque,
Phèdre (Ier siècle ap. J.-C.)

► **Sénèque**
(d'environ 4 av. J.-C. à 65 après J.-C.) est un philosophe et dramaturge romain. Il participe à la vie politique en tant que conseiller de Caligula, puis en tant que précepteur de Néron. Sa philosophie, d'inspiration stoïcienne, défend l'idée d'une suprématie de la raison et définit une attitude morale caractérisée par une grande fermeté d'âme.

1 PHÈDRE. – Un mal intérieur me consume ; il s'augmente et s'enflamme dans mon sein, comme le feu qui bouillonne dans les entrailles de l'Etna. Les travaux de Minerve n'ont plus de charme pour moi, la toile s'échappe de mes mains. J'oublie d'aller aux temples présenter les offrandes que j'ai vouées aux dieux, et de me 5 joindre aux Athéniennes pour déposer sur les autels, au milieu du silence des sacrifices, les torches discrètes des initiées, et honorer par de chastes prières et de pieuses cérémonies la déesse de la terre. J'aime à poursuivre les bêtes féroces à la course, et à lancer de mes faibles mains les flèches au fer pesant ? Où t'égares-tu, ô mon âme ? quelle fureur te fait aimer l'ombre des forêts ? Je reconnais la funeste 10 passion qui égara ma mère infortunée[1]. Les bois sont le théâtre de nos fatales amours. Ô ma mère, combien tu me parais digne de pitié ! Tourmentée d'un mal funeste, tu n'as pas rougi d'aimer le chef indompté d'un troupeau sauvage. […] Vénus hait la famille du Soleil, et se venge sur nous des filets qui l'ont enveloppée avec son amant[2]. Elle charge toute la famille d'Apollon d'un amas d'opprobres. 15 Aucune fille de Minos n'a brûlé d'un feu pur ; toujours le crime s'est mêlé à nos amours.

LA NOURRICE. – Épouse de Thésée, noble fille de Jupiter, hâtez-vous d'effacer de votre chaste cœur ces pensées abominables : éteignez ces feux impurs, et ne vous laissez pas aller à une espérance funeste…

Traduction de E. Greslou, 1834, © Univers Poche-Pocket.

---

1. il s'agit de Pasiphaé, épouse de Minos, mère de Phèdre, d'Ariane et du Minotaure suite à son union avec un taureau. – 2. père de Pasiphaé, le Soleil a révélé les amours adultères de Vénus avec Mars. Vulcain, le mari trompé, prend les deux amants dans un filet et les expose aux moqueries des autres dieux.

Questions

► *Les registres tragique et pathétique*, p. 466

1. Quelle représentation du corps de Phèdre nous est donnée par Euripide et Sénèque lors de l'entrée en scène de l'héroïne ?
2. Montrez que Sénèque accorde une place importante à la fatalité.
3. De quel auteur Racine vous semble-t-il le plus proche ? Justifiez votre réponse.

Lecture d'image Commentez la position des personnages. Comment Phèdre est-elle mise en valeur ? Quels éléments contribuent à la représentation de sa tristesse ?

Synthèse En vous appuyant sur les éléments d'étude, dites quels sont ceux qui contribuent, chez Racine, à faire de son texte non une simple imitation, mais une authentique création.

Vers le bac **S'entraîner au sujet d'invention**

Cette entrée du personnage de Phèdre, dans le texte de Racine (► p. 160), jugée audacieuse à l'époque, implique une mise en scène précise nourrie d'indications destinées à l'interprète du rôle. En vous appuyant sur les indices donnés par le texte et sur les réponses au questionnaire, formulez les conseils que vous adresseriez à la comédienne en justifiant vos choix.

► *Lire un sujet d'invention*, p. 474

Phèdre, Acte II, scène 5

▶ **Biographie p. 538**

○ **CONTEXTE**

«Il ne faut jamais qu'une femme fasse entendre de sa propre bouche à un homme qu'elle a de l'amour pour lui» (l'abbé d'Aubignac, *La pratique du théâtre*, 1657). Cet impératif qui vaut pour la scène théâtrale trouve son fondement dans les us et coutumes qui sont ceux de la société du XVIIᵉ siècle. L'initiative de l'aveu amoureux revient alors exclusivement à l'homme, bienséance oblige.

L'acte I de la pièce est organisé autour de l'aveu de Phèdre qui révèle à Œnone son amour incestueux pour Hippolyte. Le deuxième acte s'ouvre sur le double aveu d'Aricie et Hippolyte. Le spectateur découvre leur amour réciproque mais interdit. C'est dans ce contexte qu'intervient la première et unique entrevue entre Phèdre et Hippolyte qui s'ouvre sur l'évocation de la figure de Thésée.

[…]

1 PHÈDRE. – Que dis-je? Il n'est point mort, puisqu'il respire en vous.
Toujours devant mes yeux je crois voir mon époux.
Je le vois, je lui parle, et mon cœur… je m'égare,
Seigneur; ma folle ardeur malgré moi se déclare.
5 HIPPOLYTE. – Je vois de votre amour l'effet prodigieux.
Tout mort qu'il est, Thésée est présent à vos yeux,
Toujours de son amour votre âme est embrasée.
PHÈDRE. – Oui, Prince, je languis, je brûle pour Thésée.
Je l'aime, non point tel que l'ont vu les enfers¹,
10 Volage adorateur de mille objets divers,
Qui va du dieu des morts déshonorer la couche,
Mais fidèle, mais fier, et même un peu farouche,
Charmant, jeune, traînant tous les cœurs après soi,
Tel qu'on dépeint nos dieux, ou tel que je vous voi.
15 Il avait votre port, vos yeux, votre langage,
Cette noble pudeur colorait son visage,
Lorsque de notre Crête il traversa les flots,
Digne sujet des vœux des filles de Minos.
Que faisiez-vous alors? Pourquoi sans Hippolyte,
20 Des héros de la Grèce assembla-t-il l'élite?
Pourquoi trop jeune encor, ne pûtes-vous alors
Entrer dans le vaisseau qui les mit sur nos bords?
Par vous aurait péri le monstre de la Crête,
Malgré tous les détours de sa vaste retraite.
25 Pour en développer l'embarras incertain,
Ma sœur du fil fatal eût armé votre main.
Mais non, dans ce dessein je l'aurais devancée.
L'amour m'en eût d'abord inspiré la pensée.
C'est moi, Prince, c'est moi, dont l'utile secours
30 Vous eût du labyrinthe enseigné les détours.
Que de soins m'eût coûtés cette tête charmante!
Un fil n'eût point assez rassuré votre amante:
Compagne du péril qu'il vous fallait chercher,
Moi-même devant vous j'aurais voulu marcher,
35 Et Phèdre au Labyrinthe avec vous descendue
Se serait avec vous retrouvée ou perdue.
HIPPOLYTE. – Dieux! qu'est-ce que j'entends? Madame, oubliez-vous
Que Thésée est mon père, et qu'il est votre époux?
[…]

1. allusion à l'épisode mythologique selon lequel Thésée serait descendu aux enfers pour aider son ami Pirithoüs à enlever Perséphone, épouse d'Hadès, le dieu des enfers.

Phèdre de Racine, mis en scène par **Patrice Chéreau** avec Dominique Blanc et Éric Ruf, 2003, théâtre de l'Odéon, Paris.

Questions

▶ La double énonciation, p. 442

▶ Les registres tragique et pathétique, p. 466

▶ **Lire une page de théâtre, p. 493**

Grammaire
Identifiez le temps et le mode auxquels sont conjugués les verbes « vouloir » et « se retrouver » (v. 34 et 36). Réécrivez la phrase au présent. Quelle est la différence de sens entre les deux versions ?

▶ Modes, temps et valeurs, p. 395

L'aveu

1. Analysez la répartition et la proportion des répliques des deux personnages. Montrez qu'elles sont révélatrices de la manière dont Phèdre se laisse entraîner par sa propre parole.

2. Relevez le vers dans lequel Phèdre semble, un moment, prendre conscience de cette absence de maîtrise. Quel jeu de scène peut-on imaginer ?

Un double portrait ?

3. Relevez le champ lexical de la vue dans la première partie de l'extrait. Quelle est sa fonction ?

4. Comparez le portrait parallèle que dresse Phèdre (v. 8 à 18 de l'extrait). Prenez en considération les adjectifs utilisés et le travail de mise en relief par le rythme et les sonorités.

5. Montrez que l'on passe d'une opposition des deux figures à une superposition, puis à une substitution.

La rupture avec la réalité

6. Analysez le jeu des temps dans l'ensemble de la tirade. Comment révèle-t-il la manière dont Phèdre bascule dans un rêve impossible ?

7. Ce rêve s'appuie sur l'évocation du passé familial de Phèdre et de Thésée. Faites des recherches précises sur l'épisode mythologique auquel il est fait allusion et justifiez ce choix.

8. Quel rôle Phèdre se donne-t-elle dans la dernière partie de son rêve ? Montrez qu'elle se lie grammaticalement à Hippolyte en vous appuyant sur l'emploi des pronoms personnels.

Lecture d'image Comment le jeu des comédiens rend-il compte de l'abîme qui sépare Phèdre et Hippolyte ?

Synthèse Montrez que l'un des intérêts majeurs du texte tient à l'utilisation, par Racine, d'un discours qui joue pleinement de la double réception. Comment passe-t-on d'une compréhension double (Hippolyte et les spectateurs ne reçoivent pas de la même manière la parole de Phèdre) à une interprétation unique ?

Phèdre, Acte v, scène 1

▶ Biographie p. 538

○ **CONTEXTE**

La conquête de la gloire (ou sa préservation) constitue un impératif majeur dans la société aristocratique du XVIIe siècle. Synonyme de renommée éclatante, la gloire est associée à l'idée de lumière. C'est un éclat qui est recherché et qui imprègne toute l'idéologie du siècle de Louis XIV, lequel se mettait en scène en héros solaire au sein des fêtes de lumière organisées à Versailles. Tout aristocrate se doit de conformer son attitude morale au respect de sa renommée, de son honneur.

▶ Repères historiques, p. 120

À la fin de l'acte IV, Phèdre, dans un accès de fureur, exprime la jalousie qu'elle éprouve à l'encontre d'Aricie. La scène qui ouvre l'acte V constitue un authentique contrepoint aux imprécations de l'héroïne. Aricie et Hippolyte offrent aux spectateurs une vision de l'amour qui s'oppose à celle de la rage passionnée de Phèdre. Hippolyte donne à Aricie l'occasion de s'enfuir avec lui.

HIPPOLYTE. – […]

1　L'occasion est belle, il la faut embrasser…
　　Quelle peur vous retient ? Vous semblez balancer ?
　　Votre seul intérêt m'inspire cette audace.
　　Quand je suis tout de feu, d'où vient cette glace ?
5　Sur les pas d'un banni craignez-vous de marcher ?
　　ARICIE. – Hélas ! qu'un tel exil, Seigneur, me serait cher !
　　Dans quels ravissements, à votre sort liée,
　　Du reste des mortels je vivrais oubliée !
　　Mais n'étant point unis par un lien si doux,
10　Me puis-je avec honneur dérober avec vous ?
　　Je sais que sans blesser l'honneur le plus sévère,
　　Je me puis affranchir des mains de votre père :
　　Ce n'est point m'arracher du sein de mes parents
　　Et la fuite est permise à qui fuit ses tyrans.
15　Mais vous m'aimez, Seigneur, et ma gloire alarmée…
　　HIPPOLYTE. – Non, non, j'ai trop de soin de votre renommée.
　　Un plus noble dessein m'amène devant vous :
　　Fuyez vos ennemis, et suivez votre époux.
　　Libres dans nos malheurs, puisque le ciel l'ordonne,
20　Le don de notre foi ne dépend de personne.
　　L'hymen n'est point toujours entouré de flambeaux.
　　Aux portes de Trézène, et parmi ces tombeaux,
　　Des princes de ma race antiques sépultures,
　　Est un temple sacré formidable aux parjures.
25　C'est là que les mortels n'osent jurer en vain :
　　Le perfide y reçoit un châtiment soudain ;
　　Et craignant d'y trouver la mort inévitable,
　　Le mensonge n'a point de frein plus redoutable.
　　Là, si vous m'en croyez, d'un amour éternel
30　Nous irons confirmer le serment solennel ;
　　Nous prendrons à témoin le dieu qu'on y révère ;
　　Nous le prierons tous deux de nous servir de père.
　　Des dieux les plus sacrés j'attesterai le nom,
　　Et la chaste Diane, et l'auguste Junon,
35　Et tous les dieux enfin, témoins de mes tendresses,
　　Garantiront la foi de mes saintes promesses.

Phèdre de Racine, mis en scène par **Philippe Adrien** avec Mike Fedee et Yna Boulangé, 2006, théâtre de la Tempête, Paris.

Questions

▶ Démontrer/délibérer/
convaincre/persuader,
p. 453

Vocabulaire
Recherchez les différents
sens du terme « gloire ».
Retracez brièvement
l'histoire et l'évolution du
sens du terme. Vous
pouvez vous aider des
informations proposées
dans le « Contexte ».

▶ Le sens des mots, p. 412

1. Montrez que cet échange est révélateur des sentiments réciproques éprouvés par Aricie et Hippolyte (lexique, figures de style, emploi des pronoms personnels, etc.).

2. Quelles sont cependant les raisons qui poussent Aricie à s'opposer, dans un premier temps, à l'offre d'Hippolyte ? Analysez le lexique auquel elle fait appel.

3. Quelle image le spectateur peut-il se forger d'Aricie à partir de la manière dont elle s'exprime ? Comment comprendre qu'elle ait pu susciter l'admiration au XVIIe siècle ?

4. Quels sont les arguments convoqués par Hippolyte pour emporter l'adhésion de la jeune femme ? S'agit-il de convaincre ou de persuader Aricie ?

5. Comment la possible union entre les deux jeunes gens est-elle ici présentée (champs lexicaux, figures de style, termes mis en valeur à la rime) ? Quel rôle les dieux y jouent-ils ? Montrez que cet amour s'oppose à la passion de Phèdre.

Synthèse Le personnage d'Aricie ne figure pas dans les textes antiques d'Euripide et de Sénèque dont Racine s'est inspiré. En vous appuyant sur les éléments d'étude, dites pour quelles raisons, selon vous, Racine a ajouté ce personnage.

Phèdre, Acte v, scène 7

▶ Biographie p. 538

⊙ **CONTEXTE**

Toute passion, dans la deuxième moitié du XVIIe siècle, est perçue comme une faiblesse et non comme une force susceptible de permettre l'accomplissement et le dépassement de soi. En effet, sous la double influence des religieux et des moralistes, la passion est conçue comme une maladie à laquelle on ne peut échapper, si ce n'est dans la retraite (en faisant le choix de se retirer de toute vie publique, mondaine) ou dans la mort.

Cet extrait appartient à l'ultime scène de la tragédie, il vient en sceller le dénouement. Dans la scène précédente, Théramène a fait le récit détaillé de l'horrible mort d'Hippolyte. Le traitement réservé au personnage de Phèdre est différent, et c'est sur scène que l'héroïne vient prononcer ses derniers mots, face à Thésée et en présence de Théramène et Panope.

[…]

1 PHÈDRE. – Non, Thésée, il faut rompre un injuste silence ;
Il faut à votre fils rendre son innocence.
Il n'était point coupable.
THÉSÉE. –   Ah ! père infortuné !
Et c'est sur votre foi que je l'ai condamné !
5 Cruelle ! pensez-vous être assez excusée…
PHÈDRE. – Les moments me sont chers, écoutez-moi, Thésée,
C'est moi qui sur ce fils, chaste et respectueux,
Osai jeter un œil profane, incestueux.
Le ciel mit dans mon sein une flamme funeste ;
10 La détestable Œnone a conduit tout le reste.
Elle a craint qu'Hippolyte, instruit de ma fureur,
Ne découvrît un feu qui lui faisait horreur.
La perfide, abusant de ma faiblesse extrême,
S'est hâtée à vos yeux de l'accuser lui-même.
15 Elle s'en est punie, et fuyant mon courroux,
A cherché dans les flots un supplice trop doux.
Le fer aurait déjà tranché ma destinée ;
Mais je laissais gémir la vertu soupçonnée.
J'ai voulu, devant vous exposant mes remords,
20 Par un chemin plus lent descendre chez les morts.
J'ai pris, j'ai fait couler dans mes brûlantes veines
Un poison que Médée apporta dans Athènes[1].
Déjà jusqu'à mon cœur le venin parvenu
Dans ce cœur expirant jette un froid inconnu,
25 Déjà je ne vois plus qu'à travers un nuage
Et le ciel et l'époux que ma présence outrage ;
Et la mort, à mes yeux dérobant la clarté,
Rend au jour qu'ils souillaient toute sa pureté.
PANOPE. – Elle expire, Seigneur !
THÉSÉE. –   D'une action si noire
30 Que ne peut avec elle expirer la mémoire !
Allons, de mon erreur, hélas ! trop éclaircis,
Mêler nos pleurs au sang de mon malheureux fils !
Allons de ce cher fils embrasser ce qui reste,
Expier la fureur d'un vœu que je déteste.
35 Rendons-lui les honneurs qu'il a trop mérités,
Et pour mieux apaiser ces mânes[2] irrités,
Que malgré les complots d'une injuste famille
Son amante aujourd'hui me tienne lieu de fille !

1. Médée abandonnée par Jason a, par vengeance, tué les enfants nés de leur union. Connue pour ses talents de magicienne, elle est associée à la création et à l'utilisation de nombreux poisons.
2. esprit des morts.

Phèdre de Racine, mis en scène par **François Michel Pesenti** avec Emmanuèle Stochl et André Marcon, 1998, théâtre de Gennevilliers.

Questions

► Texte et représentation, p. 439
► Les registres tragique et pathétique, p. 466
► **Décrire une image p. 514**
► **Interpréter une image, p. 519**

Vocabulaire
Recherchez l'étymologie et les sens du terme «profane». Trouvez les synonymes et antonymes de ce mot.

► Histoire et formation des mots, p. 411

1. Comment Phèdre choisit-elle de mourir ? Comment justifier ce choix et comment contribue-t-il à accroître le pathétique et le tragique de la scène ?
2. Quel est le sens de l'ultime réplique de Phèdre ? Pourquoi peut-on employer le terme «confession» ? Appuyez-vous, en particulier, sur le lexique employé par Phèdre pour montrer que sa déclaration peut susciter la pitié du spectateur.
3. Phèdre assume-t-elle cependant pleinement la responsabilité des événements tragiques qui se sont succédé ? Justifiez votre réponse.

4. Comment le récit que Phèdre fait de sa propre agonie suscite-t-il terreur et pitié ? Justifiez votre réponse en analysant les procédés d'écriture utilisés par l'auteur.

Lecture d'image Dans quelle mesure le travail corporel de la comédienne traduit-il, jusque dans sa représentation de la mort, la culpabilité de Phèdre ? Où se situe-t-elle sur le plateau ? Commentez ce choix, ainsi que la position du comédien incarnant Thésée.

Synthèse Rédigez un paragraphe dans lequel vous montrerez de quelles manières Racine s'y prend pour opérer une authentique dramatisation de la mort de Phèdre qui vient servir la catharsis propre à la tragédie.

Vers le bac   S'entraîner à la dissertation

► **Construire un paragraphe argumentatif, p. 485**

Dans la préface de sa tragédie, Racine dit de Phèdre qu'elle «n'est ni tout à fait coupable, ni tout à fait innocente».
Pour étayer le propos de l'auteur, rédigez d'abord un paragraphe destiné à insister sur la culpabilité de l'héroïne (réquisitoire), puis un paragraphe soutenant au contraire son innocence (plaidoyer).

Roland Barthes,
Sur Racine (1963)

▶ **Roland Barthes**
(1915-1980) est un écrivain et un critique français qui a contribué, non sans susciter la polémique, au renouvellement du regard que l'on peut porter sur un certain nombre d'œuvres dites «classiques». Il est l'un des représentants de ce que l'on a appelé «la nouvelle critique» par opposition à une démarche critique plus traditionnelle.

Dans son ouvrage intitulé Sur Racine, *Roland Barthes confronte l'univers racinien aux démarches et au langage de la psychanalyse.*

1 Dire ou ne pas dire ? Telle est la question. […]

Dès le début Phèdre se sait coupable, et ce n'est pas sa culpabilité qui fait problème, c'est son silence : c'est là qu'est sa liberté. Phèdre dénoue ce silence trois fois : devant Œnone (I, 3), devant Hippolyte (II, 5), devant Thésée (V, 7). Ces trois

5 ruptures ont une gravité croissante ; de l'une à l'autre, Phèdre approche d'un état toujours plus pur de la parole. La première confession est encore narcissique, Œnone n'est qu'un double maternel de Phèdre, Phèdre se dénoue à elle-même, elle cherche son identité, elle fait sa propre histoire, sa confidence est épique. La seconde fois, Phèdre se lie magiquement à Hippolyte par un jeu, elle *représente* son

10 amour, son aveu est dramatique. La troisième fois, elle se confesse publiquement devant celui qui, par son seul Être, a fondé la faute ; sa confession est littérale, purifiée de tout théâtre, sa parole est coïncidence totale avec le fait, elle est *correction* : Phèdre peut mourir, la tragédie est épuisée. […] Avant que la tragédie ne commence, Phèdre veut déjà mourir, mais cette mort est suspendue : silencieuse

15 Phèdre n'arrive ni à vivre ni à mourir : seule, la parole va dénouer cette mort immobile, rendre au monde son mouvement.

© Éditions du Seuil, 1963.

Questions

1. Quel rapport Roland Barthes établit-il entre parole et tragédie dans cet extrait ?
2. Repérez le passage dans lequel Roland Barthes évoque le «mouvement» de la tragédie.
3. En vous appuyant sur le contenu de la tirade de Phèdre, justifiez l'emploi du terme «correction», employé pour qualifier son ultime aveu.

• MOURIR D'AIMER

Mme de La Fayette, *La Princesse de Clèves* (1678)

La Princesse de Clèves est l'histoire d'une passion vécue par l'héroïne comme impossible. Mariée au prince de Clèves mais éprise, dès le premier regard, du duc de Nemours, la jeune femme ne trouve d'autre solution que de fuir un sentiment qui lui paraît inacceptable au regard de la morale. Même après la mort de son mari, elle persiste dans son refus de céder.

1   La cour alla conduire la reine d'Espagne jusqu'en Poitou. Pendant cette absence, Mme de Clèves demeura à elle-même et, à mesure qu'elle était éloignée de M. de Nemours et de tout ce qui l'en pouvait faire souvenir, elle rappelait la mémoire de M. de Clèves, qu'elle se faisait un honneur de conserver. Les raisons qu'elle avait
5   de ne point épouser M. de Nemours lui paraissaient fortes du côté de son devoir et insurmontables du côté de son repos. La fin de l'amour de ce prince, et les maux de la jalousie qu'elle croyait infaillibles dans un mariage lui montraient un malheur certain où elle s'allait jeter ; mais elle voyait aussi qu'elle entreprenait une chose impossible que de résister en présence au plus aimable homme du monde
10   qu'elle aimait et dont elle était aimée, et de lui résister sur une chose qui ne choquait ni la vertu ni la bienséance. Elle jugea que l'absence seule et l'éloignement pouvaient lui donner quelque force ; elle trouva qu'elle en avait besoin, non seulement pour soutenir la résolution de ne se pas engager, mais même pour se défendre de voir M. de Nemours ; et elle résolut de faire un assez long voyage pour passer
15   tout le temps que la bienséance l'obligeait à vivre dans la retraite. [...]

M. de Nemours fut affligé de ce voyage, comme un autre l'aurait été de la mort de sa maîtresse. La pensée d'être privé pour longtemps de la vue de Mme de Clèves lui était une douleur sensible, et surtout dans un temps où il avait senti le plaisir de la voir et de la voir touchée de sa passion. Cependant, il ne pouvait faire autre
20   chose que s'affliger, mais son affliction augmenta considérablement. Mme de Clèves, dont l'esprit avait été si agité, tomba dans une maladie violente sitôt qu'elle fut arrivée chez elle ; cette nouvelle vint à la cour. M. de Nemours était inconsolable ; sa douleur allait au désespoir et à l'extravagance. [...] ; on sut enfin qu'elle était hors de cet extrême péril où elle avait été ; mais elle demeura dans une maladie de
25   langueur qui ne laissait guère d'espérance de la vie.

Cette vue si longue et si prochaine de la mort fit paraître à Mme de Clèves les choses de cette vie de cet œil si différent dont on les voit dans la santé. La nécessité de mourir, dont elle se voyait si proche, l'accoutuma à se détacher de toutes choses, et la longueur de sa maladie lui en fit une habitude.

Prolongements
• Faites des recherches sur la manière dont le roman de Mme de La Fayette a été reçu au XVIIe siècle. Beaucoup lui ont reproché son invraisemblance ? Pourquoi ?
• Lisez *Le Bal du comte d'Orgel* de Raymond Radiguet.

Questions

1. Quelles sont les raisons exactes qui poussent Mme de Clèves à refuser toute union avec le duc de Nemours ?
2. Comment le narrateur rend-il compte des pensées de Mme de Clèves ?
3. Comment se traduit, physiquement, la lutte qu'elle mène contre la passion ?
4. Comment son choix de se retirer du monde est-il vécu par le duc de Nemours ?
5. Définissez, d'après le texte, le rôle que joue le regard dans la passion amoureuse.

► **Choderlos de Laclos** est un militaire et écrivain français. Il applique d'ailleurs sa maîtrise de la tactique et de la stratégie à son chef-d'œuvre *Les Liaisons dangereuses*, roman épistolaire publié en 1782. Il fait de ses héros libertins, la marquise de Merteuil et le vicomte de Valmont, des maîtres de la manipulation prêts à tout pour parvenir à remporter la victoire dans les jeux de séduction auxquels ils se livrent.

Choderlos de Laclos,
Les Liaisons dangereuses (1782)

Valmont, libertin et séducteur professionnel, s'est donné pour défi de séduire la vertueuse présidente de Tourvel. Une fois parvenu à ses fins, il s'enorgueillit de sa réussite auprès de Mme de Merteuil en déclarant : « La voilà donc, vaincue, cette femme superbe qui avait osé croire qu'elle pourrait me résister ! » (lettre cxxv). La marquise, l'accusant d'être amoureux de celle qui ne devait être qu'une « proie » exige le sacrifice de Mme de Tourvel en proposant un modèle de lettre de rupture destructrice. Les conséquences de cette lettre sur la jeune femme sont tragiques...

Extrait 1 : La présidente de Tourvel à Madame de Rosemonde (lettre cxliii)

1   Le voile est déchiré, Madame, sur lequel était peinte l'illusion de mon bonheur. La funeste vérité m'éclaire, et ne me laisse voir qu'une mort assurée et prochaine, dont la route m'est tracée entre la honte et le remords. Je la suivrai... je chérirai mes tourments s'ils abrègent mon existence. Je vous envoie la lettre que j'ai reçue 5 hier ; je n'y joindrai aucune réflexion, elle les porte avec elle. Ce n'est plus le temps de se plaindre, il n'y a plus qu'à souffrir. Ce n'est pas de pitié que j'ai besoin, c'est de force.

   Recevez, Madame, le seul adieu que je ferai, et exaucez ma dernière prière ; c'est de me laisser à mon sort, de m'oublier entièrement, de ne plus me compter sur la 10 terre. Il est un terme dans le malheur, où l'amitié même augmente nos souffrances et ne peut les guérir. Quand les blessures sont mortelles, tout secours devient inhumain. Tout autre sentiment m'est étranger, que celui du désespoir. Rien ne peut plus me convenir, que la nuit profonde où je vais ensevelir ma honte. J'y pleurerai mes fautes, si je puis pleurer 15 encore ! car, depuis hier, je n'ai pas versé une larme. Mon cœur flétri n'en fournit plus.

   Adieu, Madame. Ne me répondez point. J'ai fait le ser-

1. il s'agit de la lettre que lui a adressée Valmont.

20 ment sur cette lettre cruelle[1] de n'en plus recevoir aucune.

Paris, ce 27 novembre 17**.

Quartett, de Heiner Muller, mis en scène par **Robert Wilson** avec Isabelle Huppert et Ariel Garcia Valdès, 2006, Théâtre de l'Odéon, Paris.

Extrait 2 : Madame de Volanges à Madame de Rosemonde (lettre CXLVII)

1 Vous serez sûrement aussi affligée que je le suis, ma digne amie, en apprenant l'état où se trouve madame de Tourvel ; elle est malade depuis hier : sa maladie a pris si vivement, et se montre avec des symptômes si graves, que j'en suis vraiment alarmée.

5 Une fièvre ardente, un transport violent et presque continuel, une soif que l'on ne peut apaiser, voilà tout ce qu'on remarque. Les médecins disent ne pouvoir rien pronostiquer encore ; et le traitement sera d'autant plus difficile, que la malade refuse avec obstination toute espèce de remèdes […].

Vous qui l'avez vue, comme moi, si peu forte, si timide et si douce, concevez-
10 vous donc que quatre personnes puissent à peine la contenir, et que, pour peu qu'on veuille lui présenter quelque chose, elle entre dans des fureurs inexprimables ? Pour moi, je crains qu'il n'y ait plus que du délire, et que ce soit une vraie aliénation d'esprit.

Paris, ce 29 novembre 17**.

La Présidente Tourvel, une femme alitée, estampe, 1787, BnF, Paris.

Prolongements
• Comparez la mort de Mᵐᵉ de Tourvel avec la mort de Phèdre. Pourquoi, malgré certaines différences notables que vous soulignerez, les échos sont-ils évidents ?
• Visionnez l'adaptation cinématographique du roman de Laclos par Stephen Frears. Montrez que les références à l'univers théâtral sont multiples.

Questions

1. Quels sont les effets dévastateurs de la lettre de rupture de Valmont sur Mᵐᵉ de Tourvel ? Montrez qu'ils touchent aussi bien l'âme (lettre CXLIII) que le corps (lettre CXLVII).

2. Montrez que la lettre de Mᵐᵉ de Tourvel est une annonce de mort « sociale ».

3. Montrez que registres tragique et élégiaque se mêlent dans la lettre de Mᵐᵉ de Tourvel.

4. Quelle image des conséquences de la passion nous est ici donnée ?

5. Quels éléments font de Mᵐᵉ de Tourvel une héroïne digne des plus grandes tragédies classiques ?

● MOURIR D'AIMER

Léon Tolstoï,
Anna Karénine (1877)

▶ **Léon Tolstoï** est un écrivain réaliste russe connu pour son engagement contre la pauvreté ainsi que contre toute forme de violence. Ses œuvres les plus connues sont ***Guerre et Paix*** (1864-1869) et ***Anna Karénine*** (1873-1877).

Anna Karénine raconte la passion destructrice de l'héroïne pour un jeune homme nommé Alexis Vronski avec lequel elle entretient une relation adultère. Leur amour, d'abord passionné et réciproque, connaît une lente mais inexorable détérioration. Anna ne supporte plus d'avoir trahi son mari. Quant à Vronski, obligé de se couper de la société dans laquelle il évoluait pour vivre cette relation, il supporte de plus en plus mal les effets dévastateurs de cette liaison.

1 « Pourquoi ne pas éteindre la lumière quand il n'y a plus rien à voir, quand le spectacle devient odieux ?… Mais pourquoi ce conducteur court-il le long du marchepied ? quel besoin ces jeunes gens, dans le compartiment à côté, éprouvent-ils de crier et de rire ? Tout n'est que mal et injustice, mensonge et duperie !… »

5 En descendant du train, Anna, évitant comme des pestiférés les autres voyageurs, s'attarda sur le quai pour se demander ce qu'elle allait faire. Tout lui paraissait maintenant d'une exécution difficile ; au contact de cette foule bruyante, elle rassemblait mal ses idées. Des porteurs lui offraient leurs services ; les jeunes freluquets lui décochaient des œillades en parlant à voix haute et en faisant sonner leurs
10 talons. […]

Elle se mit à longer le quai. Deux femmes de chambre qui faisaient les cent pas se retournèrent pour examiner sa toilette. « Ce sont des vraies », dit tout haut l'une d'elles en désignant les dentelles d'Anna. Les jeunes mirliflores[1] la dévisagèrent de nouveau et échangèrent d'une
15 voix affectée des propos bruyants. Le chef de gare lui demanda si elle reprenait le train. Un petit marchand de kvass[2] ne la quittait pas des yeux. « Où fuir, mon Dieu ? »
20 se disait-elle en marchant toujours. Presque au bout du quai, des dames et des enfants causaient en riant avec un monsieur à lunettes qu'ils étaient venus chercher ;
25 à l'approche d'Anna le groupe se tut pour la regarder. Elle hâta le pas et s'arrêta près de l'escalier qui de la pompe descendait aux rails. Un convoi de marchandises
30 approchait, ébranlait le quai ; elle se crut de nouveau dans le train en marche.

1. jeune homme qui se pique d'élégance et aime à briller. Le terme renvoie ici aux « jeunes freluquets » mentionnés quelques lignes plus haut.
2. boisson fermentée, pétillante, faiblement alcoolisée.

Anna Karénine, film de **Julien Duvivier** avec Vivien Leigh, 1948.

Tout à coup elle se souvint de l'homme écrasé le jour de sa première rencontre avec
Vronski, et elle comprit ce qu'il lui restait à faire. D'un pas rapide et léger elle des-
35 cendit les marches et, postée près de la voie, elle scruta les œuvres basses du train
qui la frôlait, les chaînes, les essieux, les grandes roues de fonte, cherchant à mesurer de l'œil la distance qui séparait les roues de celles de derrière.

« Là, se dit-elle en fixant dans ce trou noir les traverses recouvertes de sable et
de poussière, là, au beau milieu ; il sera puni et je serai délivrée de tous et de moi-
40 même. »

Son petit sac rouge qu'elle eut quelque peine à détacher de son bras, lui fit manquer le moment de se jeter sous le premier wagon : force lui fut d'attendre le second.
Un sentiment semblable à celui qu'elle éprouvait jadis avant de faire un plongeon
dans la rivière s'empara d'elle, et elle fit le signe de la croix. Ce geste familier
45 réveilla dans son âme une foule de souvenirs d'enfance et de jeunesse ; les minutes
heureuses de sa vie scintillèrent un instant à travers les ténèbres qui l'enveloppaient. Cependant elle ne quittait pas des yeux le wagon, et lorsque le milieu entre
les deux roues apparut, elle rejeta son sac, rentra sa tête dans les épaules et, les
mains en avant, se jeta sur les genoux sous le wagon, comme prête à se relever. Elle
50 eut le temps d'avoir peur. « Où suis-je ? Que fais-je ? Pourquoi ? » pensa-t-elle,
faisant un effort pour se rejeter en arrière. Mais une masse énorme, inflexible, la
frappa à la tête et l'entraîna par le dos. « Seigneur, pardonnez-moi ! » murmura-t-
elle, sentant l'inutilité de la lutte. Un petit homme, marmottant dans sa barbe,
tapotait le fer au-dessus d'elle. Et la lumière qui pour l'infortunée avait éclairé le
55 livre de la vie, avec ses tourments, ses trahisons et ses douleurs, brilla soudain d'un
plus vif éclat, illumina les pages demeurées jusqu'alors dans l'ombre, puis crépita,
vacilla et s'éteignit pour toujours.

Traduit par Henri Mongault, 1935 © Éditions Gallimard.

Questions

1. Comment Tolstoï traduit-il la solitude de l'héroïne ?
2. Comment le texte met-il en avant l'idée de fatalité ?
3. Montrez que le réalisme accroît l'intensité tragique de l'extrait.
4. À quel moment Anna justifie-t-elle l'acte qu'elle va commettre ? Quels commentaires ces motifs vous inspirent-ils ?

5. Quels sentiments accompagnent Anna tout au long du texte ? Au moment de se jeter sous le train, semble-t-elle résolue ou hésitante ? Comment interpréter ce choix fait par l'auteur ?

Lecture d'image Montrez que les choix de mise en scène (cadrage, plan, lumières, etc.) rendent compte de la solitude de l'héroïne.

Prolongement

Lisez *Minuit* (1936) de Julien Green. Ce roman propose une plongée dans l'univers de la passion amoureuse dans un climat singulier teinté d'onirisme et de fatalité.

Dans son *Journal*, Julien Green déclare que « les hommes du dix-septième siècle avaient le don de provoquer l'inquiétude et de porter ensuite la terreur ; leur ton est parfait, la phrase équilibrée, presque tranquille, épouvantable » (*Journal*, tome IV, 1973). L'écriture de *Minuit* joue de ce calme apparent pour mieux révéler les ténèbres des passions.

LA PASSION

1 ÉTYMOLOGIE

Dans la liste de termes suivante, cherchez ceux qui ont une étymologie commune.
Identifiez les intrus.

passion – patient – patibulaire – pathétique – pâtir – passif – passim – pathologique – pâtis – sympathie

2 CLASSER

Classez les termes suivants selon qu'ils expriment un sentiment plus ou moins intense.

adulation – passade – béguin – fièvre – excitation – furie

3 CONNOTATIONS

Le terme « passion » peut être employé de manière neutre, positive ou négative. Dans la liste de synonymes proposée, identifiez ceux qui caractérisent la passion positivement et ceux qui l'envisagent comme quelque chose de néfaste.

enthousiasme – emballement – exaltation – inclination – emportement – avidité – convoitise – flamme – fureur – amour – envoûtement

4 ANTONYMES

Reliez chaque adjectif de la colonne de gauche à son ou ses antonymes de la colonne de droite.

A. passionné

B. passif

C. passionnant

D. patient

1. entreprenant
2. insignifiant
3. indulgent
4. enthousiaste
5. flegmatique
6. actif
7. résigné
8. impétueux
9. banal
10. calme
11. indifférent
12. indigné

5 PASSIONS

À quoi renvoie exactement le terme « passion » dans chacune des citations suivantes ? Justifiez votre réponse.

a. « Quand Jésus commençait sa longue **Passion**,/Le crachat qu'un bourreau lança sur son front blême/Fit au ciel à l'instant même une constellation ! » (Hugo, *Les Châtiments*, 1853).

b. « Dans les premières **passions** les femmes aiment l'amant ; dans les autres elles aiment l'amour » (La Rochefoucauld, *Maximes*, 1665).

c. « J'ai plus que jamais la **passion** de la botanique. » (Jean-Jacques Rousseau, *Lettre à Du Peyrou*, 1765).

d. « On déclame sans fin contre les **passions** ; on leur impute toutes les peines de l'homme, et l'on oublie qu'elles sont aussi la source de tous ses plaisirs. » (Diderot, *Pensées philosophiques*, 1746).

e. « Pouvaient-ils mieux marquer la **passion** qu'ils ont d'agir en maîtres et en souverains inquisiteurs ? » (Pascal, *Les Provinciales*, 1657).

f. « Que dans tous vos discours la **passion** émue aille chercher le cœur, l'échauffe et le remue. » (Boileau, *Art poétique*, 1674).

6 SYNONYMES

Remplacer le terme « passion » dans les phrases de l'exercice précédent par le synonyme adéquat :

désir – supplice – relation (amoureuse) – expression vive – grand intérêt – émotion excessive

7 DEVINETTES

a. On sait que quelqu'un qui subit les événements est dit *passif*. Mais que veut-on dire d'une personne lorsque l'on affirme qu'elle a un lourd *passif* ?

b. Vous connaissez le fruit de la passion. Quel est le nom de l'arbre qui porte ce fruit ? Pourquoi lui a-t-on donné ce nom ?

c. Une personne dite *impassible* ne laisse paraître aucune émotion. Mais que veut-on exprimer quand on dit de quelqu'un qu'il est *passible* de poursuites ?

d. Dire de quelqu'un qu'il est *passif*, c'est souligner qu'il subit les événements. En grammaire, qu'est-ce que la voix *passive* ? Quelles transformations faire subir à la phrase suivante pour la mettre à la voix passive : « La musique passionne les enfants » ?

EXPRESSION ÉCRITE

Sujet 1

Vous éprouvez un vif intérêt pour la musique, le sport, la lecture, la danse, etc. ; exprimez-le en utilisant un maximum de termes en rapport avec le lexique de la passion.

Sujet 2

Un dialogue s'engage entre deux personnes au sujet de la passion amoureuse. L'une l'envisage comme quelque chose de positif, l'autre comme quelque chose de destructeur. Rédigez cet échange en exploitant, en particulier, les termes présents dans les exercices 2 et 3.

LA TRAGÉDIE ANTIQUE ET CLASSIQUE

Le genre dramatique occupe le devant de la scène littéraire au XVIIᵉ siècle. La tragédie, qui est «l'art de représenter, de façon réglée, le dérèglement» (Forestier, Essai sur la tragédie, *2003), domine.*

1 ORIGINES

▶ La naissance de la tragédie

La tragédie naît en Grèce au VIᵉ siècle av. J.-C. et s'affirme au Vᵉ siècle av. J.-C. dans le cadre de concours officiels organisés au moment des fêtes en l'honneur de Dionysos. Les représentations s'inscrivent dans un cadre institutionnel. Il s'agit d'une cérémonie à la fois civile et religieuse.

▶ Tragédie et démocratie

Il n'est pas anodin que l'apogée de la tragédie antique coïncide avec la naissance de la **démocratie athénienne**. Avec l'avènement d'un nouveau système politique, de nouvelles interrogations se font jour. Les tragédies, sous une forme détournée, permettent de confronter l'idéal démocratique avec la pensée traditionnelle *via* la mise en scène d'**épisodes mythologiques**. Ce sont des perspectives adoptées par **Sophocle** ou **Eschyle**. **Euripide**, quant à lui, privilégie l'exploration des conflits intérieurs comme dans *Hippolyte* (▶ **p. 162**).

2 LA TRAGÉDIE CLASSIQUE

▶ L'héritage antique

Les dramaturges du XVIIᵉ siècle s'inspirent des auteurs antiques. Ils sont en outre influencés par l'ouvrage d'**Aristote** (*La Poétique*, IVᵉ siècle av. J.-C.) qui pose les premiers principes de la composition d'une pièce. C'est ainsi que se mettent en place **les règles du théâtre classique** dans le cadre d'un développement en cinq actes, en alexandrins, scandé par les temps forts de l'exposition, du nœud, des péripéties et du dénouement, forcément **tragique**.

→ **Ex.:** *Phèdre* se clôt sur le suicide de l'héroïne qui expie son crime d'amour dans la souffrance.

▶ La *mimesis* théâtrale

Le théâtre classique se veut un théâtre d'**illusion (*mimesis*)**. Il s'agit de faire oublier au spectateur qu'il est au théâtre afin qu'il puisse s'identifier aux personnages. Afin de faciliter cette identification, les **héros tragiques** ne sont pas parfaits. Ils sont certes nobles, mais sont susceptibles de commettre des fautes, ce qui permet un investissement affectif du public, susceptible de **se reconnaître en eux**.

→ **Ex.:** Phèdre est victime de sa passion mais coupable de son aveu à Hippolyte.

▶ La visée morale: la catharsis

Cet investissement vient servir la **visée morale** de la tragédie. Les personnages apparaissent comme à la fois lucides et aveuglés par leur passion à la manière de Phèdre (▶ **p. 164**). Ils sont confrontés à des situations désespérées sources de **conflits** avec les autres, mais aussi et avant tout avec eux-mêmes.

→ **Ex.:** Phèdre est affectée physiquement par le combat qu'elle livre contre la passion qui la dévore ▶ **p. 160**.

Leur trajectoire permet de susciter **terreur** et **pitié** afin d'accomplir ce qu'Aristote définit comme la visée ultime de la tragédie: la **catharsis**. Ce terme, emprunté au grec, signifie «purgation» ou «purification». Les spectateurs sont confrontés à la représentation d'émotions intenses dont ils se trouvent libérés par l'effet de mise à distance induit par le spectacle tragique.

Un théâtre de cruauté : monstres en scène

▶ **Comment la parole théâtrale devient-elle le vecteur privilégié de la violence ? Comment la monstruosité du héros est-elle représentée sur la scène classique ?**

▶▶▶ **Alfons Mucha**, affiche pour *Médée* (207 x 76,5 cm), 1898.

Pierre Corneille,
Médée (1635)

▶ **Biographie p. 535**

● CONTEXTE

Dans la mythologie grecque, l'Achéron est le fleuve des enfers que les âmes des morts, sur la barque de Charon, doivent franchir avant de trouver leur refuge définitif. L'Achéron se serait uni à la Nuit pour donner vie aux Érinyes (ou Furies) : Alecto, Tisiphone et Mégère, créatures au corps ailé et à la chevelure de serpent. Elles exécutent la vengeance des dieux et viennent tourmenter les mortels coupables.

Jason veut abandonner son épouse, la magicienne Médée, mère de ses deux enfants, pour épouser la fille de Créon, roi de Corinthe. Dans ce monologue plein de fureur, Médée médite sa vengeance.

Capiello Leonetto, *Sarah Bernhardt dans Médée*, fusain et pastel sur papier (62 x 42,3 cm), xxᵉ siècle, musée d'Orsay, Paris.

1 MÉDÉE. – […] Et vous, troupe savante en noires barbaries,
Filles de l'Achéron, pestes, larves, furies,
Fières sœurs, si jamais notre commerce[1] étroit
Sur vous et vos serpents me donna quelque droit,
5 Sortez de vos cachots avec les mêmes flammes
Et les mêmes tourments dont vous gênez les âmes ;
Laissez-les quelque temps reposer dans leurs fers :
Pour mieux agir pour moi faites trêve aux enfers[2] ;
Apportez-moi du fond des antres de Mégère
10 La mort de ma rivale, et celle de son père ;
Et si vous ne voulez mal servir mon courroux[3],
Quelque chose de pis[4] pour mon perfide époux :
Qu'il coure vagabond de province en province,
Qu'il fasse lâchement la cour à chaque prince ;
15 Banni de tous côtés, sans bien et sans appui,
Accablé de frayeur, de misère, d'ennui,
Qu'à ses plus grands malheurs aucun ne compatisse ;
Qu'il ait regret à moi pour son dernier supplice ;
Et que mon souvenir jusque dans le tombeau
20 Attache à son esprit un éternel bourreau,
Jason me répudie ! et qui l'aurait pu croire ?
S'il a manqué d'amour, manque-t-il de mémoire ?
Me peut-il bien quitter après tant de bienfaits ?

1. relation.
2. quittez les enfers et rejoignez le royaume des vivants pour exercer vos méfaits.
3. colère.
4. pire.

M'ose-t-il bien quitter après tant de forfaits ?
25 Sachant ce que je puis, ayant vu ce que j'ose,
Croit-il que m'offenser ce soit si peu de chose ?
Quoi ! mon père trahi, les éléments forcés,
D'un frère dans la mer les membres dispersés,
Lui font-ils présumer mon audace épuisée ?
30 Lui font-ils présumer qu'à mon tour méprisée,
Ma rage contre lui n'ait par où s'assouvir,
Et que tout mon pouvoir se borne à le servir ?
Tu t'abuses, Jason, je suis encor moi-même.
Tout ce qu'en ta faveur fit mon amour extrême,
35 Je le ferai par haine ; et je veux pour le moins
Qu'un forfait nous sépare, ainsi qu'il nous a joints ;
Que mon sanglant divorce, en meurtres, en carnage,
S'égale aux premiers jours de notre mariage,
Et que notre union, que rompt ton changement,
40 Trouve une fin pareille à son commencement.
Déchirer par morceaux l'enfant aux yeux du père
N'est que le moindre effet qui suivra ma colère ;
Des crimes si légers furent mes coups d'essai :
Il faut bien autrement montrer ce que je sai[5] ;
45 Il faut faire un chef-d'œuvre, et qu'un dernier ouvrage
Surpasse de bien loin ce faible apprentissage.

                                          Acte I, scène 4.

5. sais (rime visuelle).

Médée s'apprêtant à tuer ses enfants, fresque de Pompéi,
Ier siècle av. J.-C.

Questions

► Lire une page de théâtre,
p. 493

Grammaire
« Qu'à ses plus grands
malheurs aucun ne
compatisse ;/Qu'il ait
regret à moi pour son
dernier supplice » (v.
17-18) Quels sont le
temps et le mode
employés ? Quelle est la
valeur de ce mode ?

► Modes, temps et valeurs,
p. 395

1. Quelles malédictions Médée jette-t-elle
sur Jason ? Par quels procédés littéraires
sa fureur se traduit-elle ?
2. Qu'a fait Médée au nom de son amour
pour Jason ? Qu'a-t-elle « appris » à ses
côtés ?
3. Lorsque Médée déclare : « Je suis encor
moi-même » (v. 33) à quoi le spectateur
doit-il s'attendre ?
4. Montrez que le sort qu'elle réserve à
Jason doit compenser le sang qu'elle a
versé pour lui.

Lecture d'image
• ► p. 180 Quels éléments concourent à la
dramatisation de la scène ? Quel détail montre l'imminence du crime de Médée ? Pourquoi choisir de représenter l'instant précédant l'infanticide ?
• ► p. 181 Quel aspect de la personnalité de
Médée est mis en scène ? Justifiez votre
réponse en vous appuyant par exemple sur
les accessoires, le décor, le jeu de la comédienne.

Synthèse Rédigez un paragraphe dans lequel vous montrerez, en vous appuyant sur vos
réponses aux questions précédentes, que Médée est une héroïne monstrueuse.

Sénèque,
Médée (Iᵉʳ siècle ap. J.-C.)

> ▶ **Sénèque** (4 av. J.-C. - 65 ap. J.-C.) est le seul dramaturge tragique romain dont les textes nous sont parvenus. Ses sujets sont tous empruntés aux mythes grecs. Précepteur de Néron et philosophe stoïcien, Sénèque est l'auteur de nombreux essais dans lesquels il fait de la vertu et de la raison des principes supérieurs.

Dans cette scène, Médée a déjà accompli une partie de sa vengeance, qui a été terrible puisqu'elle a tué Créon et sa fille, Créuse, mais elle décide que la punition infligée à son mari infidèle, Jason, ne saurait s'arrêter là.

1 […] Maintenant, je suis Médée : mon génie pour le mal a grandi. Je suis heureuse, heureuse d'avoir arraché la tête de mon frère ; heureuse d'avoir tranché ses membres, et d'avoir dépouillé mon père de
5 la relique qu'il tenait cachée ; heureuse d'avoir armé des filles pour qu'elles tuent leur vieux père. Cherche un nouvel objet, ma douleur : quel que soit le crime, ta main ne sera pas novice… Où donc t'élances-tu, ma colère ? Quels traits diriges-tu
10 contre un ennemi perfide ? Je ne sais ce que mon esprit farouche a décidé tout au fond de lui-même, sans oser encore se l'avouer. Sotte que je suis ! je me suis trop hâtée. Ah ! si mon ennemi avait déjà eu des enfants de ma rivale !… Tout ce que tu as eu
15 de lui, c'est Créuse qui l'a engendré. Voilà le genre de châtiment qui me plaît ; et il me plaît à juste titre : j'y reconnais le crime ultime ; mon âme, il faut t'y préparer ! Enfants qui autrefois furent miens, vous allez racheter les crimes de votre père…
20 Mon cœur est frappé d'horreur, mes membres se figent, se glacent, mon sein palpite : ma colère s'est évanouie. La mère a chassé l'épouse, et a repris toute la place. Moi, répandre le sang de mes enfants, de ma propre descendance ? Ah ! trouve mieux, fureur démente ! Ce forfait inouï, ce sacrilège inhumain, qu'il reste loin de moi aussi. Quel crime les malheureux expieront-
25 ils ?… Leur crime, c'est d'avoir Jason pour père ; leur crime plus grand encore, c'est d'avoir Médée pour mère. Qu'ils meurent : ils ne sont pas à moi ; qu'ils périssent : ils sont à moi. Ils sont vierges de tout méfait, de toute faute : ils sont innocents, je l'avoue… Mon frère l'était aussi ! Pourquoi vacilles-tu, mon âme ? Pourquoi ton visage est-il baigné de larmes ? Pourquoi ces hésitations qui t'écartèlent entre la
30 colère et l'amour ? Un double courant m'entraîne, me ballotte. Lorsque les vents rapides se livrent une guerre sans merci, les flots de la mer, agités en sens opposés, se combattent, et l'Océan irrésolu bouillonne : mon cœur est en proie aux mêmes fluctuations. Ma colère chasse la tendresse, ma tendresse chasse ma colère. […]

Traduction de Pierre Miscevic, 1997 © Éditions Payot-Rivages.

Médée, de Sénèque, mis en scène par **Zakariya Gouram** avec Marie Payen, 2008, théâtre des Amandiers, Nanterre.

Questions

> ▶ L'argumentation directe, p. 449
> ▶ Les registres tragique et pathétique, p. 466

1. Quelle image rend le mieux compte de son bouillonnement intérieur ? Quelle est celle qui exprime le mieux son dilemme ?
2. Quels arguments empêchent Médée de tuer l'un de ses enfants ? Pourquoi s'y résout-elle ?
3. Quels indices témoignent de sa folie infanticide ?
4. Quels sont les points communs que vous retrouvez dans les textes de Corneille et de Sénèque ?

Eugène Delacroix, *Médée* (1862)

Paulus Bor, *La Désillusion de Médée* (1640)

Eugène Delacroix, *Médée furieuse*, huile sur toile (122 x 84 cm), 1862, musée du Louvre, Paris.

Paulus Bor, *La Désillusion de Médée*, huile sur toile (155,6 x 112,4 cm) vers 1640, The Metropolitan Museum of Art, New York.

▲ Le mythe de Médée semble hanter Delacroix. Il est déjà présent dans ses carnets de croquis dès 1818. Peintre du romantisme, mouvement qui exalte les passions poussées à leur paroxysme, Delacroix a puisé son inspiration dans ce mythe et cherche à rendre compte du plus monstrueux des crimes : l'infanticide.

▲ Paulus Bor (1601-1669) est un peintre néerlandais du XVIIe siècle. Ses œuvres sont dominées par le classicisme.

Méthode — Tirer parti de la technique picturale d'un tableau

ÉTAPE 1 Regarder attentivement le dessin
- Peut-on distinguer sur le tableau les coups de pinceau du peintre ?
- Les contours des personnages sont-ils flous ? Existe-t-il des traits qui soulignent ces contours ?
- La représentation picturale s'approche-t-elle ou pas d'une vision réaliste ?

ÉTAPE 2 Regarder attentivement le traitement des couleurs
- Les couleurs sont-elles contrastées ?
- Sont-elles toutes dans la même palette de coloris ?
- Font-elles sens ?
- D'où vient la lumière ? Contribue-t-elle à dramatiser la scène ?

ÉTAPE 3 Chercher des repères dans l'histoire des arts
- Faites une recherche sur le mouvement artistique auquel appartient l'œuvre.
- Ce mouvement a-t-il pour but l'idéalisation du réel ? Cherche-t-il à rendre compte d'une perfection ou s'agit-il de donner à voir l'intériorité d'un personnage sans se soucier de réalisme ?

Questions

▶ Décrire une image, p. 514
▶ Interpréter une image, p. 519

Prolongements
- Écoutez la tragédie lyrique *Thésée* (1675) sur un livret de Philippe Quinault, du compositeur classique Jean-Baptiste Lully. Cette œuvre narre la suite des aventures de Médée.
- Cronos (ou Saturne) est le pendant masculin de Médée puisqu'il a commis l'infanticide. Recherchez un tableau de Rubens et un de Goya qui mettent en scène sa monstruosité.

Lecture du tableau de Delacroix
1. À quoi renvoient les bijoux et notamment le diadème que porte Médée ?
2. Pourquoi peut-on tout d'abord croire que Médée protège ses enfants ?
a. Comment est rendue l'imbrication des corps de la mère et de ses enfants ? Vous pouvez dessiner la pyramide des corps puis décrire les positions des deux enfants.
b. Dans quelle direction Médée regarde-t-elle ? Quelle impression cela donne-t-il ?
3. Quels éléments empêchent de valider cette hypothèse ?
4. Quel moment de la tragédie est donc représenté ici ? Pourquoi Delacroix fait-il ce choix ?
5. Décrivez le cadre spatial. Comment contribue-t-il à la dramatisation de la scène ?

6. Analysez le choix de la couleur rouge pour le personnage de Médée : que constatez-vous ?

Lecture du tableau de Paulus Bor
7. Quels éléments renvoient à un épisode du mythe antique (titre du tableau, décor…) ?

Comparaison des tableaux
8. Montrez que les représentations des deux héroïnes s'opposent. Quel contraste notez-vous dans leur posture ? Quelles oppositions fondamentales dans le traitement pictural pouvez-vous relever entre les deux tableaux ?
9. Quelle représentation vous semble la plus fidèle au personnage de Médée ?

Synthèse En vous appuyant sur la lecture du tableau de Delacroix, rédigez un paragraphe qui montre que la tension dramatique est à son comble à cause de l'imminence de l'infanticide.

▸ **Biographie p. 538**

Jean Racine,
Andromaque (1667)

● CONTEXTE

La guerre de Troie est déclenchée lorsque Pâris enlève Hélène, et les enlèvements de femmes se multiplient par la suite. Par exemple, Agamemnon retient prisonnière Chryséis qu'Achille le supplie de rendre. Le roi finit par accepter, mais décide de prendre en dédommagement Briséis, une belle Troyenne captive d'Achille ! Tour à tour monnaies d'échange, amoureuses éperdues, intrigantes, les femmes deviennent des héroïnes tragiques. Andromaque est l'une d'entre elles.

Dans cette tragédie, les quatre personnages principaux forment une chaîne amoureuse qui ne peut conduire qu'à une fin tragique : Oreste aime Hermione, qui aime Pyrrhus, qui aime Andromaque qui n'aime que son fils. À l'acte v, Hermione apprend que Pyrrhus va épouser sa captive, Andromaque. Folle de jalousie, elle convainc Oreste d'être l'agent de sa vengeance et lui ordonne de tuer Pyrrhus. Comme l'exige la bienséance, le meurtre de Pyrrhus a lieu en coulisse. Oreste vient rendre compte à celle qu'il aime de son crime qui, il l'espère, lui assurera un amour réciproque.

SCÈNE 3 – ORESTE, HERMIONE

1 ORESTE. – [...] Pardonnez à leur impatience.
Ils ont, je le vois bien, trahi votre vengeance.
Vous vouliez que ma main portât les premiers coups,
Qu'il sentît en mourant qu'il expirait pour vous.
5 Mais c'est moi, dont l'ardeur leur a servi d'exemple,
Je les ai pour vous seule entraînés dans le temple,
Madame, et vous pouvez justement vous flatter
D'une mort, que leurs bras n'ont fait qu'exécuter.
Vous seule avez poussé les coups...
HERMIONE. –   Tais-toi, perfide[1],
10 Et n'impute qu'à toi ton lâche parricide[2].
Va faire chez tes Grecs admirer ta fureur,
Va, je la désavoue, et tu me fais horreur.
Barbare, qu'as-tu fait ? Avec quelle furie
As-tu tranché le cours d'une si belle vie ?
15 Avez-vous pu, cruels, l'immoler[3] aujourd'hui,
Sans que tout votre sang se soulevât pour lui ?
Mais parle : de son sort qui t'a rendu l'arbitre ?
Pourquoi l'assassiner ? Qu'a-t-il fait ? À quel titre ?
Qui te l'a dit ?
ORESTE. –   Ô Dieux ! Quoi ? ne m'avez-vous pas
20 Vous-même, ici, tantôt, ordonné son trépas[4] ?
HERMIONE. – Ah ! fallait-il en croire une amante insensée ?
Ne devais-tu pas lire au fond de ma pensée ?
Et ne voyais-tu pas dans mes emportements,
Que mon cœur démentait ma bouche à tous moments ?
25 Quand je l'aurais voulu, fallait-il y souscrire ?
N'as-tu pas dû cent fois te le faire redire ?
Toi-même avant le coup me venir consulter,
Y revenir encore, ou plutôt m'éviter ?
Que ne me laissais-tu le soin de ma vengeance ?
30 Qui t'amène en des lieux, où l'on fuit ta présence ?
Voilà de ton amour le détestable fruit.
Tu m'apportais, cruel, le malheur qui te suit.
C'est toi, dont l'ambassade à tous les deux fatale,
L'a fait pour son malheur pencher vers ma rivale ;
35 Nous le verrions encor nous partager ses soins ;

1. déloyal.
2. se dit pour le meurtre d'un père et d'un souverain.
3. sacrifier.
4. mort.

Il m'aimerait peut-être, il le feindrait du moins.
Adieu. Tu peux partir. Je demeure en Épire,
Je renonce à la Grèce, à Sparte, à son empire,
À toute ma famille. Et c'est assez pour moi,
40 Traître, qu'elle ait produit un monstre comme toi.

SCÈNE 4 – ORESTE
ORESTE, *seul*. – Que vois-je ? Est-ce Hermione ? Et que viens-je d'entendre ?
Pour qui coule le sang que je viens de répandre ?
Je suis, si je l'en crois, un traître, un assassin.
Est-ce Pyrrhus qui meurt ? et suis-je Oreste enfin ?
45 Quoi ? j'étouffe en mon cœur la raison qui m'éclaire.
J'assassine à regret un roi que je révère.
Je viole en un jour les droits des souverains,
Ceux des ambassadeurs, et tous ceux des humains ;
Ceux même des autels où ma fureur l'assiège.
50 Je deviens parricide, assassin, sacrilège[5].
Pour qui ? pour une ingrate à qui je le promets,
Qui même, s'il ne meurt, ne me verra jamais,
Dont j'épouse la rage. Et quand je l'ai servie,
Elle me redemande et son sang et sa vie !
55 Elle l'aime ! et je suis un monstre furieux !
Je la vois pour jamais s'éloigner de mes yeux,
Et l'ingrate, en fuyant, me laisse pour salaire
Tous les noms odieux que j'ai pris pour lui plaire !

Acte V, scènes 3 et 4.

5. celui qui porte atteinte au sacré.

Andromaque, de Racine, mis en scène par **Declan Donnellan**, avec Xavier Boiffier et Camille Japy, 2007, théâtre des Bouffes du Nord, Paris.

Questions

▶ L'argumentation directe, p. 449

▶ Les registres tragique et pathétique, p. 466

Figure de style
«Voilà de ton amour le détestable fruit» (v. 31). Identifiez la figure de style puis interprétez-la.

▶ Les figures de style, p. 420

La fureur d'Hermione
1. Hermione accuse Oreste d'être un «traître». Selon elle, qu'a-t-il trahi ? Repérez puis reformulez les deux principaux reproches qu'elle lui adresse.
2. Comment la fureur d'Hermione envers Oreste s'exprime-t-elle ? Comment s'adresse-t-elle à lui ? Quels sont les termes qu'elle emploie pour le désigner ?

La folie d'Oreste
3. Quelle modalité domine le monologue d'Oreste : que traduit-elle ?
4. Comment Oreste se définit-il ? Quel lexique utilise-t-il pour qualifier son geste ?

a. Appuyez-vous sur le champ lexical dominant pour répondre et interpréter.
b. «et suis-je Oreste enfin ?» (v. 44) : que traduit cette question sur l'état psychique d'Oreste ?

Deux monstres tragiques
5. Quelle motivation principale a poussé Hermione à commander ce crime ? Quelle est celle d'Oreste dans son exécution ?
6. Quels éléments participent au tragique de ces deux scènes ?

Lecture d'image Dans cette mise en scène, comment se traduisent les relations entre Oreste et Hermione ?

Synthèse Rédigez un paragraphe argumenté dans lequel vous répondrez à la question suivante : selon vous, qui est le monstre, Hermione ou Oreste ?

▶ Construire un paragraphe argumentatif, p. 485

Vers le bac **S'entraîner au commentaire**
Rédigez un paragraphe du commentaire de ce texte. Vous montrerez que Hermione et Oreste sont prisonniers de leurs passions respectives.

Pierre Corneille,
Rodogune (1644)

▶ **Biographie p. 535**

➕ CONTEXTE

Cléopâtre (vers 69 –
30 av. J.-C.) est sans
doute la femme la
plus célèbre de
l'Antiquité. C'est une
reine d'Égypte qui
gouverne son pays
successivement avec
ses frères et époux
Ptolémée XIII et
Ptolémée XIV puis avec
le général romain
Marc -Antoine. Elle
est aussi connue pour
ses relations avec
Jules César. Son
tragique suicide n'a
fait que renforcer la
dimension
romanesque du
personnage. Elle a
notamment inspiré
William Shakespeare
qui écrit en 1623
Antoine et Cléopâtre.

Cléopâtre, reine de Syrie, fit tout d'abord assassiner Démétrius, son mari, puis voulut se venger de Rodogune, la jeune femme qu'il avait fait captive et qu'il avait décidé d'épouser en secondes noces. Pour cela, elle promet le trône à celui de ses fils qui la tuera. Mais Séleucus et Antiochus, ses deux enfants, sont tous deux amoureux de Rodogune.

1   SÉLEUCUS. – Ô haines, ô fureurs dignes d'une Mégère !
Ô femme, que je n'ose appeler encor mère !
Après que tes forfaits ont régné pleinement,
Ne saurais-tu souffrir qu'on règne innocemment ?
5   Quels attraits penses-tu qu'ait pour nous la couronne,
S'il faut qu'un crime égal par ta main nous la donne ?
Et de quelles horreurs nous doit-elle combler,
Si pour monter au trône il faut te ressembler ?
ANTIOCHUS. – Gardons plus de respect aux droits de la nature,
10   Et n'imputons qu'au sort notre triste aventure :
Nous le nommions cruel, mais il nous était doux
Quand il ne nous donnait à combattre que nous.
Confidents tout ensemble et rivaux l'un de l'autre,
Nous ne concevions point de mal pareil au nôtre ;
15   Cependant à nous voir l'un de l'autre rivaux,
Nous ne concevions pas la moitié de nos maux.

SÉLEUCUS. – Une douleur si sage et si respectueuse,
Ou n'est guère sensible ou guère impétueuse ;
Et c'est en de tels maux avoir l'esprit bien fort
D'en connaître la cause et l'imputer au sort.
Pour moi, je sens les miens avec plus de faiblesse :
Plus leur cause m'est chère, et plus l'effet m'en blesse ;
Non que pour m'en venger j'ose entreprendre rien :
Je donnerais encor tout mon sang pour le sien.
Je sais ce que je dois ; mais dans cette contrainte,
Si je retiens mon bras, je laisse aller ma plainte ;
Et j'estime qu'au point qu'elle nous a blessés,
Qui ne fait que s'en plaindre a du respect assez.
Voyez-vous bien quel est le ministère[1] infâme
Qu'ose exiger de nous la haine d'une femme ?
Voyez-vous qu'aspirant à des crimes nouveaux,
De deux princes ses fils elle fait ses bourreaux ?
Si vous pouvez le voir, pouvez-vous vous en taire ?

Rodogune de Corneille, mis en scène par **Jacques Rosner** avec Martine Chevallier, 1998, la Comédie-Française, Paris.

ANTIOCHUS. – Je vois bien plus encor : je vois qu'elle est ma mère ;

35 Et plus je vois son crime indigne de ce rang,
Plus je lui vois souiller la source de mon sang.
J'en sens de ma douleur croître la violence ;
Mais ma confusion m'impose le silence,
Lorsque dans ses forfaits sur nos fronts imprimés

40 Je vois les traits honteux dont nous sommes formés.
Je tâche à cet objet d'être aveugle ou stupide :
J'ose me déguiser jusqu'à son parricide ;
Je me cache à moi-même un excès de malheur
Où notre ignominie[2] égale ma douleur ;

45 Et détournant les yeux d'une mère cruelle,
J'impute tout au sort qui m'a fait naître d'elle.
Je conserve pourtant encore un peu d'espoir ;
Elle est mère, et le sang a beaucoup de pouvoir ;
Et le sort l'eût-il faite encor plus inhumaine,

50 Une larme d'un fils peut amollir sa haine.

Acte II, scène 4.

1. devoir, charge que l'on doit remplir.
2. déshonneur, honte.

Questions

▶ Démontrer/délibérer/ convaincre/persuader, p. 453
▶ Les registres tragique et pathétique, p. 466

Vocabulaire
Faites une recherche sur le mot « Mégère » : que désigne ce terme dans l'Antiquité ? Et aujourd'hui ? Expliquez cette évolution du sens. Qui est la « Mégère apprivoisée » ?

Une mère monstrueuse

1. Quels sont les deux objets de la haine de Cléopâtre ? En quoi ses deux fils sont-ils concernés ?
2. Quels sont les sentiments des deux frères pour leur mère ?
   a. Relevez le champ lexical de la famille dans leurs répliques. Quel est le terme répété qui explique l'attachement à leur mère ?
   b. Comment la haine de Séleucus pour sa mère se traduit-elle (destinataire, modalité, rythme des phrases, etc.) ?
   c. Étudiez les termes qui désignent Cléopâtre dans leur discours. Que constatez-vous ?

Le dilemme de deux frères

3. Selon Antiochus, qui est responsable de leur situation ? Et selon Séleucus ?
4. Quel reproche Séleucus adresse-t-il à son frère ? Étudiez le champ lexical de la vue et de la parole dans le discours des deux frères : montrez que leurs positions sont radicalement opposées.
5. Peut-on croire que le dernier espoir d'Antiochus se réalisera ? Justifiez votre réponse.

Lecture d'image Quel trait de caractère domine dans ce portrait de Cléopâtre ? Justifiez votre réponse en vous appuyant sur le décor, les costumes et le jeu de la comédienne.

Synthèse Rédigez un paragraphe dans lequel vous reformulerez les positions des deux frères.

▶ Élaborer un plan détaillé, p. 504
▶ Rédiger une dissertation, p. 506

Vers le bac **S'entraîner à la dissertation**
Antonin Artaud déclare, dans son essai *Le théâtre et son double* : « Sans un élément de cruauté à la base de tout spectacle, le théâtre n'est pas possible. » Commentez et discutez cette affirmation.

▶ **Biographie p. 538**

✚ CONTEXTE

Néron (37 – 68 ap. J.-C.), est un des plus célèbres empereurs romains. Il accède au trône en 54, à la mort de son père adoptif Claude, empereur de Rome. Il a pour précepteur Sénèque. Il est dépossédé de son pouvoir en 68 et se suicide. Sa vie et son règne sont marqués par la violence, la débauche et la soif de pouvoir.

Jean Racine,
Britannicus (1669)

Agrippine a sacrifié pour son fils Néron les droits de Britannicus, le demi-frère de Néron. Elle a commis pour lui les pires atrocités mais elle le regarde à présent sous un nouveau jour. Il a fait séquestrer Junie en la séparant de Britannicus qu'elle aime. Néron dont la monstruosité se révèle peu à peu, fait empoisonner Britannicus. Ce meurtre, pour respecter la bienséance, n'est pas montré sur scène. Sa mère et le gouverneur de Néron, Burrhus, ont compris le forfait du tyran.

Scène 6 – Agrippine, Néron

[…]

1   Agrippine. – Poursuis, Néron, avec de tels ministres[1].
Par des faits glorieux tu te vas signaler.
Poursuis. Tu n'as pas fait ce pas pour reculer.
Ta main a commencé par le sang de ton frère ;
5   Je prévois que tes coups viendront jusqu'à ta mère.
Dans le fond de ton cœur je sais que tu me hais,
Tu voudras t'affranchir du joug[2] de mes bienfaits.
Mais je veux que ma mort te soit même inutile.
Ne crois pas qu'en mourant je te laisse tranquille.
10   Rome, ce ciel, ce jour que tu reçus de moi,
Partout, à tout moment, m'offriront devant toi.
Tes remords te suivront comme autant de furies[3] ;
Tu croiras les calmer par d'autres barbaries ;
Ta fureur, s'irritant soi-même dans son cours,
15   D'un sang toujours nouveau marquera tous tes jours.
Mais j'espère qu'enfin le ciel, las de tes crimes,
Ajoutera ta perte à tant d'autres victimes ;
Qu'après t'être couvert de leur sang et du mien,
Tu te verras forcé de répandre le tien ;
20   Et ton nom paraîtra, dans la race future,
Aux plus cruels tyrans une cruelle injure.
Voilà ce que mon cœur se présage de toi[4].
Adieu : tu peux sortir.
  Néron. –   Narcisse[5], suivez-moi.

Scène 7 – Agrippine, Burrhus

  Agrippine. – Ah ciel ! de mes soupçons quelle était l'injustice !
25   Je condamnais Burrhus, pour écouter Narcisse.
Burrhus, avez-vous vu quels regards furieux
Néron en me quittant m'a laissés pour adieu ?
C'en est fait : le cruel n'a plus rien qui l'arrête ;
Le coup qu'on m'a prédit va tomber sur ma tête.
30   Il vous accablera vous-même à votre tour.
  Burrhus. – Ah ! Madame, pour moi j'ai vécu trop d'un jour
Plût au ciel que sa main, heureusement cruelle,
Eût fait sur moi l'essai de sa fureur nouvelle !
Qu'il ne m'eût pas donné, par ce triste attentat[6],
35   Un gage trop certain des malheurs de l'État !

1. exécutants.
2. se libérer.
3. divinités infernales.
4. prévoit pour toi.
5. traître à Britannicus dont il était le gouverneur.
6. agression, crime.

Son crime seul n'est pas ce qui me désespère ;
Sa jalousie a pu l'armer contre son frère,
Mais s'il vous faut, Madame, expliquer ma douleur,
Néron l'a vu mourir sans changer de couleur.
40 Ses yeux indifférents ont déjà la constance
D'un tyran dans le crime endurci dès l'enfance.
Qu'il achève, Madame, et qu'il fasse périr
Un ministre importun, qui ne le peut souffrir.
Hélas ! loin de vouloir éviter sa colère,
45 La plus soudaine mort me sera la plus chère.

Britannicus de Racine,
mis en scène par **Jean
Marais** avec Jean
Marais dans le rôle de
Néron, 1952,
photographie de
Thérèse Le Prat.

Acte V, scènes 6 et 7.

Antonin Artaud,
Le théâtre et son double (1938)

**Écho du
XXᵉ siècle**

Dans cet extrait, Artaud définit les fonctions du théâtre.

1   Le théâtre, comme la peste, est à l'image de ce carnage, de cette essentielle sépa-ration. Il dénoue des conflits, il dégage des forces, il déclenche des possibilités, et si ces possibilités et ces forces sont noires, c'est la faute non pas de la peste ou du théâtre, mais de la vie.

5   Nous ne voyons pas que la vie telle qu'elle est et telle qu'on nous l'a faite offre beaucoup de sujets d'exaltation. Il semble que par la peste et collectivement un gigantesque abcès, tant moral que social, se vide ; et de même que la peste, le théâ-tre est fait pour vider collectivement des abcès.

© Éditions Gallimard, 1964.

Questions

► Les registres tragique et
pathétique, p. 466

La monstruosité du tyran

1. Quel trait de caractère domine ce portrait de Néron ? Justifiez.
2. Quelle figure de style retrouve-t-on à deux reprises (v. 4 et v. 32) ? Pourquoi est-elle significative ?
3. Quel fait précis a révélé à Burrhus la nature monstrueuse de Néron ?

La vengeance d'une mère

4. Dans le discours d'Agrippine, quel temps domine ? Quelle est la valeur de ce temps ? Quels effets sont ainsi créés ?
5. Quelles malédictions profère-t-elle contre son fils ? Comment suggère-t-elle la pré-sence incessante des Furies ? Montrez

Figure de style
« Tes remords te suivront comme autant de furies » (v. 12) : dans cette phrase, quelle est la figure de style présente ? Identifiez-la puis interprétez-la.

que cette présence accroît les sentiments de terreur et de pitié.

Un dénouement tragique

6. Pourquoi les relations entre Néron et Agrippine d'une part et Néron et Burrhus d'autre part sont-elles tragiques ?
7. Quels sont les sentiments du spectateur devant un tel dénouement ?

Une image du théâtre selon Antonin Artaud

8. Sur quelle figure de style s'appuie le texte ? Sur quoi repose cette analogie ?
9. Quelle fonction principale est ici assi-gnée au théâtre ?

► Les figures de style, p. 420

Synthèse Dans un paragraphe argumentatif, montrez comment les « forces noires » et la fonc-tion cathartique définies par Antonin Artaud sont à l'œuvre dans le dénouement de *Britannicus*.

Vers le bac   **S'entraîner pour l'oral**

Vous exposerez en cinq minutes les raisons qui font de Néron un monstre. L'exposé sera ordonné et illustré de citations et de procédés stylistiques.

► **Préparer un exposé, p. 512**

• REPRÉSENTER LE MONSTRUEUX

> ► **Jean Cocteau**
> (1889-1963) touche
> à tous les arts :
> romancier (***Les
> Enfants terribles***),
> dramaturge (***La
> Machine infernale***),
> cinéaste (***Le
> Testament
> d'Orphée***), peintre
> et dessinateur.
> Plusieurs de ses
> œuvres sont des
> réécritures de
> mythes.

Jean Cocteau,
La Machine infernale (1934)

Cocteau réécrit l'histoire d'Œdipe, héros mythologique. Fuyant son pays natal pour éviter que l'oracle qui a prédit qu'il serait l'assassin de son père et l'époux de sa mère ne se réalise, Œdipe rencontre le Sphinx sous la forme d'une jeune femme.

[…]

1 LE SPHINX. – Avez-vous déjà tué ?

ŒDIPE. – Une fois. C'était au carrefour où les routes de Delphes et de Daulie se croisent. Je marchais comme tout à l'heure. Une voiture approchait conduite par un vieillard, escorté de quatre domestiques. Comme je croisais l'attelage, un cheval

5 se cabre, me bouscule et me jette contre un des domestiques. Cet imbécile lève la main sur moi. J'ai voulu répondre avec mon bâton, mais il se courbe et j'attrape le vieillard à la tempe. Il tombe. Les chevaux s'emballent, ils le traînent. Je cours après : les domestiques épouvantés se sauvent ; et je me retrouve seul avec le cadavre d'un vieillard qui saigne, et des chevaux empêtrés qui se roulent en hennissant

10 et en cassant leurs jambes. C'était atroce… atroce…

LE SPHINX. – Oui, n'est-ce pas… c'est atroce de tuer…

ŒDIPE. – Ma foi, ce n'était pas ma faute, et je n'y pense plus. Il importe que je saute les obstacles, que je porte des œillères, que je ne m'attendrisse pas. D'abord mon étoile.

15 LE SPHINX. – Alors, adieu Œdipe. Je suis du sexe qui dérange les héros. Quittons-nous, je crois que nous n'aurions plus grand-chose à nous dire.

ŒDIPE. – Déranger les héros ! Vous n'y allez pas de main morte.

LE SPHINX. – Et… si le Sphinx vous tuait ?

ŒDIPE. – Sa mort dépend, si je ne me trompe, d'un interrogatoire auquel je devrai

20 répondre. Si je devine, il ne me touche même pas, il meurt.

LE SPHINX. – Et si vous ne devinez pas ?

ŒDIPE. – J'ai fait, grâce à ma triste enfance, des études qui me procurent bien des avantages sur les garnements de Thèbes.

LE SPHINX. – Vous m'en direz tant !

25 ŒDIPE. – Et je ne pense pas que le monstre naïf s'attende à se trouver face à face avec l'élève des meilleurs lettrés de Corinthe.

LE SPHINX. – Vous avez réponse à tout. Hélas ! car, vous l'avouerai-je, Œdipe, j'ai une faiblesse : les faibles me plaisent et j'eusse aimé vous prendre en défaut.

ŒDIPE. – Adieu.

[…]

30 LE SPHINX. – Venez.

(Elle le mène en face du socle.)

Fermez les yeux. Ne trichez pas. Comptez jusqu'à cinquante.

ŒDIPE, *les yeux fermés*. – Prenez garde !

LE SPHINX. – Chacun son tour.

35 *(Œdipe compte. On sent qu'il se passe un événement extraordinaire. Le Sphinx bondit à travers les ruines, disparaît derrière le mur et reparaît, engagé dans le socle praticable, c'est-à-dire qu'il semble accroché au socle, le*
40 *buste dressé sur les coudes, la tête droite, alors que l'actrice se tient debout, ne laissant paraître que son buste et ses bras couverts de gants mouchetés, les mains griffant le rebord, que l'aile brisée donne naissance à des ailes*
45 *subites, immenses, pâles, lumineuses, et que le fragment de statue la complète, la prolongent et paraissent lui appartenir. On entend Œdipe compter 47, 48, 49, attendre un peu et crier 50. Il se retourne.)*
50 ŒDIPE. – Vous !
LE SPHINX, *d'une voix lointaine, haute, joyeuse, terrible.* – Moi ! Moi ! le Sphinx !
ŒDIPE. – Je rêve !
LE SPHINX. – Tu n'es pas un rêveur, Œdipe.
55 Ce que tu veux, tu le veux, tu l'as voulu. Silence. Ici j'ordonne. Approche.
(Œdipe, les bras au corps, comme paralysé, tente avec rage de se rendre libre.)
LE SPHINX. – Avance. *(Œdipe tombe à genoux.)*
60 Puisque tes jambes te refusent leur aide, saute, sautille… Il est bon qu'un héros se rende un peu ridicule. Allons, va, va ! Sois tranquille. Il n'y a personne pour te regarder.

© Éditions Grasset.

Gustave Moreau, *Œdipe et le Sphinx*, 1864, huile sur toile (206 x 105 cm), The Metropolitan Museum of Art, New York.

Prolongements

• Pour découvrir le mythe originel, vous pouvez lire *Œdipe roi* de Sophocle, tragédie grecque de l'Antiquité.
• Vous pouvez également lire une version plus moderne : *Œdipe roi* de Didier Lamaison, roman policier paru en 2006.
• Anouilh, dramaturge du XXᵉ siècle, livre une réécriture moderne du mythe d'Antigone, la fille d'Œdipe, dans *Antigone*, 1944.
• Faites une recherche sur ce qu'est le complexe d'Œdipe en psychanalyse.

Questions

1. À quelle partie du mythe le crime commis par Œdipe fait-il référence ?
2. Œdipe est-il maître de ses actions lorsqu'il commet son crime ? Et face au Sphinx ? Justifiez votre réponse.
3. Œdipe est fier de ce qu'il a accompli dans sa vie mais il est aveugle : quels sont les indices qui participent de cette ironie tragique ?
4. Qui est le véritable monstre dans ce face-à-face ? Justifiez votre réponse.
5. Quels problèmes vont se poser au metteur en scène de cette pièce ?

histoire des arts **Gustave Moreau et le symbolisme**
Faites des recherches sur la place des mythes dans l'œuvre du peintre symboliste Gustave Moreau.

● REPRÉSENTER LE MONSTRUEUX

Jean-Paul Sartre,
Les Mouches (1943)

▶ **Jean-Paul Sartre** est un écrivain engagé du XXe siècle. Cette pièce créée sous l'Occupation allemande a eu un retentissement particulier, car on y a vu un appel à la révolte.

Après avoir tué Agamemnon, le père d'Oreste et d'Électre, et épousé sa femme, Clytemnestre, Égisthe fait régner sur la ville d'Argos un climat de terreur et de pénitence. Toute la ville doit expier pour ce crime. Oreste revient dans sa ville natale quinze ans plus tard. Il est accompagné du pédagogue et de l'idiot. Jupiter, sous l'aspect d'un vieillard barbu, les suit puis leur explique pourquoi cette ville est envahie de mouches.

[...]

1 LE PÉDAGOGUE. – Je viens de le voir passer.

ORESTE. – Tu te seras trompé.

LE PÉDAGOGUE. – Impossible. De ma vie je n'ai vu pareille barbe, si j'en excepte une, de bronze, qui orne le visage de Jupiter Ahenobarbus, à Palerme. Tenez, le

5 voilà qui repasse. Qu'est-ce qu'il nous veut ?

ORESTE. – Il voyage, comme nous.

LE PÉDAGOGUE. – Ouais ! Nous l'avons rencontré sur la route de Delphes. Et quand nous nous sommes embarqués à Itéa, il était déjà sa barbe sur le bateau. À Nauplie nous ne pouvions faire un pas sans l'avoir dans nos jambes, et à présent, le

10 voilà ici. Cela vous paraît sans doute de simples coïncidences ? *(Il chasse les mouches de la main.)* Ah ça, les mouches d'Argos m'ont l'air beaucoup plus accueillantes que les personnes. Regardez celles-ci, mais regardez-les ! *(Il désigne l'œil de l'idiot.)* Elles sont douze sur son œil comme sur une tartine, et lui, cependant, il sourit aux anges, il a l'air d'aimer qu'on lui tète les yeux. Et, par le fait il vous sort

15 de ces mirettes-là un suint blanc qui ressemble à du lait caillé. *(Il chasse les mouches.)* C'est bon, vous autres, c'est bon ! Tenez, les voilà sur vous. *(Il les chasse.)* Eh bien, cela vous met à l'aise : vous qui vous plaigniez tant d'être un étranger dans votre propre pays, ces bestioles vous font la fête, elles ont l'air de vous reconnaître. *(Il les chasse.)* Allons, paix ! paix ! pas d'effusions ! D'où viennent-elles ? Elles font

20 plus de bruit que des crécelles et sont plus grosses que des libellules.

JUPITER, *qui s'était approché.* – Ce ne sont que des mouches à viande un peu grasses. Il y a quinze ans qu'une puissante odeur de charogne les attira sur la ville. Depuis lors elles engraissent. Dans quinze ans elles auront atteint la taille de petites grenouilles.

25 *(Un silence.)*

LE PÉDAGOGUE. – À qui avons-nous l'honneur ?

JUPITER. – Mon nom est Démétrios. Je viens d'Athènes.

ORESTE. – Je crois vous avoir vu sur le bateau, la quinzaine dernière.

JUPITER. – Je vous ai vu aussi.

30 *(Cris horribles dans le palais.)*

LE PÉDAGOGUE. – Hé là ! Hé là ! Tout cela ne me dit rien qui vaille et je suis d'avis, mon maître, que nous ferions mieux de nous en aller.

ORESTE. – Tais-toi.

JUPITER. – Vous n'avez rien à craindre. C'est la fête des morts aujourd'hui. Ces cris

35 marquent le commencement de la cérémonie.

ORESTE. – Vous semblez fort renseigné sur Argos.

JUPITER. – J'y viens souvent. J'étais là, savez-vous, au retour du roi Agamemnon,

quand la flotte victorieuse des Grecs mouilla dans la rade de Nauplie. On pouvait apercevoir les voiles blanches du haut des remparts. *(Il chasse les mouches.)* Il n'y
40 avait pas encore de mouches, alors. Argos n'était qu'une petite ville de province, qui s'ennuyait indolemment sous le soleil. Je suis monté sur le chemin de ronde avec les autres, les jours qui suivirent, et nous avons longuement regardé le cortège royal qui cheminait dans la plaine. Au soir du deuxième jour la reine Clytemnestre parut sur les remparts, accompagnée d'Égisthe, le roi actuel. Les gens d'Argos
45 virent leurs visages rougis par le soleil couchant ; ils les virent se pencher au-dessus des créneaux et regarder longtemps vers la mer ; et ils pensèrent : « Il va y avoir du vilain. » Mais ils ne dirent rien. Égisthe, vous devez le savoir, c'était l'amant de la reine Clytemnestre. Un ruffian qui, à l'époque, avait déjà de la propension à la mélancolie. Vous semblez fatigué ?

50 ORESTE. – C'est la longue marche que j'ai faite et cette maudite chaleur. Mais vous m'intéressez.

JUPITER. – Agamemnon était bon homme, mais il eut un grand tort, voyez-vous. Il n'avait pas permis que les exécutions capitales eussent lieu en public. C'est dommage. Une bonne pendaison, cela distrait, en province, et cela blase un peu les gens
55 sur la mort. Les gens d'ici n'ont rien dit, parce qu'ils s'ennuyaient et qu'ils voulaient voir une mort violente. Ils n'ont rien dit quand ils ont vu leur roi paraître aux portes de la ville. Et quand ils ont vu Clytemnestre lui tendre ses beaux bras parfumés, ils n'ont rien dit. À ce moment-là il aurait suffi d'un mot, d'un seul mot, mais ils se sont tus, et chacun d'eux avait, dans sa tête, l'image d'un grand cadavre
60 à la face éclatée.

ORESTE. – Et vous, vous n'avez rien dit ?

JUPITER. – Cela vous fâche, jeune homme ? J'en suis fort aise ; voilà qui prouve vos bons sentiments. Eh bien non, je n'ai pas parlé : je ne suis pas d'ici, et ce n'étaient pas mes affaires. Quant aux gens d'Argos, le lendemain, quand ils ont entendu leur
65 roi hurler de douleur dans le palais, ils n'ont rien dit encore, ils ont baissé leurs paupières sur leurs yeux retournés de volupté, et la ville tout entière était comme une femme en rut.

ORESTE. – Et l'assassin règne. Il a connu quinze ans de bonheur. Je croyais les Dieux justes.

70 JUPITER. – Hé là ! N'incriminez pas les Dieux si vite. Faut-il donc toujours punir ? Valait-il pas mieux tourner ce tumulte au profit de l'ordre moral ?

ORESTE. – C'est ce qu'ils ont fait ?

JUPITER. – Ils ont envoyé les mouches.

Acte I, scène 1.
© Éditions Gallimard.

Questions

Prolongements
Nombre d'artistes au xxe siècle ont réécrit des mythes antiques. Vous pouvez notamment lire *Électre* de Jean Giraudoux, 1937, qui met en scène la sœur d'Oreste.

1. Quels éléments montrent que le début de la pièce correspond aussi à un commencement pour le héros ?

2. Quelles informations cruciales pour la suite de l'intrigue sont délivrées dans cette scène d'exposition ?

3. Étudiez les didascalies dans la réplique du pédagogue. Quelle est leur fonction ? Quelles sont les caractéristiques des mouches ? Quelle atmosphère est ainsi créée ?

4. Si vous étiez metteur en scène, comment choisiriez-vous de représenter ces mouches pour rendre compte de toute leur valeur symbolique ?

● REPRÉSENTER LE MONSTRUEUX

Edward Bond,
Rouge noir et ignorant (1985)

> ► La guerre est un des thèmes au cœur de l'œuvre d'**Edward Bond**. Ce dramaturge et metteur en scène anglais né en 1934 ne cesse de mettre en scène le scandale de la violence (dans *Sauvés*, 1966 ou dans *Lear*, 1972). Pour lui, la société est une fabrique de monstres, car elle endurcit et corrompt l'homme, à l'origine innocent, en le privant de son humanité.

*Cette courte pièce est le premier volet d'une trilogie (*Les Pièces de guerre*) et met en scène le personnage du Monstre qui est décrit ainsi par une didascalie initiale : « La peau du Monstre, ses cheveux, ses vêtements sont grillés, carbonisés, entièrement noirs ». Il donne à voir la vie qu'il aurait pu mener s'il n'était pas mort dans le ventre de sa mère lors d'un bombardement. Dans l'extrait qui suit, le Monstre et son fils sont face à une femme coincée sous une poutre.*

1 LA FEMME. – À l'aide !
LE MONSTRE. – Quelqu'un appelle à l'aide
Pourquoi restes-tu les bras ballants[1] ?
(Le Fils fait un pas pour s'interposer entre le Monstre et la poutre.)
5 LE FILS. – Père une femme est piégée sous les décombres
La poutre tient sur les débris qui sont tombés
Si on bouge la poutre les débris vont être déplacés et la poutre va l'écraser
Cours chercher la sécurité
Ils apporteront des engins de levage
10 Je vais rester pour être sûr qu'on ne lui vole rien
(Le Monstre approche du banc.)
LE MONSTRE. – La poutre n'est pas lourde
À deux nous pouvons la soulever
Elle a de la chance que je sois passé par là !
15 *(Le Monstre essaie de soulever la poutre.)*
LE FILS. – Il y a du travail à l'usine au bout de la rue un boulot à prendre
Cette femme et moi nous le voulons
Elle a une meilleure qualification
Si elle a une incapacité de travail pendant quelque temps j'aurai le boulot
20 LA FEMME. – Votre fils était mon ami !
LE MONSTRE. – Tu laisserais une amie avoir une jambe cassée pour avoir du travail ?
Monstrueux !
(Le Monstre s'efforce de soulever la poutre.)
25 LE FILS. – Père
C'est peut-être ma dernière chance de trouver un travail
Sans travail je suis un exclu
La communauté ne me laissera pas le pouvoir de diriger ma vie
Qu'as-tu fait pour moi ?
30 Une école débile – apprentissage pour rien
Des années d'enterrement sous les décombres
Père cette femme n'est rien pour toi
Je suis ton fils j'ai droit à ton aide
LE MONSTRE, *grogne*. – Si sa jambe casse elle pourrait devenir infirme pour le
35 restant de ses jours
Même si elle s'en remettait elle souffrirait beaucoup
LA FEMME. – Aidez-moi

1. rester sans rien faire.

Je vous remercierai

Je ne prendrai pas ce travail

40 LE FILS, *s'adressant fielleusement à la femme.* – Si le pêcheur rejette le poisson à l'eau le poisson ne lui rend pas son appât

LE MONSTRE, *laisse la poutre sur la femme et déambule douloureusement.* – Si tu t'en
45 vas il se pourrait que demain tu entendes parler d'un travail plus intéressant

Alors tu regretteras ta cruauté

LA FEMME. – La poutre a bougé !

LE FILS. – Pourquoi devrait-elle avoir le
50 boulot ? C'est un hasard si son cerveau vaut mieux que le mien comme c'était un hasard que la poutre lui tombe dessus

À cinq minutes près elle me serait tombée dessus

55 *(Le fils lève le poing pour frapper son père.)*

LA FEMME. – Ma jambe ! elle se brise !

(Le Monstre jette son fils par terre.)

LE MONSTRE. – Le monde n'est pas juste !
60 La justice est faite par les gens !

Si je fais ce qui est juste j'ai la force de mille hommes !

(Le Monstre va vers le banc.

Il le lève au-dessus de sa tête et pose triomphalement.

Son fils et la femme le regardent.
65 *Instantané héroïque qui se défait à mesure que la femme parle.)*

LA FEMME. – Je contemple le visage de celui qui m'a aidée

Sans y penser nous nous sourions

Il se tourne pour contempler son fils : et comme il sourit son front se plisse et forme une grimace
70 Ce n'est pas facile d'être juste dans un monde injuste

Traduction de Michel Vittoz, 1994 © L'Arche.

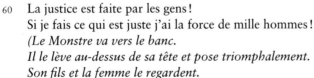

Rouge noir et ignorant, d'Edward Bond, mis en scène par **Alain Francon** avec Carlo Brandt, 1994, cour du lycée Saint-Joseph, Avignon.

Prolongements

• Lisez la nouvelle *La Métamorphose* (1915) de Franz Kafka dans laquelle la société et la famille contribuent à l'étrange transformation de Gregor en cancrelat.

• Dans son roman *Allah n'est pas obligé*, prix Goncourt des lycéens en 2000, Ahmadou Kourouma (1927-2003) prête sa voix à Birahima, enfant au Libéria et en Sierra Leone.

Questions

1. Quel dilemme se pose au Monstre ?

2. Quels sont les arguments que le fils utilise pour convaincre son père ?

3. Comment s'exprime la violence entre le père et son fils ?

4. Que peut représenter symboliquement la poutre qui pèse sur la femme ?

5. Qu'est-ce qui est « monstrueux » aux yeux du Monstre ? Que pensez-vous de l'emploi de ce terme dans sa bouche ?

6. Qui est le véritable monstre dans cette scène ? Pourquoi ?

VOCABULAIRE

LA MONSTRUOSITÉ

1 ÉTYMOLOGIE

Cherchez l'origine de ces mots, puis essayez de comprendre les évolutions de sens des termes proposés.
Monstre – tourment – colère – cruauté

2 MONSTRES MYTHOLOGIQUES

Associez chaque monstre à sa description. Puis précisez les mythes auxquels ils se rattachent.
la sirène – le sphinx – la chimère – le minotaure – le cyclope – les harpies – le cerbère – le centaure

a. Énorme chien à trois têtes et queue de dragon.
b. Lion-chèvre à queue de serpent, crachant des flammes.
c. Monstre ailé à buste de femme.
d. Oiseaux à têtes de femmes.
e. Quatre femmes ailées terrifiantes.
f. Homme cannibale à têtes de taureau.
g. Cheval à torse, tête, bras d'homme.
h. Géant possédant un œil unique au milieu du front.

3 EXPRESSIONS MONSTRUEUSES

Ces monstres mythologiques sont à l'origine des expressions suivantes. Cherchez leur signification.
a. Qu'est-ce qu'une harpie ?
b. Qu'est-ce qu'« être médusé par une personne » ?
c. Qu'est-ce qu'un cerbère ?
d. Qu'est-ce qu'un projet chimérique ?
e. Qu'est-ce que «tomber de Charybde en Scylla» ?
f. Qu'est-ce qu'une architecture cyclopéenne ?
g. Qu'est-ce que «succomber au chant des sirènes» ?

4 DU NOM À L'ADJECTIF

Donnez l'adjectif qui est dérivé des noms suivants, puis le nom du régime instauré.
un despote – un tyran – un dictateur – un autocrate – un monarque – un roi – un souverain

5 DU VERBE AU NOM

Classez les verbes suivants selon leur degré d'intensité. Puis indiquez le nom correspondant à chaque verbe.
supplier – exhorter – prier – gémir – crier – hurler

6 DEVINETTES

a. Qu'est-ce que le *sadisme* ? Savez-vous qui fut à l'origine de ce mot ? Pourquoi ? Qu'est-ce que le *masochisme* ?
b. Tantale est un héros mythologique. Qu'a-t-il fait pour que l'on forge l'expression «le supplice de Tantale» ?
c. Vous savez ce qu'est un monstre *sanguinaire*, mais qu'est-ce qu'une *saignée* ? une *sanguine* ? une *sangsue* ?
d. Que signifie un *homicide*, un *génocide*, un *parricide* ? Trouvez d'autres noms de la même famille.
e. Quelle est la signification du suffixe *-cide* ? Les termes «translucide» et «extralucide» font-ils partie de la même famille ? À quelle étymologie renvoient-ils ?
f. Vous connaissez le sens de l'adjectif *redoutable*. Mais qu'est-ce qu'une *redoute* ?

7 C'EST « MONSTRUEUX » !

Chaque phrase illustre une signification du nom « monstre ». Après avoir élucidé le sens de chaque emploi, rédigez sa définition complète.
a. J'ai vu un mouton à cinq pattes, un vrai monstre !
b. Il a été complètement défiguré, c'est devenu un monstre.
c. Le monstre, c'est cet ouvrage de plus de vingt tomes.
d. Détrompe-toi, ce n'est pas un monstre, il est doux comme un agneau!
e. Harpagon est un monstre d'avarice.
f. Ce chanteur est un monstre sacré.
g. Petit monstre ! Arrête de faire des bêtises !
h. Internet, c'est le monstre des temps modernes.
i. Celui qui a commis cet acte aussi odieux est un monstre !
j. La sirène est un monstre fascinant.

EXPRESSION ÉCRITE

Sujet 1
Pour son nouveau livre intitulé *Comment devenir un monstre ? Mode d'emploi*, un éditeur vous demande de rédiger dix articles de son manuel.
Sujet 2
Un monstre est exposé telle une bête de foire devant une foule qui se livre à des commentaires. Inventez cette scène romanesque.
Il s'agit de mêler étroitement des éléments du portrait du monstre aux réactions du public, partagé entre la fascination et la répulsion. Pour vous inspirer, vous pouvez lire le portrait de Quasimodo fait par Victor Hugo dans *Notre-Dame de Paris*.

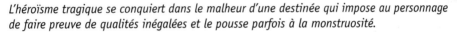

LE HÉROS TRAGIQUE

L'héroïsme tragique se conquiert dans le malheur d'une destinée qui impose au personnage de faire preuve de qualités inégalées et le pousse parfois à la monstruosité.

1 LA NAISSANCE DU HÉROS TRAGIQUE DANS L'ANTIQUITÉ

Sophocle, dramaturge grec, est un des premiers à mettre en scène le héros tragique. Ses personnages, qui, pour la plupart, ont le privilège de **mener l'action** dramatique, donnent leur nom aux tragédies (*Œdipe roi*, *Antigone*, etc.). Ce n'était pas le cas auparavant : les pièces antiques avaient le plus souvent des titres en rapport avec la composition du chœur (*Les Troyennes*).

Le héros tragique n'est **ni tout à fait homme** (tous possèdent des qualités plus qu'humaines), **ni tout à fait dieu** (tous restent soumis à la volonté divine). Pur et exigeant, il refuse le **destin** (Œdipe), se révolte ou, s'il se soumet, préfère mourir. L'**hybris** désigne cette résolution démesurée.

2 LE HÉROS CLASSIQUE

▶ **Des héros connus de tous**

Le théâtre classique emprunte ses héros à la mythologie antique (Corneille, *Médée* ▶ p. 179), à l'histoire (Cléopâtre, Néron), à la Bible ou à un passé plus récent (Rodrigue). Tous sont connus du public.

▶ **Le dilemme du héros**

Le personnage tragique est confronté à des situations d'exception qui mêlent :
– la politique, la vie de la cité. Puisque les personnages appartiennent à **la sphère du pouvoir**, ils sont les intermédiaires d'une réflexion fondamentale sur la raison d'État, la vengeance et le machiavélisme (➜ **Ex. :** Racine, *Britannicus* ▶ **p. 188**) ;
– la passion amoureuse (➜ **Ex. :** Racine, *Andromaque* ▶ **p. 184**) lorsque s'opposent les « lois du devoir » aux « tendresses du sang » (Corneille, *Trois discours sur le poème dramatique*). Ce **dilemme** ne peut trouver d'échappatoire. ➜ **Ex. :** Séleucus et Antiochus doivent choisir entre le pouvoir légué par leur mère et l'amour de Rodogune (▶ **p. 186**).

▶ **La gloire**

Mais c'est en traversant ces épreuves et en éprouvant son **honneur** que le personnage conquiert la **gloire**. Cela suppose des sacrifices pour accomplir un devoir moral.

3 L'HÉROÏSME SELON CORNEILLE ET RACINE

▶ **L'influence d'Aristote**

Les dramaturges classiques sont influencés par la *Poétique* d'**Aristote**, ouvrage de référence. Pour ce philosophe grec de l'Antiquité, le héros tragique doit être « **médiocre** » : **ni trop bon** (pour permettre l'identification), **ni trop mauvais** (pour que son sort soit digne de pitié).

▶ **Le héros racinien**

Racine se conforme à ce précepte. Les héros raciniens sont coupables en bravant des interdits moraux et politiques ; mais ils sont aussi innocents dans leurs aspirations au bonheur : ce sont donc des personnages **complexes**. ➜ **Ex. :** Néron devient monstrueux mais il apparaît comme un homme esclave de sa passion pour Junie (▶ **p. 188**). Oreste devient criminel au nom de son amour pour Hermione (▶ **p. 184**).

▶ **Le héros cornélien**

Pour **Corneille**, la peinture des caractères exige **la perfection dans la bonté** (c'est le héros généreux, celui qui est « bien né », qui a la noblesse de sang et d'esprit) **ou dans le crime** (c'est le monstre parfait ▶ **p. 179**).

Plaire selon les règles : vraisemblance et bienséances

▶ **Quels sont les enjeux des règles du théâtre classique ?**

▶▶▶ *Molière*, film de **Laurent Tirar**, 2007.

Molière,
Le Tartuffe (1669)

▶ Biographie p. 538

⊕ CONTEXTE

Le terme « dévot » désigne les personnes attachées à la pratique religieuse et de manière péjorative ceux qui ont une dévotion ostentatoire. La Compagnie du Saint-Sacrement, fondée en 1627, est une association secrète qui milite en faveur d'un rigorisme moral. Elle condamne avec virulence le théâtre et c'est sous son influence que la pièce de Molière est interdite en 1664. Tartuffe est un personnage qui simule une dévotion et une vertu profondes dans le but de tirer profit de son entourage.

▶ Repères historiques et littéraires, p. 120 et p. 124

L'exposition correspond à la première étape de la pièce. Elle doit apporter aux spectateurs toutes les informations dont ils ont besoin pour comprendre les enjeux de l'action à venir. Or, tout cela doit se faire sans que le spectateur ait le sentiment que la scène est artificielle, ce qui risquerait de briser l'illusion théâtrale. Il s'agit d'un vrai défi d'écriture et de mise en scène.

1 MADAME PERNELLE. – Allons, Flipote, allons, que d'eux je me délivre.
ELMIRE. – Vous marchez d'un tel pas qu'on a peine à vous suivre.
MADAME PERNELLE. – Laissez, ma bru, laissez, ne venez pas plus loin :
Ce sont toutes façons dont je n'ai pas besoin.
5 ELMIRE. – De ce que l'on vous doit envers vous on s'acquitte,
Mais ma mère, d'où vient que vous sortez si vite ?
MADAME PERNELLE. – C'est que je ne puis voir tout ce ménage-ci[1],
Et que de me complaire on ne prend nul souci.
Oui, je sors de chez vous fort mal édifiée :
10 Dans toutes mes leçons j'y suis contrariée,
On n'y respecte rien, chacun y parle haut,
Et c'est tout justement la cour du roi Pétaud[2].
DORINE. – Si…
MADAME PERNELLE. – Vous êtes, mamie, une fille suivante[3]
Un peu trop forte en gueule, et fort impertinente :
15 Vous vous mêlez sur tout de dire votre avis.
DAMIS. – Mais…
MADAME PERNELLE. – Vous êtes un sot en trois lettres, mon fils ;
C'est moi qui vous le dis, qui suis votre grand-mère.
Et j'ai prédit cent fois à mon fils, votre père,
Que vous preniez tout l'air d'un méchant garnement,
20 Et ne lui donneriez jamais que du tourment.
MARIANE. – Je crois…
MADAME PERNELLE. – Mon Dieu, sa sœur, vous faites la discrète.
Et vous n'y touchez pas[4], tant vous semblez doucette.
Mais il n'est, comme on dit, pire eau que l'eau qui dort,
Et vous menez sous chape[5] un train que je hais fort.
25 ELMIRE. – Mais, ma mère…
MADAME PERNELLE. – Ma bru[6], qu'il ne vous en déplaise,
Votre conduite en tout est tout à fait mauvaise ;
Vous devriez leur mettre un bon exemple aux yeux,
Et leur défunte mère en usait beaucoup mieux.
Vous êtes dépensière ? et cet état[7] me blesse,
30 Que vous alliez vêtue ainsi qu'une princesse.
Quiconque à son mari veut plaire seulement,
Ma bru, n'a pas besoin de tant d'ajustement.
CLÉANTE. – Mais, Madame, après tout…
MADAME PERNELLE. – Pour vous, Monsieur son frère,
Je vous estime fort, vous aime, et vous révère ;
35 Mais enfin, si j'étais de[8] mon fils, son époux,

1. la manière dont on vit ici.
2. lieu où règnent le désordre et la confusion.
3. dame de compagnie.
4. avoir l'air de ne pas y toucher.
5. en cachette.
6. belle-fille.
7. manière de vivre.
8. à la place de.

Tartuffe, de Molière, mis en scène par **Lloyd Waiwaiole**, 2004, Union College, Schenectady, New York.

Je vous prierais bien fort de n'entrer point chez nous.
Sans cesse vous prêchez des maximes de vivre
Qui par d'honnêtes gens ne se doivent point suivre.
Je vous parle un peu franc ; mais c'est là mon humeur,
40 Et je ne mâche point ce que j'ai sur le cœur.
DAMIS. – Votre Monsieur Tartuffe est bienheureux sans doute…
MADAME PERNELLE. – C'est un homme de bien, qu'il faut que l'on écoute ;
Et je ne puis souffrir sans me mettre en courroux
De le voir querellé par un fou comme vous.
45 DAMIS. – Quoi ? je souffrirai, moi, qu'un cagot de critique[9]
Vienne usurper céans[10] un pouvoir tyrannique,
Et que nous ne puissions à rien nous divertir,
Si ce beau Monsieur-là n'y daigne consentir ?
DORINE. – S'il le faut écouter et croire à ses maximes,
50 On ne peut faire rien qu'on ne fasse des crimes ;
Car il contrôle tout, ce critique zélé.

Acte I, scène 1.

9. celui qui a une dévotion suspecte.
10. ici dedans, en parlant de la maison où l'on se trouve.

Pierre Larthomas,
Le Langage dramatique (1980)

► **Pierre Larthomas** est un théoricien du théâtre. Dans cet ouvrage, il explore les formes et fonctions du langage dramatique pour montrer quelles sont ses spécificités.

1   Au début du *Tartuffe*, l'exposition se fait grâce à une discussion violente entre Mme Pernelle et les autres membres de la famille. « La scène », indique Fernand Ledoux[1], « s'attaque dans un grand mouvement de la part de tous les acteurs… le jeu doit être rapide fort, sans bavures ». Mais dans cette discussion rapide, le metteur en scène a marqué un arrêt entre la réplique de Damis et la réponse de sa grand-mère :

> – Votre Monsieur Tartuffe est bien heureux sans doute…
> – C'est un homme de bien qu'il faut que l'on écoute…

et commente :

> Cette réplique est d'une importance considérable ; c'est la première fois qu'on parle de Tartuffe… Madame Pernelle, clouée sur place, foudroie Damis, et, dans un silence, le premier de l'acte, elle descend entre la cheminée et le fauteuil. Arrivée à cette place, elle donne sa réplique, largement et avec gravité. […]

    Silence, mouvement, reprise enfin du tempo initial, l'effet, on le voit, est très appuyé et met bien en valeur un des éléments essentiels de la pièce. Mais il est difficile de définir ici la part de l'auteur et celle du metteur en scène. Il se peut que Molière ait recherché un effet plus brusque d'interruption, comme dans les répliques précédentes, et comme semblent l'indiquer les points de suspension des premières éditions, mais enfin nous n'en savons rien ; et le texte, l'intrigue et la psychologie des personnages légitiment cet arrêt et ce silence. C'est justement dans la mesure où il est impossible de séparer le texte de la façon dont il est mis en valeur qu'une mise en scène se révèle excellente.

© Presses Universitaires de France.

1. sociétaire de la Comédie Française, acteur et metteur en scène.

Questions

► Texte et représentation, p. 439
► Le registre comique, p. 464
► **Lire une page de théâtre, p. 493**

Orthographe
«Vous êtes un sot en trois lettres, mon fils» (v. 16) Quels sont les intérêts de la précision apportée par Mᵐᵉ Pernelle ? Quels sont les homonymes du mot «sot»? Employez-les au sein d'une même phrase en créant un effet comique.

► Les homonymes, p. 408

Une entrée en matière dynamique et comique

1. Quelle est l'impression créée par la présence de nombreux personnages ? Sont-ils statiques ou en mouvement ? Justifiez votre réponse.
2. Comment qualifier le rythme d'enchaînement des répliques ? Quel personnage joue un rôle pivot dans l'orchestration de cette scène ? Pourquoi ?
3. Montrez que les jeux de scène et de langage qu'implique le texte participent de l'effet comique de cette exposition.

Des portraits multiples

4. Quels sont les traits de caractère du personnage de Mᵐᵉ Pernelle ? Justifiez votre réponse. Combien de portraits établit-elle au cours de cet extrait ? Qu'apprend-on de chacun des personnages décrits (liens familiaux, caractère) ?

5. Ces portraits sont-ils objectifs ou subjectifs ? Le spectateur est-il censé adhérer au discours de Mᵐᵉ Pernelle ?

Le héros mystérieux

6. Quel est le seul personnage dont on parle mais qui n'est pas en scène ? Quel est l'effet ainsi créé ? Montrez qu'il suscite la polémique et que son portrait contradictoire dessine l'enjeu de l'action.

L'exposition du *Tartuffe* selon Larthomas

7. Sur quels aspects du texte de Molière le critique insiste-t-il ? Quel lien établit-il entre texte et représentation ?
8. Comment le metteur en scène cité dans le texte justifie-t-il ses choix ?
9. Quels choix de mise en scène proposeriez-vous pour ces deux répliques (v. 41-42) ? Justifiez vos idées par un recours précis au texte de Molière.

Synthèse Quels éléments font de cet extrait une scène d'exposition d'une grande virtuosité ?

▶ Biographie p. 538

Molière,
Amphitryon (1668)

Reprenant le modèle de l'Amphitryon de Plaute, Molière compose pour sa comédie un prologue assumé par le dieu Mercure, qui présente au spectateur les personnages et les éléments essentiels de l'intrigue. Le spectateur connaît donc déjà la ruse de Jupiter. Sosie, valet d'Amphitryon, entre en scène, il est chargé d'annoncer à Alcmène le retour imminent de son maître...

⊕ CONTEXTE

Les transformations de Zeus (Jupiter) sont célèbres et beaucoup sont racontées par Ovide dans *Les Métamorphoses*. Nombreuses sont celles qui ont pour enjeu la séduction d'une mortelle. Alcmène, épouse d'Amphitryon, est l'une des victimes du roi des dieux. Se faisant passer pour son mari, il obtient ses faveurs. Alcmène se retrouve enceinte à la fois d'un dieu et d'un homme et met au monde deux enfants : Héraclès (Hercule), fils de Zeus, et Iphiclès, fils d'Amphitryon.

[...]

SOSIE. – Mais enfin, dans l'obscurité,
Je vois notre maison, et ma frayeur s'évade.
Il me faudrait, pour l'ambassade[1],
Quelque discours prémédité.
5 Je dois aux yeux d'Alcmène un portrait[2] militaire
Du grand combat qui met nos ennemis à bas ;
Mais comment diantre[3] le faire,
Si je ne m'y trouvai pas ?
N'importe, parlons-en et d'estoc et de taille[4],
Comme oculaire témoin :
Combien de gens font-ils des récits de bataille
Dont ils se sont tenus loin ?
Pour jouer mon rôle sans peine,
Je le veux un peu repasser[5].
Voici la chambre où j'entre en courrier que l'on mène,
Et cette lanterne est Alcmène,
À qui je me dois adresser.
(Il pose sa lanterne à terre et lui adresse son compliment.)
« Madame, Amphitryon, mon maître et votre époux...
20 (Bon ! beau début !) l'esprit toujours plein de vos charmes,
M'a voulu choisir entre tous,
Pour vous donner avis du succès de ses armes,
Et du désir qu'il a de se voir près de vous. »
« Ha ! vraiment, mon pauvre Sosie,
25 *À te revoir j'ai de la joie au cœur. »*
[...]
(Ah !) *« Mais quel est l'état où la guerre l'a mis ?*
Que dit-il ? que fait-il ? Contente un peu mon âme. »
Il dit moins qu'il ne fait, Madame,
Et fait trembler les ennemis. »
30 (Peste ! où prend mon esprit toutes ces gentillesses[6] ?)
« Que font les révoltés ? dis-moi, quel est leur sort ? »
« Ils n'ont pu résister, Madame, à notre effort :
Nous les avons taillés en pièces,
Mis Ptérélas leur chef à mort,
35 Pris Télèbe d'assaut, et déjà dans le port
Tout retentit de nos prouesses. »

Acte I, scène 1.

1. récit.
2. commission, message entre particuliers.
3. exclamation qu'on emploie par euphémisme pour « diable ».
4. de quelque manière que ce soit.
5. redire, répéter ce que l'on a appris par cœur.
6. phrases bien tournées.

Amphitryon, de Molière, mis en scène par **Bérangère Jannelle** avec Olivier Balazuc, 2010, théâtre de la Ville, Les Abbesses.

Questions

▶ Texte et représentation, p. 439

▶ La double énonciation, p. 442

▶ Le registre comique, p. 464

▶ **Lire une page de théâtre, p. 493**

Grammaire
« Combien de gens font-ils des récits de bataille/Dont ils se sont tenus loin ? » (l. 11-12). Identifiez la forme verbale et justifiez l'accord du participe passé.

▶ L'accord du participe, p. 404

Un « monologue » informatif ?

1. Quelles informations Sosie nous apporte-t-il ? En sait-on plus ou moins que lui ? Quel est l'effet ainsi créé ?

2. Sosie est seul en scène, mais combien de « voix » se mêlent au sein de son discours ? Commentez, dans cette optique, le choix de la variété des mètres et du lexique. Comment imaginer le jeu de scène ?

Le théâtre dans le théâtre

3. Quels rôles Sosie assume-t-il tout au long de l'extrait ? Ses métamorphoses offrent-elles une réflexion sur l'univers théâtral ? Justifiez votre réponse.

4. Établissez un lien entre ces dédoublements successifs et le nom du personnage.

Le comique farcesque

5. Quelles caractéristiques font de lui le type du valet de comédie ?

6. Quels éléments relèvent de la farce ? Montrez, en particulier, comment, dans cette scène, Molière parodie certains aspects de la tragédie.

Lecture d'image Montrez que le jeu du comédien met en relief le théâtre dans le théâtre, procédé sur lequel est bâtie cette scène.

Synthèse Pourquoi cet extrait de scène d'exposition est-il original ?

Vers le bac **S'entraîner pour l'oral**
Travaillez la lecture expressive de ce texte de manière à rendre au mieux compte de sa polyphonie.

Nicolas Poussin,
L'Enlèvement des Sabines (vers 1640)

Nicolas Poussin,
L'Enlèvement des Sabines,
huile sur toile (159 x
206 cm), XVIIe siècle, musée
du Louvre, Paris.

▲ La peinture d'histoire est considérée comme le genre majeur dans la hiérarchie des genres établie par le classicisme. Elle a pour enjeu la représentation de grandes scènes empruntées à l'histoire, à la religion ou à la mythologie. Ce tableau a pour sujet un épisode de l'histoire romaine tiré de Plutarque (*Vie de Romulus*) et de Tite-Live.

Méthode Lire une peinture d'histoire

ÉTAPE 1 Identifier le sujet de l'œuvre
- Observez le titre : quelles informations donne-t-il ?
- Faites des recherches pour retrouver les dates et circonstances de l'événement peint.

ÉTAPE 2 Chercher des repères dans l'histoire des arts
- Cherchez des informations sur le peintre et le courant artistique auquel il appartient.
- Quelles sont les caractéristiques de l'œuvre ?
- Fait-elle écho à d'autres représentations du même événement ?
- Quelles sont ses spécificités ?

ÉTAPE 3 Comprendre l'enjeu de l'œuvre
- Quel est le parti pris de l'artiste par rapport à l'événement ?
- L'événement fait-il écho au contexte dans lequel s'inscrit le peintre ?
- La visée de l'œuvre est-elle esthétique et/ou argumentative ?

Pablo Picasso,
L'Enlèvement des Sabines (1962)

◄ Picasso s'est inspiré à la fois de Poussin (xviie siècle) et de David (xviiie siècle). Il décompose et recompose leurs œuvres dans une logique d'analyse et de confrontation avec sa pratique. Le tableau est une allusion aux événements politiques de l'année 1962. La crise dite des « fusées de Cuba » fait alors craindre une troisième guerre mondiale et le massacre de nouveaux innocents.

Pablo Picasso, *L'Enlèvement des Sabines,* huile sur toile (97 x 130 cm), 1962, musée national d'Art moderne, Paris.

Questions

▶ **Décrire une image, p. 514**
▶ **Interpréter une image, p. 519**

Lecture du tableau de Poussin

1. Faites des recherches sur l'épisode de l'enlèvement des Sabines.
2. Quels éléments constituent le premier plan du tableau ? Autour de quel personnage s'organisent-ils ?
3. Quels éléments retrouve-t-on au second plan ? Quelle image de Rome offrent-ils ?
4. Décrivez avec précision la composition du tableau. Où se situe le point de fuite ? Précisez les jeux de symétrie mis en place et leurs enjeux.
5. Quelles sont les couleurs dominantes ? Analysez leur répartition. Montrez qu'elle se fait de manière équilibrée.

6. Quelle est, selon vous, l'identité du personnage représenté à gauche du tableau avec un manteau rouge ? Décrivez sa pose. Que traduit-elle ?
7. Comment la composition rend-elle compte du désordre de la scène ? Comment souligne-t-elle le mouvement de panique des Sabines ?

Comparaison des tableaux

8. Quels sont les éléments communs aux deux tableaux ?
9. Établissez un bilan comparatif des procédés utilisés pour rendre compte de la violence.

Prolongements

• Cherchez le tableau de David proposant une autre version de *L'Enlèvement des Sabines.*

• Cherchez dans quelle œuvre Balzac fait de Nicolas Poussin un de ses personnages. Lisez cet ouvrage et commentez le portrait que Balzac dresse du peintre.

Synthèse Nicolas Poussin déclare dans sa *Correspondance* : « Mon naturel me contraint de chercher et aimer les choses bien ordonnées, fuyant la confusion qui m'est aussi contraire et ennemie comme est la lumière des obscures ténèbres ». Comment cette affirmation se trouve-t-elle corroborée par l'analyse de la composition de *L'Enlèvement des Sabines* ?

Pierre Corneille,
Horace (1640)

▶ **Biographie p. 535**

● CONTEXTE

Toute la dramaturgie du XVIIᵉ siècle est influencée par un ouvrage de l'Antiquité, *La Poétique* d'Aristote, qui établit les distinctions entre les genres littéraires et en définit les spécificités. Il insiste en particulier sur la tragédie et précise que « quand les choses arrivent entre des gens que la naissance ou l'affection attache aux intérêts l'un de l'autre, comme alors qu'un mari tue ou est prêt de tuer sa femme, une mère et ses enfants, un frère sa sœur, c'est ce qui convient parfaitement à la tragédie ».

Soumis à une guerre fratricide, les Horaces (de Rome) et les Curiaces (d'Albe) se sont affrontés. L'acte IV a vu la victoire d'Horace qui vient de donner la mort à l'amant de sa sœur, Curiace. C'est par un récit, fait dans la scène 2, que le spectateur apprend l'issue du combat et les détails du trépas de Curiace. À la scène 5 s'ouvre un autre duel, opposant frère et sœur, selon une logique nécessairement fatale étant donné l'abîme qui sépare maintenant ces deux personnages pourtant issus du même sang.

1 HORACE. – Ô ciel ! qui vit jamais une pareille rage !
Crois-tu donc que je sois insensible à l'outrage,
Que je souffre en mon sang ce mortel déshonneur ?
Aime, aime cette mort qui fait notre bonheur,
5 Et préfère du moins au souvenir d'un homme
Ce que doit ta naissance aux intérêts de Rome
CAMILLE. – Rome, l'unique objet de mon ressentiment !
Rome, à qui vient ton bras d'immoler mon amant !
Rome qui t'a vu naître, et que ton cœur adore !
10 Rome enfin que je hais parce qu'elle t'honore !
Puissent tous ses voisins ensemble conjurés
Saper ses fondements encor mal assurés !
Et si ce n'est assez de toute l'Italie,
Que l'Orient contre elle à l'Occident s'allie ;
15 Que cent peuples unis des bouts de l'univers
Passent pour la détruire et les monts et les mers !
Qu'elle-même sur soi renverse ses murailles,
Et de ses propres mains déchire ses entrailles !
Que le courroux du ciel allumé par mes vœux
20 Fasse pleuvoir sur elle un déluge de feux !
Puissé-je de mes yeux y voir tomber ce foudre[1],
Voir ses maisons en cendre, et tes lauriers en poudre,
Voir le dernier Romain à son dernier soupir,
Moi seule en être cause, et mourir de plaisir !
HORACE, *mettant la main à l'épée, et poursuivant sa sœur qui s'enfuit.* –
25 C'est trop, ma patience à la raison fait place ;
Va dedans les enfers plaindre ton Curiace.
CAMILLE, *blessée derrière le théâtre.* – Ah ! Traître !
HORACE, *revenant sur le théâtre.* –   Ainsi
[reçoive un châtiment soudain
Quiconque ose pleurer un ennemi romain !

Acte IV, scène 5.

1. le terme est masculin ou féminin au XVIIᵉ siècle.

Horace, de Corneille, mis en scène par **Naidra Ayadi** avec Naidra Ayadi et jean-Christophe Folly, 2009, théâtre de la Tempête, Paris.

L'Abbé d'Aubignac,
La Pratique du théâtre (1657)

▶ **François Hédelin, abbé d'Aubignac** (1604-1676) est un prédicateur, romancier et dramaturge célèbre à la fois pour son statut de précepteur du neveu du cardinal de Richelieu et pour ses querelles, en particulier avec Corneille, dont il attaqua à maintes reprises les tragédies au nom d'une défense sans concession du principe de régularité.

La Pratique du théâtre est l'œuvre d'un homme, théoricien du théâtre, qui confronte les pratiques des dramaturges de l'époque avec l'idéal classique qu'il voudrait voir respecté.

1   La Scène ne donne point les choses comme elles ont été, mais comme elles doivent être, et le Poète y doit rétablir dans le sujet tout ce qui ne s'accommodera pas aux règles de son Art, comme fait un Peintre lorsqu'il travaille sur un modèle défectueux.

5   C'est pourquoi la mort de Camille par la main d'Horace son frère n'a pas été approuvée au Théâtre, bien que ce soit une aventure véritable, et j'avais été d'avis, pour sauver en quelque sorte l'Histoire, et tout ensemble la bienséance de la Scène, que cette fille désespérée, voyant son frère l'épée à la main, se fût précipitée dessus : ainsi elle fût morte de la main d'Horace et lui eût été digne de compassion comme
10 un malheureux innocent. L'Histoire et le Théâtre auraient été d'accord.

Questions

▶ Texte et représentation, p. 439
▶ Les registres tragique et pathétique, p. 466

Les figures de style
« Qu'elle-même sur soi renverse ses murailles,/Et de ses propres mains déchire ses entrailles ! » (v. 17-18). Identifiez les figures de style présentes dans ces vers. Justifiez leur emploi.

La violence de l'affrontement

1. Quel est le registre littéraire dominant ? Justifiez votre réponse.
2. Montrez qu'Horace fait de l'attitude de sa sœur un crime contre Rome.
3. Comment s'exprime la haine de Camille à l'encontre de Rome ?

L'*hybris* tragique

4. Quels sont les indices de la démesure dans les répliques de chacun des deux personnages ?
5. Pourquoi la tirade de Camille peut-elle être considérée comme une provocation et une incitation au meurtre ?

La pratique du théâtre de l'abbé d'Aubignac

6. Comment la mort de Camille est-elle mise en scène ? Au nom de quoi ?
7. Quels sont les reproches de l'abbé d'Aubignac ? À quelles règles se réfère-t-il ?

Lecture d'image Comment le jeu des comédiens rend-il compte de la tension et de la violence de la scène tout en soulignant les liens des personnages ?

Synthèse Corneille respecte-t-il la règle de bienséance ?

Vers le bac   **Le paragraphe argumentatif**

▶ Construire un paragraphe argumentatif, p. 485

Dans un paragraphe construit, nourri de références précises au texte de Corneille, justifiez les choix du dramaturge en répondant aux objections de l'abbé d'Aubignac.

▶ **Biographie p. 538**

● CONTEXTE

Pour les Grecs, le sacrifice humain est le propre des peuples barbares. Cependant, de nombreux témoignages attestent son existence dans les temps les plus reculés de l'Antiquité. Il était alors un marché passé entre les hommes et les divinités. Les récits mythologiques de sacrifices humains sont nombreux. Celui d'Iphigénie est l'un des épisodes les plus connus de *L'Iliade*. Les Grecs, dont la flotte est réunie à Aulis, se préparent à partir pour Troie. Or les vents ne sont pas favorables. Les dieux exigent le sacrifice de la fille d'Agamemnon.

Jean Racine,
Iphigénie (1674)

Iphigénie est convoquée par son père à Aulis sous le faux prétexte d'une union possible avec Achille. Elle arrive sur place accompagnée de sa mère, Clytemnestre. On découvre en même temps le personnage d'Ériphile, jeune femme enlevée par Achille, qui ignore l'identité de ses parents. À l'acte III, Iphigénie apprend que la demande de son père était une ruse. Elle se résout cependant à accepter la mort au nom de la piété filiale. Dans l'ultime scène de la pièce, Ulysse, au sein d'un récit rétrospectif, annonce un sacrifice inattendu.

1   CLYTEMNESTRE. – Ma fille! Ah, prince! Ô Ciel! Je demeure éperdue.
   Quel miracle, Seigneur, quel Dieu me l'a rendue?
   ULYSSE. – Vous m'en voyez moi-même en cet heureux moment
   Saisi d'horreur, de joie et de ravissement[1].
5   Jamais jour n'a paru si mortel à la Grèce.
   Déjà de tout le camp la discorde maîtresse
   Avait sur tous les yeux mis son bandeau fatal,
   Et donné du combat le funeste signal.
   De ce spectacle affreux votre fille alarmée
10 Voyait pour elle Achille, et contre elle l'armée.
   Mais, quoique seul pour elle, Achille furieux
   Epouvantait l'armée, et partageait les Dieux.
   Déjà de traits en l'air s'élevait un nuage.
   Déjà coulait le sang, prémices du carnage.
15 Entre les deux partis Calchas s'est avancé,
   L'œil farouche, l'air sombre, et le poil[2] hérissé,
   Terrible, et plein du Dieu qui l'agitait sans doute:
   Vous, Achille, a-t-il dit, et vous, Grecs, qu'on m'écoute.
   Le Dieu qui maintenant vous parle par ma voix
20 *M'explique son oracle et m'instruit de son choix.*
   Un autre sang d'Hélène, une autre Iphigénie,
   Sur ce bord immolée y doit laisser sa vie.
   Thésée avec Hélène uni secrètement
   Fit succéder l'hymen[3] à son enlèvement.
25 *Une fille en sortit, que sa mère a celée.*
   Du nom d'Iphigénie elle fut appelée.
   Je vis moi-même alors ce fruit de leurs amours.
   D'un sinistre avenir je menaçai ses jours.
   Sous un nom emprunté sa noire destinée
30 *Et ses propres fureurs ici l'ont amenée.*
   Elle me voit, m'entend, elle est devant vos yeux,
   Et c'est elle, en un mot, que demandent les Dieux.
   Ainsi parle Calchas. Tout le camp immobile
   L'écoute avec frayeur, et regarde Ériphile.
35 Elle était à l'autel, et peut-être en son cœur
   Du fatal sacrifice accusait la lenteur.
   Elle-même tantôt, d'une course subite,
   Était venue aux Grecs annoncer votre fuite.

1. ici, émotion éprouvée par une personne transportée de joie.
2. désigne à la fois les cheveux et la barbe.
3. union, mariage.

Le Sacrifice d'Iphigénie,
fresque de Pompéi,
Iᵉʳ siècle, musée national
d'Archéologie, Naples.

On admire en secret sa naissance et son sort.
40 Mais, puisque Troie enfin est le prix de sa mort,
L'armée à haute voix se déclare contre elle,
Et prononce à Calchas sa sentence mortelle.
Déjà pour la saisir Calchas lève le bras :
Arrête, a-t-elle dit, *et ne m'approche pas.*
45 *Le sang de ces héros dont tu me fais descendre*
Sans tes profanes mains saura bien se répandre.
Furieuse, elle vole, et sur l'autel prochain
Prend le sacré couteau, le plonge dans son sein.
À peine son sang coule et fait rougir la terre,
50 Les Dieux font sur l'autel entendre le tonnerre,
Les vents agitent l'air d'heureux frémissements,
Et la mer leur répond par ses mugissements.
La rive au loin gémit, blanchissante d'écume.
La flamme du bûcher d'elle-même s'allume.
55 Le ciel brille d'éclairs, s'entrouvre, et parmi nous
Jette une sainte horreur qui nous rassure tous.

Acte V, scène 6.

▶ Les registres tragique
et pathétique, p. 466

Vocabulaire
Cherchez l'étymologie du
terme «discorde» (v. 6). À
quel épisode mythologique
l'expression «la pomme
de la discorde» fait-elle
référence ? Quelle déesse
y joue un rôle clé ? Faites
le lien avec le prénom
«Ériphile» dont vous
chercherez l'étymologie.

▶ Histoire et formation des
mots, p. 411

Questions

1. Pourquoi ce dénouement peut-il surprendre dans le cadre d'une tragédie classique ?
2. Justifiez le choix du récit mis en place par Racine.
3. Repérez les différentes étapes de la narration. Montrez qu'il s'agit d'une mise en mots obéissant à une logique proprement théâtrale.

4. Quels procédés font de ce récit une véritable hypotypose (ensemble des procédés permettant d'animer une description) ? Quel est l'effet produit ?
5. La réplique d'Ulysse mêle récit et discours. Quelles sont les voix convoquées ? Montrez que cette polyphonie accroît le pathétique et le tragique.

Euripide,
Iphigénie à Aulis (406 av. J.-C.)

▶ **Euripide** (vers 480 av. J.-C. – 406 av. J.-C.) est un dramaturge grec ami de Socrate. En retrait par rapport à la vie politique, sociale et militaire de son époque, marquée par la guerre du Péloponnèse (432 av. J.-C. – 404 av. J.-C.), il mène une réflexion amère et désabusée sur la misère de la condition humaine et sur la capacité de l'homme à exercer une quelconque liberté.

Iphigénie à Aulis est jouée à Athènes un an après la mort d'Euripide. Nous sommes ici au moment du dénouement. Contrairement à un autre dramaturge grec (Eschyle dans Agamemnon) qui choisit la mort d'Iphigénie, Euripide opte pour une fin miraculeuse et cultive le goût du public pour les métamorphoses. L'extrait prend la forme d'un récit fait à Clytemnestre par un messager témoin du prodige.

1 LE MESSAGER. – Le devin Calchas place dans un coffret garni en or le glaive tranchant qu'il avait tiré de son fourreau, et il couronne la jeune fille. Le fils de Pélée[1] prenant à la fois le coffret et l'eau lustrale, court autour de l'autel et dit : « Ô Diane, toi qui te plais à tuer les bêtes sauvages et qui promènes dans la nuit ta brillante
5 lumière, reçois cette victime que te présentent l'armée des Grecs et le roi Agamemnon ; c'est le sang pur d'une beauté virginale : accorde à nos vœux une heureuse navigation, et la prise de Troie par nos armes. » Les Atrides et toute l'armée se tenaient les yeux fixés vers la terre. Le prêtre prend le glaive, invoque les dieux, et regarde la gorge pour marquer l'endroit où il doit frapper. Une angoisse cruelle
10 serrait mon cœur et je restais les yeux baissés. Mais un prodige soudain se manifeste : Calchas frappe, tous entendent le coup ; mais la victime disparaît, sans qu'on voie aucune trace de sa retraite. Le prêtre pousse un cri, toute l'armée y répond par ses acclamations, à la vue de ce prodige, envoyé sans doute par quelque divinité ; on le voyait et on n'en croyait pas ses yeux. Une biche d'une taille extraordinaire
15 et d'une rare beauté gisait palpitante sur la terre, l'autel de la déesse était arrosé de son sang. Alors avec quelle joie Calchas s'écrie : « Chefs de l'armée des Grecs, voyez-vous cette victime que la déesse a substituée sur l'autel ? Voyez-vous cette biche des montagnes ? Diane la préfère à la jeune vierge, elle ne veut pas qu'un sang si précieux souille son autel. La déesse exauce nos vœux, elle nous accorde
20 une heureuse navigation, et la prise de Troie. »

1. Calchas.

Traduction de Nicolas Louis Artaud, © Univers Poche-Pocket.

Questions

▶ Les registres tragique et pathétique, p. 466

1. Analysez le champ lexical de la vision. Quel rôle joue le regard dans cet extrait ?

2. De quelles manières le messager rend-il compte de l'émotion et de la tension qui règnent à l'approche du sacrifice ?

3. Comment le merveilleux est-il mis en valeur ?

Synthèse Le choix de Racine ▶ p. 208 vous semble t-il plus vraisemblable que le miracle imaginé par Euripide ?

Vers le bac **S'entraîner au commentaire**

▶ Construire un paragraphe argumentatif, p. 485

Rédigez un paragraphe du commentaire du texte de Racine ▶ p. 208. Vous montrerez quels sont les procédés mobilisés par le dramaturge pour rendre le récit d'Ulysse vivant et dynamique.

LES RÈGLES CLASSIQUES

*On a coutume de résumer la codification de la dramaturgie classique à la formule de Boileau : « Qu'en un lieu, qu'en un jour, un seul fait accompli/Tienne jusqu'à la fin le théâtre rempli » (*Art poétique, 1674)*. Encore faut-il comprendre quelle est l'origine de ce principe et en saisir les enjeux.*

1 LE FONDEMENT DE L'ESTHÉTIQUE CLASSIQUE : LA VRAISEMBLANCE

La **vraisemblance** ne peut ni ne doit se confondre avec **le vrai**. Pour la scène classique, l'enjeu n'est pas d'offrir ce qui serait une **copie du réel**, mais de proposer aux spectateurs une version **épurée** et **idéalisée** permettant d'accéder à une **vérité supérieure**. Ce qui est représenté sur scène se doit d'être **acceptable** et **tolérable** en fonction de ce que sont les attentes du public afin de permettre l'adhésion de ce dernier à ce qu'il voit. Ainsi, **le vraisemblable n'est pas ce qui est mais ce qui doit être** (→ **Ex. :** *Horace* de Corneille ▶ **p. 206** et *Iphigénie* de Racine ▶ **p. 208**)
→ **Ex. :** Racine modifie le dénouement d'*Iphigénie* de manière à le rendre plus vraisemblable.

2 DE LA VRAISEMBLANCE AUX BIENSÉANCES

Les bienséances font partie de ce désir d'accorder le spectacle avec les exigences intellectuelles et morales qui sont celles du public.

▶ La bienséance externe
Elle correspond au désir de ne jamais choquer la sensibilité et les principes moraux des spectateurs. Toute représentation de la sexualité, de la violence ou de la mort est proscrite.
→ **Ex. :** dans *Horace*, à l'acte III, scène 5, Camille est poursuivie par son frère en coulisses. Le meurtre est commis hors scène.

▶ La bienséance interne
Elle a pour enjeu de garantir la **conformité** des personnages avec l'histoire ou la légende, avec la tradition des pays décrits et la **cohérence** de leur évolution tout au long de l'intrigue.
→ **Ex. :** au cours de la querelle du *Cid* (1637), Corneille s'est vu reprocher à la fois l'invraisemblance de l'intrigue (Chimène ne peut, logiquement, accepter d'épouser le meurtrier de son père) et son atteinte à la norme morale.

3 VRAISEMBLANCE ET UNITÉS

Les unités participent de cette volonté d'offrir un tout **cohérent** et **acceptable**.

▶ L'unité d'action
Liée à l'impératif de cohérence, elle implique que toutes les actions – même secondaires – soient liées à l'action principale.

▶ L'unité de temps
Elle vise à réduire au maximum l'écart entre temps de l'action et temps de la représentation.

▶ L'unité de lieu
Elle est une conséquence logique des deux premières. Le resserrement de l'action et du temps ne permet pas la multiplication des lieux.

Toutes ces règles sont nées d'une réflexion sur la capacité des pièces à offrir une **illusion parfaite**, source de **plaisir**.

Comme le dit Racine dans la préface de *Bérénice* : « La principale règle étant de plaire et de toucher : toutes les autres ne sont faites que pour parvenir à cette première. »

Dossier

1. La scène antique : un espace tourné vers les dieux

Les représentations théâtrales sont associées, dans l'Antiquité grecque, au **culte de Dionysos**. Ces célébrations ont lieu dans une enceinte, située dans un sanctuaire, qui comprend un temple, un autel et un théâtre.

Les spectateurs qui entrent par les côtés (*parodoi*) s'installent dans le *theatron* (« lieu d'où l'on regarde »). Ils entourent une aire de jeu composée de deux espaces distincts.

• Une partie est réservée au chœur (l'*orchestra*) au centre de laquelle se trouve la *thymélé* (autel sacrificiel surmonté par la statue de Dionysos). Le chœur sert de relais entre les acteurs et le public, ce qu'encourage le dispositif architectural.

• Une autre est réservée aux comédiens. Elle est formée du *proskénion* (correspondant aujourd'hui au plateau) et de la *skéné*, qui abrite les loges et coulisses. Cette dernière est adossée au temple.

Ainsi, l'espace théâtral est littéralement **cerné par la présence divine** puisque le regard des spectateurs se focalise, en

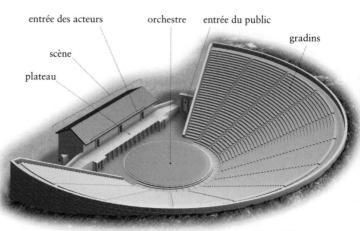

Architecture d'un théâtre grec.

raison de la disposition circulaire, sur l'autel et le temple, situés juste derrière la scène.

• L'architecture en forme de cône, évasé vers le haut, démultiplie le sentiment de grandeur et offre une ouverture vers l'infini du ciel.

• La circularité accroît **le sentiment de communion et d'unité autour de la célébration du dieu.**

Théâtre d'Hérode Atticus, Athènes, Grèce.

Connaître l'architecture du théâtre antique

Montrez que le cadrage et l'angle de vue choisis pour la photographie rendent pleinement compte de l'effet d'ouverture permis par l'architecture du théâtre antique.

2. Le Moyen Âge : fusion et confusion de la scène et de la rue

Le théâtre du Moyen Âge est un théâtre de rue, **un lieu pleinement ouvert**. Bien souvent la structure se réduit à l'emploi de simples tréteaux et le décor à quelques éléments. Les comédiens peuvent jouer à tout endroit devant un « public » souvent peu attentif. En effet, implantés au sein même des lieux sociaux (en particulier les parvis des églises et les places de marché), jouant des espaces qui leur sont offerts (balcons, fenêtres, etc.), ils sont en interaction permanente avec ce « public » qui, lui-même, n'hésite pas à poursuivre ses occupations ou à prendre part au spectacle.

David Vinckboons, *Kermesse* (détail), huile sur bois (115 x 141 cm), début du XVIIe siècle, musée Herzog Anton Ulrich, Braunschweig, Allemagne.

3. Le théâtre élisabéthain : le jeu avec les dimensions

Le théâtre élisabéthain, ainsi nommé parce que ce type d'édifices s'est développé sous le règne d'Élisabeth Ire, au XVIe siècle, en Angleterre, est une structure qui privilégie encore l'ouverture puisque malgré son dispositif circulaire clos, elle ne possède pas de toit complet.

Né dans les cours d'auberges, le dispositif architectural multiplie les aires de jeu afin de séduire le public. Sont ainsi utilisées l'horizontalité de la scène et la verticalité des murs circulaires.

Les plus fortunés des spectateurs s'installent dans les galeries. Ceux qui le sont moins sont debout, autour de l'avant-scène. Les scènes spectaculaires de duel, de batailles s'y déroulent. À l'arrière-scène se jouent les scènes d'amour et d'agonie. Pour rajouter au spectaculaire et à la complicité avec le public, les comédiens peuvent même investir les galeries.

Le théâtre élisabéthain, illustration extraite de *Histoire du théâtre dessinée* d'André Degaine, © A.G. Nizet.

Comprendre les spécificités du théâtre élisabéthain

Commentez ce jugement de Peter Brook (dramaturge et metteur en scène contemporain) en vous appuyant sur le dessin et le descriptif qui vous sont donnés :
« On voit que le théâtre élisabéthain mettait un mur autour de lui-même, mais c'était comme le mur d'une cour intérieure, un mur tellement naturel que la vie se trouvait davantage concentrée mais pas dénaturée. »

4. La naissance de la scène à l'italienne : illusion et perspectives

Pietro Domenico Olivero,
Le théâtre royal de Turin,
huile sur toile
(128 x 114 cm), vers 1740,
museo Civico, Turin.

La naissance du théâtre à l'italienne constitue une véritable **révolution architecturale** qui induit un changement de rapport entre la scène et les spectateurs. Jusque-là, les architectures ou dispositifs privilégiaient l'ouverture et la complicité avec le public.

• Le bâtiment est entièrement fermé.

• Le contact direct est abandonné au profit d'une séparation nette entre l'univers de la salle et l'univers de la scène, créant ainsi un mur imaginaire (« **quatrième mur** ») séparant comédiens et spectateurs.

• Cette illusion d'autonomie est rendue possible grâce à l'exploitation de la perspective qui offre une impression de profondeur

• Le souci de distinction sociale se traduit par une fragmentation de l'espace (parterre, balcons, loges, etc.) qui introduit une hiérarchisation. Le parterre vient tout autant voir le spectacle sur scène que celui des loges et balcons où se trouvent les nobles.

5. Un exemple de scénographie contemporaine

La scénographie définit les aménagements effectués pour organiser l'espace scénique. Le travail du scénographe passe donc aussi par l'exploitation architecturale des lieux dans lesquels se déroulent les spectacles. Aux xxe et xxie siècles, architectes et scénographes jouent sur la métamorphose permanente des espaces.

Pluie d'été à Hiroshima, de Marguerite Duras, mis en scène par **Éric Vigner**, 2006, cloître des Carmes, Avignon.

Comprendre et interpréter des choix de mise en scène

1. Décrivez l'utilisation de l'espace architectural en prenant soin, auparavant, de faire des recherches sur le festival d'Avignon et sur le palais des Papes. Commentez l'alliance de l'ancien et du moderne.
2. Montrez que le lieu scénique joue avec le principe d'horizontalité (photographie 1).
3. Que permettent, selon vous, les découpes faites dans le plan de scène au niveau des comédiens ?
4. Quelle relation est établie entre comédiens et spectateurs grâce à ce dispositif scénique singulier (photographies 1 et 2) ? Quel en est l'enjeu ?

Synthèse Dans un paragraphe explicatif, reformulez les grandes étapes de l'évolution architecturale des théâtres en mettant l'accent sur les différents types de rapport instaurés avec le public.

PISTES DE LECTURE

1 LECTURES CROISÉES

Les Précieuses ridicules de Molière (1660)
Satires, Épîtres, L'Art poétique de Nicolas Boileau (1694)
Ridicule, film de Patrice Leconte (1996)

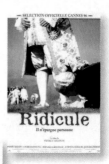

Lisez les *Satires* et *Les Précieuses ridicules*. Visionnez des extraits de *Ridicule*. Vous pouvez travailler par groupe, chaque groupe choisira son axe d'étude et le présentera à l'oral.

AXE D'ÉTUDE 1 Les salons
AXE D'ÉTUDE 2 La préciosité et les précieuses
AXE D'ÉTUDE 3 Le portrait
AXE D'ÉTUDE 4 L'art de la satire

2 D'AUTRES LECTURES

Le Roman comique
de Paul Scarron (1651)

En 1650, par une belle fin de journée, une troupe de comédiens arrive dans la ville du Mans sous le regard interloqué des habitants. Et l'on est invité à découvrir, en même temps qu'eux, la vie, peu monotone, d'une troupe de théâtre.

L'Illusion comique
de Pierre Corneille (1636)

Un père demande l'aide d'un magicien pour retrouver son fils dont il n'a plus de nouvelles depuis des années. Mais gare aux faux-semblants car, dans cette comédie, la vérité est en trompe-l'œil.

Antigone
de Jean Anouilh (1944)

Antigone joue son rôle : « Elle pense. Elle pense qu'elle va être Antigone tout à l'heure » ; Anouilh rejoue la tragédie de Sophocle. Le mythe est connu des spectateurs. Et c'est en jouant sur cette connaissance qu'Anouilh nous offre une nouvelle version.

Le Roi se meurt
d'Eugène Ionesco (1962)

Aux côtés de son ancienne épouse et de la nouvelle, Bérenger Ier se meurt après trois siècles de règne. Le spectateur, partagé entre rires et larmes, regarde le roi et le monde qui l'entoure tomber en miettes.

Roberto Zucco
de Bernard-Marie Koltès (1990)

Inspirée de faits réels – le fascinant et sanglant parcours du tueur en série italien Roberto Succo – la pièce s'ouvre sur un dialogue étrange entre deux gardiens de prison. Une ombre se profile et disparaît, c'est Roberto Zucco qui s'échappe…

Théâtre sans animaux
de Jean-Michel Ribes (2001)

Jean-Claude et Louise voient la sœur de Louise tenir le rôle titre dans *Phèdre*. « Cinq actes sans une seconde d'interruption, tu appelles ça la civilisation ? » déclare Jean-Claude. Le ton est donné ! Et c'est avec un humour mordant que Jean-Michel Ribes interroge notre rapport au monde et au théâtre…

TEXTE A

Molière, préface du *Tartuffe*, 1664

Si l'emploi de la comédie est de corriger les vices des hommes, je ne vois pas par quelle raison il y en aura de privilégiés. Celui-ci[1] est dans l'État, d'une conséquence bien plus dangereuse que tous les autres ; et nous avons vu que le théâtre a une grande vertu pour la correction. Les plus beaux traits d'une sérieuse morale sont moins puissants, le plus souvent, que ceux de la satire ; et rien ne reprend mieux la plupart des hommes que la peinture de leurs défauts. C'est une grande atteinte aux vices que de les exposer à la risée de tout le monde. On souffre[2] aisément des répréhensions[3] ; mais on ne souffre point la raillerie. On veut bien être méchant, mais on ne veut point être ridicule. […] On connaîtra sans doute que, n'étant autre chose qu'un poème ingénieux, qui, par des leçons agréables, reprend les défauts des hommes, on ne saurait la[4] censurer sans injustice ; et si nous voulons ouïr là-dessus le témoignage de l'Antiquité, elle nous dira que ses plus célèbres philosophes ont donné des louanges à la comédie, eux qui faisaient profession d'une sagesse si austère, et qui criaient sans cesse après les vices de leur siècle.

1. il s'agit du vice de l'hypocrisie dénoncé dans la pièce du *Tartuffe*.
2. tolère.
3. blâmes.
4. il s'agit de la comédie.

TEXTE B

Pierre Nicole, *Traité de la comédie*, 1667

Ce qui rend encore plus dangereuse l'image des passions que les Comédies[1] nous proposent, c'est que les Poètes pour les rendre agréables sont obligés, non seulement de les représenter d'une manière fort vive, mais aussi de les dépouiller de ce qu'elles ont de plus horrible, et de les farder tellement par l'adresse de leur esprit, qu'au lieu d'attirer la haine et l'aversion des spectateurs, elles attirent au contraire leur affection. De sorte qu'une passion qui ne pourrait causer que de l'horreur si elle était représentée telle qu'elle est, devient aimable par la manière ingénieuse dont elle est exprimée. […] La représentation d'un amour légitime et celle d'un amour illégitime font presque le même effet, et n'excitent qu'un même mouvement qui agit ensuite diversement selon les dispositions qu'il rencontre. […] En excitant par les Comédies cette passion[2], on n'imprime pas en même temps l'amour de ce qui la règle. Les spectateurs ne reçoivent l'impression que de la passion, et peu ou point de la règle de la passion.

1. le terme est ici à prendre au sens large de « pièces de théâtre » (quel que soit le genre)
2. il s'agit ici de la passion amoureuse.

Jean Racine, préface de *Phèdre*, 1677

Au reste, je n'ose encore assurer que cette pièce soit en effet la meilleure de mes tragédies. [...] Ce que je puis assurer, c'est que je n'en ai point fait où la vertu soit plus mise en jour que dans celle-ci. Les moindres fautes y sont sévèrement punies. La seule pensée du crime y est regardée avec autant d'horreur que le crime même. Les faiblesses de l'amour y passent pour de vraies faiblesses ; les passions n'y sont représentées aux yeux que pour montrer tout le désordre dont elles sont cause ; et le vice y est peint partout avec des couleurs qui en font connaître et haïr la difformité. C'est là proprement le but que tout homme qui travaille pour le public doit se proposer ; et c'est ce que les premiers poètes tragiques avaient en vue sur toute chose. Leur théâtre était une école où la vertu n'était pas moins bien enseignée que dans les écoles des philosophes. [...] Il serait à souhaiter que nos ouvrages fussent aussi solides et aussi pleins d'utiles instructions que ceux de ces poètes. Ce serait peut-être le moyen de réconcilier la tragédie avec quantité de personnes célèbres par leur piété et par leur doctrine, qui l'ont condamnée dans ces derniers temps, et qui en jugeraient sans doute plus favorablement, si les auteurs songeaient autant à instruire leurs spectateurs qu'à les divertir, et s'ils suivaient en cela la véritable intention de la tragédie.

Jean-Jacques Rousseau, *Lettre à d'Alembert sur les spectacles*, 1758

Quant à l'espèce des spectacles[1], c'est nécessairement le plaisir qu'ils donnent, et non leur utilité, qui la détermine. Si l'utilité peut s'y trouver, à la bonne heure ; mais l'objet principal est de plaire, et, pourvu que le peuple s'amuse, cet objet[2] est assez rempli. Cela seul empêchera toujours qu'on ne puisse donner à ces sortes d'établissements tous les avantages dont ils seraient susceptibles, et c'est s'abuser beaucoup que de s'en former une idée de perfection, qu'on ne saurait mettre en pratique, sans rebuter ceux qu'on croit instruire. Voilà d'où naît la diversité des spectacles, selon les goûts divers des nations. Un peuple intrépide, grave et cruel, veut des fêtes meurtrières et périlleuses, où brillent la valeur et le sang-froid. Un peuple féroce et bouillant veut du sang, des combats, des passions atroces. Un peuple voluptueux veut de la musique et des danses. Un peuple galant veut de l'amour de la politesse. Un peuple badin veut de la plaisanterie et du ridicule. *Trahit sua quemque voluptas*[3]. Il faut, pour leur plaire, des spectacles qui favorisent leurs penchants, au lieu qu'il en faudrait qui les modérassent.

1. en ce qui concerne les types de spectacle.
2. objectif.
3. « Chacun est entraîné par son plaisir » (Virgile, *Bucoliques*, II, vers 65).

►►► Sujet Bac

I. Après avoir lu les textes du corpus, répondez à la question suivante :

Quels sont, selon ces quatre textes, les liens entre le théâtre et la morale ?

II. Traitez ensuite l'un des sujets suivants :

Commentaire

Vous commenterez le texte de Racine (texte C). Vous pourrez montrer que ce texte constitue une défense de la tragédie *Phèdre* et insister, dans un second temps, sur la manière dont Racine définit dans le même temps le devoir de tout dramaturge.

Dissertation

Le théâtre est-il une école d'immoralité ou de vertu ? Montrez, en premier lieu, que la représentation théâtrale offre un spectacle qui peut séduire le spectateur en lui faisant oublier le caractère néfaste des actions des personnages. Dans un second temps, vous développerez les arguments en faveur de la moralité du spectacle tragique ou comique.

Écriture d'invention

Imaginez le dialogue argumentatif et polémique qui oppose un partisan du théâtre et son opposant. Le premier défend l'idée selon laquelle le théâtre peut être source de vertu. Le second pense que le théâtre est immoral et conduit au vice.

Vous prendrez soin de vous inspirer des arguments déployés dans les textes afin d'étayer le propos de chacun des personnages.

Méthode

Analyser un corpus de textes

► Comprendre une question, p. 482

ÉTAPE 1 Analyser la question posée
- Repérez les termes-clés.
- Quel(s) domaine(s) interroge-t-elle ? Proposez une nouvelle formulation.

► Confronter les textes, p. 528

ÉTAPE 2 Rechercher des éléments de réponse en relevant des citations
- Pour tous ces auteurs, la question de la moralité et de l'immoralité du théâtre est fondamentale. Relevez les termes et expressions qui, dans chacun des textes, renvoient au domaine de la morale.
- Identifiez, dans chacun des textes, la phrase qui résume le mieux la thèse défendue par chacun des auteurs.
- Pourquoi peut-on rapprocher les textes A et C ? Justifiez votre réponse en faisant appel à des exemples précis.
- Pourquoi peut-on rapprocher les textes B et D ? Justifiez votre réponse.
- Quelle image du spectateur les quatre textes offrent-ils ?

ÉTAPE 3 Construire un plan de réponse
- Moralité et théâtre : un débat.
- Le théâtre comme source de vertu.
- Le théâtre comme école du vice.
- Attentes et rôles du spectateur.

► Rédiger une réponse synthétique, p. 530

ÉTAPE 4 Rédiger la réponse

CHAPITRE **3**

Du romantisme au surréalisme

En un siècle, la poésie connaît une évolution qui n'est pas loin de s'apparenter à une révolution. Aussi bien dans sa forme que dans sa conception du beau et ses thèmes privilégiés, la poésie s'ouvre à la liberté du xxe siècle.

▶▶▶ Gustav Klimt, *Portrait d'Adèle Bloch-Bauer*, huile, or et argent sur toile (138 x 138 cm), 1907, Neue Galerie, New York.

Romantisme et exaltation du moi

▶ **Quels sont les thèmes majeurs de l'expression du moi dans la poésie romantique ?**

LIENS AVEC LA PARTIE LANGUE

▶ Modes, temps et valeurs, p. 395
▶ L'énonciation, p.417
▶ Les figures de style, p. 420

LIENS AVEC LA PARTIE OUTILS D'ANALYSE

▶ Vers, strophes et rimes, p. 445
▶ Les formes poétiques, p. 446
▶ Les registres lyrique et élégiaque, p. 468

LIENS AVEC LA PARTIE MÉTHODES VERS LE BAC

▶ Lire un sujet d'invention, p. 474
▶ Justifier sa réponse en insérant des exemples, p. 484
▶ Lire un poème, p. 498
▶ Élaborer un plan détaillé, p. 504
▶ Décrire une image, p. 514

▶▶ **Caspar David Friedrich**, *Le Rêveur ou les Ruines d'Oybin en Allemagne* (détail), huile sur toile (27 x 21 cm), 1835, musée de l'Ermitage, Saint-Pétersbourg.

Les prémices du romantisme au XVIIIᵉ siècle

Dès le XVIIIᵉ siècle, certains peintres annoncent le romantisme en représentant des scènes familiales pathétiques (**Jean-Baptiste Greuze**), des paysages de ruines (**Hubert Robert**) ou la nature sauvage et déchaînée (**Claude-Joseph Vernet**). **Diderot** loue dans ses *Salons* cette peinture qui touche la sensibilité et produit un effet grandiose.

La peinture romantique : la couleur contre le dessin

• La peinture académique était dominée par l'« école du dessin » (perfection de la ligne, effet lisse de la toile), dont les néoclassiques du début du XIXᵉ siècle restent les héritiers (**Jean-Dominique Ingres**, *La Grande Odalisque*, 1814).

• Le romantisme peut au contraire être qualifié d'« école de la couleur ». Les peintres romantiques recherchent en effet la spontanéité dans l'exécution et l'éclat des couleurs. Les coups de pinceau apparaissent sur la toile et les couches de peinture deviennent visibles, annonçant ainsi les techniques de la peinture impressionniste ▶ Repères artistiques, p. 21

• **Eugène Delacroix** (1798-1863), figure de proue du romantisme pictural, est considéré comme le peintre coloriste par excellence : pour Baudelaire, son œuvre est « une véritable explosion de couleur » ▶ Dossier histoire des arts, p. 244

Eugène Delacroix, *Dante et Virgile aux enfers*, huile sur toile (189 x 246 cm), 1822, musée du Louvre, Paris.

Un art du sublime

• La peinture romantique vise au sublime, c'est-à-dire à un effet immédiat d'admiration et de saisissement chez le spectateur. C'est une peinture de la démesure, du grandiose : grands formats, effets de dramatisation (**Théodore Géricault**, *Le Radeau de La Méduse*, 1819), contrastes d'ombre et de lumière (**Girodet**, *Atala au tombeau*, 1808) donnent cette impression de sublime au spectateur.

• Les peintres romantiques trouvent leurs principales sources d'inspiration dans :
– la littérature (**Eugène Delacroix**, *Dante et Virgile aux enfers*, 1822) ;
– la nature sauvage et déserte (**Caspar David Friedrich**, *Voyageur au-dessus de la mer de nuages*, 1818) ;
– l'amour passionné et tragique (**Ary Scheffer**, *Paolo et Francesca*, 1835) ;
– l'Orient (**Eugène Delacroix**, *Femmes d'Alger dans leur appartement*, 1834) ;
– l'histoire contemporaine ▶ Dossier histoire des arts, p. 242

La musique romantique

La musique romantique, influencée par le mouvement littéraire, vise l'expression des émotions, de la sensibilité individuelle. Les romantiques, qui recherchent un rapport d'intimité avec l'instrument, ont une prédilection pour le piano (**Chopin**, **Liszt**). L'opéra romantique se caractérise par son ampleur et ses effets très dramatiques (**Wagner**).

Exposés
• Géricault
• La peinture romantique allemande

1. Sur le site du musée du Louvre, lisez le commentaire du tableau *Atala au tombeau* de Girodet.
2. Pourquoi peut-on qualifier ce tableau de romantisme ?

La révolution romantique

GRAND CHEMIN DE LA POSTERITE

Benjamin Roubaud, *Grand chemin de la postérité*, gravure caricaturale, 1842.

La naissance du mouvement

• Dès le XVIIIᵉ siècle, un retour à la sensibilité et à la nature se manifeste en littérature (**Diderot**, **Rousseau**). Cette tendance est confirmée par des écrivains allemands (**Goethe**, **Novalis**) et anglais (**Scott**, **Byron**) ▶ Perspectives européennes, p. 240, et donne naissance à un mouvement littéraire et culturel de dimension européenne, qui prend vers 1820 le nom de « romantisme » (le terme vient de l'adjectif « romantique », au sens de « qui relève du roman, de l'imagination »).

• En France, les écrivains romantiques (**Hugo**, **Lamartine**, **Vigny**, **Dumas**, **Gautier**, etc.) constituent autour de **Nodier** puis **Hugo** un salon littéraire très dynamique et créatif, le « cénacle ».

La liberté comme mot d'ordre

Contre le carcan classique (idéal de symétrie, régularité, mesure) qui prévaut jusqu'alors, les romantiques revendiquent la spontanéité et la liberté totale du créateur. Cette libération révolutionne la conception de la littérature et de la poésie :

– alors qu'il était jusque-là banni, le « moi » s'exprime librement et laisse sa sensibilité s'épancher ;

– le vers est libéré des règles strictes qui lui étaient imposées jusqu'alors (**Hugo** réclame « un vers libre, franc, loyal ») ;

– les genres classiques, définis de manière très rigide, sont abandonnés au profit de genres plus libres (au théâtre, le drame romantique associe le comique et le tragique, et rompt avec la règle classique des trois unités) ;

– le beau et le laid ne sont plus conçus comme contradictoires mais comme complémentaires, et le poète romantique s'autorise à associer « le sublime et le grotesque » (**Victor Hugo**, préface de *Cromwell*, 1827).

De la révolution à la consécration

• Véritable révolution littéraire, le romantisme se heurte à la violente opposition des partisans de l'esthétique classique, scandalisés par cette littérature qui ne respecte plus les règles académiques. Une querelle littéraire éclate et connaît son paroxysme avec la « bataille d'Hernani ».

• Le romantisme sort finalement victorieux de cette querelle, et acquiert définitivement ses lettres de noblesse avec l'élection de **Lamartine**, **Hugo** et plus tard **Musset** à l'Académie française.

Albert Besnard, *La Première d'Hernani*, huile sur toile (105 x 122 cm), XIXᵉ siècle, musée Victor Hugo, Paris.

Exposés
• Les romantiques et le voyage en Orient
• Le romantisme noir
• Gérard de Nerval

La bataille d'*Hernani*

La pièce *Hernani* de **Hugo** crée le scandale en février 1830 : rompant avec toutes les règles classiques, elle choque les partisans de la tragédie, qui s'en prennent violemment aux défenseurs du drame hugolien. Les représentations sont très agitées, entre les sifflets des détracteurs et les acclamations de l'« armée romantique ». Se souvenant plus tard de la première d'*Hernani*, **Gautier**, qui portait ce soir-là un gilet rouge provocateur, affirme : « Cette soirée décida de notre vie ! »

LES MANIFESTES ROMANTIQUES
• *Racine et Shakespeare*, Stendhal, 1823-1825.
• Préface de *Cromwell*, Victor Hugo, 1827.

La mission des romantiques

• L'écrivain romantique se sent investi d'une mission sacrée : poète-prophète, il doit « préparer des jours meilleurs » et « faire flamboyer l'avenir » (**Hugo**, « Fonction du poète », 1840). Il combat donc la misère sociale (**Hugo**, *Les Misérables*, 1862) et toutes les formes d'oppression ou d'injustice (**Hugo** lutte contre la peine de mort dans *Le Dernier Jour d'un condamné*, 1829).

• Cet engagement peut aller jusqu'à une véritable implication dans la vie politique française : **Chateaubriand** est nommé ministre sous la Restauration ▶ Repères historiques, p. 18 ; **Lamartine** et **Hugo** sont élus députés. **Hugo** prononce d'ailleurs à l'Assemblée des discours restés presque aussi célèbres que ses œuvres littéraires.

• Enfin, les romantiques n'hésitent pas à exprimer leur révolte contre le pouvoir établi : **Dumas** participe au soulèvement populaire des « Trois Glorieuses » en 1830 ▶ Dossier histoire des arts, p. 244 ; **Hugo**, ayant clamé son opposition à Napoléon III (*Les Châtiments*, 1853), est contraint à l'exil pendant plusieurs années.

Les sources d'inspiration des romantiques

L'expression du « moi » intime

• Héritiers de **Rousseau**, les romantiques sont tournés vers leur « moi » intérieur, dont ils sondent les profondeurs et dont ils écoutent les états d'âme. **Stendhal** parle d'« égotisme » à propos de cette tendance. Le poète romantique recherche les moments de retour à soi et d'harmonie avec la nature.

• La poésie lyrique est le lieu privilégié de cet épanchement libre du « moi ». Le poète y exprime ses sentiments les plus intimes : amour, mélancolie, sentiment de communion avec la nature ou le divin.

Jean-Jacques Rousseau venant d'herboriser, estampe, 1797, BnF, Paris.

• Le genre autobiographique permet aussi aux romantiques de rendre compte de leur vie intérieure, sentimentale notamment. Le roman autobiographique, transposition romancée de la vie de l'auteur, est en vogue : **René de Chateaubriand**, *René*, 1802 ; **Benjamin Constant**, *Adolphe*, 1816 ; **Alfred de Musset**, *La Confession d'un enfant du siècle*, 1836.

Une prédilection pour l'exotisme et l'imaginaire

• En quête d'exotisme, les romantiques partent pour l'Orient (**Chateaubriand**, **Lamartine** publient leurs récits de voyage) ou se contentent d'en rêver de loin (sans jamais être allé en Orient, **Hugo** publie *Les Orientales* en 1829).

• Le passé médiéval, par son folklore et son imaginaire, fascine les romantiques et imprègne certaines de leurs œuvres (**Hugo**, *Notre-Dame de Paris*, 1831).

• Enfin, inspirés par le rêve et le surnaturel, ils publient des récits fantastiques parfois très noirs (**Gautier**, **Mérimée**), ainsi que des poèmes et récits évoquant les délires de l'imagination (**Gérard de Nerval**, *Aurélia*, 1855).

1. Sur le site de la BnF, consultez l'exposition en ligne sur Victor Hugo.
2. Cherchez quels combats sociaux et politiques Victor Hugo a menés.

Rousseau, précurseur du lyrisme romantique

Les Rêveries du promeneur solitaire de Rousseau, publiées en 1782, ouvrent les voies du romantisme et en annoncent les thèmes principaux : sentiment d'harmonie avec la nature, exaltation de la sensibilité, regret du temps qui passe. Dans ces dix promenades, Rousseau sillonne les chemins de la région d'Ermenonville où il finit sa vie, et se délecte d'une intimité totale avec lui-même qui lui permet de méditer.

Anne-Louis Girodet, *François-René, vicomte de Chateaubriand*, huile sur toile (130 x 96 cm), 1811, châteaux de Versailles et de Trianon, Versailles.

Alphonse de Lamartine,
Méditations poétiques (1820)

▶ Biographie p. 537

⊕ CONTEXTE

Les premiers romantiques vouent un véritable culte à la nature, et surtout à la nature sauvage. Grands espaces, hauts sommets, forêts profondes, lacs aux eaux noires et agitées fascinent le poète romantique et lui inspirent une réflexion sur la fragilité de l'homme. Bouleversés par les événements historiques qui ont marqué le passage d'un siècle à l'autre, les poètes cherchent dans la nature une vérité, une harmonie, un refuge qu'ils ne trouvent pas dans la société.

Julie, la bien-aimée du poète, est retenue à Paris par la maladie. Elle meurt quelque temps plus tard. Lamartine se retrouve donc seul sur les rives du lac du Bourget, en Savoie, où ils se sont aimés. Il exprime alors son émotion face au temps qui s'enfuit et qui emporte tout. Seul le souvenir peut donner à son amour éphémère une éternité.

Le Lac

1 Ainsi, toujours poussés vers de nouveaux rivages,
Dans la nuit éternelle emportés sans retour,
Ne pourrons-nous jamais sur l'océan des âges
Jeter l'ancre un seul jour ?

5 Ô lac ! l'année à peine a fini sa carrière[1],
Et près des flots chéris qu'elle devait revoir,
Regarde ! je viens seul m'asseoir sur cette pierre
Où tu la vis s'asseoir !

Tu mugissais ainsi sous ces roches profondes,
10 Ainsi tu te brisais sur leurs flancs déchirés,
Ainsi le vent jetait l'écume de tes ondes
Sur ses pieds adorés.

Un soir, t'en souvient-il ? nous voguions en silence ;
On n'entendait au loin, sur l'onde et sous les cieux,
15 Que le bruit des rameurs qui frappaient en cadence
Tes flots harmonieux.

Tout à coup des accents inconnus à la terre
Du rivage charmé frappèrent les échos :
Le flot fut attentif, et la voix qui m'est chère
20 Laissa tomber ces mots :

« Ô temps ! suspends ton vol, et vous, heures propices !
Suspendez votre cours :
Laissez-nous savourer les rapides délices
Des plus beaux de nos jours !

25 « Assez de malheureux ici-bas vous implorent,
Coulez, coulez pour eux ;
Prenez avec leurs jours les soins qui les dévorent,
Oubliez les heureux.

« Mais je demande en vain quelques moments encore,
30 Le temps m'échappe et fuit ;
Je dis à cette nuit : Sois plus lente ; et l'aurore
Va dissiper la nuit.

« Aimons donc, aimons donc ! de l'heure fugitive,
Hâtons-nous, jouissons !
35 L'homme n'a point de port, le temps n'a point de rive ;
Il coule, et nous passons ! » […]

1. sa durée.

Alfred de Musset,
« Lettre à M. de Lamartine »,
Poésies nouvelles (1850)

Poète, je t'écris pour te dire que j'aime,
Qu'un rayon du soleil est tombé jusqu'à moi
Et qu'en un jour de deuil et de douleur suprême,
Les pleurs que je versais m'ont fait penser à toi.
Qui de nous, Lamartine, et de notre jeunesse,
Ne sait par cœur ce chant, des amants adoré,
Qu'un soir, au bord d'un lac, tu nous as soupiré ?
Qui n'a lu mille fois, qui ne relit sans cesse
Ces vers mystérieux où parle ta maîtresse,
Et qui n'a sangloté sur ces divins sanglots,
Profonds comme le ciel et purs comme les flots ?
Hélas ! ces longs regrets des amours mensongères,
Ces ruines du temps qu'on trouve à chaque pas,
Ces sillons infinis de lueurs éphémères,
Qui peut se dire un homme et ne les connaît pas ?
Quiconque aima jamais porte une cicatrice ;
Chacun l'a dans le sein, toujours prête à s'ouvrir ;
Chacun la garde en soi, cher et secret supplice,
Et mieux il est frappé, moins il en veut guérir. […]

Charles-Édouard Crespy Le Prince, *Julie et Saint-Preux sur le lac de Léman*, huile sur toile (98 x 129,5 cm), 1824, galerie Neuse Kunsthandel, Brême.

Questions

▶ L'énonciation, p. 417
▶ Figures de style, p. 420
▶ Les registres lyrique et élégiaque, p. 468

Grammaire
Repérez dans le texte de Lamartine tous les verbes au mode impératif. Expriment-ils une nuance d'ordre ou de prière ?

▶ Modes, temps et valeurs, p. 395

« Le Lac » de Lamartine
1. Étudiez l'énonciation des vers 5 à 20 : à qui le poète s'adresse-t-il ?
2. Étudiez à présent l'énonciation des vers 21 à 36. Qui parle dans ce passage ? À qui ? Comment la différence entre les deux systèmes d'énonciation est-elle marquée ?
3. Montrez que ces deux parties du poème, différentes par leur énonciation, le sont aussi par le contenu.

4. Analysez la thématique de l'eau comme image du temps qui passe (métaphores, champs lexicaux, sonorités).
5. Par quels procédés l'auteur montre-t-il la rapidité de la fuite du temps ?
6. Quel souhait Elvire (nom donné par Lamartine à Julie Charles) exprime-t-elle ? Comment ?

L'hommage de Musset à Lamartine
7. Quelles expressions Musset emploie-t-il pour rendre hommage à Lamartine ?
8. Quels détails du texte peuvent être mis en relation avec « Le Lac » ?

Synthèse En vous appuyant sur les éléments d'étude ci-dessus, expliquez, dans un paragraphe argumenté, pourquoi « Le Lac » peut être qualifié de poème élégiaque.

Vers le bac **S'entraîner à la question sur le corpus**
Comparez la place de la nature dans les textes de Lamartine (▶ p. 226 et ▶ p. 228) et Hugo (▶ p. 230) de la séquence.

▶ **Biographie p. 537**

Alphonse de Lamartine,
Méditations poétiques (1820)

Écrit à Milly en 1819, ce poème souligne le déchirement du poète partagé entre la tristesse d'avoir perdu Elvire – nom poétique donné à la jeune Julie qu'il a aimée au bord du lac (▶ p. 226), morte peu de temps auparavant – et l'envie de vivre et de goûter à nouveau le bonheur.

L'Automne

● **CONTEXTE**

Lors de leur parution, *Les Méditations poétiques* connaissent un succès immédiat. Le public est enthousiasmé de trouver, dans un nouvel élan poétique, l'exaltation des sentiments, «les fibres mêmes du cœur de l'homme, touchées et émues par les innombrables frissons de l'âme et de la nature». Les romantiques expriment au grand jour des élans du cœur qui avaient été jusque-là bannis par la bienséance classique, et qui avaient peu intéressé les Lumières.

1 Salut! bois couronnés d'un reste de verdure!
Feuillages jaunissants sur les gazons épars[1]!
Salut, derniers beaux jours! Le deuil de la nature
Convient à la douleur et plaît à mes regards!

5 Je suis d'un pas rêveur le sentier solitaire,
J'aime à revoir encor, pour la dernière fois,
Ce soleil pâlissant, dont la faible lumière
Perce à peine à mes pieds l'obscurité des bois!

Oui, dans ces jours d'automne où la nature expire,
10 À ses regards voilés, je trouve plus d'attraits.
C'est l'adieu d'un ami, c'est le dernier sourire
Des lèvres que la mort va fermer pour jamais!

Ainsi, prêt à quitter l'horizon de la vie,
Pleurant de mes longs jours l'espoir évanoui,
15 Je me retourne encore, et d'un regard d'envie
Je contemple ses biens dont je n'ai pas joui!

Terre, soleil, vallons, belle et douce nature,
Je vous dois une larme aux bords de mon tombeau;
L'air est si parfumé! la lumière est si pure!
20 Aux regards d'un mourant le soleil est si beau!

Je voudrais maintenant vider jusqu'à la lie
Ce calice[2] mêlé de nectar et de fiel[3]!
Au fond de cette coupe où je buvais la vie,
Peut-être restait-il une goutte de miel?

25 Peut-être l'avenir me gardait-il encore
Un retour de bonheur dont l'espoir est perdu?
Peut-être dans la foule, une âme que j'ignore
Aurait compris mon âme, et m'aurait répondu?….

La fleur tombe en livrant ses parfums au zéphyre[4];
30 À la vie, au soleil, ce sont là ses adieux;
Moi, je meurs; et mon âme, au moment qu'elle expire,
S'exhale comme un son triste et mélodieux.

---

1. l'adjectif «épars» se rapporte à «feuillages». – 2. coupe sacrée contenant le vin consacré par le prêtre lors de la messe. – 3. substance amère sécrétée par la vésicule, appelée aussi «bile».
4. vent léger et doux. L'orthographe «zéphyre» est une tolérance poétique permettant au mot de rimer avec «expire».

François-René de Chateaubriand,
Mémoires d'outre-tombe (1849-1850)

Je fus tiré de mes réflexions par le gazouillement d'une grive perchée sur la plus haute branche d'un bouleau. À l'instant, ce son magique fit reparaître à mes yeux le domaine paternel ; j'oubliai les catastrophes dont je venais d'être le témoin, et, transporté subitement dans le passé, je revis ces campagnes où j'entendis si souvent siffler la grive. Quand je l'écoutais alors, j'étais triste de même qu'aujourd'hui ; mais cette première tristesse était celle qui naît d'un désir vague de bonheur, lorsqu'on est sans expérience ; la tristesse que j'éprouve actuellement vient de la connaissance des choses appréciées et jugées. Le chant de l'oiseau dans les bois de Combourg m'entretenait d'une félicité que je croyais atteindre ; le même chant dans le parc de Montboissier me rappelait des jours perdus à la poursuite de cette félicité insaisissable. Je n'ai plus rien à apprendre, j'ai marché plus vite qu'un autre, et j'ai fait le tour de la vie. Les heures fuient et m'entraînent ; je n'ai même pas la certitude de pouvoir achever ces *Mémoires*. Dans combien de lieux ai-je déjà commencé à les écrire, et dans quel lieu les finirai-je ? Combien de temps me promènerai-je au bord des bois ? Mettons à profit le peu d'instants qui me restent ; hâtons-nous de peindre ma jeunesse, tandis que j'y touche encore : le navigateur, abandonnant pour jamais un rivage enchanté, écrit son journal à la vue de la terre qui s'éloigne et qui va bientôt disparaître.

Caspar David Friedrich, *L'Arbre aux corbeaux*, huile sur toile (59 x 73 cm), 1822, musée du Louvre, Paris.

Questions

▶ Les figures de style, p. 420

▶ Les registres lyrique et élégique, p. 468

Grammaire
« Aurait compris », « m'aurait répondu » (v. 28) : identifiez cette forme verbale (mode et temps). Quelle nuance apporte-t-elle ?

▶ Modes, temps et valeurs, p. 395

« L'Automne » de Lamartine

1. À quelles perceptions sensorielles l'auteur fait-il appel pour évoquer la nature ? Par quels termes mélioratifs souligne-t-il sa beauté ? Quel rôle le poète lui assigne-t-il ?

2. Que symbolise l'automne ? Comment cette saison est-elle décrite par Lamartine ?

3. Montrez comment deux sentiments du poète, la tristesse et le bonheur, sont étroitement mêlés. Lequel des deux domine l'autre ?

4. Quels éléments du texte contribuent à son lyrisme ?

5. Étudiez la métaphore de la strophe 6. Que représente le « calice » ? Pourquoi peut-on dire que la strophe 7 éclaire l'image de la strophe 6 ?

6. Pourquoi le poète se sent-il en communion avec le paysage automnal ?

Les *Mémoires* de Chateaubriand

7. Quel rôle la grive joue-t-elle dans la méditation de l'auteur ?

8. Quels éléments (sentiments, thèmes, décor) permettent de rapprocher ce texte de « L'Automne » de Lamartine ?

Synthèse En récapitulant tous les éléments descriptifs du poème « L'Automne », montrez que l'auteur se fait « peintre » de la nature.

Vers le bac **S'entraîner au sujet d'invention**

Dans un texte en prose poétique, décrivez printemps, été ou hiver, en associant des sentiments personnels à la nature.

Victor Hugo,
Les Feuilles d'automne (1831)

▶ **Biographie p. 536**

⊕ CONTEXTE

Alors que la révolution de 1830 fait rage en France, Victor Hugo écrit un de ses premiers recueils lyriques, *Les Feuilles d'automne*, qu'il présente dans sa préface comme « un volume de pauvres vers désintéressés ». Loin de la tempête politique, Victor Hugo revendique le droit d'écrire des poèmes intimistes et mélancoliques. Il dit lui-même, à propos de la publication de cette œuvre, qu'il a jeté « une fleur dans un torrent ».

« Soleils couchants » est l'unité xxxv du recueil Les Feuilles d'automne. *Cet ensemble regroupe six poèmes autour du thème du soleil couchant, source d'inspiration romantique. « Un mystère est au fond de leur grave beauté », dit Victor Hugo. Ces six poèmes, dont voici le dernier, sont à la fois une vision pittoresque du spectacle céleste, et une réflexion au sujet de l'homme et de la vie.*

Soleils couchants

1   Le soleil s'est couché ce soir dans les nuées ;
  Demain viendra l'orage, et le soir, et la nuit ;
  Puis l'aube, et ses clartés de vapeurs obstruées ;
  Puis les nuits, puis les jours, pas du temps qui s'enfuit !

5   Tous ces jours passeront ; ils passeront en foule
  Sur la face des mers, sur la face des monts,
  Sur les fleuves d'argent, sur les forêts où roule
  Comme un hymne confus des morts que nous aimons.

  Et la face des eaux, et le front des montagnes,
  Ridés et non vieillis, et les bois toujours verts
10   S'iront rajeunissant ; le fleuve des campagnes
  Prendra sans cesse aux monts le flot qu'il donne aux mers.

  Mais moi, sous chaque jour courbant plus bas ma tête,
  Je passe, et, refroidi sous ce soleil joyeux,
15   Je m'en irai bientôt, au milieu de la fête,
  Sans que rien manque au monde, immense et radieux !

Avril 1829.

Victor Hugo, *Souvenir des Vosges, Bourg de Hugo, tête d'Aigle*, dessin au lavis (50 x 33 cm), 1850, musée Victor Hugo, Villequier.

► **Biographie p. 539**

Paul Verlaine,
Poèmes saturniens (1866)

Soleils couchants

1 Une aube affaiblie
Verse par les champs
La mélancolie
Des soleils couchants.
5 La mélancolie
Berce de doux chants
Mon cœur qui s'oublie
Aux soleils couchants.
Et d'étranges rêves,
10 Comme des soleils
Couchants sur les grèves,
Fantômes vermeils,
Défilent sans trêves,
Défilent, pareils
15 À de grands soleils
Couchants sur les grèves.

Edvard Munch, *Désespoir*, huile sur toile (92 x 72,5 cm),
1893, Munch Museet, Oslo.

Questions

« Soleils couchants » de Hugo

► Modes, temps et valeurs,
p. 395
► Vers, strophes et rimes,
p. 445

1. Par quels procédés, à la fois lexicaux, syntaxiques et rythmiques, Victor Hugo met-il en évidence la marche inexorable du temps qui passe ?
2. Comment développe-t-il l'idée d'une nature éternelle ?
3. Comment expliquez-vous la présence de nombreux verbes au futur dans l'ensemble du poème de Hugo ?
4. Quelle opposition majeure apparaît dans la quatrième strophe ? Comment cette opposition est-elle marquée syntaxiquement ?

5. Quel sentiment Hugo exprime-t-il dans ce poème ? Quelle réflexion sur lui-même lui inspire la fuite du temps ?

« Soleils couchants » de Verlaine

6. Montrez comment la perception visuelle du soleil couchant se teinte de rêverie et de mélancolie dans le poème de Verlaine.
7. D'où vient la musicalité de ce poème ?

Lecture d'image
Comment décor et personnage traduisent-ils le désespoir ?

Vocabulaire
Dans le poème de Victor Hugo, quel est le sens du mot « radieux » (v. 16) ? Cherchez dans un dictionnaire son étymologie et donnez des mots de la même famille. Pourquoi cet adjectif convient-il particulièrement pour qualifier un paysage ensoleillé ?

Synthèse En reprenant l'analyse du texte de Victor Hugo, expliquez ce qui oppose l'homme à la nature dans leur rapport au temps.

Vers le bac   **S'entraîner à l'épreuve orale**
Exercez-vous à la lecture à voix haute du poème de Hugo, en veillant à respecter le rythme de l'alexandrin, les liaisons, les « e » muets qui doivent être prononcés ainsi que la diérèse du vers 16.

▶ **Biographie p. 536**

La date fatidique du « 4 septembre 1843 » est marquée dans le livre par une page blanche et des points de suspension, soulignant la limite entre passé et présent. Ainsi se succèdent bonheur et malheur, avec une rapidité foudroyante. Après trois ans de silence, l'écrivain reprend son travail et revit, dans le poème qui suit, le drame qui a fait basculer sa vie.

● CONTEXTE

Le recueil *Les Contemplations* est divisé en deux grandes parties, qui s'articulent autour de la mort de Léopoldine, la fille aînée de Victor Hugo. « Autrefois, Aujourd'hui. Un abîme les sépare, le tombeau », écrit le poète lui-même. Toute l'expression de la douleur paternelle est concentrée dans « Pauca meae », ces « quelques poèmes pour ma chère enfant ». Mais le lyrisme personnel de Hugo prend aussi une dimension fraternelle et universelle.

Pauca meæ, IV

1   Oh ! je fus comme fou dans le premier moment,
Hélas ! et je pleurai trois jours amèrement.
Vous tous à qui Dieu prit votre chère espérance,
Pères, mères, dont l'âme a souffert ma souffrance,
5   Tout ce que j'éprouvais, l'avez-vous éprouvé ?
Je voulais me briser le front sur le pavé ;
Puis je me révoltais, et, par moments, terrible,
Je fixais mes regards sur cette chose horrible,
Et je n'y croyais pas, et je m'écriais : Non !
10   – Est-ce que Dieu permet de ces malheurs sans nom
Qui font que dans le cœur le désespoir se lève ? –
Il me semblait que tout n'était qu'un affreux rêve,
Qu'elle ne pouvait pas m'avoir ainsi quitté,
Que je l'entendais rire en la chambre à côté,
15   Que c'était impossible enfin qu'elle fût morte,
Et que j'allais la voir entrer par cette porte !

Oh ! que de fois j'ai dit : Silence ! elle a parlé !
Tenez ! voici le bruit de sa main sur la clé !
Attendez ! elle vient ! laissez-moi, que j'écoute !
20   Car elle est quelque part dans la maison sans doute !

Jersey, Marine-Terrace, 4 septembre 1852.

Victor Hugo, *Fracta Juventus*, dessin à la gouache, lavis et plume (15 x 23 cm), 1864, musée Victor Hugo, Paris.

Hugo, préface des *Contemplations*

▶ Biographie p. 536

1 　Si un auteur pouvait avoir quelque droit d'influer sur la disposition d'esprit des lecteurs qui ouvrent son livre, l'auteur des *Contemplations* se bornerait à dire ceci : ce livre doit être lu comme on lirait le livre d'un mort.

　Vingt-cinq années sont dans ces deux volumes[1]. *Grande mortalis aevi spatium*[2].
5 L'auteur a laissé, pour ainsi dire, ce livre se faire en lui. La vie, en filtrant goutte à goutte à travers les événements et les souffrances, l'a déposé dans son cœur. Ceux qui s'y pencheront retrouveront leur propre image dans cette eau profonde et triste, qui s'est lentement amassée là, au fond d'une âme.

　Qu'est-ce que *Les Contemplations* ? C'est ce qu'on pourrait appeler, si le mot
10 n'avait quelque prétention, les *Mémoires d'une âme*.

　Ce sont, en effet, toutes les impressions, tous les souvenirs, toutes les réalités, tous les fantômes vagues, riants ou funèbres, que peut contenir une conscience, revenus et rappelés, rayon à rayon, soupir à soupir, et mêlés dans la même nuée sombre. C'est l'existence humaine sortant de l'énigme du berceau et aboutissant à
15 l'énigme du cercueil ; c'est un esprit qui marche de lueur en lueur en laissant derrière lui la jeunesse, l'amour, l'illusion, le combat, le désespoir, et qui s'arrête éperdu « au bord de l'infini ». Cela commence par un sourire, continue par un sanglot, et finit par un bruit du clairon de l'abîme.

　Une destinée est écrite là jour à jour. [...]

1. les deux parties de l'œuvre, intitulées « Autrefois » et « Aujourd'hui ».
2. « Espace considérable dans la vie d'un mortel. » Tacite (*Vie d'Agricola*, III).

Questions

▶ L'énonciation, p. 417
▶ Vers, strophes et rimes, p. 445

L'expression de la souffrance

1. Par l'observation des repères temporels, montrez que l'auteur retranscrit les étapes successives de son deuil. Comment le chagrin paternel évolue-t-il ?
2. Quel passage du texte permet de dire que l'auteur établit une intimité avec le lecteur ? À quels indices l'avez-vous repéré ?
3. De quelle manière l'auteur donne-t-il à son expérience personnelle une dimension universelle et intemporelle ?

La spontanéité et la sincérité

4. Par l'étude de la versification et de la syntaxe, montrez que l'auteur confie sa souffrance avec beaucoup de spontanéité et de naturel.
5. « Cette chose horrible » (v. 8) : commentez cette façon de désigner l'événement tragique qui a frappé Victor Hugo.
6. L'auteur a séparé les quatre derniers vers de l'ensemble du poème : pourquoi ?

Qu'est-ce qui différencie ce passage du reste du poème ?

La préface des *Contemplations* (texte écho)

7. Pourquoi Victor Hugo dit-il que ce recueil est « le livre d'un mort » (l. 3) ?
8. Que désigne Victor Hugo par l'expression « un bruit du clairon de l'abîme » (l. 18) ?
9. Par quelles expressions, quelles images l'auteur affirme-t-il le caractère autobiographique de son œuvre ? Quel rôle assigne-t-il à l'écriture autobiographique auprès du lecteur ?
10. Que pensez-vous du titre donné par Victor Hugo à ce livre : *Les Contemplations* ?

Lecture d'image

Renseignez-vous sur la signification du titre du dessin de Victor Hugo. Observez le contraste entre le fond et le portrait de Léopoldine qui se détache. Comment peut-on l'interpréter ? Que signifie l'étoile dessinée au-dessus de la tête de Léopoldine ?

Prolongements

Procurez-vous les *Contemplations*.
• Observez les titres des six sous-parties et commentez la logique de cette succession.
• « Cela commence par un sourire, continue par un sanglot, et finit par un bruit du clairon de l'abîme » (l. 17-18). Recherchez dans l'œuvre trois poèmes qui vous semblent illustrer ces trois phases de la vie.

Synthèse En reprenant l'étude du poème, rédigez un paragraphe montrant comment Victor Hugo suggère l'évolution de son désespoir.

　Vers le bac　**S'entraîner à la dissertation**

« Ceux qui s'y pencheront trouveront leur propre image dans cette eau profonde et triste », écrit Victor Hugo dans la préface des *Contemplations*. Pourquoi selon vous aime-t-on lire de la poésie ?

TEXTE **5.** *Les Contemplations*

▶ Biographie p. 536

○ CONTEXTE

Après un siècle des Lumières tourné vers la raison triomphante, l'esprit critique et le désir d'émancipation de l'esprit, les premiers romantiques opèrent un retour à des valeurs féodales : la foi religieuse, la destinée héroïque ou le retour à la terre et au bonheur simple de la vie familiale. Le tableau idéalisé de l'unité familiale est un motif récurrent dans la poésie romantique.

La date d'écriture de ce poème montre l'importance accordée par Victor Hugo au culte du souvenir et aux rituels funèbres. Si le poème évoque le bonheur fécond d'un écrivain comblé par les joies familiales, la date d'écriture, elle, « jour des morts », rappelle qu'il s'agit d'une invocation aux âmes disparues.

Adèle **Hugo**, *Portrait de Léopoldine Hugo*, dessin, vers 1840, musée de Victor Hugo, Guernesey.

Pauca meæ, v

1 Elle avait pris ce pli dans son âge enfantin
De venir dans ma chambre un peu chaque matin ;
Je l'attendais ainsi qu'un rayon qu'on espère ;
Elle entrait et disait : « Bonjour, mon petit père » ;
5 Prenait ma plume, ouvrait mes livres, s'asseyait
Sur mon lit, dérangeait mes papiers, et riait,
Puis soudain s'en allait comme un oiseau qui passe.
Alors, je reprenais, la tête un peu moins lasse,
Mon œuvre interrompue, et, tout en écrivant,
10 Parmi mes manuscrits je rencontrais souvent
Quelque arabesque¹ folle et qu'elle avait tracée,
Et mainte page blanche entre ses mains froissée
Où, je ne sais comment, venaient mes plus doux vers.
Elle aimait Dieu, les fleurs, les astres, les prés verts,
15 Et c'était un esprit avant d'être une femme.
Son regard reflétait la clarté de son âme.
Elle me consultait sur tout à tous moments.
Oh ! que de soirs d'hiver radieux et charmants,
Passés à raisonner langue, histoire et grammaire,
20 Mes quatre enfants groupés sur mes genoux, leur mère
Tout près, quelques amis causant au coin du feu !
J'appelais cette vie être content de peu !
Et dire qu'elle est morte ! hélas ! que Dieu m'assiste !
Je n'étais jamais gai quand je la sentais triste ;
25 J'étais morne au milieu du bal le plus joyeux
Si j'avais, en partant, vu quelque ombre en ses yeux.

1. dessin aux contours sinueux.

Novembre 1846, jour des Morts.

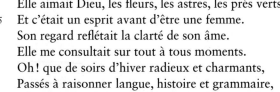
Questions

Grammaire

« quelque arabesque folle » (v. 11), « quelque ombre », (v. 26) : quelle est la nature du mot « quelque » ? Par quel mot pourrait-on le remplacer ? Composez deux phrases contenant le mot « quelque », au singulier dans l'une, au pluriel dans l'autre. Le mot a-t-il alors le même sens ?

Le portrait d'une petite fille

1. Repérez et analysez l'accumulation de verbes d'action : que révèlent-ils sur le comportement de l'enfant ?
2. Relisez le vers 4 : qu'apporte au portrait de l'enfant cette brève phrase au discours direct ?
3. Identifiez et interprétez la figure de style du vers 7.
4. Quelles qualités de Léopoldine jeune fille l'auteur met-il en avant ?

L'autoportrait de l'écrivain

5. Comment Hugo exprime-t-il le lien entre son rôle de père et son travail d'écrivain ?
6. Analysez le tableau d'une famille heureuse que laissent entrevoir les vers 18 à 22.
7. Vers 23 : pourquoi ce vers marque-t-il une rupture avec le reste du poème ? Qu'a-t-il de spontané ?
8. Quels sentiments le poète éprouve-t-il pour Léopoldine ?

Synthèse En vous appuyant sur les indices du texte, rédigez un paragraphe dans lequel vous expliquerez pourquoi ce poème peut être qualifié d'autobiographique.

TEXTE *6. Les Contemplations*

▶ Biographie p. 536

⊕ CONTEXTE

L'esprit romantique oppose à la raison souveraine le goût de l'imaginaire. Ainsi, la mort hante la poésie romantique, et l'on voit apparaître une littérature fantastique du spectre, de l'apparition, du fantôme. Victor Hugo se tourne aussi vers les sciences occultes.

Cette courte pièce a été écrite le 4 octobre 1847, mais Victor Hugo inscrit la date du 3 septembre au bas du poème, signifiant ainsi sa volonté de vouer un véritable culte au souvenir de sa fille, et de montrer l'importance que prend pour lui la date anniversaire de ce triste jour où elle est morte.

Pauca meæ, XIV

1 Demain, dès l'aube, à l'heure où blanchit la campagne,
Je partirai. Vois-tu, je sais que tu m'attends.
J'irai par la forêt, j'irai par la montagne.
Je ne puis demeurer loin de toi plus longtemps.

5 Je marcherai les yeux fixés sur mes pensées,
Sans rien voir au-dehors, sans entendre aucun bruit,
Seul, inconnu, le dos courbé, les mains croisées,
Triste, et le jour pour moi sera comme la nuit.

Je ne regarderai ni l'or du soir qui tombe,
10 Ni les voiles au loin descendant vers Harfleur,
Et, quand j'arriverai, je mettrai sur ta tombe
Un bouquet de houx vert et de bruyère en fleur.

3 septembre 1847.

Thomas Cole, *La Croix dans la solitude*, huile sur toile (diam. 61 cm), vers 1850, musée du Louvre, Paris.

Questions

▶ Modes, temps et valeurs, p. 395
▶ Les figures de style, p. 420

Vocabulaire
Quels sont les différents sens du mot «aube» (v. 1) ? Quelle est son étymologie ? Pourquoi fait-il redondance avec l'expression «l'heure où blanchit la campagne» ? Trouvez plusieurs mots de la même famille.

Un pèlerinage
1. Répertoriez tous les verbes exprimant un déplacement et montrez leur progression. Pourquoi peut-on parler d'un voyage ?
2. Relevez les repères temporels : combien de temps dure ce voyage ?
3. Quel est l'état d'esprit du poète ? Comment est-il révélé ?
4. Vers quel but Victor Hugo marche-t-il ? À quel moment le découvre-t-on dans le texte ?

Un poème élégiaque
5. Analysez l'énonciation. Qui parle à qui ?
6. Quelles hypothèses peut-on faire concernant l'identité de «tu», et sa relation avec «je» ?
7. Observez la répétition des marques de 1re et 2e personnes. Que remarquez-vous ?
8. Comment l'auteur exprime-t-il sa tristesse ? Que symbolise le «bouquet de houx vert et de bruyère en fleur» que Victor Hugo dépose sur la tombe de sa fille ?

Synthèse Rédigez un paragraphe dans lequel vous expliquerez que ce poème s'appuie sur un effet de surprise dans la dernière strophe.

Vers le bac **S'entraîner au commentaire**
En vous appuyant sur la question 3, rédigez un paragraphe de commentaire, dans lequel vous développerez l'idée que le poète exprime son désir de partir avec une grande détermination.

Pierre de Ronsard,
Les Amours de Marie (1578)

▶ **Pierre de Ronsard** (1524-1585) est un poète humaniste, chef de file du groupe de la Pléiade. Il écrit entre autres des *Odes*, *Les Amours de Cassandre*, *Les Amours de Marie*, *Les Amours d'Hélène*.

1 Comme on voit sur la branche, au mois de mai la rose,
En sa belle jeunesse, en sa première fleur,
Rendre le ciel jaloux de sa vive couleur,
Quand l'aube, de ses pleurs, au point du jour l'arrose ;

5 La Grâce dans sa feuille, et l'Amour se repose,
Embaumant les jardins et les arbres d'odeur ;
Mais, battue ou de pluie ou d'excessive ardeur,
Languissante, elle meurt, feuille à feuille déclose ;

Ainsi, en ta première et jeune nouveauté,
10 Quand la terre et le ciel honoraient ta beauté,
La Parque t'a tuée, et cendres tu reposes.

Pour obsèques reçois mes larmes et mes pleurs,
Ce vase plein de lait, ce panier plein de fleurs,
Afin que, vif et mort, ton corps ne soit que roses.

James Ensor, *Roses et Tanagras*, huile sur toile, 1917, collection particulière.

Prolongements

• Cherchez des renseignements sur ce qu'on appelle les « poèmes à forme fixe » (définition, caractéristiques). Réunissez des exemples, et présentez votre travail sous la forme d'un exposé. Ou constituez un petit recueil personnel de sonnets d'époques variées.
• Cherchez des renseignements sur la Parque (v. 11) dont parle Ronsard dans son poème.

Questions

1. Que symbolise la fleur en général, et plus particulièrement la rose ? Observez et commentez la place du mot « rose » dans le poème.

2. Étudiez le parallélisme entre la jeune fille et la rose. Quelles sont les similitudes entre les deux ?

3. Expliquez la figure de style du vers 4. Pourquoi cette image est-elle intéressante par rapport à l'ensemble du poème ?

4. Quels éléments permettent de rapprocher ce texte et celui de Victor Hugo, « Demain, dès l'aube... » (▶ p. 235) ?

Alphonse de Lamartine,
Recueillements poétiques (1839)

► Biographie p. 537

❂ CONTEXTE

Héritiers de la
Révolution française,
exaltés par l'épopée
napoléonienne, les
premiers
romantiques français
se passionnent pour
les problèmes de
leur époque. Ce sont
des hommes d'action
influents, désireux
de faire progresser le
droit et la justice.
Les échecs de 1830
et de 1848
expliquent le
désenchantement de
la génération
suivante.
► Dossier histoire des arts, p. 242

1. drap dans lequel
on ensevelit un mort.

En 1837, lorsqu'il écrit cette lettre en vers à un ami, Lamartine est député.

Saint-Point, 15 septembre 1837.

1   Frère, le temps n'est plus où j'écoutais mon âme
Se plaindre et soupirer comme une faible femme
Qui de sa propre voix soi-même s'attendrit,
Où par des chants de deuil ma lyre intérieure
5   Allait multipliant, comme un écho qui pleure,
Les angoisses d'un seul esprit.

Dans l'être universel au lieu de me répandre,
Pour tout sentir en lui, tout souffrir, tout comprendre,
Je resserrais en moi l'univers amoindri ;
10   Dans l'égoïsme étroit d'une fausse pensée
La douleur en moi seul, par l'orgueil condensée,
Ne jetait à Dieu que mon cri. […]

Jeune, j'ai partagé le délire et la faute.
J'ai crié ma misère, hélas ! à voix trop haute :
15   Mon âme s'est brisée avec son propre cri !
De l'univers sensible atome insaisissable,
Devant le grand soleil j'ai mis mon grain de sable,
Croyant mettre le monde à l'abri.

Puis mon cœur, insensible à ses propres misères,
20   S'est élargi plus tard aux douleurs de mes frères ;
Tous leurs maux ont coulé dans le lac de mes pleurs,
Et, comme un grand linceul[1] que la pitié déroule,
L'âme d'un seul, ouverte aux plaintes de la foule,
A gémi toutes les douleurs.

Questions

► Modes, temps et valeurs, p. 395

1. Observez temps verbaux et repères temporels, puis montrez que le texte oppose deux époques.
2. Quelle était la préoccupation centrale de la poésie de Lamartine lorsqu'il était jeune ?
3. Par un relevé des pronoms personnels ou indéfinis, montrez l'opposition entre individu et société dans ce texte.
4. Qui le mot « frère » désigne-t-il aux vers 1 et 20 ? Que révèle ce mot de l'état d'esprit du poète et de sa vision du monde ?

Synthèse En vous appuyant sur l'analyse du texte, montrez que cette épître définit la poésie élégiaque.

Vers le bac   **S'entraîner au sujet de dissertation**

Rédigez deux paragraphes argumentés : dans l'un, vous expliquerez que la poésie est un moyen privilégié pour exprimer des sentiments personnels et intimes, et dans l'autre, vous montrerez que cette fonction n'empêche pas la poésie d'avoir aussi une vocation sociale.

Victor Hugo,
Les Orientales (1829)

▶ Biographie p. 536

⊕ CONTEXTE

Au XIX⁰ siècle, la Grèce, sous la domination turque depuis quatre cents ans, mène une guerre d'indépendance qui suscite en Occident un vaste mouvement de sympathie. Le poète anglais Byron combat et meurt aux côtés des Grecs en 1824. L'île de Chio, renommée pour sa beauté et sa richesse, est le théâtre d'un massacre qui inspire au peintre Delacroix le tableau *Scène des massacres de Scio*.
▶ Dossier histoire des arts, p. 242

Les Orientales sont un ensemble de tableaux méditerranéens où Victor Hugo chante la beauté pittoresque des paysages exotiques. Toutefois la description permet aussi au poète d'exprimer son engagement. Dans le poème qui suit, Hugo, en dépeignant l'enfance martyrisée, fait le blâme de la guerre.

L'Enfant

> *O hor ror ! hor ror ! hor ror !*
> Shakespeare, *Macbeth.*

1   Les Turcs ont passé là. Tout est ruine et deuil.
Chio, l'île des vins, n'est plus qu'un sombre écueil[1],
    Chio, qu'ombrageaient les charmilles[2],
Chio, qui dans les flots reflétait ses grands bois,
5   Ses coteaux, ses palais, et le soir quelquefois
    Un chœur dansant de jeunes filles.

Tout est désert. Mais non ; seul près des murs noircis,
Un enfant aux yeux bleus, un enfant grec, assis,
    Courbait sa tête humiliée ;
10 Il avait pour asile, il avait pour appui
Une blanche aubépine[3], une fleur, comme lui
    Dans le grand ravage oubliée.

Ah ! pauvre enfant, pieds nus sur les rocs anguleux !
Hélas ! pour essuyer les pleurs de tes yeux bleus
15   Comme le ciel et comme l'onde,
Pour que dans leur azur, de larmes orageux,
Passe le vif éclair de la joie et des jeux,
    Pour relever ta tête blonde,

Que veux-tu ? Bel enfant, que te faut-il donner
20 Pour rattacher gaîment et gaîment ramener
    En boucles sur ta blanche épaule
Ces cheveux, qui du fer n'ont pas subi l'affront,
Et qui pleurent épars autour de ton beau front,
    Comme les feuilles sur le saule ?

25 Qui pourrait dissiper tes chagrins nébuleux ?
Est-ce d'avoir ce lys, bleu comme tes yeux bleus,
    Qui d'Iran borde le puits sombre ?
Ou le fruit du tuba[4], de cet arbre si grand,
Qu'un cheval au galop met, toujours en courant,
30   Cent ans à sortir de son ombre ?

Veux-tu, pour me sourire, un bel oiseau des bois,
Qui chante avec un chant plus doux que le hautbois,
    Plus éclatant que les cymbales ?
Que veux-tu ? fleur, beau fruit, ou l'oiseau merveilleux ?
35 – Ami, dit l'enfant grec, dit l'enfant aux yeux bleus,
    Je veux de la poudre et des balles.

Juin 1828.

1. sommet de rocher affleurant la surface de l'eau, contre lequel les bateaux risquent de se heurter.
2. taillés de sorte à former des haies, berceaux ou tonnelles de verdure.
3. arbrisseau, sorte de rosier sauvage.
4. arbre imaginaire du Paradis musulman.

Ary Scheffer, *Les Femmes souliotes, voyant leurs maris défaits par les troupes d'Ali, pacha de Janina, décident de se jeter du haut des rochers* (détail), huile sur toile (261,5 x 359,5 cm), 1827, musée du Louvre, Paris.

▶ Biographie p. 536

Victor Hugo,
Discours d'ouverture du Congrès de la paix (1849)

1   Un jour viendra où les armes vous tomberont des mains, à vous aussi ! Un jour viendra où la guerre paraîtra aussi absurde et sera aussi impossible entre Paris et Londres, entre Pétersbourg et Berlin, entre Vienne et Turin, qu'elle serait impossible et qu'elle paraîtrait absurde aujourd'hui entre Rouen et Amiens, entre Boston
5   et Philadelphie. Un jour viendra où la France, vous Russie, vous Italie, vous Angleterre, vous Allemagne, vous toutes, nations du continent, sans perdre vos qualités distinctes et votre glorieuse individualité, vous vous fondrez étroitement dans une unité supérieure, et vous constituerez la fraternité européenne, absolument comme la Normandie, la Bretagne, la Bourgogne, la Lorraine, l'Alsace, toutes nos provin-
10   ces, se sont fondues dans la France. Un jour viendra où il n'y aura plus d'autres champs de bataille que les marchés s'ouvrant au commerce et les esprits s'ouvrant aux idées. – Un jour viendra où les boulets et les bombes seront remplacés par les votes, par le suffrage universel des peuples, par le vénérable arbitrage d'un grand sénat souverain qui sera à l'Europe ce que le parlement est à l'Angleterre, ce que la
15   diète est à l'Allemagne, ce que l'Assemblée législative est à la France ! *(Applaudissements.)*

Questions

▶ Démontrer/délibérer/
convaincre/persuader,
p. 453
▶ Les registres tragique et
pathétique, p. 466

**Les deux thèmes entrelacés :
la guerre et la paix**

1. Dans la première strophe, par quels éléments descriptifs l'auteur présente-t-il l'île de Chio au temps où régnait la paix ?
2. Quel temps au contraire est utilisé pour évoquer la guerre ? Quelle est la valeur de ce temps ? Relevez le champ lexical de la destruction et de la violence. Comment Victor Hugo a-t-il créé un contraste fort entre le tableau de la paix et celui de la guerre ?
3. Étudiez l'épigraphe « *O horror ! horror ! horror !* » (syntaxe, sonorités, figure de style, ponctuation). Qu'apporte-t-elle au texte ?

L'enfance sacrifiée

4. Par quels procédés le poète rend-il l'enfant pathétique ?

5. Quels détails descriptifs contribuent à donner de l'enfant l'image d'un être angélique et fragile ?
6. Quels liens le locuteur établit-il avec cet enfant ? Pourquoi ce qu'il propose est-il bien en rapport avec le monde de l'enfance ?
7. Pourquoi peut-on dire que les deux derniers vers constituent une chute ? Que révèlent-ils concernant les enjeux du poème ?

Le discours de Victor Hugo

8. Quel souhait Victor Hugo exprime-t-il ? Quel argument développe-t-il pour montrer que son rêve n'est pas impossible ?
9. Par quels procédés l'auteur donne-t-il à ce discours la tonalité d'un chant d'espoir ?
10. Dans ce discours, Victor Hugo, selon vous, cherche-t-il plutôt à convaincre ou plutôt à persuader ?

Grammaire

« Pour essuyer les pleurs de tes yeux bleus » (v. 14) : quelles sont la nature et la fonction de ce groupe ? Relevez dans le texte tous les groupes ayant la même fonction.

▶ Classes et fonctions,
p. 392

Synthèse En vous appuyant sur les éléments d'analyse développés plus haut, expliquez pourquoi cette dénonciation de la guerre est efficace.

Vers le bac   **S'entraîner au sujet d'invention**

▶ Lire un sujet d'invention,
p. 474

Dans un paragraphe en prose, imaginez la réponse du poète à l'enfant qui lui demande « de la poudre et des balles ».

Johann Wolfgang von Goethe, *Faust* (1808)

▶ **Goethe** (1749-1832) est un écrivain allemand, influencé très tôt par le *Sturm und Drang* qui met à l'honneur la sensibilité et la passion. Il écrit de nombreux poèmes dont *Faust* (entre 1773 et 1832), et un roman, *Les Souffrances du jeune Werther* (1774).

Goethe reprend un mythe datant du XVIe siècle, celui de Faust, qui aurait vendu son âme au diable pour satisfaire ses désirs de jouissance et de connaissance. Ce long poème dramatique est divisé en scènes. Voici le moment où Faust se promène « devant la porte de la ville », avant sa rencontre avec le diable nommé Méphistophélès.

1   Regarde comme les toits entourés de verdure étincellent aux rayons du soleil couchant. Il se penche et s'éteint, le jour expire, mais il va
5   porter autre part une nouvelle vie. Oh ! que n'ai-je des ailes pour m'élever de terre et m'élancer après lui, dans une clarté éternelle ! Je verrais à travers le crépuscule tout un
10   monde silencieux se dérouler à mes pieds, je verrais toutes les hauteurs s'enflammer, toutes les vallées s'obscurcir, et les vagues argentées du fleuve se dorer en s'écoulant. La
15   montagne et tous ses défilés ne pourraient plus arrêter mon essor divin. Déjà la mer avec ses gouffres enflammés se dévoile à mes yeux surpris.

Caspar David Friedrich, *Voyageur devant la mer de nuages*, huile sur toile (94,5 x 74,8 cm), 1818, Hamburger Kunsthalle, Hambourg.

Cependant le dieu commence à s'éclipser ; mais un nouvel élan se réveille en mon
20   âme, et je me hâte de m'abreuver encore de son éternelle lumière. Le jour est devant moi, derrière moi la nuit ; au-dessus de ma tête le ciel et les vagues à mes pieds…

Traduction de Gérard de Nerval, 1828.

Prolongements
• Préparez un exposé sur le personnage de Faust dans lequel vous présenterez la légende, accompagnée des œuvres picturales et musicales qui s'en inspirent.
• Faites des recherches sur le *Sturm und Drang* : quels écrivains sont représentatifs de ce courant ? Pourquoi l'avoir baptisé ainsi ? Quelles sont ses aspirations ?

Questions

1. Quelles perceptions sensorielles sont mises en œuvre dans ce texte pour décrire le coucher de soleil ? Quelle impression se dégage de ce décor ?

2. Montrez que le regard du narrateur suit un mouvement ascendant. Dans cette élévation, quelle est la part du réel et de l'imaginaire ?

3. Faust a soif de connaissance : quels procédés traduisent ce désir intense de connaître le monde ? Observez la construction de la dernière phrase. Quelle place le narrateur se donne-t-il dans l'univers ?

John Keats,
Poèmes et poésies (1820)

▶ **John Keats**
(1795-1821)
fréquente le cercle
des poètes
romantiques
anglais. Son premier
recueil paraît en
1817. Il publie
ensuite un poème
narratif, *Endymion*
(1818), *Hypérion*
(1820), de
nombreuses odes et
ballades (1820). Il
meurt jeune et sans
gloire.

Le sentiment romantique du temps et de la mort prend un relief particulier si l'on considère la brièveté de la vie de John Keats. Il meurt un an après la publication de ses poèmes, à l'âge de vingt-six ans. Il avait prévu comme inscription sur sa tombe : « Ici repose un homme dont le nom était écrit sur de l'eau ».

1   Quand je crains de cesser d'être
Avant que ma plume ait glané mon fertile cerveau,
Avant qu'une pile élevée de livres, dans leurs caractères imprimés,
Renferme, comme de pleins greniers, une moisson bien mûre ;
5   Quand j'étudie sur la face étoilée de la nuit,
Les vastes symboles nuageux d'un haut poème,
Et sens que je ne vivrai jamais pour retracer
Leurs ombres, avec la main magique de la chance ;
Et quand je sens, exquise créature d'une heure !
10   Que je ne te verrai jamais plus devant moi,
Que je ne savourerai plus l'enchanteur pouvoir
De l'inconscient amour ! alors sur la grève
Du vaste monde, je me tiens seul, et je médite,
Jusqu'à ce qu'Amour et Gloire plongent dans le néant.

Traduction de Paul Gallimard.

Joseph Severn, *Portrait du poète britannique John Keats*, XIXᵉ siècle,
National Portrait Gallery, Londres.

Questions

▶ Modes, temps et valeurs,
p. 395
▶ Vers, strophes et rimes,
p. 445

1. Quelle métaphore le poète utilise-t-il pour parler de la création poétique ? Quelle est sa connotation ?
2. Où le poète cherche-t-il son inspiration ? Comment lui vient-elle ?
3. Par quels termes, quelles expressions le poète caractérise-t-il le sentiment amoureux ? Quel est le point commun entre la création poétique et la rencontre amoureuse ?
4. Étudiez les temps des verbes et les adverbes de temps. Que révèlent-ils sur l'état d'âme du poète ?

Lecture d'image Pourquoi peut-on affirmer que le portrait poétique et le portrait pictural se rejoignent parfaitement ?

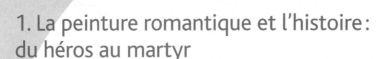
Dossier

1. La peinture romantique et l'histoire : du héros au martyr

La peinture d'histoire : le « grand genre »

• Dans la hiérarchie des genres picturaux définie par l'Académie ▶ Dossier histoire des arts, p. 30, la peinture d'histoire occupe la place la plus élevée : elle est considérée comme le genre le plus noble et le plus difficile. Dans un format imposant et une composition souvent très classique, la peinture d'histoire représente des sujets historiques, mythologiques ou religieux, ainsi que des allégories.

• Sous l'Ancien Régime, la peinture d'histoire est généralement mise au service de la glorification du souverain, et fait l'objet de commandes officielles. **Le Brun**, peintre officiel, représente les exploits héroïques du règne de Louis XIV sur les plafonds de la galerie des Glaces à Versailles.

✿ Les peintres et l'épopée napoléonienne

Jean-Léon Gérôme, *Le Général Napoléon Bonaparte devant le sphinx de Gizeh pendant la campagne d'Égypte*, huile sur toile (60,3 x 101 cm), 1867, Hearst Castle, San Simeon, Californie, État-Unis.

Étudier les procédés de glorification dans la peinture d'histoire

1. Quel épisode de l'épopée napoléonienne chacun de ces tableaux représente-t-il ?
2. Comment chacun des peintres théâtralise-t-il la scène représentée ? Vous serez attentif notamment à la composition, au décor, aux effets de lumière, au format de la toile, etc.
3. Observez l'attitude de Napoléon Iᵉʳ. Quelle image de l'empereur chacun des peintres veut-il donner ?
4. À quelles figures mythologiques ou sacrées ces représentations de Napoléon Iᵉʳ peuvent-elles renvoyer ?

Prolongements

Lisez le poème « Lui » du recueil *Les Orientales* de Victor Hugo. Comment le poète donne-t-il de Napoléon Iᵉʳ une image héroïque ?

Antoine-Jean Gros, *Napoléon Iᵉʳ sur le champ de bataille d'Eylau, le 9 février 1807*, huile sur toile (381 x 612 cm), 1808, musée du Louvre, Paris.

L'artiste romantique se met-il au service du pouvoir ou du peuple ?

✺ La révolte des peintres romantiques

Francisco de Goya, *L'Exécution du 3 mai 1808*, huile sur toile (266 x 345 cm), 1814, musée du Prado, Madrid.

Contextualiser et interpréter une peinture d'histoire

1. Quel événement historique est représenté par Goya ?
2. Comment le peintre oriente-t-il le regard du spectateur vers le fusillé ? Quelle est l'attitude de ce personnage ? Déduisez-en l'intention du peintre.
3. Comment cette peinture d'histoire traduit-elle la révolte du peintre face aux événements dont il a été témoin ?

Eugène Delacroix, *Scène des massacres de Scio*, huile sur toile (419 x 354 cm), 1824, musée du Louvre, Paris.

Percevoir l'originalité d'une peinture d'histoire

1. Quels procédés rattachent ce tableau au genre de la peinture d'histoire ?
2. Les peintres d'histoire représentent généralement les scènes de bataille au plus fort de l'action. Que choisit de montrer Delacroix ? Pourquoi ?
3. Comment donne-t-il à la scène un caractère pathétique ? Observez notamment l'attitude des personnages au 1er plan, les contrastes de couleurs, etc.
4. Quelle impression produit le décor à l'arrière-plan ?

2. Une allégorie en faveur du peuple : *La Liberté guidant le peuple* d'Eugène Delacroix

Eugène Delacroix,
*La Liberté guidant
le peuple*, huile sur toile
(260 x 325 cm), 1830,
musée du Louvre, Paris.

Le peintre s'est certainement représenté lui-même dans ce personnage de bourgeois ou d'étudiant, fusil à la main.

Les morts au premier plan constituent la base de la composition pyramidale. Les insurgés marchent sur eux pour aller à la victoire.

Cette femme est une figure symbolique, mais représentée de manière très réaliste.

Le contexte

La toile évoque les trois journées de révolte de juillet 1830 baptisées les «Trois Glorieuses» : en réaction contre des lois violant la Constitution, le peuple dresse des barricades et renverse Charles x. La monarchie de Juillet est mise en place. Témoin des événements, Delacroix décide de les évoquer dans un tableau qu'il exécute en trois mois, et présente au Salon de 1831.

▶ **Repères historiques, p. 18**

Comprendre comment Delacroix détourne la peinture d'histoire

1. Quels procédés caractéristiques de la peinture d'histoire Delacroix emploie-t-il dans ce tableau (format, composition, etc.) ?
2. Quelles classes sociales et quelles classes d'âge sont représentées dans la foule des insurgés ? Quelle impression produit cette foule ?
3. Relevez les différents attributs qui font du personnage féminin une allégorie de la liberté.
4. Comment Delacroix donne-t-il une dimension épique et dramatique au soulèvement du peuple ?
5. Pourquoi Delacroix dit-il qu'il a choisi pour ce tableau un «sujet moderne» ?

Synthèse

Rédigez deux ou trois paragraphes montrant que Delacroix détourne la peinture d'histoire en donnant au peuple le statut de héros dans ce tableau.

VOCABULAIRE

LE TEMPS

1 POLYSÉMIE

Expliquez les expressions suivantes, ou reformulez-les de façon à mettre en évidence les différentes nuances de sens du mot « temps ».
a. en ce temps-là
b. en temps utile
c. le temps des cerises
d. prendre du bon temps
e. une valse à trois temps
f. après la pluie le beau temps

2 ÉTYMOLOGIE

De nombreux mots viennent du grec *chronos* qui signifie « le temps ». Associez chaque terme à sa définition.

A. chronique (1er sens)   1. Faire en sorte que deux faits se déroulent en même temps.

B. chronique (2e sens)   2. Qui est en décalage par rapport à une époque donnée.

C. chronique (3e sens)   3. Qui ne cesse jamais.
   4. Instrument permettant de mesurer le temps avec précision.

D. chronologie   5. Récit de faits historiques au jour le jour.

E. chronomètre   6. Datation des événements dans leur succession.

F. synchroniser   7. Article de journal consacré à un sujet particulier.

G. anachronique

3 EMPLOIS

Recopiez les phrases suivantes en remplaçant les expressions en italique par des mots choisis dans l'exercice 2.
a. Les lecteurs, qui se passionnent pour *l'article sur la politique* d'un grand journaliste, achètent le journal tous les jours.
b. La présence d'un téléphone dans un film dont le scénario se déroule sous Louis XIV est *totalement déplacée par rapport à l'époque dont il est question*.
c. Le commandement est chargé de *combiner, pour qu'elles se déroulent en même temps*, toutes les opérations.
d. En histoire, il est utile de connaître *les dates des événements qui se sont succédé*.
e. Jean est toujours enrhumé, chez lui c'est une maladie *qui ne s'arrête jamais*.

4 ENTRE ADJECTIF ET NOM

a. Indiquez le nom correspondant aux adjectifs suivants.
lent – long – rapide – bref – précipité – éternel – cadencé – successif – alternatif – répétitif – prompt – brusque

b. Indiquez l'adjectif formé sur les noms suivants.
hâte – siècle – cycle – nuit – jour – matin – printemps – été – automne – hiver – Moyen Âge – instant – heure – fin – dimanche

5 LE BON VIEUX TEMPS

Classez ces mots dans un ordre croissant.
immémorial – récent – passé – antédiluvien – ancien – antique

6 FAMILLE DE MOTS

Complétez les phrases suivantes avec des mots de la famille de *temps*.
a. Les repères t... permettent de suivre le déroulement d'un récit.
b. Le directeur a préféré t... c'est-à-dire attendre un moment plus favorable, plutôt que de prendre une décision trop rapide.
c. Les intérimaires occupent une fonction t....
d. Rousseau et Voltaire sont des auteurs c....
e. Les œuvres des grands auteurs classiques sont i....

7 DEVINETTES

a. Quels sont ces instruments qui mesurent le temps avec de l'eau ? Avec du sable ? Avec l'ombre d'un bâton projetée par le soleil sur un plan où sont indiquées les heures ?
b. En musique, il faut respecter la mesure et le tempo. Quel est cet instrument à balancier qui sert à marquer la mesure ?
c. Quel est le sens de ces mots qui servent à qualifier le tempo d'une partition : *allegro, adagio, moderato, presto* ?
d. Le mot « calendrier » vient du mot latin *calendes*. Savez-vous ce qu'étaient les calendes pour les Romains ?
e. Le mot « jour » en latin se dit *dies* et a donné la racine – *di*. Que signifient les mots *lundi, mardi, mercredi, jeudi, vendredi, samedi, dimanche* ? Que signifie l'expression *sine die* ?

EXPRESSION ÉCRITE

Sujet 1
« Autres temps, autres mœurs. » Imaginez un court récit qui illustre ce proverbe.

Sujet 2
Résumez brièvement la légende grecque du géant Chronos, et proposez une interprétation de cette allégorie.

L'EXPRESSION DES SENTIMENTS DANS LA POÉSIE ROMANTIQUE

Livrer au grand jour son moi intime, épancher sans retenue ses sentiments : une liberté qui ne va pas de soi et qui a longtemps été contraire aux bienséances. « Le moi est haïssable », affirmait le philosophe Pascal dans ses Pensées *(1671).*

1 L'ÉMERGENCE DU MOI SENSIBLE

▶ Les élans du cœur

Dans le chaos de la Révolution puis des guerres napoléoniennes, on voit émerger en France toute une génération de jeunes gens exaltés, à la fois passionnés et tourmentés, qui trouvent dans la poésie le moyen d'exprimer librement leurs émotions. Le poète romantique donne la parole à son « je ».

▶ Le « je » reflet du monde

Le poète romantique se sent en sympathie avec les autres et le monde : à côté d'une poésie intimiste de la famille, du bonheur champêtre ou de la douleur personnelle (Hugo, « Elle avait pris ce pli... » ▶ **p. 234**), on voit naître aussi une poésie de dimension universelle, voire cosmique (Hugo, « L'Enfant » ▶ **p. 238**).

2 LES THÈMES PRIVILÉGIÉS DE L'EXPRESSION DE SOI

▶ L'homme éphémère, la nature éternelle

Si la nature est, pour le poète, un refuge et une confidente (Lamartine, « Le Lac » ▶ **p. 226**), elle lui rappelle aussi qu'il est mortel. Il s'afflige sur la brièveté de son passage sur terre (Hugo, « Soleils couchants » ▶ **p. 230**) et se réfugie dans le culte du passé.

→ **Ex. :** Aloysius Bertrand fait revivre un Moyen Âge imaginaire dans *Gaspard de la nuit* (1842, posthume).

Désenchanté dans une société où règnent le mensonge et l'argent, le poète romantique se tourne vers la nature indomptée, les immensités sauvages, les éléments déchaînés.

→ **Ex. :** Alfred de Vigny, dans « La Maison du berger », invite à fuir les « cités serviles » (*Les Destinées*, 1864).

Le poète voit dans la nature le reflet de son âme. Ainsi, tempêtes et orages soufflent à l'unisson de l'âme romantique révoltée, les couleurs automnales ravivent la mélancolie du poète (Lamartine, « L'Automne » ▶ **p. 228**).

▶ La souffrance sublimée

La poésie romantique favorise l'expression de toutes les émotions. « Les plus désespérés sont les chants les plus beaux », écrit Musset (« La Nuit de Mai » ▶ **p. 250**). Amour passionné, destins tragiques, douleur d'un père en deuil (Hugo, « Oh ! je fus comme fou... » ▶ **p. 232**), solitude et mélancolie sont au cœur du lyrisme romantique.

▶ Une poésie utopique

Les premiers poètes romantiques ont foi en l'homme, et se sentent investis d'une mission. Ils mettent avec exaltation leur talent au service des humbles et s'impliquent dans la vie politique. La guerre (Hugo, « L'Enfant » ▶ **p. 238**), la répression, les injustices, la misère sont des thèmes récurrents, notamment sous la plume de Victor Hugo. ▶ **Dossier histoire des arts, p. 242**

3 UNE POÉSIE LYRIQUE ET ÉLÉGIAQUE

Pour concilier élans du cœur et écriture poétique, le poète romantique met en œuvre les procédés du lyrisme et de l'élégie propices à l'expression de ses soupirs (interjections, exclamations), de ses révoltes (hyperboles, accumulations) et de ses chagrins (lexique du sentiment).

Séquence 2

Le poète romantique et sa Muse : *Les Nuits* d'Alfred de Musset (1835-1837)

▶ **La mélancolie est-elle entrave à l'écriture ou source d'inspiration ? Comment le poète peut-il échapper à la mélancolie ?**

LIENS AVEC LA PARTIE LANGUE

▶ Modes, temps et valeurs, p. 395
▶ Les homonymes, p. 408
▶ L'énonciation, p. 417
▶ Les figures de style, p. 420

LIENS AVEC LA PARTIE OUTILS D'ANALYSE

▶ Vers, strophes et rimes, p. 445
▶ Les registres tragique et pathétique, p. 466
▶ Les registres lyrique et élégiaque, p. 468

LIENS AVEC LA PARTIE MÉTHODES VERS LE BAC

▶ Lire un poème, p. 498
▶ Lire un sujet de dissertation, p. 502
▶ Interpréter une image, p. 519

▶▶▶Gabriel Aimable de la Foulhouze, *Les Nuits* (détail), huile sur toile (160 x 97 cm), 1886, musée d'Art Roger-Quillot, Clermont-Ferrand.

▶ Biographie p. 538

Dans la première des quatre Nuits, *la Muse, allégorie de l'inspiration poétique, fait une apparition nocturne ; elle appelle le poète en lui disant : « Poète, prends ton luth et me donne un baiser », pour l'exhorter à composer. Mais le poète tarde à l'entendre et à la reconnaître.*

✚ CONTEXTE

De 1835 à 1837, Musset compose quatre longs poèmes qui constituent *Les Nuits*. Il écrit la nuit, dans sa chambre, à la lueur des chandelles, attendant que la Muse vienne à sa rencontre pour lui donner l'inspiration. Écrites après la rupture avec George Sand (l'auteur, notamment, de *La Mare au diable*), avec laquelle Musset a vécu une liaison passionnée, *Les Nuits* traduisent la douleur et la solitude du poète, mais aussi sa détermination à aimer quoi qu'il en coûte.

La Nuit de mai

LA MUSE

1 Poète, prends ton luth[1] ; le vin de la jeunesse
Fermente cette nuit dans les veines de Dieu.
Mon sein est inquiet ; la volupté l'oppresse,
Et les vents altérés m'ont mis la lèvre en feu.
5 Ô paresseux enfant ! regarde, je suis belle.
Notre premier baiser, ne t'en souviens-tu pas,
Quand je te vis si pâle au toucher de mon aile,
Et que, les yeux en pleurs, tu tombas dans mes bras ?
Ah ! je t'ai consolé d'une amère souffrance !
10 Hélas ! bien jeune encor[2], tu te mourais d'amour.
Console-moi ce soir, je me meurs d'espérance ;
J'ai besoin de prier pour vivre jusqu'au jour.

LE POÈTE

Est-ce toi dont la voix m'appelle,
Ô ma pauvre Muse ! est-ce toi ?
15 Ô ma fleur ! ô mon immortelle !
Seul être pudique et fidèle
Où vive encor l'amour de moi !
Oui, te voilà, c'est toi, ma blonde,
C'est toi, ma maîtresse et ma sœur !
20 Et je sens, dans la nuit profonde,
De ta robe d'or qui m'inonde
Les rayons glisser dans mon cœur.

LA MUSE

Poète, prends ton luth ; c'est moi, ton immortelle,
Qui t'ai vu cette nuit triste et silencieux,
25 Et qui, comme un oiseau que sa couvée appelle,
Pour pleurer avec toi descends du haut des cieux.
Viens, tu souffres, ami. Quelque ennui[3] solitaire
Te ronge ; quelque chose a gémi dans ton cœur ;
Quelque amour t'est venu, comme on en voit sur terre,
30 Une ombre de plaisir, un semblant de bonheur.
Viens, chantons devant Dieu ; chantons dans tes pensées,
Dans tes plaisirs perdus, dans tes peines passées ;
Partons, dans un baiser, pour un monde inconnu.
Éveillons au hasard les échos de ta vie,
35 Parlons-nous de bonheur, de gloire et de folie,
Et que ce soit un rêve, et le premier venu. […]
Prends ton luth ! prends ton luth ! je ne peux plus me taire ;
Mon aile me soulève au souffle du printemps.
Le vent va m'emporter ; je vais quitter la terre.
40 Une larme de toi ! Dieu m'écoute ; il est temps.

1. instrument de musique symbolisant la poésie et renvoyant à Orphée, personnage de la mythologie grecque qui accompagnait sa poésie d'un instrument à cordes.
2. cette orthographe est autorisée en poésie.
3. au sens étymologique de tristesse profonde, douleur.

L<small>E</small> <small>POÈTE</small>

S'il ne te faut, ma sœur chérie,
Qu'un baiser d'une lèvre amie
Et qu'une larme de mes yeux,
Je te les donnerai sans peine ;
45   De nos amours qu'il te souvienne,
Si tu remontes dans les cieux.
Je ne chante ni l'espérance,
Ni la gloire, ni le bonheur,
Hélas ! pas même la souffrance.
50   La bouche garde le silence
Pour écouter parler le cœur.

Eugène Lami, *La Nuit de mai*, technique mixte
(10 x 14,7 cm), 1883, châteaux de Malmaison
et Bois-Préau, Malmaison.

Questions

▶ Les figures de style, p. 420
▶ Vers, strophes et rimes, p. 445
▶ Les registres lyrique et élégiaque, p. 468

▶ Interpréter une image, p. 519

Grammaire
Quel mode verbal la Muse emploie-t-elle régulièrement pour s'adresser au poète ? Pourquoi ?

▶ Modes, temps et valeurs, p. 395

La relation entre le poète et sa Muse

1. Montrez que la Muse est représentée sous les traits d'une femme.
2. Quelle comparaison la Muse emploie-t-elle pour évoquer sa compassion pour le poète aux vers 25-26 ? Mettez-la en relation avec le deuxième extrait de « La Nuit de Mai » (▶ **p. 250**).
3. Quels procédés expriment l'affection du poète pour sa Muse et sa joie de la retrouver ?
4. Quelle relation le poète et sa Muse semblent-ils partager d'après ce texte ? Justifiez votre réponse par une analyse précise.

L'enthousiasme face à la mélancolie

5. Observez dans ce dialogue les types de vers employés par la Muse et par le poète, ainsi que la longueur de leurs interventions respectives. Pourquoi ces différences ?

6. Montrez que la Muse révèle la tendance du poète à la mélancolie. Quelles sont les causes et les manifestations de cette tristesse ?
7. Pourquoi et comment la Muse encourage-t-elle le poète à « prendre son luth » ?
8. Quels procédés traduisent l'enthousiasme de la Muse des vers 31 à 40 ?
9. Comment la seconde intervention du poète montre-t-elle son incapacité à composer ?

Lecture d'image

• Comment cette illustration d'Eugène Lami suggère-t-elle que la Muse est une apparition surnaturelle ?
• Observez l'attitude du poète. Comment l'illustrateur traduit-il sa mélancolie résignée ?
• Cette illustration vous semble-t-elle fidèle au poème ? Pourquoi ?

Synthèse En vous appuyant sur vos réponses aux questions, rédigez un paragraphe dans lequel vous montrerez que la Muse apparaît comme une figure maternelle consolatrice pour le poète.

> **Vers le bac**   **S'entraîner au sujet d'invention**

Ce dialogue présente un caractère théâtral et peut se prêter à la mise en scène. Ajoutez des didascalies à l'échange entre le poète et sa Muse afin de donner des indications de mise en scène à des comédiens souhaitant l'adapter pour le théâtre.

► **Biographie p. 538**

⊙ CONTEXTE

Une légende raconte que le pélican fait jaillir son sang de sa poitrine pour redonner vie à ses petits tués par le serpent. Par son sacrifice, le pélican nourrit et ranime ses petits avec son propre sang. Clément Marot, poète français du XVIᵉ siècle, et Lord Byron, poète romantique anglais du début du XIXᵉ siècle, ont tous deux évoqué cette légende.

Malgré son enthousiasme et ses encouragements répétés (► p. 248), la Muse se heurte à la passivité et au mutisme résigné du poète mélancolique. Dans une ultime tentative pour lui faire prendre la plume malgré sa douleur, elle lui raconte la légende du pélican.

La Nuit de mai

[…]

1   Les plus désespérés sont les chants les plus beaux,
Et j'en sais d'immortels qui sont de purs sanglots.
Lorsque le pélican, lassé d'un long voyage,
Dans les brouillards du soir retourne à ses roseaux,
5   Ses petits affamés courent sur le rivage
En le voyant au loin s'abattre sur les eaux.
Déjà, croyant saisir et partager leur proie,
Ils courent à leur père avec des cris de joie
En secouant leurs becs sur leurs goitres[1] hideux.
10   Lui, gagnant à pas lents une roche élevée,
De son aile pendante abritant sa couvée,
Pêcheur mélancolique, il regarde les cieux.
Le sang coule à longs flots de sa poitrine ouverte ;
En vain il a des mers fouillé la profondeur ;
15   L'Océan était vide et la plage déserte ;
Pour toute nourriture il apporte son cœur.
Sombre et silencieux, étendu sur la pierre
Partageant à ses fils ses entrailles de père,
Dans son amour sublime il berce sa douleur,
20   Et, regardant couler sa sanglante mamelle,
Sur son festin de mort il s'affaisse et chancelle,
Ivre de volupté, de tendresse et d'horreur.
Mais parfois, au milieu du divin sacrifice,
Fatigué de mourir dans un trop long supplice,
25   Il craint que ses enfants ne le laissent vivant ;
Alors il se soulève, ouvre son aile au vent,
Et, se frappant le cœur avec un cri sauvage,
Il pousse dans la nuit un si funèbre adieu,
Que les oiseaux des mers désertent le rivage,
30   Et que le voyageur attardé sur la plage,
Sentant passer la mort, se recommande à Dieu.
Poète, c'est ainsi que font les grands poètes.
Ils laissent s'égayer ceux qui vivent un temps ;
Mais les festins humains qu'ils servent à leurs fêtes
35   Ressemblent la plupart à ceux des pélicans.
Quand ils parlent ainsi d'espérances trompées,
De tristesse et d'oubli, d'amour et de malheur,
Ce n'est pas un concert à dilater le cœur.
Leurs déclamations sont comme des épées :
40   Elles tracent dans l'air un cercle éblouissant,
Mais il y pend toujours quelque goutte de sang.
[…]

Un pélican, illustration pour *Livre des Propriétés des Choses*, manuscrit peint, vers 1445, BnF, Paris.

1. gonflement de la partie antérieure du cou. Il s'agit ici de la poche située sous le bec du pélican.

▶ Biographie p. 534

Charles Baudelaire,
Les Fleurs du mal (1857)

L'Albatros

1   Souvent, pour s'amuser, les hommes d'équipage
   Prennent des albatros, vastes oiseaux des mers,
   Qui suivent, indolents compagnons de voyage,
   Le navire glissant sur les gouffres amers.

5   À peine les ont-ils déposés sur les planches,
   Que ces rois de l'azur, maladroits et honteux,
   Laissent piteusement leurs grandes ailes blanches
   Comme des avirons traîner à côté d'eux.

   Ce voyageur ailé, comme il est gauche et veule[1] !
10   Lui, naguère si beau, qu'il est comique et laid !
   L'un agace son bec avec un brûle-gueule[2],
   L'autre mime, en boitant, l'infirme qui volait !

   Le Poète est semblable au prince des nuées
   Qui hante la tempête et se rit de l'archer ;
15   Exilé sur le sol au milieu des huées,
   Ses ailes de géant l'empêchent de marcher.

1. qui manque de force, d'énergie.
2. pipe.

Questions

▶ Les figures de style, p. 420
▶ Les registres tragique et pathétique, p. 466

Vocabulaire

Dans «La Nuit de mai», l'expression «pêcheur mélancolique» du vers 12 joue sur une homonymie. Laquelle ? Quel intérêt ce jeu a-t-il dans le poème ?

Prolongements

Cherchez d'autres poèmes dans lesquels un animal symbolise le poète. Quelle image du poète se dégage dans chacun de ces poèmes ?

▶ Lire un sujet de dissertation, p. 502

La Nuit de mai

1. Comment s'organise ce texte ? Quelles en sont les étapes successives ?
2. Analysez les indices de la mélancolie du pélican au début du récit. Montrez que la tristesse laisse ensuite place au désespoir tragique.
3. Qu'offre le pélican à ses petits en guise de nourriture ? Pourquoi la Muse parle-t-elle d'un «divin sacrifice» (v. 23) ? Relevez les éléments qui permettent de rapprocher le pélican d'une figure fondamentale du sacrifice que vous nommerez.
4. D'après les vers 32 à 41, pourquoi peut-on qualifier la légende du pélican d'allégo-rie ? Quelle vision du poète suggère-t-elle ?
5. Comment la légende du pélican illustre-t-elle les deux premiers vers du texte ?

Le pélican et l'albatros

6. Quel animal Musset et Baudelaire ont-ils choisi pour symboliser le poète ? Cet animal est-il grotesque ou sublime ?
7. Montrez que, d'après ces deux poèmes, le poète est un être à part, et expliquez ce qui fait sa singularité.
8. La dimension sacrificielle est-elle présente dans le poème de Baudelaire ? Quel sens donne-t-il à la souffrance ?

Synthèse Rédigez un paragraphe dans lequel vous montrerez que la légende du pélican donne à la poésie une dimension sacrificielle.

Vers le bac   **S'entraîner à la dissertation**

La Muse dit au poète : «Les plus désespérés sont les chants les plus beaux» (v. 1). Analysez cette citation pour en dégager une problématique de dissertation.

▶ Biographie p. 538

⊕ CONTEXTE

Depuis les romantiques, le thème du double est très fréquent dans la littérature. La part secrète ou sombre du moi s'extériorise sous la forme d'un double, réel ou fantasmé, dont les apparitions peuvent prendre un caractère angoissant, comme dans les récits fantastiques (Maupassant, *Le Horla*, 1887 ; Stevenson, *L'Étrange Cas du Dr Jekyll et Mr Hyde*, 1886), ou au contraire permettre au personnage de construire son identité.

Dans la seconde des quatre Nuits, *le poète évoque la rencontre répétée avec un double de lui-même, expérience que Musset disait avoir réellement faite à plusieurs reprises dans sa vie.*

La Nuit de décembre

LE POÈTE

1 Du temps que j'étais écolier,
Je restais un soir à veiller
Dans notre salle solitaire.
Devant ma table vint s'asseoir
5 Un pauvre enfant vêtu de noir,
Qui me ressemblait comme un frère.

Son visage était triste et beau :
À la lueur de mon flambeau,
Dans mon livre ouvert il vint lire.
10 Il pencha son front sur sa main,
Et resta jusqu'au lendemain,
Pensif, avec un doux sourire.

Comme j'allais avoir quinze ans
Je marchais un jour, à pas lents,
15 Dans un bois, sur une bruyère.
Au pied d'un arbre vint s'asseoir
Un jeune homme vêtu de noir,
Qui me ressemblait comme un frère.

Je lui demandai mon chemin ;
20 Il tenait un luth d'une main,
De l'autre un bouquet d'églantine[1].
Il me fit un salut d'ami,
Et, se détournant à demi,
Me montra du doigt la colline.

25 À l'âge où l'on croit à l'amour,
J'étais seul dans ma chambre un jour,
Pleurant ma première misère[2].
Au coin de mon feu vint s'asseoir
Un étranger vêtu de noir,
30 Qui me ressemblait comme un frère.

Il était morne et soucieux ;
D'une main il montrait les cieux,
Et de l'autre il tenait un glaive.
De ma peine il semblait souffrir
35 Mais il ne poussa qu'un soupir,
Et s'évanouit comme un rêve. […]

1. fleur symbolisant la poésie. C'est un motif récurrent des *Nuits*.
2. Musset fait souvent référence à la trahison de la première femme qu'il a aimée (« La Nuit d'octobre » et *La Confession d'un enfant du siècle*).

Vincent Canade, *Double autoportrait*, pastel (24,8 x 17,5 cm), XXᵉ siècle, musée franco-américain, Blérancourt.

À la fin du poème, après avoir évoqué d'autres moments où la Vision lui est apparue, le poète s'adresse à elle pour savoir qui elle est. Voici sa réponse...

LA VISION

– Ami, notre père est le tien.
Je ne suis ni l'ange gardien,
Ni le mauvais destin des hommes.
40 Ceux que j'aime, je ne sais pas
De quel côté s'en vont leurs pas
Sur ce peu de fange[3] où nous sommes.

Je ne suis ni dieu ni démon,
Et tu m'as nommé par mon nom
45 Quand tu m'as appelé ton frère ;
Où tu vas, j'y serai toujours,
Jusques au dernier de tes jours,
Où j'irai m'asseoir sur ta pierre.

Le ciel m'a confié ton cœur.
50 Quand tu seras dans la douleur,
Viens à moi sans inquiétude.
Je te suivrai sur le chemin ;
Mais je ne puis toucher ta main,
Ami, je suis la Solitude.

3. boue épaisse.
Ici, désigne la Terre
péjorativement.

Questions

▶ Les registres lyrique et élégiaque, p. 468

Grammaire
Dans les strophes 1 à 6, commentez l'alternance de l'imparfait et du passé simple.

Prolongements
Frédéric Chopin, qui a été l'amant de George Sand après Alfred de Musset, a composé des *Nocturnes* pour piano. Écoutez quelques-unes de ces pièces musicales. Quelle impression s'en dégage ?

▶ Lire un poème, p. 498

1. Montrez que les choix de vers et de strophes faits par Musset donnent une certaine légèreté et simplicité au poème.
2. Dans les strophes 1, 3 et 5, observez les répétitions et variations. Quels effets produisent-elles ? Comment peut-on les interpréter ?
3. Montrez que le poète se trouve dans une situation propice à la mélancolie chaque fois que son double apparaît.
4. Quels éléments contribuent à l'étrangeté des apparitions du double ?
5. Quelle attitude le double adopte-t-il à l'égard du poète lors de ses apparitions ?
6. Dans son intervention, comment et pourquoi la vision ménage-t-elle un effet de surprise dans la révélation de son identité ?
7. Montrez que cette vision s'apparente à une allégorie.

Synthèse Vous montrerez que ce poème évoque de manière lyrique la solitude et la mélancolie du poète.

Vers le bac **S'entraîner au commentaire**

Préparez un plan détaillé pour un commentaire des strophes 1 à 6 de « La Nuit de décembre ». Vous montrerez tout d'abord que ce poème évoque les étapes successives d'une jeunesse marquée par la mélancolie, puis vous étudierez les apparitions du double.

TEXTE **4.** *Les Nuits*

▶ Biographie p. 538

● CONTEXTE

Les romantiques vouent un véritable culte à l'amour, qui élève l'âme et donne accès au sublime, lorsqu'il est vécu dans sa pleine intensité. Les couples d'amants devenus mythiques, comme Roméo et Juliette, Paolo et Francesca, ou Tristan et Iseult, fascinent les artistes et écrivains romantiques. Eux-mêmes connaissent dans leur vie personnelle des passions enflammées : Hugo avec Juliette Drouet, Musset avec George Sand, le musicien Franz Liszt avec Marie d'Agoult.

Dans la troisième des quatre Nuits, *composée pendant une période où Musset essaie d'oublier George Sand dans les bras d'autres femmes, la Muse reproche au poète d'ouvrir à nouveau son cœur à l'amour au risque d'en souffrir et d'épuiser son génie. Voici la réponse du poète…*

La Nuit d'août

LE POÈTE

1 Puisque l'oiseau des bois voltige et chante encore
Sur la branche où ses œufs sont brisés dans le nid ;
Puisque la fleur des champs entr'ouverte à l'aurore,
Voyant sur la pelouse une autre fleur éclore,
5 S'incline sans murmure et tombe avec la nuit,

Puisqu'au fond des forêts, sous les toits de verdure,
On entend le bois mort craquer dans le sentier,
Et puisqu'en traversant l'immortelle nature,
L'homme n'a su trouver de science qui dure,
10 Que de marcher toujours et toujours oublier ;

Puisque, jusqu'aux rochers tout se change en poussière ;
Puisque tout meurt ce soir pour revivre demain ;
Puisque c'est un engrais que le meurtre et la guerre ;
Puisque sur une tombe on voit sortir de terre
15 Le brin d'herbe sacré qui nous donne le pain ;

Ô Muse ! que m'importe ou la mort ou la vie ?
J'aime, et je veux pâlir ; j'aime et je veux souffrir ;
J'aime, et pour un baiser je donne mon génie ;
J'aime, et je veux sentir sur ma joue amaigrie
20 Ruisseler une source impossible à tarir.

J'aime, et je veux chanter la joie et la paresse,
Ma folle expérience et mes soucis d'un jour,
Et je veux raconter et répéter sans cesse
Qu'après avoir juré de vivre sans maîtresse,
25 J'ai fait serment de vivre et de mourir d'amour.

Dépouille devant tous l'orgueil qui te dévore,
Cœur gonflé d'amertume et qui t'es cru fermé.
Aime, et tu renaîtras ; fais-toi fleur pour éclore.
Après avoir souffert, il faut souffrir encore ;
30 Il faut aimer sans cesse, après avoir aimé.

Prolongements

Lisez la «Lettre à M. de Lamartine» de Musset (▶ p. 227). Quels rapprochements pouvez-vous établir entre ce poème et l'extrait de «La Nuit d'août» qui vous est proposé ?

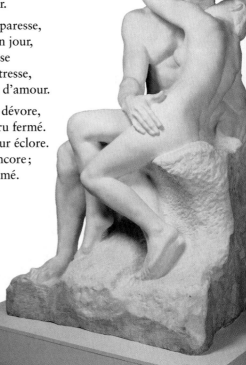

Auguste Rodin, *Le Baiser,* **sculpture en marbre (183,6 x 110,5 x 118,3 cm), 1886, musée Rodin, Paris.**

► Les figures de style, p. 420
► Les registres lyrique et élégiaque, p. 468

Questions

Une méditation sur le temps

1. Montrez que les trois premières strophes proposent une méditation générale.
2. Quel est l'objet de cette méditation? Justifiez votre réponse par une analyse détaillée.
3. Quels exemples le poète utilise-t-il pour illustrer sa réflexion? Qu'ont-ils de commun?
4. Analysez le vers 12. Quelle idée la figure de style employée traduit-elle?
5. Comment cette méditation générale permet-elle au poète de justifier son vœu d'aimer à nouveau?

Le pouvoir de l'amour

6. Comment est exprimé l'élan enthousiaste du poète dans l'ensemble du poème (types de strophes et de vers, procédés de rythme et de répétition)?
7. Montrez que l'amour apparaît comme une source à la fois de joie et de douleur.
8. À qui le poète s'adresse-t-il dans la dernière strophe? Dans quel but?
9. Analysez de manière très précise les deux derniers vers du poème. Quelle conclusion apportent-ils?
10. Pourquoi le poète veut-il aimer à nouveau d'après ce texte?

Grammaire
Analysez grammaticalement la première phrase du poème.

► Les subordonnées complétives et circonstancielles, p. 400

Synthèse Rédigez un paragraphe montrant que ce poème est une ode à l'amour.

► Lire un poème, p. 498

Vers le bac **S'entraîner au commentaire**
Préparez le plan détaillé d'un axe de commentaire consacré à l'étude du lyrisme dans le poème de Musset.

LE GENRE
POÉTIQUE

SYNTHÈSE

LES NUITS DE MUSSET : UNE ŒUVRE ROMANTIQUE

1 DE LA MÉLANCOLIE A LA CRÉATION POÉTIQUE

▶ Quatre saisons pour une renaissance intérieure

Les Nuits exploitent la symbolique des quatre saisons: le printemps de la jeunesse et de ses désillusions («La Nuit de mai» ▶ **p. 248 et 250**), l'hiver du désespoir («La Nuit de décembre» ▶ **p. 252**), l'été des passions enflammées («La Nuit d'août» ▶ **p. 254**), et enfin l'automne de la maturité («La Nuit d'octobre»). En quatre nuits ou quatre saisons, le poète parvient à surmonter sa mélancolie et à la transmuer en force créatrice.

▶ Le rôle de la Muse

La Muse joue un rôle essentiel dans *Les Nuits*. Elle est l'interlocutrice constante qui empêche le poète de s'enfermer dans le mutisme: «poète, prends ton luth», répète-t-elle sans se lasser (▶ **p. 248**). Figure à la fois maternelle et amoureuse, elle protège et console le poète. À travers elle, c'est la création poétique qui offre un refuge contre la mélancolie.

2 UNE ŒUVRE LYRIQUE

Les Nuits confirment l'affirmation de la Muse: «Les plus désespérés sont les chants les plus beaux» (▶ **p. 250**). En effet, la musicalité (effets de rythmes et de sonorités), ainsi que les images poétiques, permettent au poète de sublimer sa mélancolie.

George Sand,
« Lettre à Alfred de Musset »
(12 mai 1834)

Les Enfants du siècle,
affiche du film de
Diane Kurys, 1999.

1. faux, illusoire.

Alors qu'ils sont séparés, Musset et Sand restent très liés, et continuent à s'écrire. Sand vit un nouvel amour, d'une nature très différente de celui qu'elle éprouvait pour Musset.

1 Pour la première fois de ma vie, j'aime sans passion.

Tu n'es pas encore arrivé là, toi. Peut-être marcheras-tu en sens contraire, peut-être ton dernier amour sera-t-il le plus romanesque et le plus jeune. Mais ton cœur, mais ton bon cœur, ne le tue pas, je t'en prie. Qu'il se mette tout entier ou en partie
5 dans toutes les amours de ta vie, mais qu'il y joue toujours son rôle noble, afin qu'un jour tu puisses regarder en arrière et dire comme moi, j'ai souffert souvent, je me suis trompé quelquefois mais j'ai aimé. C'est moi qui ai vécu et non pas un être factice¹ créé par mon orgueil et mon ennui.

Alfred de Musset,
On ne badine pas avec l'amour (1834)

Camille, craignant de souffrir, refuse l'amour de Perdican et préfère retourner vivre au couvent où elle a été éduquée.

1 Perdican. – Adieu, Camille, retourne à ton couvent, et lorsqu'on te fera de ces récits hideux qui t'ont empoisonnée¹, réponds ce que je vais te dire : Tous les hommes sont menteurs, inconstants, faux, bavards, hypocrites, orgueilleux et lâches, méprisables et sensuels ; toutes les femmes sont perfides², artificieuses, vaniteuses,
5 curieuses et dépravées ; le monde n'est qu'un égout sans fond où les phoques les plus informes rampent et se tordent sur des montagnes de fange ; mais il y a au monde une chose sainte et sublime, c'est l'union de deux de ces êtres si imparfaits et si affreux. On est souvent trompé en amour, souvent blessé et souvent malheureux ; mais on aime, et quand on est sur le bord de sa tombe, on se retourne pour
10 regarder en arrière, et on se dit : J'ai souffert souvent, je me suis trompé quelquefois ; mais j'ai aimé. C'est moi qui ai vécu, et non pas un être factice³ créé par mon orgueil et mon ennui.

Acte II, scène 5.

1. Perdican fait allusion aux récits de trahison amoureuse ou d'abandon que Camille a pu entendre au couvent.
2. déloyales.

Questions

1. Quels conseils George Sand donne-t-elle à Musset dans sa lettre ?
2. Montrez que cette lettre révèle l'affection maternelle de George Sand pour Musset.
3. Qu'emprunte Musset à cette lettre dans la tirade de Perdican ? Quelle place réserve-t-il à ces emprunts dans la tirade et pourquoi ?
4. Quels procédés traduisent le dégoût de Perdican pour l'humanité ?
5. À ses yeux, comment l'humanité peut-elle s'élever ?
6. D'après George Sand et Musset (à travers la voix de Perdican), faut-il craindre la souffrance que l'amour peut causer ? Pourquoi ?

Prolongements

Pourquoi le film de Diane Kurys inspiré de la relation entre Musset et Sand s'intitule-t-il *Les Enfants du siècle* ?

Les chemins de la modernité poétique

▷ Quelles innovations poétiques Baudelaire, Rimbaud et Mallarmé ont-ils apportées ? Comment ont-ils ouvert les voies de la modernité poétique ?

▶▶▶Léon Spilliaert, *Femme au bord de l'eau* (détail), huile sur toile, 1910, collection privée.

Charles Baudelaire,
Les Fleurs du mal (1857)

▸ **Biographie p. 534**

◐ CONTEXTE

Depuis l'Antiquité grecque et Platon, le Beau est associé au Bon (selon la fameuse formule : *kalos kagathos*). La beauté se caractérise par la mesure et l'ordre, dans un idéal de perfection. Le romantisme opère une première brèche dans cet idéal de « bon goût », mais la rupture est radicale avec *Les Fleurs du mal* de Baudelaire. Le poète affirme vouloir « extraire la beauté du mal ».

« Hymne à la Beauté » appartient à la section « Spleen et Idéal » des Fleurs du mal. *Ce poème propose une redéfinition du Beau.*

Hymne à la Beauté

1 Viens-tu du ciel profond ou sors-tu de l'abîme,
Ô beauté ? ton regard, infernal et divin,
Verse confusément le bienfait et le crime,
Et l'on peut pour cela te comparer au vin.

5 Tu contiens dans ton œil le couchant et l'aurore ;
Tu répands des parfums comme un soir orageux ;
Tes baisers sont un philtre et ta bouche une amphore
Qui font le héros lâche et l'enfant courageux.

Sors-tu du gouffre noir ou descends-tu des astres ?
10 Le Destin charmé suit tes jupons comme un chien ;
Tu sèmes au hasard la joie et les désastres,
Et tu gouvernes tout et ne réponds de rien.

Tu marches sur des morts, Beauté, dont tu te moques ;
De tes bijoux l'Horreur n'est pas le moins charmant,
15 Et le Meurtre, parmi tes plus chères breloques[1],
Sur ton ventre orgueilleux danse amoureusement.

L'éphémère[2] ébloui vole vers toi, chandelle,
Crépite, flambe et dit : Bénissons ce flambeau !
L'amoureux pantelant incliné sur sa belle
20 A l'air d'un moribond caressant son tombeau.

Que tu viennes du ciel ou de l'enfer, qu'importe,
Ô beauté ! monstre énorme, effrayant, ingénu[3] !
Si ton œil, ton souris[4], ton pied, m'ouvrent la porte
D'un Infini que j'aime et n'ai jamais connu ?

25 De Satan ou de Dieu, qu'importe ? Ange ou Sirène,
Qu'importe, si tu rends, – fée aux yeux de velours,
Rythme, parfum, lueur, ô mon unique reine ! –
L'univers moins hideux et les instants moins lourds ?

---

1. petit pendentif.
2. insecte léger qui ne vit qu'un seul jour.
3. innocent, naïf.
4. autre forme du nom « sourire ».

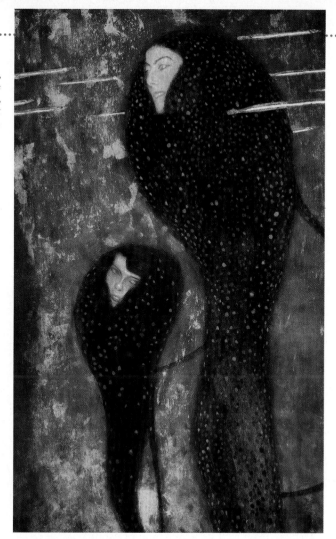

Gustav Klimt, *Ondines*, huile sur toile (82 x 52 cm), 1899, Zentralsparkasse der Gemeinde, Vienne.

Questions

▸ Les figures de style, p. 420

▸ Vers, strophes et rimes, p. 445

Vocabulaire
Recherchez l'étymologie et le sens précis du mot « hymne ». Pourquoi ce texte porte-t-il bien son titre d'« Hymne à la Beauté » ?

Les « Fleurs du mal »

1. Quels champs lexicaux s'opposent dans ce poème ? Faites les relevés correspondants.

2. Expliquez l'image de la strophe 4 (v. 14 à v. 16). Que symbolisent les bijoux ? Que traduit l'utilisation des majuscules ?

3. Montrez que ce poème illustre bien le titre du recueil, *Les Fleurs du mal*.

La magie de la Beauté

4. Quelles images, quelles expressions montrent que Baudelaire présente la Beauté sous les traits d'une femme ?

5. Par l'étude du registre et de l'énonciation, montrez que le poète est sous le charme de la Beauté.

6. Quels sont les pouvoirs de la Beauté selon l'auteur ? Justifiez votre réponse en vous appuyant sur le lexique et les images.

Lecture d'image Pourquoi peut-on attribuer au tableau de Klimt les qualificatifs « infernal et divin » du texte de Baudelaire (v. 2) ?

Synthèse Montrez que Baudelaire abolit l'opposition entre Bien et Mal, et entre Beau et Laid.

Vers le bac   **S'entraîner à la dissertation**

La laideur peut-elle être une source d'inspiration au même titre que la beauté ? Trouvez deux arguments en faveur de la laideur que vous illustrerez .

Charles Baudelaire,
Les Fleurs du mal (1857)

▶ Biographie p. 534

✪ CONTEXTE

Le XIXᵉ siècle est un siècle de voyages où l'on s'intéresse aux langues étrangères. Ainsi Baudelaire, traducteur de l'écrivain américain Edgar Allan Poe, a choisi le mot anglais *spleen* pour désigner un état de mélancolie. Le sens premier du mot anglais *spleen* renvoie à la rate, organe dont la médecine ancienne pensait qu'elle sécrétait « la bile noire », cause d'humeur mélancolique.

Voici le quatrième des poèmes intitulés « Spleen ». La mélancolie prend ici une dimension dramatique d'une grande intensité. Le poète exprime, grâce à des images inquiétantes, une véritable crise d'angoisse.

Spleen

1   Quand le ciel bas et lourd pèse comme un couvercle
   Sur l'esprit gémissant en proie aux longs ennuis[1],
   Et que de l'horizon embrassant tout le cercle
   Il nous verse un jour noir plus triste que les nuits ;

5   Quand la terre est changée en un cachot humide,
   Où l'Espérance, comme une chauve-souris,
   S'en va battant les murs de son aile timide
   Et se cognant la tête à des plafonds pourris ;

   Quand la pluie étalant ses immenses traînées
10 D'une vaste prison imite les barreaux,
   Et qu'un peuple muet d'infâmes araignées
   Vient tendre ses filets au fond de nos cerveaux,

   Des cloches tout à coup sautent avec furie
   Et lancent vers le ciel un affreux hurlement,
15 Ainsi que des esprits errants et sans patrie
   Qui se mettent à geindre opiniâtrement.

   – Et de longs corbillards, sans tambours ni musique,
   Défilent lentement dans mon âme ; l'Espoir,
   Vaincu, pleure, et l'Angoisse atroce, despotique,
20 Sur mon crâne incliné plante son drapeau noir.

1. sens fort ici de dégoût de la vie.

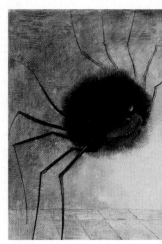

Odilon Redon, *L'Araignée souriante*, fusain, papier chamois (49,5 x 39 cm), 1881, musée du Louvre, Paris.

Questions

▶ Les figures de style, p. 420
▶ Vers, strophes et rimes, p. 445

1. Par l'étude du lexique et des images, montrez que le poème exprime une crise de mélancolie qui va crescendo.
2. Comment les sentiments éprouvés sont-ils incarnés ou représentés ? Quelles impressions se dégagent de ces éléments ?
3. Par quelles comparaisons et métaphores le poète souligne-t-il le caractère effrayant du paysage ?

4. Montrez que le « paysage intérieur » de l'auteur – ses pensées, son état d'âme – est à l'image du paysage extérieur.
5. Pourquoi peut-on affirmer que la souffrance dans ce poème est aussi d'ordre physique ?
6. Étudiez les effets sonores du poème. En quoi contribuent-ils à en renforcer le sens ?

Lecture d'image Pourquoi le dessin d'Odilon Redon pourrait-il s'intituler *Spleen* comme le poème de Baudelaire ?

Grammaire
Le poème est entièrement au présent. Quelle est la valeur de ce présent ? En quoi est-il révélateur de l'état moral du poète ?

▶ Modes, temps et valeurs p. 395

Synthèse En vous appuyant sur l'analyse précédente, montrez que le texte permet d'illustrer le terme de « spleen » qui constitue le titre.

▶ Comprendre une question p. 482

Vers le bac   **S'entraîner à l'épreuve orale**
Rédigez une réponse organisée à la question d'oral suivante : le spleen évoqué par Baudelaire relève-t-il plus du sentiment ou de la sensation ?

Charles Baudelaire,
Petits poèmes en prose (1869)

▶ **Biographie p. 534**

◒ CONTEXTE

Émigrés à l'étranger pour échapper à la guillotine pendant la Révolution, les aristocrates s'intéressent à la littérature étrangère, notamment à la poésie dont la traduction en prose poétique ouvre la création aux possibilités d'une écriture délivrée des contraintes de la versification. Le poème en prose apparaît. Le jeune poète Aloysius Bertrand en est l'initiateur en France.

1. de constitution fragile.
2. qui rappelle la suie.
3. exclu.
4. personne sale.
5. munie d'une grille.

Pour ses cinquante Petits poèmes en prose, *suite de tableaux de la vie urbaine, Baudelaire avait songé au titre, plus explicite, de* Spleen de Paris.

Le Joujou du pauvre

1   […] Sur une route, derrière la grille d'un vaste jardin, au bout duquel apparaissait la blancheur d'un joli château frappé par le soleil, se tenait un enfant beau et frais, habillé de ces vêtements de campagne si pleins de coquetterie.

   Le luxe, l'insouciance et le spectacle habituel de la richesse, rendent ces enfants-là
5 si jolis, qu'on les croirait faits d'une autre pâte que les enfants de la médiocrité ou de la pauvreté.

   À côté de lui, gisait sur l'herbe un joujou splendide, aussi frais que son maître, verni, doré, vêtu d'une robe pourpre, et couvert de plumets et de verroteries. Mais l'enfant ne s'occupait pas de son joujou préféré, et voici ce qu'il regardait :

10   De l'autre côté de la grille, sur la route, entre les chardons et les orties, il y avait un autre enfant, sale, chétif[1], fuligineux[2], un de ces marmots-parias[3] dont un œil impartial découvrirait la beauté, si, comme l'œil connaisseur devine une peinture idéale sous un vernis de carrossier, il le nettoyait de la répugnante patine de la misère.

15   À travers ces barreaux symboliques séparant deux mondes, la grande route et le château, l'enfant pauvre montrait à l'enfant riche son propre joujou, que celui-ci examinait avidement comme un objet rare et inconnu. Or, ce joujou, que le petit souillon[4] agaçait, agitait et secouait dans une boîte grillée[5], c'était un rat vivant ! Les parents, par économie sans doute, avaient tiré le joujou de la vie elle-même.

20   Et les deux enfants se riaient l'un à l'autre fraternellement, avec des dents d'une *égale* blancheur.

Questions

Un effet de symétrie

1. Mettez en regard la description de l'enfant riche et celle de l'enfant pauvre. Pourquoi peut-on parler d'effet de symétrie dans la construction du texte ?
2. Dans quel environnement chacun des deux enfants vit-il ?
3. Comparez les deux joujoux, et analysez l'analogie entre chaque enfant et son jouet.

Un récit allégorique

4. Pourquoi peut-on dire que la description de l'enfant pauvre et de son jouet rejoint la définition que Baudelaire donne de la beauté (« **Hymne à la Beauté** » ▶ **p. 258**) ?
5. Sur quelles pistes d'interprétation et de réflexion la dernière phrase nous conduit-elle ? Pourquoi le mot « égale » est-il en italique ?

▶ Les figures de style, p. 420
▶ Vers, strophes et rimes, p. 445

Synthèse Dans un paragraphe argumenté, montrez que ce texte est un apologue.

Vers le bac   **S'entraîner à la dissertation**

Élaborez le plan détaillé d'une partie de dissertation visant à montrer qu'un texte en prose peut être qualifié de *poème*. Vous pourrez pour cela vous appuyer sur l'exemple du texte de Baudelaire.

▶ Élaborer un plan détaillé, p. 504

▶ **Biographie p. 538**

⊕ CONTEXTE

L'esprit révolutionnaire du xixᵉ siècle rassemble nombre de jeunes gens en rébellion contre la société, le poids de la religion, les convenances. La guerre de 1870, la chute de l'Empire, l'insurrection de la Commune et la répression qui suit ne font qu'enflammer l'esprit de révolte de ceux qui sont en butte au conformisme et à la médiocrité. L'écriture poétique se veut, elle aussi, anticonformiste.

1. fleurs blanches en forme de parasols.
2. pâturages.

Arthur Rimbaud,
Poésies (1871)

Quand il écrit ce poème, Rimbaud, qui n'a que dix-sept ans, a-t-il en mémoire un abécédaire de son enfance ? Ou reprend-il les correspondances entre les sens évoquées par Baudelaire, « le premier voyant, roi des poètes » ?

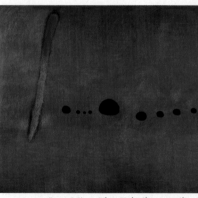

Joan Miro, *Bleu II*, huile sur toile (270 x 355 cm), 1961, musée national d'Art moderne, Paris.

Voyelles

1　A noir, E blanc, I rouge, U vert, O bleu : voyelles,
　Je dirai quelque jour vos naissances latentes :
　A, noir corset velu des mouches éclatantes
　Qui bombinent autour des puanteurs cruelles,

5　Golfes d'ombre ; E, candeurs des vapeurs et des tentes,
　Lances des glaciers fiers, rois blancs, frissons d'ombelles[1] ;
　I, pourpres, sang craché, rire des lèvres belles
　Dans la colère ou les ivresses pénitentes ;

　U, cycles, vibrements divins des mers virides,
10　Paix des pâtis[2] semés d'animaux, paix des rides
　Que l'alchimie imprime aux grands fronts studieux ;

　O, suprême Clairon plein de strideurs étranges,
　Silences traversés des Mondes et des Anges :
　– O l'Oméga, rayon violet de Ses Yeux !

Questions

1. Quel rôle joue le premier vers par rapport à l'ensemble du poème ? En associant ce premier vers au dernier, justifiez le fait que Rimbaud propose les voyelles dans l'ordre A E I U O.
2. Expliquez l'expression « vos naissances latentes ». Que révèle le vers 2 sur le rôle que Rimbaud assigne au poète ?
3. Analysez les correspondances établies par Rimbaud pour chaque voyelle. Qu'est-ce qui relève du visuel ? de l'auditif ?
4. Observez les effets sonores (assonances et allitérations) et les rythmes. Quel rôle jouent-ils dans la démonstration du poète ?
5. Les associations proposées par Rimbaud vous semblent-elles arbitraires ou justifiées ?

▶ Vers, strophes et rimes, p. 445

Vocabulaire
Cherchez des néologismes de Rimbaud dans ce poème. Quel sens peuvent-ils avoir ?

▶ Lire un poème, p. 498

Synthèse En vous appuyant sur les questions d'analyse ci-dessus, montrez que ce poème est fondé sur des effets picturaux et musicaux.

Vers le bac　**S'entraîner au commentaire**
Rédigez un plan détaillé de commentaire, en vous inspirant des axes de lecture suivants :
I. Vous montrerez que le poème est une rêverie enclenchée par les formes et les sonorités des voyelles.
II. Vous analyserez ensuite quelle fonction de la poésie est révélée par ce poème.

▶ Biographie p. 538

Arthur Rimbaud,
Illuminations (1886)

⊙ CONTEXTE

La ville fut longtemps considérée comme le lieu de tous les dangers et négligée comme source d'inspiration poétique, en opposition à la nature sauvage et grandiose chère aux romantiques. Or, avec les progrès de l'urbanisme, la ville prend un nouveau visage. On s'assoit aux terrasses des cafés, on se mêle à la foule des grands et larges boulevards. On est fasciné par l'univers urbain.

Rimbaud écrit plusieurs poèmes intitulés « Ville ». Entre lieu réel et lieu rêvé, elle est réinterprétée et transfigurée par Rimbaud, dont l'ambition n'est pas de retranscrire la réalité, mais de créer un monde « inconnu ».

Ville

1   Je suis un éphémère et point trop mécontent citoyen d'une métropole crue moderne parce que tout goût connu a été éludé dans les ameublements et l'extérieur des maisons aussi bien que dans le plan de la ville. Ici vous ne signaleriez les traces d'aucun monument de superstition. La morale et la langue sont réduites à
5   leur plus simple expression, enfin ! Ces millions de gens qui n'ont pas besoin de se connaître amènent[1] si pareillement l'éducation, le métier et la vieillesse, que ce cours de vie doit être plusieurs fois moins long que ce qu'une statistique folle trouve pour les peuples du continent. Aussi comme, de ma fenêtre, je vois des spectres nouveaux roulant à travers l'épaisse et éternelle fumée de charbon, – notre
10   ombre des bois, notre nuit d'été ! – des Érinyes[2] nouvelles, devant mon cottage[3] qui est ma patrie et tout mon cœur puisque tout ici ressemble à ceci, – la Mort sans pleurs, notre active fille et servante, un Amour désespéré, et un joli Crime piaulant[4] dans la boue de la rue.

1. mènent. – 2. divinités grecques de la vengeance. – 3. terme anglais désignant une petite maison de campagne. – 4. pousser un cri aigu comme un oisillon.

Questions

Vocabulaire
Comment s'appelle un mot comme « piaulant » (l. 12), qui cherche à imiter un son ? Cherchez d'autres exemples de mots appartenant à cette catégorie. Que prouve la présence de ce mot dans ce poème qui cherche à peindre la vie urbaine ?

1. Quelle première impression s'offre à vous à la lecture de ce poème ? Développez votre réponse.

2. À votre avis, pourquoi Rimbaud dit-il qu'il est un « éphémère citoyen » ?

3. Relevez le champ lexical de l'univers urbain. La ville décrite est-elle clairement identifiable ?

4. Quelle est la part du réel et du rêve dans ce tableau de la vie urbaine ?

5. Pourquoi les mots « Mort », « Amour » et « Crime » ont-ils une majuscule ? Que révèlent ces mots sur la façon dont l'auteur voit la ville ?

Synthèse Montrez comment Rimbaud, dans ce poème, mêle étroitement un langage concret, voire « scientifique », et des expressions à la fois mystérieuses et poétiques.

�**Vers le bac** **S'entraîner au sujet d'invention**
Créez à votre tour un texte en prose qui, à la manière de Rimbaud, décrira un paysage urbain d'aujourd'hui, et dont les éléments réalistes seront le point de départ à la création d'un univers étrange.

▶ Imiter un style et transposer un texte, p. 478

▶ Biographie p. 538

⊕ CONTEXTE

Le XIXᵉ siècle est une période de profonde mutation, voire de révolution en poésie, jusque-là fidèle à des lois esthétiques et métriques qui paraissaient immuables. Les jeunes poètes se libèrent progressivement des contraintes de versification et adoptent même la forme nouvelle du poème en prose.

1. mot allemand qui signifie « chute d'eau ».

Arthur Rimbaud,
Illuminations (1886)

Si le coucher de soleil a beaucoup inspiré la poésie, ici, c'est la magie du matin qui nous est livrée par l'« alchimie » de la prose poétique rimbaldienne.

Aube

1   J'ai embrassé l'aube d'été.

Rien ne bougeait encore au front des palais. L'eau était morte. Les camps d'ombres ne quittaient pas la route du bois. J'ai marché, réveillant les haleines vives et tièdes ; et les pierreries regardèrent, et les ailes se levèrent sans bruit.

5   La première entreprise fut, dans le sentier déjà empli de frais et blêmes éclats, une fleur qui me dit son nom.

Je ris au wasserfall[1] blond qui s'échevela à travers les sapins : à la cime argentée je reconnus la déesse.

Alors je levai un à un les voiles. Dans l'allée, en agitant les bras. Par la plaine, 10   où je l'ai dénoncée au coq. À la grand'ville elle fuyait parmi les clochers et les dômes, et courant comme un mendiant sur les quais de marbre, je la chassais.

En haut de la route, près d'un bois de lauriers, je l'ai entourée avec ses voiles amassés, et j'ai senti un peu son immense corps. L'aube et l'enfant tombèrent au bas du bois.

15   Au réveil, il était midi.

Emil Nolde, *Soir d'automne*, huile sur toile, 1924, collection privée.

Arthur Rimbaud,
« Lettre à Paul Demeny » (1871)

1   […] Je dis qu'il faut être *voyant*, se faire *voyant*.

Le Poète se fait *voyant* par un long, immense et raisonné *dérèglement* de *tous les sens*. Toutes les formes d'amour, de souffrance, de folie ; il cherche lui-même, il épuise en lui tous les poisons, pour n'en garder que les quintessences. Ineffable

5   torture où il a besoin de toute la foi, de toute la force surhumaine, où il devient entre tous le grand malade, le grand criminel, le grand maudit, – et le suprême Savant ! – Car il arrive à *l'inconnu* ! Puisqu'il a cultivé son âme, déjà riche, plus qu'aucun ! Il arrive à l'inconnu, et quand, affolé, il finirait par perdre l'intelligence de ses visions, il les a vues ! Qu'il crève dans son bondissement par les choses

10   inouïes et innombrables : viendront d'autres horribles travailleurs ; ils commenceront par les horizons où l'autre s'est affaissé !

Questions

▶ Les formes poétiques, p. 446

« Aube »

1. En vous appuyant sur le double sens du verbe « embrasser », montrez que la première phrase éclaire l'ensemble du poème.

2. Par l'étude des pronoms personnels et des verbes, montrez que le poète n'est pas un simple spectateur du décor qui l'environne, mais qu'il en est le créateur.

3. Étudiez la progression du texte, en vous référant aux repères temporels, aux temps des verbes, au lexique.

4. Analysez la dimension onirique du texte : quels éléments permettent de l'interpréter comme le récit d'un rêve ?

5. Quelle relation l'auteur entretient-il avec la nature ?

Lettre à Paul Demeny

6. Expliquez le paradoxe de cette expression : « un […] raisonné *dérèglement de tous les sens* ».

7. Comment Rimbaud définit-il le poète ?

8. Pourquoi peut-on affirmer que le texte théorique a lui-même une dimension poétique ?

Synthèse En vous appuyant sur l'analyse ci-dessus, développez un paragraphe dans lequel vous expliquerez pourquoi on peut voir dans « Aube » la démonstration que Rimbaud est un « voyant ».

▶ Confronter les textes, p. 528
▶ Rédiger une réponse synthétique, p. 530

Vers le bac   **S'entraîner à la question de synthèse**

Montrez que les poèmes « Voyelles » (▶ p. 262), « Ville » (▶ p. 263) et « Aube » (▶ p. 264) sont une illustration du texte théorique « Lettre à Paul Demeny ».

• LA POÉSIE DE PAUL VERLAINE

▶ Biographie p. 539

Paul Verlaine,
Jadis et naguère (1884)

À la suite du poète latin Horace et du classique Boileau, Verlaine compose son propre « Art poétique », définissant sa conception du Beau.

Art poétique

1 De la musique avant toute chose,
Et pour cela préfère l'Impair
Plus vague et plus soluble dans l'air,
Sans rien en lui qui pèse ou qui pose.

5 Il faut aussi que tu n'ailles point
Choisir tes mots sans quelque méprise :
Rien de plus cher que la chanson grise
Où l'Indécis au Précis se joint.

C'est des beaux yeux derrière des voiles,
10 C'est le grand jour tremblant de midi,
C'est, par un ciel d'automne attiédi,
Le bleu fouillis des claires étoiles !

Car nous voulons la Nuance encor,
Pas la Couleur, rien que la nuance !
15 Oh ! la nuance seule fiance
Le rêve au rêve et la flûte au cor ! […]

De la musique encore et toujours !
Que ton vers soit la chose envolée
Qu'on sent qui fuit d'une âme en allée
20 Vers d'autres cieux à d'autres amours.

Que ton vers soit la bonne aventure
Éparse au vent crispé du matin
Qui va fleurant la menthe et le thym…
Et tout le reste est littérature.

Claude Monet, *Les Nymphéas, le matin clair aux saules*, huile sur toile (200 x 425 cm), 1914-1926, musée de l'Orangerie, Paris.

Paul Verlaine,
Romances sans paroles (1874)

Le titre Romances sans paroles *donné par Verlaine à son recueil est emprunté au musicien allemand Mendelssohn, qui avait intitulé ainsi ses morceaux pour piano seul. Les poèmes de ce recueil, inspirés par les escapades de Verlaine et Rimbaud, d'abord en Belgique puis à Londres, sont autant de compositions à la fois musicales et picturales.*

Bruxelles. Simples fresques, I

1   La fuite[1] est verdâtre et rose
     Des collines et des rampes,
     Dans un demi-jour de lampes
     Qui vient brouiller toute chose.

5   L'or, sur les humbles abîmes,
     Tout doucement s'ensanglante,
     Des petits arbres sans cimes
     Où quelque oiseau faible chante.

     Triste à peine tant s'effacent
10   Ces apparences d'automne,
     Toutes mes langueurs rêvassent,
     Que berce l'air monotone.

1. terme pictural désignant la profondeur créée par la perspective.

▶ Vers, strophes et rimes, p. 445

Questions

1. À qui Verlaine s'adresse-t-il dans son «Art poétique»? Quels conseils lui donne-t-il?
2. Pourquoi Verlaine préfère-t-il le vers impair aux vers traditionnels? Comment cette préférence est-elle mise en pratique dans ces deux poèmes?
3. Relevez dans le poème «Art poétique» le champ lexical du flou. Quels exemples d'effets de flou Verlaine propose-t-il dans la 3e strophe?
4. Pourquoi peut-on apparenter le poème «Bruxelles. Simples fresques, I» à une peinture?
5. Montrez que cette «simple fresque» évoque une impression vague plutôt qu'un paysage précis.
6. Quel semble être l'état d'esprit du poète d'après la dernière strophe de ce poème? Comment les sonorités dominantes du poème traduisent-elle cet état d'esprit?
7. Le poème «Bruxelles. Simples fresques, I» applique-t-il les préceptes énoncés dans l'«Art poétique» de Verlaine? Justifiez précisément.

Prolongements
• Lisez le poème «Soleils couchants» de Verlaine (▶ p. 231). Correspond-il à l'«Art poétique» composé plus tard par le poète?
• Lisez la première partie de *Romances sans paroles* intitulée «Ariettes oubliées». Quels effets musicaux pouvez-vous relever?

▶ Biographie p. 537

Stéphane Mallarmé, *Poésies* (1887)

⊕ CONTEXTE

La poésie, autrefois accompagnée d'un instrument, emploie des procédés musicaux (rythmes, sonorités). À la fin du xixᵉ siècle, la musicalité devient une véritable priorité, notamment pour les poètes symbolistes. Pour eux, un poème, comme une composition musicale, est avant tout rythme, mélodie. Cette conception donne naissance au xxᵉ siècle à la poésie sonore, qui n'emploie plus de mots, mais seulement des sons.

Ce poème, dont la première version s'intitulait « Sonnet allégorique de lui-même », est souvent appelé « Sonnet en X ».

1 Ses purs ongles très haut dédiant leur onyx[1],
L'Angoisse ce minuit, soutient, lampadophore[2],
Maint rêve vespéral[3] brûlé par le Phénix
Que ne recueille pas de cinéraire[4] amphore

5 Sur les crédences[5], au salon vide : nul ptyx[6],
Aboli bibelot d'inanité[7] sonore,
(Car le Maître est allé puiser des pleurs au Styx
Avec ce seul objet dont le Néant s'honore.)

Mais proche la croisée au nord vacante, un or
10 Agonise selon peut-être le décor
Des licornes ruant du feu contre une nixe[8],

Elle, défunte nue en le miroir, encor
Que, dans l'oubli fermé par le cadre, se fixe
De scintillations sitôt le septuor[9].

Georges Rousse, Jeu de Paume, photographie, 1988.

---

1. variété d'agate dont les rainures rappellent celles de l'ongle. – 2. porteur de flambeau. – 3. du soir. – 4. qui contient les cendres d'un mort. – 5. buffet. – 6. néologisme de Mallarmé. – 7. caractère de ce qui est vide, sans réalité, sans intérêt. – 8. nymphe des eaux. – 9. ensemble de sept musiciens.

Questions

▶ L'énonciation, p.417
▶ Les formes poétiques, p. 446

1. Quelle forme fixe est employée dans ce poème ? Ses règles traditionnelles sont-elles toutes respectées ?
2. Pour quelles raisons la compréhension littérale de ce poème est-elle difficile ? À votre avis, est-ce volontaire de la part du poète ? Pourquoi ?
3. Le mot « ptyx » est un néologisme de Mallarmé. Quelle peut être son intention en employant un mot qui ne veut rien dire ?

4. Observez l'énonciation. Le poète est-il présent dans ce texte ? Quelle est par conséquent la place du lyrisme ?
5. Analysez la musicalité de ce poème (rythme, sonorités). Quelle impression auditive le poète veut-il produire ?
6. Montrez que le vers 6 peut désigner le poème lui-même. Comment cela permet-il de comprendre le premier titre envisagé par Mallarmé pour ce poème ?

Vocabulaire
Cherchez le lien étymologique entre « ongle » et « onyx ». Trouvez un autre mot de la même famille.

Synthèse Dans un paragraphe argumenté, vous montrerez que ce poème est « de la musique avant toute chose » (Verlaine, « Art poétique », 1884). ▶ p. 266

[Vers le bac]   **S'entraîner au sujet d'invention**

▶ Lire un sujet d'invention, p. 474

Qu'est-ce que le ptyx ? Imaginez et décrivez ce que peut désigner ce terme. Votre écriture d'invention devra employer des assonances et allitérations rappelant les sonorités du mot.

Stéphane Mallarmé,
Hérodiade (1869)

▶ Biographie p. 537

✛ CONTEXTE

Mallarmé et Verlaine sont les inspirateurs du mouvement symboliste à la fin du XIXe siècle. Les symbolistes aspirent à une poésie pure, capable de déchiffrer et traduire les symboles du langage universel de la nature. Leur poésie cultive le mot rare et la musicalité, et s'inspire souvent de mythes (Narcisse, Salomé).

Commencé en 1866, le poème Hérodiade, *inspiré du mythe de Salomé (*▶ **Dossier histoire des arts, p. 270**)*, reste inachevé à la mort de Mallarmé. Dans le seul extrait publié de son vivant,* Hérodiade *dialogue avec sa nourrice, qui lui reproche de se refuser à l'amour.*

1 Oui, c'est pour moi, pour moi, que je fleuris, déserte !
Vous le savez, jardins d'améthyste[1], enfouis
Sans fin dans de savants abîmes éblouis,
Ors ignorés, gardant votre antique lumière
5 Sous le sombre sommeil d'une terre première,
Vous, pierres où mes yeux comme de purs bijoux
Empruntent leur clarté mélodieuse, et vous,
Métaux qui donnez à ma jeune chevelure
Une splendeur fatale et sa massive allure !
10 Quant à toi, femme née en des siècles malins[2]
Pour la méchanceté des antres sibyllins[3],
Qui parles d'un mortel[4] ! selon qui, des calices[5]
De mes robes, arôme aux farouches délices,
Sortirait le frisson blanc de ma nudité,
15 Prophétise que si le tiède azur d'été,
Vers lui nativement[6] la femme se dévoile,
Me voit dans ma pudeur grelottante d'étoile,
Je meurs !

   J'aime l'horreur d'être vierge et je veux
Vivre parmi l'effroi que me font mes cheveux
20 Pour, le soir, retirée dans ma couche, reptile
Inviolé, sentir en la chair inutile
Le froid scintillement de ta pâle clarté,
Toi qui te meurs, toi qui brûles de chasteté,
Nuit blanche de glaçons et de neige cruelle ! […]

1. pierre précieuse.
2. démoniaque.
3. de sens obscur.
4. Hérodiade fait allusion au mari que sa nourrice lui a conseillé de prendre.
5. vase sacré.
6. de par sa nature.

Gustave Moreau, *Hérodiade*, dessin au crayon (14 x 8,8 cm), XIXe siècle, musée Gustave Moreau, Paris.

Questions

▶ L'énonciation, p. 417
▶ Les figures de style, p. 420

Vocabulaire
Cherchez l'origine de l'adjectif « sibyllin ».

1. Expliquez et analysez le vers 1. À quoi Hérodiade est-elle fermement résolue ?
2. Observez l'énonciation : à quels destinataires successifs Hérodiade s'adresse-t-elle dans ce texte ?
3. Quelles images emploie-t-elle pour évoquer sa pureté de vierge ?

4. Hérodiade affirme au vers 18 : « J'aime l'horreur d'être vierge ». Que veut-elle dire ? Quelle figure de style emploie-t-elle ?
5. Relevez le champ lexical du froid dans le texte et montrez qu'il suggère l'insensibilité d'Hérodiade.
6. Mallarmé écrit à propos de ce poème : « Le sujet de mon œuvre est la Beauté ». Quel idéal de beauté Hérodiade peut-elle symboliser ?

Synthèse Rédigez un paragraphe montrant que la virginité d'Hérodiade fait d'elle une allégorie de la beauté pure.

Dossier

1. La représentation du mythe de Salomé dans la peinture

Le mythe de Salomé

Dans les Évangiles, Hérode tue son frère pour s'emparer de son trône et de son épouse Hérodiade. Condamnant cette union ouvertement, le prophète Jean-Baptiste est emprisonné à la demande d'Hérodiade. Lors d'un festin, celle-ci demande à sa fille Salomé (souvent appelée Hérodias ou Hérodiade, dans une confusion avec sa mère) de danser devant le roi Hérode. Envoûté par cette danse, Hérode promet de satisfaire les désirs de Salomé sans condition : influencée par sa mère, elle réclame la tête de Jean-Baptiste. Le prophète est alors décapité et sa tête est apportée à Salomé sur un plateau.

❂ L'iconographie traditionnelle de Salomé

Luini Bernardino, *Salomé reçoit la tête de saint Jean-Baptiste*, huile sur toile (62 x 55 cm), vers 1520, musée du Louvre, Paris.

Le Caravage, *Salomé reçoit la tête de saint Jean-Baptiste*, huile sur toile (91,5 x 106,7 cm), vers 1607, National Gallery, Londres.

Le vocabulaire de la peinture

Iconographie : désigne l'ensemble des représentations picturales d'un personnage ou d'une scène célèbre. Pour permettre l'identification des personnages et des scènes mythologiques ou bibliques de la peinture d'histoire ▶ **Dossier histoire des arts, p. 242**, une tradition iconographique s'établit, fixant par exemple pour chaque personnage des caractéristiques et attributs que les artistes reprennent systématiquement.

Identifier une tradition iconographique

1. Quel moment précis du mythe de Salomé ces deux peintres représentent-ils ?
2. Observez l'attitude de Salomé sur chacune de ces représentations. Que constatez-vous de commun ?
3. Quel type de femme (âge, traits physiques) ces deux peintres ont-ils choisi pour incarner Salomé ? Dans quel but ?
4. Que tient Salomé dans ses mains ? À quel détail du récit cet objet renvoie-t-il ?
5. Laquelle de ces représentations suscite le plus de dégoût ? Pourquoi ?

Prolongements

Faites des recherches sur le personnage biblique de Judith et son iconographie. Qu'a-t-elle de commun avec Salomé ? Quels éléments permettent néanmoins de distinguer ces deux personnages dans l'iconographie traditionnelle ?

Comment Salomé est-elle représentée dans les arts ?

❂ Une vision personnelle du mythe : *L'Apparition* de Gustave Moreau

Gustave Moreau, *L'Apparition*, huile sur toile (142 x 103 cm), 1874, musée Gustave Moreau, Paris.

Percevoir l'originalité d'une représentation

1. Quel moment du mythe de Salomé Gustave Moreau a-t-il choisi selon vous ?
2. D'après le titre, quel est l'élément le plus important du tableau ? Comment est-il mis en valeur par le peintre, et dans quelle intention ?
3. Observez le décor, ainsi que la tenue et la parure de Salomé. Dans quel univers Moreau a-t-il situé la scène ?
4. D'après la description du tableau de Moreau proposée par Huysmans dans le texte ci-dessous, de quoi Salomé est-elle uniquement parée ? Comment cette parure met-elle en valeur sa sensualité ?

Joris-Karl Huysmans, *À rebours*, 1884.

Des Esseintes, le personnage principal du roman, possède une toile de Gustave Moreau, L'Apparition. *L'extrait qui suit est la description de cette toile.*

Elle est presque nue ; dans l'ardeur de la danse, les voiles se sont défaits, les brocarts ont coulé ; elle n'est plus vêtue que de matières orfévries[1] et de minéraux lucides ; un gorgerin[2] lui serre de même qu'un corselet la taille, et, ainsi qu'une agrafe superbe, un merveilleux joyau darde des éclairs dans la rainure de ses deux seins ; plus bas, aux hanches, une ceinture l'entoure, cache le haut de ses cuisses que bat une gigantesque pendeloque où coule une rivière d'escarboucles[3] et d'émeraudes ; enfin, sur le corps resté nu, entre le gorgerin et la ceinture, le ventre bombe, creusé d'un nombril dont le trou semble un cachet gravé d'onyx[4], aux tons laiteux, aux teintes de rose d'ongle.

1. matériau travaillé par un orfèvre (or, argent, perles). – 2. étoffe couvrant partiellement la gorge d'une femme. – 3. pierre précieuse d'un rouge vif. 4. variété d'agate dont les rainures rappellent celles de l'ongle.

Prolongements

• Faites des recherches sur le mouvement symboliste en peinture : sources d'inspiration, techniques, principaux peintres.
• Lisez le poème *Hérodiade* de Mallarmé ▶ **p. 269**. À quoi la beauté d'Hérodiade est-elle associée dans les premiers vers du poème ? Quel rapprochement pouvez-vous faire avec le texte de Huysmans ?

2. Salomé, une figure de la femme fatale

✪ La danse de Salomé

Gustave Flaubert, *Hérodias*, 1877.

Flaubert propose une description de la danse de Salomé, inspirée des danseuses du ventre qu'il a pu admirer lors de son voyage en Orient.

Elle dansa comme les prêtresses des Indes, comme les Nubiennes des cataractes, comme les bacchantes de Lydie. Elle se renversait de tous les côtés, pareille à une fleur que la tempête agite. Les brillants de ses oreilles sautaient, l'étoffe de son dos chatoyait ; de ses bras, de ses pieds, de ses vêtements jaillissaient d'invisibles étincelles qui enflammaient les hommes. Une harpe chanta ; la multitude y répondit par des acclamations. Sans fléchir ses genoux en écartant les jambes, elle se courba si bien que son menton frôlait le plancher [...].

Elle se jeta sur les mains, les talons en l'air, parcourut ainsi l'estrade comme un grand scarabée ; et s'arrêta, brusquement.

Sa nuque et ses vertèbres faisaient un angle droit. Les fourreaux de couleur qui enveloppaient ses jambes, lui passant par-dessus l'épaule, comme des arcs-en-ciel, accompagnaient sa figure, à une coudée du sol. Ses lèvres étaient peintes, ses sourcils très noirs, ses yeux presque terribles, et des gouttelettes à son front semblaient une vapeur sur du marbre blanc.

Franz von Stuck, *Salomé dansant*, huile sur bois (47 x 26 cm), 1906, Gemäldegalerie Neue Meister, Dresde.

Erika Sunnegard dans le rôle de Salomé au Welsh National Opera de Cardiff en 2009.

▲ Richard Strauss, adaptant *Salomé* de Wilde pour l'Opéra en 1905, consacre un long interlude symphonique à la « Danse des sept voiles », moment de tension et de volupté maximales qui représente une véritable prouesse pour les interprètes lyriques.

Synthèse

En vous appuyant sur le texte de Flaubert et sur les illustrations qui vous sont proposées, montrez que la scène de la danse de Salomé fascine par sa sensualité teintée d'orientalisme.

✪ Réinterprétation « fin de siècle » du mythe : Salomé, ou la vengeance d'une amoureuse déçue

Oscar Wilde, *Salomé*, 1893.

S'inspirant notamment d'Hérodias de Flaubert, l'écrivain britannique Oscar Wilde écrit en français une pièce de théâtre intitulée Salomé. Dans sa version, Salomé est amoureuse de Jean-Baptiste (Iokanaan), qui la repousse. Voici un extrait de cette pièce.

SALOMÉ. – Iokanaan ! Je suis amoureuse de ton corps. Ton corps est blanc comme le lys d'un pré que le faucheur n'a jamais fauché. Ton corps est blanc comme les neiges qui couchent sur les montages de Judée, et descendent dans les vallées. Les roses du jardin de la reine d'Arabie ne sont pas aussi blanches que ton corps. Ni les roses du jardin de la reine d'Arabie, du jardin parfumé de la reine d'Arabie, ni les pieds de l'aurore qui trépignent sur les feuilles, ni le sein de la lune quand elle couche sur le sein de la mer… Il n'y a rien au monde d'aussi blanc que ton corps. Laisse-moi toucher ton corps !

IOKANAAN. – Arrière, fille de Babylone ! C'est par la femme que le mal est entré dans le monde. Ne me parlez pas. Je ne veux pas t'écouter. Je n'écoute que les paroles du Seigneur Dieu.

Aubrey Beardsley, *L'Apogée*, dessin à la plume, fin du XIXe siècle.

Percevoir le caractère sacrilège d'une scène

1. Pourquoi Salomé est-elle amoureuse de Jean-Baptiste ?

2. Pourquoi la repousse-t-il ? À quel épisode biblique fait-il allusion ?

3. Expliquez le caractère sacrilège de cette scène.

Synthèse

En vous inspirant des illustrations qui vous sont proposées, imaginez la scène finale de *Salomé* et présentez-la sous forme d'un récit.

Salomé, de **Richard Strauss,** mis en scène par **Lev Dodin,** 2009, Opéra de Paris.

▲ Dans la dernière scène de la pièce de Wilde et de l'opéra de Strauss, Salomé saisit la tête ensanglantée de Iokanaan, lui adresse des mots d'amour et de haine à la fois, pour finalement lui donner un atroce baiser. « J'ai baisé ta bouche, Iokanaan, j'ai baisé ta bouche » sont les derniers mots vengeurs de Salomé, femme fatale qui tue par amour.

• LE POÈME EN PROSE AU XXᵉ SIÈCLE

► **Francis Ponge**
(1899-1988) est un poète français, inventeur du «proème». Il a reçu en 1984 le «Grand Prix de poésie de l'Académie française» pour l'ensemble de son œuvre poétique.

Francis Ponge,
Le Parti pris des choses (1942)

Ponge revendique dans ce recueil son «parti pris» pour les choses, les objets du quotidien et consacre ainsi des poèmes en prose au pain, au mollusque, au cageot, à l'huître, etc.

Pluie

1 La pluie, dans la cour où je la regarde tomber, descend à des allures très diverses. Au centre c'est un fin rideau (ou réseau) discontinu, une chute implacable mais relativement lente de gouttes probablement assez légères, une précipitation sempiternelle[1] sans vigueur, une fraction intense du météore pur. À peu de distance des
5 murs de droite et de gauche tombent avec plus de bruit des gouttes plus lourdes, individuées. Ici elles semblent de la grosseur d'un grain de blé, là d'un pois, ailleurs presque d'une bille. Sur des tringles, sur les accoudoirs de la fenêtre la pluie court horizontalement tandis que sur la face inférieure des mêmes obstacles elle se suspend en berlingots convexes[2]. Selon la surface entière d'un petit toit de zinc que le
10 regard surplombe elle ruisselle en nappe très mince, moirée[3] à cause de courants très variés par les imperceptibles ondulations et bosses de la couverture. De la gouttière attenante où elle coule avec la contention[4] d'un ruisseau creux sans grande pente, elle choit tout à coup en un filet parfaitement vertical, assez grossièrement tressé, jusqu'au sol où elle se brise et rejaillit en aiguillettes brillantes.

15 Chacune de ses formes a une allure particulière ; il y répond un bruit particulier. Le tout vit avec intensité comme un mécanisme compliqué, aussi précis que hasardeux, comme une horlogerie dont le ressort est la pesanteur d'une masse donnée de vapeur en précipitation.

La sonnerie au sol des filets verticaux, le glou-glou des gouttières, les minuscules
20 coups de gong se multiplient et résonnent à la fois en un concert sans monotonie, non sans délicatesse.

Lorsque le ressort s'est détendu, certains rouages quelque temps continuent à fonctionner, de plus en plus ralentis, puis toute la machinerie s'arrête. Alors si le soleil reparaît tout s'efface bientôt, le brillant appareil s'évapore : il a plu.

© Éditions Gallimard.

1. incessante, continue.
2. bombé.
3. dont l'aspect présente des reflets ondoyants.
4. tension, effort.

Questions

1. Ce poème est-il lyrique ? Quelle place y occupe le poète ?
2. Quel phénomène est décrit dans ce poème ? À quelles nuances, à quels détails le poète est-il attentif dans le 1ᵉʳ paragraphe ? Appuyez votre réponse sur une analyse précise.
3. Quelle image utilise-t-il dans les 2ᵉ et 4ᵉ paragraphes pour évoquer le phénomène observé ?
4. Comment le poète donne-t-il à entendre ce «concert sans monotonie» dans le 3ᵉ paragraphe ?
5. Quelle impression finale la dernière phrase du poème laisse-t-elle au lecteur ?

Lecture d'image Montrez que la démarche artistique du photographe Brassaï ► p. 275 est comparable à celle de Ponge.

Prolongements

Lisez le poème «Le Pain» dans *Le Parti pris des choses*. Comment Ponge donne-t-il un caractère poétique à un objet aussi banal ?

Philippe Jaccottet,
Paysages avec figures absentes (1970)

Dans le recueil de poèmes en prose Paysages avec figures absentes, *Philippe Jaccottet évoque des paysages qu'il a contemplés, sillonnés et aimés. Le poète s'efface autant que possible pour se mettre à l'écoute de la nature, dont il perçoit la vie et la beauté.*

Soir

1   De nouveau ce moment où l'heure est parfaitement immobile, où le ciel semble plus haut, quand la lumière est une huile qui dore la terre bientôt plus sombre. Ses verdu-
5 res en cette saison s'effacent par endroits, laissant la place aux rectangles des blés et des lavandes. Je retrouve ce jaune dont je n'ai pas pu saisir le sens, sinon qu'il est lié à la chaleur, au soleil. Ces champs me font
10 penser aux corbeilles d'osier où l'on couche avec précaution les fleurs, à ces cageots où sont serrés les poissons, à des bassins grouillant d'un frai[1] doré. Mais ce sont des champs couchés sous le feu qui les travaille

Brassaï, *Gouttes de rosée sur feuille de capucine*, photographie (49,8 x 40,6 cm), 1930, musée national d'Art moderne, Paris.

15 et les soulève, cuisant lentement dans le four céleste ; tandis que tout à côté, comme voisinent au marché des corbeilles d'espèces variées, les lavandes se fondent en eau crépusculaire, en sommeil, en nuit. Soleil, sommeil. Ce qui flambe, rayonne, et ce qui se recueille. Tâches utiles du jour, parfums envolés de la nuit. Ainsi chaque parcelle de l'étendue (au pied d'un bourg de cristal rose presque emporté, dirait-on,
20 par l'ascension de l'air) flatte en nous d'autres souvenirs, d'autres rêveries, mais toutes s'accordent, elles aussi suspendues à la profondeur, de plus en plus limpide, du soir d'été : l'une loue la chaleur qu'elle semble avoir serrée dans ses tiroirs comme autant de pièces d'or, l'autre rappelle à voix basse l'obscurité qu'elle retient dans ses fontaines. […]

1. œufs de poisson.

Questions

1. Montrez que ce poème évoque un « paysage avec figures absentes ».
2. Pourquoi peut-on dire que le poète porte un regard de peintre sur le paysage ? Appuyez votre réponse sur une analyse précise.
3. Quelles remarques pouvez-vous faire sur la phrase : « Soleil, sommeil. » (l. 17) ?
4. Montrez que les champs de blé sont associés au « soleil » dans ce poème, alors que les champs de lavande évoquent le « sommeil ».
5. Le soir apparaît-il dans ce poème comme un instant fugitif ou comme un instant suspendu ?

UN UNIVERS POÉTIQUE NOUVEAU

*Les romantiques ont ouvert la voie du renouvellement poétique en transgressant les lois rigoureuses de la prosodie classique. Mais c'est surtout au milieu du XIX*e *siècle que la poésie libère l'imaginaire, explore le langage, invente un «frisson nouveau», selon l'expression de Hugo.*

1 REDÉFINIR LE BEAU

▶ Le beau et le laid

À partir de Baudelaire, les poètes se détournent d'une beauté aux canons intemporels et incontestés. Les romantiques avaient déjà osé associer «le sublime et le grotesque» (▶ **Repères littéraires, p. 224**); Baudelaire, lui, voit le sublime dans le grotesque. La «fleur» est dans le mal. Ainsi, la poésie abolit les tabous (Baudelaire, «Hymne à la Beauté» ▶ **p. 258**).

▶ La beauté de l'inconnu

Pour Rimbaud, la beauté se révèle dans un univers mystérieux qu'il faut déchiffrer. C'est le rôle du poète de «lever un à un les voiles» d'un monde où réel et féerie se confondent («Aube» ▶ **p. 264**).

▶ La quête d'une beauté absolue

Mallarmé, héritier de Baudelaire, porte à l'extrême son exigence de perfection. Il est torturé par un désir inassouvi d'atteindre un Idéal, «le vierge Azur» («Hérodiade» ▶ **p. 269**).

2 INVENTER UN NOUVEAU LANGAGE

▶ Excès, démesure, ivresse

L'hyperbole, la répétition, l'accumulation font surgir de la poésie, notamment celle de Rimbaud, tout un univers qui dépasse l'échelle humaine («Aube» ▶ **p. 264**).

▶ «De la musique avant toute chose» (Verlaine)

Le poète est sensible à la musicalité du langage (Verlaine, «Art poétique» ▶ **p.266**). Il travaille plus que jamais les allitérations et les assonances, produit des effets rythmiques insolites, recherche des mots aux accents inconnus, inventés ou resurgis du passé. Le langage devient même hermétique dans l'œuvre de Mallarmé, dont la syntaxe est parfois disloquée, le lexique sibyllin («Ses purs ongles très haut…» ▶ **p. 268**).

▶ La quête de nouvelles formes poétiques

Le poème en prose prend son envol avec Aloysius Bertrand et Baudelaire (▶ **p. 261**) puis Rimbaud («Aube» ▶ **p. 264**). Les effets rythmiques et sonores donnent à ces œuvres leur dimension esthétique. Le sonnet est remis à l'honneur, mais il subit des distorsions qui en renouvellent la tradition (Rimbaud, «Voyelles» ▶ **p. 262**).

3 INTERPRÉTER LES SYMBOLES

▶ Le déchiffrement du monde

Le poète est un «voyant» qui croit en une face cachée des choses. L'acte poétique consiste à interpréter les signes que nous envoie le monde réel et, par «l'alchimie du verbe» de même que par la synesthésie (Baudelaire), à faire apparaître le monde invisible.
➜ **Ex.:** Rimbaud dit que le poète est «le suprême Savant! – Car il arrive à *l'inconnu*» (▶ **p. 265**).

▶ Une poésie «impressionniste»

Ce terme pictural peut s'appliquer au poète de cette période qui ne s'intéresse pas à une représentation fidèle du réel, mais plutôt aux sensations et impressions que ce réel a suscitées en lui.
➜ **Ex.:** la ville chez Rimbaud est plus suggérée que figurée («Ville» ▶ **p. 263**).

Les surréalistes en quête de merveilleux

▶ Qu'est-ce que le merveilleux pour les surréalistes ?
Comment le rêve et la femme permettent-ils d'y accéder ?

▶▶▶Francis Picabia, *Le Sphinx* (détail), huile sur toile (131 x 163 cm), 1929, musée national d'Art moderne, Paris.

Le surréalisme: une aventure collective

Les surréalistes à l'école de Breton

• En 1919, **Breton**, **Soupault** et **Aragon** (bientôt rejoints par **Eluard**) fondent la revue *Littérature*. Ils baptisent leur groupe «Surréalisme», terme emprunté au poète Apollinaire, et défini ainsi par **Breton**: «SURRÉALISME, n.m. Automatisme psychique pur par lequel on se propose d'exprimer, soit verbalement, soit par écrit, soit de toute autre manière, le fonctionnement réel de la pensée. Dictée de la pensée, en l'absence de tout contrôle exercé par la raison, en dehors de toute préoccupation esthétique ou morale.»

• Le groupe rassemble des poètes et artistes gravitant autour de **Breton**, chef de file charismatique. Tous sont animés par une aspiration commune, qui apparaît comme une révolution esthétique: il s'agit de libérer l'art des contraintes de la raison, pour explorer les domaines jusqu'alors négligés de l'imaginaire et de l'inconscient.

Le groupe des surréalistes dans un avion dans un parc d'attractions, bibliothèque littéraire Jacques Doucet, Paris.

Dada

Pendant la Première Guerre mondiale est fondé en Suisse le groupe «Dada» (nom choisi au hasard dans un dictionnaire). «Dada ne signifie rien», écrit le chef de file Tristan Tzara, affirmant ainsi le désir de destruction et de révolte qui unit les membres du groupe. Les premiers surréalistes sont très influencés par «Dada», jusqu'à la rupture en 1924 (Breton écrit: «Lâchez tout. Lâchez Dada.»).

Exposés

• Les écrivains surréalistes et le crime
• Le surréalisme et Paris
• Antonin Artaud et la folie

De l'âge d'or à la rupture

• Le groupe connaît d'abord un âge d'or: ses membres sont très unis, divers manifestes sont publiés, des œuvres collectives sont composées. Cependant, à la fin des années vingt, des tensions croissantes émergent. **Breton**, autoritaire et exigeant, est surnommé par ironie «pape du surréalisme». Il exclut violemment certains membres du groupe qui s'éloignent selon lui de l'idéal surréaliste (**Desnos** et **Soupault** notamment).

• La révolution, mot d'ordre du surréalisme, n'est pas seulement esthétique, mais aussi politique, et se traduit par un ralliement commun au Parti Communiste Français. Cependant, en 1933, **Breton** quitte le PCF dont il n'approuve pas la politique culturelle, alors qu'**Aragon** et **Eluard** y restent fidèles. Les membres fondateurs se séparent et provoquent ainsi la dissolution du groupe. Les œuvres ultérieures d'**Aragon** et d'**Eluard** restent néanmoins très imprégnées par l'esprit surréaliste.

LES MANIFESTES SURRRÉALISTES

• *Manifeste du surréalisme*, Breton, 1924.
• *Second manifeste du surréalisme*, Breton, 1929.

La quête du merveilleux

Les techniques surréalistes

Inspirés par les récentes découvertes de la psychanalyse, les surréalistes cherchent à libérer l'inconscient par diverses techniques :
– séances de sommeil hypnotique, au cours desquelles les participants notent leurs délires et hallucinations (**Desnos** est particulièrement doué) ;
– récits et analyses de rêves (**Breton** considère que la réalité et le rêve sont des « vases communicants » et assigne au poète la tâche de retrouver le « fil conducteur qui les relie ») ;
– jeux d'écriture collectifs faisant intervenir le hasard ;
– pratique de l'écriture automatique laissant s'exprimer la voix intérieure inconsciente (**Breton** et **Soupault**, *Les Champs magnétiques* ▶ p. 287).

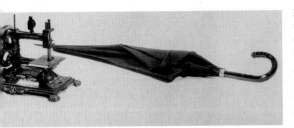

Man Ray, *Beau comme la rencontre fortuite sur une table de dissection d'une machine à coudre et d'un parapluie*, 1935.

◀ Lautréamont évoque la beauté de la « rencontre fortuite sur une table de dissection d'une machine à coudre et d'un parapluie ».

Cette phrase est à la source de la réflexion des surréalistes sur l'image poétique.

Le merveilleux des surréalistes

• Les surréalistes visent à accéder au surréel, c'est-à-dire à un envers caché de la réalité, au merveilleux dissimulé dans le quotidien, à une dimension où réel et imaginaire ne sont plus opposés. Leur objectif est « la résolution future de ces deux états, en apparence si contradictoires, que sont le rêve et la réalité » (**Breton**, *Manifeste du surréalisme*, 1924).
• Convaincus que « le merveilleux est toujours beau » (**Breton**, *Manifeste du surréalisme*, 1924), ils le cherchent dans :
– la ville, qui favorise les rencontres et les hasards (**Breton** explore Paris dans *Nadja* ; **Aragon** écrit *Le Paysan de Paris*, 1926) ;
– les objets insolites, trouvés au hasard chez les antiquaires et collectionnés avec passion par **Breton** ;
– l'univers du rêve ;
– la femme qui, par la magie de l'amour, métamorphose le regard porté sur le monde (**Eluard**, *Capitale de la douleur*, 1926).

L'image surréaliste

La métaphore est par excellence la figure poétique qui permet au merveilleux de jaillir : **Breton** évoque la « lumière de l'Image », l'étincelle qui se produit lorsque la métaphore associe deux réalités éloignées l'une de l'autre, et il ajoute : « pour moi, la plus forte est celle qui présente le degré d'arbitraire le plus élevé [...] ; celle qu'on met le plus longtemps à traduire en langage pratique » (*Manifeste du surréalisme*, 1924).

André Breton et Wifredo Lam, *Jeu de Marseille*, collage, encre (22,9 x 29,8 cm), 1940, musée national d'Art moderne, Paris.

Freud et la psychanalyse

Au tout début du xxᵉ siècle, Sigmund Freud, médecin autrichien, met au jour l'importance des processus psychologiques inconscients. Pour traiter les troubles psychiques, il élabore une méthode d'analyse appelée « psychanalyse ». Par l'analyse des rêves, l'hypnose, ou la parole libérée et continue du patient, Freud cherche à déceler l'origine des troubles psychiques.

1. Sur le site de l'association André Breton, cliquez sur la photographie représentant un mur de son appartement.
2. À partir des descriptifs proposés pour chaque élément, proposez un classement des objets.
3. Choisissez l'un de ces objets et expliquez pourquoi il est surréaliste.

Le surréalisme et les arts

• Le surréalisme est d'abord un mouvement littéraire. Cependant, les poètes surréalistes ne limitent pas leur domaine de création à l'écriture, et composent aussi des œuvres graphiques ▶ p. 288. Ils se passionnent par ailleurs pour les arts premiers (d'Afrique et d'Océanie), dont Breton devient un fervent collectionneur.

• Intrigués par les recherches des poètes surréalistes, des artistes (peintres, photographes) rejoignent le groupe et participent aux séances de sommeil hypnotique ou de création collective aux côtés des poètes. Les premières expositions de peinture surréaliste ont lieu dès 1925. Le surréalisme devient alors un mouvement artistique aussi bien que littéraire, proposant des voies diverses pour explorer l'inconscient et le surréel. En 1928, Breton publie un essai intitulé *Le Surréalisme et la peinture*, et confirme ainsi qu'une peinture surréaliste a vu le jour.

La peinture : une porte d'accès vers l'imaginaire

Des techniques nouvelles

• S'inspirant des procédés d'écriture inventés par les poètes ▶ p. 287, les artistes surréalistes utilisent des techniques novatrices :
– **Picasso** et **Max Ernst** pratiquent le collage, en assemblant des papiers et parfois des objets sur la toile ;
– **Max Ernst** invente une technique qu'il appelle le frottage, consistant à poser une feuille sur une surface quelconque et à en prendre l'empreinte en frottant le crayon sur le papier ;
– **Masson** excelle dans la technique du dessin automatique.

• Ces techniques nouvelles remettent en cause le rôle de la volonté consciente dans la création artistique : alors que l'œuvre d'art est généralement conçue comme le produit de la volonté de son créateur, pour les surréalistes, elle est en grande partie le fruit du hasard ou d'un « automatisme psychique pur » auquel l'artiste laisse libre cours.

Picasso

L'œuvre de ce peintre semble faire la synthèse de toutes les révolutions esthétiques du xxe siècle. Il est le fondateur du cubisme, qui décompose les objets pour en reproduire le volume sur la toile. Dans les années vingt, il connaît une période surréaliste : sa peinture se tourne alors vers ses obsessions et angoisses intérieures, parfois avec une grande violence. À la fin des années trente, il peint *Guernica*, qui dénonce les massacres commis pendant la guerre d'Espagne.

Exposés
• René Magritte
• Le poème-objet surréaliste

1. Cherchez le site de la fondation Magritte et visitez la galerie virtuelle.
2. Trouvez les tableaux intitulés *Ceci n'est pas une pomme* et *Ceci est un morceau de fromage*. Quelle réflexion sur le rapport entre l'art et le réel ces deux tableaux suggèrent-ils ?

Max Ernst, *The Sound of Silence*, huile sur toile (108 x 141 cm), 1943, Washington University, Saint-Louis.

Des images surgies de l'inconscient

• Les artistes surréalistes cherchent à faire surgir des images inconscientes sur la toile. Pour **Max Ernst**, « il faut transcrire ce que l'on voit à l'intérieur ». Les tableaux surréalistes reflètent cauchemars, angoisses, et obsessions de l'inconscient. Par exemple, **Dalí** transpose des rêves sur la toile ▶ Lecture d'image, p. 283, et **Max Ernst** représente des univers angoissants, comme sortis des cauchemars (*The Sound of Silence*, 1944).

• Les tableaux surréalistes de **Dalí**, **Max Ernst** ou **Yves Tanguy** produisent sur le spectateur une impression d'inquiétante étrangeté, par divers effets :

– la représentation de créatures extraordinaires et souvent angoissantes ▶ Lecture d'image, p. 283 ;

– la déformation des objets (les « montres molles » de Dalí dans *Persistance de la mémoire*, 1931), qui semblent par ailleurs flotter comme en apesanteur dans l'espace ;

– une lumière diffuse et étrange, dont la source est difficile à situer ;

– un espace irréel, dans lequel les lois de la perspective et des proportions sont abolies (**Yves Tanguy**, *Jour de lenteur*, 1937).

◀ René Magritte, *Le Faux Miroir*, huile sur toile (54 x 81 cm), 1928, Museum of Modern Art, New York.

• Dans la peinture surréaliste, l'œuvre du peintre belge **Magritte** se distingue par son univers poétique, insolite et souvent empreint d'humour noir. Ses tableaux, qui portent des titres plus déroutants qu'éclairants, détournent les objets de leur fonction, ouvrent des portes vers l'imaginaire, montrent l'envers du réel en renversant les apparences.

La photographie : au-delà des apparences

• L'art photographique passionne les surréalistes, qui y trouvent un moyen de figer un instant éphémère et de révéler ce « merveilleux quotidien » dont parle Aragon. Certains textes surréalistes (*Nadja* de Breton par exemple) sont accompagnés de photographies, dont la fonction est moins d'illustrer le texte que d'ouvrir le champ de l'imaginaire.

• Le photographe américain **Man Ray**, qui réalise de nombreux portraits des membres du groupe surréaliste, invente des procédés faisant intervenir le hasard dans la création photographique :

– la rayographie : il pose des objets sur un papier photographique et ceux-ci apparaissent en blanc sur fond noir, une fois la photographie développée ▶ p. 292 ;

– la solarisation : il expose un négatif photographique à la lumière du soleil, ce qui crée des halos étranges après développement de l'image.

Man Ray reste aussi célèbre pour ses portraits de femmes, souvent étranges et d'une grande sensualité.

Le cinéma surréaliste

Les surréalistes se passionnent pour le cinéma populaire et fantastique. Encore muet, le cinéma laisse en effet une grande part à l'imagination. Parmi les rares films surréalistes, le plus célèbre est *L'Âge d'or* de Buñuel (1930) : côtoyant le rêve et la folie, ce film juxtapose des scènes sans logique apparente, et fait scandale par sa représentation érotique et antireligieuse de l'amour. L'écrivain surréaliste Jean Cocteau réalise lui-même le film *Orphée* en 1950.

Man ray, *Le Violon d'Ingres*, 1924, photographie.

▶ **Biographie p. 536**

Paul Eluard,
Les Dessous d'une vie (1926)

⊕ CONTEXTE

Cauchemars et délires nocturnes inspirent les écrivains dès le XIXe siècle. Pour les romantiques notamment, «le rêve est une seconde vie» (Nerval). L'intérêt des écrivains pour le rêve augmente avec les découvertes de Freud montrant que le rêve est l'espace d'expression privilégié de l'inconscient et la manifestation des désirs enfouis.
▶ **Repères littéraires, p. 279**

Comme Breton et Desnos, Eluard publie des récits de ses rêves dans la revue Littérature. *Il les insère ensuite dans certains de ses recueils poétiques.*

1 Je tourne sans cesse dans un souterrain où la lumière n'est que sous-entendue. Attiré par son dernier reflet, je passe et repasse devant une fille forte et blonde à qui je donne le vertige et qui le redoute pour moi. Elle connaît le langage des sourds-muets, on s'en sert dans sa famille. Je ne suis pas curieux de savoir pour-
5 quoi on a tiré sur elle. La balle est restée près du cœur et l'émotion gonfle encore sa gorge.

Et nous roulons en auto, dans un bois. Une biche traverse la route. La belle jeune fille claque de la langue. C'est une musique délicieuse. Elle voudrait voir la couleur de mon sang. Ses cheveux sont coupés à tort et à travers, un vrai lit d'her-
10 bes folles qu'elle cache. Quelqu'un près de moi désire confusément fuir avec elle. Je m'en irai et je m'en vais. Pas assez vite pour que, brusquement, je ne sente sa bouche fraîche et féroce sur la mienne. […]

*

G…[1] a été coquette avec son voisin ; elle a même été jusqu'à lui proposer sa photographie et son adresse – sur un ton méprisant il est vrai. Nous sommes alors
15 devant la gare du Nord. Je tiens un pot de colle et, furieux, j'en barbouille le visage de G…, puis je lui enfonce le pinceau dans la bouche. Sa passivité augmente ma colère, je la jette en bas des escaliers, sa tête résonne sur la pierre. Je me précipite et constate qu'elle est morte. Je la prends alors dans mes bras et pars à la recherche d'une pharmacie. Mais je ne trouve qu'un bar qui est à la fois bar, boulangerie et
20 pharmacie. Cet endroit est complètement désert. Je dépose G… sur un lit de camp et m'aperçois qu'elle est devenue toute petite. Elle sourit… Ma douleur ne vient pas de sa mort, mais de l'impossibilité de pouvoir la rendre à sa taille normale, idée qui m'affole complètement.

© Éditions Gallimard.

1. il s'agit de Gala, que Paul Eluard a épousée en 1917. Au moment où Eluard fait ce rêve, elle est devenue la maîtresse de Max Ernst. Elle sera aussi plus tard l'épouse et la muse de Salvador Dalí.

Questions

1. Montrez que la juxtaposition de ces deux textes traduit le caractère incohérent des rêves.
2. Comment Eluard procède-t-il pour raconter ses rêves (enchaînement des faits, temps verbaux) ? Cherche-t-il à les interpréter ou les restitue-t-il tels quels ? Justifiez votre réponse.
3. Relevez dans ces rêves des faits qui vous surprennent ou vous font sourire. Ces faits semblent-ils surprendre le rêveur ? Pourquoi selon vous ?
4. Quels sont les éléments communs à ces deux rêves ? Que révèlent-ils de l'état d'esprit du rêveur ? Faut-il parler de rêves ou plutôt de cauchemars ?
5. Commentez la façon dont chacun de ces récits de rêve s'achève.

Grammaire
Relevez les verbes au passé composé. Quelle valeur ont-ils ? Pourquoi Eluard n'emploie-t-il pas le passé simple ?

Synthèse Montrez dans un paragraphe rédigé que les rêves racontés dans ces textes sont à la fois absurdes et poétiques.

Salvador Dalí,
Rêve causé par le vol d'une abeille autour d'une pomme-grenade une seconde avant l'éveil (1944)

La femme endormie ▶ représentée sur ce tableau est Gala, épouse et muse de Dalí. Un matin, celle-ci raconte au peintre surréaliste un étrange rêve provoqué par le bruit d'une abeille volant autour d'une pomme-grenade. Dalí, fasciné par ce rêve, décide immédiatement de le peindre. Le tableau est devenu l'un des plus célèbres du peintre espagnol.

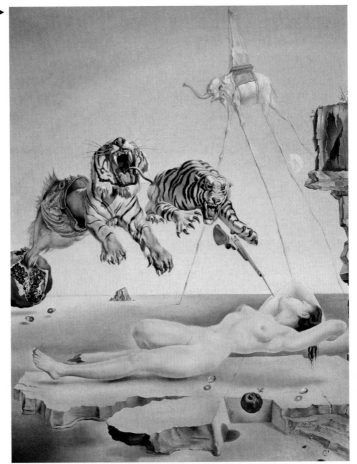

Salvador Dali, *Rêve causé par le vol d'une abeille autour d'une pomme-grenade une seconde avant l'éveil*, huile sur toile (51 x 41 cm), 1944, Thyssen Bornemisza collection, Madrid.

Prolongements

• L'éléphant portant un obélisque s'inspire d'une sculpture du Bernin. Cherchez-en une reproduction. Dalí refuse-t-il le classicisme ou en est-il l'héritier ?

• La pomme-grenade est l'attribut d'une déesse de la mythologique grecque. Laquelle ? Quel éclairage supplémentaire cette information apporte-t-elle au tableau de Dalí ?

▶ **Décrire une image,** p. 514

▶ **Interpréter une image,** p. 519

Questions

1. Après avoir observé attentivement ce tableau, décrivez précisément les différents éléments qui le composent.
2. Le décor semble-t-il réel ? Pourquoi ?
3. À quel endroit du tableau est représenté l'élément réel qui provoque le rêve ?
4. Comment Dalí montre-t-il le passage de la réalité à l'imaginaire du rêve dans ce tableau ?
5. L'attitude de la rêveuse correspond-elle aux images du rêve ? Pourquoi ?
6. Comment le peintre donne-t-il l'impression de représenter à la fois le déroulement progressif du rêve et son ultime instant avant le réveil ?
7. Quels éléments rendent ce tableau surréaliste ? ▶ **Repères artistiques, p. 281**

Synthèse Rédigez un paragraphe montrant que le titre donne la clé du tableau de Dalí.

▶ **Biographie p. 535**

Robert Desnos,
Corps et biens (1930)

Dans la mythologie égyptienne, le sphinx est un être fabuleux à corps de lion et tête de pharaon. Sa représentation la plus célèbre est le monumental gardien des pyramides, qui fixe le point où le soleil se lève et symbolise le dieu du soleil Rê. Dans la mythologie grecque, le sphinx (ou la sphinge), qui a un corps de lion, un buste de femme et des ailes d'oiseau, décime la jeunesse de Thèbes en posant une énigme que seul Œdipe parviendra à résoudre, précipitant ainsi son destin tragique.

Robert Desnos note ses rêves depuis l'enfance. Avec les surréalistes, il participe à des séances de sommeil hypnotique au cours desquelles ce « dormeur formidable » révèle une capacité impressionnante à «parler ses rêves, à volonté» (Aragon). Le rêve et l'état de semi-conscience du dormeur éveillé inspirent ses poèmes.

Désespoir du soleil

1 Quel bruit étrange glissait le long de la rampe d'escalier au bas de laquelle rêvait
la pomme[1] transparente.
Les vergers étaient clos et le sphinx bien loin de là s'étirait dans le sable craquant
de chaleur dans la nuit de tissu fragile.
5 Ce bruit devait-il durer jusqu'à l'éveil des locataires ou s'évader dans l'ombre du
crépuscule matinal ? Le bruit persistait. Le sphinx aux aguets l'entendait depuis
des siècles et désirait l'éprouver. Aussi ne faut-il pas s'étonner de voir la silhouette souple du sphinx dans les ténèbres de l'escalier. Le fauve égratignait de
ses griffes les marches encaustiquées[2]. Les sonnettes devant chaque porte mar-
10 quaient de lueurs la cage de l'ascenseur et le bruit persistant sentant venir celui
qu'il attendait depuis des millions de ténèbres s'attacha à la crinière et brusquement l'ombre pâlit.
C'est le poème du matin qui commence tandis que dans son lit tiède avec des cheveux dénoués rabattus sur le visage et les draps plus froissés que ses paupières
15 la vagabonde attend l'instant où s'ouvrira sur un paysage de résine et d'agate sa
porte close encore aux flots du ciel et de la nuit.

C'est le poème du jour où le sphinx se couche dans le lit de la vagabonde et malgré
le bruit persistant lui jure un éternel amour digne de foi.
C'est le poème du jour qui commence dans la fumée odorante du chocolat et le
20 monotone tac tac du cireur qui s'étonne de voir sur les marches de l'escalier les
traces des griffes du voyageur de la nuit.

C'est le poème du jour qui commence avec des étincelles d'allumettes au grand
effroi des pyramides surprises et tristes de ne plus voir leur majestueux compagnon couché à leurs pieds.
25 Mais le bruit quel était-il ? Dites-le tandis que le poème du jour commence tandis
que la vagabonde et le sphinx bien-aimé rêvent aux bouleversements de paysages.
Ce n'était pas le bruit de la pendule ni celui des pas ni celui du moulin à café.
Le bruit quel était-il ? quel était-il ?
30 L'escalier s'enfoncera-t-il toujours plus avant ? montera-t-il toujours plus haut ?
Rêvons acceptons de rêver c'est le poème du jour qui commence.

© Éditions Gallimard.

1. il s'agit de la pomme d'escalier.
2. cirées.

Francis Picabia, *Le Sphinx*,
huile sur toile
(131 x 163 cm), 1929,
musée national d'Art
moderne, Paris.

Questions

▶ **Modes, temps et valeurs,**
p. 395
▶ **L'énonciation,** p. 417
▶ **Narrateur et focalisations,**
p. 426
▶ **Vers, strophes et rimes,**
p. 445

Vocabulaire
Quel est le sens
étymologique du verbe
« éprouver » (l. 7) ? Quel
lien peut-on faire entre
l'emploi de ce verbe et la
référence au sphinx ?

1. Montrez que ce texte est un récit, en étudiant le statut du narrateur, les temps verbaux, les personnages, la progression narrative.
2. Quels éléments appartiennent au domaine du rêve, et lesquels appartiennent à la réalité dans ce texte ?
3. Quels détails traduisent néanmoins une certaine confusion entre le rêve et la réalité ?
4. Montrez que ce texte peut évoquer une rencontre symbolique entre la lumière et la nuit, en justifiant votre réponse par une analyse précise.

5. Observez la ponctuation, la longueur des vers libres, les procédés de répétition. Comment le poète donne-t-il au lecteur une sensation de vertige et de trouble ?
6. Relevez les passages où le poète s'adresse directement au lecteur. Pourquoi peut-on dire qu'il lui propose une énigme ? Le vers final donne-t-il la solution de cette énigme ?

Lecture d'image Comparez le poème « Désespoir du soleil » et le tableau de Picabia.

Synthèse Rédigez un court paragraphe montrant le caractère surréaliste du poème « Désespoir du soleil ».

Vers le bac   **S'entraîner au commentaire**
Prévoyez le plan détaillé d'un commentaire de ce poème, dans lequel vous montrerez tout d'abord que le rêve et la réalité se mêlent, puis que le sphinx revêt une importance symbolique.

Louis Aragon,
Le Fou d'Elsa (1963)

▶ Biographie p. 534

⊕ CONTEXTE

Les surréalistes évoquent souvent le sommeil de la femme aimée : endormie, elle est certes abandonnée, mais aussi fatalement absente, absorbée dans un univers inaccessible au poète. Aragon se plaint de ne pouvoir entrer dans « Cet empire à toi ce pays sans porte/Et pour moi sans passeport » (*Elsa*).

Dans la plupart de ses poèmes, Aragon chante son amour pour son épouse, l'écrivain d'origine russe Elsa Triolet.

Les Lilas

1 Je rêve et je me réveille
Dans une odeur de lilas
De quel côté du sommeil
T'ai-je ici laissée ou là

5 Je dormais dans ta mémoire
Et tu m'oubliais tout bas
Ou c'était l'inverse histoire
Étais-je où tu n'étais pas

Je me rendors pour t'atteindre
10 Au pays que tu songeas
Rien n'y fait que fuir et feindre
Toi tu l'as quitté déjà

Dans la vie ou dans le songe
Tout a cet étrange éclat
15 Du parfum qui se prolonge
Et du chant qui s'envola

Ô claire nuit jour obscur
Mon absente entre mes bras
Et rien d'autre en moi ne dure
20 Que ce que tu murmuras

© Éditions Gallimard.

Paul Delvaux, *La Joie de vivre*, huile sur toile (101,5 x 120 cm), 1938, Sotheby's, Londres.

Questions

▶ Figures de style, p. 420
▶ Vers, strophes et rimes, p. 445
▶ Les registres lyrique et élégiaque, p. 468

Grammaire
Commentez l'emploi du passé simple au vers 10.

1. Quels choix métriques (vers, strophes, rimes) Aragon a-t-il faits dans ce poème ? Pour produire quel effet ?
2. Quels autres procédés y contribuent ?
3. Observez les marques de personnes désignant le poète et la femme. Que constatez-vous ?
4. Pourquoi la femme aimée est-elle inaccessible ? Quels procédés le suggèrent ?
5. Comment les deux premières strophes expriment-elles la confusion du poète au réveil ?

6. Quelle figure de style est utilisée au vers 17 ? Qu'exprime-t-elle ?
7. Analysez les procédés traduisant l'effacement des frontières entre le monde du sommeil et celui de la réalité dans ce poème.
Lecture d'image Montrez que la femme représentée sur le tableau de Delvaux peut illustrer le vers « Mon absente entre mes bras » du poème d'Aragon.

Synthèse Montrez que ce poème est lyrique.

• LES JEUX D'ÉCRITURE SURRÉALISTES

1. L'écriture automatique

André Breton,
Manifeste du surréalisme (1924)

Faites-vous apporter de quoi écrire, après vous être établi en un lieu aussi favorable que possible à la concentration de votre esprit sur lui-même. Placez-vous dans l'état le plus passif, ou réceptif, que vous pourrez. [...] Écrivez vite sans sujet préconçu, assez vite pour ne pas retenir et ne pas être tenté de vous relire. La première phrase viendra toute seule, tant il est vrai qu'à chaque seconde il est une phrase étrangère à notre pensée consciente qui ne demande qu'à s'extérioriser. Il est assez difficile de se prononcer sur le cas de la phrase suivante ; elle participe sans doute à la fois de notre activité consciente et de l'autre, si l'on admet que le fait d'avoir écrit la première entraîne un minimum de perception.

© Éditions Pauvert.

André Breton et Philippe Soupault,
Les Champs magnétiques (1919)

La Glace sans tain

Prisonniers des gouttes d'eau, nous ne sommes que des animaux perpétuels. Nous courons dans les villes sans bruits et les affiches enchantées ne nous touchent plus. À quoi bon ces grands enthousiasmes fragiles, ces sauts de joie desséchés ? Nous ne savons plus rien que les astres morts ; nous regardons les visages ; et nous soupirons de plaisir. Notre bouche est plus sèche que les plages perdues ; nos yeux tournent sans but, sans espoir. Il n'y a plus que ces cafés où nous nous réunissons pour boire ces boissons fraîches, ces alcools délayés et les tables sont plus poisseuses que ces trottoirs où sont tombées nos ombres mortes de la veille.

Quelquefois, le vent nous entoure de ses grandes mains froides et nous attache aux arbres découpés par le soleil. Tous, nous rions, nous chantons, mais personne ne sent plus son cœur battre. La fièvre nous abandonne. [...]

© Éditions Gallimard.

André Masson, *Dessin automatique*, encre de chine et lavis d'encre brune sur papier beige (43,2 x 31,4 cm), 1927, musée national d'Art moderne, Paris.

Questions

Mode d'emploi et exemple d'écriture automatique

1. Comment le mode d'emploi de l'écriture automatique éclaire-t-il le titre *Les Champs magnétiques* donné par Breton et Soupault à leur recueil ?

2. Quelles caractéristiques signalent que le poème « La Glace sans tain » relève de l'écriture automatique ?

3. Montrez que ce poème évoque le désenchantement du monde contre lequel luttent les surréalistes.

Lecture d'image Quelles formes distinguez-vous dans ce dessin automatique ?

Atelier d'écriture

En suivant le mode d'emploi proposé par André Breton, produisez vous-même un texte en écriture automatique.

André Breton et Paul Eluard,
Dictionnaire abrégé du surréalisme (1938)

CADAVRE EXQUIS – Jeu de papier plié qui consiste à faire composer une phrase ou un dessin par plusieurs personnes, sans qu'aucune d'elles puisse tenir compte de la collaboration ou des collaborations précédentes. L'exemple, devenu classique, qui a donné son nom au jeu tient dans la première phrase obtenue de cette manière : *Le cadavre – exquis – boira – le vin – nouveau.*

© Éditions José Corti.

André Breton,
Le surréalisme et la peinture (1965)

« Le cadavre exquis, son exaltation »

Voici, à titre de rappel, quelques-unes des phrases obtenues par ce moyen, choisies parmi celles qui nous ont procuré la plus grande impression de dépaysement et de jamais vu, dont nous avons le plus apprécié la valeur *secouante* :

La lumière toute noire pond jour et nuit la suspension impuissante à faire le bien.

*

La petite fille anémiée fait rougir les mannequins encaustiqués. [...]

*

Caraco est une belle garce : paresseuse comme un loir et gantée de verre pour ne rien faire, elle enfile des perles avec le dindon de la farce.

© Éditions Gallimard.

André Breton, Jacqueline Lamba et **Yves Tanguy,** *Cadavre exquis (W),* collage de fragments d'illustrations gravées et de photos sur papier déplié (29,7 x 20,7 cm), 1938, musée national d'Art moderne, Paris.

Questions

Mode d'emploi et exemples de cadavres exquis

1. Un cadavre exquis est-il produit par la volonté consciente de ses auteurs ? Pourquoi ?
2. Quelle impression le cadavre exquis doit-il produire sur le lecteur ?
3. Lequel des cadavres exquis qui vous sont proposés vous paraît le plus poétique ? et le plus drôle ? Pourquoi ?

Lecture d'image De quels éléments ce cadavre exquis est-il composé ? Pourquoi peut-il provoquer le rire ?

Atelier d'écriture

Constituez des groupes de 4 ou 5, et pratiquez le jeu du cadavre exquis, en suivant le mode d'emploi proposé par Breton, et en vous imposant au préalable une structure syntaxique. Lisez ensuite vos cadavres exquis à l'ensemble de la classe, et sélectionnez les plus « secouants ».

3. Le collage

André Breton,
Manifeste du surréalisme (1924)

Il est même permis d'intituler POÈME ce qu'on obtient par l'assemblage aussi gratuit que possible (observons, si vous voulez, la syntaxe) de titres et de fragments de titres découpés dans les journaux :

© Éditions Gallimard

POÈME

Un éclat de rire
de saphir dans l'île de Ceylan

Les plus belles pailles
ONT LE TEINT FANÉ
SOUS LES VERROUS

dans une ferme isolée
AU JOUR LE JOUR
s'aggrave
l'agréable

Une voie carrossable
vous conduit au bord de l'inconnu

André Breton, *Manifeste du surréalisme*, 1924, © Pauvert.

Raoul Hausmann, *Le Critique d'art*, papiers collés (31,8 x 25,4 cm), 1919, Tate Collection, Londres.

Questions

Mode d'emploi et exemple de collage
1. Pourquoi d'après Breton est-il permis d'intituler « poème » un texte obtenu par la méthode du collage ?
2. Relevez un passage du texte de Breton qui vous semble poétique, et expliquez votre choix.

Lecture d'image Quels éléments sont collés par l'artiste dans cette œuvre ? Quel travail de création et de composition l'artiste a-t-il effectué ?

Atelier d'écriture
Choisissez et découpez des titres ou fragments de titres dans diverses revues et composez un poème-collage. Expliquez ensuite pourquoi vous avez sélectionné ces titres et comment vous les avez assemblés (ordre, présentation).

► Biographie p. 534

⊕ CONTEXTE

D'après la légende, la fée Mélusine se transforme chaque samedi en femme-serpent. Un jeune homme la rencontre près d'une fontaine et tombe amoureux d'elle. Elle accepte de l'épouser, à condition qu'il renonce à la voir le samedi. Or, un jour, son mari, par curiosité, enfreint cette condition. Mélusine, dont la monstruosité a été découverte, s'enfuit à jamais.

Guillaume Apollinaire,
Poèmes à Yvonne (1903)

Apollinaire est considéré comme un précurseur du surréalisme (dont il a inventé le nom), notamment pour sa représentation de la femme.

> Aujourd'hui, de cinq à six heures,
> suivi la voisine divine.
> Restif[1] dir ait « fé ïque ».
> Pas osé lui donner les vers
> faits hier.
>
> *Journal*, 14 avril 1903.

1 Vous dont je ne sais pas le nom ô ma voisine
Mince comme une abeille ô fée apparaissant
Parfois à la fenêtre et quelquefois glissant
Serpentine onduleuse à damner ô voisine
5 Et pourtant sœur des fleurs ô grappe de glycine

En robe verte vous rappelez Mélusine
Et vous marchez à petits pas comme dansant
Et quand vous êtes en robe bleu-pâlissant
Vous semblez Notre-Dame des fleurs ô voisine
10 Madone[2] dont la bouche est une capucine

Sinueuse comme une chaîne de monts bleus
Et lointains délicate et longue comme un ange
Fille d'enchantements mirage fabuleux
Une fée autrefois s'appelait Mélusine
15 Ô songe de mensonge avril miraculeux

1. Restif de la Bretonne (1734-1806).
2. Vierge à l'enfant.
3. femelle de l'oiseau.

Tremblante et sautillante ô vous l'oiselle[3] étrange
Vos cheveux feuilles mortes après la vendange
Madone d'automne et des printemps fabuleux
Une fée autrefois s'appelait Mélusine
20 Êtes-vous Mélusine ô fée ô ma voisine

© Éditions Gallimard.

Questions

► Les registres lyrique et élégiaque, p. 468

Vocabulaire
Que signifient communément et étymologiquement les adjectifs « miraculeux » et « fabuleux » ?

► Histoire et formation des mots, p. 411

Entre tradition et modernité

1. Ce poème est-il moderne ou traditionnel du point de vue de la versification ?
2. Quelle particularité fait surtout la nouveauté de ce poème ?
3. Quels sont les procédés traditionnels de l'éloge lyrique ?
4. Pour Breton, Apollinaire possédait un « don prodigieux d'émerveillement ». Comment le poème illustre-t-il cette affirmation ?

Une femme-fée

5. Relevez les images employées pour décrire la belle voisine. Montrez qu'elles donnent un caractère merveilleux à la femme.
6. Comment est évoquée la légèreté de la femme ? Comment l'écriture traduit-elle cette légèreté ?
7. Quels éléments révèlent le caractère double et changeant de la femme ?
8. Pourquoi peut-on dire que la femme séduit par son mystère ?

Synthèse Rédigez un court paragraphe montrant que ce poème évoque une femme-fée.

Paul Eluard,
Capitale de la douleur (1926)

▶ Biographie p. 536

⊕ CONTEXTE

Le blason, poème descriptif très en vogue au XVIᵉ siècle, célèbre la beauté d'une personne, d'un objet, d'un animal, en se focalisant généralement sur un détail précis : l'œil, la main, la chevelure, etc. Poème-synecdoque, le blason exalte souvent la beauté de la femme aimée à travers une ou des parties de son corps.
▶ p. 292

Paul Eluard a intitulé l'un de ses recueils poétiques L'Amour la poésie, *suggérant par l'absence de virgule combien amour et poésie sont indissociables à ses yeux. Sa poésie est en effet essentiellement amoureuse, comme dans ce recueil intitulé* Capitale de la douleur *et inspiré par son amour pour Gala.*

1 La courbe de tes yeux fait le tour de mon cœur,
Un rond de danse et de douceur,
Auréole du temps, berceau nocturne et sûr,
Et si je ne sais plus tout ce que j'ai vécu
5 C'est que tes yeux ne m'ont pas toujours vu.

Feuilles de jour et mousse de rosée,
Roseaux du vent, sourires parfumés,
Ailes couvrant le monde de lumière,
Bateaux chargés du ciel et de la mer,
10 Chasseurs des bruits et sources des couleurs

Parfums éclos d'une couvée d'aurores
Qui gît toujours sur la paille des astres,
Comme le jour dépend de l'innocence
Le monde entier dépend de tes yeux purs
15 Et tout mon sang coule dans leurs regards.

© Éditions Gallimard.

Francis Picabia, *Optophone II*, huile sur toile
(116 x 88 cm), 1922-1924, musée national
d'Art moderne, Paris.

Questions

▶ Figures de style, p. 420
▶ Vers, strophes et rimes, p. 445
▶ Les registres lyrique et élégiaque, p. 468

1. Quelle impression le rythme et les sonorités du poème produisent-ils ?
2. Relevez dans la première strophe les termes renvoyant à la figure du cercle ou de la courbe. Quelle image de la femme suggèrent-ils ?
3. Observez le premier et le dernier vers. Pourquoi peut-on dire que le poème est lui-même circulaire ?
4. Les métaphores employées pour évoquer les yeux de la femme vers 6 à 12 sont-elles

toujours compréhensibles littéralement ? Quelles sont leurs diverses connotations ?
5. Comment ces métaphores éclairent-elles le vers 14 du poème ?
6. Quelle relation entre le poète et la femme ce poème évoque-t-il ? Appuyez-vous sur une analyse précise.
7. Montrez que l'on peut parler à propos de ce poème de blason surréaliste.

Grammaire

Observez la syntaxe des phrases dans ce poème. Qu'est-ce qui la caractérise ? Quel effet est produit ?

Synthèse Montrez dans un paragraphe argumenté que, dans ce poème, le regard de la femme donne accès au merveilleux.

> Vers le bac   **S'entraîner à la dissertation**

Prévoyez trois arguments accompagnés d'exemples pour montrer que la poésie est particulièrement appropriée à l'expression du sentiment amoureux.

▶ Élaborer un plan détaillé, p. 504

▶ **Biographie p. 535**

André Breton,
L'Air de l'eau (1934)

⊕ **CONTEXTE**

La sirène, comme la fée, est l'une des figures fabuleuses auxquelles la femme est associée par les surréalistes. Cette femme-poisson, traditionnellement représentée face à son miroir, en train de se peigner, attire les hommes dans sa grotte en les séduisant par sa beauté et par son chant envoûtant. Dans l'imaginaire collectif, Mélusine, la femme-serpent surprise dans son bain par son mari, réunit les traits de la fée et de la sirène. ▶ **p. 290**

André Breton, qui célèbre « l'amour fou » dans un texte portant ce titre, ne cesse de clamer la beauté sidérante de la femme. Tantôt femme-enfant, tantôt femme-fée, elle incarne pour lui l'accès possible à une autre sphère, à un envers du réel, promesse de merveilleux.

1   Je rêve je te vois superposée indéfiniment à toi-même
 Tu es assise sur le haut tabouret de corail
 Devant ton miroir toujours à son premier quartier
 Deux doigts sur l'aile d'eau du peigne
5   Et en même temps
 Tu reviens de voyage tu t'attardes la dernière dans la grotte
 Ruisselante d'éclairs
 Tu ne me reconnais pas
 Tu es étendue sur le lit tu t'éveilles ou tu t'endors
10 Tu t'éveilles où tu t'es endormie ou ailleurs
 Tu es nue la balle de sureau[1] rebondit encore
 Mille balles de sureau bourdonnent au-dessus de toi
 Si légères qu'à chaque instant ignorées de toi
 Ton souffle ton sang sauvés de la folle jonglerie de l'air
15 Tu traverses la rue les voitures lancées sur toi ne sont plus que leur ombre
 Et la même
 Enfant
 Prise dans un soufflet de paillettes
 Tu sautes à la corde
20 Assez longtemps pour qu'apparaisse au haut de l'escalier invisible
 Le seul papillon vert qui hante les sommets de l'Asie
 Je caresse tout ce qui fut toi
 Dans tout ce qui doit l'être encore
 J'écoute siffler mélodieusement
25 Tes bras innombrables
 Serpent unique dans tous les arbres
 Tes bras au centre desquels tourne le
   [cristal de la rose des vents
 Ma fontaine vivante de Sivas[2]

© Éditions Gallimard.

1. pendule électrique permettant de déterminer si un objet est électrisé.
2. (Shiva) dieu hindou souvent représenté avec quatre bras tentaculaires symbolisant les points cardinaux.

Man Ray, *Jacqueline Goddard*, 1932, photographie.

André Breton,
L'Union libre (1931)

1   Ma femme à la chevelure de feu de bois
Aux pensées d'éclairs de chaleur
À la taille de sablier
Ma femme à la taille de loutre entre les dents du tigre
5   Ma femme à la bouche de cocarde et de bouquet d'étoiles de dernière grandeur
Aux dents d'empreintes de souris blanche sur la terre blanche
À la langue d'ambre et de verre frottés
Ma femme à la langue d'hostie poignardée
À la langue de poupée qui ouvre et ferme les yeux
10   À la langue de pierre incroyable
Ma femme aux cils de bâtons d'écriture d'enfant
Aux sourcils de bord de nid d'hirondelle
Ma femme aux tempes d'ardoise de toit de serre
Et de buée aux vitres
15   Ma femme aux épaules de champagne
Et de fontaine à têtes de dauphins sous la glace
Ma femme aux poignets d'allumettes
Ma femme aux doigts de hasard et d'as de cœur
Aux doigts de foin coupé
[...]

© Éditions Gallimard.

Questions

▶ Figures de style, p. 420
▶ Vers, strophes et rimes, p. 445

Vocabulaire
Expliquez les emplois des homonymes «ou» et «où» aux vers 9 et 10 de «Je rêve je te vois…». Comment Breton crée-t-il une confusion?

Le rôle de l'imagination

1. Les premiers mots sont: «Je rêve je te vois». Montrez que le poème évoque en effet un rêve, une vision imaginaire.
2. Relevez dans ce poème des images surréalistes. ▶ **Repères littéraires, p. 279**
3. Pourquoi ce poème peut-il sembler écrit selon les principes de l'écriture automatique? ▶ **p. 287**

Une femme surréaliste

4. À quel(s) personnage(s) fabuleux est-il fait allusion dans cette évocation de la femme aimée?
5. À quels éléments (air, eau, feu, terre) le poète fait-il appel pour évoquer la femme?
6. Quel sens peut-on donner à l'image de la femme aux «bras innombrables» dans les derniers vers du poème?

7. Montrez que la femme apparaît comme un être merveilleux et insaisissable dans ce poème.

***L'Union libre* (texte écho)**

8. Analysez les métaphores employées pour décrire les différentes parties du corps de la femme. Le lien entre le comparé et le comparant est-il toujours aisé à trouver? Quel effet ces métaphores visent-elles à produire?
9. Pourquoi peut-on dire que ce poème fait de la femme aimée une incarnation de l'univers?
10. Sur quelle figure de répétition ce poème est-il construit? Quel effet poétique est ainsi produit?

Synthèse Rédigez un paragraphe dans lequel vous ferez la synthèse de la représentation de la femme dans ces deux poèmes de Breton.

• RENCONTRE DE LA FEMME-FÉE DANS LE RÉCIT

▶ **Biographie p. 535**

André Breton,
Nadja (1928)

Ce récit, assorti de photographies et de dessins, évoque la relation fugitive de Breton avec une jeune femme qui, par son étrangeté, le fait entrer dans le monde du rêve. L'extrait qui suit relate leur rencontre.

1   Je venais de traverser ce carrefour dont j'oublie ou ignore le nom, là, devant une église. Tout à coup, alors qu'elle est peut-être encore à dix pas de moi, venant en sens inverse, je vois une jeune femme, très pauvrement vêtue, qui, elle aussi, me voit ou m'a vu. Elle va la tête haute, contrairement à tous les autres passants. Si

5   frêle qu'elle se pose à peine en marchant. Un sourire imperceptible erre peut-être sur son visage. Curieusement fardée, comme quelqu'un qui, ayant commencé par les yeux, n'a pas eu le temps de finir,

10 mais le bord des yeux si noir pour une blonde. Le bord, nullement la paupière [...]. Je n'avais jamais vu de tels yeux. Sans hésitation j'adresse la parole à l'inconnue, tout en m'attendant, j'en

15 conviens du reste, au pire. Elle sourit, mais très mystérieusement, et, dirai-je, comme *en connaissance de cause*, bien qu'alors je n'en puisse rien croire. Elle se rend, prétend-elle, chez un coiffeur du

20 boulevard Magenta (je dis : prétend-elle, parce que sur l'instant j'en doute et qu'elle devait reconnaître par la suite qu'elle allait sans but aucun). Elle m'entretient bien avec une certaine insistance

25 de difficultés d'argent qu'elle éprouve, mais ceci, semble-t-il, plutôt en manière d'excuse et pour expliquer l'assez grand dénuement de sa mise[1]. Nous nous arrêtons à la terrasse d'un café proche de la

30 gare du Nord. Je la regarde mieux. Que peut-il bien passer de si extraordinaire dans ces yeux ? Que s'y mire-t-il à la fois obscurément de détresse et lumineusement d'orgueil ?

© Éditions Gallimard.

1. tenue vestimentaire.

Léona Delcourt (Nadja), *Un regard d'or de Nadja*, crayon de couleur, mine de plomb, papier noir (32,4 x 19,5 cm), xxᵉ siècle, musée national d'Art moderne, Paris.

Julien Gracq,
Un balcon en forêt (1958)

▶ **Julien Gracq**
(1910-2007),
romancier et
essayiste, refuse
toute appartenance
à une école
littéraire, mais il est
très influencé par le
surréalisme, auquel
il consacre plusieurs
études. Il est
l'auteur du célèbre
roman *Le Rivage
des Syrtes* (1951).

Dans le roman Un balcon en forêt, *le soldat Grange, en faction dans les Ardennes pendant la « drôle de guerre » de 1939-40, rencontre une jeune femme en forêt.*

1   Comme il levait les yeux vers la perspective, il aperçut à quelque distance devant lui, encore à demi fondue dans le rideau de pluie, une silhouette qui trébuchait sur les cailloux entre les flaques. La silhouette était celle d'une petite fille enfouie dans une longue pèlerine[1] à capuchon et chaussée de bottes de caoutchouc ; à la voir
5   ainsi patauger avec hésitation entre les flaques, le dos un peu cassé comme si elle avait calé contre ses reins sous la pèlerine un sac de cuir, on pensait d'abord à une écolière en chemin vers sa maison, mais, de maison, Grange savait qu'on n'en voyait pas à moins de deux lieues, et il se souvint tout à coup que c'était dimanche ; il se mit à observer la petite silhouette avec plus d'attention. Il y avait dans sa démar-
10   che quelque chose qui l'intriguait ; sous le crépitement maintenant serré de l'averse dont elle semblait ne se soucier mie[2], c'était à s'y méprendre celle même[3] d'une gamine en chemin pour l'école buissonnière. Tantôt elle sautait une flaque à pieds joints, tantôt elle s'arrêtait au bord du chemin pour casser une branche – une seconde, elle se retournait à demi et semblait jeter sous le capuchon de sa pèlerine
15   un coup d'œil en arrière, comme pour mesurer de combien Grange s'était rappro-ché, puis elle repartait à cloche-pied en poussant un caillou, et courait l'espace de quelques pas en faisant rejaillir l'eau des flaques – une ou deux fois, malgré la distance, Grange crut discerner qu'elle sifflotait. La laie[4] s'enfonçait peu à peu dans la pire solitude ; l'averse autour d'eux faisait frire la forêt à perte de vue. « C'est
20   une fille de la pluie », pensa Grange en souriant malgré lui derrière son col trempé, « une fadette[5] – une petite sorcière de la forêt. » Il commença à ralentir le pas, mal-gré l'averse, il ne voulait pas la rejoindre trop vite – il avait peur que le bruit de son pas n'effarouchât ce manège gracieux, captivant, de jeune bête au bois.

© Éditions José Corti.

1. manteau ample muni d'une capuche, souvent porté par les enfants.
2. aucunement.
3. celle-là même (le démonstratif renvoie ici à la démarche).
4. petit chemin forestier.
5. petite fée.

Prolongements
• Lisez d'autres scènes de rencontre amoureuse (dans *La Princesse de Clèves* de Mme de La Fayette, *Le Rouge et le noir* de Stendhal, *L'Éducation sentimentale* de Flaubert, par exemple). Qu'y a-t-il de commun à toutes ces rencontres ?
• Lisez le conte du *Petit Chaperon rouge* dans la version de Perrault. Quels rapprochements peut-on établir avec le texte de Gracq ?

Questions

1. Relevez le vocabulaire de l'étrange et du merveilleux dans ces deux extraits.
2. Montrez que, dans ces deux textes, la jeune femme rencontrée représente une énigme pour le narrateur ou le personnage.
3. Quels procédés traduisent les doutes, les incertitudes de Breton et de Grange dans chacun des textes ?
4. Quels détails trahissent le jeu de séduction de la jeune femme dans ces deux textes ?
5. Comment et pourquoi Nadja fascine-t-elle Breton ?
6. Comment le décor de la rencontre évoquée dans *Un balcon en forêt* contribue-t-il au merveilleux ?

LE RÊVE ET L'IMAGINAIRE

1 FORMATION DES MOTS

Analysez la formation des mots suivants. Quel sens a le préfixe de chacun d'entre eux ?

extraordinaire – irréel – surnaturel – extravagance – inconscient – surréaliste

2 DES MOTS CONNOTÉS

Indiquez si les adjectifs suivants sont neutres, connotés positivement ou négativement. Lesquels sont connotés différemment selon leur emploi ?

imaginaire – illusoire – bizarre – fabuleux – chimérique – idéal – merveilleux – délirant – hallucinatoire – fantastique – utopique – surnaturel – extraordinaire – onirique – extravagant – fantaisiste – étrange – féerique – insolite

3 EMPLOIS

Remplacez les termes en gras par l'un des adjectifs de la liste précédente.

a. *Alice au pays des merveilles* de Lewis Carroll met en scène des personnages **loufoques**.
b. L'Eldorado dans *Candide* de Voltaire est une société **idéale et irréalisable**.
c. Le Horla est une créature **surnaturelle et effrayante**.
d. *Aurélia* de Nerval est un récit plongé dans une atmosphère **de rêve**.

4 FANTAISIES ÉTYMOLOGIQUES

À partir de quel radical les mots suivants sont-ils tous composés ? Quel sens a-t-il ? Après avoir défini chacun de ces termes, cherchez d'autres mots composés à partir du même radical.

fantôme – fantasme – fantaisie

5 HISTOIRES DE MOTS

Retrouvez le mot correspondant aux définitions suivantes.

a. Dans la mythologie grecque, monstre fabuleux ayant généralement la tête d'un lion, le corps d'une chèvre, la queue d'un dragon et crachant du feu.
b. Genre littéraire créé par l'écrivain anglais Thomas More, dans lequel est représentée une société idéale souvent située sur une île isolée.
c. Dans la mythologie grecque, divinité féminine qui hante les eaux, les bois et les montagnes, et qui est représentée sous la forme d'une gracieuse jeune fille.

6 LE BIEN ET LE MAL

Les êtres suivants sont-ils plutôt sympathiques ou inquiétants dans l'imaginaire collectif ?

troll – elfe – lutin – gnome – korrigan – ogre – faune – fée – nymphe – érinye – ondine – sirène – sorcière

7 CONTES DE FÉES

Le mot « fée » apparaît dans de nombreuses expressions courantes. Expliquez le sens de chacune d'elles, et leur lien avec la représentation traditionnelle des fées.

a. Elle a réalisé *un travail de fée*.
b. Cet enfant a beaucoup de chance. C'est à croire qu'*une fée s'est penchée sur son berceau à la naissance*.
c. Cette femme a vraiment *des doigts de fée*.
d. C'est une véritable *fée du logis*.
e. Un palais à la gloire de *la fée électricité* a été construit pour l'Exposition universelle de 1900.

8 DEVINETTES

a. Quel plaisir d'*être entre les bras de Morphée* ! Que signifie cette expression et d'où vient-elle ?
b. On dit d'un animal qui vit la nuit qu'il est *nocturne*. Mais comment qualifie-t-on un animal qui vit le jour ?
c. Qu'ont de commun un *chanteur* et un *enchanteur* ?
d. On peut dire de quelqu'un d'impassible et mystérieux qu'il a une attitude de *sphinx*. À quoi renvoie cette expression ?
e. Un *spectre* est un fantôme, une apparition. Mais pourquoi parle-t-on de *spectre de la lumière* ?
f. Qu'est-ce que le *sort* dans les expressions *jeter un sort* et *tirer au sort* ?
g. La *fée* est un être merveilleux et souvent bienveillant. Quel rapport a-t-elle avec la *fatalité* ?
h. Dire d'une femme qu'elle a beaucoup de *charme* est élogieux. Mais en quoi le *charme* peut-il aussi être inquiétant ?

EXPRESSION ÉCRITE

Sujet

Le poète latin Ovide a consacré une œuvre aux *Métamorphoses*. À votre tour, faites le récit d'une métamorphose surnaturelle.

PISTES DE LECTURE

1 LECTURES CROISÉES

« Les Cahiers de Douai » Poésies, d'Arthur Rimbaud
(1870-1872)
Rimbaud le fils de Pierre Michon (1993)
Les Jours fragiles de Philippe Besson (2004)

Lisez les poèmes de Rimbaud, puis les deux récits bio-graphiques. Présentez ces œuvres en vous inspirant des axes proposés.

© Éditions Hatier

Poésies
Les Cahiers de Douai • Poésies
Une saison en enfer • Illuminations
Arthur Rimbaud

Pierre Michon
Rimbaud le fils

© Univers Poche Pocket

Philippe Besson
Les jours fragiles

AXE D'ÉTUDE 1	La fugue et le voyage
AXE D'ÉTUDE 2	La révolte
AXE D'ÉTUDE 3	La relation entre Rimbaud et sa mère
AXE D'ÉTUDE 4	La modernité poétique

© Éditions Gallimard

folio

2 D'AUTRES LECTURES

La poésie des romantiques
de Bernard Vargaftig (2003)

© Éditions J'ai lu

La poésie des romantiques
Une anthologie de Bernard Vargaftig

Un parcours du romantisme, depuis Chateaubriand et Lamartine, jusqu'à Nerval et Musset, en passant par des auteurs moins connus. Tous expriment la mélancolie, l'exaltation du sentiment amoureux, la communion avec la nature, qui caractérisent l'esprit romantique.

Sylvie
de Gérard de Nerval (1854)

© Éditions Le Livre de Poche

Nerval
Sylvie

Sur les traces de Rousseau et de son propre passé, le narrateur retourne dans la campagne d'Ermenonville, où il retrouve Sylvie, un amour de jeunesse qui lui laisse un souvenir à la fois doux et douloureux. Dans un paysage idyllique, les souvenirs remontent à la surface et éclairent les obsessions présentes du narrateur.

Alcools
de Guillaume Apollinaire (1913)

© Éditions Gallimard

APOLLINAIRE
Alcools
nrf

Ce recueil d'Apollinaire a marqué toute la poésie du XXe siècle. Apollinaire invente un nouveau lyrisme débarrassé des règles traditionnelles, découvre la poésie des villes modernes, se laisse enivrer par des souvenirs de légendes et de mythes qui se mêlent à l'expérience vécue réellement.

La Confession d'un enfant du siècle
d'Alfred de Musset (1836)

© Éditions Le Livre de Poche

Musset
La Confession
d'un enfant du siècle

Les Classiques de Poche

Transposant sa propre histoire avec George Sand, Musset raconte la liaison passionnée entre Octave et une jeune veuve. Fou d'amour, et marqué par une trahison amoureuse dans sa jeunesse, Octave est vite torturé par une jalousie destructrice...

Bohèmes
de Dan Franck (1998)

© Éditions Le Livre de Poche

DAN FRANCK
BOHÈMES

Chronique de la vie artistique et littéraire parisienne de 1900 à 1930, dans laquelle l'auteur évoque avec humour et pittoresque la vie de bohème des peintres qui gravitent autour de Picasso, les scandales de Dada, la naissance du surréalisme...

Les Enfants terribles
de Jean Cocteau (1929)

© Éditions Le Livre de Poche

Récit imprégné de l'esprit surréaliste, *Les Enfants terribles* raconte la jeunesse de Paul et sa sœur, marqués par la mort de leur mère. Leur relation fusionnelle les isole du reste du monde, et les enferme dans un univers à la fois onirique et dangereux. Un conte fantastique et tragique...

Objectifs
• S'entraîner à confronter des textes
et à répondre à la question de synthèse.

TEXTE A

Alexandre Dumas, cité par Gérard de Nerval, préface des *Filles du feu*, 1854

[...] – de temps en temps, lorsqu'un travail quelconque l'a fort préoccupé, l'imagination, cette folle du logis, en chasse momentanément la raison, qui n'en est que la maîtresse ; alors la première reste seule, toute-puissante, dans ce cerveau nourri de rêves et d'hallucinations, ni plus ni moins qu'un fumeur d'opium du Caire, ou qu'un mangeur de hatchis d'Alger, et alors, la vagabonde qu'elle est le jette dans les théories impossibles, dans les livres infaisables. Tantôt il est le roi d'Orient Salomon, il a retrouvé le sceau qui évoque les esprits, il attend la reine de Saba ; et alors, croyez-le bien, il n'est conte de fée, ou des *Mille et Une Nuits*, qui vaille ce qu'il raconte à ses amis, qui ne savent s'ils doivent le plaindre ou l'envier, de l'agilité et de la puissance de ces esprits, de la beauté et de la richesse de cette reine ; tantôt il est sultan de Crimée, comte d'Abyssinie, duc d'Égypte, baron de Smyrne. Un autre jour il se croit fou, et il raconte comment il l'est devenu, et avec un si joyeux entrain, en passant par des péripéties si amusantes, que chacun désire le devenir pour suivre ce guide entraînant dans le pays des chimères et des hallucinations, plein d'oasis plus fraîches et plus ombreuses que celles qui s'élèvent sur la route brûlée d'Alexandrie à Ammon.

TEXTE B

Charles Baudelaire, « La reine des facultés », *Salon de 1859*

Mystérieuse faculté que cette reine des facultés ! [...]

Elle est l'analyse, elle est la synthèse ; et cependant des hommes habiles dans l'analyse et suffisamment aptes à faire un résumé peuvent être privés d'imagination. Elle est cela et elle n'est pas tout à fait cela. Elle est la sensibilité, et pourtant, il y a des personnes sensibles, trop sensibles peut-être, qui en sont privées. C'est l'imagination qui a enseigné à l'homme le sens moral de la couleur, du contour, du son et du parfum. Elle a créé, au commencement du monde, l'analogie et la métaphore. Elle décompose toute la création, et, avec les matériaux amassés et disposés suivant des règles dont on ne peut trouver l'origine que dans les profondeurs de l'âme, elle crée un monde nouveau, elle produit la sensation du neuf. [...] L'imagination est la reine du vrai, et le *possible* est une des provinces du vrai. Elle est positivement apparentée à l'infini.

Sans elle, toutes les facultés, si solides ou si aiguisées qu'elles soient, sont comme si elles n'étaient pas, tandis que la faiblesse de quelques facultés secondaires, excitées par une imagination vigoureuse, est un malheur secondaire. Aucune ne peut se passer d'elle, et elle peut suppléer quelques-unes.

Louis Aragon, « Discours de l'imagination »,
Le Paysan de Paris, 1926

C'est l'imagination elle-même qui s'exprime ici.

Le produit que j'ai l'honneur de vous présenter procure tout cela, procure aussi d'immenses avantages inespérés, dépasse vos désirs, les suscite, vous fait accéder à des désirs nouveaux, insensés ; n'en doutez pas, ce sont les ennemis de l'ordre qui mettent en circulation ce philtre d'absolu. Ils le passent secrètement sous les yeux des gardiens, sous la forme de livres, de poèmes. Le prétexte anodin de la littérature leur permet de vous donner à un prix défiant toute concurrence ce ferment mortel duquel il est grand temps de généraliser l'usage. C'est le génie en bouteille, la poésie en barre. Achetez, achetez la damnation de votre âme, vous allez enfin vous perdre, voici la machine à chavirer l'esprit. J'annonce au monde ce fait divers de première grandeur : un nouveau vice vient de naître, un vertige de plus est donné à l'homme : le *Surréalisme*, fils de la frénésie et de l'ombre. Entrez, entrez, c'est ici que commencent les royaumes de l'instantané.

© Éditions Gallimard.

▶ ▶ ▶ Sujet Bac

I. Après avoir lu les textes du corpus, répondez à la question suivante :

Quels points communs pouvez-vous dégager de ces trois textes traitant de l'imagination ?

II. Traitez ensuite l'un des sujets suivants :

Commentaire

Vous commenterez le texte d'Aragon : vous montrerez que ce texte est un éloge paradoxal de l'imagination ; vous analyserez ensuite la parodie du boniment commercial adoptée par l'auteur.

Dissertation

L'imagination vous semble-t-elle être le seul moteur de la création artistique ? Vous répondrez à cette question de manière ordonnée, en vous appuyant sur les textes du corpus, sur les lectures proposées dans le chapitre et sur vos lectures personnelles.

Écriture d'invention

Pour le journal de votre lycée, vous êtes amené, à votre tour, à écrire un éloge de l'imagination. Rédigez cet article, en veillant à adopter une forme d'expression qui sera elle-même imaginative.

Méthode Analyser un corpus de textes

▶ Comprendre une question, p. 482

∽ **ÉTAPE 1 Analyser la question posée**
- Repérez les mots-clés.

∽ **ÉTAPE 2 Rechercher des éléments de réponse en relevant des citations**
- Dans chacun des trois textes, l'imagination est incarnée en diverses figures. Analysez par quels procédés différents chaque auteur crée cette incarnation.
- Quels pouvoirs les trois auteurs attribuent-ils à l'imagination ? Ces pouvoirs sont-ils différents d'un texte à l'autre ? Relevez les mots et expressions qui traduisent la fascination de chacun des auteurs pour l'imagination.
- Par quels procédés les auteurs expriment-ils le caractère mystérieux de l'imagination ?
- Quelles expressions montrent que l'imagination peut susciter chez certains de la méfiance ?
- Deux des trois textes sont teintés d'humour. Lesquels ? Justifiez votre réponse.

▶ Confronter des textes, p. 528

∽ **ÉTAPE 3 Construire un plan de réponse**
- L'imagination est proche de la folie, du délire, du mystère.
- Elle peut en cela susciter de la méfiance.
- L'imagination est une véritable faculté, aux pouvoirs immenses.
- L'imagination ouvre sur un champ illimité de création.

▶ Rédiger une réponse synthétique, p. 530

CHAPITRE 4

Diversité du langage argumentatif

Les fondements de la monarchie et la société de l'Ancien Régime se fragilisent à la fin du XVIIᵉ siècle. Le doute systématique, la découverte d'autres cultures et la réflexion des philosophes des Lumières nourrissent les débats. Le récit se fait apologue, la peinture argumentative, et l'amour même devient sujet à discussion.

▶▶▶ Philippe Mercier, *La Vue*, huile sur toile (61,5 x 74,5 cm), 1730.

301

	1710	1720	1730	1740	1750	1760	1770	1780	1790	1800
POLITIQUE		*Régence*			*Louis XV*			*Louis XVI*		

1715, ● régence de Philippe d'Orléans

1756-1763 guerre de Sept Ans ●**1763,** traité de Paris

1789, ● prise de la Bastille

●**1792,** proclamation de la 1ʳᵉ République

SOCIÉTÉ   *Système de Law*   *Soulèvement populaire*

1712, ● 1ʳᵉ machine à vapeur

1730, ● invention du sextant

1746, 1ᵉʳ métier ● à tisser automatique

1ᵉʳ envol du ballon des Montgolfier ●**1783,** ●

●**1794,** fondation du Conservatoire national des Arts et Métiers

1. Tapez les mots-clés : « Déclaration des droits de l'homme et du citoyen ».
2. Sélectionnez le site le plus pertinent : par exemple, le site de l'Assemblée nationale.
3. Lisez le document.
4. Sur le site de Gallica, approfondissez vos recherches en retrouvant le texte d'Olympe de Gouges inspiré de la Déclaration de 1792.

Exposés
• Les grandes étapes de l'esclavage en France jusqu'à son abolition et les différentes formes actuelles de l'esclavage dans le monde.
• Les ports de France les plus puissants au XVIIIᵉ siècle et l'activité maritime.
• La condition des femmes au XVIIIᵉ siècle, de la nourrice à l'aristocrate.

Un climat instable

À la fin du XVIIᵉ siècle, la société française est appauvrie, marquée par les conflits et fortement divisée. Les trois ordres (Clergé, Noblesse et Tiers-état) ne permettent plus de rendre compte des réalités sociales. Alors qu'apparaît une noblesse ruinée, dépendante de l'autorité royale dont elle n'attend que récompenses et protection, la haute bourgeoisie profite des activités commerciales pour s'enrichir et briguer l'anoblissement. La France glorieuse du Roi-Soleil a perdu de son faste et de son influence sur les autres États européens. Elle cherche alors à imposer sa puissance politique et économique sur les colonies de plus en plus nombreuses.

Le déclin de la monarchie

Bouleversé par les événements politiques et sociaux, le XVIIIᵉ siècle s'ouvre sur la mort de Louis XIV et s'achève par la Révolution française et la mise en place du Consulat.
• **La Régence de Philippe d'Orléans** (1715-1723) libère les esprits et les mœurs durant une période instable d'euphorie populaire et rend difficile l'accès au pouvoir de Louis XV, surnommé « le Bien-Aimé », sur qui reposent tous les espoirs (1723-1774). Mais les difficultés se multiplient : guerres de succession, guerres coloniales, guerre de Sept Ans (1756-1763), faillite nationale, troubles dans les colonies.
• **Louis XVI** (1774-1792) doit faire face aux émeutes révolutionnaires, alors que les monarques voisins, Catherine II de Russie et Frédéric II de Prusse, offrent aux philosophes des modèles de despotisme éclairé plus sages et plus justes. Le dernier roi de France est guillotiné le 21 janvier 1793, quelques mois après la Proclamation de la Iʳᵉ République (22 septembre 1792), et son épouse Marie-Antoinette subit le même sort le 16 octobre de la même année.

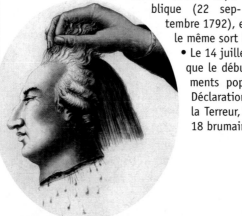

Jean-Baptiste Regnault, *La Liberté ou la Mort,* huile sur toile (60 x 49,3 cm), 1795, Hamburger Kunsthalle, Hambourg.

• Le 14 juillet 1789, **la prise de la Bastille** marque le début d'une longue période de soulèvements populaires et de bouleversements : la Déclaration des droits de l'homme et du citoyen, la Terreur, le Directoire puis le coup d'État du 18 brumaire de Bonaparte (9 novembre 1799).

La Tête de Louis XVI dans la main du bourreau, gravure, 1793, BnF, Paris.

Commerce et industrie

• La Régence est marquée par un important déséquilibre économique. De 1715 à 1720, le financier **John Law** propose de réduire la dette de l'État par la mise en place d'un système monétaire révolutionnaire : le **papier-monnaie** (équivalent des billets de banque) est créé et les spéculations se développent. Malgré cela, l'expérience de Law semble échouer. La France connaît une nouvelle faillite financière tandis que le commerce international et colonial prospère.

• La **Compagnie des Indes** (le nom « Indes » a ici un sens symbolique pour désigner tout territoire nouveau) créée en 1664 par Colbert afin de gérer les échanges commerciaux entre les métropoles européennes et l'ensemble des colonies de l'Est et de l'Ouest, devait permettre de rétablir l'équilibre monétaire. Le commerce maritime se développe et la Compagnie offre aux particuliers un placement solide, mais l'empire colonial de la France se voit sévèrement amputé après le traité de Paris (1763) qui met fin à la guerre de Sept Ans.

> **Question** Qu'est-ce qu'un armateur ? Quelles étaient ses différentes activités au XVIIIe siècle ?

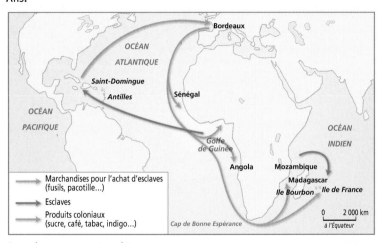

Carte du commerce triangulaire.

Le commerce triangulaire

Depuis le XVIIe siècle, la France, l'Espagne, l'Angleterre, la Hollande et le Portugal participent activement aux échanges commerciaux avec les colonies. Le Nouveau Monde américain offre des matières premières innombrables mais il y manque la main d'œuvre comme le souligne ironiquement Montesquieu : « Les peuples d'Europe ayant exterminé ceux de l'Amérique, ils ont dû mettre en esclavage ceux de l'Afrique, pour s'en servir à défricher tant de terres. » (*De l'esprit des lois*, 1748). Les Européens mettent en place la « traite des nègres » : les navires négriers quittent les ports chargés de tabac et de pacotilles destinés à être échangés contre des esclaves africains. Les hommes sont emmenés en Amérique et aux Caraïbes pour y être vendus en masse. La transaction permet aux négociants d'acheter des denrées exotiques de luxe (le sucre, le café, le rhum…) qu'ils revendent à prix fort aux Européens.

La société entre débâcle et sagesse

La quête du bonheur

• Le relâchement politique, les roueries des libertins débauchés de la Régence et l'industrie du luxe réhabilitent une forme d'hédonisme qui confond plaisir et bonheur. La haute société se complaît dans le confort et la mollesse dont Voltaire même fait l'éloge dans son poème « Le Mondain ».

• La licence des mœurs trouve son apogée dans les milieux mondains où les libertins imposent avec cynisme et perversité leur conception très personnelle du bonheur.

L'esprit philosophique

Rousseau est le premier à envisager la notion de progrès sous l'angle de la décadence populaire. Le philosophe prône une vie plus humble, orientée vers la sensibilité et les bienfaits de la nature. La remise en cause de la civilisation occidentale et de la suprématie de l'homme blanc colonisateur est au cœur de tous les débats. Le bonheur se cherche désormais au sein d'autres civilisations, d'autres mondes, parfois utopiques, fictifs et exemplaires.

L'*Encyclopédie*

Dirigée par **Diderot** et **d'Alembert**, l'*Encyclopédie* est le résultat d'un long travail collectif auquel ont collaboré plus de deux cents intervenants. En 1748, le libraire parisien Le Breton et trois de ses collègues obtiennent le «privilège royal» de publier l'ouvrage. Il s'agit du plus grand projet d'édition du XVIIIᵉ siècle.

Le sous-titre, *Dictionnaire raisonné des sciences, des arts et des métiers*, précise l'ambition des auteurs qui ne renoncent à aucun domaine de la connaissance. Les 60 000 articles rédigés offrent un savoir général d'une grande richesse en même temps qu'ils suscitent la réflexion critique des lecteurs.

La réalisation de l'*Encyclopédie* n'a pas été sans heurts : violente polémique, condamnations, difficultés financières, etc. La publication s'est étendue de 1751 à 1772 et l'ouvrage a rencontré un vif succès.

⌨ Sur Internet, recherchez l'article «Philosophe» de Dumarsais extrait de l'*Encyclopédie*. Résumez les «qualités» d'un philosophe.

De l'écrivain au philosophe

Le mécénat royal

• Richelieu crée l'Académie française en 1635 dans le but de «fixer» la langue française, mais aussi afin de mieux contrôler les productions littéraires et artistiques. Les auteurs, protégés par des mécènes privés, se réunissent dans les salons aristocratiques, dans les cafés et les académies de province.

• Le roi a conscience de l'influence qu'ils représentent et il légitime leur fonction en leur accordant des pensions royales, en leur passant des commandes et en faisant croître leur notoriété. Le monarque recourt à la propagande, car il sait à quel point l'art et la littérature peuvent accroître son prestige par les spectacles grandioses qu'il offre à la cour, mais surtout par l'honneur qui lui est rendu dans des œuvres de qualité.

Les Philosophes au café Procope à Paris, estampe, XVIIIᵉ siècle.

La naissance de la pensée révolutionnaire

À force de voyages, de rencontres et de débats, les écrivains en viennent à juger leur siècle, leur État et leur civilisation. Le philosophe des Lumières est en train de naître. Au nom de la raison, les penseurs s'engagent dans une lutte contre les préjugés et les croyances, contre l'intolérance et le pouvoir absolu.

La lutte pour la liberté d'expression

• La censure royale est réelle : **Voltaire**, poète courtisan et historiographe de Louis XV, se retrouve embastillé puis contraint à l'exil ; **Diderot** est emprisonné à Vincennes ; **d'Alembert** reçoit l'ordre de quitter le vaste projet de l'*Encyclopédie* ; **Montesquieu** subit la censure de l'Église ; les œuvres de **Rousseau** sont brûlées en place publique, etc.

• Les auteurs se tournent alors vers le mécénat des souverains étrangers, **Voltaire** vers Frédéric II de Prusse et **Diderot** vers Catherine II de Russie.

• Les publications clandestines se multiplient : **Montesquieu** fait publier les *Lettres persanes* sous l'anonymat à Amsterdam en 1721 ; **Voltaire** fait publier les *Lettres philosophiques* à Londres en 1733, etc.

Édition et imprimerie

L'édition étroitement surveillée

Au XVIIe siècle, le commerce du livre se développe considérablement. La littérature se vulgarise, du petit livre religieux rédigé dans une langue régionale aux essais brefs qui invitent à une réflexion politique, l'accès à la culture et aux idées des philosophes est désormais plus immédiat. Le monde de l'édition s'affranchit et inquiète le roi qui surveille, normalise et censure. Seuls quelques éditeurs obtiennent le « privilège royal ». Les ouvrages sont systématiquement soumis à l'examen de la censure ecclésiastique.

Liberté de la presse,
estampe, XVIIIe siècle ou
XIXe siècle, BnF, Paris.

La diffusion des idées

La vulgarisation des idées est essentiellement favorisée par le développement de la presse et la prolifération des journaux. L'expression des opinions est stimulée par l'apparition de nouveaux formats d'édition ; brochures et feuillets se consultent plus aisément, dans la rue et à chaque heure de la journée. Les colporteurs quittent la ville et abreuvent les campagnes de petits livres à bas prix conçus spécialement par la « Bibliothèque bleue ». C'est une étape supplémentaire vers la liberté d'expression et la naissance du journalisme.

Les genres littéraires

Le genre argumentatif

La production littéraire des XVIIe et XVIIIe siècles englobe un grand nombre d'écrits religieux (sermons, oraisons funèbres, vies des saints, etc.) et savants (traités, essais, dictionnaires, arts poétiques, etc.), de discours et de pensées critiques et philosophiques de forme brève (dialogues d'idées, pamphlets, maximes, fables, etc.).

Le Colporteur (détail), huile
sur toile (72 cm x 85 cm),
XVIIe siècle, musée du Louvre,
Paris.

Le théâtre

▶ Repères littéraires, p. 124

Les dramaturges recourent eux aussi à la satire sociale dans des pièces qui posent le problème des inégalités (les pièces sociales de **Marivaux**) et condamnent la monarchie absolue (**Beaumarchais**). **Diderot** invente le drame bourgeois, genre intermédiaire entre tragédie et comédie, à visée moralisatrice.

Le genre narratif

Le roman, encore peu reconnu, commence à s'affirmer et à se renouveler : roman aux intrigues vraisemblables et historiques (*La Princesse de Clèves* de Mme **de La Fayette**, 1678), roman d'apprentissage (*Gil Blas de Santillane* de **Lesage**, 1715-1735), roman d'utilité morale (*Manon Lescaut* de l'**abbé Prévost**, 1731), roman de libertinage (*Les Égarements du cœur et de l'esprit* de **Crébillon**, 1736). Le XVIIIe siècle connaît aussi l'essor du roman épistolaire (*Les Lettres persanes* de **Montesquieu**, 1721 ; *Les Liaisons dangereuses* de **Laclos**, 1782 ; *La Nouvelle Héloïse* de **Rousseau**, 1761) et du conte philosophique, dont **Voltaire** est l'illustre représentant (*Zadig, Candide, Micromégas, L'Ingénu*, etc.).

La poésie

La poésie est au XVIIe siècle un genre prenant des formes diverses dont certaines sont considérées comme mineures. Le mécénat donne lieu à de nombreux poèmes mondains composés à la louange des princes dans les salons littéraires.

Exposés
• Visionnez le film *Ridicule* de Patrice Leconte. Quelle réflexion amène-t-il sur la liberté d'expression ?
• Le libertinage : évolution d'un mouvement de pensée du XVIIe au XVIIIe siècle.
• La philosophie des Lumières : thèmes et combats.

Les salons féminins

Les salons sont à l'origine des lieux de rencontre et d'échanges littéraires où se cultive le langage précieux de la conversation mondaine. Créés par les femmes de lettres, ils diffusent une culture féministe, procurent un soutien matériel aux artistes et suscitent entre eux l'émulation. Sous l'influence des idées des Lumières, les débats se précisent et les jeux d'écriture et de société laissent place à des revendications subversives, et parfois même à des conspirations.

Séquence 1

Voyages des Lumières : argumenter pour le progrès

▶ **Comment les philosophes des Lumières jugent-ils les progrès de leur siècle ?**

▶ **Comment dénoncent-ils l'horreur de l'esclavage et de la colonisation ?**

LIENS AVEC LA PARTIE LANGUE

▶ Histoire et formation des mots, p. 411
▶ Le sens des mots, p. 412
▶ L'énonciation, p. 417

LIENS AVEC LA PARTIE OUTILS D'ANALYSE

▶ L'argumentation directe, p. 449
▶ L'argumentation indirecte, p. 450
▶ Démontrer/délibérer/convaincre/persuader, p. 453
▶ Les types de raisonnements et d'arguments, p. 456

LIENS AVEC LA PARTIE MÉTHODES VERS LE BAC

▶ Rédiger une dissertation, p. 506
▶ Décrire une image, p. 514
▶ Interpréter une image, p. 519
▶ Confronter les textes, p. 528
▶ Rédiger une réponse synthétique, p. 530

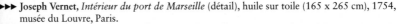

▶▶▶ Joseph Vernet, *Intérieur du port de Marseille* (détail), huile sur toile (165 x 265 cm), 1754, musée du Louvre, Paris.

Montesquieu,
Lettres persanes (1721)

► Biographie p. 538

⊕ CONTEXTE
L'industrie maritime constitue l'une des premières formes de l'entreprise moderne. C'est au XVIIe siècle que les compagnies commerciales exploitent pleinement les progrès technologiques (boussoles, sextants, etc.). Ces longs voyages entraînent la découverte de nouveaux systèmes de pensée qui suscitent la réflexion sur le rôle de l'État dans l'économie du pays. Les pensées du philosophe et économiste Adam Smith sont, par exemple, à l'origine du libéralisme économique.

Usbek a quitté la Perse pour découvrir d'autres civilisations. Au cours de son voyage qui s'étend de 1712 à 1720, il fait part de ses impressions à ses compatriotes avec lesquels il communique par lettres. Ainsi, sous le masque de l'étranger, Montesquieu se livre à une virulente critique de son pays sur un ton souvent amusé et ironique. Pourtant, dans la lettre CVI, Usbek dévoile une image plus optimiste de Paris, siège des arts et de l'industrie.

Lettre CVI
Usbek à Rhédi, à Venise

1   Paris est peut-être la ville du Monde la plus sensuelle, et où l'on raffine le plus sur les plaisirs ; mais c'est peut-être celle où l'on mène une vie plus dure. Pour qu'un homme vive délicieusement, il faut que cent autres travaillent sans relâche. Une femme s'est mis dans la tête qu'elle devait paraître à une assemblée avec une
5 certaine parure ; il faut que, dès ce moment, cinquante artisans ne dorment plus et n'aient plus le loisir de boire et de manger : elle commande, et elle est obéie plus promptement que ne serait notre monarque, parce que l'intérêt est le plus grand monarque de la Terre.

    Cette ardeur pour le travail, cette passion de s'enrichir, passe de condition en
10 condition, depuis les artisans jusques aux grands. Personne n'aime à être plus pauvre que celui qu'il vient de voir immédiatement au-dessous de lui. Vous voyez à Paris un homme qui a de quoi vivre jusqu'au Jour du Jugement, qui travaille sans cesse et court risque d'accourcir ses jours, pour amasser, dit-il, de quoi vivre.

    Le même esprit gagne la Nation : on n'y voit que travail et qu'industrie[1]. Où est
15 donc ce peuple efféminé dont tu parles tant ?

    Je suppose, Rhédi, qu'on ne souffrît dans un royaume que les arts[2] absolument nécessaires à la culture des terres, qui sont pourtant en grand nombre, et qu'on en bannît tous ceux qui ne servent qu'à la volupté ou à la fantaisie ; je le soutiens : cet État serait un des plus misérables qu'il y eût au Monde.

20   Quand les habitants auraient assez de courage pour se passer de tant de choses qu'ils doivent à leurs besoins, le peuple dépérirait tous les jours, et l'État deviendrait si faible qu'il n'y aurait si petite puissance qui ne pût le conquérir. […]

25   De tout ceci, on doit conclure, Rhédi, que, pour qu'un prince soit puissant, il faut que ses sujets vivent dans les délices ; il
30 faut qu'il travaille à leur procurer toutes sortes de superfluités, avec autant d'attention que les nécessités de la vie.

De Paris, le 14 de la lune de Chaval, 1717.

1. activité.
2. métiers.

Antoine Raspal, *Un atelier de couture à Arles*, 1760, musée Reattu, Arles.

Jean-Jacques Rousseau,
Discours sur les Sciences et les Arts (1750)

1 D'autres maux pires encore suivent les Lettres et les Arts. Tel est le luxe, né comme eux de l'oisiveté et de la vanité des hommes. Le luxe va rarement sans les sciences et les arts, et jamais ils ne vont sans lui. Je sais que notre philosophie, toujours féconde en maximes singulières, prétend, contre l'expérience de tous les
5 siècles, que le luxe fait la splendeur des États ; mais après avoir oublié la nécessité des lois somptuaires[1], osera-t-elle nier encore que les bonnes mœurs ne soient essentielles à la durée des empires, et que le luxe ne soit diamétralement opposé aux bonnes mœurs ? Que le luxe soit un signe certain des richesses ; qu'il serve même si l'on veut à les multiplier : Que faudra-t-il conclure de ce paradoxe si digne
10 d'être né de nos jours ; et que deviendra la vertu, quand il faudra s'enrichir à quelque prix que ce soit ? Les anciens politiques parlaient sans cesse de mœurs et de vertu ; les nôtres ne parlent que de commerce et d'argent.

---

1. se dit des dépenses excessives destinées au luxe ; « loi somptuaire » : qui réglemente, limite ce type de dépense.

Questions

► Démontrer/délibérer/convaincre/persuader, p. 453
► Les types de raisonnements et d'arguments, p. 456

Énonciation
Recherchez dans le texte de Montesquieu
(► p. 307) les indices d'énonciation propres au discours par lettre.

► L'énonciation, p. 417

« Le superflu, chose si nécessaire »
(Voltaire)

1. Quels champs lexicaux antithétiques relevez-vous au début de l'extrait de Montesquieu (► p. 307) ? Comment expliquez-vous cette association *a priori* inattendue ?

2. Pourquoi l'exemple de la mondaine est-il une parfaite représentation de l'industrie du luxe ?

3. Par quel enchaînement logique Usbek parvient-il à prouver que la puissance politique dépend principalement d'un système économique libéral ?

Une autre vision du luxe (texte écho)

4. Quels sont les arguments de Rousseau contre le progrès et le luxe ?

5. Pourquoi le point de vue de Rousseau sur le progrès est-il différent de celui d'Usbek ?

Synthèse Montrez que la lettre d'Usbek ► p. 307 est un éloge de la civilisation industrielle.

Vers le bac **S'entraîner au commentaire**

En prenant appui sur le texte de Montesquieu ► p. 307, rédigez un paragraphe structuré dans lequel vous montrerez que la forme de la lettre permet d'impliquer efficacement le destinataire. Vous étudierez notamment les indices d'énonciation et les effets persuasifs.

Prolongements

• Présentez à la classe trois arguments qui dénoncent ou qui défendent le luxe en adaptant vos exemples à notre époque.

Voltaire,
Zadig (1747)

▶ **Biographie p. 539**

● CONTEXTE

Au cœur d'une Europe affaiblie, l'empire ottoman représente au XVIIIe siècle l'une des dernières grandes puissances. Le mythe oriental est alimenté par la traduction de Galland des *Contes des mille et une nuits* (1704-1717). L'Orient fascine, dépayse et effraie les Français qui rêvent de palais, de sérails, de désert et de brigandage…

Zadig, originaire de Babylone, est promis à un bel avenir. Jeune, riche, aimable et en bonne santé, tout lui sourit à l'exception de l'amour. Les femmes dont il s'éprend le trahissent. Dans le chapitre III, « Le Chien et le Cheval », il décide de se retirer du monde ; isolé sur les bords de l'Euphrate, il « cherch[e] son bonheur dans l'étude de la nature ».

Miniature persane représentant un sultan ottoman, 1600, The British Library, Londres.

1   Un jour, se promenant auprès d'un petit bois, il[1] vit accourir à lui un eunuque de la reine, suivi de plusieurs officiers qui paraissaient dans la plus grande inquiétude, et qui couraient çà et là comme
5   des hommes égarés qui cherchent ce qu'ils ont perdu de plus précieux : « Jeune homme, lui dit le premier eunuque, n'avez-vous point vu le chien de la reine ? » Zadig répondit modestement : « C'est une chienne, et non pas un chien. – Vous avez raison, reprit le
10 premier eunuque. – C'est une épagneule très petite, ajouta Zadig. Elle a fait depuis peu des chiens ; elle boite du pied gauche de devant, et elle a les oreilles très longues. – Vous l'avez donc vue ? dit le premier eunuque tout essoufflé. – Non, répondit Zadig, je ne
15 l'ai jamais vue, et je n'ai jamais su si la reine avait une chienne. »

Précisément dans le même temps, par une bizarrerie ordinaire de la fortune, le plus beau cheval de l'écurie du roi s'était échappé des mains d'un palefrenier dans les plaines de Babylone. Le grand veneur et tous les autres officiers couraient après lui avec autant d'inquiétude que le premier eunuque après la chienne. Le grand
20 veneur s'adressa à Zadig, et lui demanda s'il n'avait point vu passer le cheval du roi. « C'est, répondit Zadig, le cheval qui galope le mieux ; il a cinq pieds de haut, le sabot fort petit ; il porte une queue de trois pieds et demi de long ; les bossettes[2] de son mors sont d'or à vingt-trois carats ; ses fers sont d'argent à onze deniers. Quel chemin a-t-il pris ? où est-il ? demanda le grand veneur. – Je ne l'ai point vu,
25 répondit Zadig, et je n'en ai jamais entendu parler. »

Le grand veneur et le premier eunuque ne doutèrent pas que Zadig n'eût volé le cheval du roi et la chienne de la reine ; ils le firent conduire devant l'assemblée du grand Desterham[3], qui le condamna au knout[4], et à passer le reste de ses jours en Sibérie. À peine le jugement fut-il rendu qu'on retrouva le cheval et la chienne. Les
30 juges furent dans la douloureuse nécessité de réformer leur arrêt ; mais ils condamnèrent Zadig à payer quatre cents onces d'or, pour avoir dit qu'il n'avait point vu ce qu'il avait vu. Il fallut d'abord payer cette amende ; après quoi il fut permis à Zadig de plaider sa cause au conseil du grand Desterham ; il parla en ces termes :

« Étoiles de justice, abîmes de science, miroirs de vérité, qui avez la pesanteur du
35 plomb, la dureté du fer, l'éclat du diamant, et beaucoup d'affinité avec l'or, puisqu'il m'est permis de parler devant cette auguste assemblée, je vous jure par Orosmade[5] que je n'ai jamais vu la chienne respectable de la reine, ni le cheval sacré du roi des rois[6]. Voilà ce qui m'est arrivé. Je me promenais vers le petit bois où j'ai rencontré

1. il s'agit de Zadig.
2. ornement des deux côtés du mors.
3. grand trésorier.
4. terme d'origine russe désignant une bastonnade.
5. principe du Bien dans la religion mazdéenne.
6. périphrase utilisée par les Grecs pour désigner le roi de Perse.

40 depuis le vénérable eunuque et le très illustre grand veneur. J'ai vu sur le sable les traces d'un animal, et j'ai jugé aisément que c'étaient celles d'un petit chien. Des sillons légers et longs, imprimés sur de petites éminences de sable entre les traces des pattes, m'ont fait connaître que c'était une chienne dont les mamelles étaient pendantes, et qu'ainsi elle avait fait des petits il y a peu de jours. D'autres traces en un sens différent, qui paraissaient toujours avoir rasé la surface du sable à côté des 45 pattes de devant, m'ont appris qu'elle avait les oreilles très longues ; et comme j'ai remarqué que le sable était toujours moins creusé par une patte que par les trois autres, j'ai compris que la chienne de notre auguste reine était un peu boiteuse, si je l'ose dire.

« À l'égard du cheval du roi des rois, vous saurez que, me promenant dans les 50 routes de ce bois, j'ai aperçu les marques des fers d'un cheval ; elles étaient toutes à égales distances. Voilà, ai-je dit, un cheval qui a un galop parfait. La poussière des arbres, dans une route étroite qui n'a que sept pieds de large, était un peu enlevée à droite et à gauche, à trois pieds et demi du milieu de la route. Ce cheval, ai-je dit, a une queue de trois pieds et demi, qui, par ses mouvements de droite et de 55 gauche, a balayé cette poussière. J'ai vu sous les arbres qui formaient un berceau de cinq pieds de haut, les feuilles des branches nouvellement tombées ; et j'ai connu que ce cheval y avait touché, et qu'ainsi il avait cinq pieds de haut. Quant à son mors, il doit être d'or à vingt-trois carats ; car il en a frotté les bossettes contre une pierre que j'ai reconnue être une pierre de touche[7], et j'ai fait l'essai. J'ai jugé enfin 60 par les marques que ses fers ont laissées sur des cailloux d'une autre espèce, qu'il était ferré d'argent à onze deniers de fin. »

Tous les juges admirèrent le profond et subtil discernement de Zadig ; la nouvelle en vint jusqu'au roi et à la reine. On ne parlait que de Zadig dans les antichambres, dans la chambre, et dans le cabinet ; et quoique plusieurs mages opinassent qu'on devait le brûler comme sorcier, le roi ordonna qu'on lui rendît l'amende des quatre cents onces d'or à laquelle il avait été condamné. Le greffier, les huissiers, les procureurs, vinrent chez lui en grand appareil lui rapporter ses quatre cents onces ; ils en retinrent seulement trois cent quatre-vingt-dix-huit pour les frais de justice, et leurs valets demandèrent des honoraires.

Zadig vit combien il était dangereux quelquefois d'être trop savant, et se promit bien, à la première occasion, de ne point dire ce qu'il avait vu.

Cette occasion se trouva bientôt. Un prisonnier d'État s'échappa ; il passa sous les fenêtres de sa maison. On interrogea Zadig, il ne répondit rien ; mais on lui prouva qu'il avait regardé par la fenêtre. Il fut condamné pour ce crime à cinq cents onces d'or, et il remercia ses juges de leur indulgence, selon la coutume de Babylone. « Grand Dieu ! dit-il en lui-même, qu'on est à plaindre quand on se promène dans un bois où la chienne de la reine et le cheval du roi ont passé ! qu'il est dangereux de se mettre à la fenêtre ! et qu'il est difficile d'être heureux dans cette vie ! »

Jean-Auguste Dominique Ingres,
Œdipe explique l'énigme du Sphinx,
huile sur toile (189 x 144 cm), 1808,
musée du Louvre, Paris.

Paul Valéry,
Variété II (1930)

1   L'on créa donc assez souvent, pour instrument de la satire, un Turc, un Persan,
quelquefois un Polynésien ; et quelquefois encore, pour changer le jeu et prendre sa
référence jusqu'à mi-chemin de l'infini, – un habitant de Saturne ou de Sirius, un
Micromégas ; parfois un ange. Et tantôt c'était la seule ignorance ou la seule étran-
5   geté de ce visiteur inventé qui formait le ressort de ses étonnements et le rendait
ultra-sensible à ce que l'habitude nous dérobe ; et d'autres fois, on le douait d'une
sagacité, d'une science ou d'une pénétration surhumaines que ce fantoche faisait
peu à peu paraître par des questions et des remarques d'une simplicité écrasante et
narquoise.

10   Entrer chez les gens pour déconcerter leurs idées, leur faire la surprise d'être
surpris de ce qu'ils font, de ce qu'ils pensent, et qu'ils n'ont jamais conçu différent,
c'est, au moyen de l'ingénuité feinte ou réelle, donner à ressentir toute la relativité
d'une civilisation, d'une confiance habituelle dans l'Ordre établi… C'est aussi pro-
phétiser le retour à quelque désordre ; et même faire un peu plus que de le pré-
15   dire.

© Éditions Gallimard.

Questions

▶ L'argumentation indirecte,
p. 450
▶ Les types de
raisonnements et
d'arguments, p. 456

Grammaire
Dans le paragraphe de la ligne 34 à 48, relevez la proposition principale et relevez les propositions subordonnées. Précisez la nature grammaticale de ces dernières.

La structure du récit de Voltaire
1. Comment le narrateur parvient-il à reproduire le contexte et le style des contes orientaux ?
2. Repérez les péripéties successives auxquelles le héros doit faire face. Quelle attitude adopte-t-il pour chacune d'elles ? Quelle conséquence subit-il à chaque fois ?
3. D'où provient l'impression que le chapitre III a sa propre cohérence interne et qu'il est indépendant du reste du conte ?

La satire de la justice
4. Quels éléments vous semblent illogiques et injustes dans cette aventure ?
5. Quelles sont les qualités dont fait preuve Zadig pour résoudre l'énigme ? Pourquoi ne sont-elles pas reconnues dans le monde qui l'entoure ?

Les « instruments de la satire » selon Valéry
6. Repérez dans le texte de Paul Valéry tout ce qui renvoie à l'extrait de *Zadig*.

Lecture d'image ▶ **p. 310** Faites des recherches sur la scène mythique représentée par Ingres. Que suggèrent l'attitude et la position d'Œdipe face au Sphinx ?

Synthèse À quoi reconnaît-on le « profond et subtil discernement » dont fait preuve Zadig dans sa plaidoirie ?

▶ Construire un paragraphe
argumentatif, p. 485

Vers le bac   **S'entraîner au commentaire**
Rédigez un paragraphe structuré dans lequel vous montrerez que Voltaire fait la satire de la justice.

François Bourgeon,
Les Passagers du vent (1981)

Vignette 2

1. nanti : personne fortunée.

2. « bois d'ébène » : métaphore pour désigner l'ensemble des esclaves embarqués sur les négriers.

Vignette 6

3. barbaresque : terme péjoratif qui désigne les pirates musulmans qui sévissaient sur le bassin méditerranéen.

Les Passagers du vent de **François Bourgeon**, 1981, © Éditions 12bis.

▲ Les héros de la série historique illustrée *Les Passagers du vent* ont embarqué à bord du navire négrier nantais La Marie-Caroline. Dans le troisième album, « Le Comptoir de Juda », Isa découvre les activités des hommes blancs aux abords de la « côte des esclaves ».

Joseph Vernet,
Intérieur du port de Marseille (1754)

Joseph Vernet, *Intérieur du port de Marseille*, huile sur toile (165 x 265 cm), 1754, musée du Louvre, Paris.

▲ Le 27 septembre 1753, Louis xv commande à Joseph Vernet la série des « Ports de France ». Les deux vues du port de Marseille (*Intérieur du port de Marseille* et *L'Entrée du port de Marseille*), sont toutes deux exposées au Salon de 1755. Ce genre de tableau est une *veduta* (terme italien signifiant « vue »), une peinture détaillée d'un paysage urbain panoramique.

Questions

▶ Décrire une image, p.514

Prolongements
• Cherchez d'autres vues portuaires de Vernet.
• Quels aspects du commerce triangulaire le peintre met-il en évidence dans ses toiles ?

Bourgeon, une dénonciation du commerce triangulaire

1. À quelles « professions » est-il fait allusion dans la bande dessinée de Bourgeon ?
2. Quelles informations obtenons-nous sur le fonctionnement du commerce triangulaire ?
3. Qu'est-ce qui, dans le texte et les images, suggère l'enrichissement des Européens ?
4. Par quels arguments la jeune femme s'oppose-t-elle au commerce humain ?
5. Comment l'illustrateur rend-il compte du débat animé qui oppose les différents interlocuteurs ?

Vernet, une autre vision de l'industrie maritime

6. Observez et décrivez les différentes activités et professions représentées sur le quai.
7. D'où provient l'impression de dynamisme de l'activité portuaire ?
8. Analysez la composition du tableau par un repérage précis des lignes de force et des différents plans. Comment justifiez-vous le choix de cette prise de vue ?

► Biographie p. 539

Voltaire,
Candide (1759)

➲ CONTEXTE

Au xvie siècle, les Européens débattent de l'humanité de l'homme noir : les Noirs ont-ils une âme ? Doit-on les traiter comme des animaux ? Il faut attendre le siècle des Lumières pour voir des philosophes lutter fermement contre le Code noir et le commerce triangulaire, première forme de mondialisation et sinistre symbole de prospérité économique.

Aux abords de Surinam, capitale de la Guyane hollandaise, Candide, accompagné de son valet Cacambo, croise un esclave cruellement mutilé par son maître. Dans cet extrait, le jeune héros fait l'expérience de l'esclavagisme : pour la première fois, il doute de la philosophie de son mentor Pangloss, selon laquelle «tout est pour le mieux dans le meilleur des mondes possibles».

En approchant de la ville, ils rencontrèrent un nègre étendu par terre, n'ayant plus que la moitié de son habit, c'est-à-dire d'un caleçon de toile bleue ; il manquait à ce pauvre homme la jambe gauche et la main droite. «Eh ! mon Dieu ! lui dit Candide en hollandais, que fais-tu là, mon ami, dans l'état horrible où je te vois ?
5 – J'attends mon maître, M. Vanderdendur, le fameux négociant, répondit le nègre.
– Est-ce M. Vanderdendur, dit Candide, qui t'a traité ainsi ? – Oui, monsieur, dit le nègre, c'est l'usage. On nous donne un caleçon de toile pour tout vêtement deux fois l'année. Quand nous travaillons aux sucreries, et que la meule nous attrape le doigt, on nous coupe la main ; quand nous voulons nous enfuir, on nous coupe la
10 jambe : je me suis trouvé dans les deux cas. C'est à ce prix que vous mangez du sucre en Europe. Cependant, lorsque ma mère me vendit dix écus patagons[1] sur la côte de Guinée, elle me disait : "Mon cher enfant, bénis nos fétiches[2], adore-les toujours, ils te feront vivre heureux ; tu as l'honneur d'être esclave de nos seigneurs les blancs, et tu fais par là la fortune de ton père et de ta mère." Hélas ! je ne sais
15 pas si j'ai fait leur fortune, mais ils n'ont pas fait la mienne. Les chiens, les singes et les perroquets sont mille fois moins malheureux que nous. Les fétiches hollandais qui m'ont converti me disent tous les dimanches que nous sommes tous enfants d'Adam, blancs et noirs. Je ne suis pas généalogiste ; mais si ces prêcheurs disent vrai, nous sommes tous cousins issus de germains. Or vous m'avouerez
20 qu'on ne peut pas en user avec ses parents d'une manière plus horrible.
– Ô Pangloss ! s'écria Candide, tu n'avais pas deviné cette abomination ; c'en est fait, il faudra qu'à la fin je renonce à ton optimisme. – Qu'est-ce qu'optimisme ? disait Cacambo. – Hélas ! dit Candide, c'est la rage de soutenir que tout est bien quand on est mal. » Et il versait des larmes en regardant son nègre, et, en pleurant,
25 il entra dans Surinam.

1. monnaie espagnole.
2. objets de superstition.

Rollet, *La traite des Nègres en Afrique*, gravure, xviiie siècle.

Joseph Brugevin,
Le Voyage d'un navire négrier bordelais au Mozambique (1787-1788)

Joseph Brugevin, commandant du négrier La Licorne *parti en expédition pour le Mozambique, transcrit dans son journal de bord les activités commerciales de l'équipage.*

1   Le 23 à 8 heures, la visite de santé vint à bord et ne trouva aucune maladie contagieuse. En conséquence il fut permis d'aller et venir à terre et à bord. Le même jour l'administration se transporta à bord à 10 heures du matin. Tous les nègres furent comptés, chaque espèce en particulier. Il s'en trouva 390 de tout âge

5   et de tout sexe. [...] Le 25, j'ouvris la vente. Je convins avec les négociants et habitants qui voulaient acheter des nègres, qu'ils me payeraient un tiers comptant, un tiers dans un an, et l'autre tiers en avril 1790. Tout étant d'accord, je vendis et livrai à tous ceux qui voulurent en acheter et du 25 avril au 10 mai ma vente fut entièrement finie et les 390 nègres que j'avais introduits produisirent une vente de

10   723 000 livres argent de la colonie.

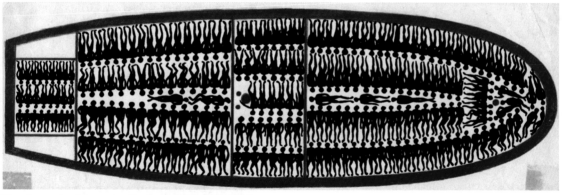

Plan d'un navire de transport d'esclaves, lithographie, 1825.

Questions

▶ L'argumentation indirecte, p. 450

1. Dans le texte de Voltaire, commentez l'état physique de l'esclave de Surinam et la condition dans laquelle il se trouve au début de l'extrait de Voltaire.

2. Analysez l'ironie en repérant notamment l'implicite, les antiphrases et les effets de décalage.

3. Quels aspects de la traite des Nègres Voltaire dénonce-t-il ?

4. D'où provient dans les propos du Nègre de Surinam et dans ceux du commandant Brugevin (▶ **texte écho**) l'impression de constat et de passivité ?

Vocabulaire
Recherchez le sens philosophique d'« optimisme ».

▶ Le sens des mots, p. 412

Synthèse Pourquoi l'épisode de *Candide* peut-il s'apparenter à un apologue, c'est-à-dire à un récit bref qui allie fiction narrative et argumentation ?

Vers le bac **S'entraîner à la dissertation**
Quels avantages y a-t-il à recourir à une histoire fictive et divertissante pour argumenter ? Vous appuierez votre réflexion sur les deux textes de Voltaire de la séquence (▶ **p. 309** et **p. 314**).

Philibert Commerson,
Journal (1769)

Embarqué en 1766 sur le navire L'Étoile *avec sa compagne Jeanne Barret qu'il fait passer pour son valet, Philibert Commerson consigne par écrit les découvertes et les observations scientifiques et ethnologiques qu'il fait tout au long de l'expédition menée par Bougainville.*

1   Je reviens sur mes pas pour vous tracer une légère esquisse de cette île heureuse, dont je ne vous ai fait mention qu'en passant dans le dénombrement des nouvelles terres que nous avons vues en courant le monde. Je lui avais appliqué le nom d'*Utopie* que Thomas Morus avait donné à sa république idéale en le dérivant des racines

5 grecques (*eus* et *topus*[1], *quasi felix locus*[2]). Je ne savais pas encore que M. de Bougainville l'avait nommée *Nouvelle-Cythère*, et ce n'est que bien postérieurement qu'un prince de cette nation, que l'on conduisit en Europe, nous a appris qu'elle se nommait Tahiti par ses propres habitants. La position en longitude et latitude est le secret du gouvernement, sur lequel je m'impose le silence, mais je puis vous dire que

10 c'est le seul coin de la terre où habitent des hommes sans vices, sans préjugés, sans besoins, sans dissensions. Nés sous le plus beau ciel, nourris des fruits d'une terre féconde sans culture, régis par des pères de famille plutôt que par des rois, ils ne connaissent d'autre dieu que l'Amour. Tous les jours lui sont consacrés, toute l'île est son temple, toutes les femmes en sont les autels, tous les hommes les sacrificateurs.

15 Et quelles femmes, me demanderez-vous ? les rivales des Géorgiennes en beauté, et les sœurs des Grâces[3] toutes nues. Là, ni la honte, ni la pudeur n'exercent leur tyrannie : la plus légère des gazes flotte toujours au gré des vents et des désirs : l'acte de créer son semblable est un acte de religion ; les préludes en sont encouragés par les vœux et les chants de tout le peuple assemblé, et la fin est célébrée par des applau-

20 dissements universels ; tout étranger est admis à participer à ces heureux mystères ; c'est même un des devoirs de l'hospitalité que de les inviter, de sorte que le bon Utopien jouit sans cesse ou du sentiment de ses propres plaisirs ou du spectacle de ceux des autres.

25   Quelque censeur à double rabat[4] ne verra peut-être en tout cela qu'un débordement de mœurs, une horrible prostitution, le cynisme le plus effronté ; mais il

30 se trompera lui-même grossièrement en méconnaissant l'état de l'homme naturel, né essentiellement bon, exempt de tout préjugé et suivant, sans défiance comme

35 sans remords, les douces impulsions d'un instinct toujours sûr, parce qu'il n'a pas encore dégénéré en raison.

Paul Gauguin, *Où vas-tu?*, huile sur toile (82 x 73 cm), 1893, musée de l'Ermitage, Saint-Pétersbourg.

Jean-Jacques Rousseau,
Discours sur l'origine et les fondements de l'inégalité parmi les hommes (1755)

1   Tant que les hommes se contentèrent de leurs cabanes rusti-
ques, tant qu'ils se bornèrent à coudre leurs habits de peaux
avec des épines ou des arêtes, à se parer de plumes et de
coquillages, à se peindre le corps de diverses couleurs, à perfec-
5   tionner ou à embellir leurs arcs et leurs flèches, à tailler avec
des pierres tranchantes quelques canots de pêcheurs ou quelques grossiers instruments de musique ; en un mot tant qu'ils
ne s'appliquèrent qu'à des ouvrages qu'un seul pouvait faire, et
qu'à des arts qui n'avaient pas besoin du concours de plusieurs
10   mains, ils vécurent libres, sains, bons, et heureux autant qu'ils
pouvaient l'être par leur nature, et continuèrent à jouir entre
eux des douceurs d'un commerce indépendant : mais dès l'instant qu'un homme eut besoin du secours d'un autre ; dès qu'on
s'aperçut qu'il était utile à un seul d'avoir des provisions pour
15   deux, l'égalité disparut, la propriété s'introduisit, le travail
devint nécessaire, et les vastes forêts se changèrent en des campagnes riantes qu'il fallut arroser de la sueur des hommes, et
dans lesquelles on vit bientôt l'esclavage et la misère germer et
croître avec les moissons.

John Webber, *Portrait de Pædooa*, huile sur toile (145,5 x 95,9 cm), 1777, National Maritime Museum, Greenwitch.

Questions

▶ L'argumentation directe, p. 449
▶ Les types de raisonnements et d'arguments, p. 456

Vocabulaire
Effectuez des recherches sur l'île de Cythère et expliquez le choix de Bougainville qui baptise ainsi Tahiti. Quels artistes et poètes ont également été influencés par cette île ?

Une île heureuse
1. Quels éléments du début de l'extrait de Commerson situent le lecteur dans un contexte d'utopie ?
2. Analysez les figures d'analogie qui associent l'amour et la religion.
3. Comment le locuteur suggère-t-il que la vie tahitienne est avant tout une vie en communauté ?
4. À quelle conclusion le scientifique Commerson aboutit-il à la fin de l'extrait ? Repérez et commentez la logique de son raisonnement.

Le bonheur selon Rousseau
5. Quel idéal de vie dépeint Rousseau ? Quels reproches formule-t-il contre la civilisation occidentale ?

Lecture d'image Quelles différences constatez-vous entre les deux tableaux représentant une Tahitienne ?

Synthèse Quels éléments du tableau de Paul Gauguin font écho à l'extrait du journal de Commerson ?

Vers le bac   **S'entraîner à la dissertation**

▶ Rédiger une dissertation, p. 506

En vous appuyant sur les textes de Commerson et de Rousseau, vous montrerez dans un paragraphe argumentatif comment le mythe du bon sauvage permet une critique de la civilisation occidentale.

▶ **Biographie p. 535**

⊕ CONTEXTE

Le 15 novembre 1766, Bougainville, mathématicien et avocat, quitte Nantes à bord de la frégate *La Boudeuse* pour les îles Malouines. Il s'agit à l'origine d'une expédition diplomatique ordonnée par Louis XV pour céder l'archipel aux Espagnols. Bougainville poursuit ensuite son périple vers l'océan Pacifique et il parvient à Tahiti après 52 jours de navigation. Il est le premier navigateur français à entreprendre le tour du monde.

Denis Diderot,
Supplément au voyage de Bougainville
(1772)

Un an après la parution du Voyage *autour du monde de Bougainville, Diderot en rédige un commentaire sous la forme d'un dialogue entre A et B. Dans la seconde partie, il imagine l'intervention d'un vieillard tahitien qui s'adresse au navigateur et à son équipage au moment de leurs adieux.*

1 Puis s'adressant à Bougainville, il ajouta : « Et toi, chef des brigands qui t'obéissent, écarte promptement ton vaisseau de notre rive : nous sommes innocents, nous sommes heureux ; et tu ne peux que nuire à notre bonheur. Nous suivons le pur instinct de la nature ; et tu as tenté d'effacer de nos âmes son caractère. Ici tout est à tous ; et tu nous as prêché je ne sais quelle distinction du tien et du mien. Nos 5 filles et nos femmes nous sont communes ; tu as partagé ce privilège avec nous ; et tu es venu allumer en elles des fureurs inconnues. Elles sont devenues folles dans tes bras ; tu es devenu féroce entre les leurs. Elles ont commencé à se haïr ; vous vous êtes égorgés pour elles ; et elles nous sont revenues teintes de votre sang. Nous sommes libres ; et voilà que tu as enfoui dans notre terre le titre de notre futur 10 esclavage. Tu n'es ni un dieu, ni un démon : qui es-tu donc, pour faire des esclaves ? Orou[1] ! toi qui entends la langue de ces hommes-là, dis-nous à tous, comme tu me l'as dit à moi-même, ce qu'ils ont écrit sur cette lame de métal : *Ce pays est à nous*. Ce pays est à toi ! et pourquoi ? parce que tu y as mis le pied ? Si un Tahitien débarquait un jour sur vos côtes, et qu'il gravât sur une de vos pierres ou sur l'écorce 15 d'un de vos arbres : *Ce pays est aux habitants de Tahiti*, qu'en penserais-tu ? Tu es le plus fort ! – et qu'est-ce que cela fait ? Lorsqu'on t'a enlevé une des méprisables bagatelles dont ton bâtiment[2] est rempli, tu t'es récrié, tu t'es vengé ; et dans le même instant tu as projeté au fond de ton cœur le vol de toute une contrée ! Tu n'es pas esclave : tu souffrirais plutôt la mort que de l'être, et tu veux nous asservir ! Tu 20 crois donc que le Tahitien ne sait pas défendre sa liberté et mourir ? Celui dont tu veux t'emparer comme de la brute, le Tahitien est ton frère. Vous êtes deux enfants de la nature ; quel droit as-tu sur lui qu'il n'ait pas sur toi ? Tu es venu ; nous sommes-nous jetés sur ta personne ? avons-nous pillé ton vaisseau ? t'avons-nous saisi et exposé aux flèches de nos ennemis ? t'avons-nous asso-25 cié dans nos champs au travail de nos ani-30 maux ? Nous avons respecté notre image en toi. Laisse-nous nos mœurs ; elles sont plus sages et plus honnêtes que les tiennes ; nous ne voulons plus troquer ce que tu appelles notre ignorance, contre tes inutiles 35 lumières. Tout ce qui nous est nécessaire et bon, nous le possédons.

1. habitant de Tahiti.
2. navire.

Vangro, Louis Antoine de Bougainville brandit le drapeau français dans le détroit de Magellan, gravure, 1767.

Aimé Césaire,
Discours sur le colonialisme (1950)

1   Mais alors je pose la question suivante : la colonisation a-t-elle vraiment mis en contact ? Ou, si l'on préfère, de toutes les manières d'« établir contact », était-elle la meilleure ?

    Je réponds non.

5   Et je dis que de la colonisation à la civilisation, la distance est infinie ; que, de toutes les expéditions coloniales accumulées, de tous les statuts coloniaux élaborés, de toutes les circulaires ministérielles expédiées, on ne saurait réussir à extirper une seule valeur humaine. [...]

    Il faudrait d'abord étudier comment la colonisation travaille à *déciviliser* le
10 colonisateur, à *l'abrutir* au sens propre du mot, à le dégrader, à le réveiller aux instincts enfouis, à la convoitise, à la violence, à la haine raciale, au relativisme moral, et montrer que, chaque fois qu'il y a au Viêtnam une tête coupée et un œil crevé et qu'en France on accepte, une fillette violée et qu'en France on accepte, un Malgache supplicié et qu'en France on accepte, il y a un acquis de la civilisation
15 qui pèse de son poids mort, une régression universelle qui s'opère, une gangrène qui s'installe, un foyer d'infection qui s'étend et qu'au bout de tous ces traités violés, de tous ces mensonges propagés, de toutes ces expéditions punitives tolérées, de tous ces prisonniers ficelés et interrogés, de tous ces patriotes torturés, au bout de cet orgueil racial encouragé, de cette jactance étalée, il y a le poison instillé dans
20 les veines de l'Europe, et le progrès lent, mais sûr, de l'*ensauvagement* du continent.

© Éditions Présence africaine.

Questions

► Démontrer/délibérer/ convaincre/persuader, p. 453

Le réquisitoire et le plaidoyer

1. Quels vices de la civilisation européenne sont dénoncés par le vieillard tahitien ?
2. À l'inverse, quels aspects vertueux des coutumes tahitiennes son discours met-il en évidence ?

La stratégie argumentative

3. Montrez comment le vieillard passe de la condamnation directe de Bougainville à celle du despotisme en général.

4. Par quels procédés rhétoriques le Tahitien tente-t-il de persuader son destinataire ?
5. Par quels arguments Diderot et Césaire (► **texte écho**) démontrent-ils que les pays civilisés sont paradoxalement responsables de l'« ensauvagement » de leur propre continent ?

Lecture d'image Quelles caractéristiques de l'homme blanc l'iconographie met-elle en évidence ?

Énonciation
Repérez dans la 1ʳᵉ phrase du Tahitien (l. 1-3) les indices d'énonciation qui confirment l'implication du locuteur et l'adresse appuyée au destinataire.
► L'énonciation, p. 417

Synthèse Vous montrerez dans un paragraphe rédigé que le discours du vieillard est un éloge de la liberté et de la tolérance.

Vers le bac   **S'entraîner à la dissertation**

Choisissez et analysez un passage du discours du vieillard tahitien qui illustre cette pensée de Diderot extraite des *Fragments échappés du portefeuille d'un philosophe* : « Un homme ne peut être la propriété d'un souverain, un enfant la propriété d'un père, la femme la propriété de son mari, un domestique la propriété d'un maître, un nègre la propriété d'un colon. »

► Rédiger une dissertation, p. 506

Marivaux,
L'Île des esclaves (1725)

▶ Biographie p. 537

◆ CONTEXTE

Le genre de l'utopie est lié aux récits de voyages dont le cadre principal est un lieu idéal qui n'existe pas. Il permet aux auteurs d'éviter la censure tout en dénonçant indirectement les vices de leur siècle sous le regard d'un personnage imaginaire et critique. Thomas More est le précurseur du genre (*Utopia*, 1516).

1. d'une extrême maigreur.

Iphicrate et Arlequin ont fait naufrage sur une île gouvernée par Trivelin, un ancien esclave révolté. Dès la scène d'exposition, Arlequin profite de la situation pour s'affranchir de l'autorité de son maître, tout heureux de voir enfin leur statut social et leur identité s'inverser.

1 (IPHICRATE *s'avance tristement sur le théâtre avec* ARLEQUIN.)

IPHICRATE, *après avoir soupiré.* – Arlequin !

ARLEQUIN, *avec une bouteille de vin qu'il a à sa ceinture.* – Mon patron.

IPHICRATE.. – Que deviendrons-nous dans cette île ?

5 ARLEQUIN. – Nous deviendrons maigres, étiques[1], et puis morts de faim : voilà mon sentiment et notre histoire.

IPHICRATE. – Nous sommes seuls échappés du naufrage ; tous nos camarades ont péri, et j'envie maintenant leur sort.

ARLEQUIN. – Hélas ! ils sont noyés dans la mer, et nous avons la même commodité.

10 IPHICRATE. – Dis-moi : quand notre vaisseau s'est brisé contre le rocher, quelques-uns des nôtres ont eu le temps de se jeter dans la chaloupe ; il est vrai que les vagues l'ont enveloppée, je ne sais ce qu'elle est devenue ; mais peut-être auront-ils eu le bonheur d'aborder en quelque endroit de l'île, et je suis d'avis que nous les cherchions.

15 ARLEQUIN. – Cherchons, il n'y a pas de mal à cela ; mais reposons-nous auparavant pour boire un petit coup d'eau-de-vie : j'ai sauvé ma pauvre bouteille, la voilà ; j'en boirai les deux tiers, comme de raison, et puis je vous donnerai le reste.

IPHICRATE. – Eh ! ne perdons point de temps, suis-moi, ne négligeons rien pour nous tirer d'ici ; si je ne me sauve, je suis perdu, je ne reverrai jamais Athènes, car 20 nous sommes dans l'Île des esclaves.

ARLEQUIN. – Oh, oh ! Qu'est-ce que c'est que cette race-là ?

L'Île des esclaves de Marivaux, mis en scène par **Irina Brook** avec Lubna Azbal, Stéphanie Lagarde, Sidney Wernicke et Fabio Zenoni, 2005, théâtre de l'Atelier, Paris.

IPHICRATE. – Ce sont des esclaves de la Grèce révoltés contre leurs maîtres, et qui depuis cent ans sont venus s'établir dans une île, et je crois que c'est ici : tiens, voici sans doute quelques-unes de leurs cases ; et leur coutume, mon cher Arlequin, est
25   de tuer tous les maîtres qu'ils rencontrent, ou de les jeter dans l'esclavage.

ARLEQUIN. – Eh ! chaque pays a sa coutume ; ils tuent les maîtres, à la bonne heure, je l'ai entendu dire aussi, mais on dit qu'ils ne font rien aux esclaves comme moi.

IPHICRATE. – Cela est vrai.

ARLEQUIN. – Eh ! encore vit-on.

30   IPHICRATE. – Mais je suis en danger de perdre la liberté, et peut-être la vie ; Arlequin, cela ne te suffit-il pas pour me plaindre ?

ARLEQUIN, *prenant sa bouteille pour boire*. – Ah ! je vous plains de tout mon cœur, cela est juste.

IPHICRATE. – Suis-moi donc.

35   ARLEQUIN, *siffle*. – Hu, hu, hu.

IPHICRATE. – Comment donc, que veux-tu dire ?

ARLEQUIN, *distrait, chante*. – Tala ta lara.

IPHICRATE. – Parle donc, as-tu perdu l'esprit, à quoi penses-tu ?

ARLEQUIN, *riant*. – Ah ! ah ! ah ! Monsieur Iphicrate, la drôle d'aventure ; je vous
40   plains, par ma foi, mais je ne saurais m'empêcher d'en rire.

IPHICRATE, *à part les premiers mots*. – Le coquin abuse de ma situation, j'ai mal fait de lui dire où nous sommes. Arlequin, ta gaieté ne vient pas à propos, marchons de ce côté.

ARLEQUIN. – J'ai les jambes si engourdies.

45   IPHICRATE. – Avançons, je t'en prie.

ARLEQUIN. – Je t'en prie, je t'en prie ; comme vous êtes civil et poli ; c'est l'air du pays qui fait cela.

IPHICRATE. – Allons, hâtons-nous, faisons seulement une demi-lieue sur la côte pour chercher notre chaloupe, que nous trouverons peut-être avec une partie de
50   nos gens ; et en ce cas-là, nous nous rembarquerons avec eux.

ARLEQUIN, *en badinant*. – Badin, comme vous tournez cela.

Recherchez sur Internet des articles de presse, d'autres images et vidéos des mises en scène de *L'Île des esclaves* d'Irina Brook et d'Éric Massé. Quelles différences apparaissent ?

L'Île des esclaves de Marivaux, mis en scène par **Éric Massé**, 2006, Comédie de Clermont-Ferrand.

2. diminutif péjoratif de Catherine. Nom donné à une fille de mauvaises mœurs ; prostituée.

3. se moquer.

Il chante.

55 L'embarquement est divin

Quand on vogue, vogue, vogue,

L'embarquement est divin

Quand on vogue avec Catin[2].

IPHICRATE, *retenant sa colère.* – Mais je ne te comprends point, mon cher Arlequin.

ARLEQUIN. – Mon cher patron, vos compliments me charment ; vous avez cou-
60 tume de m'en faire à coups de gourdin qui ne valent pas ceux-là, et le gourdin est dans la chaloupe.

IPHICRATE. – Eh ! ne sais-tu pas que je t'aime ?

ARLEQUIN. – Oui ; mais les marques de votre amitié tombent toujours sur mes épaules, et cela est mal placé. Ainsi tenez, pour ce qui est de nos gens, que le ciel les
65 bénisse ; s'ils sont morts, en voilà pour longtemps ; s'ils sont en vie, cela se passera, et je m'en goberge[3].

IPHICRATE, *un peu ému.* – Mais j'ai besoin d'eux, moi.

ARLEQUIN, *indifféremment.* – Oh ! cela se peut bien, chacun a ses affaires ; que je ne vous dérange pas.

70 IPHICRATE. – Esclave insolent !

ARLEQUIN, *riant.* Ah ! ah ! vous parlez la langue d'Athènes, mauvais jargon que je n'entends plus.

IPHICRATE. – Méconnais-tu ton maître, et n'es-tu plus mon esclave ?

ARLEQUIN, *se reculant d'un air sérieux.* – Je l'ai été, je le confesse à ta honte ; mais
75 va, je te le pardonne : les hommes ne valent rien. Dans le pays d'Athènes j'étais ton esclave, tu me traitais comme un pauvre animal, et tu disais que cela était juste, parce que tu étais le plus fort : eh bien, Iphicrate, tu vas trouver ici plus fort que toi ; on va te faire esclave à ton tour ; on te dira aussi que cela est juste, et nous verrons ce que tu penseras de cette justice-là, tu m'en diras ton sentiment, je t'at-
80 tends là. Quand tu auras souffert, tu seras plus raisonnable, tu sauras mieux ce qu'il est permis de faire souffrir aux autres. Tout en irait mieux dans le monde, si ceux qui te ressemblent recevaient la même leçon que toi. Adieu, mon ami, je vais trouver mes camarades et tes maîtres. *(Il s'éloigne.)*

IPHICRATE, *au désespoir, courant après lui l'épée à la main.* – Juste ciel ! peut-on être
85 plus malheureux et plus outragé que je le suis ? Misérable, tu ne mérites pas de vivre.

ARLEQUIN. – Doucement ; tes forces sont bien diminuées, car je ne t'obéis plus, prends-y garde.

Scène 1.

Questions

La présentation du lieu

1. Pourquoi peut-on dire que le décor contribue à la mise en place d'un contexte utopique ?

Les revendications du serviteur

2. Analysez l'évolution du comportement d'Arlequin étape par étape.

3. Quels sont les reproches formulés par Arlequin à l'encontre de son maître ?

Lecture d'images ▶ **p. 320 et 321** Observez les photographies des mises en scène d'Irina Brook et d'Éric Massé. Quels registres s'en dégagent ? Justifiez votre réponse par une analyse précise des éléments représentés.

Synthèse Vous analyserez la diversité des registres utilisés dans le texte de Marivaux.

Vers le bac **S'entraîner à la dissertation**

En prenant appui sur votre réponse à la lecture d'images, vous montrerez l'intérêt d'assister à la représentation de *L'Île des esclaves* d'après la mise en scène d'Irina Brook ou d'après celle d'Éric Massé.

▶ Texte et représentation, p. 439

▶ L'argumentation directe, p. 449

▶ Le registre comique, p. 464

Grammaire
Retrouvez dans le texte les phrases injonctives. Identifiez le mode et le temps utilisés.

▶ Rédiger une dissertation, p. 506

VOCABULAIRE

LA DOMINATION

1 ÉTYMOLOGIE

Recherchez l'origine des mots suivants ainsi qu'un dérivé. Précisez le sens des mots et des étymons que vous ne connaissez pas.

franc – serf – chef – dominer – suprématie – capitaine – geôle – domestique – servante – omnipotence – capituler – prince – impérieux – travail

2 DU VERBE AU SUBSTANTIF

Retrouvez le substantif construit à partir des verbes suivants.

a. opprimer : (fém.)...
b. asservir : (masc.)...
c. assujettir : (masc.)...
d. soumettre : (fém.)...
e. étouffer : (masc.)...
f. contraindre : (fém.)...
g. accabler : (masc.)...
h. anéantir : (masc.)...

3 PRÉFIXES

Les mots suivants sont construits à partir des préfixes latin *super* et *sub*. Reliez chaque mot à son préfixe d'origine. Attention aux pièges !

1. soumission
2. surpasser
3. surclasser
4. suprématie
5. subjuguer
6. supérieur
A. *super*
7. subordination
8. subalterne
B. *sub*
9. surclasser
10. sous-fifre
11. surmonter
12. surplomber
13. submerger
14. sujet
15. soutenir
16. souverain
17. subir

4 VAINQUEURS ET VAINCUS

Cherchez le sens des mots suivants et trouvez l'intrus dans chaque liste.

a. oppressif – coercitif – tyrannique – totalitaire – anarchique – despotique – dictatorial
b. claquemurer – relaxer – emprisonner – incarcérer – séquestrer – écrouer – embastiller
c. astreindre – acculer – contraindre – dompter – sommer – affranchir – contrôler – discipliner
d. terrasser – édifier – briser – anéantir – écraser – décimer – exterminer – ruiner

5 POLYSÉMIE

Précisez le sens des mots en italique dans les phrases suivantes.

a. *Enchanté* de faire votre connaissance.
b. La princesse Aurore fut victime d'un *enchantement*.
c. Je suis *ravi* de vous revoir.
d. Quel *ravissement* de la revoir après tant d'années.
e. Cette fille a beaucoup de *charme*.
f. Ulysse fut *charmé* par le chant des sirènes.
g. Le football est sa *passion*.
h. La *passion* qu'il éprouve pour cette jeune femme le fait souffrir.

6 LA TOUTE-PUISSANCE

Les mots suivants sont construits à partir du grec *kratos* qui signifie « puissance » et « force ». Reliez chaque mot au type de gouvernement auquel il renvoie.

A. autocratie
B. aristocratie
C. monocratie
D. gérontocratie
E. démocratie
F. bureaucratie
G. phallocratie
H. ploutocratie

1. Pouvoir de quelques privilégiés.
2. Pouvoir absolu du souverain lui-même.
3. Pouvoir de l'administration et de la hiérarchie.
4. Pouvoir des riches.
5. Pouvoir des vieillards.
6. Pouvoir des hommes.
7. Pouvoir d'un seul chef de l'État.
8. Pouvoir du peuple.

7 DEVINETTES

a. Vous savez ce qu'est une *joue*, mais savez-vous ce que désigne un *joug*, au sens propre et au sens figuré ?
b. Quelles sont les différents sens du mot *vilain* ? Comment expliquez-vous cette évolution ?
c. Comment nomme-t-on le collier de fer des condamnés : un *boulet*, un *carcan*, un *garrot*, un *gibet*, une *chaîne* ou un *pilori* ?
d. Celui qui *galère* est-il toujours un *galérien* ?
e. Quelle différence faites-vous entre un *serf* et un *vilain* à l'époque médiévale ?

EXPRESSION ÉCRITE

Sujet 1

Utilisez le vocabulaire de cette page pour rédiger un texte dans lequel vous ferez le portrait d'un groupe d'esclaves.

Sujet 2

Développez de manière structurée différents arguments par lesquels vous défendez la tolérance et l'égalité.

Daniel Defoe,
Robinson Crusoé (1719)

▶ **Daniel Defoe** est attiré par le commerce et la politique avant de devenir romancier. Son œuvre légendaire *Robinson Crusoé* a influencé Michel Tournier et de nombreux réalisateurs.

Dans son roman, Daniel Defoe fait le récit des 28 années de la vie de Robinson Crusoé naufragé sur une île au milieu de l'océan Pacifique. Cette légende aurait pour origine l'histoire réelle d'un marin écossais, Alexandre Selkirk, lui-même rescapé d'un naufrage et exilé durant plus de 4 années sur une île déserte.

1   Là j'étais éloigné de la perversité du monde : je n'avais ni concupiscence[1] de la chair, ni « concupiscence des yeux, ni faste de la vie[2]. » Je ne convoitais rien, car j'avais alors tout ce dont j'étais capable de jouir ; j'étais seigneur de tout le manoir : je pouvais, s'il me plaisait, m'appeler Roi ou Empereur de toute cette contrée ran-
5   gée sous ma puissance ; je n'avais point de rivaux, je n'avais point de compétiteur, personne qui disputât avec moi le commandement et la souveraineté. J'aurais pu récolter du blé de quoi charger des navires ; mais, n'en ayant que faire, je n'en semais que suivant mon besoin. J'avais à foison des chélones[3] ou tortues de mer, mais une de temps en temps c'était tout ce que je pouvais consommer ; j'avais assez
10   de bois de charpente pour construire une flotte de vaisseaux, et quand elle aurait été construite j'aurais pu faire d'assez abondantes vendanges pour la charger de passerilles[4] et de vin.

Mais ce dont je pouvais faire usage était seul précieux pour moi. J'avais de quoi manger et de quoi subvenir à mes besoins, que m'importait tout le reste ! Si j'avais
15   tué du gibier au-delà de ma consommation, il m'aurait fallu l'abandonner au chien ou aux vers. Si j'avais semé plus de blé qu'il ne convenait pour mon usage, il se serait gâté. Les arbres que j'avais abattus restaient à pourrir sur la terre ; je ne pouvais les employer qu'au chauffage, et je n'avais besoin de feu que pour préparer mes aliments.

20   En un mot la nature et l'expérience m'apprirent, après mûre réflexion, que toutes les bonnes choses de l'univers ne sont bonnes pour nous que suivant l'usage que nous en faisons, et qu'on n'en jouit qu'autant qu'on s'en sert ou qu'on les amasse pour les donner aux autres, et pas plus. Le ladre[5] le plus rapace de ce monde aurait été guéri de son vice de convoitise, s'il se fût trouvé à ma place ; car
25   je possédais infiniment plus qu'il ne m'était loisible de dépenser. Je n'avais rien à désirer si ce n'est quelques babioles qui me manquaient et qui pourtant m'auraient été, d'une grande utilité. J'avais, comme je l'ai déjà consigné, une petite somme de monnaie, tant en or qu'en argent, environ trente-six livres sterling : hélas ! cette triste vilenie restait là inutile ; je n'en avais que faire, et je pensais souvent en moi-
30   même que j'en donnerais volontiers une poignée pour quelques pipes à tabac ou un moulin à bras pour moudre mon blé ; voire même que je donnerais le tout pour *six penny* de semence de navet et de carotte d'Angleterre, ou pour une poignée de pois et de fèves et une bouteille d'encre. En ma situation, je n'en pouvais tirer ni avantage ni bénéfice : cela restait là dans un tiroir, cela pendant la saison pluvieuse
35   se moisissait à l'humidité de ma grotte. J'aurais eu ce tiroir plein de diamants, que c'eût été la même chose, et ils n'auraient pas eu plus de valeur pour moi, à cause de leur inutilité.

J'avais alors amené mon état de vie à être en soi beaucoup plus heureux qu'il ne l'avait été premièrement, et beaucoup plus heureux pour mon esprit et pour mon
40   corps. Souvent je m'asseyais pour mon repas avec reconnaissance, et j'admirais la main de la divine Providence qui m'avait ainsi dressé une table dans le désert. Je m'étudiais à regarder plutôt le côté brillant de ma condition que le côté sombre,

1. désir.
2. Évangile de Jean II. 16.
3. mot grec signifiant « tortue ».
4. variété de raisin blanc utilisé pour faire du raisin sec.
5. avare.

6. inexprimables.

et à considérer ce dont je jouissais plutôt que ce dont je manquais. Cela me donnait quelquefois de secrètes consolations ineffables[6]. J'appuie ici sur ce fait pour le bien
45 inculquer dans l'esprit de ces gens mécontents qui ne peuvent jouir confortablement des biens que Dieu leur a donnés, parce qu'ils tournent leurs regards et leur convoitise vers des choses qu'il ne leur a point départies. Tous nos tourments sur ce qui nous manque me semblent procéder du défaut de gratitude pour ce que nous
50 avons.

Traduit par Pétrus Borel.

Questions

Prolongements

• Lisez *Vendredi ou les Limbes du Pacifique* de Michel Tournier (1967).
• Quel type de relation Robinson entretient-il avec le sauvage qu'il a baptisé Vendredi ?
• Recherchez d'autres tableaux de Henri Rousseau et dites pourquoi ils représentent tous un idéal utopique.

1. À quels indices perçoit-on dans le premier paragraphe que le dénuement et la pauvreté matérielle sont en réalité une richesse pour Robinson ?
2. À quels vices de la civilisation européenne Robinson fait-il allusion ?
3. Par quels arguments renonce-t-il aux biens superflus du monde occidental ?
4. À quelle conception du bonheur aboutit sa réflexion ? Analysez la valeur du temps verbal utilisé dans la phrase finale.
5. Analysez les effets persuasifs auxquels recourt Robinson dans son discours.

Lecture d'image
• Comment Henri Rousseau représente-t-il l'exotisme et la force de la nature ?
• D'où provient l'impression de bien-être ?

Autres robinsonnades de la littérature étrangère :

États-Unis
Edgar Poe, *Les Aventures d'Arthur Gordon Pym*, 1838.
Angleterre
William Golding, *Sa Majesté des mouches*, 1954.

Henri Rousseau, *Femme marchant dans une forêt exotique*, huile sur toile (99,9 x 80,7 cm), 1905, Fondation Barnes, Pennsylvanie.

Séquence 2

Figures du roi : éloge ou blâme ?

▶ Quels éléments fondent la critique et l'éloge du roi ?

▶ Comment textes et représentations de Louis XIV fragilisent-ils la monarchie dès le XVIIe siècle ?

▶▶▶ Louis XIV costumé en soleil levant pour le « Ballet de la nuit » (détail), de Jean-Baptiste Lully, gravure, 1653.

▶ **Biographie p. 537**

Jean de La Fontaine,
Fables, III, 2 (1668-1694)

⊕ **CONTEXTE**

L'œuvre de La Fontaine est très variée : des vers pour son protecteur, le surintendant Fouquet, ou un roman pour accompagner les promenades de la cour dans les jardins de Versailles. Il renouvelle aussi le genre de la fable. En tant que moraliste, La Fontaine examine la façon dont agissent les individus au sein de la communauté humaine : « Je me sers d'animaux pour instruire les hommes ».

Dédiés au jeune Dauphin, fils de Louis XIV, les six premiers livres des Fables *affirment la volonté de leur auteur de joindre l'utile à l'agréable, la formation du futur roi à son divertissement. Les modèles de La Fontaine sont des fabulistes antiques : Ésope (VIᵉ siècle av. J.-C.) et Phèdre (Iᵉʳ siècle ap. J.-C.).*

Les Membres et l'Estomac

1   Je devais[1] par la royauté
    Avoir commencé mon ouvrage.
    À la voir d'un certain côté,
    Mester Gaster[2] en est l'image.
5 S'il a quelque besoin, tout le corps s'en ressent.
De travailler pour lui les membres se lassant,
Chacun d'eux résolut de vivre en gentilhomme,
Sans rien faire, alléguant l'exemple de Gaster.
« Il faudrait, disaient-ils, sans nous qu'il vécût d'air.
10 Nous suons, nous peinons, comme bêtes de somme.
Et pour qui ? Pour lui seul ; nous n'en profitons pas :
Notre soin n'aboutit qu'à fournir ses repas.
Chommons, c'est un métier qu'il veut nous faire apprendre. »
Ainsi dit, ainsi fait. Les Mains cessent de prendre,
15   Les bras d'agir, les jambes de marcher.
Tous dirent à Gaster qu'il en[3] allât chercher.
Ce leur fut une erreur dont ils se repentirent.
Bientôt les pauvres gens tombèrent en langueur[4] ;
Il ne se forma plus de nouveau sang au cœur :

1. j'aurais dû.
2. l'estomac. Personnage de Rabelais dans le *Quart Livre*.
3. de la nourriture.
4. faiblesse.

Adam Frans Van der Meulen, *La Construction du château de Versailles*, huile sur toile, vers 1680, château de Windsor, Angleterre.

5. ceux qui se sont
rebelés.
6. Ménénius
Agrippa, consul en
503 av. J.-C. raconta
la fable de l'estomac
à la Plèbe (la
Commune) qui avait
fait sécession, pour
l'inciter à assumer de
nouveau sa fonction
au sein de la Cité.
7. remarquable.

Chaque membre en souffrit, les forces se perdirent.
   Par ce moyen, les mutins[5] virent
Que celui qu'ils croyaient oisif et paresseux,
À l'intérêt commun contribuait plus qu'eux.
25 Ceci peut s'appliquer à la grandeur royale.
Elle reçoit et donne, et la chose est égale.
Tout travaille pour elle, et réciproquement
   Tout tire d'elle l'aliment.
30 Elle fait subsister l'artisan de ses peines,
Enrichit le marchand, gage le magistrat,
Maintient le laboureur, donne paye au soldat,
Distribue en cent lieux ses grâces souveraines,
   Entretient seule tout l'État.
35   Ménénius[6] le sut bien dire.
La commune s'allait séparer du sénat.
Les mécontents disaient qu'il avait tout l'empire,
Le pouvoir, les trésors, l'honneur, la dignité ;
Au lieu que tout le mal était de leur côté,
40 Les tributs, les impôts, les fatigues de guerre.
Le peuple hors des murs était déjà posté,
La plupart s'en allait chercher une autre terre,
   Quand Ménénius leur fit voir
   Qu'ils étaient aux membres semblables,
45 Et par cet apologue, insigne[7] entre les fables,
   Les ramena dans leur devoir.

Questions

▶ L'argumentation indirecte,
p. 450

Vocabulaire
« Qu'ils croyaient oisif »,
(v. 22). Cherchez
l'étymologie latine de
l'adjectif « oisif ».
Comment le sens s'est-il
modifié ?

▶ Histoire et formation des
mots, p. 411

L'art de la fable
1. Dégagez la composition de cette fable et caractérisez en chaque partie. Quelle phrase permet de lier comparant et comparé ?
2. Établissez le schéma de la partie narrative.
3. Énumérez les différents personnages de la partie narrative. Étudiez leur prise de parole. Qui ne parle jamais ? Pourquoi ?

L'argumentation et la portée de la fable
4. Expliquez en détail les analogies entre le comparant et le comparé.
5. Qui est le « je » introducteur ? Réapparaît-il ?
6. Quelle est la fonction de la référence historique en fin de fable ?

Synthèse Quelle vision du pouvoir royal la métaphore développée dans cette fable propose-t-elle ?

Vers le bac   **S'entraîner au commentaire**
En vous aidant du plan proposé, rédigez un commentaire en deux parties.
I. La narration : l'art du conteur.
II. La leçon : l'art du moraliste.

Texte écho

► Biographie p. 538

Montesquieu,
De l'esprit des lois (1748)

1   La monarchie se perd, lorsqu'un prince croit qu'il montre plus sa puissance en changeant l'ordre des choses qu'en les suivant ; lorsqu'il ôte les fonctions naturelles des uns pour les donner arbitrairement à d'autres, et lorsqu'il est plus amoureux de ses fantaisies que de ses volontés.

5   La monarchie se perd, lorsqu'un prince, rapportant tout uniquement à lui, appelle l'État à sa capitale, la capitale à sa cour, et la cour à sa seule personne.

Enfin elle se perd, lorsqu'un prince méconnaît son autorité, sa situation, l'amour de ses peuples ; et lorsqu'il ne sent pas bien qu'un monarque doit se juger en sûreté, comme un despote doit se croire en péril.

10   Le principe de la monarchie se corrompt lorsque les premières dignités sont les marques de la première servitude, lorsqu'on ôte aux grands le respect des peuples, et qu'on les rend de vils instruments du pouvoir arbitraire.

Il se corrompt encore plus, lorsque l'honneur a été mis
15   en contradiction avec les honneurs, et que l'on peut être à la fois couvert d'infamie et de dignités.

Il se corrompt lorsque le prince change sa justice en sévérité ; lorsqu'il met comme les empereurs romains, une tête de Méduse[1] sur sa poitrine ;
20   lorsqu'il prend cet air menaçant et terrible que Commode[2] faisait donner à ses statues.

Le principe de la monarchie se corrompt lorsque des âmes singulièrement lâches tirent leur vanité de la grandeur que pourrait avoir leur
25   servitude, et qu'elles croient que ce qui fait que l'on doit tout au prince fait que l'on ne doit rien à sa patrie.

1. une des Gorgones, créatures fantastiques de la mythologie grecque. Ses cheveux sont des serpents et elle pétrifie (change en pierre) ceux qui croisent son regard.
2. empereur romain qui règne de 180 à 192.

Buste de Commode en Hercule, portant la peau de lion, la massue et les pommes d'or des Hespérides, marbre de Lumi, 191 ap. J.-C., musée du Capitole, Rome.

Questions

1. Étudiez les temps des verbes, les pronoms, les répétitions. Pourquoi Montesquieu a-t-il fait ces choix stylistiques ?
2. Sur quelles antithèses le texte est-il construit ? Quelle est la thèse de Montesquieu ?
3. Quel est l'intérêt de la référence à l'empereur Commode ?
4. « La monarchie se perd, lorsqu'un prince, rapportant tout uniquement à lui, appelle l'État à sa capitale, la capitale à sa cour, et la cour à sa seule personne. », (l. 5-6). À qui Montesquieu fait-il allusion ? Expliquez votre réponse.
5. Quelles convergences observez-vous entre les textes de La Fontaine (► p. 327) et de Montesquieu (thème, mise en œuvre de la stratégie argumentative…) ?
6. Quelles différences pouvez-vous cependant noter ? Comment les expliquer ?

Jean de La Bruyère,
Les Caractères (1688)

▶ **Biographie p. 537**

⊙ CONTEXTE

Quand paraît la première édition des *Caractères*, suite de fragments, de choses vues et de portraits, Louis XIV a atteint la cinquantaine. Veuf, il s'est remarié secrètement avec Mme de Maintenon, a révoqué l'édit de Nantes (qui autorisait la présence des protestants en France) et a conduit l'État à une crise économique. Les écrivains pensionnés par le Roi doivent soutenir le régime, mais cela n'empêche pas d'en voir les travers et d'en rappeler les fondements, parfois oubliés.

1. bâton.

La Bruyère, tout en restant attaché à l'institution monarchique, témoigne par son questionnement et les images qu'il utilise d'une inquiétude devant la crise qui s'annonce. Il cherche à rappeler dans ses œuvres les fondements du régime monarchique.

27 – Nommer un roi PÈRE DU PEUPLE est moins faire son éloge que l'appeler par son nom, ou faire sa définition. […]

29 – Quand vous voyez quelquefois un nombreux troupeau, qui répandu sur une colline vers le déclin d'un beau jour, paît tranquillement le thym et le serpolet, ou qui broute dans une prairie une herbe menue et tendre qui a échappé à la faux du moissonneur, le berger, soigneux et attentif, est debout auprès de ses brebis ; il ne les perd pas de vue, il les suit, il les conduit, il les change de pâturages ; si elles se dispersent, il les rassemble ; si un loup avide paraît, il lâche son chien, qui le met en fuite ; il les nourrit, il les défend ; l'aurore le trouve déjà en pleine campagne, d'où il ne se retire qu'avec le soleil : quels soins ! quelle vigilance ! quelle servitude ! Quelle condition vous paraît la plus délicieuse et la plus libre, ou du berger ou des brebis ? le troupeau est-il fait pour le berger, ou le berger pour le troupeau ? Image naïve des peuples et du prince qui les gouverne, s'il est bon prince.

Le faste et le luxe dans un souverain, c'est le berger habillé d'or et de pierreries, la houlette[1] d'or en ses mains ; son chien a un collier d'or, il est attaché avec une laisse d'or et de soie. Que sert tant d'or à son troupeau ou contre les loups ?

Domenico Guidi, statue en marbre de Louis XIV, Académie de France à Rome, Villa Médicis.

Questions

▶ Cadre et structure d'un récit, p. 429
▶ L'argumentation indirecte, p. 450
▶ Les types de raisonnements et d'arguments, p. 456

La pastorale

1. Quels champs lexicaux dominent l'extrait 29 ? Sont-ils attendus dans un texte à caractère argumentatif ? Pourquoi ?
2. Étudiez l'organisation de l'extrait 29. Quelle est la fonction du dernier paragraphe ?
3. Justifiez le rapprochement des deux extraits.

La portée politique

4. À quoi est comparé le roi ? À quoi est comparé le peuple ? Pourquoi cette image renvoie-t-elle au caractère sacré de l'exercice de la royauté ? Qui est le modèle de la vraie royauté ?

Vocabulaire
Cherchez l'étymologie du nom « vigilance » (l. 13) et trouvez-en d'autres dérivés dans la langue française.

Synthèse En un paragraphe construit, montrez comment les métaphores rencontrées contribuent à rendre l'argumentation convaincante.

▶ Biographie p. 536

François Fénelon,
Les Aventures de Télémaque (1699)

Manuel à l'usage d'un futur roi, le petit-fils de Louis XIV, Les Aventures de Télémaque mêlent des récits d'aventures et des passages plus théoriques sur le pouvoir.

1   Je[1] lui demandai en quoi consistait l'autorité du roi, et il[2] me répondit: « Il peut tout sur les peuples; mais les lois peuvent tout sur lui. Il a une puissance absolue pour faire le bien, et les mains liées dès qu'il veut faire le mal. Les lois lui confient les peuples comme le plus précieux de tous les dépôts, à condition qu'il sera le père
5   de ses sujets. Elles veulent qu'un seul homme serve, par sa sagesse et par sa modération, à la félicité de tant d'hommes; et non pas que tant d'hommes servent, par leur misère et par leur servitude lâche, à flatter l'orgueil et la mollesse d'un seul homme. Le roi ne doit rien avoir au-dessus des autres, excepté ce qui est nécessaire ou pour le soulager dans ses pénibles fonctions, ou pour imprimer au peuple le
10   respect de celui qui doit soutenir les lois. D'ailleurs le roi doit être plus sobre, plus ennemi de la mollesse, plus exempt de faste et de hauteur, qu'aucun autre. Il ne doit point avoir plus de richesses et de plaisirs, mais plus de sagesse, de vertu et de gloire que le reste des hommes. Il doit être au dehors le défenseur de la patrie, en commandant les armées, et, au dedans, le juge des peuples, pour les rendre bons,
15   sages et heureux. Ce n'est point pour lui-même que les dieux l'ont fait roi; il ne l'est que pour être l'homme des peuples: c'est au peuple qu'il doit tout son temps, tous ses soins, toute son affection, et il n'est digne de la royauté qu'autant qu'il s'oublie lui-même pour se sacrifier au bien public. Minos n'a voulu que ses enfants régnassent après lui qu'à condition qu'ils règneraient suivant ces maximes: il
20   aimait encore plus son peuple que sa famille. »

1. Télémaque, fils d'Ulysse.
2. Mentor, précepteur de Télémaque.

Questions

L'autorité du roi selon Fénelon

1. En vous appuyant notamment sur les deux verbes dont le roi est le sujet aux lignes 1 et 8, expliquez quel est le thème de chacune des deux parties du discours de Mentor.

2. Sur quelles oppositions le texte s'ouvre-t-il? Quel élément limite la « puissance » (l. 2) du roi? Comment la syntaxe souligne-t-elle le propos de Mentor?

3. Quel verbe domine la 2e partie du texte? Pourquoi?

4. Qui était Minos? Pourquoi Fénelon a-t-il recours à cette autorité?

5. Repérez les allusions au caractère sacré de la royauté aux lignes 15 à 18. Quelle figure se dessine ici en filigrane? Quel est son effet?

Deux visions convergentes

6. Quelles vertus royales les textes de La Bruyère et Fénelon mettent-ils en avant? Sont-elles évidentes chez un monarque « absolu de droit divin »? Quelles vérités les auteurs rappellent-t-ils ainsi à Louis XIV?

7. Par quels moyens La Bruyère et Fénelon se protègent-ils de l'accusation de « crime de lèse-majesté » puni de mort?

Synthèse En vous appuyant sur les deux textes précédents, définissez, en un paragraphe construit, ce qu'est un roi juste.

| Vers le bac | **S'entraîner au sujet d'invention**
Imaginez le dialogue entre Minos, roi de Crète, et son fils aîné, décidé à être roi pour assouvir tous ses caprices.

Hyacinthe Rigaud,
Portrait de Louis XIV (1701)

◄ Alors qu'il avait promis son portrait à son petit-fils Philippe d'Anjou, successeur du roi d'Espagne, Louis XIV trouve le tableau très ressemblant et décide de le conserver. C'est une copie que le nouveau Roi d'Espagne reçoit en cadeau. Dès 1702, le tableau de Rigaud est exposé dans le Grand Appartement de Versailles, dans la salle du Trône, nommée salon d'Apollon, où toute la cour peut l'admirer. Cette image du roi, agréée par le souverain, s'impose comme « icône » du règne.

Hyacinthe Rigaud, *Portrait du roi Louis XIV*, huile sur toile (227 x 194 cm), 1701, musée du Louvre, Paris.

Méthode   **Étudier l'art du portrait royal**

ÉTAPE 1 Identifier le sujet
• Observez la date de l'œuvre et situez dans l'Histoire le personnage représenté.
• Renseignez-vous sur le peintre : est-ce un peintre officiel ?

ÉTAPE 2 Étudier les choix du peintre
• Examinez la pose du sujet : de profil ? de face ? regardant vers la droite ou la gauche ? à cheval ? en pied ou seulement le visage ?
• Examinez les vêtements du personnage : en habits de roi luxueux ? en vêtements de combat ? en prince antique ?
• Quels objets le peintre a-t-il associés au souverain ? Que symbolisent-ils ?

ÉTAPE 3 Comprendre les significations
• Cherchez différents portraits de souverains (François Ier, Napoléon, etc.). Que remarquez-vous ? Constatez-vous une évolution ?
• Quels éléments de la représentation l'artiste doit-il privilégier pour plaire au souverain ? Inversement, pourquoi le portrait peut-il être instrument de critique ?

Antoine Benoist,
Louis XIV (vers 1705)

◄ Les principales maladies de Louis XIV ont une influence sur son portrait. À l'âge de neuf ans, la petite vérole lui marque le visage ; plus tard, une fièvre typhoïde lui fait perdre ses cheveux et le port de la perruque s'impose à tous les courtisans ; des opérations chirurgicales plus ou moins réussies lui font raser sa moustache, puis la goutte limite ses déplacements et augmente sa fatigue. En 1693, Louis XIV renonce à diriger ses armées lui-même. À la fin du siècle, Louis XIV s'écarte progressivement de «la gloire du monde». Les cires d'Antoine Benoist témoignent du vieillissement du roi.

Antoine Benoist, *Portrait du roi Louis XIV*, cire et textile, vers 1705, musée du château de Versailles, Versailles.

Questions

► Rechercher sur Internet, p. 513
► Décrire une image, p. 514
► Interpréter une image, p. 519

Consultez le site Internet de l'exposition «Louis XIV : l'homme et le roi» qui a eu lieu à Versailles.

Lecture du tableau de Rigaud

1. Repérez et décrivez les attributs royaux : le manteau du sacre, le collier de l'ordre du Saint-Esprit, l'épée de Charlemagne.

2. Louis XIV ne tient pas le sceptre de Charlemagne mais le sceptre court d'Henri IV. Pourquoi ? Qualifiez sa manière de tenir ce sceptre et la position du corps : quelle est l'impression produite ? Quelle conclusion peut-on en tirer sur ce qu'a voulu donner à voir Louis XIV ?

3. Que représente la colonne derrière Louis XIV ?

4. Comparez ce tableau avec la statue de Louis XIV par Domenico Guidi (► p. 330). Observez les «objets» qui entourent le roi. Quels sont-ils ? Que symbolisent-ils ? Comment est habillé Louis XIV ? Pourquoi ?

Lecture de l'œuvre de Benoist

5. Décrivez précisément le visage et les vêtements du roi. Par quels choix l'artiste, au terme du règne royal, donne-t-il une image réaliste du souverain ?

Synthèse En un paragraphe construit, montrez que la représentation d'un roi porte un enseignement politique.

▶ Biographie p. 534

Bossuet,
Oraison funèbre de Marie-Thérèse d'Autriche (1683)

Prononcée à Saint-Denis à l'occasion des obsèques solennelles de l'épouse de Louis XIV, l'oraison funèbre a plusieurs destinataires : la cour et les fidèles présents, le Dauphin qui se prépare au métier de roi, et le roi lui-même qui lira le texte. C'est l'occasion pour Bossuet de rappeler au Dauphin, son ancien élève, héritier du trône, quelques fondements.

1   Les rois, non plus que le soleil, n'ont pas reçu en vain l'éclat qui les environne ; il est nécessaire au genre humain, et ils doivent, pour le repos autant que pour la décoration de l'univers, soutenir une majesté qui n'est qu'un rayon de celle de Dieu. Il était aisé à la Reine de faire sentir une grandeur qui lui était naturelle. Elle
5   était née dans une cour où la majesté se plaît à paraître avec tout son appareil[1], et d'un père[2] qui sut conserver avec une grâce, comme avec une jalousie particulière, ce qu'on appelle en Espagne les coutumes de qualité et les bienséances du palais. Mais elle aimait mieux tempérer la majesté, et l'anéantir devant Dieu, que de la faire éclater devant les hommes. Ainsi nous la voyions courir aux autels[3], pour y
10 goûter avec David[4] un humble repos, et s'enfoncer dans son oratoire où, malgré le tumulte de la cour, elle trouvait le Carmel d'Élie[5], le désert de Jean[5], et la montagne si souvent témoin des gémissements de Jésus. [...] Chrétiens, laissez-vous fléchir, faites pénitence, apaisez Dieu par vos larmes. Écoutez la
15 pieuse Reine qui parle plus haut que tous les prédicateurs. Écoutez-la, princes ; écoutez-la, peuple ; écoutez-la, Monsei-gneur, plus que tous les autres.
20 Elle vous dit par ma bouche, et par une voix qui vous est connue, que la grandeur est un songe, la joie une erreur, la jeu-nesse une fleur qui tombe, et la santé un nom trompeur. Amas-
25 sez donc les biens qu'on ne peut perdre. Prêtez l'oreille aux graves discours que saint Gré-goire de Nazianze adressait
30 aux princes et à la maison régnante. *Respectez,* leur disait-il, *votre pourpre,* respectez votre puissance qui vient de Dieu, et ne l'employez que pour
35 le bien.

1. ses attributs.
2. le roi d'Espagne.
3. tables où le prêtre célèbre la messe.
4. roi biblique.
5. prophètes de l'Ancien et du Nouveau Testament dans la Bible.

Joseph Werner, *Allégorie à Louis XIV en Apollon dans le char du soleil précédé par l'Aurore et accompagné par les Heures,* gouache sur parchemin (34,5 x 22 cm), vers 1662, châteaux de Versailles et de Trianon, Versailles.

Charles de la Fosse, *Saint-Louis dans la gloire, présentant ses armes au Christ en présence de la Vierge et des anges*, XVIIIᵉ siècle, musée de l'Armée, Paris.

Questions

▶ Les registres didactique, polémique et satirique, p. 470

La construction de l'oraison

1. Dégagez la progression du texte et donnez un titre à chacune des parties.

2. Quel est l'intérêt pour l'orateur de passer du général au particulier ? Comment s'appelle ce type de raisonnement ?

3. Par quels moyens le prédicateur joue-t-il sur les esprits et parvient-il à persuader ? Relevez les marques de sa présence (types de phrases, lexique, etc.). Quels sont les différents destinataires présents dans le texte ?

L'enseignement

4. Quel est l'élément principal de l'éloge de la reine Marie-Thérèse ? Relevez les références religieuses. Pourquoi cette qualité peut-elle surprendre à la cour ?

Vocabulaire
Quelle est l'étymologie du nom « oraison » ? Pourquoi les discours funèbres ont-ils gardé cette appellation ?
▶ L'énonciation, p. 417

5. Le thème de la vanité des œuvres humaines et du pouvoir est récurrent au XVIIᵉ siècle (▶ **Dossier Histoire des arts, p. 368**). Montrez-en l'application dans le texte.

6. Comment Bossuet définit-il les devoirs du roi ? À quoi s'oppose-t-il ?

Lecture d'images

• Quel rapport peut-on établir entre le tableau de Werner et le texte de Bossuet ? Les intentions des deux artistes sont-elles les mêmes ? Comment expliquer la référence à l'Antiquité par le peintre ? Quelle autorité est préférée par Bossuet ?

• Justifiez le choix du tableau représentant Saint Louis comme illustration du texte de Bossuet.

Synthèse L'oraison funèbre a été prononcée en présence d'une grande assemblée. Quels sont les signes de son oralité ?

▶ Imiter un style et transposer un texte, p. 478

Vers le bac **S'entraîner au sujet d'invention**

À la manière de Bossuet, rédigez l'oraison funèbre d'une personnalité célèbre : commencez par des rappels biographiques, un éloge du défunt et finissez par un enseignement tiré de sa vie.

Montesquieu,
Lettres persanes (1721)

▶ Biographie p. 538

⊕ **CONTEXTE**

Pour beaucoup
d'auteurs des
Lumières, l'étranger
naïf et lucide
devient un
personnage
littéraire, élément
de la confrontation
des mondes et
preuve du
relativisme des
cultures. Voltaire, en
Angleterre, se place
lui-même dans ce
rôle, lorsqu'il revient
en France riche des
enseignements de ce
pays et rédige les
*Lettres
philosophiques*
(1734).

1. avec générosité.

Dans la tradition des récits de voyages et suite à la traduction des Mille et une nuits *par Antoine Galland, Montesquieu invente le personnage d'Usbek, seigneur persan qui entreprend avec quelques amis un voyage en Europe. À Paris, il découvre la cour et s'étonne de ce qu'il voit.*

Lettre XXXVII.
USBECK À IBBEN, À SMYRNE.

1   Le roi de France est vieux. Nous n'avons point d'exemple dans nos histoires d'un monarque qui ait si longtemps régné. On dit qu'il possède à un très haut degré le talent de se faire obéir : il gouverne avec le même génie sa famille, sa cour, son État. [...]

5   J'ai étudié son caractère et j'y ai trouvé des contradictions qu'il m'est impossible de résoudre. Par exemple : il a un ministre qui n'a que dix-huit ans, et une maî-tresse qui en a quatre-vingts ; il aime sa religion, et il ne peut souffrir ceux qui disent qu'il la faut observer à la rigueur ; quoiqu'il fuie le tumulte des villes, et qu'il se communique peu, il n'est occupé depuis le matin jusques au soir, qu'à faire par-ler de lui ; il aime les trophées et les victoires, mais il craint autant de voir un bon général à la tête de ses troupes, qu'il aurait sujet de le craindre à la tête d'une armée ennemie. Il n'est, je crois, jamais arrivé qu'à lui d'être, en même temps, comblé de plus de richesses qu'un prince n'en saurait espérer, et accablé d'une pauvreté qu'un particulier ne pourrait soutenir.

Il aime à gratifier ceux qui le servent ; mais il paye aussi libéralement[1] les assiduités ou plutôt l'oisiveté de ses courtisans, que les campagnes laborieuses de ses capitaines. Souvent il préfère un homme qui le déshabille, ou qui lui donne la serviette lorsqu'il se met à table, à un autre qui lui prend des villes ou lui gagne des batailles. Il ne croit pas que la grandeur souveraine doive être dans la distribution des grâces, et, sans examiner si celui qu'il comble de biens est homme de mérite, il croit que son choix va le rendre tel : aussi lui a-t-on vu donner une petite pension à un homme qui avait fui deux lieues, et un beau gou-vernement à un autre qui en avait fui quatre.

Il est magnifique, surtout dans ses bâtiments : il y a plus de statues dans les jardins de son palais que de citoyens dans une grande ville. Sa garde est aussi forte que celle du prince devant qui les trônes se renversent. Ses armées sont aussi nombreuses ; ses ressources, aussi grandes ; et ses finances, aussi inépuisables.

De Paris, le 7 de la lune de Maharram, 1713.

Antoine Coypel, *Louis* XIV *reçoit dans la galerie des Glaces de Versailles* (détail), huile sur toile (70 x 153 cm), vers 1715, châteaux de Versailles et de Trianon, Versailles.

....
┌─────────────┐
│ Écho du   │   Séquence 2
│ XXᵉ siècle │
└─────────────┘
....

Eugène Green,
La Parole baroque (2001)

Les deux corps du Roi

1   Pour la plupart des Français, comme les rois de «l'Âge classique» font tous
partie de l'«Ancien Régime», ils ne se distinguent entre eux, dans leur fonction et
leurs attributs, que par de vagues critères qui évoquent plutôt un concours d'hal-
térophilie : les plus forts étaient Henri IV et Louis XIV, les plus faibles, Louis XIII et
5   Louis XVI, tandis que Louis XV, modèle du bon goût français (comme en témoignent tous les salons bourgeois), tenait la *via media*. En fait, pour cette question,
ainsi que pour d'autres, un gouffre, qu'on peut situer vers 1680, sépare l'époque
baroque de la suivante. [...]
Avant cet étrange partage des eaux [...], le roi de France [...] avait une double
10   identité. [...] D'une part, un homme ayant un corps mortel, une vie délimitée dans
le temps, et une âme sujette au péché et à l'erreur ; d'autre part, un être spirituel,
présence visible de Dieu, avec un corps mystique qui était l'espace de son peuple.
[...] Aux environ de 1680, sans que cela corresponde à un événement précis, mais
dans un engrenage qui compte la conversion à la piété des jésuites, la montée en
puissance de Mᵐᵉ de Maintenon, la reprise des persécutions contre Port-Royal, et
15   la révocation de l'édit de Nantes, Louis XIV a cessé d'être un roi sacré. [...]. Dans
ce même mouvement il a cessé également de faire exister la personne du roi par la
représentation. [...] À partir de ce moment-là, le roi n'avait qu'un seul corps, celui,
tout à fait mortel et matériel, de Louis Capet, quatorzième de ce nom, qui détenait,
dans le royaume de France, un pouvoir absolu. Qu'un homme, somme toute ordi-
20   naire, domine de cette façon tant d'autres hommes, sur un territoire si étendu,
allait paraître, après un siècle de raison et de vertu, monstrueux.

© Desclée de Brouwer.

Questions

▶ Démontrer/délibérer/
convaincre/persuader,
p. 453
▶ Le registre comique,
p. 464

Vocabulaire
« Il est magnifique... »
(l. 29) du texte de
Montesquieu. Quel est le
sens de l'adjectif
« magnifique » ?

Le roi vu par un Persan

1. Dans la lettre de Montesquieu, Usbek fait
le portrait d'un monarque qui lui est
étranger. Comment perçoit-on la distance et l'ignorance de certains faits ?
Relevez des exemples précis et nommez
les figures de style observées. Quel est
l'effet recherché ?

2. « Il gouverne avec le même génie sa
famille, sa cour... », (l. 5). Comment Montesquieu maquille-t-il la critique ? Trouvez
d'autres exemples de ce procédé.

3. Quels sont les domaines évoqués par
Usbek ? Quelles critiques du souverain

Montesquieu met-il en avant ? Élucidez
les allusions historiques.

Le roi vu par un contemporain
(écho du XXᵉ siècle)

4. Quelles critiques formulées par Montesquieu le texte d'Eugène Green reprend-il ?
Distinguez les moyens employés.

5. Quel événement historique annonce la
dernière phrase du texte de Green ?

Lecture d'image

Quelles caractéristiques de l'Orient le peintre met-il en valeur ? À quoi voit-on la fascination exercée sur l'Occidental ?

Synthèse Justifiez en un paragraphe construit le choix du regard persan sur la France.

| Vers le bac | **S'entraîner au commentaire**

En étudiant la façon dont le portrait est mené, puis le sous-entendu critique de la lettre,
rédigez le commentaire du texte de Montesquieu.

► **Biographie p. 539**

Voltaire,
Le Siècle de Louis XIV (1751)

De l'œuvre de Voltaire, la postérité n'a retenu que les Contes philosophiques, les Lettres, philosophiques *ou le* Dictionnaire philosophique. *Pourtant, Voltaire s'est essayé à tous les genres : tragédie, épopée, pamphlet, etc. Ici, Voltaire ne manie pas l'ironie mais adopte le point de vue objectif et documenté de l'historien.*

○ **CONTEXTE**

Dans son ouvrage *Le Siècle de Louis XIV*, Voltaire rapporte des anecdotes et des faits-divers inédits, fruits de rencontres avec des témoins de la vie de Louis XIV : « c'est la petite histoire » du règne, l'envers du décor. Ainsi, c'est par lui que l'on connaît les dessous du procès du surintendant des finances, Nicolas Fouquet, l'énigme du Masque de fer ou l'affaire des Poisons.

1 On voit quels changements Louis XIV fit dans l'État, changements utiles puisqu'ils subsistent. Ses ministres le secondèrent à l'envi[1]. On leur doit sans doute tout le détail, toute l'exécution ; mais on lui doit l'arrangement général. Il est certain que les magistrats n'eussent pas réformé les lois, que l'ordre n'eût pas été 5 remis dans les finances, la discipline introduite dans les armées, la police générale dans le royaume ; qu'on n'eût point eu de flottes, que les arts n'eussent point été encouragés, tout cela de concert et en même temps et avec persévérance et sous différents ministres, s'il ne se fût trouvé un maître qui eût en général toutes ces grandes vues, avec une volonté ferme pour les remplir.

10 Il ne sépara point sa propre gloire de l'avantage de la France, et il ne regarda pas le royaume du même œil dont un seigneur regarde sa terre, de laquelle il tire tout ce qu'il peut, pour ne vivre que dans les plaisirs. Tout roi qui aime la gloire aime le bien public.

Voilà en général ce que Louis XIV fit et essaya pour rendre sa nation plus floris-
15 sante. Il me semble qu'on ne peut guère voir tous ces travaux et tous ces efforts sans quelque reconnaissance, et sans être animé du bien public qui les inspira. Qu'on se représente ce qu'était le royaume du temps de la Fronde[2], et ce qu'il est de nos jours. Louis XIV fit plus de bien à sa nation que vingt de ses prédécesseurs ensemble ; et il s'en faut beaucoup qu'il fît ce qu'il aurait pu. La guerre qui finit la
20 paix de Ryswick commença la ruine de ce grand commerce que son ministre Colbert avait établi ; et la guerre de la Succession l'acheva.

S'il avait employé à embellir Paris, à finir le Louvre, les sommes immenses que coûtèrent les aqueducs et les travaux de Maintenon, pour conduire des eaux à Versailles, travaux interrompus et devenus inutiles ; s'il avait dépensé à Paris la
25 cinquième partie de ce qu'il en a coûté pour forcer la nature à Versailles, Paris serait, dans toute son étendue, aussi beau qu'il l'est du côté des Tuileries et du Pont-Royal, et serait devenu la plus magnifique ville de l'univers.

C'est beaucoup d'avoir réformé les lois, mais la chicane[3] n'a pu être écrasée par la justice. On pensa à rendre la jurisprudence uniforme ; elle l'est dans les affaires
30 criminelles, dans celles du commerce, de la procédure : elle pourrait l'être dans les lois qui règlent les fortunes des citoyens. C'est un très grand inconvénient qu'un même tribunal ait à prononcer sur plus de cent coutumes différentes. Des droits de terre ou équivoques, ou onéreux, ou qui gênent la société, subsistent encore comme des restes du gouvernement féodal, qui ne subsiste plus ; ce sont des décombres
35 d'un bâtiment gothique ruiné. Ce n'est pas qu'on prétende que les différents ordres de l'État doivent être assujettis à la même loi. On sent bien que les usages de la noblesse, du clergé, des magistrats, des cultivateurs, doivent être différents ; mais il est à souhaiter, sans doute, que chaque ordre ait sa loi uniforme dans tout le royaume ; que ce qui est juste ou vrai dans la Champagne ne soit pas réputé faux
40 ou injuste en Normandie. L'uniformité en tout genre d'administration est une vertu ; mais les difficultés de ce grand ouvrage ont effrayé. […]

1. à qui mieux mieux.
2. période de troubles (1648-1653) contre l'absolutisme.
3. dispute de mauvaise foi qui embrouille un procès.

Ce pays cependant, malgré ses secousses et ses pertes, est encore un des plus florissants de la terre, parce que tout le bien qu'a fait Louis XIV subsiste, et que le mal, qu'il était difficile de ne pas faire dans des temps orageux, a été réparé. Enfin
45 la postérité, qui juge les rois, et dont ils doivent avoir toujours le jugement devant les yeux, avouera, en pesant les vertus et les faiblesses de ce monarque, que, quoiqu'il eût été trop loué pendant sa vie, il mérita de l'être à jamais et qu'il fut digne de la statue qu'on lui a érigée à Montpellier, avec une inscription latine dont le sens est : *À Louis le Grand après sa mort.*

Henri Testelin, *Jean-Baptiste Colbert présente les membres de l'Académie royale des sciences au roi Louis XIV,* huile sur toile (348 x 590 cm), 1667, musée du château de Versailles, Versailles.

Questions

▶ Histoire et récit, p. 432
▶ L'argumentation indirecte, p. 450
▶ Décrire une image, p. 514

Grammaire
Étudiez la construction de la phrase « Il est certain que... avec une volonté ferme pour les remplir. » (l. 3 à 9). Repérez et nommez les différentes subordonnées.

L'argumentation

1. Étudiez la progression logique de l'argumentation. Relevez la phrase à partir de laquelle l'argumentation prend une autre direction.
2. Quelles formes syntaxiques, quelles articulations logiques en témoignent dans les paragraphes suivants ?

Le portrait d'un roi

3. Dans quels domaines Louis XIV s'est-il montré un bon roi selon Voltaire ? Quels traits principaux de sa personnalité pouvez-vous retenir ? Citez le texte. Comment l'éloge est-il formulé (lexique, syntaxe, etc.) ?

4. Comparez avec les textes de Montesquieu (▶ p. 329 et ▶ p. 336) et Fénelon (▶ p. 331). Comment expliquer cet éloge de Louis XIV par Voltaire ? Évaluez la part d'implicite et de sous-entendus dans le propos.

Lecture d'image

• Quel passage du texte de Voltaire le tableau d'Henri Testelin illustre-t-il ?
• En vous appuyant sur une étude précise du tableau, montrez qu'il s'agit d'une œuvre destinée à faire l'éloge du roi.

Synthèse Reformulez en deux paragraphes les éléments d'éloge et de blâme, formulés par Voltaire.

Vers le bac **S'entraîner au sujet d'invention**
Transposez en argumentation indirecte (conte, fable, etc.) l'opposition que Voltaire construit entre le seigneur seul maître de sa terre et le roi responsable du bien public (deuxième paragraphe).

VOCABULAIRE

LE POUVOIR

1 ÉTYMOLOGIE

Cherchez l'étymologie de chacun des mots suivants et regroupez-les par langue d'origine.
monarchie – démocratie – théocratie – chef – tyran – dictateur – république

2 EMPLOIS

Reprenez les mots de l'exercice précédent et associez-leur l'une de ces définitions.
a. Magistrat souverain qu'on nommait à Rome, en certaines circonstances critiques. Son pouvoir était absolu et fixé à une durée de six mois.
b. État gouverné par plusieurs dont le pouvoir est conféré par élection.
c. Gouvernement où les chefs de la nation sont regardés comme les ministres de la divinité.
d. Dans l'Antiquité grecque, celui qui s'emparait de l'autorité souveraine sur une communauté républicaine.
e. Gouvernement d'un État régi par un seul chef.

3 VOCABULAIRE DE LA DÉMOCRATIE

a. De nombreux mots ont été construits sur le mot grec *demos* qui signifie «peuple». Trouvez tous les mots de la même famille.
b. Quel rapport le «démographe» a-t-il avec la démocratie?

4 D'UNE LANGUE À L'AUTRE

a. À partir du nom de Jules César, plusieurs langues ont forgé le mot signifiant «chef absolu». Citez-en quelques exemples.
b. Une récompense cinématographique accordée en France aux artistes porte aussi ce nom. Est-ce pour la même raison?

5 NOMS ET ADJECTIFS

Certains adjectifs, verbes ou noms ne révèlent pas d'emblée leur origine ou le nom correspondant. Trouvez leur sens et l'origine qui explique le changement de radical.
régalien – régicide – régenter – potentat

6 POLYSÉMIE

Employez les mots suivants dans deux phrases où leur sens est différent.
régime – règne – souverain – gouverne

7 SENS PROPRE – SENS FIGURÉ

Dans les phrases suivantes, distinguez le sens propre et le sens figuré.
a. Néron tyrannisa l'empire romain./Il ne faut pas tyranniser ses amis.
b. Il règne dans mon cœur./Louis XVI n'a pas régné aussi longtemps que prévu...
c. Le prince souverain ne dépend d'aucun autre prince./La Cour est souveraine, elle juge sans appel.

8 ALLIANCE DE MOTS

Expliquez les expressions suivantes.
un roi de pacotille – une république bananière – un couvre-chef – un régime d'opérette

9 DEVINETTES

a. *Démagogue* et *démocrate* sont les pires des ennemis. Pourquoi?
b. Vous connaissez des *paires* d'amis, mais que signifie «Hugo était *pair* de France»? «Vivre avec ses *pairs*»? «Hors *pair*»? «Une *pairesse*»?
c. Le sang circule dans des *vaisseaux*, mais que sont des *vassaux*?
d. «La *Chambre* haute» sous la Restauration désigne-t-elle une *chambre* au dernier étage du château?
e. Le *dauphin* est un animal qu'on dit très intelligent, mais qui était appelé «*Dauphin* de France» sous l'Ancien Régime? Et qui appelle-t-on maintenant «la *Dauphine*»? Quel prénom féminin partage sa racine avec les termes précédents?
f. Quel est le point commun entre une tête *couronnée*, un cheval *couronné* et un arbre *couronné*?

EXPRESSION ÉCRITE

En un paragraphe d'une dizaine de lignes, et en utilisant le plus possible les mots rencontrés dans cette page:
Sujet 1
Imaginez le discours d'un dictateur souhaitant convaincre et persuader son peuple de la légitimité de son coup d'État.
Sujet 2
Imaginez l'éloge de l'Ancien Régime par une jeune fille nostalgique du temps des princesses et des robes de bal.

L'ÉLOGE ET LE BLÂME

L'éloge est un genre littéraire traditionnel depuis l'Antiquité, tandis que le blâme n'existe pas en tant que genre littéraire et apparaît dans des œuvres diverses (satires, pamphlets, caricatures, etc.). Tous deux ont une portée argumentative mais des démarches opposées : l'éloge met en relief des qualités, tandis que le blâme dévalorise.

1 L'ART DU PORTRAIT

Faire l'éloge ou le blâme de quelqu'un, c'est d'abord faire son portrait. Les vertus morales ou les défauts, le comportement, l'histoire du personnage sont évoqués en un ensemble construit. Divers procédés stylistiques (amplification, antiphrase, litote, gradation, etc.) permettent de traduire les intentions de l'auteur et de persuader les auditeurs ou lecteurs.
➜ **Ex. :** à travers les yeux d'un observateur naïf, Montesquieu utilise l'ironie pour se moquer de Louis XIV ▸ **p. 336.**

2 UNE PORTÉE ARGUMENTATIVE

Par l'éloge ou le blâme d'un seul, l'auteur tend à dégager les qualités ou les défauts de tous. C'est le travail du moraliste. Plusieurs procédés sont possibles.

▶ **L'exemple d'un personnage de fiction**
L'auteur invente une situation et imagine les qualités et les défauts d'un personnage dans lequel tous se reconnaîtront. C'est le principe de l'apologue, du conte, etc.
➜ **Ex. :** les animaux des *Fables* de La Fontaine conduisent à un questionnement sur les hommes au pouvoir ▸ **p. 327.**

▶ **Le détour par l'exemple d'un personnage célèbre**
C'est ce que fait l'oraison funèbre qui part de la vie et de la mort d'un personnage illustre pour parler à tous. L'enseignement est alors religieux : l'orateur constate que la grandeur et la richesse ne mettent pas à l'abri de la mort et du jugement de Dieu. L'enseignement peut être politique dans d'autres genres littéraires.
➜ **Ex. :** par l'éloge de Louis XIV dans un livre d'histoire, Voltaire se livre à une satire de Louis XV et du régime monarchiste ▸ **p. 338.**

▶ **L'allégorie**
L'allégorie, suite d'éléments descriptifs et narratifs qui rend vivante une idée abstraite, permet de rappeler des valeurs, ou contre-valeurs. Le général s'incarne dans le particulier.
➜ **Ex. :** La Bruyère décrit le bon roi idéal comme un berger auprès de son troupeau ▸ **p. 330.**

3 UN DESTINATAIRE PARFOIS IMPLICITE

Le véritable destinataire de l'éloge ou du blâme est à repérer également. Il y a une stratégie à découvrir. À qui s'adresse vraiment l'oraison funèbre ? Qui dans l'assemblée pourra être touché par l'orateur ?
➜ **Ex. :** en décrivant différents types de tyrans dans *Les Aventures de Télémaque*, livre au départ destiné à un enfant, Fénelon rappelle surtout à Louis XIV ce que doit être un bon roi. Si ses conseils sont appréciés, il pourra être nommé ministre du futur roi, ou même conseiller par Louis XIV lui-même ▸ **p. 331.**

Dossier

1. Aux origines de la caricature

• La caricature (mot d'origine italienne signifiant « charger ») est une forme de satire graphique, longtemps assimilée au grotesque. Elle consiste à représenter un sujet selon le principe de l'exagération des traits, par amplification (les « défauts » physiques sont accentués), par simplification (seuls quelques traits distinctifs, un chapeau, une moustache, etc., sont repris) ou par zoomorphisation (le sujet est déformé et animalisé).

• Les premières formes de caricatures remontent à l'Antiquité : peintures murales, gravures sur pierre, sculptures, masques, etc.

• À la Renaissance, les artistes ont pour but la représentation du Beau. Léonard de Vinci et les frères Carrache ont toujours cherché à idéaliser le portrait : c'est sans doute pour cela qu'ils ont aussi cherché à fixer l'écart maximal entre la plus grande beauté et la plus grande laideur. Leurs études du laid leur ont servi de double inversé pour fixer les conventions artistiques de l'époque.

2. Caricature, presse et imprimerie

• Liée aux mouvements de pensée révolutionnaires, à la critique, à la remise en cause de l'origine divine de l'être humain et aux récentes découvertes sur le règne animal, la caricature profite des nouvelles techniques d'imprimerie dès le XVIe siècle : diffusion en grand nombre des feuilles et brochures satiriques indépendantes, enfin échappées de la sphère trop étroite des hommes de cour et d'Église.

• La presse périodique est née, les « canards » (presse à sensation) répondent à la fascination des lecteurs de l'époque pour le monstrueux. La satire devient graphique et zoomorphique ; Henri III est métamorphosé en harpie menaçante et Louis XVI en roi-cochon, roi faible destiné, comme l'animal de ferme, à être égorgé.

• Depuis le XIXe siècle, les journaux spécialisés dans l'art de la caricature se multiplient : *La Caricature* fondé en 1830 a ouvert la voie au *Charivari* (1832), au *Journal pour rire* (1848), à *L'Assiette au beurre* (1901) ou encore au *Canard enchaîné* (1915).

Honoré Daumier, *Le Député Fruchard*, sculpture en terre crue peinte, 1833, musée d'Orsay, Paris.

▲ Buste en terre cuite du parlementaire Jean-Marie Fruchard (1786-1872) dont Daumier accentue le nez crochu, le regard sévère et la bouche crispée. Honoré Daumier, sans doute le plus grand de tous les caricaturistes, a réalisé 36 sculptures de personnalités politiques dont il s'inspire pour la création des lithographies qui doivent figurer dans les journaux *La Caricature* et *Le Charivari* pour lesquels il travaille.

Léonard de Vinci, *Profils grotesques*, dessin, vers 1517, The Royal Collection, Londres.

▲ Même si les études des « têtes grotesques » de Léonard de Vinci ne sont pas des caricatures au sens strict du terme, elles ont ouvert des perspectives dans l'art de représenter la difformité et la disproportion.

Comparer deux caricatures

Comparez la caricature du banquier par Granville et celle de Daumier ► p. 63. Quels points communs remarquez-vous ?

Grandville, *Scène de la vie privée et publique des animaux – un banquier*, gravure, 1844, musée Carnavalet, Paris.

3. Le roi monstre

Portrait monstrueux et allégorique d'Henri III par les Ligueurs, illustration pour *Sorcelleries de Henri de Valois et des oblations qu'il faisait au diable dans le bois de Vincennes*, 1589, BnF, Paris.

Analyser une caricature

1. Qui sont les Ligueurs?
2. Quels éléments entrent dans la composition de ce roi polymorphe? Renseignez-vous sur le sens du mot «monstre»: pourquoi ce portrait est-il monstrueux?
3. Que symbolise chacun de ces éléments et quels aspects du roi révèlent-ils?
4. Comment expliquez-vous la présence d'un chapelet dans la main gauche à hauteur du bas-ventre et un miroir dans la main droite dans lequel se reflète le visage de Machiavel?
5. Que sont un hermaphrodite, une harpie et une chimère? Faites des recherches sur ces monstres de la mythologie.

4. Les formes modernes de la caricature

• Au XVIIIᵉ siècle apparaît la caricature sculptée avec les bustes déformés de l'artiste allemand Franz Xaver Messerschmidt, soucieux de représenter des états émotionnels d'une grande intensité.

• Les marionnettes télévisées à l'effigie des stars ou des politiciens sont une équivalence très moderne de la satire graphique. L'on y retrouve l'outrance des portraits-charges et l'animalisation grotesque.

• Le dessin d'actualité est quotidiennement exploité par les journaux. Il a essentiellement une fonction d'accroche et il communique aux lecteurs de façon immédiate une information longuement développée dans un article.

• Les progrès en matière d'informatique ont apporté d'autres techniques d'exploitation et de déformation des images: la morphose est une technique de fondu permettant de passer d'une image à une autre en la déformant avec le plus de fluidité possible. Cette technique moderne n'est pas sans rappeler les célèbres «Poires» de Daumier (▶ Le registre comique, p. 464), métamorphose progressive de Louis-Philippe en fruit ▶ p. 65.

La marionnette de Julien Doré dans *Les Guignols de l'info*, parodie du journal télévisé diffusée depuis 1988.

Analyser un dessin d'actualité

Recherchez dans la presse un dessin d'actualité et dites comment le caricaturiste parvient à capter l'attention de ses lecteurs tout en les informant. Expliquez le parti pris de l'artiste après avoir lu l'article auquel se rattache la caricature.

Prolongements

• Certains caricaturistes ont su prouver par leur talent que l'art graphique est parfois plus efficace qu'un texte pour délivrer un message. Retrouvez et analysez un exemple de ce type.
• Recherchez des caricatures répondant à des fonctions différentes et analysez leur sens.

Un conte : Charles Perrault, *Le Petit Poucet* (1697)

Texte intégral

▶ **Comment le conte délivre-t-il un enseignement tout en divertissant les lecteurs ?**

La forêt est le décor naturel le plus utilisé dans les contes. Elle représente l'inconnu et le danger. Elle est une frontière symbolique qui sépare la civilisation de l'état sauvage, l'enfance de l'âge adulte, le bien du mal… Souvent associée au labyrinthe, elle est un monde sans règles où tout peut arriver et d'où l'on ressort grandi physiquement et spirituellement.
Le Petit Poucet de Perrault a fait l'objet d'adaptations en tout genre pour les plus jeunes lecteurs, s'arrêtant bien souvent aux épisodes des petits cailloux et des bottes de sept lieues. Mais au-delà de ces aventures, le conte met en scène de façon originale et subtile l'épreuve initiatique de tout être humain en quête de soi-même et de reconnaissance sociale.

1   Il était une fois un Bûcheron et une Bûcheronne qui avaient sept enfants tous Garçons. L'aîné n'avait que dix ans, et le plus jeune n'en avait que sept. On s'étonnera que le Bûcheron ait eu tant d'enfants en si peu de temps ; mais c'est que sa femme allait vite en besogne, et n'en faisait pas moins que deux à la fois. Ils étaient
5 fort pauvres, et leurs sept enfants les incommodaient beaucoup, parce qu'aucun d'eux ne pouvait encore gagner sa vie. Ce qui les chagrinait encore, c'est que le plus jeune était fort délicat et ne disait mot : prenant pour bêtise ce qui était une marque de la bonté de son esprit. Il était fort petit, et quand il vint au monde, il n'était guère plus gros que le pouce, ce qui fit que l'on l'appela le petit Poucet. Ce pauvre enfant
10 était le souffre-douleur de la maison, et on lui donnait toujours le tort. Cependant il était le plus fin, et le plus avisé de tous ses frères, et s'il parlait peu, il écoutait beaucoup. Il vint une année très fâcheuse, et la famine fut si grande, que ces pauvres gens résolurent de se défaire de leurs enfants. Un soir que ses enfants étaient couchés, et que le Bûcheron était auprès du feu avec sa femme, il lui dit, le cœur serré
15 de douleur :

    « Tu vois bien que nous ne pouvons plus nourrir nos enfants ; je ne saurais les voir mourir de faim devant mes yeux, et je suis résolu de les mener perdre demain au bois, ce qui sera aisé, car tandis qu'ils s'amuseront à fagoter[1], nous n'avons qu'à nous enfuir sans qu'ils nous voient.
20   – Ah ! s'écria la Bûcheronne, pourrais-tu bien toi-même mener perdre tes enfants ? »

    Son mari avait beau lui représenter leur grande pauvreté, elle ne pouvait y consentir, elle était pauvre, mais elle était leur mère. Cependant ayant considéré quelle douleur ce leur serait de les voir mourir de faim, elle y consentit, et alla se coucher en pleurant. Le petit Poucet ouït tout ce qu'ils dirent, car ayant entendu de
25 dedans son lit qu'ils parlaient d'affaires, il s'était levé doucement, et s'était glissé sous l'escabelle[2] de son père pour les écouter sans être vu. Il alla se coucher et ne dormit point le reste de la nuit, songeant à ce qu'il avait à faire. Il se leva de bon matin, et alla au bord d'un ruisseau, où il emplit ses poches de petits cailloux blancs,

▶▶ Gustave Doré, *Le Petit Poucet sème des cailloux*, gravure, 1862.

et ensuite revint à la maison. On partit, et le petit Poucet ne découvrit rien de tout
ce qu'il savait à ses frères. Ils allèrent dans une forêt fort épaisse, où à dix pas de
distance on ne se voyait pas l'un l'autre. Le Bûcheron se mit à couper du bois et ses
enfants à ramasser les broutilles[3] pour faire des fagots. Le père et la mère, les
voyant occupés à travailler, s'éloignèrent d'eux insensiblement, et puis s'enfuirent
tout à coup par un petit sentier détourné. Lorsque ces enfants se virent seuls, ils se
mirent à crier et à pleurer de toute leur force. Le petit Poucet les laissait crier,
sachant bien par où il reviendrait à la maison ; car en marchant il avait laissé tomber le long du chemin les petits cailloux blancs qu'il avait dans ses poches. Il leur
dit donc :

« Ne craignez point, mes frères ; mon Père et ma Mère nous ont laissés ici, mais
je vous ramènerai bien au logis, suivez-moi seulement. »

Ils le suivirent et il les mena jusqu'à leur maison par le même chemin qu'ils
étaient venus dans la forêt. Ils n'osèrent d'abord entrer, mais ils se mirent tous
contre la porte pour écouter ce que disaient leur Père et leur Mère.

Dans le moment que le Bûcheron et la Bûcheronne arrivèrent chez eux, le Seigneur du Village leur envoya dix écus[4] qu'il leur devait il y avait longtemps, et dont
ils n'espéraient plus rien. Cela leur redonna la vie, car les pauvres gens mouraient
de faim. Le Bûcheron envoya sur l'heure sa femme à la Boucherie. Comme il y
avait longtemps qu'elle n'avait mangé, elle acheta trois fois plus de viande qu'il
n'en fallait pour le souper de deux personnes. Lorsqu'ils furent rassasiés, la Bûcheronne dit :

« Hélas ! où sont maintenant nos pauvres enfants ? Ils feraient bonne chère de ce
qui nous reste là. Mais aussi, Guillaume, c'est toi qui les as voulu perdre ; j'avais
bien dit que nous nous en repentirions. Que font-ils maintenant dans cette Forêt ?
Hélas ! mon Dieu, les Loups les ont peut-être mangés ! Tu es bien inhumain d'avoir
perdu ainsi tes enfants. »

Le Bûcheron s'impatienta à la fin, car elle redit plus de vingt fois qu'ils s'en
repentiraient et qu'elle l'avait bien dit. Il la menaça de la battre si elle ne se taisait.
Ce n'est pas que le Bûcheron ne fût peut-être encore plus fâché[5] que sa femme,
mais c'est qu'elle lui rompait la tête,
et qu'il était de l'humeur de beaucoup
d'autres gens, qui aiment fort les femmes qui disent bien, mais qui trouvent très importunes celles qui ont
toujours bien dit. La Bûcheronne
était toute en pleurs :

« Hélas ! où sont maintenant mes
enfants, mes pauvres enfants ? »

Elle le dit une fois si haut que les
enfants qui étaient à la porte, l'ayant
entendue, se mirent à crier tous
ensemble :

« Nous voilà, nous voilà. »

Elle courut vite leur ouvrir la porte,
et leur dit en les embrassant :

« Que je suis aise de vous revoir,
mes chers enfants ! vous êtes bien las,
et vous avez bien faim ; et toi Pierrot,
comme te voilà crotté, viens que je te
débarbouille. »

Gustave Doré, frontispice des *Contes* de Perrault,
gravure sur bois, 1862.

1. faire des fagots
avec des branches.
2. escabeau ; en
réalité il s'agit d'un
tabouret qui paraît
gigantesque aux
yeux du petit Poucet.
3. petites branches.
4. ancienne monnaie ;
10 écus
correspondaient à
l'époque au salaire
mensuel d'un artisan.
5. peiné.

80 Ce Pierrot était son fils aîné qu'elle aimait plus que tous les autres, parce qu'il
était un peu rousseau[6], et qu'elle était un peu rousse. Ils se mirent à Table, et man-
gèrent d'un appétit qui faisait plaisir au Père et à la Mère, à qui ils racontaient la
peur qu'ils avaient eue dans la Forêt en parlant presque toujours tous ensemble.
Ces bonnes gens étaient ravis de revoir leurs enfants avec eux, et cette joie dura
85 tant que les dix écus durèrent. Mais lorsque l'argent fut dépensé, ils retombèrent
dans leur premier chagrin et résolurent de les perdre encore, et pour ne pas manquer leur coup, de les mener bien plus loin que la première fois. Ils ne purent parler
de cela si secrètement qu'ils ne fussent entendus par le petit Poucet, qui fit son
compte de sortir d'affaire comme il avait déjà fait ; mais quoiqu'il se fût levé de
90 bon matin pour aller ramasser des petits cailloux, il ne put en venir à bout, car il
trouva la porte de la maison fermée à double tour. Il ne savait que faire, lorsque la
Bûcheronne leur ayant donné à chacun un morceau de pain pour leur déjeuner, il
songea qu'il pourrait se servir de son pain au lieu de cailloux en le jetant par miettes le long des chemins où ils passeraient ; il le serra[7] donc dans sa poche. Le Père
95 et la Mère les menèrent dans l'endroit de la Forêt le plus épais et le plus obscur, et
dès qu'ils y furent, ils gagnèrent un faux-fuyant[8] et les laissèrent là. Le petit Poucet
ne s'en chagrina pas beaucoup, parce qu'il croyait retrouver aisément son chemin
par le moyen de son pain qu'il avait semé partout où il avait passé ; mais il fut bien
surpris lorsqu'il ne put en retrouver une seule miette ; les Oiseaux étaient venus qui
100 avaient tout mangé. Les voilà donc bien affligés, car plus ils marchaient, plus ils
s'égaraient et s'enfonçaient dans la Forêt. La nuit vint, et il s'éleva un grand vent,
qui leur faisait des peurs épouvantables. Ils croyaient n'entendre de tous côtés que
des hurlements de Loups qui venaient à eux pour les manger. Ils n'osaient presque
se parler ni tourner la tête. Il survint une grosse pluie qui les perça jusqu'aux os ;
105 ils glissaient à chaque pas et tombaient dans la boue, d'où ils se relevaient tout
crottés, ne sachant que faire de leurs mains. Le petit Poucet grimpa au haut d'un
Arbre pour voir s'il ne découvrait rien ; ayant tourné la tête de tous côtés, il vit une
petite lueur comme d'une chandelle, mais qui était bien loin par-delà la Forêt. Il
descendit de l'arbre ; et lorsqu'il fut à terre, il ne vit plus rien ; cela le désola. Cepen-
110 dant, ayant marché quelque temps avec ses frères du côté qu'il avait vu la lumière,

6. garçon aux
cheveux roux.
7. mettre en sécurité.
8. chemin détourné.

Le Petit Poucet, film
d'**Olivier Dahan**, 2001.

il la revit en sortant du Bois. Ils arrivèrent enfin à la maison où était cette chandelle, non sans bien des frayeurs, car souvent ils la perdaient de vue, ce qui leur arrivait toutes les fois qu'ils descendaient dans quelques fonds[9]. Ils heurtèrent à la porte, et une bonne femme[10] vint leur ouvrir. Elle leur demanda ce qu'ils voulaient ;

115 le petit Poucet lui dit qu'ils étaient de pauvres enfants qui s'étaient perdus dans la Forêt, et qui demandaient à coucher par charité. Cette femme les voyant tous si jolis se mit à pleurer, et leur dit :

« Hélas ! mes pauvres enfants, où êtes-vous venus ? Savez-vous bien que c'est ici la maison d'un Ogre qui mange les petits enfants ?

120 – Hélas ! Madame, lui répondit le petit Poucet, qui tremblait de toute sa force aussi bien que ses frères, que ferons-nous ? Il est bien sûr que les Loups de la Forêt ne manqueront pas de nous manger cette nuit, si vous ne voulez pas nous retirer[11] chez vous. Et cela étant, nous aimons mieux que ce soit Monsieur qui nous mange ; peut-être qu'il aura pitié de nous, si vous voulez bien l'en prier. »

125 La femme de l'Ogre qui crut qu'elle pourrait les cacher à son mari jusqu'au lendemain matin, les laissa entrer et les mena se chauffer auprès d'un bon feu ; car il y avait un Mouton tout entier à la broche pour le souper de l'Ogre. Comme ils commençaient à se chauffer, ils entendirent heurter trois ou quatre grands coups à la porte : c'était l'Ogre qui revenait. Aussitôt sa femme les fit cacher sous le lit et alla ouvrir la porte.

130 L'Ogre demanda d'abord si le souper était prêt, et si on avait tiré du vin, et aussitôt se mit à table. Le Mouton était encore tout sanglant, mais il ne lui en sembla que meilleur. Il fleurait[12] à droite et à gauche, disant qu'il sentait la chair fraîche.

« Il faut, lui dit sa femme, que ce soit ce Veau que je viens d'habiller[13] que vous sentez.

135 – Je sens la chair fraîche, te dis-je encore une fois, reprit l'Ogre, en regardant sa femme de travers, et il y a ici quelque chose que je n'entends pas. »

En disant ces mots, il se leva de Table, et alla droit au lit.

« Ah, dit-il, voilà donc comme tu veux me tromper, maudite femme ! Je ne sais à quoi il tient que je ne te mange aussi ; bien t'en prend d'être une vieille bête. Voilà

140 du Gibier qui me vient bien à propos pour traiter trois Ogres de mes amis qui doivent me venir voir ces jours ici. »

Il les tira de dessous le lit l'un après l'autre. Ces pauvres enfants se mirent à genoux en lui demandant pardon ; mais ils avaient à faire au plus cruel de tous les Ogres, qui bien loin d'avoir de la pitié les dévorait déjà des yeux, et disait à sa

145 femme que ce serait là de friands morceaux lorsqu'elle leur aurait fait une bonne sauce. Il alla prendre un grand Couteau, et en approchant de ces pauvres enfants, il l'aiguisait sur une longue pierre qu'il tenait à sa main gauche. Il en avait déjà empoigné un, lorsque sa femme lui dit :

« Que voulez-vous faire à l'heure qu'il est ? N'aurez-vous pas assez de temps

150 demain matin ?

– Tais-toi, reprit l'Ogre, ils en seront plus mortifiés[14].

– Mais vous avez encore là tant de viande, reprit sa femme ; voilà un Veau, deux Moutons et la moitié d'un Cochon !

– Tu as raison, dit l'Ogre ; donne-leur bien à souper, afin qu'ils ne maigrissent

155 pas, et va les mener coucher. »

La bonne femme fut ravie de joie, et leur porta bien à souper mais ils ne purent manger tant ils étaient saisis de peur. Pour l'Ogre, il se remit à boire, ravi d'avoir de quoi si bien régaler ses Amis. Il but une douzaine de coups plus qu'à l'ordinaire, ce qui lui donna un peu dans la tête, et l'obligea de s'aller coucher.

160 L'Ogre avait sept filles, qui n'étaient encore que des enfants. Ces petites Ogresses avaient toutes le teint fort beau, parce qu'elles mangeaient de la chair fraîche

9. creux.
10. vieille femme.
11. accueillir.
12. flairait.
13. vider le gibier pour le cuisiner.
14. tendres.

comme leur père ; mais elles avaient de petits yeux gris et tout ronds, le nez crochu et une fort grande bouche avec de longues dents fort aiguës et fort éloignées l'une de l'autre. Elles n'étaient pas encore fort méchantes ; mais elles promettaient beau-
165 coup, car elles mordaient déjà les petits enfants pour en sucer le sang. On les avait fait coucher de bonne heure, et elles étaient toutes sept dans un grand lit, ayant chacune une Couronne d'or sur la tête. Il y avait dans la même Chambre un autre lit de la même grandeur, ce fut dans ce lit que la femme de l'Ogre mit coucher les sept garçons ; après quoi, elle s'alla coucher auprès de son mari. Le petit Poucet qui
170 avait remarqué que les filles de l'Ogre avaient des Couronnes d'or sur la tête, et qui craignait qu'il ne prît à l'Ogre quelque remords de ne les avoir pas égorgés dès le soir même, se leva vers le milieu de la nuit, et prenant les bonnets de ses frères et le sien, il alla tout doucement les mettre sur la tête des sept filles de l'Ogre, après leur avoir ôté leurs couronnes d'or qu'il mit sur la tête de ses frères et sur la sienne, afin
175 que l'Ogre les prît pour ses filles, et ses filles pour les garçons qu'il voulait égorger. La chose réussit comme il l'avait pensé ; car l'Ogre s'étant éveillé sur le minuit eut regret d'avoir différé au lendemain ce qu'il pouvait exécuter la veille ; il se jeta donc brusquement hors du lit, et prenant son grand Couteau :

« Allons voir, dit-il, comment se portent nos petits drôles[15] ; n'en faisons pas à
180 deux fois. »

Il monta donc à tâtons à la Chambre de ses filles et s'approcha du lit où étaient les petits garçons, qui dormaient tous, excepté le petit Poucet, qui eut bien peur lorsqu'il sentit la main de l'Ogre qui lui tâtait la tête, comme il avait tâté celles de tous ses frères. L'Ogre, qui sentit les Couronnes d'or :

185 « Vraiment, dit-il, j'allais faire là un bel ouvrage ; je vois bien que je bus trop hier au soir. »

Il alla ensuite au lit de ses filles, où ayant senti les petits bonnets des garçons :
« Ah ! les voilà, dit-il, nos gaillards ! Travaillons hardiment. »

En disant ces mots, il coupa sans balancer la gorge à ses sept filles. Fort content
190 de cette expédition, il alla se recoucher auprès de sa femme. Aussitôt que le petit Poucet entendit ronfler l'Ogre, il réveilla ses frères, et leur dit de s'habiller promp-tement et de le suivre. Ils descendirent doucement dans le Jardin, et sautèrent par-dessus les murailles. Ils coururent presque toute la nuit, toujours en tremblant et sans savoir où ils allaient. L'Ogre s'étant éveillé dit à sa femme :

15. personne prête à tout.

« Va-t'en là-haut habiller[13] ces petits drôles d'hier soir. »

L'Ogresse fut fort étonnée de la bonté de son mari, ne se doutant point de la manière qu'il entendait qu'elle les habillât, et croyant qu'il lui ordonnait de les aller vêtir, elle monta en haut où elle fut bien surprise lorsqu'elle aperçut ses sept filles égorgées et nageant dans leur sang. Elle commença par s'évanouir (car c'est le premier expédient que trouvent presque toutes les femmes en pareilles rencontres). L'Ogre, craignant que

Le Petit Poucet, film d'**Olivier Dahan**, 2001.

sa femme ne fût trop longtemps à faire la besogne dont il l'avait chargée, monta en haut pour lui aider[16]. Il ne fut pas moins étonné que sa femme lorsqu'il vit cet affreux spectacle.

210 «Ah! qu'ai-je fait? s'écria-t-il, ils me le payeront, les malheureux, et tout à l'heure.»

Il jeta aussitôt une potée[17] d'eau dans le nez de sa femme et l'ayant fait revenir:

«Donne-moi vite mes bottes de sept lieues, lui dit-il, afin que j'aille les attra-
215 per.»

Il se mit en campagne, et après avoir couru bien loin de tous côtés, enfin il entra dans le chemin où marchaient ces pauvres enfants qui n'étaient plus qu'à cent pas du logis de leur père. Ils virent l'Ogre qui allait de montagne en montagne, et qui traversait des rivières aussi aisément qu'il aurait fait le moindre ruisseau. Le petit
220 Poucet, qui vit un Rocher creux proche le lieu où ils étaient, y fit cacher ses six frères, et s'y fourra aussi, regardant toujours ce que l'Ogre deviendrait.

L'Ogre qui se trouvait fort las du long chemin qu'il avait fait inutilement (car les bottes de sept lieues fatiguent fort leur homme), voulut se reposer, et par hasard il alla s'asseoir sur la roche où les petits garçons s'étaient cachés. Comme il n'en
225 pouvait plus de fatigue, il s'endormit après s'être reposé quelque temps, et vint à ronfler si effroyablement que les pauvres enfants n'en eurent pas moins de peur que quand il tenait son grand couteau pour leur couper la gorge. Le petit Poucet en eut moins de peur, et dit à ses frères de s'enfuir promptement à la maison, pendant que l'Ogre dormait bien fort, et qu'ils ne se missent point en peine de lui. Ils
230 crurent son conseil, et gagnèrent vite la maison. Le petit Poucet s'étant approché de l'Ogre, lui tira doucement ses bottes, et les mit aussitôt. Les bottes étaient fort grandes et fort larges; mais comme elles étaient Fées[18], elles avaient le don de s'agrandir et de s'apetisser selon la jambe de celui qui les chaussait, de sorte qu'elles se trouvèrent aussi justes à ses pieds et à ses jambes que si elles avaient été faites
235 pour lui. Il alla droit à la maison de l'Ogre où il trouva sa femme qui pleurait auprès de ses filles égorgées.

«Votre mari, lui dit le petit Poucet, est en grand danger, car il a été pris par une troupe de voleurs qui ont juré de le tuer s'il ne leur donne tout son or et tout son argent. Dans le moment qu'ils lui tenaient le poignard sur la gorge, il m'a aperçu
240 et m'a prié de vous venir avertir de l'état où il est, et de vous dire de me donner tout ce qu'il a vaillant[19] sans en rien retenir, parce qu'autrement ils le tueront sans miséricorde. Comme la chose presse beaucoup, il a voulu que je prisse ses bottes de sept lieues que voilà pour faire diligence, et aussi afin que vous ne croyiez pas que je sois un affronteur[20].»

245 La bonne femme fort effrayée lui donna aussitôt tout ce qu'elle avait car cet Ogre ne laissait pas d'être fort bon mari, quoiqu'il mangeât les petits enfants. Le petit Poucet étant donc chargé de toutes les richesses de l'Ogre s'en revint au logis de son père, où il fut reçu avec bien de la joie.

Il y a bien des gens qui ne demeurent pas d'accord de cette dernière circons-
250 tance, et qui prétendent que le petit Poucet n'a jamais fait ce vol à l'Ogre; qu'à la vérité, il n'avait pas fait conscience[21] de lui prendre ses bottes de sept lieues, parce qu'il ne s'en servait que pour courir après les petits enfants. Ces gens-là assurent le savoir de bonne part[22], et même pour avoir bu et mangé dans la maison du Bûcheron. Ils assurent que lorsque le petit Poucet eut chaussé les bottes de l'Ogre, il s'en
255 alla à la Cour, où il savait qu'on était fort en peine d'une Armée qui était à deux cents lieues de là, et du succès d'une Bataille qu'on avait donnée. Il alla, disent-ils, trouver le Roi, et lui dit que s'il le souhaitait, il lui rapporterait des nouvelles de

16. l'aider.
17. contenu d'un pot.
18. magiques.
19. tout ce qui a de la valeur; argent.
20. effronté, menteur.
21. ne pas se sentir coupable.
22. de bonne source.

l'Armée avant la fin du jour. Le Roi lui promit une grosse somme d'argent s'il en venait à bout. Le petit Poucet rapporta des nouvelles dès le soir même, et cette
260 première course l'ayant fait connaître, il gagnait tout ce qu'il voulait ; car le Roi le payait parfaitement bien pour porter ses ordres à l'Armée, et une infinité de Dames lui donnaient tout ce qu'il voulait pour avoir des nouvelles de leurs Amants, et ce fut là son plus grand gain. Il se trouvait quelques femmes qui le chargeaient de lettres pour leurs maris, mais elles le payaient si mal, et cela allait à si peu de chose,
265 qu'il ne daignait mettre en ligne de compte ce qu'il gagnait de ce côté-là. Après avoir fait pendant quelque temps le métier de courrier, et y avoir amassé beaucoup de bien, il revint chez son père, où il n'est pas possible d'imaginer la joie qu'on eut de le revoir. Il mit toute sa famille à son aise. Il acheta des Offices de nouvelle créa-tion[23] pour son père et pour ses frères ; et par là il les établit tous, et fit parfaitement
270 bien sa Cour en même temps.

23. lettres de noblesse et offices que l'on achetait pour assurer diverses fonctions politiques et sociales.

MORALITÉ

On ne s'afflige point d'avoir beaucoup d'enfants,
Quand ils sont tous beaux, bien faits et bien grands,
Et d'un extérieur qui brille ;
275 *Mais si l'un d'eux est faible ou ne dit mot,*
On le méprise, on le raille, on le pille ;
Quelquefois cependant c'est ce petit marmot
Qui fera le bonheur de toute la famille.

Questions

▶ Cadre et structure d'un récit, p. 429
▶ L'argumentation indirecte, p. 450

Vocabulaire
Recherchez le sens des mots «fable», «conte» et «apologue». Quelles nuances observez-vous ?

▶ Le sens des mots, p. 412

▶ Lire un sujet d'invention, p. 474

La structure du récit

1. Établissez et analysez le schéma narratif suivant lequel le récit est structuré.
2. Repérez dans le récit les jeux de répéti-tion. À quoi servent-ils, selon vous ?

Les personnages du conte

3. Faites le portrait du petit Poucet au début du conte. Quelle métamorphose le héros a-t-il subie à la fin du conte après avoir dérobé les bottes de l'ogre ? Que symbolise ce changement ?

4. Les personnages vous semblent-ils être des individus ou des stéréotypes ? Justi-fiez votre réponse avec précision et expli-quez le choix du narrateur.

La leçon du conteur

5. Relevez les éléments merveilleux à l'origine du divertissement et du plaisir de lire.
6. Pourquoi *Le Petit Poucet* est-il un conte noir mettant en garde les jeunes lecteurs contre les dangers de la vie ?
7. À quel enseignement aboutit le conte ?

Synthèse Quelles sont les valeurs défendues par Perrault dans son apologue ?

Vers le bac **S'entraîner au sujet d'invention**
L'ogresse tente de gagner du temps pour éviter que son mari ne dévore les sept jeunes gar-çons. Rédigez le discours argumentatif qu'elle prononce devant son mari en veillant à clas-ser ses arguments et ses exemples par ordre d'importance, en veillant aussi à lui faire utili-ser des procédés pour convaincre et pour persuader.

Prolongements
• Recherchez dans la mythologie un épisode où le héros, à la manière du petit Poucet, doit faire preuve d'ingéniosité pour qu'un personnage retrouve son chemin.
• Recherchez dans la littérature étrangère d'autres héros de petite taille dont vous résumerez l'histoire.

Gustave Doré, *Le Petit Poucet vole les bottes de sept lieues* (1862)

Gustave Doré, *Le Petit Poucet vole les bottes de sept lieues de l'Ogre*, gravure, 1862.

▲ Les premières illustrations des *Contes* de Perrault remontent à 1697. Mais c'est en 1862, grâce à Gustave Doré, que le recueil se voit augmenté de quarante dessins. L'illustrateur a obtenu de l'éditeur Jules Hetzel d'agrémenter les chefs-d'œuvre de la littérature européenne, notamment *L'Enfer* de Dante, les *Fables* de La Fontaine ou encore *De la Terre à la Lune* de Jules Verne.

Questions

▶ **Décrire une image, p. 514**

1. D'où provient le réalisme de la scène du vol des bottes et l'impression qu'elle est saisie sur l'instant ?
2. Comment Gustave Doré rend-il compte de la disproportion qui oppose les deux personnages ?

3. Comment la présence d'un danger imminent est-elle suggérée ?
4. Pourquoi, selon vous, a-t-on souvent dit que les illustrations de Gustave Doré sont une réécriture des contes de Perrault ?

histoire des arts

Analyse des photogrammes du film ▶ p. 346 et 348

• Comment le cinéaste Olivier Dahan parvient-il à plonger les lecteurs dans un univers ni tout à fait réel, ni tout à fait irréel ?

▶ **Étudier un film, p. 522**

• Comment chaque image installe-t-elle un climat menaçant ? Observez les éléments représentés, les jeux d'ombre et de lumière, le cadrage, les proportions, les couleurs, etc.

▶ **Bruno Bettelheim**
est marqué par la
douloureuse
expérience des
camps de
concentration de la
Seconde Guerre
mondiale. Rescapé
de Dachau et de
Buchenwald, ce
psychanalyste
d'origine
autrichienne émigre
aux États-Unis pour
consacrer ses
recherches à l'étude
du comportement
des enfants et des
jeunes autistes.

Bruno Bettelheim,
Psychanalyse des contes de fées (1976)

D'après Bettelheim, l'essai Psychanalyse des contes de fées *a été « écrit pour aider les adultes, et plus spécialement ceux qui ont charge d'enfants, à comprendre l'importance des contes de fées ».*

1   Les contes de fées ont pour caractéristique de poser des problèmes existentiels en termes brefs et précis. L'enfant peut ainsi affronter ces problèmes dans leur forme essentielle, alors qu'une intrigue plus élaborée lui compliquerait les choses. Le conte de fées simplifie toutes les situations. Ses personnages sont nettement
5 dessinés ; et les détails, à moins qu'ils ne soient très importants, sont laissés de côté. Tous les personnages correspondent à un type ; ils n'ont rien d'unique.

    Contrairement à ce qui se passe dans la plupart des histoires modernes pour enfants, le mal, dans les contes de fées, est aussi répandu que la vertu. Dans pratiquement tous les contes de fées, le bien et le mal sont matérialisés par des person-
10 nages et par leurs actions, de même que le bien et le mal sont omniprésents dans la vie et que chaque homme a des penchants pour les deux. C'est ce dualisme qui pose le problème moral ; l'homme doit lutter pour le résoudre.

    Le mal est présenté avec tous ses attraits – symbolisés dans les contes par le géant tout-puissant ou par le dragon, par les pouvoirs de la sorcière, la reine rusée
15 de Blanche-Neige – et, souvent, il triomphe momentanément. De nombreux contes nous disent que l'usurpateur réussit pendant quelque temps à se tenir à la place qui appartient de droit au héros (comme les méchantes sœurs de Cendrillon). Ce n'est pas seulement parce que le méchant est puni à la fin de l'histoire que les contes ont une portée morale ; dans les contes de fées, comme dans la vie, le châtiment, ou la
20 peur qu'il inspire, n'a qu'un faible effet préventif contre le crime ; la conviction que le crime ne paie pas est beaucoup plus efficace, et c'est pourquoi les méchants des contes finissent toujours par perdre. Ce n'est pas le triom-
25 phe final de la vertu qui assure la moralité du conte mais le fait que l'enfant, séduit par le héros, s'identifie avec lui à tra-
30 vers toutes ses épreuves. À cause de cette identification, l'enfant imagine qu'il partage toutes les souffrances du héros au cours de ses tribulations et
35 qu'il triomphe avec lui au

Alice au pays des merveilles, film de
Tim Burton, 2010.

moment où la vertu l'emporte sur le mal. L'enfant accomplit tout seul cette identification, et les luttes intérieures et extérieures du héros impriment en lui le sens
moral.

40   Les personnages des contes de fées ne sont pas ambivalents ; ils ne sont pas à la
fois bons et méchants, comme nous le sommes tous dans la réalité. De même
qu'une polarisation domine l'esprit de l'enfant, elle domine le conte de fées. Chaque personnage est tout bon ou tout méchant. Un frère est idiot, l'autre intelligent.
Une sœur est vertueuse et active, les autres infâmes et indolentes. L'une est belle,
les autres sont laides. L'un des parents est tout bon, l'autre tout méchant. La jux-
45   taposition de ces personnages opposés n'a pas pour but de souligner le comportement le plus louable, comme ce serait vrai pour les contes de mise en garde […].
Ce contraste des personnages permet à l'enfant de comprendre facilement leurs
différences, ce qu'il serait incapable de faire aussi facilement si les protagonistes,
comme dans la vie réelle, se présentaient avec toute leur complexité. Pour com-
50   prendre les ambiguïtés, l'enfant doit attendre d'avoir solidement établi sa propre
personnalité sur la base d'identifications positives.

Traduit par Théo Carlier, 2003, © Éditions Robert Laffont.

Questions

1. D'où provient la simplicité des contes de fées ?
2. Expliquez le sens de cette phrase : « Les personnages des contes de fées ne sont pas ambivalents » (l. 39).
3. D'après l'auteur, qu'est-ce qui « assure la moralité du conte » ?

4. Qu'apporte aux enfants la lecture des contes de fées ?

Lecture d'image
- Pourquoi peut-on dire que le monde représenté sur l'affiche de Tim Burton est à la fois accueillant et menaçant ?
- Quels éléments évoquent le rêve ?

Prolongements

- Dans *Émile ou De l'éducation*, Rousseau déconseille la lecture des fables aux enfants. Reportez-vous à cet extrait et expliquez les arguments défendus par le philosophe.
- Lisez *Le Baron perché* d'Italo Calvino et dites pourquoi ce roman présente à la fois un conte et un enseignement.
- D'après les différentes adaptations et illustrations que vous connaissez du conte *Alice au pays des merveilles*, présentez ce qui renvoie à l'imaginaire et aux angoisses de l'être humain.

Parler d'amour : lettres et discours argumentatifs

▶ **Quel type d'argumentation permet de déclarer son amour, séduire ou rompre ?**

▶ **Comment le discours sur l'amour se fait-il reflet de la société ?**

▶▶▶ François Boucher, *Les Présents du berger* (détail), huile sur toile (98 x 146 cm), vers 1750, musée du Louvre, Paris.

Jean-Honoré Fragonard,
Le Verrou (1778)

Jean-Honoré Fragonard,
Le Verrou, huile sur toile
(73 x 93 cm), 1778,
musée du Louvre, Paris.

Questions

Composition et lumière

1. Comment l'espace est-il occupé et organisé ? Quelle ligne domine ? Quels éléments relie-t-elle ?

2. Observez les diagonales du tableau : par quoi est occupé le centre ? Comment est assurée la continuité entre la partie droite et la partie gauche ? Interprétez ce choix.

3. Étudiez la répartition de la lumière : comment dramatise-t-elle la scène ? Quels éléments sont mis en lumière ? Quels éléments sont laissés dans l'ombre ? Interprétez ce choix.

4. Relevez les objets : que symbolisent-ils ?

► **Décrire une image, p. 514**

Le lit

5. Quelle couleur domine ? Que symbolise-t-elle ?

6. Observez les oreillers : quelle partie de l'anatomie féminine évoquent-ils ?

7. Observez les draps : où retrouve-t-on un écho de la couleur et du plissé de l'étoffe ? Pourquoi ?

Les personnages

8. Décrivez les personnages et leurs actions. Comment Fragonard a-t-il rendu l'impression de violence ? Proposez deux interprétations.

Synthèse Rédigez un paragraphe justifiant la pertinence du titre du tableau.

▶ Biographie p. 535

René Descartes,
Lettre à Chanut (1647)

⊕ CONTEXTE

En 1637, Descartes conceptualise, dans *Le Discours de la méthode*, les règles intellectuelles et morales sur lesquelles fonder la connaissance. Il encourage une mise en doute systématique de la réalité pour éviter les préjugés et les idées reçues. Il préconise de l'ordre dans le raisonnement et conseille de partir des questions les plus simples pour aller aux plus complexes. La pensée de Descartes fonde le cartésianisme qui repose sur la raison, valeur dominante du siècle suivant.

Dans Les Passions de l'âme *(1649), Descartes explique que, malgré la séparation traditionnelle de l'âme et du corps, l'amour (une passion rapportée à l'âme) s'accompagne pourtant de mouvements du corps. Dans la* Lettre à Chanut, *il fonde cette hypothèse sur un souvenir d'enfance.*

1   Je passe maintenant à votre question, touchant les causes qui nous incitent souvent à aimer une personne plutôt qu'une autre, avant que nous en connaissions le mérite ; et j'en remarque deux, qui sont, l'une dans l'esprit, et l'autre dans le corps. Mais pour celle qui n'est que dans l'esprit, elle présuppose tant de choses touchant la nature de nos âmes, que je n'oserais entreprendre de les déduire dans une lettre.
5   Je parlerai seulement de celle du corps. Elle consiste dans la disposition des parties de notre cerveau, soit que cette disposition ait été mise en lui par les objets des sens, soit par quelque autre cause. Car les objets qui touchent nos sens meuvent par l'entremise des nerfs quelques parties de notre cerveau, et y font comme certains plis, qui se défont lorsque l'objet cesse d'agir ; mais la partie où ils ont été
10 faits demeure par après disposée à être pliée derechef en la même façon par un autre objet qui ressemble en quelque chose au précédent, encore qu'il ne lui ressemble pas en tout. Par exemple lorsque j'étais enfant, j'aimais une fille de mon âge, qui était un peu louche[1] ; au moyen de quoi, l'impression qui se faisait par la vue en mon cerveau, quand je regardais ses yeux égarés, se joignait tellement à
15 celle qui s'y faisait aussi pour émouvoir en moi la passion de l'amour, que longtemps après, en voyant des personnes louches, je me sentais plus enclin à les aimer qu'à en aimer d'autres, pour cela seul qu'elles avaient ce défaut ; et je ne savais pas néanmoins que ce fût pour cela. Au contraire depuis que j'y ai fait réflexion, et que j'ai reconnu ce que c'était, je n'en ai plus été ému. Ainsi, lorsque nous sommes
20 portés à aimer quelqu'un, sans que nous en sachions la cause, nous pouvons croire que cela vient de ce qu'il a quelque chose en lui de semblable à ce qui a été dans un autre objet que nous avons aimé auparavant, encore que nous ne sachions pas ce que c'est. Et bien que ce soit plus ordinairement une perfection qu'un défaut, qui nous attire ainsi à l'amour, toutefois, à cause que ce peut être quelquefois un défaut,
25 comme en l'exemple que j'ai rapporté, un homme sage ne se doit pas laisser entièrement aller à cette passion, avant que d'avoir considéré le mérite de la personne par laquelle nous nous sentons émus.

1. qui louchait.

Louise Labé,
Sonnets, VIII (1554)

1   Je vis, je meurs : je me brule et me noye.
    J'ay chaut estreme en endurant froidure :
    La vie m'est et trop molle et trop dure.
    J'ay grans ennuis entremeslez de joye :

5   Tout à coup je ris et je larmoye,
    Et en plaisir maint grief tourment j'endure :
    Mon bien s'en va, et à jamais il dure :
    Tout en un coup je seiche et je verdoye.

    Ainsi Amour inconstamment me meine :
10 Et quand je pense avoir plus de douleur,
    Sans y penser je me treuve hors de peine.

    Puis quand je croy ma joye estre certeine,
    Et estre au haut de mon désiré heur,
    Il me remet en mon premier malheur.

Questions

▶ **Les registres didactique, polémique et satirique, p. 470**
▶ **Les figures de style, p. 420**

Vocabulaire
Quel est le sens du mot « mérite » au XVIIe siècle dans un contexte amoureux ? Ce sens existe-t-il toujours au XXIe siècle ?

Le genre du texte de Descartes
1. Quels indices permettent d'affirmer que le texte est une lettre ?
2. Quel est le thème de la lettre de Descartes ? Où se trouve-t-il formulé ?

Les étapes de l'argumentation de Descartes
3. Retrouvez les différentes étapes argumentatives du texte, nommez ces étapes et soulignez les liens logiques.
4. « Elle consiste dans la disposition des parties de notre cerveau... » (l. 6) : à quoi renvoie le pronom « elle » ?
5. Quelle est la fonction argumentative de l'épisode de la jeune fille qui louche ?

La théorie de Descartes
6. Quelle est la cause physique qui, selon Descartes, nous amène à aimer une personne plutôt qu'une autre ? Quelle est la thèse de Descartes ?
7. « ... mais la partie [...] pas en tout » (l. 10-13). Reformulez cette phrase.

Quelle métaphore Descartes utilise-t-il pour faire comprendre son idée ?
8. Quel est le fruit de la réflexion dans l'expérience de Descartes ? Qu'est-ce qu'un « homme sage » ? Quel élément est-il appelé à introduire dans son attirance pour une personne ?

L'amour selon Louise Labé
1. Relevez les antithèses sur lesquelles le poète fonde sa description de l'amour. Que prouvent-elles ?
2. Pourquoi le mot « Amour » (v. 9) est-il doté d'une majuscule ?
3. Analysez grammaticalement ce vers. Quelle place occupe le « je » ? Trouvez un autre vers où il occupe la même place.
4. Descartes analyse l'amour de façon « rationaliste ». Quelle perspective Louise Labé adopte-t-elle ? Quel point commun entre les deux visions peut-on cependant remarquer ?

Synthèse Le « coup de foudre » est-il possible ? Développez votre réponse en vous appuyant sur les textes proposés.

> **Vers le bac**   **Construire un paragraphe argumentatif**

▶ **Construire un paragraphe argumentatif, p. 485**

La lettre de Descartes est un modèle de construction argumentative méthodique, mais la langue et la syntaxe du XVIIe siècle rendent la lecture peu aisée. Reformulez cette lettre pour faire clairement apparaître toutes les étapes du raisonnement. Veillez à retrouver chacune des articulations logiques.

Mme de La Fayette,
La Princesse de Clèves (1678)

▶ Biographie p. 537

● CONTEXTE

La Princesse de Clèves est le premier roman français à bénéficier d'une « campagne de presse ». Celle-ci donna lieu à de nombreux débats sur le thème de l'aveu : faut-il qu'une femme dise tout à son mari ? Avec cet ouvrage, le roman entre aussi dans une nouvelle ère : après le roman baroque aux histoires enchâssées compliquées et aux personnages stéréotypés, le roman se simplifie autour d'une intrigue unique et les personnages prennent de l'épaisseur. C'est la naissance du « roman psychologique ».

Le duc de Nemours est épris de la princesse de Clèves. Celle-ci est mariée, mais son amour pour Nemours grandit. Pour se garantir d'une infidélité, elle finit par ouvrir son cœur à son mari qui meurt avant qu'elle n'ait pu l'assurer de son innocence. Veuve, la princesse se refuse encore à Nemours.

Je crois devoir à votre attachement la faible récompense de ne vous cacher aucun de mes sentiments et de vous les laisser voir tels qu'ils sont. Ce sera apparemment la seule fois de ma vie que je me donnerai la liberté de vous les faire paraître ; néanmoins je ne saurais vous avouer, sans honte, que la certitude de ne
5 plus être aimée de vous comme je le suis, me paraît un si horrible malheur que, quand je n'aurais point des raisons de devoir insurmontables, je doute si je pourrais m'exposer à ce malheur. Je sais que vous êtes libre, que je le suis, et que les choses sont d'une sorte que le public[1] n'aurait peut-être pas sujet de vous blâmer, ni moi non plus, quand nous nous engagerions ensemble pour jamais. Mais les
10 hommes conservent-ils de la passion dans ces engagements éternels ? Dois-je espérer un miracle en ma faveur et puis-je me mettre en état de voir certainement finir cette passion dont je ferais toute ma félicité[2] ? Monsieur de Clèves était peut-être l'unique homme du monde capable de conserver de l'amour dans le mariage. Ma destinée n'a pas voulu que j'aie pu profiter de ce bonheur ; peut-être aussi que sa
15 passion n'avait subsisté que parce qu'il n'en avait pas trouvé en moi. Mais je n'aurais pas le même moyen de conserver la vôtre, je crois même que les obstacles ont fait votre constance. Vous en avez assez trouvé pour vous animer à vaincre et mes actions involontaires, ou les choses que le hasard vous a appris, vous ont donné assez d'espérance pour ne pas vous rebuter.
20 – Ah ! Madame, reprit Monsieur de Nemours, je ne saurais garder le silence que vous m'imposez, vous me faites trop d'injustice et vous me faites trop voir combien vous êtes éloignée d'être prévenue[3] en ma faveur.
– J'avoue, répondit-elle, que les passions peuvent me conduire ; mais elles ne sauraient m'aveugler. Rien ne me peut empêcher de connaître que vous êtes né
25 avec toutes les dispositions pour la galanterie et toutes les qualités qui sont propres à y donner des succès heureux. Vous avez déjà eu plusieurs passions, vous en auriez encore ; je ne ferais plus votre bonheur, je vous verrais pour une autre comme vous auriez été pour moi. J'en aurais une douleur mortelle, et je ne serais pas même assurée de n'avoir point le malheur de la jalousie. Je vous en ai trop dit pour vous
30 cacher que vous me l'avez fait connaître. […]
Par vanité ou par goût, toutes les femmes souhaitent de vous attacher. Il y en a peu à qui vous ne plaisiez, mon expérience me ferait croire qu'il n'y en a point à qui vous ne puissiez plaire. Je vous croirais toujours amoureux et aimé et je ne me tromperais pas souvent. Dans cet état néanmoins, je n'aurais d'autre parti à pren-
35 dre que celui de la souffrance, je ne sais même si j'oserais me plaindre. On fait des reproches à un amant, mais en fait-on à un mari, quand on n'a qu'à lui reprocher de n'avoir plus d'amour ? Quand je pourrais m'accoutumer à cette sorte de malheur, pourrais-je m'accoutumer à celui de croire voir toujours Monsieur de Clèves vous accuser de sa mort, me reprocher de vous avoir aimé, de vous avoir épousé et
40 me faire sentir la différence de son attachement au vôtre ? Il est impossible, continua-t-elle, de passer par-dessus des raisons si fortes, il faut que je demeure dans l'état où je suis et dans les résolutions que j'ai prises de n'en sortir jamais.

1. le monde.
2. extrême bonheur.
3. disposée.

Questions

► L'argumentation directe, p. 449

► Démontrer/délibérer/ convaincre/persuader, p. 453

► Les types de raisonnements et d'arguments, p. 456

Vocabulaire

Qu'est-ce qu'un «amant» au XVIIᵉ siècle?

Les différents types d'arguments

1. Relevez les différentes étapes de l'argumentation de la princesse. Que veut-elle faire accepter? Quels effets ménage-t-elle pour convaincre son interlocuteur?

2. Relevez toutes les raisons qui fondent son refus.

3. Quelle remarque pouvez-vous faire sur les modes et temps des verbes? Sur le type de phrases? Relevez des exemples et montrez comment la princesse les utilise pour argumenter.

4. Distinguez deux étapes dans le raisonnement qui ouvre le dernier paragraphe (l. 31 à 34). Comment l'appelle-t-on?

Vision de la société

5. Quelle est la place du regard des autres dans la décision prise? La princesse est-elle libre?

6. Certains passages du texte prouvent l'amour de la princesse pour le duc. Notez-les et précisez la figure de style utilisée. Comment qualifier cet amour? Quelle vision de la société Mᵐᵉ de La Fayette propose-t-elle?

Synthèse En quelques phrases concises, reprenez la raison principale qui empêche le mariage de la princesse de Clèves et du duc de Nemours.

Vers le bac   **S'entraîner au sujet d'invention**

Le mensuel *L'Ordinaire* offre la possibilité à ses lecteurs de s'exprimer. Les uns approuvent l'attitude de la princesse de Clèves, les autres la condamnent. Imaginez deux lettres, d'une dizaine de lignes chacune et d'avis opposés.

Jean-Honoré Fragonard, *Le Baiser volé*, huile sur toile (45 x 55 cm), 1788, musée de l'Ermitage, Saint-Pétersbourg.

Lecture d'image

1. Quels éléments construisent la diagonale qui traverse le tableau? Commentez les effets produits.

2. Quels éléments dramatisent cette scène? Observez les yeux de la femme, le rôle des deux portes...

François Fénelon,
Les Aventures de Télémaque (1699)

▶ Biographie p. 536

● CONTEXTE

Fénelon a été nommé par Louis XIV précepteur de son petit-fils, son successeur potentiel. En guise de manuel scolaire, Fénelon rédige les aventures d'un héros de l'Antiquité, Télémaque. Au fil des pages, le maître apprend à son élève l'histoire antique, le forme au genre épique, à la traduction des auteurs anciens, mais surtout au métier de roi. La fiction est à chaque instant au service du discours.

Télémaque, fils d'Ulysse, est parti à la recherche de son père accompagné de la déesse Minerve, cachée sous les traits de Mentor. Comme Ulysse, Télémaque est jeté sur l'île de Calypso qui, secondée par Vénus, ressent pour lui une violente passion. Malheureusement, c'est la nymphe Eucharis qu'aime Télémaque. Calypso en devient folle de rage.

1   Puis, tout à coup, ne pouvant plus modérer son ressentiment, elle lui parla ainsi :
« Est-ce donc ainsi, ô jeune téméraire, que tu es venu dans mon île pour échapper au juste naufrage que Neptune te préparait et à la vengeance des dieux ? N'es-tu entré dans cette île, qui n'est ouverte à aucun mortel, que pour mépriser ma puis-
5   sance et l'amour que je t'ai témoigné ? Ô divinités de l'Olympe et du Styx, écoutez une malheureuse déesse : hâtez-vous de confondre ce perfide, cet ingrat, cet impie. Puisque tu es encore plus dur et plus injuste que ton père, puisses-tu souffrir des maux encore plus longs et plus cruels que les siens ! Non, non, que jamais tu ne revoies ta patrie, cette pauvre et misérable Ithaque, que tu n'as point eu honte de
10   préférer à l'immortalité ! Ou plutôt que tu périsses, en la voyant de loin, au milieu de la mer ; et que ton corps, devenu le jouet des flots, soit rejeté, sans espérance de sépulture[1], sur le sable de ce rivage ! Que mes yeux le voient mangé par les vautours ! Celle que tu aimes le verra aussi : elle le verra ; elle en aura le cœur déchiré, et son désespoir fera mon bonheur ! »

15   En parlant ainsi, Calypso avait les yeux rouges et enflammés : ses regards ne s'arrêtaient jamais en aucun endroit ; ils avaient je ne sais quoi de sombre et de farouche. Ses joues tremblantes étaient couvertes de taches noires et livides ; elle changeait à chaque moment de couleur. Sou-
20   vent une pâleur mortelle se répandait sur tout son visage ; ses larmes ne coulaient plus, comme autrefois, avec abondance : la rage et le
25   désespoir semblaient en avoir tari la source, et à peine en coulait-il quelqu'une sur ses joues. Sa voix était rauque, tremblante et entrecou-
30   pée. Mentor observait tous ses mouvements et ne parlait plus à Télémaque. Il le traitait comme un malade désespéré qu'on abandonne ; il
35   jetait souvent sur lui des regards de compassion.

1. tombe.

Le peintre a choisi de représenter la déesse Isis coupant ▶ les cheveux de Didon, pour montrer le passage de la vie à la mort.

Sébastien Bourdon, *La Mort de Didon*, huile sur toile, 1636, musée de l'Ermitage, Saint-Pétersbourg.

Virgile,
L'Énéide (1er siècle av. J.-C.)

*Abandonnée par Énée, le Dardanien en route pour fonder Rome après la chute de Troie,
Didon, reine de Carthage, se livre au désespoir.*

1   Aussitôt, frémissante, farouche de sa terrible résolution, Didon, des lueurs sanglantes dans les yeux, les joues tremblantes et marbrées, pâle de sa mort prochaine,
se précipite à l'intérieur de son palais, gravit d'un élan désespéré les hauts degrés
du bûcher et tire l'épée du Dardanien. Ah, ce n'était pas pour cet usage qu'il lui en
5 avait fait présent ! Elle a regardé les vêtements d'Ilion et la couche si familière ; elle
a donné un instant aux larmes et au rêve ; puis elle s'est jetée sur le lit et elle prononce ces dernières paroles : « Vêtements qui me furent chers tant que les destins et
la divinité le permirent, recevez mon âme et libérez-moi de mes souffrances. J'ai
fini de vivre ; j'ai accompli la route que m'avait tracée la fortune. C'est une grande
10 ombre qui maintenant va descendre sous la terre. [...] Que de la haute mer le cruel
Dardanien repaisse ses yeux des flammes de mon bûcher et qu'il emporte avec lui
le mauvais présage de ma mort. »

Traduction de Bellesort, 1929, © Les Belles Lettres.

Questions

▶ Les figures de style, p. 420
▶ L'argumentation indirecte,
p. 450
▶ Les registres tragique et
pathétique, p. 466

Vocabulaire
« je ne sais quoi de
sombre et de farouche »
(l. 16) du texte de Fénelon.
Quelle est l'étymologie de
l'adjectif « farouche » ?
Pourquoi est-ce important
pour décrire la passion ?

Le discours de Calypso

1. Quels sentiments dominent Calypso ?
Appuyez-vous sur les champs lexicaux, le
type de phrases, les figures de style et la
syntaxe.
2. Quel passage du texte de Virgile (▶ écho
de l'Antiquité) inspire la deuxième partie
du discours ? Quels sont les temps et le mode
des verbes ? Nommez le genre littéraire
utilisé. Quel registre reconnaissez-vous ?

Le portrait de Calypso

3. À quoi est comparée Calypso ? Comment
le portrait physique traduit-il un état
moral et complète-t-il le discours de la
déesse ?

4. Comparez ce portrait avec celui de Didon
dans le texte de Virgile ci-dessus. Que
remarque-t-on ?

La leçon de Mentor

5. Le spectacle donné par Calypso est-il
attirant ? Quelle leçon Mentor peut-il
tirer d'une pareille scène ? Quelle leçon
Louis XIV lui-même peut-il tirer de ce passage ?
6. Pourquoi peut-on parler d'apologue à
propos du *Télémaque* ?

Synthèse Rédigez un paragraphe dans lequel vous montrerez que Calypso subit la passion
et n'est plus maîtresse d'elle-même.

Vers le bac   **S'entraîner au sujet d'invention**

▶ Lire un sujet d'invention,
p. 474

« Mentor observait tous ses mouvements et ne parlait plus à Télémaque. » Imaginez que Mentor sorte de son silence et commente à son élève les événements.

▶ **Biographie p. 538**

● CONTEXTE

En découvrant
l'Orient, les
Occidentaux ne sont
pas seulement
curieux devant les
épices ou les
éléphants. Ils sont
aussi fascinés, et
horrifiés, par ce
sultan qui entretient
plusieurs femmes
dans son harem.

Montesquieu,
Lettres persanes (1721)

Parti en Occident observer les mœurs et le rapport à la liberté des populations, le Persan Usbek a laissé les femmes de son sérail, et notamment Roxane, sous la surveillance très étroite des serviteurs. C'est par lettres qu'il communique ses impressions sur l'Occident et surveille son harem. Roman épistolaire, les Lettres persanes *jouent sur la distance, le temps d'acheminement du courrier et la variété des épistoliers.*

Lettre CLXI.

ROXANE À USBEK, À PARIS.

1   Oui, je t'ai trompé ; j'ai séduit tes eunuques[1] ; je me suis jouée de ta jalousie ; et j'ai su, de ton affreux sérail, faire un lieu de délices et de plaisirs.

Je vais mourir ; le poison va couler dans mes veines : car que ferais-je ici, puisque le seul homme qui me retenait à la vie n'est plus ? Je meurs ; mais mon ombre s'en-
5   vole bien accompagnée : je viens d'envoyer devant moi ces gardiens sacrilèges, qui ont répandu le plus beau sang du monde.

Comment as-tu pensé que je fusse assez crédule[2] pour m'imaginer que je ne fusse dans le monde que pour adorer tes caprices ? que, pendant que tu te permets tout, tu eusses le droit d'affliger[3] tous mes désirs ? Non : j'ai pu vivre dans la servi-
10   tude ; mais j'ai toujours été libre : j'ai réformé tes lois sur celles de la nature ; et mon esprit s'est toujours tenu dans l'indépendance.

Tu devrais me rendre grâces encore du sacrifice que je t'ai fait ; de ce que je me suis abaissée jusqu'à te paraître fidèle ; de ce que j'ai lâchement gardé dans mon cœur ce que j'aurais dû faire paraître à toute la terre ; enfin, de ce que j'ai profané
15   la vertu, en souffrant qu'on appelât de ce nom ma soumission à tes fantaisies.

Tu étais étonné de ne point trouver en moi les transports de l'amour : si tu m'avais bien connue, tu y aurais trouvé toute la violence de la haine.

Mais tu as eu longtemps l'avantage de croire qu'un cœur comme le mien t'était soumis : nous étions tous deux heureux ; tu me croyais trompée, et je te trompais.
20   Ce langage, sans doute, te paraît nouveau. Serait-il possible qu'après t'avoir accablé de douleurs, je te forçasse encore d'admirer mon courage ? Mais c'en est fait, le poison me consume, ma force m'abandonne ; la plume me tombe des mains ; je sens affaiblir jusqu'à ma haine : je me meurs.

Du sérail d'Ispahan, le 8 de la lune de Rebiab, I, 1720.

---

1. gardien castré du sérail.
2. naïve.
3. abattre, ruiner.

Jean-Honoré Fragonard, *La Sultane à la perle*, huile sur toile, XVIIIᵉ siècle, collection particulière.

▶ Le harem, lieu clos et luxueux, nourrit les fantasmes des Occidentaux : les jeux de regards, la jalousie, l'inaction, les soins du corps, le désir inassouvi sont des thèmes romanesques ou théâtraux (*Bajazet* de Racine en 1672), et posent aussi la question de la liberté et du despotisme.

Lecture d'image

1. Étudiez la position du personnage. À quelle occupation se livre-t-elle ? Qu'apprenons-nous concernant la perception de la vie orientale par l'artiste d'Occident ?
2. Justifiez le choix des couleurs et des formes. Quelle est l'impression produite ?

Questions

Grammaire

Quels sont les modes et temps des verbes « être » et « avoir » dans les formes « fusse » et « eusses » ? Quelle est leur valeur ?

▶ Mode, temps et valeurs, p. 395
▶ Les subordonnées complétives et circonstancielles, p. 400

La fable orientale

1. Relevez toutes les marques de l'Orient dans le texte. Pourquoi Montesquieu a-t-il choisi ce cadre ? Quel est le registre de la lettre de Roxane ?
2. Quelle est la situation d'énonciation ? Pourquoi le genre épistolaire est-il intéressant par rapport à l'action qui est décrite ?
3. « Oui, je t'ai trompé ; j'ai séduit tes eunuques… » (l. 1). Qu'a de surprenant le début de cette lettre ?

Le déroulement du combat

4. Le jeu des pronoms : relevez les pronoms personnels des première et seconde personnes du singulier. À qui renvoient-ils ? Que prouvent la proportion et la position de ces pronoms ? Comment Roxane sait-elle les mettre en valeur ? Comment servent-ils son argumentation ?

5. Quelle est la nature des questions ? (l. 7 à 9). Quelle est leur fonction ? En quoi les modes et temps des verbes ainsi que la syntaxe ont-ils une importance ? Quelle est l'impression produite ?
6. Quelles antithèses récurrentes la lettre comporte-t-elle ? Qu'oppose Roxane à l'amour qu'elle a connu et à la liberté qu'elle trouve en mourant ?

La portée du romanesque

7. Dans quelle mesure Usbek, le Persan éclairé, est-il tyran domestique ? Quelle leçon Montesquieu veut-il donner à ses contemporains ?
8. « j'ai réformé tes lois sur celles de la nature » (l. 10). Quelle démarche des philosophes des Lumières retrouve-t-on dans cette phrase ?
9. Quelle est la fonction de l'épisode romanesque par rapport à l'enseignement politique ?

Synthèse Montrez en un paragraphe construit que cette ultime lettre est un hymne à la liberté.

Vers le bac   **S'entraîner au commentaire**
En vous aidant de l'étymologie du mot « agonie », rédigez deux parties de commentaire qui rendent compte des deux aspects du texte.

Jean-Jacques Rousseau,
La Nouvelle Héloïse (1761)

► Biographie p. 539

⊕ CONTEXTE

« La bienséance n'est que le masque du vice » fait dire Rousseau à M. de Wolmar, marquant ainsi une nette différence avec le XVIIᵉ siècle. De même, la passion n'est plus à fuir : associée à la vertu, elle est devenue preuve de hauteur d'âme. Julie incarne un modèle pour toute une génération tandis que le roman épistolaire gagne encore en notoriété.

Jeune fille, Julie tombe amoureuse de son précepteur, Saint-Preux mais promise à M. de Wolmar, c'est ce dernier qu'elle épouse. Julie se raisonne, apprend à respecter son mari et trouve le bonheur dans une vie équilibrée à la campagne. Quand sa cousine Claire se retrouve veuve et semble à son tour attirée par le jeune homme, Julie écrit à Claire pour l'exhorter à laisser parler son cœur.

Veux-tu savoir quel est ton tort en toute cette affaire ? C'est, je te le redis, de rougir d'un sentiment honnête que tu n'as qu'à déclarer pour le rendre innocent […]. Ô chère amie ! souviens-toi de l'avoir dit mille fois, c'est la fausse honte qui mène à la véritable, et la vertu ne sait rougir que de ce qui est mal. L'amour en lui-
5 même est-il un crime ? N'est-il pas le plus pur ainsi que le plus doux penchant de la nature ? N'a-t-il pas une fin bonne et louable ? Ne dédaigne-t-il pas les âmes basses et rampantes ? N'anime-t-il pas les âmes grandes et fortes ? N'anoblit-il pas tous leurs sentiments ? Ne double-t-il pas leur être ? Ne les élève-t-il pas au-dessus d'elles-mêmes ? […] Qu'as-tu donc fait que tu puisses te reprocher ? N'as-tu pas
10 fait le choix d'un honnête homme ? N'est-il pas libre ? Ne l'es-tu pas ? Ne mérite-t-il pas toute ton estime ? N'as-tu pas toute la sienne ? Ne seras-tu pas trop heureuse de faire le bonheur d'un ami si digne de ce nom, de payer de ton cœur et de ta personne les anciennes dettes de ton amie, et d'honorer en l'élevant à toi le mérite outragé par la fortune[1] ?

15 Je vois les petits scrupules qui t'arrêtent : démentir une résolution prise et déclarée, donner un successeur au défunt, montrer sa faiblesse au public, épouser un aventurier, car les âmes basses, toujours prodigues de titres flétrissants, sauront bien trouver celui-ci ; voilà donc les raisons sur lesquelles tu aimes mieux te reprocher ton penchant que le justifier, et couver tes feux au fond de ton cœur que les
20 rendre légitimes ! mais, je te prie, la honte est-elle d'épouser celui qu'on aime, ou de l'aimer sans l'épouser ? Voilà le choix qui te reste à faire. L'honneur que tu dois au défunt est de respecter assez sa veuve pour lui donner un mari plutôt qu'un amant ; et si ta jeunesse te force à remplir sa place, n'est-ce pas rendre encore hommage à sa mémoire de choisir un homme qui lui fut cher ?

25 Quant à l'inégalité, je croirais t'offenser de combattre une objection si frivole, lorsqu'il s'agit de sagesse et de bonnes mœurs. Je ne connais d'inégalité déshonorante que celle qui vient du caractère ou de l'éducation. À quelque état que parvienne un homme imbu[2] de maximes basses, il est toujours honteux de s'allier à lui ; mais un homme élevé dans des sentiments d'honneur est l'égal de tout le
30 monde ; il n'y a point de rang où il ne soit à sa place […]. Avec cela, fût-il le dernier des hommes, encore ne faudrait-il pas balancer ; car il vaut mieux déroger[3] à la noblesse qu'à la vertu, et la femme d'un charbonnier est plus respectable que la maîtresse d'un prince.

1. sort, hasard.
2. nourri.
3. renoncer à.

Questions

▶ Les registres didactique, polémique et satirique, p. 470

Vocabulaire
Quel est le sens du mot « vertu » ? En quoi est-il important aux xviiᵉ et xviiiᵉ siècles ?

▶ L'énonciation, p. 417

L'argumentation de Julie

1. Repérez les deux temps de l'argumentation de Julie.
2. Quel type de phrase domine la 1ʳᵉ partie ? Quelles sont les intentions de Julie ? À quoi veut-elle conduire Claire ? Explicitez les trois conséquences vertueuses formulées par Julie dans la dernière phrase du premier paragraphe (l. 11-14).
3. Quelles sont ses intentions dans la 2ᵉ partie ? Relevez les différents « scrupules » (l. 15) qu'elle attribue à Claire et pour chacun d'eux les arguments dont elle use pour les contrer.

L'amour selon Rousseau

4. Quels synonymes de l'amour trouve-t-on ? À quoi Julie l'oppose-t-elle ? De quelle valeur est-il rapproché ?
5. Commentez la dernière phrase du texte puis reliez-la au contexte historique. Pourquoi peut-on dire que Rousseau est « philosophe » ?

Synthèse Reprenez rapidement l'argumentation de Julie et montrez pourquoi Claire doit avouer son amour à Saint-Preux.

Vers le bac **Construire un paragraphe argumentatif**

Après avoir fait des recherches sur l'histoire du moine Abélard et d'Héloïse (xiᵉ siècle), justifiez le titre choisi par Rousseau en un paragraphe construit et argumenté.

François Boucher, *Les Charmes de la vie champêtre*, huile sur toile (100 x 146 cm), vers 1737, musée du Louvre, Paris.

Lecture d'image

1. Décrivez les différents plans du tableau.
2. Que pouvez-vous dire des personnages représentés (milieu social, vêtements, attitude…) ?
3. S'agit-il d'une peinture réaliste de la vie champêtre ? Justifiez votre réponse.

▶ **Biographie p. 535**

Choderlos de Laclos,
Les Liaisons dangereuses (1782)

⊙ **CONTEXTE**

Malgré les apparences, *Les Liaisons dangereuses* doivent beaucoup à Rousseau puisque Laclos, en mettant en scène des mondains pervertis, poursuit la même tradition morale : Mme de Merteuil est l'inverse de Julie et Valmont l'inverse de Saint-Preux. Tandis que *La Nouvelle Héloïse* se compose de deux parties (la passion, domestiquée ensuite par la vertu), *Les Liaisons dangereuses* ne sont qu'une chute causée par le désordre des passions.

1. table sur laquelle le prêtre célèbre le sacrifice de la messe.

Le vicomte de Valmont, séducteur sans scrupules, est mis au défi par sa complice en libertinage, la marquise de Merteuil, de séduire la chaste et prude Mme de Tourvel. Ces tentatives de séduction et le temps passé auprès d'elle n'empêchent pas les relations avec les autres femmes et c'est dans un lit en présence de l'une de ses maîtresses que Valmont écrit cette lettre, dont il envoie un double à la marquise de Merteuil elle-même.

LETTRE 48
LE VICOMTE DE VALMONT
À LA PRÉSIDENTE DE TOURVEL
(Timbrée de Paris.)

1   C'est après une nuit orageuse, et pendant laquelle je n'ai pas fermé l'œil ; c'est après avoir été sans cesse ou dans l'agitation d'une ardeur dévorante, ou dans l'entier anéantissement de toutes les facultés de mon âme, que je viens chercher auprès de vous, Madame, un calme dont j'ai besoin, et dont pourtant je n'espère
5   pas jouir encore. En effet, la situation où je suis en vous écrivant me fait connaître, plus que jamais, la puissance irrésistible de l'amour ; j'ai peine à conserver assez d'empire sur moi pour mettre quelque ordre dans mes idées ; et déjà je prévois que je ne finirai pas cette Lettre, sans être obligé de l'interrompre. Quoi ! ne puis-je donc espérer que vous partagerez quelque jour le trouble que j'éprouve en ce
10   moment ? J'ose croire cependant que, si vous le connaissiez bien, vous n'y seriez pas entièrement insensible. Croyez-moi, Madame, la froide tranquillité, le sommeil de l'âme, image de la mort, ne mènent point au bonheur ; les passions actives peuvent seules y conduire ; et malgré les tourments que vous me faites éprouver, je crois pouvoir assurer que, dans ce moment, je suis plus heureux que vous. M'acca-
15   blez-vous de vos rigueurs désolantes, elles ne m'empêchent point de m'abandonner entièrement à l'amour et d'oublier, dans le délire qu'il me cause, le désespoir auquel vous me livrez. C'est ainsi que je veux me venger de l'exil auquel vous me condamnez. Jamais je n'eus tant de plaisir en vous écrivant ; jamais je ne ressentis, dans cette occupation une émotion si douce et cependant si vive. Tout semble augmenter
20   mes transports : l'air que je respire est brûlant de volupté ; la table même sur laquelle je vous écris, consacrée pour la première fois à cet usage, devient pour moi l'autel[1] sacré de l'amour ; combien elle va s'embellir à mes yeux !

Questions

Une lettre d'amour

1. Quelles intentions Mme de Tourvel, destinataire, peut-elle attribuer à Valmont en lisant cette lettre ? Quels moyens Valmont emploie-t-il dans ce sens ?

Un double jeu

2. Cette lettre, rédigée auprès d'une maîtresse, multiplie les expressions à double sens. Relevez-les.

3. En quoi consiste la « vengeance » évoquée ? Pourquoi Valmont se dit-il plus « heureux » que Mme de Tourvel ? Comment sa nature libertine est-elle confirmée ?

Deux visions de l'amour

4. Quel sens Valmont et Julie ▶ p. 364 donnent-ils au mot « amour » ? Pourquoi la différence permet-elle de comprendre ce qu'est le libertinage ?

SYNTHÈSE

PARLER D'AMOUR, UN PARADOXE ?

Tandis que l'amour évoque le cœur et les sens, la parole et le discours suggèrent une réflexion cérébrale et parfois une stratégie de la raison. Les XVIIe et XVIIIe, siècles de la raison, offrent des exemples de discours sur l'amour ou de discours amoureux et témoignent de la volonté de domestiquer les sens et la passion par le discours, mais le courant libertin, lui, met le discours au service des sens.

1 PERSUADER

Émotions, troubles des sens, cœur qui bat et regard rougissant sont les effets incontrôlables de l'amour. Celui qui parle suscite chez son interlocuteur-lecteur ces émois irrationnels qui emportent l'adhésion. Il s'agit de séduire.

→ **Ex. :** Valmont, dans *Les Liaisons dangereuses,* compare les tourments de son cœur à l'orage de la nuit : il place sa lectrice dans une atmosphère propre à la persuader. Le vocabulaire employé pour décrire ses sentiments renvoie aux sensations de l'âme et du corps ▸ **p. 366.**

2 CONVAINCRE

Il ne suffit pas de séduire, il faut aussi convaincre. Comme toute démarche argumentative, le discours amoureux comporte une part de logique rationnelle. L'amour est domestiqué par la parole.

→ **Ex. :** la princesse de Clèves convainc Nemours de la nécessité de leur séparation. L'emploi du syllogisme ou des questions rhétoriques ne laisse pas de place à la contradiction. Il n'y a presque plus d'émotion dans le discours ▸ **p. 358.**

→ **Ex. :** Roxane annonce à Usbek son amour pour un autre, la haine qu'elle lui porte et son suicide. Des silences sont ménagés, l'ironie est assassine et le jeu des pronoms exclut Usbek avant même la conclusion de la lettre ▸ **p. 362.**

3 PARLER DE L'AMOUR

▸ **Le discours philosophique**

Au XVIIe siècle, la volonté de tout expliquer par la raison concerne aussi le comportement amoureux. Le discours philosophique s'empare du sujet.

→ **Ex. :** Descartes explique par le fonctionnement mécanique du cerveau l'attirance pour l'autre. Son raisonnement est froid et méthodique ▸ **p. 356.**

▸ **L'apologue**

Le respect de la bienséance et la crainte de la démesure poussent à condamner la passion. L'homme passionné est un tyran potentiel.

→ **Ex. :** Fénelon présente le portrait d'une femme aux limites de la folie. Le lecteur, par cette argumentation indirecte, doit comprendre que seul un amour raisonnable assure le bonheur ▸ **p. 360.**

▸ **Le roman moral**

Alors que Laclos et les libertins montrent un amour perverti par la société dans laquelle on se joue des sentiments comme du langage, Rousseau, dans *La Nouvelle Héloïse,* prouve qu'un équilibre entre passion et vertu est possible. La parole et l'amour sont réconciliés.

→ **Ex. :** Julie, d'abord passionnée, devient un modèle d'équilibre raisonné et de vie dans la nature. Elle tient à sa cousine un discours moral qui n'exclut pas l'amour ▸ **p. 364.**

1. L'image macabre au fil des siècles

• À l'origine de la vanité, on trouve la conscience de la mort. *Memento mori* (« souviens-toi que tu vas mourir ») : c'est par cet avertissement qu'un esclave rappelle à un général romain, au moment où celui-ci savoure son triomphe, qu'il est mortel. Depuis, l'art a pris la relève et le genre artistique est influencé par la philosophie antique du *carpe diem* (« cueille le jour » ; pensée exprimée par Horace dans ses *Odes* et selon laquelle l'homme doit profiter de l'instant présent de manière raisonnée car le futur est incertain).

• Jusqu'au XIVe siècle, les représentations des morts sont conformes à la doctrine chrétienne suivant laquelle la mort ouvre sur la vie éternelle : spirituellement, l'homme ne meurt jamais, les images de défunts sont donc rares et surtout idéalisées. Les sculptures funéraires (les gisants) qui ornent les tombeaux sont belles, élogieuses et elles figent la jeunesse éternelle.

• Par la suite, les images macabres deviennent plus réalistes, la mort effraie en raison des ravages causés par les pestes. La Grande Peste (milieu du XIVe siècle) tue un tiers de la population européenne. Les sculptures (les transis) représentent désormais des cadavres rongés par les vers, squelettiques et décomposés.

Memento mori, mosaïque polychrome de Pompéi, Ier siècle, musée archéologique, Naples.

▲ *Memento Mori* : le crâne et le papillon (incarnation de l'âme qui s'envole après la mort), suspendus à une équerre au-dessus de la roue de la Fortune, sont en équilibre, situés entre les attributs du puissant et ceux du pauvre.

2. La portée moralisatrice des vanités

• La vanité est une nature morte. Le terme vient de l'adjectif « vain » qui qualifie ce qui est futile et illusoire. Inspiré du *Memento mori*, il s'agit pourtant là d'un genre nouveau particulièrement développé au XVIIe siècle.

• Les guerres de religion entre catholiques et protestants (2nde moitié du XVIe siècle) relancent la question du statut de l'âme après la mort.

En parallèle aux *Pensées* de Pascal, la vanité représente le néant, le vide de l'existence, la solitude dans la mort et l'impuissance de l'être humain. Les artistes composent leurs œuvres à partir du même élément central, un crâne, autour duquel gravitent des emblèmes et objets allégoriques qui illustrent les plaisirs éphémères et la finitude de l'existence terrestre.

Analyser une vanité

1. Nommez les emblèmes que vous reconnaissez. Regroupez-les en fonction de ce qu'ils représentent.
2. Analysez la façon dont le crâne est mis en valeur.
3. Quels éléments du décor font penser qu'il s'agit d'une chambre mortuaire ?
4. Que semble vouloir exprimer le peintre par cette surcharge et l'entassement des objets ?

Simon Bernard de Saint-André, *Vanité*, huile sur toile (52 x 44 cm), vers 1650, musée des Beaux-Arts, Marseille.

Comment argumenter par l'image?

• La portée moralisatrice de ces natures mortes renvoie l'être humain à sa condition de mortel en l'invitant à renoncer à toute sorte de plaisirs et de raffinements et à mener une vie terrestre tournée vers l'au-delà. Les peintres composent leurs vanités de manière à provoquer la réflexion, affirmant ainsi la portée argumentative de leur œuvre.

• La leçon délivrée par les artistes, peintres, sculpteurs, photographes ou joailliers, est souvent inscrite au cœur du tableau par le recours à la célèbre citation latine issue du texte biblique *L'Ecclésiaste* : *Vanitas vanitatum et omnia vanitas* (« Vanité des vanités, tout est vanité »).

Pablo Picasso, *Crâne, oursins et lampe sur une table*, huile sur contreplaqué (81 x 100 cm), 1946, musée Picasso, Paris.

L'évolution des enjeux

• le genre pictural de la Vanité disparaît complètement à partir du XVIIIe siècle.

• Le XXe siècle voit ce genre réinvesti : les ravages des deux guerres mondiales, l'horreur des camps de concentration et le net recul de la religion invitent les artistes et les hommes à interroger le sens de la vie à partir de la finitude humaine et de l'absurdité de l'existence.

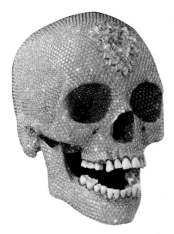

Damien Hirst, *For the Love of God*, 2007.

▲ Réplique en platine du crâne d'un homme du XVIIIe siècle, sertie de 8 601 diamants.

Niki de Saint Phalle, *Tête de mort II*, polyester peint (115 cm x 125 cm x 90 cm), 1988, collection particulière.

Comprendre les vanités du XXe siècle

1. Quels éléments accompagnent le crâne dans la peinture de Picasso ? Dans quelles mesure ces éléments modifient-ils les enjeux traditionnels de la vanité ?

2. Comment l'œuvre de Damien Hirst et le titre choisi jouent-ils avec les mêmes enjeux ? Pourquoi cette sculpture est-elle paradoxale ?

Prolongements

• Cherchez la définition d'«allégorie» et trouvez 3 allégories célèbres.

• Lisez le poème «Le Fumeur» de Saint-Amand et dites pourquoi ce texte se rapproche des vanités picturales.

🖥 **1.** Visitez l'exposition «Vanités» du musée Maillol de Paris présentée sur le site du journal *Le Point* et consultez le diaporama proposé sur le site de France 3.

2. Quelles similitudes et quelles originalités observez-vous entre les différentes vanités représentées ?

Débats autour de la guerre de Troie

<blockquote>Langue et culture de l'Antiquité</blockquote>

▶ Quels débats s'organisent au fil des siècles autour du thème de la guerre ?

▶ Peut-on rester neutre lorsque l'on évoque la guerre, l'héroïsme et les souffrances ?

▶▶▶ Jose Schmidt y Calvet, *Achille avec le corps d'Hector* (détail), huile sur toile, XIXe siècle, Saint Fernando Royal Academy Museum, Madrid.

Bas-relief, *sarcophage de Portonaccio* (vers 180 ap. J.-C.)

Sarcophage de Portonaccio (face avant), sculpture de marbre blanc, vers 180 ap. J.-C., Palazzo Massimo du musée national des Thermes, Rome.

▲ Le sarcophage de Portonaccio, conservé au Palazzo Massimo du musée national des Thermes de Rome a été réalisé en marbre dans des dimensions imposantes (longueur : 239 cm ; hauteur : 114 cm ; profondeur : 116 cm). Il a été retrouvé en 1931 dans la banlieue Est de Rome. Il a probablement été sculpté pour un général romain ayant courageusement combattu au cours des campagnes militaires menées contre les peuples barbares par l'empereur Marc Aurèle.

Questions

1. D'où provient l'impression de chaos et d'acharnement dans la représentation de cette scène de bataille ?

2. Repérez quelques figures de barbares reconnaissables à leur longue barbe et à leurs cheveux hirsutes. Dans quelle attitude sont-ils représentés ?

3. Comment s'expriment la supériorité et la puissance de l'armée romaine ?

4. Observez la composition d'ensemble du bas-relief. Quels éléments et quelles scènes sont représentés sur la partie supérieure puis sur la partie inférieure ? Comment expliquez-vous ces différences ?

5. Affinez votre observation et repérez : un barbare soumis qui quémande la miséricorde d'un romain ; un couple de captifs démesurément grand ; les trophées, les armes exhibés en signe de victoire ; les corps disloqués des vaincus.

Prolongements

• Qu'appelle-t-on bas-relief et haut-relief ?

• Recherchez un bas-relief antique représentant une scène de bataille et commentez-le.

Synthèse Vous montrerez dans un paragraphe rédigé que cette scène de bataille est à la fois réaliste et épique.

Homère,
L'Iliade (VIIIe siècle av. J.-C.)

⊕ CONTEXTE

L'épopée est un long poème dont les vers chantent les exploits d'un peuple ou d'un héros développant des qualités surhumaines.
D'origine grecque, l'épopée désigne tous les récits qui rendent compte d'actions héroïques, fictives ou historiques, dans un registre épique.

Dans la mythologie, les plus vaillants guerriers craignaient davantage les Kères (divinités mi-chiennes, mi-oiseaux qui se délectaient du cadavre des hommes morts au combat), que leurs puissants adversaires.

1 Son cou délicat fut de part en part traversé par la pointe ; mais la pique de frêne, alourdie par le bronze, ne coupa point la trachée ; elle permit à Hector de répondre et de dire quelques mots à Achille. Hector tomba dans la poussière, et le divin Achille exultant s'écria :

« Hector, tu te disais sans doute, en dépouillant Patrocle[1], que tu serais indemne, et
5 tu n'étais pas en garde contre moi qui restais à l'écart, insensé ! mais loin d'ici, en arrière et près des vaisseaux, se tenait un vengeur beaucoup plus fort que lui : c'était moi qui viens de rompre tes genoux. Toi, les chiens et les rapaces te déchireront ignominieusement, tandis qu'à Patrocle, les Achéens[2] rendront les honneurs funèbres. »

Exténué, Hector au casque à panache oscillant lui répondit :
10 « Je t'en supplie, par ton âme, tes genoux, tes parents, ne laisse pas les chiens me dévorer auprès des nefs achéennes[3]. Mais accepte du bronze et de l'or à ta suffisance, dons que te feront mon père et ma mère vénérable. Quant à mon corps, rends-le dans ma demeure, afin que les Troyens et les épouses troyennes m'accordent, une fois mort, les flammes du bûcher. »

Combat entre Achille et Hector, cratère à volutes, ve siècle av.
25 J.-C., British Museum, Londres.

En le toisant d'un regard de travers, Achille aux pieds rapides lui répondit alors :

« Ne me supplie pas, chien, ni par mes genoux, ni par mes parents. Ah ! comme je voudrais que ma fureur et mon cœur me poussent à couper tes chairs en morceaux et à les manger crues, pour tout le mal que tu m'as fait ! Non, personne ne saurait éloi-
20 gner les chiens de ta tête, dût-on m'apporter et déposer ici des rançons dix et vingt fois plus lourdes, et me promettre d'autres choses encore ; non, pas même si Priam[4], le fils de Dardanos, ordonnait de te racheter toi-même à ton poids d'or ; non, même à ce prix, elle ne te pleurera pas, après t'avoir exposé sur un lit funéraire, la vénérable mère qui t'a donné le jour. Mais chiens et rapaces te dévoreront tout entier. »

Sur le point d'expirer, Hector au casque à panache oscillant répondit :

« Oui, je te vois bien tel que je te connais, et je ne devais pas parvenir à te toucher, car tu as un cœur de fer dans le fond de ton âme. Mais prends garde à présent que mon sort ne te vaille la rancune des dieux, le jour où Pâris[5] et Phoebos Apollon[6] te feront périr, si brave que tu sois, devant la Porte Scée[7]. »

30 Comme il parlait ainsi, le terme de la mort enveloppa Hector ; son âme, s'envolant de ses membres, s'en alla chez Hadès[8], gémissant sur son sort, abandonnant et vigueur et jeunesse. Il était mort, quand le divin Achille lui adressa ces mots :

« Meurs ! Pour moi, j'accueillerai le Génie de la mort, lorsque Zeus et les autres dieux immortels voudront me l'envoyer. »

35 Il dit, et il retira du cadavre sa pique de bronze ; puis, la mettant à l'écart, il dépouilla les épaules du mort de ses armes sanglantes. Les autres fils des Achéens vinrent alors l'entourer et contempler la taille et la beauté admirable d'Hector ; nul ne passa près de lui sans le piquer d'un coup de lance, et chacun disait en regardant son voisin :

« Ah ! comme il est, Hector, bien plus doux à palper que lorsqu'il jetait, avec un
40 feu ardent, l'incendie sur nos nefs ! »

Ainsi chacun parlait, et quiconque passait le piquait de sa lance.

Traduit par Mario Meunier, 1972, © Éditions Le Livre de Poche.

1. cousin d'Achille tué par Hector.
2. les Grecs.
3. flotte grecque.
4. roi de Troie et père d'Hector.
5. frère d'Hector.
6. dieu du soleil et de la beauté, protecteur des Troyens.
7. porte de la ville de Troie.
8. divinité des enfers.

Pierre-Paul Rubens, *Achille tue Hector*, huile sur toile, 1630-1632, musée des Beaux-Arts, Pau.

Questions

▶ L'argumentation directe, p. 449
▶ Démontrer/délibérer/ convaincre/persuader, p. 453

L'énonciation

Repérez et analysez tous les indices d'énonciation susceptibles de rappeler que ce texte appartient à la tradition orale.

▶ L'énonciation, p. 417

▶ Lire un sujet d'invention, p. 474

Les paroles des héros

1. Quel est le souhait formulé par Achille au moment de tuer Hector ? Pourquoi la référence à Patrocle rend-elle ce projet plus terrible encore ?
2. À quels arguments recourt successivement Hector pour dissuader Achille ?
3. Sa requête est-elle efficace ? Par une analyse du lexique, de la structure des phrases et des figures de style, vous préciserez quel sentiment anime Achille.

L'image des héros

4. Quelle image morale et physique d'Hector, le poète veut-il nous laisser au moment de sa mort ? Après avoir fait son portrait, vous vous demanderez quel registre s'en dégage.
5. Dans *L'Iliade*, Homère dénonce implicitement l'héroïsme et l'éthique guerrière, car ces valeurs désociabilisent les hommes malgré eux. Comment l'auteur animalise-t-il Achille et Hector, faisant d'eux des marginaux, exclus de la cité ?

Lecture d'image Comment est suggérée la supériorité d'Achille dans la représentation du combat qui l'oppose à Hector dans le tableau de Rubens ?

Vers le bac   **S'entraîner au sujet d'invention**

Selon la légende, Priam, placé en haut des remparts de Troie, observe le combat qui oppose Achille et Hector, et il assiste, impuissant, à la mort de son fils. Réécrivez la scène du duel du point de vue du vieil homme.

Virgile,
L'Énéide (Iᵉʳ siècle av. J.-C.)

À la demande de la reine Didon, Énée, héros troyen né de la déesse Aphrodite, fait le récit de la guerre de Troie et des événements dont il a été témoin après la mort d'Hector, humilié et mutilé par Achille.

C'était l'heure où un premier repos commence pour les malheureux mortels et par un don des dieux s'infuse bienheureusement en eux. En mes songes, voici qu'il me sembla que devant moi Hector était présent, accablé de douleur et versant d'abondantes larmes. Tel que naguère traîné par le bige[1], noirci d'une poussière sanglante, ses pieds gonflés traversés de courroies[2]; malheur à moi, comme il était ! Combien changé de cet Hector qui revient revêtu des dépouilles d'Achille ou glorieux d'avoir lancé les feux phrygiens sur les poupes des Danaens[3]; la barbe hérissée, les cheveux collés par le sang, portant ces meurtrissures affreuses qui lui furent infligées si nombreuses autour des murs de nos pères ! Il me semblait que, pleurant moi-même, je lui parlais le premier et proférais ces paroles douloureuses : « Ô lumière de la Dardanie[4], ô la plus sûre espérance des Troyens, quels si grands empêchements ont donc pu te retenir ? de quelles rives nous viens-tu, Hector que nous attendions ? En quel état, après tant de morts des tiens, tant d'épreuves innombrables de nos hommes et de notre ville, épuisés nous-mêmes, te revoyons-nous ? Quel malheur indigne a défiguré la sérénité de tes traits ? ou pourquoi ces plaies que je vois ? » Lui, rien, et point ne s'attarde à mes vaines demandes, mais tirant de sa poitrine un sourd gémissement : « Ah ! fuis, me dit-il, fils d'une déesse, sauve-toi de ces flammes. L'ennemi tient nos murs ; du faîte de sa grandeur Troie s'écroule. C'est assez donné à la patrie et à Priam ; si Pergame[5] pouvait être défendue par un bras, le mien encore l'aurait défendue. Troie te confie ses choses saintes et ses Pénates[6], prends-les comme compagnons de tes destins, pour eux cherche une ville qu'au terme, après de longues erreurs sur toutes les mers, tu instaureras, grande. » Ainsi dit-il et des profondeurs du sanctuaire il apporte dans ses mains les bandelettes[7], la puissante Vesta et le feu éternel[8].

De partout, cependant, des cris de détresse se mêlent dans la ville, et de plus en plus, quoique la maison de mon père Anchise soit retirée à l'écart et abritée pas des arbres, les bruits se font éclatants et l'horreur des armes se rapproche. Je m'arrache au sommeil, je monte vivement au plus haut des terrasses, je reste là, l'oreille au guet. Ainsi, au souffle des autans[9] furieux, une flamme qui tombe dans un champ de blé ou un torrent dévastateur grossi de l'eau des montagnes et qui ravage les guérets[10], ravage les riantes moissons, les travaux des bœufs, traîne des troncs déracinés ; le pâtre qui ne sait pas s'effare en écoutant ce bruit, de la cime d'un roc.

Le Bernin, *Énée et Anchise*, sculpture en marbre, 1618-1619, Galleria Borghese, Rome.

11. l'un des fils de
Priam.
12. maison
d'Ucalégon.
13. promontoir.
14. combattants
troyens.

40 Mais alors on ne peut plus douter et l'entreprise des Danaens se découvre. Déjà la vaste demeure de Déiphobe[11] s'est abîmée, dans la victoire de Vulcain ; déjà tout proche de nous Ucalégon brûle[12] ; au loin les passes de Sigée[13] s'éclairent des lueurs du feu. Les clameurs des combattants, les sonneries de trompettes montent de partout. Je prends mes armes, tout égaré ; y avait-il chance que les armes servis-
45 sent ! mais rassembler une troupe pour nous battre, courir vers la citadelle avec des compagnons, c'est là ce qui brûle mon cœur ; fureur, colère précipitent ma résolu-tion ; je me souviens qu'il est beau de mourir en armes. [...]

Dès que je les[14] vis, bien serrés, pleins d'audace pour se battre, je les entreprends de surcroît en ces termes : « Guerriers, cœurs en vain valeureux entre tous, si vous
50 voulez vraiment aller jusqu'aux extrêmes de l'audace, vous voyez ce que nous offre la Fortune : ils sont tous partis, laissant leurs temples et leurs autels, les dieux qui tenaient debout cet empire ; vous portez secours à une ville en flammes. Mourons et jetons-nous au milieu des armes. Un seul salut pour des vaincus : n'espérer aucun salut. » Ainsi la vaillance de ces hommes s'anima de fureur. Puis, comme des loups
55 ravisseurs dans une brume sombre – l'insatiable rage de leur ventre les a jetés dehors dans le noir, leurs petits qu'ils ont laissés les attendent, le gosier desséché – à travers traits et ennemis nous allons, vers une mort non douteuse, et nous tenons la route qui mène au cœur de la ville ; alentour une nuit noire vole, nous serrant au creux de son ombre. Quelle parole saurait dire le désastre de cette nuit et ses morts ; qui pour-
60 rait de ses larmes égaler nos douleurs ? Une ville antique s'écroule qui fut reine durant tant d'années ; par milliers, des êtres sans défense sont massacrés dans ses rues, indistinctement, et dans ses maisons et sur les seuils vénérés de ses dieux. Et les Troyens ne sont pas seuls à payer de leur sang ; parfois même au cœur des vaincus le courage remonte et les Danaens vainqueurs tombent. Partout cruelle détresse, par-
65 tout l'épouvante et sous mille formes l'image de la mort.

Traduit par Jacques Perret, 1991, © Éditions Gallimard.

Questions

► Les types de
raisonnements et
d'arguments, p. 456

Figures de style
Identifiez et analysez les
figures de style contenues
dans les lignes 34 à 39.

Les prises de parole
1. Identifiez les voix en présence : quelle est la thèse défendue par chacun des locuteurs ? Identifiez leurs arguments respectifs, dites de quel type d'argument il s'agit et expliquez-les.

Le récit de la guerre
2. Quelle vision de Troie nous est livrée dans le deuxième paragraphe (l. 29 à l. 47) ? Justifiez votre réponse par une analyse précise des procédés descriptifs utilisés.
3. Quelles figures de style apparaissent, depuis « Puis, comme des loups ravis-seurs... » (l. 54) ? Quelle image de la guerre et des guerriers transmettent-elles ?

Vers le bac **S'entraîner à la dissertation**
« Quelle parole saurait dire le désastre de cette nuit et ses morts [...] ? » (l. 59), s'interroge Énée. Pensez-vous que l'on puisse dire l'horreur ? Selon vous, Homère et Virgile y sont-ils parvenus ? Vous répondrez à ces questions de façon argumentée en prenant appui sur les tex-tes 1 et 2 de la séquence.

► Lire un sujet de
dissertation, p. 502

Paul Scarron,
Virgile travesti (1648-1652)

1   Sitôt que je le[1] vis ainsi,
    Je fus d'abord un peu transi ;
    Mais, reprenant bientôt courage,
    Je lui tins ce hardi langage :
5   « Si vous êtes de Dieu, parlez,
    Et si du diable, détalez.
    – Je suis Hector le misérable,
    Dit-il d'une voix effroyable.
    – Vous soyez le très bien venu »,
10 Lui dis-je après l'avoir connu[2] ;
    Et puis j'ajoutai, ce me semble.
    « Cependant qu'ici chacun tremble,
    Mon cher monsieur, en quelle part,
    Vous, qui nous serviez de rempart,
15 Avez-vous, bien loin de l'armée,
    Fait tort à votre renommée ?
    Sans doute l'on en médira :
    Est-ce la peur des Libera[3]
    Et des fréquentes funérailles
20 Qui vous fait quitter nos murailles ?
    Au nom de Dieu, songez à vous,
    Et ne craignez plus tant les coups,
    Et me dites, cher camarade,
    D'où vous venez ainsi maussade,
25 Comme un corps qui pend au gibet,
    Et tout crotté comme un barbet[4]. [...] »
    Lors, me semble, il ouvrit la bouche,
    Et, me regardant d'un œil louche,
    Il me dit : « Trêve de sermon !
30 Vous vous échauffez le poumon ;
    Ne songez plus qu'à faire gille[5].
    Les ennemis sont dans la ville,
    Qui font les diables déchaînés ;
    Ils sont très mal morigénés[6],
35 Et j'estime d'eux le plus sage,
    Plus malin qu'un singe ou qu'un page.
    Si vous m'aimez, fils de Vénus,
    Gagnez aux champs, fût-ce pieds nus.
    Si Troie eût été secourable,
40 Ce bras dextre, au Grec redoutable,
    Eût renvoyé le Grec vaincu
    À Mycènes gratter son cul. »

1. il s'agit d'Hector.
2. reconnu.
3. mot d'origine latine : prières pour les morts.
4. chien.
5. expression populaire signifiant « s'enfuir ».
6. dont les mœurs sont mauvaise.

Questions

1. Le registre burlesque consiste à évoquer un sujet noble de façon irrévérencieuse. Repérez dans le texte de Scarron le vocabulaire vulgaire, les comparaisons déplacées et les allusions triviales qui nourrissent le burlesque.

2. Pourquoi les personnages peuvent-ils être qualifiés d'anti-héros ?

3. Quelles valeurs évoquées renvoient directement au genre de l'épopée ? Sont-elles toujours respectées dans la version de Scarron ?

Synthèse Par quels effets d'expressivité Virgile ▶ **p. 374** et Scarron parviennent-ils à capter l'attention des lecteurs ?

Prolongements

Faites des recherches sur l'opéra *La Belle Hélène* d'Offenbach. À partir des séquences vidéos que vous aurez trouvées, expliquez pourquoi l'on peut parler d'adaptation burlesque du mythe.

▶ Biographie p. 537

Jean de La Fontaine
Fables, XII, 7 (1668-1694)

S'inspirant à la fois d'Ésope (VIIᵉ-VIᵉ siècle av. J.-C.) et des récits antiques, La Fontaine donne libre cours à son imagination pour réécrire la guerre de Troie. Il nous livre dans sa fable une véritable épopée de basse-cour, tout aussi distrayante que riche d'enseignement.

● CONTEXTE

À l'origine, la fable antique est rédigée en vers ou en prose et elle est particulièrement concise. Soucieux de divertir ses lecteurs, la Fontaine, pour qui l'« imitation n'est pas un esclavage » (*Épître à Monseigneur l'Évêque de Soissons*, 1687), opte pour les vers, plus vifs et plus dynamiques, veillant toujours à enrichir les textes dont il s'inspire.

Les Deux Coqs

Deux Coqs vivaient en paix : une Poule survint,
 Et voilà la guerre allumée.
Amour, tu perdis Troie ; et c'est de toi que vint
 Cette querelle envenimée,
5 Où du sang des Dieux même on vit le Xanthe¹ teint.
Longtemps entre nos Coqs le combat se maintint :
Le bruit s'en répandit par tout le voisinage.
La gent qui porte crête au spectacle accourut.
 Plus d'une Hélène au beau plumage
10 Fut le prix du vainqueur ; le vaincu disparut.
Il alla se cacher au fond de sa retraite,
 Pleura sa gloire et ses amours,
Ses amours qu'un rival tout fier de sa défaite
Possédait à ses yeux. Il voyait tous les jours
15 Cet objet rallumer sa haine et son courage.
Il aiguisait son bec, battait l'air et ses flancs,
 Et s'exerçant contre les vents
 S'armait d'une jalouse rage.
Il n'en eut pas besoin. Son vainqueur sur les toits
20 S'alla percher, et chanter sa victoire.
 Un Vautour entendit sa voix :
 Adieu les amours et la gloire.
Tout cet orgueil périt sous l'ongle du Vautour.
 Enfin par un fatal retour
25 Son rival autour de la Poule
 S'en revint faire le coquet² :
 Je laisse à penser quel caquet³,
 Car il eut des femmes en foule.
La Fortune se plaît à faire de ces coups ;
30 Tout vainqueur insolent à sa perte travaille.
Défions-nous du sort, et prenons garde à nous
 Après le gain d'une bataille.

1. autre nom du Scamandre, fleuve de la plaine de Troie.
2. charmeur et, par jeu de mots, petit coq.
3. gloussement de la poule et, familièrement, bavardage indiscret.

Questions

1. À quels indices grammaticaux, lexicaux et métriques repérez-vous un changement de situation aux vers 1 et 2 ?
2. Relevez toutes les références à la guerre de Troie et à l'épopée. Pourquoi peut-on parler de parodie du mythe ?
3. À l'inverse du burlesque, le registre héroï-comique consiste à évoquer avec noblesse un sujet bas. Quels termes et expressions renvoient au monde animal et à la basse-cour ? Quels en sont les effets produits ?

Prolongements

• Lisez la fable d'Ésope « Les Deux Coqs et l'Aigle ». Quels éléments sont communs aux deux fables ?
• Quelles nuances observez-vous ?

Synthèse Montrez que La Fontaine se moque tout autant du vaincu que du vainqueur, pour leur caractère et leur rapport à la société.

Affiche de film,
Troie (2004)

Affiche du film *Troie*, de **Wolfgang Petersen**, 2004.

Méthode — Analyser une affiche de film

► Décrire une image, p. 514
► Interpréter une image, p. 519

ÉTAPE 1 Récolter des informations
• Lisez les informations données par le texte : titre, réalisateur, acteurs, producteur, etc.
• Lisez les informations données par l'image : thème, genre, époque, lieu, personnages, etc.

ÉTAPE 2 Décrypter l'image
• Quels éléments dominent ?
• Lesquels sont en arrière-plan ?
• Quel est le sens de lecture de l'image ? Par quels éléments est-il provoqué ?
• Présente-t-elle des objets ou des motifs récurrents ? Lesquels ?
• Quelle est la portée symbolique de certains éléments ?

ÉTAPE 3 Percevoir la valeur esthétique de l'image
• Analysez le pouvoir suggestif des couleurs et des jeux de lumière.
• Étudiez la composition d'ensemble : symétrie, déséquilibre, contrastes, etc.
• Quelles sont les émotions partagées ? Observez le visage expressif des acteurs, mais aussi les scènes de groupe ou les encarts plus anecdotiques qui nous plongent déjà dans le film.

Jaquette de DVD,
Agora (2009)

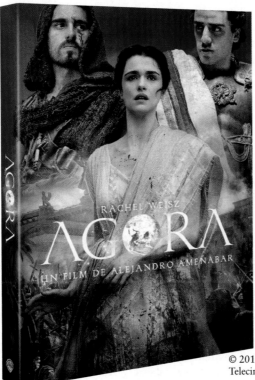

◀ Au IVe siècle après J.-C., l'insurrection des chrétiens menace la puissance et la culture d'Alexandrie. Au cœur du combat, deux hommes se disputent l'amour d'Hypathie, astronome et philosophe égyptienne qui étend ses recherches aux lois qui régissent le système solaire.

© 2010 Mod Producciones – Himenóptero – Telecinco Cinema. Tous droits réservés.

Questions

Lecture de l'affiche du film *Troie*

1. Quels thèmes l'affiche annonce-t-elle ? Selon vous, lequel sera dominant ? Justifiez votre réponse avec précision.

2. Quelles hypothèses pouvez-vous émettre quant à l'identité des personnages, tous protagonistes de la guerre de Troie ? Quel type de relations entretiennent-ils les uns par rapport aux autres ?

3. Pourquoi l'arrière-plan est-il à la fois anecdotique et symbolique ?

4. D'où provient la dimension épique de l'affiche ?

Comparaison des images

5. Pourquoi le contraste entre les deux hommes apparaît-il plus nettement dans l'image du film *Agora* ? Quelle semble être la cause de leur affrontement ? Justifiez votre réponse par une analyse précise de la composition de l'image.

6. Quels éléments symboliques sont représentés sur la jaquette du DVD ?

7. Analysez l'effet produit par les couleurs et les jeux de lumière dans les deux images.

8. Quelles émotions nous sont transmises par les visages des acteurs de *Troie* et d'*Agora* ? Quelles nuances observez-vous ?

9. Quelle place occupe la foule dans ces films et quel type de rapport entretient-elle avec les protagonistes ?

Prolongements

• Renseignez-vous sur ce que l'on appelle un « péplum ». Trouvez deux exemples de péplums dont vous résumerez l'intrigue.

• Regardez une scène de bataille dans chacun des deux films et dites ce qui les différencie.

Synthèse Qui est, selon vous, le héros dans chacun de ces films ? Rédigez votre réponse sous forme d'un paragraphe structuré.

▶ Biographie p. 538

Jean Racine,
Iphigénie (1674)

Le devin Calchas a consulté les dieux : Iphigénie, la fille aînée du roi Agamemnon, doit être sacrifiée pour permettre à la flotte grecque de quitter le port d'Aulis et de partir en guerre contre les Troyens. Elle vient d'apprendre le sort que son père lui réserve.

Christine Jongen, *Masque d'Iphigénie parée pour le sacrifice,* bronze, 1998.

✚ CONTEXTE

Dans de nombreuses civilisations, le sacrifice est une offrande que les hommes font aux dieux. Chez les Grecs, le corps de la victime, animale ou humaine, était calciné sur un autel afin que les dieux puissent se nourrir du fumet sacrificiel qui montait jusqu'à l'Olympe. La dépouille des animaux était ensuite découpée et répartie entre les hommes et les dieux. Après le festin avaient lieu les libations, offrandes de vin, de lait ou d'huile d'olive que l'on déversait sur le sol.

1   Iphigénie. – Mon père, Cessez de vous troubler, vous n'êtes point trahi.
Quand vous commanderez, vous serez obéi.
Ma vie est votre bien. Vous voulez le reprendre :
Vos ordres sans détour pouvaient se faire entendre.
5   D'un œil aussi content, d'un cœur aussi soumis,
Que j'acceptais l'époux que vous m'aviez promis[1],
Je saurai, s'il le faut, victime obéissante,
Tendre au fer de Calchas une tête innocente,
Et respectant le coup par vous-même ordonné,
10   Vous rendre tout le sang que vous m'avez donné.
Si pourtant ce respect, si cette obéissance,
Paraît digne à vos yeux d'une autre récompense,
Si d'une mère en pleurs vous plaignez les ennuis[2],
J'ose vous dire ici qu'en l'état où je suis
15   Peut-être assez d'honneurs environnaient ma vie
Pour ne pas souhaiter qu'elle me fût ravie,
Ni qu'en me l'arrachant un sévère destin
Si près de ma naissance en eût marqué la fin.
Fille d'Agamemnon, c'est moi qui la première,
20   Seigneur, vous appelai de ce doux nom de père.
C'est moi qui, si longtemps le plaisir de vos yeux,
Vous ai fait de ce nom remercier les Dieux,
Et pour qui tant de fois prodiguant vos caresses,
Vous n'avez point du sang dédaigné les faiblesses.
25   Hélas ! avec plaisir je me faisais conter
Tous les noms des pays que vous allez dompter ;
Et déjà d'Ilion[3] présageant la conquête,
D'un triomphe si beau je préparais la fête.
Je ne m'attendais pas que pour le commencer,
30   Mon sang fût le premier que vous dussiez verser.
Non que la peur du coup, dont je suis menacée,
Me fasse rappeler votre bonté passée.
Ne craignez rien. Mon cœur, de votre honneur jaloux[4],
Ne fera point rougir un père tel que vous,
35   Et si je n'avais eu que ma vie à défendre,
J'aurais su renfermer un souvenir si tendre.
Mais à mon triste sort, vous le savez, Seigneur,
Une mère, un amant attachaient leur bonheur.
Un roi digne de vous a cru voir la journée
40   Qui devait éclairer notre illustre hyménée[5].

1. il s'agit d'Achille.
2. tourments insupportables.
3. autre nom de Troie.
4. soucieux de.
5. mariage.

Déjà, sûr de mon cœur à sa flamme promis,
Il s'estimait heureux, vous me l'aviez permis.
Il sait votre dessein, jugez de ses alarmes.
Ma mère est devant vous, et vous voyez ses larmes.
45 Pardonnez aux efforts que je viens de tenter
Pour prévenir les pleurs que je leur vais coûter.

Questions

▶ L'argumentation directe,
p. 449
▶ Démontrer/délibérer/
convaincre/persuader,
p. 453

Vocabulaire
• Précisez le sens du mot
« sang » dans le texte et
ses connotations pour
chaque emploi.
• Recherchez le sens
religieux et l'origine du
mot « sacrifice ».

▶ Les sens des mots, p. 412

▶ Imiter un style et
transposer un texte, p. 478

La composition
1. Retrouvez les différents arguments qui structurent la prière d'Iphigénie. En quoi l'ordre choisi est-il judicieux ?

Obéissance et résistance
2. À quels indices ressent-on le profond respect qu'Agamemnon inspire à sa fille ?
3. Pourquoi cette preuve de tendresse et d'amour filial est-elle cruelle à entendre pour un père ? Quels reproches et quelles menaces implicites transparaissent dans ce discours ?
4. Par quels procédés persuasifs Iphigénie tente-t-elle de faire fléchir son père ?
5. Distinguez dans l'argumentation d'Iphigénie ce qui relève de la sincérité et ce qui paraît plus stratégique.

Synthèse Qu'est-ce qui renvoie, dans les propos d'Iphigénie, à la toute-puissance divine et à la fatalité ?

Vers le bac   **S'entraîner au sujet d'invention**
Achille, à qui Iphigénie était promise, entre en scène pour tenter à son tour de dissuader Agamemnon de sacrifier sa fille. Composez sa tirade argumentative en prose en prenant soin d'imiter le style noble et respectueux d'Iphigénie.

Lecture d'image Décrivez ce que vous voyez sur ce tableau en précisant l'identité des personnages représentés. Faites des recherches sur les variantes du sacrifice d'Iphigénie et dites de quelle version le peintre s'est inspiré.

Carle Van Loo, *Le Sacrifice d'Iphigénie*, huile sur toile, 1757, Stiftung Preussische Schlössen und Gärten, Berlin.

Euripide,
Iphigénie à Aulis (406 av. J.-C.)

1 IPHIGÉNIE. – Si j'avais la parole d'Orphée, mon père, pour amener par son charme les rochers à me suivre et pour captiver par mes discours qui je voudrais, j'y aurais recours. Mais – c'est toute ma science – je t'offrirai mes larmes, voila qui est en mon pouvoir.

5 Comme d'un rameau de suppliant, je presse étroitement ton genou de ce corps que ma mère a enfanté pour toi. Ne me fais pas mourir avant l'heure, car la lumière est douce à contempler ; ne me force pas à voir les régions souterraines.

Je suis la première qui t'ai appelé mon père et que tu nommas ta fille ; la première, m'abandonnant sur tes genoux, je t'ai donné et ai reçu de toi de tendres
10 caresses. Tu disais : « Te verrai-je dans la maison d'un mari, menant une vie heureuse et florissante, comme il est digne de moi ? » Je répondais à mon tour, suspendue à ton menton qu'en ce moment je touche de la main : « Et moi, comment agirai-je envers toi ? Dans ta vieillesse, ma maison te fera-t-elle un tendre accueil, mon père, pour te récompenser des soucis de mon éducation ? » Je me rappelle encore
15 ces propos, mais tu les as oubliés et tu veux me mettre à mort. Oh ! qu'il n'en soit pas ainsi, au nom de Pélops[1], d'Atrée[2] ton père, et de ma mère que voici, elle qui a souffert en me mettant au monde et qui subit à présent, une seconde fois, pareille épreuve. Qu'ai-je de commun avec l'union d'Alexandros[3] et d'Hélène ? Comment se peut-il qu'il soit venu pour me perdre, mon père ? Regarde-moi, accorde-moi un
20 coup d'œil et un baiser pour qu'en mourant j'emporte au moins cela comme souvenir, si tu n'écoutes pas mes paroles.

Mon frère[4], tu es d'un faible secours pour tes amis, joins cependant tes larmes aux miennes, supplie ton père de laisser la vie à ta sœur. Le pressentiment du malheur existe même chez les petits enfants. Vois, mon père, son silence t'implore.
25 Épargne-moi, aie pitié de ma vie. Oui, par ton menton, nous te supplions, nous deux qui te sommes chers, l'un encore tout petit être, et l'autre déjà grande.

D'un mot bref j'en dirai plus que n'importe quel discours : la lumière est bien douce aux yeux des mortels ; sous terre, c'est le néant. Il est fou de souhaiter la mort : une vie malheureuse vaut mieux qu'une mort glorieuse.

Traduction de Danièle Achach, 1970, © Éditions Larousse.

---

1. tué par son père qui tente de le servir en nourriture aux dieux.
2. par vengeance, tue les fils de son frère Thyeste et les lui fait manger.
3. autre nom de Pâris.
4. il s'agit d'Oreste.

Rubens, *Saturne dévorant ses enfants*, huile sur toile (180 x 87 cm), 1636-1637, musée du Prado, Madrid.

◄ Dans le but d'échapper à une prédiction divine, Saturne (Cronos chez les Grecs) a fait le choix de dévorer ses propres enfants pour conserver le pouvoir. L'on peut voir dans ce mythe une autre forme de sacrifice, celui du renoncement à la paternité afin de rester glorieux et tout-puissant.

Questions

1. Pourquoi peut-on dire que l'Iphigénie d'Euripide semble plus attachée aux valeurs familiales qu'aux valeurs politiques ?

2. Pourquoi son discours semble-t-il plus spontané que chez Racine ?

3. Par quels procédés pathétiques Iphigénie cherche-t-elle à susciter la pitié de son père ?

Synthèse Faites des recherches sur le destin maudit de la famille des Atrides et résumez les malheurs qui ont frappé chacune de ses générations.

Étienne-Noël Damilaville,
L'Encyclopédie, « **Paix** » (1751-1772)

1   PAIX. La guerre est un fruit de la dépravation des hommes ; c'est une maladie
convulsive et violente du corps politique ; il n'est en santé, c'est-à-dire dans son
état naturel, que lorsqu'il jouit de la paix ; c'est elle qui donne de la vigueur aux
empires ; elle maintient l'ordre parmi les citoyens ; elle laisse aux lois la force qui
5   leur est nécessaire ; elle favorise la population, l'agriculture et le commerce ; en un
mot, elle procure au peuple le bonheur qui est le but de toute société. La guerre, au
contraire, dépeuple les États ; elle y fait régner le désordre ; les lois sont forcées de
se taire à la vue de la licence qu'elle introduit ; elle rend incertaines la liberté et la
propriété des citoyens ; elle trouble et fait négliger le commerce ; les terres devien-
10   nent incultes et abandonnées. Jamais les triomphes les plus éclatants ne peuvent
dédommager une nation de la perte d'une multitude de ses membres que la guerre
sacrifie ; ses victoires même lui font des plaies profondes que la paix seule peut
guérir.

    Si la raison gouvernait les hommes, si elle avait sur les chefs des nations l'empire
15   qui lui est dû, on ne les verrait point se livrer inconsidérément aux fureurs de la
guerre ; ils ne marqueraient point cet acharnement qui caractérise les bêtes féroces.

Pablo Picasso, *La Paix*,
huile sur bois, isorel
(4 700 x 10 200 cm), 1952,
décors de la chapelle du
château de Vallauris,
Vallauris.

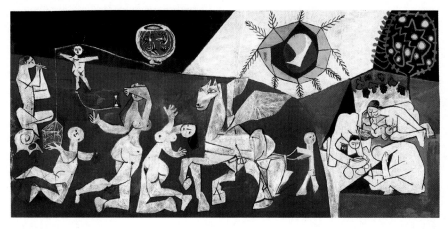

Questions

▶ L'argumentation directe,
p. 449
▶ Démontrer/délibérer/
convaincre/persuader,
p. 453

1. Analysez les figures de style à partir desquelles Damilaville décrit la guerre. Quels
aspects de la guerre mettent-elles en évidence ?
2. Par quels arguments dénonce-t-il la
guerre ?

3. À l'inverse, par quels arguments fait-il
l'éloge de la paix ?
4. Quel champ lexical apparaît dans le dernier paragraphe (l. 14 à 16) ? Commentez-le.
Lecture d'image Quels aspects de la paix
Picasso a-t-il choisi de représenter ?

Vocabulaire
Recherchez les différents
sens du mot « empire ».

Synthèse Pourquoi peut-on dire que cet article de l'*Encyclopédie* est à la fois explicatif et
argumentatif ?

▶ Imiter un style et
transposer un texte, p. 478

Vers le bac   **S'entraîner au sujet d'invention**
En vous inspirant de l'article « Paix », rédigez à votre tour un article d'encyclopédie dans
lequel vous dénoncerez une situation ou un événement.

▶ Biographie p. 536

Jean Giraudoux,
La guerre de Troie n'aura pas lieu
(1935)

Les Troyens ont appris l'enlèvement d'Hélène, épouse du roi grec Ménélas, par Pâris, frère d'Hector. Ils s'interrogent sur les enjeux d'une guerre éventuelle.

1   ANDROMAQUE. — Mon père, je vous en supplie. Si vous avez cette amitié pour les femmes, écoutez ce que toutes les femmes du monde vous disent par ma voix. Laissez-nous nos maris comme ils sont. Pour qu'ils gardent leur agilité et leur courage, les dieux ont créé autour d'eux tant d'entraîneurs vivants ou non vivants !
5   Quand ce ne serait que l'orage ! Quand ce ne serait que les bêtes ! Aussi longtemps qu'il y aura des loups, des éléphants, des onces, l'homme aura mieux que l'homme comme émule et comme adversaire. Tous ces grands oiseaux qui volent autour de nous, ces lièvres dont nous les femmes confondons le poil avec les bruyères, sont de plus sûrs garants de la vue perçante de nos maris que l'autre cible, que le cœur
10   de l'ennemi emprisonné dans sa cuirasse. Chaque fois que j'ai vu tuer un cerf ou un aigle, je l'ai remercié. Je savais qu'il mourait pour Hector. Pourquoi voulez-vous que je doive Hector à la mort d'autres hommes ?
PRIAM. — Je ne le veux pas, ma petite chérie. Mais savez-vous pourquoi vous êtes là, toutes si belles et si vaillantes ? C'est parce que vos maris et vos pères et vos
15   aïeux furent des guerriers. S'ils avaient été paresseux aux armes, s'ils n'avaient pas su que cette occupation terne et stupide qu'est la vie se justifie soudain et s'illumine par le mépris que les hommes ont d'elle, c'est vous qui seriez lâches et réclameriez la guerre. Il n'y a pas deux façons de se rendre immortel ici-bas, c'est d'oublier qu'on est mortel !
20   ANDROMAQUE. — Oh ! justement, Père, vous le savez bien ! Ce sont les braves qui meurent à la guerre. Pour ne pas y être tué, il faut un grand hasard ou une grande habileté. Il faut avoir courbé la tête ou s'être agenouillé au moins une fois devant le danger. Les soldats qui défilent sous les arcs de triomphe sont ceux qui ont déserté la mort. Comment un pays pourrait-il gagner dans son honneur et dans sa
25   force en les perdant tous les deux ?
PRIAM. — Ma fille, la première lâcheté est la première ride d'un peuple.

© Fondation Jean et Jean-Pierre Giraudoux.

Prolongements

• Faites des recherches sur les fonctions des guerriers de l'Antiquité et la place qui leur revenait dans la société.
• Comment expliquez-vous que les guerriers grecs préféraient mourir au combat plutôt que s'avouer vaincus ? Documentez-vous sur le mythe de la belle mort.

Questions

1. Sur quels arguments Andromaque s'appuie-t-elle pour convaincre Priam de renoncer à la guerre ?
2. Quels arguments Priam oppose-t-il au raisonnement d'Andromaque ?
3. Commentez et expliquez la remarque de Priam : « Il n'y a pas deux façons de se rendre immortel ici-bas, c'est d'oublier qu'on est mortel ! »
4. Pourquoi peut-on dire que le débat n'oppose pas simplement les guerriers et les pacifistes, mais les hommes et les femmes dont Priam et Andromaque sont les porte-parole ?
5. Montrez dans un paragraphe rédigé qu'Andromaque use de procédés persuasifs et lyriques.

Laurent Gaudé,
La Mort du roi Tsongor (2002)

► **Laurent Gaudé** est un passionné de théâtre, dramaturge et comédien qui connut un succès immédiat. Il est aussi l'auteur de trois romans initiatiques. Il reçoit le prix Goncourt en 2004 pour son roman *Le Soleil des Scorta*.

Dans son roman, Laurent Gaudé retrace l'histoire imaginaire du haïssable et vénéré roi Tsongor. Après sa mort, sa descendance s'entre- déchire et connaît les souffrances de la guerre, le fratricide, l'errance et la honte.

1   Liboko, comme un démon, se rua sur l'ennemi. Il perça des ventres, sectionna des membres. Il transperça des torses et défigura des hommes. Liboko se battait sur son sol, pour défendre sa ville et l'ardeur qui l'animait semblait ne jamais devoir le quitter. Il frappait sans cesse. Éventrant les lignes ennemies de toute sa fureur. Les
5   ennemis tombaient à la renverse sous la force de ses charges. Soudain, il suspendit son bras. Un homme était à ses pieds. Là. À sa merci. Il pouvait lui fendre le crâne mais ne le faisait pas. Il resta ainsi. Le bras suspendu. Un temps infini. Il avait reconnu son ennemi. C'était Sango Kerim. Leurs yeux se croisèrent. Liboko regardait le visage de cet homme qui, pendant si longtemps, avait été son ami. Il ne
10 pouvait se résoudre à le frapper. Il sourit doucement. C'est alors qu'Orios[1] s'élança. Il avait vu toute la scène. Il voyait que Sango Kerim pouvait mourir à tout moment. Il n'hésita pas et de tout le poids de sa masse, écrasa le visage de Liboko. Son corps s'affaissa. La vie, déjà, l'avait quitté. Un puissant grognement de satisfaction sortit de la poitrine d'Orios. Sango Kerim, abattu, s'effondra à genoux. Il lâcha ses
15 armes, enleva son casque et prit dans ses bras le corps de celui qui n'avait pas voulu le tuer. Son visage était un cratère de chair. Et c'est en vain que Sango Kerim y cherchait le regard qu'il avait croisé quelques secondes auparavant. Il pleurait sur Liboko tandis que la bataille faisait rage autour de lui. La garde spéciale avait

1. chef de l'armée de cendrés qui se bat aux côtés de Sango Kerim.

assisté à la scène et une
20 fureur profonde souleva les hommes. Ils poussèrent de toutes leurs forces les cendrés. Ils voulaient récupérer le corps de leur chef. Ne pas
25 l'abandonner à l'ennemi. Ils voulaient l'enterrer avec ses armes auprès de son père.

© Éditions Actes Sud.

Marc Chagall, *La Guerre,* huile sur toile (126 x 231 cm), 1964-1966, musée des Beaux-Arts, Zürich.

Prolongements
• Rédigez le discours de Sango Kerim qui supplie Liboko de le tuer sans attendre afin de le protéger des cendres.
• Lisez *Désert* de Le Clézio : comment y est exprimé l'héroïsme des nomades ?

Questions

1. Comment le narrateur parvient-il à représenter à la fois le caractère humain et inhumain de ses personnages ?
2. D'où provient le registre pathétique ?

3. Quelles caractéristiques propres à l'épopée identifiez-vous dans cet extrait ?
4. Montrez qu'Achille, Hector, Liboko et Orios, personnages d'Homère (► p. 372) et de Gaudé, sont tous quatre des héros à leur façon.

LE CONFLIT

1 ÉTYMOLOGIE

Quelle est l'origine des mots suivants ? Précisez leur sens et celui de leur étymon.

belligérant – pugilat – carnage – échauffourée – matamore – duel – polémique – bagarre – sarcasme

2 ANTONYMIE

Reliez chacun des adjectifs suivants à son antonyme. Cherchez les mots que vous ne connaissez pas dans le dictionnaire.

A. belliqueux   1. ameuter
B. amitié   2. heurt
C. pacifier   3. déconfiture
D. victoire   4. inimitié
E. conciliation   5. pacifiste

3 LA DÉRIVATION

Pour chacun des mots suivants, trouvez deux dérivés par préfixation ou par suffixation. Vérifiez le sens des mots que vous obtenez.

paix – battre – camp – arme – assaut – conflit

4 CONFLIT VERBAL ET PHYSIQUE

Cherchez le sens des mots suivants et trouvez l'intrus dans chaque liste.

a. rétorquer – objecter – ratifier – récuser – réfuter – contester – répliquer
b. querelle – dispute – altercation – algarade – approbation – brouille – rébellion
c. raillerie – diatribe – escarmouche – persiflage – pamphlet – quolibet – panégyrique
d. ennemi – rival – détracteur – adversaire – antagoniste – opposant – protagoniste

5 EMPLOIS

Remplacez l'expression en italique par son synonyme choisi dans la liste proposée.

stratège – trêve – diplomate – estocade – rixe – ultimatum

a. Les deux chefs ennemis conclurent *la cessation des hostilités* pendant trois jours.
b. *La violente querelle* qui opposait les jeunes gens fut réprimée par les forces de l'ordre.
c. C'est avec stupeur que l'État eut connaissance de *l'obligation de céder sans discussion possible* qui lui était imposée.
d. *Le chef qui dirige les opérations militaires* a vu juste dans la façon de mettre à mal l'armée adverse.
e. Le gouvernement a dû faire appel à des *négociateurs chargés de représenter le pays* pour intervenir auprès des ambassadeurs étrangers et éviter l'engagement des hostilités.
f. Dans la mêlée, il reçut *un coup d'épée* qui lui fut fatal.

6 NÉOLOGISMES

Remplacez les néologismes du poème de Michaux par des mots appartenant au champ lexical du combat. Vous veillerez à reproduire au mieux les sons et le rythme d'origine.

LE GRAND COMBAT

Il l'emparouille et l'endosque contre terre ;
Il le rague et le roupète jusqu'à son drâle ;
Il le pratèle et le libucque et lui barufle les ouillais ;
Il le tocarde et le marmine,
Le manage rape à ri et ripe à ra.
Enfin il l'écorcobalisse.
L'autre hésite, s'espudrine, se défaise, se torse et se ruine.
C'en sera bientôt fini de lui ;
Il se reprise et s'emmargine… mais en vain
Le cerveau tombe qui a tant roulé.

    Henri MICHAUX, *Qui je fus*, 1927, © Éditions Gallimard.

7 DEVINETTES

a. Vous connaissez le sens de l'adjectif *différent*. Mais savez-vous ce qu'est un *différend* ?
b. Tout le monde connaît le mot *soldat*. Mais qui peut transformer ce substantif en adjectif ?
c. Comment faut-il orthographier [sufle] lorsqu'on en reçoit un ?
d. Vous savez ce qu'est un *champ*. Mais que désigne-t-il dans l'expression *champ de Mars* ?
e. *Zizanie* est un mot qui désigne à l'origine une mauvaise herbe. D'où l'expression *semer la zizanie*. Vrai ou faux ?
f. Doit-on dire *contreverse* ou *controverse* ?
g. Dans l'Antiquité, Mars était le dieu de la guerre. Quel adjectif renvoyant au domaine de la guerre a été créé à partir de son nom ?
h. Doit-on dire *la concorde* ou *le concorde* lorsque l'on parle d'un accord entre deux parties ?
i. Quelle orthographe est correcte : des *pour-parlers* ; des *pour-parler* ; des *pourparlers* ; des *poursparlers* ; des *pourparlés* ?

EXPRESSION ÉCRITE

Sujet 1
Présentez un sujet d'actualité qui fait polémique. Reformulez les arguments qui s'opposent en ayant soin d'employer le vocabulaire du débat.

Sujet 2
À partir des arguments énoncés dans le sujet 1, écrivez un dialogue dans lequel s'opposent deux adversaires. Utilisez le registre polémique.

PISTES DE LECTURE

1 LECTURES CROISÉES

Les Voyages de Gulliver de Swift (1721)

Micromégas de Voltaire (1752)

Ailleurs d'Henri Michaux (1948)

Lisez les trois ouvrages proposés, *Les Voyages de Gulliver*, *Micromégas* et *Ailleurs*. Choisissez un axe d'étude et présentez-le à l'oral devant la classe.

© Éditions Le Livre de Poche

© Éditions Flammarion

© Éditions Gallimard

> **AXE D'ÉTUDE 1** Le récit de voyage
>
> **AXE D'ÉTUDE 2** Invention, féerie et science-fiction
>
> **AXE D'ÉTUDE 3** Progrès et contexte scientifique
>
> **AXE D'ÉTUDE 4** La dénonciation politique, sociale et religieuse

2 D'AUTRES LECTURES

Pourquoi j'ai mangé mon père
de Roy Lewis (1960)

© Éditions univers Poche-Pocket

Ernest est un *Homo sapiens*. On suit les tribulations des membres de sa famille, qui se révèlent particulièrement ingénieux pour l'époque… Derrière l'humour et l'originalité de ce récit, on trouve une réflexion sur nos propres sociétés scientifiques.

La Controverse de Valladolid
de Jean-Claude Carrière (1992)

© Éditions Actes Sud

En 1550, deux hommes s'affrontent : les Indiens d'Amérique ont-ils une âme ? Sont-ils humains ? A-t-on le droit de continuer à les réduire en esclavage ? Jean-Claude Carrière s'inspire d'un fait historique pour réécrire ce débat.

Louis XIV – Tome 1 : Le Roi-Soleil
de Max Gallo (2007)

© Éditions univers Poche-Pocket

L'écrivain-historien nous révèle l'intimité d'un enfant futur roi, ses pensées, sa maturité et sa détermination. Le tome 1 retrace avec humanité et sensibilité la vie de Louis XIV, de son enfance à l'apogée de son règne.

Manon Lescaut
de l'abbé Prévost (1731)

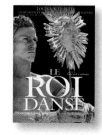
© Éditions Hatier

À 17 ans, le chevalier Des Grieux qui ne connaît rien de l'amour, s'éprend de la belle et perfide Manon. Il décide de s'enfuir avec cette jeune femme dont il ne sait rien, se dressant contre l'autorité paternelle, la raison et la vertu.

Le roi danse
film de Gérard Corbiau (2000)

Dans ce film, le réalisateur Gérard Corbiau met en scène un jeune roi déterminé et conscient des difficultés qui l'attendent. Grâce au compositeur Lully, par la danse et le culte de l'apparence, Louis XIV apprend à s'affirmer et à devenir le futur Roi-Soleil.

Le Parfum ou l'Histoire d'un meurtrier
de Patrick Süskind (1985)

© Éditions Le Livre de Poche

Le héros de ce roman aux allures d'apologue est né à Paris en 1738. Sa mère accouche derrière un étalage de poissons et le laisse pour mort. Mais le nouveau-né résiste et devient Jean-Baptiste Grenouille, l'homme le plus abominable de son époque.

TEXTE A

Blaise Pascal, *De l'esprit géométrique et de l'art de persuader*, 1658

Il paraît de là que, quoi que ce soit qu'on veuille persuader, il faut avoir égard à la personne à qui on en veut, dont il faut connaître l'esprit et le cœur, quels principes il accorde, quelles choses il aime [...]. De sorte que l'art de persuader consiste autant en celui d'agréer qu'en celui de convaincre, tant les hommes se gouvernent plus par caprice que par raison !

TEXTE B

Victor Hugo, *Actes et paroles I*, Assemblée législative, 1849-1851

Je suis de ceux qui pensent et qui affirment qu'on peut détruire la misère. *(Réclamations. – Violentes dénégations à droite.)*
Remarquez-le bien, messieurs, je ne dis pas diminuer, amoindrir, limiter, circonscrire, je dis détruire. *(Nouveaux murmures à droite.)* La misère est une maladie du corps social comme la lèpre était une maladie du corps humain ; la misère peut disparaître comme la lèpre a disparu. *(Oui ! oui ! à gauche).* Détruire la misère ! oui, cela est possible. [...]
La misère, messieurs, j'aborde ici le vif de la question, voulez-vous savoir jusqu'où elle peut aller, jusqu'où elle va, je ne dis pas en Irlande, je ne dis pas au Moyen Âge, je dis en France, je dis à Paris, et au temps où nous vivons ? Voulez-vous des faits ?
Il y a dans Paris... *(L'orateur s'interrompt.)*
Mon Dieu, je n'hésite pas à les citer, ces faits. Ils sont tristes, mais nécessaires à révéler ; et tenez, s'il faut dire toute ma pensée, je voudrais qu'il sortît de cette assemblée, et au besoin j'en ferai la proposition formelle, une grande et solennelle enquête sur la situation vraie des classes laborieuses et souffrantes en France. [...]
Voici donc ces faits :
Il y a dans Paris, dans ces faubourgs de Paris que le vent de l'émeute soulevait naguère si aisément, il y a des rues, des maisons, des cloaques, où des familles, des familles entières, vivent pêle-mêle, hommes, femmes, jeunes filles, enfants, n'ayant pour lits, n'ayant pour couvertures, j'ai presque dit pour vêtements, que des monceaux infects de chiffons en fermentation, ramassés dans la fange du coin des bornes, espèce de fumier des villes, où des créatures humaines s'enfouissent toutes vivantes pour échapper au froid de l'hiver. *(Mouvement.)*
Voilà un fait. En voici d'autres : Ces jours derniers, un homme, mon Dieu, un malheureux homme de lettres, car la misère n'épargne pas plus les professions libérales que les professions manuelles, un malheureux homme est mort de faim, mort de faim à la lettre, et l'on a constaté, après sa mort, qu'il n'avait pas mangé depuis six jours. *(Longue interruption.)* Voulez-vous quelque chose de plus douloureux encore ? Le mois passé, pendant la recrudescence du choléra, on a trouvé une mère et ses quatre enfants qui cherchaient leur nourriture dans les débris immondes et pestilentiels des charniers de Montfaucon ! *(Sensations.)*
Eh bien, messieurs, je dis que ce sont là des choses qui ne doivent pas être ; je dis que la société doit dépenser toute sa force, toute sa sollicitude, toute son intelligence, toute sa volonté, pour que de telles choses ne soient pas ! Je dis que de tels faits, dans un pays civilisé, engagent la conscience de la société toute entière ; que je me sens, moi qui parle, complice et solidaire *(Mouvement)*, et que de tels faits ne sont pas seulement des torts envers l'homme, que ce sont des crimes envers Dieu ! *(Sensation prolongée.)*

Michel Meyer, préface à la *Rhétorique* d'Aristote, 1991

La rhétorique occupe une place centrale dans la conception que l'homme entretient à propos de lui-même. Elle traite de l'usage du discours pour plaire comme pour convaincre, pour plaider comme pour délibérer, pour raisonner comme pour séduire. Il n'est de rapport à autrui qui ne passe par le langage, et, par là, qui ne fasse appel aux mécanismes de la rhétorique, pour se mettre au service de fins en apparence si multiples. [...] La rhétorique se laisse définir comme l'art de persuader et elle est, plus généralement le lieu de rencontre de l'homme et du discours, ce qui vérifie la définition classique de l'homme comme animal raisonnable, où la passion issue de l'animalité vient échouer sur les rives du *logos*.

© Le Livre de Poche.

▶ ▶ ▶ **Sujet Bac**

I. Après avoir lu les textes du corpus, répondez à la question suivante :

En trouvant des exemples variés dans chacun des textes, définissez ce qu'est l'éloquence et les domaines où elle s'exerce.

II. Traitez ensuite l'un des sujets suivants :

Commentaire

Commentez le texte de Victor Hugo (texte B) en étudiant les arguments, les registres et les procédés rhétoriques utilisés pour convaincre son auditoire.

Dissertation

À travers les utilisations de l'éloquence manifestée dans les textes, mais aussi à partir de votre propre connaissance de la vie en société, montrez pourquoi l'éloquence est un outil indispensable à la vie publique.

Écriture d'invention

En vous inspirant du texte de Victor Hugo, rédigez un discours à prononcer à l'Assemblée pour la protection du littoral et l'interdiction de l'urbanisme sauvage.

Méthode Analyser un corpus de textes

▶ Comprendre une question, p. 482

▶ Justifier sa réponse en insérant des exemples, p. 484
▶ Construire un paragraphe argumentatif, p. 485

ÉTAPE 1 Cerner le thème des textes et analyser la question posée
• Quels termes importants faut-il retenir dans la question posée ?
• Quelle est la nature de chacun des textes et quel type de réponse y trouve-t-on ?

ÉTAPE 2 Chercher des éléments de réponse
• Quels synonymes de l'éloquence trouve-t-on dans les textes ?
• Quels aspects du discours d'Hugo sont faits pour convaincre ?
• Quels procédés cherchent à agréer ?
• Dans quelles situations de la vie utilise-t-on ces deux aspects de l'éloquence ?

ÉTAPE 3 Organiser un plan et rédiger une réponse
• L'éloquence comme art de la parole adressée à autrui.
• Convaincre et persuader.
• Une pratique nécessaire dans les activités de la cité.

PARTIE II

Étude de la langue

▶▶ Friedensreich Hundertwasser, *Herbe pour ceux qui pleurent* (détail), technique mixte (65 x 92 cm), 1974, collection privée.

Fiche 1
CLASSES ET FONCTIONS

■ CLASSES GRAMMATICALES

Classe	Définition	Exemples
▶ Le déterminant	Placé devant le nom commun, il forme avec lui le groupe nominal minimum.	• articles définis : le, la, les, l', etc. • articles indéfinis : un, une, des, etc. • déterminants possessifs : mon, ma, mes, etc. • déterminants démonstratifs : ce, cet, cette, ces, etc.
▶ Le nom	Il représente un objet, un être ou une abstraction.	Le manteau, l'oiseau, la paix.
▶ L'adjectif qualificatif	Il apporte des informations sur le nom ou pronom auquel il se rapporte.	Il porte un pantalon **blanc**.
▶ Le pronom	Il remplace un nom. Il sert souvent à éviter les répétitions.	• pronoms personnels : je, tu, il, etc. • pronoms démonstratifs : celui-ci, celles-là, etc. • pronoms possessifs : le mien, le nôtre, le vôtre, etc. • pronoms interrogatifs : qui ? quoi ? etc. • pronoms relatifs : qui, que, dont, etc.
▶ L'adverbe	Il est invariable, précise le sens d'un verbe, de la phrase, indique un lieu, un moment.	Il mange **vite**. Il dort **souvent**. Il reste **là**.
▶ La préposition	Invariable, elle unit un mot à son complément.	à, dans, par, pour, en, vers, avec, de, sans, sous, etc.
▶ Le verbe	Il est l'élément central de la phrase. Il peut être : • transitif direct (admet un COD) • transitif indirect (admet un COI) • intransitif (n'admet ni COD, ni COI)	• manger quelque chose, regarder quelqu'un, etc. • s'adresser à quelqu'un, parler de quelque chose, etc. • pleurer, mourir, être, etc.
▶ La conjonction de coordination	Invariable, elle unit deux éléments en établissant un lien logique.	mais, ou, et, donc, or, ni, car.
▶ La conjonction de subordination	Invariable, elle introduit une proposition subordonnée conjonctive.	comme, puisque, lorsque, quand, après que, parce que, etc.
▶ L'interjection	Invariable, elle exprime une émotion, un sentiment, etc.	aïe, youpi, etc.

FONCTIONS

Les fonctions liées au verbe	Définition	Exemples
▶ Le sujet	Il dépend du verbe et en détermine la personne et l'accord. Il peut être un nom, un pronom, un infinitif ou une proposition subordonnée.	**Qui** dit cela ? **L'enfant** dit cela.
▶ Le COD	Il complète un verbe transitif direct.	Il regarde **le ciel**.
▶ Le COI	Il complète un verbe transitif indirect. Il indique le destinataire ou sur quoi porte l'action.	Il parle **à sa sœur**. Il parle **de lui**.
▶ Le complément d'agent	Il complète un verbe au passif. Il désigne en fait l'auteur de l'action. Il est introduit par « par » ou « de ».	La souris est mangée **par le chat**.
▶ L'attribut du sujet	Il donne une information sur le sujet grâce à un verbe d'état (*sembler, être, demeurer*, etc.).	Il est **gentil**. Il est **notaire**.
Les fonctions liées au nom ou au pronom	Définition	Exemples
▶ L'adjectif épithète	Il est placé avant ou après le nom.	Il a peint une **grande** toile **bleue**.
▶ L'épithète détachée ou apposition	Elle est placée avant ou après le nom et en est séparée par une virgule.	**Courtois**, l'homme répondit immédiatement.
▶ Le complément du nom	Il est introduit par la préposition « de ».	C'est le chien **de ma sœur**.
Les fonctions liées à la phrase	Définition	Exemples
▶ Les compléments circonstanciels	Ils peuvent être supprimés ou déplacés et apportent des informations sur le temps, le lieu, la cause, etc., c'est-à-dire sur les circonstances de l'action.	Ils ne sortent pas **à cause de la pluie**.

1 RECONNAÎTRE LES CLASSES
GRAMMATICALES ✪

A Les mots de chacune des listes appartiennent à la même classe grammaticale : indiquez-la et repérez le ou les intrus.

a. vociférer – dévorer – humilier – soutenir – loyer – avouer – étonner – pondre – étranger – piller

b. heureusement – ardemment – ici – amoureusement – ameublement – cyniquement – vite – couronnement – décemment – voluptueusement – aujourd'hui

c. remarquable – joli – gros – agréable – bien – joyeuse – plein – beau – clair – vite – émouvant – rapide

B Indiquez la classe grammaticale des mots en gras.

a. Ce **scientifique** fait des découvertes extraordinaires grâce à son **savoir** exceptionnel.

b. Il se livre parfois à des expériences **scientifiques** dangereuses.

c. La **marche** est une activité pleine de vertus.

d. Je **marche** vite, je **parcours** huit kilomètres en une heure.

e. Le **parcours** de la manifestation va de la place de la Bastille à celle de la République.

f. Mon chien respire **fort**, il a chaud.

g. Le **fort** déploie ses remparts au bord du fleuve.

h. Seul un homme exceptionnellement **fort** pourrait soulever cette masse !

i. Cette **tâche** est au-dessus de mes forces.

j. **Tâche** de te dépêcher !

2 DISTIGUER DÉTERMINANTS
ET PRONOMS POSSESSIFS ✪

Recopiez les phrases en choisissant la forme qui convient.

a. (Notre – Nôtre(s)) chien est malade, le (votre – vôtre(s)) aussi. Nous leur avons administré à tous deux un remède efficace.

b. Notre fils est plus jeune que le (votre – vôtre(s)), mais ils s'entendent bien à (notre – nôtre(s)) grande satisfaction.

c. Voici mes livres. Où sont les (votre – vôtre(s)) ? Ah ! ici ! Je n'avais pas vu (votre – vôtre(s)) panier.

d. Venez écouter (notre – nôtre(s)) chorale. Vous pourrez vous joindre à (notre – nôtre(s)) chant si (votre – vôtre(s)) voix s'accorde avec les (notre – nôtre(s)).

3 INDIQUER LES FONCTIONS ✪✪

A Indiquez si les éléments en gras sont : sujet, COD, complément d'agent ou CCL.

a. Ce garçon aime **la nuit**.

b. Mon père travaille **la nuit**.

c. Patrick ne boit que **de l'eau**.

d. Alors, sombre et douce, arriva **la nuit**.

e. Soudain, violente mais bienfaitrice, tomba **la pluie** que les habitants n'espéraient plus.

f. Elle est passée **par la fenêtre**.

g. L'enfant désobéissant a été grondé **par ses parents**.

B Indiquez si les éléments en gras sont : CCL, CC de manière, complément d'agent ou COI.

a. Il est sorti **par le jardin**.

b. Ce livre a été lu **par des milliers de lecteurs**.

c. il n'est pas arrivé premier car **par malchance** il a été gêné par des concurrents au départ.

d. Il se souvient **de ses amours** avec nostalgie.

e. Cet acteur est admiré **de tous** !

f. Il a reçu des félicitations **de tous les coins de France**.

4 RECONNAÎTRE LES COMPLÉMENTS
D'OBJET ✪✪

Dans les phrases suivantes, tous les verbes conjugués sont transitifs. Repérez les COD et les COI.

a. Il observait le jardin et espérait le retour du beau temps.

b. Accroupi au bord de la piscine, le chat lapait l'eau à grands coups de langue.

c. Il songe sans cesse à son amie hospitalisée.

d. Il sua sang et eau pour achever son marathon.

e. Paul ne respecte rien ni personne, il ne s'occupe que de lui.

f. Elle a demandé à son frère de l'aider à déménager.

g. Les fourmis traînaient péniblement une énorme brindille.

h. Il s'adressa grossièrement à la jeune femme.

i. Évitons de nous attarder !

5 IDENTIFIER LA CONSTRUCTION
DU VERBE ✪✪✪

Indiquez si les verbes en gras sont transitifs directs, transitifs indirects ou intransitifs.

a. Il **dîne** rapidement puis **essaie** de lire, mais il ne **comprend** pas toujours ce qu'il lit car sa vue **baisse** et il **distingue** à peine les mots.

b. Comme minuit **approchait**, le carrosse **redevint** citrouille.

c. Les jours **passent**, il **s'ennuie** et **tourne** en rond dans sa chambre. Il ne **parle** plus à personne. Il **semble** bien morose. Parfois il **prend** un livre, le **feuillette**, le **repose**. Son esprit **vagabonde** de-ci de-là.

d. Il **doute** de tout et surtout de lui-même, sa confiance en lui **s'envole** car son fils ne lui **obéit** plus.

Fiche 2
MODES, TEMPS ET VALEURS

Définitions

Il existe des **modes impersonnels**, sans conjugaison (infinitif, participe, gérondif) et des **modes personnels** : l'**indicatif** est le mode du réel, de la certitude ; le **subjonctif** indique que l'action est soumise à un sentiment, à un doute, une incertitude ; le **conditionnel** est le mode de l'éventualité, des faits incertains voire irréels ; l'**impératif** exprime l'ordre ou le conseil. Ces modes comportent un certain nombre de **temps**.

L'INDICATIF

Les temps simples

▶ **Le présent**

Il connaît différentes valeurs :

• **présent d'énonciation** : il correspond au présent du locuteur.

→ **Ex.** : « Je **forme** une entreprise qui n'eut jamais d'exemple. » (Jean-Jacques ROUSSEAU, *Les Confessions*, 1782.)

• **présent de vérité générale** : il énonce un fait vrai de tous temps.

→ **Ex.** : « Le temps **guérit** les douleurs et les querelles. » (Blaise PASCAL, *Pensées*, 1670.)

• **présent de narration** : il remplace un passé simple.

→ **Ex.** : « Maître Corbeau, sur un arbre perché,
Tenait en son bec un fromage. […]
À ces mots le Corbeau ne **se sent** pas de joie. » (Jean de LA FONTAINE, *Fables*, 1668.)

▶ **L'imparfait**

Il place l'action dans le passé sans en préciser ni début ni fin. Il exprime la **répétition** ou les **actions de second plan**. C'est le temps de la **description**.

→ **Ex.** : « La foule des bourgeois et des bourgeoises **s'acheminait** donc de toutes parts dès le matin. » (Victor HUGO, *Notre-Dame-de-Paris*, 1831.)

▶ **Le passé simple**

Il met en avant les actions passées par opposition à l'imparfait. On ignore la durée ou la fréquence de l'action.

→ **Ex.** : « Le Corbeau, honteux et confus,
Jura, mais un peu tard, qu'on ne l'y prendrait plus. » (Jean de LA FONTAINE, *Fables*, 1668.)

▶ **Le futur simple**

• Le futur catégorique montre un fait futur comme certain.

→ **Ex.** : « Je vous **paierai**, lui dit-elle,
Avant l'août, foi d'animal. » (Jean de LA FONTAINE, *Fables*, 1668.)

• Le futur de vérité générale a la même valeur que le présent de vérité générale.

→ **Ex.** : « Selon que vous **serez** puissant ou misérable,
Les jugements de cour vous **rendront** blanc ou noir. » (Jean de LA FONTAINE, *Fables*, 1668.)

▶ **Le conditionnel (temps) : futur dans le passé**

Il marque un fait futur par rapport à un moment passé.

→ **Ex.** : Il affirma qu'il **reviendrait**.

Les temps composés

Ils expriment l'antériorité par rapport au temps simple correspondant : le **passé composé** par rapport à l'imparfait, le **plus-que-parfait** par rapport à l'imparfait, le **passé antérieur** par rapport au passé simple, le **futur antérieur** par rapport au futur.

LE SUBJONCTIF

Il compte 4 temps : présent, passé, imparfait, plus-que-parfait.

Dans les indépendantes ou les principales

Il exprime l'ordre (pour les personnes qui n'existent pas à l'impératif) ou le souhait.
➜ Ex. : Qu'il **sorte** immédiatement.
Puissent les dieux m'entendre.

Dans les subordonnées conjonctives

▶ **Selon le verbe de la principale**

Quand le verbe de la principale exprime ordre, défense, doute, crainte, souhait... (*préférer, ordonner, approuver...*) le verbe de la proposition subordonnée est au subjonctif.
➜ Ex. : Je doute qu'il **ait obtenu** satisfaction.

▶ **Après certaines locutions conjonctives**

Le verbe est au subjonctif dans la proposition subordonnée conjonctive quand celle-ci est introduite par :

à condition que	de façon que	pour peu que
à moins que	de peur que	pour que
à supposer que	en admettant que	pourvu que
afin que	encore que	quoique
avant que	jusqu'à ce que	si tant est que
bien que	non que	soit que... soit que...
de crainte que	sans que	

➜ Ex. : Je le verrai avant qu'il **ait embarqué**.
Attention : la conjonction *après que* est suivie de l'indicatif.
➜ Ex. : Il est arrivé juste après qu'on l'**a appelé**.

LE CONDITIONNEL

Expression du potentiel

Le fait est présenté comme encore possible.
➜ Ex. : Si tu venais demain, je **serais** content.

Expression de l'irréel

Il oppose un état imaginaire du monde à son état réel. On note un effet de dramatisation car le conditionnel met en scène un sentiment, une action... qui n'a pas eu lieu. L'irréel permet notamment l'expression du regret.

▶ **Irréel du présent**

L'action n'est pas réalisable dans le présent.
➜ Ex. : Si j'étais en ce moment en vacances, je me **reposerais**.

▶ **Irréel du passé**

L'action ne s'est pas réalisée dans le passé.
➜ Ex. : Si tu étais venu hier, **j'aurais** été content.

L'incertitude

Il exprime un fait incertain, il est souvent employé par les journalistes.
➜ Ex. : Le criminel **serait** sur le point d'être arrêté.

La demande atténuée

➜ Ex. : M'**aideriez**-vous à porter ma valise ?

EXERCICES

1 RECONNAÎTRE LES VALEURS DU PRÉSENT ✪

Indiquez les valeurs des présents mis en gras.

1 La raison du plus fort **est** toujours la meilleure :
Nous l'allons montrer tout à l'heure.
Un Agneau se désaltérait
Dans le courant d'une onde pure.
Un Loup **survient** à jeun qui cherchait aventure,
Et que la faim en ces lieux attirait.
« Qui te **rend** si hardi de troubler mon breuvage ?
Dit cet animal plein de rage […]
Tu seras châtié de ta témérité. »

Jean DE LA FONTAINE, *Fables*, 1668.

2 Je me **montre** bien décidé à ne fuir qu'avec elle : je **saisis** son bras et **hâte** son pas.

PLINE LE JEUNE, *Lettres*, VI, 20.

3 Il **faut**, autant qu'on **peut**, obliger tout le
[monde :
On **a** souvent besoin d'un plus petit que soi.

Jean DE LA FONTAINE, *Fables*, 1668.

4 J'**accuse** le lieutenant-colonel du Paty de Clam d'avoir été l'ouvrier diabolique de l'erreur judiciaire, en inconscient, je **veux** le croire, et d'avoir ensuite défendu son œuvre néfaste, depuis trois ans, par les machinations les plus saugrenues et les plus coupables.

Émile ZOLA, « J'accuse », paru dans *L'Aurore*, 1898.

2 DISTINGUER LES VALEURS DE L'IMPARFAIT ✪✪

Indiquez la valeur des verbes à l'imparfait.

1 Tout le jour, sans s'arrêter, Mme Kergaran montait et descendait cette spirale, occupée dans ce logis en tiroir comme un capitaine à son bord.

Guy DE MAUPASSANT, *La Patronne*, 1884.

2 Je lui ai dit que la fourrière gardait les chiens trois jours à la disposition de leurs propriétaires et qu'ensuite elle en faisait ce que bon lui semblait.

Albert CAMUS, *L'Étranger*, 1942 © Éditions Gallimard.

3 C'était une belle fille de dix-huit à vingt ans […]. Grande, mince de taille et large des hanches, elle avait la peau très brune, les yeux très grands, les cheveux très noirs. Sa robe dessinait nettement les plénitudes fermes de sa chair qu'accentuaient encore les efforts des reins qu'elle faisait pour s'enlever.

Guy DE MAUPASSANT, *Une partie de campagne*, 1881.

3 INDIQUER TEMPS ET VALEUR ✪✪

a. Indiquez les temps des verbes et leur valeur.
b. Étudiez les formes en gras. À quel temps sont-elles ? Pourquoi ?

J'habitais alors, dit Georges Kervelen, une maison meublée, rue des Saints-Pères. Quand mes parents décidèrent que j'**irais** faire mon droit à Paris, de longues discussions eurent lieu pour régler toutes choses. Le chiffre de ma pension avait été d'abord fixé à deux mille cinq cents francs, mais ma pauvre mère fut prise d'une peur qu'elle exposa à mon père : « S'il allait dépenser mal tout son argent et ne pas prendre une nourriture suffisante, sa santé en **souffrirait** beaucoup. Ces jeunes gens sont capables de tout. »
Alors il fut décidé qu'on me **chercherait** une pension, une pension modeste et confortable, et que ma famille en paierait directement le prix, chaque mois.
Je n'avais jamais quitté Quimper. Je désirais tout ce qu'on désire à mon âge et j'étais disposé à vivre joyeusement, de toutes les façons.
Des voisins à qui on demanda conseil indiquèrent une compatriote, Mme Kergaran, qui prenait des pensionnaires. Mon père donc traita par lettres avec cette personne respectable, chez qui j'arrivai, un soir, accompagné d'une malle.

Guy DE MAUPASSANT, *La Patronne*, 1884.

4 CONJUGUER AU TEMPS QUI CONVIENT ✪✪✪

Recopiez les phrases en conjuguant au futur ou au conditionnel.

a. J'(aller) bien si tu ne me semblais pas si triste : je ne (s'inquiéter) pas pour toi.
b. Je (être) sur le point de quitter l'hôpital. Voilà ce que les médecins m'ont laissé entendre ; mais j'ignore quand au juste je (sortir).
c. J'(aimer) te voir et te serrer dans mes bras, mais je (se contenter) de ta voix au téléphone.

5 DONNER LA VALEUR DU CONDITIONNEL ✪✪✪

Relevez les verbes au conditionnel dans ces exemples et donnez leur valeur.

a. Il aurait fait une belle carrière s'il l'avait voulu.
b. L'homme aurait été tué dans une attaque à mains armées.
c. S'il faisait beau, j'irais me promener.
d. J'aimerais que tu ranges ta chambre.
e. S'il avait été moins timide, il aurait été moins seul.
f. Pourriez-vous parler de moi à votre patron ?

Fiche 3

LE GROUPE NOMINAL – LA PROPOSITION SUBORDONNÉE RELATIVE

Définition

Le groupe nominal est composé d'au minimum un nom et de son déterminant, le **noyau** du groupe, auquel on peut ajouter différentes **expansions du nom : adjectif qualificatif épithète**, **apposition**, **complément du nom** ou **proposition subordonnée relative**.

La proposition subordonnée relative est introduite par un **pronom relatif** et complète l'**antécédent**.

LA PROPOSITION SUBORDONNÉE RELATIVE

Le pronom relatif, formes et fonctions

- Les pronoms **relatifs simples** : *qui, que (qu'), quoi, dont, où.*
- Les pronoms **relatifs composés** : *lequel, laquelle, lesquels, lesquelles, duquel,* etc.

Le pronom relatif a une fonction dans la proposition : COD, complément du nom, complément circonstanciel de temps, complément d'agent, etc.

→ **Ex.** : J'aime les tableaux **que Friedrich a peints** (*que* : pronom relatif COD du verbe « peindre »).

Relatives déterminatives et explicatives

▶ **Déterminatives**

La supprimer modifie le sens de la phrase. Elle fonctionne comme une épithète.

→ **Ex.** : Les élèves **qui se sont inscrits** doivent se présenter à huit heures.

▶ **Explicatives**

On peut la supprimer sans modifier le sens de la phrase. Elle est en principe séparée de l'antécédent par une virgule et fonctionne comme une apposition.

→ **Ex.** : Les élèves**, qui étaient tous un peu anxieux,** se sont présentés à huit heures.

Le mode dans la subordonnée relative

▶ L'**indicatif** exprime un fait réel.

→ **Ex.** : Les élèves **dont les dossiers étaient complets** ont pu s'inscrire.

▶ Le **subjonctif** exprime un fait souhaité, possible.

→ **Ex.** : Je cherche une maison **qui soit disponible tout de suite**.

LES AUTRES EXPANSIONS DU NOM

L'épithète

C'est un adjectif qualificatif qui se place soit avant, soit après le nom, selon l'usage.

→ **Ex.** : une **vieille** voiture – une voiture **blanche**.

L'apposition

L'apposition est un élément qui complète le nom (« apposé » signifie « posé à côté »), mais il en est séparé par une pause, matérialisée par une virgule.

→ **Ex.** : **Noirs et menaçants,** les nuages envahissent le ciel.

Le complément du nom

Le complément du nom est lui-même un groupe constitué d'une **préposition** (*de, à, en* le plus souvent) et d'un nom, éventuellement d'un pronom, ou d'un infinitif.

→ **Ex.** : Barbe-Noire était le capitaine **des corsaires**. Il surveillait le rôle **de chacun**.
Les matelots vivaient dans la crainte **de couler**.

1 • Grammaire
2 • Orthographe
3 • Vocabulaire
4 • L'énonciation et le discours
5 • Les figures de style

1 RECONNAÎTRE LES DIFFÉRENTS TYPES D'EXPANSION DU NOM ☺

Indiquez quel est le type d'expansion dans les groupes nominaux en gras.

1 La mère répondait : « Qu'a-t-il besoin de tant savoir ? Nous en ferons **un homme des champs, un gentilhomme campagnard**. Il cultivera ses terres comme font beaucoup de nobles. Il vivra et vieillira heureux dans **cette maison où nous aurons vécu avant lui, où nous mourrons**. Que peut-on demander de plus ? »

Guy DE MAUPASSANT, *Une vie*, 1883

2 Nous courions **à pleine voile** vers la terre, lorsque nous aperçûmes **une pirogue qui venait du large et voguait vers la côte**, se servant de sa voile et de ses pagaies. Elle nous passa de l'avant et se joignit à une infinité **d'autres qui de toutes les parties de l'île accouraient au-devant de nous**.

Louis-Antoine DE BOUGAINVILLE, *Voyage autour du monde*, 1771.

3 **Une large fenêtre**, dominant **toute la cour aux moutons**, permettait de voir, au-delà des toits, par là-bas loin, **le scintillement de la rivière, le sommeil des collines**, et **les nuages qui nageaient comme des poissons** avec de l'ombre sous le ventre.

Jean GIONO, *Jean le Bleu*, 1932, © Éditions Grasset.

4 J'étais le seul garçon dans cette ronde, où j'avais amené une compagne toute jeune encore, **Sylvie, une petite fille du hameau voisin**, si vive et si fraîche avec ses yeux noirs, son profil singulier et sa peau légèrement hâlée !

Gérard DE NERVAL, « Sylvie » *Les Filles du feu*, 1854.

2 CHOISIR LE BON MODE DANS LA PROPOSITION SUBORDONNÉE RELATIVE ☺☺

Mettez les verbes de la proposition subordonnée relative soit à l'indicatif, soit au subjonctif.

a. L'enquêteur cherche un moyen qui lui (permettre) de gagner du temps.
b. Cet appareil, qui (permettre) de cueillir les fruits automatiquement, est très pratique.
c. Nous ne connaissons pas de situation politique qui (être) plus difficile à comprendre.
d. Les batailles que le général (entreprendre) seront déterminantes.
e. Robinson échoue sur une île où il (vivre) dix ans.
f. Il rêve d'un compagnon avec lequel il (pouvoir) échanger.

3 REPÉRER DÉTERMINATIVES ET EXPLICATIVES ☺☺☺

Dans les extraits suivants, repérez les propositions subordonnées relatives, et précisez si elles sont explicatives ou déterminatives.

1 Ma veste, que les villageois m'avaient offerte lors de mon arrivée, présentait un pêle-mêle de poils de moutons, tantôt longs, tantôt courts, à l'extérieur, et une peau nue à l'intérieur. Je passai un long moment à choisir le texte, à cause de la superficie limitée de ma veste, dont la peau, par endroits, était abîmée, crevassée. Je recopiai le chapitre où Ursule voyage en somnambule.

DAI Sijie, *Balzac et la Petite Tailleuse chinoise*, 2000, © Éditions Gallimard.

2 Je voudrais essayer de dire l'impression que la mer m'a causée, lors de notre première entrevue.

Pierre LOTI, *Le Roman d'un enfant*, 1890.

3 Il entrevoyait l'amorce de la terrasse agrémentée de parasols rouges sous lesquels des couples prenaient gaiement leur petit déjeuner. Il y avait des hommes en salopette bleue, des soldats en uniforme kaki, quelques enfants qui se poursuivaient en criant autour des tables, mais surtout des femmes, dont une blonde au verbe haut qui ressemblait – sans l'égaler – à celle de la Land Rover.

Michel TOURNIER, *La Goutte d'or*, 1985, © Éditions Gallimard.

4 INDIQUER LA FONCTION DU PRONOM RELATIF ☺☺☺

Donnez la fonction du pronom relatif dans les propositions relatives en gras.

a. Les tragédies **dont l'auteur est Racine** sont écrites en vers.
b. Phèdre, **qui est amoureuse d'Hippolyte**, meurt à la fin du cinquième acte.
c. Molière a joué dans la plupart des pièces **qu'il a écrites**.
d. La Comédie-Française, **où sont joués les grands auteurs**, est prestigieuse.
e. L'auteur **dont je parle** appartient au mouvement classique.
f. Le comédien **auquel le metteur en scène donne des conseils** est un bon interprète.
g. La robe **dont** l'ourlet est défait pend lamentablement autour de son corps.

Fiche 4
LES SUBORDONNÉES COMPLÉTIVES ET CIRCONSTANCIELLES

■ **LES PROPOSITIONS SUBORDONNÉES COMPLÉTIVES**

Définition

Elles sont **essentielles** dans la phrase : **elles ne peuvent être ni déplacées ni supprimées.** On trouve notamment les **conjonctives** et les **interrogatives indirectes.**

Les propositions subordonnées complétives conjonctives

Elles sont **introduites par la conjonction** *que* **ou par les locutions conjonctives** *à, de, en ce que.* Elles peuvent occuper la plupart des **fonctions du nom** dans la phrase :

▶ **Complément d'objet direct**
➔ **Ex. :** Je voudrais **que tu viennes.**

▶ **Complément d'objet indirect**
➔ **Ex. :** Je m'attends à ce **qu'il arrive d'un instant à l'autre.**

▶ **Sujet**
➔ **Ex. : Que tu sois si heureux** me réjouit.

▶ **Attribut**
➔ **Ex. :** L'important est **que nous soyons tous réunis.**

Les propositions subordonnées complétives interrogatives indirectes

Elles sont toujours **compléments d'objet direct** d'un verbe exprimant l'interrogation ou l'ignorance. Elles sont **introduites par** *si, (ce) qui, quand, où, pourquoi,* etc.
➔ **Ex. :** Je me demande **s'il trouvera la maison.**

■ **LES PROPOSITIONS SUBORDONNÉES CIRCONSTANCIELLES**

Définition

Elles sont **facultatives** dans la phrase : elles **peuvent être déplacées ou supprimées.** Elles sont introduites par une conjonction de subordination *(quand, puisque, etc.)* ou une locution conjonctive *(pour que, bien que, etc.).*

Valeurs

Elles occupent la fonction de compléments circonstanciels.

▶ **Temps**
➔ **Ex. : Quand les beaux jours arriveront,** nous irons en week-end à la campagne.

▶ **Cause**
➔ **Ex. : Puisqu'il ne nous a pas attendus,** nous rentrons sans lui.

▶ **Conséquence**
➔ **Ex. :** Ils sont **tellement** heureux **qu'ils sautent de joie.**

▶ **Concession**
➔ **Ex. : Bien qu'il soit paresseux,** il arrive à progresser.

▶ **But**
➔ **Ex. :** Prends tes dispositions **afin que nous puissions nous voir la semaine prochaine.**

▶ **Hypothèse**
➔ **Ex. : S'il fait beau demain,** nous irons à la plage.

EXERCICES

1 IDENTIFIER LES SUBORDONNÉES ✪

Dans les phrases suivantes, identifiez les propositions subordonnées et indiquez si elles sont complétives ou circonstancielles.

a. Mon fils veut que je l'accompagne pour sa visite médicale.

b. J'ignore s'il a prévu de fêter son anniversaire.

c. Notre voisin fait encore du bruit bien qu'il soit très tard.

d. Avant que tu ne prennes ta décision, j'aimerais que tu y réfléchisses mûrement.

e. Les météorologistes pensent que l'hiver sera très doux.

f. Il achètera le pain, s'il passe devant la boulangerie.

g. Les affaires sont dures en ce moment, même si la reprise s'annonce.

2 INDIQUER LA VALEUR DES CIRCONSTANCIELLES ✪

Dans les phrases suivantes, relevez la conjonction ou la locution conjonctive introduisant la proposition subordonnée circonstancielle et indiquez-en la valeur.

a. Pendant que nous travaillons, ils s'amusent !

b. Je vais acheter ce livre, puisque tu me l'as recommandé.

c. Nous étions si impatients de vous voir que nous sommes venus tout de suite.

d. Bien qu'il ne fasse pas très froid, j'ai pris un pull.

e. Si tu t'appliques, tu peux réussir.

f. Elle est stressée ce matin parce qu'elle passe un examen important.

g. Je vais vous expliquer les faits précisément, afin que vous compreniez ma réaction.

3 TROUVER LA FONCTION DES CONJONCTIVES ✪✪

Indiquez la fonction des propositions subordonnées complétives conjonctives en gras.

a. L'essentiel est **que tu sois en bonne santé**.

b. Crois-tu **que le temps va s'améliorer** ?

c. Je me souviens **que nous nous étions bien amusés ce jour-là**.

d. **Que tu sois fatigué après ce long voyage** n'est pas très étonnant.

e. L'idéal serait **que tu arrives assez tôt**.

f. Nous veillerons **à ce qu'il se sente comme chez lui**.

g. Je vois **que tu es en pleine forme**, comme toujours !

4 TRANSFORMER ✪✪

Remplacez les groupes nominaux en gras par une proposition subordonnée. Indiquez si celle-ci est complétive ou circonstancielle.

a. Je vais me promener **malgré la pluie**.

b. J'attends **notre rencontre** pour me décider.

c. Veille à rentrer **avant le coucher du soleil**.

d. Nous avons dû reporter la réunion **à cause de l'absence d'un collègue**.

e. Il exige **une organisation parfaite de notre équipe**.

f. Il s'est obstiné sur la mauvaise voie **en dépit de vos mises en garde**.

5 IDENTIFIER LES INTERROGATIVES INDIRECTES ✪✪

Identifiez les propositions subordonnées complétives interrogatives indirectes dans l'extrait suivant. Relevez le terme introducteur de chacune d'elles.

Cacambo demanda à un grand officier comment il fallait s'y prendre pour saluer Sa Majesté ; si on se jetait à genoux ou ventre à terre ; si on mettait les mains sur la tête ou sur le derrière ; si on léchait la poussière de la salle ; en un mot quelle était la cérémonie.

Voltaire, *Candide*, 1759.

6 IDENTIFIER LES CIRCONSTANCIELLES ✪✪✪

Identifiez les propositions subordonnées circonstancielles et indiquez-en la valeur.

1 Quand j'ai pensé de plus près et qu'après avoir trouvé la cause de tous nos malheurs, j'ai voulu en découvrir les raisons, j'ai trouvé qu'il y en a une bien effective, qui consiste dans le malheur naturel de notre condition faible et mortelle, et si misérable que rien ne peut nous consoler lorsque nous y pensons de près.

Blaise Pascal, *Pensées*, 1670.

2 Ah ! Charlotte, je vois bien que vous ne me connaissez pas encore. Vous me faites grand tort de juger de moi par les autres ; et s'il y a des fourbes dans le monde, des gens qui ne cherchent qu'à abuser des filles, vous devez me tirer du nombre, et ne pas mettre en doute la sincérité de ma foi. Et puis votre beauté vous assure de tout. Quand on est faite comme vous, on doit être à couvert de toutes ces sortes de crainte ; vous n'avez point l'air, croyez-moi, d'une personne qu'on abuse ; et pour moi, je l'avoue, je me percerais le cœur de mille coups, si j'avais eu la moindre pensée de vous trahir.

Molière, *Dom Juan*, 1665.

Fiche 5
LES ACCORDS : GENRE ET NOMBRE

LE PRINCIPE DE BASE

Pour accorder au féminin, on ajoute un « **e** ». Pour accorder au pluriel, on ajoute un « **s** ».
→ **Ex.** : le petit garçon/la petite fille, les petits garçons/les petites filles.

LES CAS PARTICULIERS

Accords particuliers au féminin

▶ Doublement de la consonne finale
Les adjectifs en -el, -eil, -en, -on, -et doublent la consonne finale au féminin, ainsi que *pâlot, sot, vieillot*.
Exceptions : *complet, concret, désuet, discret, inquiet, replet* et *secret*.
→ **Ex.** : partiel/partielle, simplet/simplette.

▶ Modification de la consonne ou de la syllabe finale
Pour les adjectifs en -f, -x, -eau, -ou, -er, -eur, le féminin implique une **transformation**.
→ **Ex.** : nouveau/nouvelle, fou/folle, enchanteur/enchanteresse.

Accords particuliers au pluriel

▶ Les pluriels en -x
• Les adjectifs en -eau ou en -eu font leur pluriel en -x.
→ **Ex.** : beau/beaux, hébreu/hébreux.
Exception : bleu/bleus.
• Les adjectifs en -al font leur pluriel en -aux.
→ **Ex.** : cordial/cordiaux.
Exceptions : *bancals, banals, fatals, finals, glacials, natals, navals, tonals, tribals*.
→ **Ex.** : un accord final/des accords finals.

Accord des adjectifs composés

▶ Adjectifs composés de deux adjectifs
Ils s'accordent tous les deux.
→ **Ex.** : des enfants sourds-muets.

▶ Adjectifs composés d'un adverbe et d'un adjectif
Seul l'adjectif s'accorde ; l'adverbe, lui, reste invariable.
→ **Ex.** : bien-aimé/bien-aimée/bien-aimés/bien-aimées.

Accord des adjectifs de couleur
L'adjectif de couleur s'accorde en principe avec le nom.
→ **Ex.** : un arbre vert, une robe verte, des yeux verts, des pommes vertes.

▶ Certains adjectifs de couleur sont, à l'origine, un nom
C'est le cas de : *or, argent, corail, orange, pêche, citron, marron, prune, lilas*, etc.
Ils ne s'accordent pas. **Exceptions :** *écarlate, fauve, mauve, pourpre, rose, incarnat*.
→ **Ex.** : un pull marron/des yeux marron (de la couleur du marron), un fauteuil prune (de la couleur d'une prune), une robe corail (de la couleur du corail).

▶ Certains adjectifs de couleur sont composés
→ **Ex.** : bleu ciel (adjectif + nom), gris-vert (adjectif + adjectif).
Ils sont alors invariables.
→ **Ex.** : des foulards jaune paille, une chemise vert tendre.

EXERCICES

1 ACCORDER AU FÉMININ ☺

Remplacez le nom masculin par un nom féminin de votre choix et faites l'accord nécessaire.

1 un enfant charmant – un garçon coquet – un goût amer – un signe discret – un regard furieux – un pull neuf – un plat bourguignon – un chien gentil – un terrain mou – un teint vermeil – un costume désuet – un visage pâlot – un malentendu idiot – un hôtel cher – un décor vieillot – un voyage aventureux – un beau travail – un élève attentif

2 un fil directeur – un regard songeur – un paysage enchanteur – un calme trompeur – un enfant majeur – un geste vengeur – un oiseau voleur – un enfant boudeur – un principe directeur – un vêtement tapageur – un regard réprobateur – un morceau mineur

2 ACCORDER AU PLURIEL ☺

Mettez les expressions suivantes au pluriel.

un grand foulard – une valse lente – un avis général – un tarif spécial – un vent glacial – un pays natal – un œil bleu – un invité snob – un centre commercial – un manteau kaki – un art martial – un conflit tribal – un fol espoir – un rideau épais – un cabinet médical

3 DISTINGUER LE GENRE DES NOMS ☺☺

En vous aidant d'un dictionnaire, vérifiez le genre des noms de la liste 1, puis associez à ces noms les adjectifs de la liste 2, en faisant l'accord nécessaire.

1 armistice – octave – arôme – otarie – antidote – omoplate – intervalle – hymne – solde – effluve – ivoire – orbite – pétale – obélisque – tentacule – oasis – azalée

2 immédiat – musical – artificiel – apprivoisé – radical – déboîté – court – national – privé – délicat – blanc – facial – bleu – égyptien – long – verdoyant – fleuri

4 ACCORDER LES ADJECTIFS COMPOSÉS ☺☺

Accordez les adjectifs composés avec le nom auquel ils se rapportent.

a. Je me méfie des gens (bien-pensant).
b. Les divinités grecques étaient (tout-puissant).
c. Les corbeaux aiment être (haut perché).
d. Dans le noir, il garde les yeux (grand ouvert).
e. Le ministre est une personne (haut placé).
f. J'ai acheté des petits pois (extra-fin).
g. Ce match oppose des boxeurs (super-léger).
h. Les chauffards étaient (ivre mort) au volant.
i. Des drapeaux (rouge et blanc).

5 RECONNAÎTRE LES FÉMININS IRRÉGULIERS ☺☺☺

Remplacez le nom masculin par un nom féminin de votre choix, et faites l'accord.

un mal aigu – un plat andalou – un problème bénin – un village esquimau – un accord caduc – un livre favori – un temple grec – un jardin public – un geste sauveur – un tiers participant – un bain turc – un couloir exigu – un propos ambigu – un choix malin – un mot traître

6 MANIPULER LES ADJECTIFS DE COULEUR ☺☺☺

Associez les noms de la liste 1 aux adjectifs de la liste 2, en procédant aux accords nécessaires.

1 une robe – des fleurs – des vélos – des plantes – une couverture – une toile – des lèvres – des chemises – des joues – des lilas – des cheveux – des chaussures – une veste – une nappe – des tulipes

2 bleu marine – bleu – rouge – vert – vert pâle – gris perle – rouge cerise – bleu pétrole – écarlate – mauve – blond cendré – orange – marron – rouge vif

7 DISTINGUER ADJECTIFS ET ADVERBES ☺☺☺

Accordez les mots entre parenthèses s'ils sont adjectifs, ne les accordez pas s'ils sont adverbes.

a. La corde s'est cassée (net).
b. Ces photos sont (net).
c. Des herbes (dru) envahissent la cour.
d. L'avoine pousse (dru).
e. Ces tableaux valent (cher).
f. Cette toile-là n'est pas très (cher).
g. Les temps sont (dur).
h. Les rayons du soleil tapent (dur).
i. La cantatrice chante (fort).
j. Les rois ont construit des châteaux (fort).
k. Les résultats sont (bon).
l. Les concurrents tiennent (bon).
m. Des progrès sont (possible).
n. L'équipe a marqué le plus de buts (possible).

8 ACCORDER ☺☺☺

Accordez l'adjectif avec le nom ou les noms auxquels il se rapporte.

a. La foule des manifestants était (agité).
b. Le vernissage et l'exposition seront (terminé) demain.
c. Cataclysmes et catastrophes (naturel) auront lieu.
d. La plupart des personnes (invité) sont satisfaites.
e. L'éléphant et la girafe sont très (grand).
f. Il emprunte des chemins et des pistes mal (tracé).

Fiche 6
L'ACCORD DU PARTICIPE

Définition
Le participe passé sert à former les temps composés ou la forme passive. Mais il peut aussi être employé comme adjectif qualificatif.

LA FORMATION DU PARTICIPE PASSÉ

Le participe passé se forme en *-é* pour les verbes du 1er groupe, en *-i* pour les verbes du 2e groupe et en *-u*, en *-s*, ou en *-t* pour les verbes du 3e groupe.
→ **Ex. :** Il a chanté, ri, promis, couru, écrit.

L'ACCORD DU PARTICIPE PASSÉ

Le participe passé employé sans auxiliaire
Il s'accorde en genre et en nombre comme un adjectif.
→ **Ex. : Accompagnée** de ses amis, elle s'est éloignée.

Le participe passé employé avec l'auxiliaire *être*
Il s'accorde en genre et en nombre avec le sujet du verbe conjugué.
→ **Ex. :** « Vous êtes **assurés** de votre récompense. » (MOLIÈRE, *L'École des femmes*, 1662.)

Le participe passé employé avec l'auxiliaire *avoir*
Il ne s'accorde jamais avec le sujet du verbe conjugué.
→ **Ex. :** Elle a **suivi** les conseils.
Mais il s'accorde avec le COD si celui-ci est placé avant l'auxiliaire.
→ **Ex. :** « Répare tous les maux que m'a **faits** ton caprice ! » (MOLIÈRE, *L'École des femmes*, 1662.)
Attention : il ne s'accorde pas si le COD est le pronom « en ».
→ **Ex. :** Les fleurs étaient nombreuses : il **en** a **cueilli** beaucoup.

Le participe passé des verbes pronominaux

▶ **Verbes essentiellement pronominaux ou à sens passif**
Le participe passé suit les mêmes règles que s'il était employé avec l'auxiliaire *être*. Il s'accorde avec le sujet du verbe.
→ **Ex. :** « Nous ne nous sommes pas **souvenus** de ce point. » (MOLIÈRE, *L'École des femmes*, 1662.)

▶ **Verbes pronominaux à sens réfléchi ou réciproque**
Sans COD, l'accord se fait comme avec l'auxiliaire *être*.
→ **Ex. :** Elle s'est **brûlée**.
Avec COD, l'accord se fait comme avec l'auxiliaire *avoir*.
→ **Ex. :** Elle s'est **brûlé** les bras / les bras qu'elle s'est **brûlés**.
Attention : les participes passés des verbes dont la forme simple est transitive indirecte ne s'accordent pas.
→ **Ex. :** Ils se sont **plu/nui**. (*plaire* et *nuire* sont des transitifs indirects.)

Le participe passé suivi d'un infinitif
Il s'accorde avec le sujet de l'infinitif, si ce sujet est placé avant le verbe. Il ne s'accorde pas dans les autres cas.
→ **Ex. :** « Je ne sais point par où l'on a pu soupçonner/Cette assignation qu'on m'avait **su** donner. » (MOLIÈRE, *L'École des femmes*, 1662.)
Attention : les participes passés *laissé* et *fait* suivis d'un infinitif ne s'accordent pas.
→ **Ex. :** Il les a **laissé** entrer mais nous les avons **fait** patienter.

EXERCICES

1 CONJUGUER AU PASSÉ COMPOSÉ ⊕

Conjuguez tous les verbes au passé composé.

Il ne se sert à table que de ses mains ; il manie les viandes, les remanie, démembre, déchire, et en use de manière qu'il faut que les convives, s'ils veulent manger, mangent ses restes ; il ne leur épargne aucune de ses malpropretés dégoûtantes capables d'ôter l'appétit aux plus affamés ; le jus et les sauces lui dégouttent du menton et de la barbe ; s'il enlève un ragoût de dessus un plat il le répand en chemin dans un autre plat et sur la nappe, on le suit à la trace.

Jean de LA BRUYÈRE, « Gnathon », *Les Caractères*, 1688.

2 ACCORDER AVEC L'AUXILIAIRE

AVOIR ⊕⊕

Accordez le participe passé des verbes entre parenthèses.

a. Les médias en ont (dire) beaucoup trop.
b. La surprise qu'on a (organiser) en son honneur lui a (faire) très plaisir.
c. Ses affaires, elle les a (détruire) sans remords.
d. Les candidats qu'elle a (entendre) n'étaient pas convaincants.
e. Comment as-tu (pouvoir) les croire ?
f. Les États-Unis l'ont toujours (fasciner).
g. Ignores-tu le grand nombre de lettres qu'elle leur a (écrire) ?
h. Ces fenêtres, je les ai (ouvrir) !
i. Les livres et les revues que Cathy a (feuilleter) à la librairie ne l'ont guère (inspirer). Elle les a (reposer) les uns après les autres.

3 CONJUGUER DES VERBES

PRONOMINAUX ⊕⊕

a. **Conjuguez les verbes entre parenthèses au passé composé.**
b. **Justifiez l'accord du participe passé.**

a. Les livres (se vendre) très bien.
b. Elles (se sourire), elles (se parler), elles (se quitter).
c. Les branches (se casser) à cause de la tempête.
d. Les manifestants (se rassembler) sur la place de la République.
e. Les citadins (s'évader) à la campagne.
f. Il est inacceptable de ne pas respecter une règle qu'on (se fixer).
g. Les professeurs (s'arrêter) de travailler.
h. Ils (s'écrire) régulièrement pendant les vacances.
i. Il se (brûler) la main en bricolant un moteur.
j. Dès qu'ils s'(apercevoir), ils (se plaire).

4 ACCORDER LE PARTICIPE PASSÉ

SUIVI D'UN INFINITIF ⊕⊕

Accordez le participe passé des verbes entre parenthèses.

a. Les footballeurs que j'ai (voir) jouer formaient une équipe formidable.
b. La moto, ils l'ont (faire) réparer par leur voisin !
c. Je les ai (laisser) faire des bêtises.
d. Sa passion est intacte comme une flamme qu'on a (oublier) d'éteindre.
e. L'air que nous avons (entendre) chanter est très drôle.
f. Elle ne les a pas (voir) souffrir.
g. Elle a (devoir) en rêver...
h. Tu as (aimer) les rencontrer.

5 CONJUGUER ET CHANGER

DE GENRE ⊕⊕

a. **Recopiez ce texte en mettant tous les verbes conjugués au passé composé.**
b. **Même exercice en remplaçant le pronom *tu* par *elle*.**

Tu vas habiter de grandes villes, où ta figure et ton âge, encore plus que ton mérite, tendront mille embûches à ta fidélité ; l'insinuante coquetterie affectera le langage de la tendresse, et te plaira sans t'abuser ; tu ne chercheras point l'amour, mais les plaisirs ; tu les goûteras séparés de lui, et ne les pourras reconnaître. Je ne sais si tu retrouveras ailleurs le cœur de Julie.

Jean-Jacques ROUSSEAU, *Julie ou la Nouvelle Héloïse*, 1751.

6 CONJUGUER AU

PLUS-QUE-PARFAIT ⊕⊕⊕

Recopiez ce texte en conjuguant les verbes en gras au plus-que-parfait.

Ils ne **méprisaient** pas l'argent. Peut-être, au contraire, l'**aimaient**-ils trop : ils auraient aimé la solidité, la certitude, la voie limpide vers le futur. Ils **étaient** attentifs à tous les signes de la permanence : ils **voulaient** être riches. Et s'ils **se refusaient** encore à s'enrichir, c'est qu'ils n'**avaient** pas besoin de salaire : leur imagination, leur culture ne les **autorisaient** qu'à penser en millions.

Georges PEREC, *Les Choses*, 1965, © Éditions Gallimard.

Fiche 7
LE SUBJONCTIF PRÉSENT

■ CONJUGAISON

Les terminaisons du subjonctif
Les terminaisons sont les suivantes : **e – es – e – ions – iez – ent**

Le radical

▶ **Verbes du 1ᵉʳ groupe**
Radical de l'indicatif présent + terminaisons
→ **Ex. :** je chante (indicatif présent) → que je chante (subjonctif présent)

▶ **Verbes du 2ᵉ groupe**
Radical de l'indicatif présent à la 1ʳᵉ ou 2ᵉ personne du pluriel + terminaisons
→ **Ex. :** nous finissons (indicatif présent) → que je finisse (subjonctif présent)

▶ **Verbes du 3ᵉ groupe**
La plupart des verbes du 3ᵉ groupe se conjuguent de manière irrégulière. Quelques exemples :

INFINITIF	INDICATIF PRÉSENT	SUBJONCTIF PRÉSENT
Devoir	je dois	que je doive
Pouvoir	je peux	que je puisse
Savoir	je sais	que je sache
Faire	je fais	que je fasse
Vouloir	je veux	que je veuille

Être et avoir

▶ **Être**
Que je so**is** – que tu so**is** – qu'il soi**t** – que nous so**yons** – que vous so**yez** – qu'ils soi**ent**

▶ **Avoir**
Que j'ai**e** – que tu ai**es** – qu'il ai**t** – que nous a**yons** – que vous a**yez** – qu'ils ai**ent**

Quelques difficultés orthographiques

▶ **Les verbes en** *-i, -y, -ill* **ou** *-gn*
Il ne faut pas oublier le « i » de la terminaison à la 1ᵉ et à la 2ᵉ personne du pluriel pour **les verbes dont le radical se termine par** *-i, -y, -ill* **ou** *-gn*.
→ **Ex. : voir :** que nous voyions ; **cueillir :** que nous cueillions ; **atteindre :** que nous atteignions

▶ **Cas de confusion entre subjonctif et indicatif**
Aux trois premières personnes du singulier, **l'indicatif et le subjonctif présents de certains verbes sont homophones**, mais l'orthographe diffère.
→ **Ex. : croire :** je crois ≠ que je croie ; **courir :** je cours ≠ que je coure ; **fuir :** je fuis ≠ que je fuie.

Astuce : Pour ne pas se tromper, il suffit de remplacer mentalement par *être*.

■ EMPLOIS

▶ p. 395

EXERCICES

1 CONJUGER AU SUBJONCTIF PRÉSENT ✪

Dans les phrases suivantes, conjuguez le verbe au subjonctif présent.

a. Je souhaite que tu (terminer) tes devoirs avant d'aller jouer.

b. Il faut que tu (écrire) à ta grand-mère.

c. Il n'est pas certain que j'(arriver) à l'heure prévue.

d. Il est urgent que vous (avertir) votre direction des problèmes que vous rencontrez.

e. Elle aimerait que nous (aller) à la piscine ensemble.

f. J'ai bien peur qu'ils ne (reconnaître) pas leurs torts aussi facilement.

g. Il faut que vous (penser) à faire vos achats de Noël.

2 MAÎTRISER L'EMPLOI

DE *ÊTRE* ET *AVOIR* AU SUBJONCTIF ✪✪

Sélectionnez la proposition qui convient.

a. Le plus beau cadeau qu'il (ait/est/ai) à nous offrir, c'est son amitié.

b. Il (ai/est/ait) impératif que tu (ais/es/aies) fini ce travail demain.

c. J'(ais/aie/ai) très envie de voir ces espèces rares avant qu'elles n'(aies/aient/est) définitivement disparu.

d. Nous voulons qu'il (est/aie/ait) le meilleur accueil possible.

e. Il imagine qu'elle (aie/ai/est) en train de travailler alors qu'elle (ait/est/es) déjà couchée.

f. Tu (ai/aies/es) très gentil de proposer ton aide, mais je crains que tu n'(es/ai/aies) pas assez de temps aujourd'hui.

3 TRANSFORMER ✪✪

Transformez les phrases suivantes en commençant par « il faut que », et faites les modifications nécessaires.

a. Il lit le roman que tu lui as offert.

b. Vous faites vos bagages ce soir.

c. Nous concluons le contrat pour acheter la maison.

d. Elle éteint la lumière pour que nous dormions.

e. Nous convenons d'un rendez-vous prochainement.

f. Vous achetez le pain avant de rentrer à la maison.

g. Il obéit bien sagement.

h. Vous envoyez ces lettres avant midi.

4 ÉVITER LES PIÈGES

ORTHOGRAPHIQUES ✪✪

Conjuguez les verbes entre parenthèses dans les phrases suivantes.

a. Nous ne pourrons jamais nous offrir cette voiture, à moins que nous ne (gagner) à la loterie !

b. Il a fallu que je (prendre) une décision ferme. Je souhaite que vous (comprendre) combien cela m'a été difficile.

c. Nous pouvons partir demain, à moins que vous ne (vouloir) rester un peu plus longtemps.

d. Il est indispensable que tu (boire) ton sirop pour la toux tous les jours, bien que tu ne le (vouloir) pas.

e. Il veut que vous (jeter) un coup d'œil sur son travail.

f. Il faut que vous (quitter) la crèche sans que votre enfant s'en (apercevoir).

g. Il ne faut pas que vous le (décevoir) cette fois-ci.

B

a. Il faut que nous (repeindre) le salon.

b. Ils (tenir) à ce que nous (retenir) une chambre dans leur hôtel préféré.

c. Vous (voir) bien qu'il ne faut pas que vous (se plaindre) de votre sort.

d. Je (vouloir) que vous (renvoyer) ce colis à son expéditeur.

e. Bien que nous (apprécier) leur offre, nous ne (pouvoir) l'accepter.

f. Il faut que vous (se lever) très tôt demain matin pour que nous (commencer) notre randonnée avant qu'il ne (faire) trop chaud.

5 CHOISIR LE BON MODE ✪✪✪

Conjuguez les verbes suivants à l'indicatif ou au subjonctif présent.

a. Il faut que tu (conclure) ton devoir.

b. Il (accourir) vers nous en nous tendant les bras.

c. Il va falloir que nous (pourvoir) à leurs besoins encore quelques années.

d. Je voudrais tant que tu (voir) le lever du soleil avec moi, mais apparemment tu n'en (voir) pas l'intérêt.

e. Il aimerait que nous le (rejoindre) en Provence cet été, mais je ne (croire) pas que nous le (pouvoir).

f. Si vous (vouloir) obtenir le succès, il faut que vous (émouvoir) davantage votre public.

g. Il (mourir) dans d'atroces souffrances ; je voudrais tant qu'il (mourir) paisiblement !

Définition

Les **homonymes** ont une **prononciation identique** mais des **sens différents**. Ils ont souvent des étymologies distinctes donc des **entrées différentes dans les dictionnaires**, ce qui permet de distinguer **homonymie** et **polysémie** (plusieurs sens pour un même terme).
Ils doivent être dissociés des **paronymes** qui, en raison d'une prononciation très proche, peuvent occasionner des confusions.
➜ **Ex. :** collision/collusion, dénuement/dénouement.

HOMOGRAPHES/HOMOPHONES

Les homographes

Les homonymes sont dits **homographes** s'ils ont la même **forme écrite**.
➜ **Ex. :** Le hibou ne **vole** que la nuit.
➜ **Ex. :** « Celui qui a faim ? Il souffre, **vole** ou tue, mais il ne fait pas de phrases. » (Jules RENARD, *Journal*, 1897.)

Les homophones

Les homonymes sont dits **homophones** s'ils ont **seulement la même prononciation** :
➜ **Ex. :** « [La pension] est située dans le bas de la rue Neuve-Sainte-Geneviève, à l'endroit où le terrain s'abaisse **vers** la rue de l'Arbalète. » (Honoré DE BALZAC, *Le Père Goriot*, 1834.)
➜ **Ex. :** « La vieille demoiselle Michonneau gardait sur ses yeux fatigués un crasseux abat-jour en taffetas **vert**. » (Honoré DE BALZAC, *Le Père Goriot*, 1835.)
➜ **Ex. :** « Après avoir rempli le **verre** d'Eugène et celui du père Goriot, il s'en versa lentement quelques gouttes. » (Honoré DE BALZAC, *Le Père Goriot*, 1835.)

HOMONYMES LEXICAUX/HOMONYMES GRAMMATICAUX

On distingue les **homonymes lexicaux**, que l'on peut différencier grâce à une meilleure connaissance du **vocabulaire**, et les **homonymes grammaticaux**, que l'on peut reconnaître en s'appuyant sur les **règles de la grammaire**.

Les homonymes lexicaux

Voici deux exemples représentatifs d'homonymie lexicale :
➜ **Ex. :** Le caporal **sent** bien qu'une seule escouade de **cent** hommes ne peut **s'en** sortir **sans** que le **sang** ne coule.
➜ **Ex. :** Le **mousse** prit peur lorsqu'il aperçut la **mousse** qui s'était formée à bâbord. Elle indiquait une zone de récifs dangereuse.

Les homonymes grammaticaux

Ces termes appartiennent à des catégories grammaticales différentes, s'écrivent de manières différentes, mais sont source de nombreuses confusions.

Parmi les plus courants, on trouve :

CE	SE	CEUX
Déterminant (*ce vase*) ou pronom démonstratif (*ce qui les motive*).	Pronom personnel (toujours employé avec les verbes pronominaux : *il se lave*).	Pronom démonstratif masculin pluriel (*ceux d'entre vous*).

→ **Ex. :** Il **se** demande si **ceux** qui sont venus avant lui ont trouvé **ce** qu'ils cherchaient.

À	A	AS	AH	HA
Préposition : elle établit un lien de subordination entre des mots.	Verbe *avoir*, présent, 3e pers. du sing.	Verbe *avoir*, présent, 2e pers. du sing.	Interjection (*Ah ! Que c'est beau !*).	Interjection (*Ha ! Vous ici !*) ou onomatopée (*Je ris ! Ha, ha, ha !*).

→ **Ex. :** **Ah !** Quelle surprise ! Tu **as** de la chance d'être arrivé **à** destination malgré les conditions.

DISTINGUER LES HOMONYMES

Distinguer des homonymes n'est pas toujours aisé. On peut cependant s'appuyer sur un certain nombre d'éléments :

L'étymologie et le sens
(▶ Histoire et formation des mots, p. 411 et Le sens des mots, p. 412)
→ **Ex. :** Un terrain **vague** (*vacuus*, vide), une idée **vague** (*vagus*, errant) : origine et sens radicalement distincts.
→ **Ex. :** Se mettre en **grève**, se promener sur la **grève** : étymologie identique (*grava*, gravier), mais sens radicalement différents.

Le genre
→ **Ex. :** Un **page** (masculin), une **page** (féminin).

Des classes grammaticales différentes
→ **Ex. :** Une **aile** (nom commun)/**Elle** (pronom personnel)/**Hèle** (verbe *héler*) quelqu'un.

Des constructions différentes
→ **Ex. :** **Déboucher** un lavabo (verbe transitif)/La rivière **débouche dans** la mer/La révolte a **débouché sur** une révolution (verbe intransitif).

Des synonymes distincts
→ **Ex. :** **délacer** (on peut remplacer par *dénouer*)/**délasser** (on peut remplacer par *reposer*).

1 DÉFINIR DES HOMONYMES ✪

Donnez le sens de chaque homonyme.

a. raisonner/résonner
b. serf/cerf
c. repaire/repère
d. glaciaire/glacière

2 CHERCHER DES HOMONYMES ✪

Cherchez un ou plusieurs homonymes pour les termes suivants puis composez une phrase contenant chaque série d'homonymes.

a. pair
b. air
c. sens
d. chair
e. par
f. cou
g. péché

3 ANALYSER LES EFFETS DE L'HOMONYMIE ✪✪

Dans le texte suivant, relevez les jeux de mots basés sur l'utilisation de l'homonymie. Analysez l'effet produit.

> Mon père est marinier
> Dans cette péniche
> Ma mère dit la paix niche
> Dans ce mari niais
> Ma mère est habile
> Mais ma bile est amère
> Car mon père et ses verres
> Ont les pieds fragiles.

Bobby LAPOINTE, « Mon père et ses verres »,
Comprend qui peut (CD), 2009, © Label Mercury.

4 DISTINGUER CE, SE ET CEUX ✪✪

Complétez le texte suivant par la forme grammaticale qui convient.

Tu ne nous as point donné un cœur pour nous haïr, et des mains pour nous égorger ; fais que […] toutes ces petites nuances qui distinguent les atomes appelés *hommes* ne soient pas des signaux de haine et de persécution ; que … qui allument des cierges en plein midi pour te célébrer supportent … qui … contentent de la lumière de ton soleil ; que … qui couvrent leur robe d'une toile blanche pour dire qu'il faut t'aimer ne détestent pas … qui disent la même chose sous un manteau de laine noire ; qu'il soit égal de t'adorer dans un jargon formé d'une ancienne langue, ou dans un jargon plus nouveau ; que … dont l'habit est teint en rouge ou en violet, qui dominent sur une petite parcelle d'un petit tas de la boue de … monde, et qui possèdent quelques fragments arrondis d'un certain métal, jouissent sans orgueil de … qu'ils appellent *grandeur* et *richesse*, et que les autres les voient sans envie […].

VOLTAIRE, « Prière à Dieu », *Traité sur la tolérance*, 1763.

5 DISTINGUER SES, CES, C'EST, S'EST, SAIS ET SAIT ✪✪

Complétez les phrases suivantes par la forme grammaticale adéquate.

a. … au XIXᵉ siècle que le genre romanesque … imposé.
b. On … que Balzac, Flaubert, Zola sont trois des auteurs majeurs des mouvements réaliste et naturaliste.
c. … auteurs prétendent donner la vision la plus fidèle qui soit de la réalité.
d. … pour cette raison que leur projet … heurté à de nombreuses difficultés.
e. En effet, le roman réaliste, … principes d'écriture, ont rencontré des réticences.
f. On reprochait à … auteurs de se complaire dans une description immorale de la société et de … principes.
g. Pourtant, … grâce à ce parti pris que le roman … progressivement affirmé comme un genre majeur.

6 SAVOIR DISTINGUER : EST/ES/ET/AI/AIE/AIES/AIT/AIENT ✪✪✪

Complétez les phrases suivantes par la forme grammaticale adéquate en justifiant vos réponses.

a. … confiance en toi, n'… pas peur… tu parviendras à gravir cette montagne.
b. Il faut que tu … ton examen. Il … nécessaire que tu décroches ce diplôme. Tu en… capable, contrairement à ce que tu crois… à ce que l'on dit.
c. Qu'ils… raison ou tort, peu importe. Ce qui … important c'est que tu … suffisamment d'arguments pour remettre en cause leur point de vue.
d. …-tu sûr d'avoir pris le bon chemin ? Que tu… hésité m'inquiète. Il ne faudrait pas que l'on… des problèmes en route… que l'on n'arrive pas à l'heure.
e. La voiture que j'… achetée me donne entière satisfaction. Elle … aisée à conduire… confortable. Que tu … émis des doutes sur mon choix me contrarie.

7 DISTINGUER QUOIQUE ET QUOI QUE, QUAND, QUANT ET QU'EN ✪✪✪

Complétez les phrases suivantes par la forme grammaticale adéquate en justifiant vos réponses.

a. (Quand, Quant, Qu'en) j'ai du temps libre, je lis.
b. Il affirme avoir raison (quoiqu', quoi qu') il dise.
c. (Quoique, Quoi que) très jeune, il fait preuve d'une grande volonté.
d. (Quant, Quand, Qu'en) à Elise, elle affirme (quand, quant, qu'en) passant par l'autre chemin, on arrive plus rapidement à destination.

Fiche 9
HISTOIRE ET FORMATION DES MOTS

L'HISTOIRE DES MOTS

L'étymologie

L'**étymologie** est la science qui étudie l'origine et l'histoire des mots.

On appelle **étymon** le terme à l'origine d'un mot de notre langue.

➜ **Ex. :** *aqua* (terme latin) est l'étymon de *eau*.

La langue évolue : les mots naissent, se modifient et parfois disparaissent.

➜ **Ex. :** *caput* (« tête » en latin) a évolué phonétiquement pour donner *chef* mais ce mot ne désigne plus, en français, la tête d'un être humain. C'est un autre mot latin (*testa* qui signifie « coquille », « carapace ») qui, d'abord par plaisanterie, a servi à désigner le crâne, la tête.

Le **sens étymologique** demeure dans certaines expressions.

Opiner du chef qui signifie « approuver d'un signe de tête » rappelle le sens étymologique de *chef*.

Les origines du français

▶ **Le latin**

Le français est essentiellement constitué de mots latins qui ont évolué phonétiquement au cours des siècles.

▶ **Les emprunts**

Des mots sont empruntés à d'autres langues, selon l'histoire (les pays envahisseurs ou colonisés laissent des traces dans le vocabulaire), l'influence culturelle d'un pays (de nombreux mots italiens entrent dans la langue française à l'époque de la Renaissance ; aujourd'hui, le français s'enrichit de mots empruntés à l'anglais)…

➜ **Ex. :** *algèbre* vient de l'arabe *al-jabr* qui signifie « contrainte, réduction ».

▶ **Les origines religieuses, mythologiques, historiques**

De nombreux mots ou expressions font référence à des épisodes bibliques, mythologiques ou historiques.

➜ **Ex. :** « Je m'en lave les mains » renvoie à la phrase de Ponce Pilate, préfet romain devant qui on amena Jésus. La foule veut qu'il soit crucifié. Lui ne voit pas de motif de le condamner mais se détourne du problème. Il se lave les mains devant la foule en disant : « Je suis innocent de ce sang, à vous de voir. »

LA FORMATION DES MOTS

Les mots dérivés

Les mots qui ont le même **radical** ou **étymon** composent une **famille de mots**.

Le lexique est composé des mots simples (réduits au radical) et des **dérivés**, obtenus par adjonction d'affixes (de **préfixes** ou de **suffixes**).

➜ **Ex. :** amour, amoureusement, désamour, etc.

Les mots composés

Ils sont formés à partir de mots parfois reliés par un trait d'union.

➜ **Ex. :** porte-plume, portefeuille, etc.

Les néologismes

Des mots sont inventés pour désigner des nouveautés (inventions ou notions).

➜ **Ex. :** *psychiatre* apparaît au XIXe siècle, *ordinateur* au milieu du XXe siècle.

Fiche 10
LE SENS DES MOTS

■ **SENS ET EMPLOIS**

Sens propre, sens figuré

▶ **Sens propre**

Le **sens propre** est le premier sens du mot.
→ Ex. : un **feu** de cheminée/La maison prit **feu**.

▶ **Sens figuré**

Le **sens figuré** concerne le sens imagé du mot.
→ Ex. : le **feu** de son regard/le **feu** de l'action.

▶ **Polysémie**

La **polysémie** renvoie à la possibilité pour un mot de revêtir plusieurs sens.

Dénotation et connotation

▶ **Dénotation**

La **dénotation** renvoie au **sens habituel et stable** d'un mot.
→ Ex. : *feu* désigne des flammes.

▶ **Connotation**

La **connotation** représente les valeurs qu'un mot peut véhiculer en fonction du contexte qui colore le mot de nuances, de significations particulières. Elle varie donc.
→ Ex. : *feu* peut connoter le danger ou au contraire le confort, la chaleur, etc.

Synonymes et antonymes

▶ **Synonymes**

Sont **synonymes** des mots de sens voisin.
→ Ex. : *penser* et *songer* sont synonymes.

▶ **Antonymes**

Sont **antonymes** des mots de sens opposé.
→ Ex. : *avare* et *généreux* sont antonymes.

■ **SIGNIFIANT ET SIGNIFIÉ**

Histoire

Dans l'Antiquité, Platon présente deux théories qui marquent encore la réflexion sur la langue et le travail des écrivains. Dans son dialogue intitulé *Cratyle*, il met en scène deux personnages : Hermogène défend la thèse de l'arbitraire ; Cratyle, lui, affirme que le mot ressemble à ce à quoi il renvoie, qu'il est un symbole.

Définition

Un mot est une alliance entre un **signifié** (un concept) et un **signifiant** (une forme sonore ou une image acoustique).
Le **signifiant** est **arbitraire**, c'est-à-dire sans motivation. Sauf dans le cas particulier de l'**onomatopée** (où les sonorités imitent la réalité), il n'y a pas de lien logique entre **signifiant** et **signifié** puisque le même concept, la même chose sont désignés par des mots de sonorités différentes dans les diverses langues.
→ Ex. : *Hund*, *chien* et *dog* sont trois **signifiants** différents pour un même **signifié**.

EXERCICES

1 CONSTITUER UNE FAMILLE
À L'AIDE D'ÉTYMONS ✪

La famille du mot « guerre » est formée d'étymons d'origines différentes. Complétez la famille.

– *Polémos* (grec) → ...
– *Bellum* (latin) → ...
– *Werr* (francique) qui a donné « guerre » → ...

2 DÉFINIR À PARTIR DU GREC ✪

Donnez (sans consulter le dictionnaire) une définition des mots suivants à l'aide des étymons grecs proposés.

anthropos ou *andros* (homme) – *morphé* (forme) – *philein* (aimer) – *logos* (langue ou étude) – *gyne* (femme) – *isos* (égal) – *misein* (haïr) – *phagein* (manger) – *sophia* (sagesse) – *nekros* (mort)

a. philanthrope
b. isomorphe
c. androgyne
d. anthropologie
e. misogynie
f. anthropophagie
g. anthropomorphe
h. philologue
i. misanthrope
j. nécrophage

3 EXPLIQUER LE SENS
D'EXPRESSIONS ✪✪

a. Expliquez le sens des mots ou expressions suivantes à partir de l'épisode présenté.
b. Employez le mot ou l'expression dans une phrase de votre choix.

a. **Être pauvre comme Job :** Fait référence au personnage biblique Job, homme riche et puissant ; Satan affirme que sa foi en Dieu ne résistera pas à la souffrance. Job perd ses enfants, sa richesse puis sa santé, mais sa foi reste inébranlable.

b. **Un capharnaüm :** Capharnaüm, ville où Jésus séjourna, est une grande cité commerciale dans laquelle s'entassaient des objets et denrées de toutes sortes.

c. **Des jérémiades :** le Livre des Lamentations de la Bible est attribué à Jérémie.

d. **Une époque antédiluvienne :** pour punir les hommes et purifier la terre, Dieu créa l'arche de Noé et fit dégringoler le déluge sur terre.

e. **Une égérie :** Egeria, nymphe de la mythologie, conseillait Numa Pompilius, roi de Rome.

f. **Un mentor :** Ulysse confia l'éducation de son fils Télémaque à son ami Mentor.

g. **Être médusé :** une des trois Gorgones, Méduse, était dotée du pouvoir de pétrifier, de transformer en pierre, celui qui croisait son regard.

h. **Protéiforme :** Protée, personnage mythologique, a le pouvoir de changer de forme à son gré.

4 ÉTUDIER LE JEU SONS/SENS ✪✪✪

Selon Mallarmé, *jour* a des sonorités sombres, *nuit* des sonorités lumineuses. Dans le vers suivant, Racine assombrit le mot *nuit*. Quelles sonorités bannit-il ? Quelles sonorités emploie-t-il ?

« C'était pendant l'horreur d'une profonde nuit »

Jean RACINE, *Athalie*, 1691.

5 COMPOSER UN ALEXANDRIN
À PARTIR D'UN SON ✪✪✪

Composez un alexandrin contenant le mot *jour* en l'associant à des sonorités qui l'éclairent.

6 ANALYSER LE RAPPORT
SIGNIFIANTS/SIGNIFIÉS ✪✪✪

Commentez le rapport entre les sonorités utilisées et le sens des mots mis en gras dans les vers suivants. Attention au décompte des syllabes !

a. Il est des parfums doux comme des chairs [d'enfants [...]
Et d'autres corrompus, riches et triomphants
Ayant l'**expansion** des choses infinies
Comme l'ambre, le musc, le benjoin et l'encens.

Charles BAUDELAIRE, « Correspondances »,
Les Fleurs du mal, 1857.

b. Elle, défunte nue en le miroir, encor
Que, dans l'oubli fermé par le cadre, se fixe
De **scintillations** sitôt le septuor.

Stéphane MALLARMÉ, *Poésies*, 1899.

c. [*Le poète s'adresse à son « esprit »*]
Envole-toi bien loin de ces miasmes morbides ;
Va te **purifier** dans l'air **supérieur**,
Et bois, comme une pure et divine liqueur,
Le feu clair qui remplit les espaces limpides.

Charles BAUDELAIRE, « Élévation »,
Les Fleurs du mal, 1857.

7 ÉTUDIER LE LIEN ENTRE
FORME ET SIGNIFICATION ✪✪✪

Montrez que, dans ce début de poème en prose, Ponge joue autant avec la forme du mot qu'avec celle de l'objet que ce mot *cageot* représente.

À mi-chemin de la cage au cachot la langue française a *cageot*, simple caissette à claire-voie vouée au transport de ces fruits qui de la moindre suffocation font à coup sûr une maladie.

Francis PONGE, « Le Cageot », *Le Parti pris des choses*, 1942, © Éditions Gallimard.

Fiche 11
LES FORMES DE DISCOURS

Définition

Le locuteur peut avoir **diverses intentions** : décrire, raconter, expliquer ou argumenter. Ces intentions déterminent le type de discours.

Type de discours	But	Caractéristiques	Genres concernés	Fonctions
▶ Discours descriptif	Faire voir (lieu, personnage)	• Verbes d'état et de perception • Indications spatiales • Expansions du nom • Neutralité ou subjectivité (éloge, blâme)	• Nouvelle, roman • Théâtre (action impossible à représenter) • Poésie (épopée, fable) • Fait-divers, témoignage, etc.	• Informer • Expliquer (la psychologie par le portrait) • Fonction poétique ou symbolique
▶ Discours narratif	Raconter des faits ou des actions	• Verbes d'action • Organisation logique ou chronologique • Présence de personnages	• Nouvelle, roman, conte • Poésie (fable)	• Informer (biographie, récit historique) • Fonction esthétique (divertir) ou symbolique (mythe, légende)
▶ Discours explicatif	Faire comprendre	• Registre didactique • Présent de vérité générale • Vocabulaire précis et technique	• Dictionnaires, encyclopédies • Notices d'utilisations, mode d'emploi, etc.	• Donner l'illusion du réel (fonctionnement d'une machine dans un roman réaliste, etc.)
▶ Discours argumentatif	Défendre ou réfuter une thèse	• Implication du locuteur • Raisonnements • Arguments • Connecteurs logiques • Registre ironique, pathétique	• Littérature d'idées (essai, apologue, réquisitoire, plaidoyer) • Roman • Poésie • Discours politique • Publicité	• Démontrer le bien-fondé d'une thèse • Faire adhérer le destinataire à la thèse
▶ Discours injonctif	Exprimer conseils ou ordres	• Modes de l'ordre (impératif 1re et 2e personne, subjonctif 3e personne, indicatif futur) et du conseil (infinitif) • Verbes exprimant l'ordre, le conseil, la défense • Présence du destinataire	• Mêmes genres que pour le discours argumentatif • Notices d'emploi, manuels de cuisine, etc.	• Agir sur le destinataire en lui donnant conseils ou recommandations

414

1 RECONNAÎTRE UNE FORME DE DISCOURS ✪

Repérez la ou les formes de discours présente(s) dans les textes suivants en justifiant vos réponses.

1 *Laissé pour mort à la bataille d'Eylau en 1807 (difficile victoire de Napoléon contre la Prusse) et victime d'une très grave blessure à la tête, le colonel Chabert a vécu les dix années suivantes à l'étranger. De retour à Paris, il se rend une nuit en 1818 chez l'avoué Derville pour faire reconnaître son identité.*

Le jeune avoué demeura pendant un moment stupéfait en entrevoyant dans le clair-obscur le singulier client qui l'attendait. Le colonel Chabert était aussi parfaitement immobile que peut l'être une figure en cire de ce cabinet de Curtius[1] [...]. Cette immobilité n'aurait peut-être pas été un sujet d'étonnement, si elle n'eût complété le spectacle surnaturel que présentait l'ensemble du personnage. Le vieux soldat était sec et maigre. Son front, volontairement caché sous les cheveux de sa perruque lisse, lui donnait quelque chose de mystérieux. Ses yeux paraissaient couverts d'une taie transparente : vous eussiez dit de la nacre sale dont les reflets bleuâtres chatoyaient à la lueur des bougies. Le visage pâle, livide, et en lame de couteau, s'il est permis d'emprunter cette expression vulgaire, semblait mort. Le cou était serré par une mauvaise cravate de soie noire. L'ombre cachait si bien le corps à partir de la ligne brune que décrivait ce haillon, qu'un homme d'imagination aurait pu prendre cette vieille tête pour quelque silhouette due au hasard, ou pour un portrait de Rembrandt[2], sans cadre. Les bords du chapeau qui couvrait le front du vieillard projetaient un sillon noir sur le haut du visage. Cet effet bizarre, quoique naturel, faisait ressortir, par la brusquerie du contraste, les rides blanches, les sinuosités froides, le sentiment décoloré de cette physionomie cadavéreuse.

Honoré DE BALZAC, *Le Colonel Chabert*, 1832.

1. Allemand qui avait ouvert à Paris deux musées de figures de cire (fin XVIIIe).
2. peintre hollandais, célèbre pour ses lumières en clair-obscur.

2 LUI. – Vous croyez que le même bonheur est fait pour tous. Quelle étrange vision ! Le vôtre suppose un certain tour d'esprit romanesque que nous n'avons pas ; une âme singulière, un goût particulier. Vous décorez cette bizarrerie du nom de vertu ; vous l'appelez philosophie. Mais la vertu, la philosophie sont-elles faites pour tout le monde ? En a qui peut. En conserve qui peut. Imaginez l'univers sage et philosophe ; convenez qu'il serait diablement triste. Tenez, vive la philosophie ; vive la sagesse de Salomon. Boire du bon vin, se gorger de mets délicats ; se rouler sur de jolies femmes, se reposer dans des lits bien mollets : excepté cela, le reste n'est que vanité.

Denis DIDEROT, *Le Neveu de Rameau*, 1762.

3 TRAITE DES NÈGRES (*Commerce d'Afrique*). C'est l'achat des nègres que font les Européens sur les côtes d'Afrique, pour employer ces malheureux dans leurs colonies en qualité d'esclaves. Cet achat de nègres, pour les réduire en esclavage, est un négoce qui viole la religion, la morale, les lois naturelles, et tous les droits de la nature humaine.

Chevalier Louis DE JAUCOURT, « Traite des nègres », *Encyclopédie*, 1766.

2 ANALYSER FORMES ET FONCTIONS ✪✪

Après avoir indiqué la (les) forme(s) de discours présente(s) dans les extraits suivants, analysez pour chacun d'entre eux les intentions de l'auteur.

1 Pour un art poétique (suite)
>   Prenez un mot prenez en deux
>   faites-les cuir'comme des œufs
>   prenez un petit bout de sens
> puis un grand morceau d'innocence
>   faites chauffer à petit feu
>   au petit feu de la technique
>   versez la sauce énigmatique
>   saupoudrez de quelques étoiles
>   poivrez et puis mettez les voiles
>   Où voulez-vous en venir ?
>   À écrire
>   Vraiment ? à écrire ??

Raymond QUENEAU, *Le Chien à la mandoline*, 1965, © Éditions Gallimard.

2 *Gervaise, héroïne du roman, est emmenée par Coupeau, zingueur qui la courtise, à l'Assommoir, débit de boissons : elle veut savoir comment fonctionne l'alambic (appareil qui permet la distillation de l'alcool).*

Elle eut la curiosité d'aller regarder, au fond, derrière la barrière de chêne, le grand alambic de cuivre rouge, qui fonctionnait sous le vitrage clair de la petite cour ; et le zingueur[1], qui l'avait suivie, lui expliqua comment ça marchait, indiquant du doigt les différentes pièces de l'appareil, montrant l'énorme cornue d'où tombait un filet limpide d'alcool. L'alambic, avec ses récipients de forme étrange, ses enroulements sans fin de tuyaux, gardait une mine sombre ; pas une fumée ne s'échappait ; à peine entendait-t-on un souffle intérieur, un ronflement souterrain ;

c'était comme une besogne de nuit faite en plein jour, par un travailleur morne, puissant et muet. [...] L'alambic, sourdement, sans une flamme, sans une gaieté dans les reflets éteints de ses cuivres, continuait, laissait couler sa sueur d'alcool, pareil à une source lente et entêtée, qui à la longue devait envahir la salle, se répandre sur les boulevards extérieurs, inonder le trou immense de Paris. Alors, Gervaise, prise d'un frisson, recula ; et elle tâchait de sourire, en murmurant : « C'est bête, ça me fait froid, cette machine... La boisson me fait froid... »

Émile ZOLA, *L'Assommoir*, 1877.

1. ouvrier spécialisé dans les travaux de couverture en zinc.

3 *Quelques mois avant l'ouverture des Jeux olympiques à Pékin, des incidents qui éclatent au Tibet sont durement réprimés par les autorités chinoises qui avaient pourtant promis des « avancées considérables dans le domaine des droits de l'homme ». Reporters sans frontières est une organisation non gouvernementale internationale qui défend la liberté de la presse.*

Affiche de Reporters sans frontières, 2008.

4 *Albe et Rome sont en guerre : un combat entre trois guerriers de chaque camp, les Horaces pour Rome contre les Curiaces albains, doit décider de la victoire. Or les deux familles sont liées : Camille, une sœur des Horaces, est fiancée à l'un des Curiaces et inversement, Sabine, une sœur des Curiaces a épousé l'un des Horaces.*
[...]

VALÈRE. – Il fuit pour mieux combattre, et cette
[prompte ruse
Divise adroitement trois frères qu'elle abuse.
Chacun le suit d'un pas ou plus ou moins pressé,
Selon qu'il se rencontre[1] ou plus ou moins blessé ;
Leur ardeur est égale à poursuivre sa fuite ;
Mais leurs coups[2] inégaux séparent leur poursuite[3].
Horace, les voyant l'un de l'autre écartés,

Se retourne, et déjà les croit demi-domptés :
Il attend le premier, et c'était votre gendre[4].
L'autre, tout indigné qu'il ait osé l'attendre,
En vain en l'attaquant fait paraître un grand
[cœur[5] ;
Le sang qu'il a perdu ralentit sa vigueur.
Albe à son tour commence à craindre un sort
[contraire ;
Elle crie au second qu'il secoure son frère :
Il se hâte et s'épuise en efforts superflus ;
Il trouve en les joignant[6] que son frère n'est plus.
CAMILLE. – Hélas !
VALÈRE. – Tout hors d'haleine il prend pourtant sa
[place,
Et redouble bientôt la victoire d'Horace :
Son courage sans force est un débile[7] appui ;
Voulant venger son frère, il tombe auprès de lui.
L'air résonne des cris qu'au ciel chacun envoie ;
Albe en jette d'angoisse, et les Romains de joie.
[...]
La victoire entre eux deux n'était pas incertaine ;
L'Albain percé de coups ne se traînait qu'à peine[8],
Et comme une victime aux marches de l'autel,
Il semblait présenter sa gorge au coup mortel :
Aussi le reçoit-il, peu s'en faut, sans défense,
Et son trépas de Rome établit la puissance.

Pierre CORNEILLE, *Horace*, 1640.

1. il se trouve.
2. les coups qu'ils ont reçus.
3. séparent les poursuivants.
4. Curiace fiancé à Camille.
5. courage.
6. rejoignant.
7. physiquement faible.
8. avec peine.

---

3 RÉDIGER ❂❂❂

En une vingtaine de lignes, traitez l'un des sujets suivants.

Sujet 1 : Rédigez une fable (en prose ou en vers) qui, tout en contenant une anecdote, délivrera explicitement un enseignement de votre choix.

Sujet 2 : Écrivez un texte narratif incluant un passage descriptif : un personnage, considéré et bien intégré dans la société, rencontre pour la première fois un individu qui semble marginal et qui le met mal à l'aise ; il le décrit. N'oubliez pas de préciser les circonstances de la rencontre et le malaise ressenti par le personnage. Vous pouvez, si vous le souhaitez, vous inspirer de l'extrait du *Colonel Chabert* (exercice 1).

Fiche 12
L'ÉNONCIATION

Définition

Celui qui parle, le **locuteur**, s'adresse à un **destinataire** dans le but de lui transmettre un message, l'**énoncé**, dans un **lieu** et à un **moment** précis. Repérer les indices d'énonciation permet de mieux cerner l'avis du locuteur.

LES SITUATIONS D'ÉNONCIATION

Dialogue et débat

Le **dialogue**, réel ou fictif, et le **débat** sont les formes les plus simples de l'énonciation.
→ **Ex. :** « CLYTEMNESTRE. – Ainsi c'est **toi**, Oreste ?
ORESTE. – Oui, **mère**, c'est **moi**.
CLYTEMNESTRE. – C'est doux, à vingt ans, de voir une **mère** ? » (Jean GIRAUDOUX, *Électre*, 1937.)

La parole solitaire

Le **monologue** de théâtre, les **interventions** du narrateur ou celles de l'auteur peuvent donner l'impression d'un débat. Il s'agit pour le locuteur d'exprimer une réflexion personnelle.
→ **Ex. :** « C'est ici un livre de bonne foi, **lecteur**. Il t'avertit, dès l'entrée, que je ne m'y suis proposé aucune autre fin, que domestique et privée. » (Michel DE MONTAIGNE, *Essais*, 1580.)

L'échange par lettres

Le genre **épistolaire** est exclusivement fondé sur une situation de communication écrite. L'on y retrouve tous les indices de l'énonciation.

LES INDICES D'ÉNONCIATION

Les indices d'énonciation qui varient en fonction de la situation d'énonciation

▶ **Les marques de la personne et les temps verbaux**
La **première** et la **deuxième** personne permettent de repérer le locuteur et le destinataire. Les temps sont ceux du discours : le **présent**, le **passé composé** et le **futur**.

▶ **Les indices de lieu, de temps et les démonstratifs**
Ils n'ont de sens que par rapport à la position du locuteur.
→ **Ex. :** Hier j'étais ici et je lisais ce livre.

Les indices d'énonciation qui révèlent l'avis du locuteur

▶ **Le lexique évaluatif**
Les mots **péjoratifs** ou **mélioratifs** sont explicitement révélateurs d'une opinion.
→ **Ex. :** « La première fois qu'Aurélien vit Bérénice, il la trouva franchement laide. »
(Louis ARAGON, *Aurélien*, 1944.)

▶ **Les modalisateurs**
Il s'agit de termes exprimant un degré de **certitude** ou d'**incertitude**, de **vérité** ou de **fausseté**, du type *sembler, croire, peut-être, assurément, paraître, certainement*, etc.

▶ **Le conditionnel**
Il exprime des faits **irréels** ou dont la réalisation est soumise à certaines **conditions**. Il suggère donc le **doute** du locuteur.
→ **Ex. :** « Si j'avais à soutenir le droit que nous avons eu de rendre les nègres esclaves, voici ce que je dirais. » (MONTESQUIEU, *De l'esprit des lois*, 1748.)

▶ **Les effets d'expressivité**
Les **interrogatives**, **exclamatives** et **impératives** témoignent du jugement ou du sentiment du locuteur, de même que le **niveau de langue familier**, les **figures d'insistance**, etc.

EXERCICES

1 REPÉRER LES INDICES D'ÉNONCIATION ⊕

Repérez les indices permettant d'identifier le locuteur, le destinataire, le lieu et le moment de l'énonciation.

À Madame de Grignan[1]
À Livry, ce mardi saint 24ᵉ mars 1671.

Il y a trois heures que je suis ici, ma pauvre bonne. Je suis partie de Paris avec l'abbé et mes filles dans le dessein de me retirer ici du monde et du bruit jusqu'à jeudi au soir. Je prétends être en solitude ; je fais de ceci une petite Trappe ; je veux y prier Dieu, y faire mille réflexions. J'ai dessein d'y jeûner beaucoup par toutes sortes de raisons ; marcher pour tout le temps que j'ai été dans ma chambre, et sur le tout m'ennuyer pour l'amour de Dieu. Mais, ma pauvre bonne, ce que je ferai beaucoup mieux que tout cela, c'est de penser à vous. Je n'ai pas encore cessé depuis que je suis arrivée, et ne pouvant tenir tous mes sentiments, je me suis mise à vous écrire au bout de cette petite allée sombre que vous aimez, assise sur ce siège de mousse où je vous ai vue quelquefois couchée. Mais, mon Dieu, où ne vous ai-je point vue ici ? et de quelle façon toutes ces pensées me traversent-elles le cœur ? Il n'y a point d'endroit, point de lieu, ni dans la maison, ni dans l'église, ni dans le pays, ni dans le jardin, où je ne vous aie vue ; il n'y en a point qui ne me fasse souvenir de quelque chose de quelque manière que ce soit ; et de quelque façon que ce soit aussi, cela me perce le cœur. Je vous vois, vous m'êtes présente ; je pense et repense à tout ; ma tête et mon esprit se creusent : mais j'ai beau tourner, j'ai beau chercher ; cette chère enfant que j'aime avec tant de passion est à deux cents lieues de moi ; je ne l'ai plus. Sur cela je pleure sans pouvoir m'en empêcher ; je n'en puis plus, ma chère bonne : voilà qui est bien faible, mais pour moi, je ne sais point être forte contre une tendresse si juste et si naturelle. Je ne sais en quelle disposition vous serez en lisant cette lettre. Le hasard peut faire qu'elle viendra mal à propos, et qu'elle ne sera peut-être pas lue de la manière qu'elle est écrite. À cela je ne sais point de remède ; elle sert toujours à me soulager présentement ; c'est tout ce que je lui demande. L'état où ce lieu ici m'a mise est une chose incroyable. Je vous prie de ne me point parler de mes faiblesses ; mais vous devez les aimer et respecter mes larmes, qui viennent d'un cœur tout à vous.

1. Mᵐᵉ de Sévigné s'adresse à sa fille.

Mᵐᵉ DE SÉVIGNÉ, *Lettres*, 1671.

2 ÉTUDIER LA SITUATION D'ÉNONCIATION ⊕⊕

a. Repérez les indices permettant d'identifier le genre littéraire auquel appartient l'extrait. Qu'en déduisez-vous sur le destinataire ?
b. Analysez les champs lexicaux dominants. Quelle évolution constatez-vous ?
c. Comment les effets d'expressivité sont-ils révélateurs de l'état dans lequel se trouve le locuteur ?

16 MAI.

Je suis malade, décidément ! Je me portais si bien le mois dernier ! J'ai la fièvre, une fièvre atroce, ou plutôt un énervement fiévreux, qui rend mon âme aussi souffrante que mon corps ! J'ai sans cesse cette sensation affreuse d'un danger menaçant, cette appréhension d'un malheur qui vient ou de la mort qui approche, ce pressentiment qui est sans doute l'atteinte d'un mal encore inconnu, germant dans le sang et dans la chair. […]

25 MAI.

Aucun changement ! Mon état, vraiment, est bizarre. À mesure qu'approche le soir, une inquiétude incompréhensible m'envahit, comme si la nuit cachait pour moi une menace terrible. Je dîne vite, puis j'essaie de lire ; mais je ne comprends pas les mots ; je distingue à peine les lettres. Je marche alors dans mon salon de long en large, sous l'oppression d'une crainte confuse et irrésistible, la crainte du sommeil et la crainte du lit.

Guy DE MAUPASSANT, *Le Horla*, 1887.

3 ANALYSER LE MESSAGE EXPRIMÉ ⊕⊕

a. Quels indices permettent d'identifier le destinataire ?
b. À quoi les indices spatio-temporels et le temps verbal dominant font-ils allusion ?
c. Analysez le lexique évaluatif.
d. Repérez les effets d'expressivité contenus dans les deux derniers vers. Que révèlent-ils des intentions du poète ?

Quand vous serez bien vieille, au soir à la chandelle,
Assise auprès du feu, dévidant et filant,
Direz chantant mes vers, en vous émerveillant :
« Ronsard me célébrait du temps que j'étais belle. »

Lors vous n'aurez servante oyant telle nouvelle,
Déjà sous le labeur à demi sommeillant,
Qui au bruit de mon nom ne s'aille réveillant,
Bénissant votre nom de louange immortelle.

Je serai sous la terre, et fantôme sans os
Par les ombres myrteux je prendrai mon repos ;
Vous serez au foyer une vieille accroupie,

Regrettant mon amour et votre fier dédain.
Vivez, si m'en croyez, n'attendez à demain :
Cueillez dès aujourd'hui les roses de la vie.

Pierre DE RONSARD, *Sonnets pour Hélène*, 1578.

4 ANALYSER ET INTERPRÉTER ❋❋❋

a. Combien de voix identifiez-vous ? Qui sont les locuteurs et quelle thèse chacun défend-il ? Quels arguments développent-ils ? Reformulez-les.

b. Analysez les indices d'énonciation qui rendent compte des sentiments et des jugements des locuteurs.

1 Ceux qui jugent et qui condamnent disent la peine de mort nécessaire. D'abord, – parce qu'il importe de retrancher de la communauté sociale un membre qui lui a déjà nui et qui pourrait lui nuire encore. – S'il ne s'agissait que de cela, la prison perpétuelle suffirait. À quoi bon la mort ? Vous objectez qu'on peut s'échapper d'une prison ? faites mieux votre ronde. Si vous ne croyez pas à la solidité des barreaux de fer, comment osez-vous avoir des ménageries ?

– Pas de bourreau où le geôlier suffit.

– Mais, reprend-on, il faut que la société se venge, que la société punisse. – Ni l'un, ni l'autre. Se venger est de l'individu, punir est de Dieu. La société est entre deux. Le châtiment est au-dessus d'elle, la vengeance au-dessous. Rien de si grand et de si petit ne lui sied. Elle ne doit pas « punir pour se venger » ; elle doit corriger pour améliorer. Transformez de cette façon la formule des criminalistes, nous la comprenons et nous y adhérons.

Reste la troisième et dernière raison, la théorie de l'exemple. – Il faut faire des exemples ! il faut épouvanter par le spectacle du sort réservé aux criminels ceux qui seraient tentés de les imiter !

– Voilà bien à peu près textuellement la phrase éternelle dont tous les réquisitoires des cinq cents parquets de France ne sont que des variations plus ou moins sonores. Eh bien ! nous nions d'abord qu'il y ait exemple. Nous nions que le spectacle des supplices produise l'effet qu'on en attend. Loin d'édifier le peuple, il le démoralise, et ruine en lui toute sensibilité, partant toute vertu.

Victor HUGO, « Préface », Le Dernier Jour
d'un condamné, 1832.

2 – Alors, tu vas vraiment faire ça ? « Évoquer tes souvenirs d'enfance »… Comme ces mots te gênent, tu ne les aimes pas. Mais reconnais que ce sont les seuls mots qui conviennent. Tu veux « évoquer tes souvenirs »… il n'y a pas à tortiller, c'est bien ça.

– Oui, je n'y peux rien, ça me tente, je ne sais pas pourquoi…

– C'est peut-être… est-ce que ce ne serait pas… on ne s'en rend parfois pas compte… c'est peut-être que tes forces déclinent…

– Non, je ne crois pas… du moins je ne le sens pas…

– Et pourtant ce que tu veux faire… « évoquer tes souvenirs » …est-ce que ce ne serait pas…

– Oh ! je t'en prie…

– Si, il faut se le demander : est-ce que ce ne serait pas prendre ta retraite ? te ranger ? quitter ton élément, où jusqu'ici, tant bien que mal…

– Oui, comme tu dis, tant bien que mal…

Nathalie SARRAUTE, Enfance, 1983,
© Éditions Gallimard.

5 ÉTUDIER L'ÉNONCIATION
DANS UN DÉBAT ❋❋❋

a. Relevez et analysez les indices d'énonciation qui révèlent l'opinion du locuteur.

b. Quels sont les interlocuteurs qui participent à ce débat fictif ? Par quels arguments soutiennent-ils leur point de vue ?

Que faut-il penser de cette éducation barbare qui sacrifie le présent à un avenir incertain, qui charge un enfant de chaînes de toute espèce, et commence par le rendre misérable, pour lui préparer au loin je ne sais quel prétendu bonheur dont il est à croire qu'il ne jouira jamais ? Quand je supposerais cette éducation raisonnable dans son objet, comment voir sans indignation de pauvres infortunés soumis à un joug insupportable et condamnés à des travaux continuels comme des galériens sans être assurés que tant de soins leur seront jamais utiles ! L'âge de la gaieté se passe au milieu des pleurs, des châtiments, des menaces, de l'esclavage. On tourmente le malheureux pour son bien ; et l'on ne voit pas la mort qu'on appelle, et qui va le saisir au milieu de ce triste appareil. Qui sait combien d'enfants périssent victimes de l'extravagante sagesse d'un père ou d'un maître ? Heureux d'échapper à sa cruauté, le seul avantage qu'ils tirent des maux qu'il leur a fait souffrir est de mourir sans regretter la vie, dont ils n'ont connu que les tourments.

Hommes, soyez humains, c'est votre premier devoir ; soyez-le pour tous les états, pour tous les âges, pour tout ce qui n'est pas étranger à l'homme. Quelle sagesse y a-t-il pour vous hors de l'humanité ? Aimez l'enfance ; favorisez ses jeux, ses plaisirs, son aimable instinct. […] Pères, savez-vous le moment où la mort attend vos enfants ? Ne vous préparez pas des regrets en leur ôtant le peu d'instants que la nature leur donne : aussitôt qu'ils peuvent sentir le plaisir d'être, faites qu'ils en jouissent ; faites qu'à quelque heure que Dieu les appelle, ils ne meurent point sans avoir goûté la vie.

Jean-Jacques ROUSSEAU, *Émile ou De l'Éducation,* 1762.

LES FIGURES D'INSISTANCE ET D'OPPOSITION

Définition

On appelle **figures de style** les procédés d'expression qui s'éloignent de l'usage habituel de la langue pour toucher, séduire ou convaincre le destinataire. Elles contribuent à donner un style à l'auteur, une particularité. Elles peuvent être divisées en quatre grandes catégories.

LES FIGURES D'INSISTANCE

▶ **La répétition** est un procédé qui reprend le même terme ou la même expression.
→ Ex. : « Elle rencontra Candide en revenant au château, et rougit ; Candide rougit aussi. » (VOLTAIRE, *Candide*, 1759.)

▶ **L'anaphore** est la répétition d'un même mot au même endroit d'une phrase, d'un vers ou d'un paragraphe. Elle met le mot en valeur et donne du rythme au texte.
→ Ex. : « Te voici à Marseille au milieu des pastèques
Te voici à Coblence à l'hôtel du géant
Te voici à Rome assis sous un néflier du Japon. » (Guillaume APOLLINAIRE, « Zone », *Alcools*, 1913.)

▶ **Le parallélisme** consiste à répéter la même construction pour mettre en évidence des similitudes ou des différences.
→ Ex. : « Des trains sifflaient de temps à autre et des chiens hurlaient de temps en temps. » (Raymond QUENEAU, *Le Chiendent*, 1933.)

▶ **L'accumulation** fait se succéder plusieurs termes avec ou sans gradation. Elle peut conduire à l'hyperbole.
→ Ex. : « Quand on m'aura jeté, vieux flacon désolé,
Décrépi, poudreux, sale, abject, visqueux, fêlé. » (Charles BAUDELAIRE, *Les Fleurs du mal*, 1857.)

▶ **L'hyperbole** est un procédé d'exagération, l'expression dit plus que le réel.
→ Ex. : Le nez de Cyrano : « C'est un roc ! » (Edmond ROSTAND, *Cyrano de Bergerac*, 1897.)

▶ **Le pléonasme** est une répétition de termes ou d'expressions ayant le même sens.
→ Ex. : « Puissé-je de mes yeux y voir tomber ce foudre. » (Pierre CORNEILLE, *Horace*, 1640.)

LES FIGURES D'OPPOSITION

▶ **L'antithèse** oppose deux réalités contradictoires.
→ Ex. : « Tout lui plaît et déplaît, tout le choque et l'oblige. Sans raison il est gai, sans raison il s'afflige. » (Nicolas BOILEAU, *Satires*, VIII, 1668.)

▶ **L'oxymore** associe deux mots de sens inconciliables dans le même groupe syntaxique. Elle permet de créer un effet de surprise.
→ Ex. : « Cette obscure clarté qui tombe des étoiles. » (Pierre CORNEILLE, *Le Cid*, 1637.)

▶ **Le chiasme** est un parallélisme qui dispose ses termes en AB/BA, c'est-à-dire qu'il inverse les termes employés.
→ Ex. : « Vous êtes aujourd'hui ce qu'autrefois je fus. » (Pierre CORNEILLE, *Le Cid*, 1637.)

Fiche 14
LES FIGURES D'AMPLIFICATION, D'ATTÉNUATION, DE SUBSTITUTION

LES FIGURES D'AMPLIFICATION ET D'ATTÉNUATION

▶ **L'euphémisme,** grâce à une expression adoucie, atténue ou masque une réalité désagréable.
→ **Ex. :** « Las le temps ! non, mais nous nous en allons,
Et tôt serons étendus sous la lame. » (Pierre de RONSARD, « Le temps s'en va, Madame, le temps s'en va », *Amours*, 1555.)

▶ **La litote** atténue l'expression pour en renforcer le sens.
→ **Ex. :** « Va, je ne te hais point. » (Pierre CORNEILLE, *Le Cid*, 1637.)

▶ **L'antiphrase** sous-entend le contraire de ce qui est dit. Elle ne laisse pas de doute sur le sens réel des propos. C'est la figure essentielle de l'ironie.
→ **Ex. :** « Vous vivrez trop contente avec un tel mari. » (MOLIÈRE, *Tartuffe*, 1664.)
[Le mari dont il est question est vieux et possède de nombreux défauts.]

▶ **La gradation** est une énumération de termes de plus en plus forts.
→ **Ex. :** « Je meurs, je suis mort, je suis enterré. » (MOLIÈRE, *L'Avare*, 1668.)

LES FIGURES DE SUBSTITUTION

▶ **La comparaison** met en relation deux éléments, le comparé et le comparant, ayant un point commun à l'aide d'un outil de comparaison (*tel que, ainsi que, comme, plus que...*).
→ **Ex. :** « Et quand il a fui – tel qu'un écureuil –/Son rire tremble encore à chaque fois. » (Arthur RIMBAUD, « Tête de faune », *Les Cahiers de Douai*, 1870.)

▶ **La métaphore** permet le rapprochement d'un comparé et d'un comparant sans outil de comparaison. Le comparant peut même se substituer au comparé.
→ **Ex. :** « Bergère ô tour Eiffel le troupeau des ponts bêle ce matin » (Guillaume APOLLINAIRE, « Zone », *Alcools*, 1913.)

▶ **La métaphore filée** est une métaphore qui se poursuit sur plusieurs lignes.

▶ **La métonymie** remplace la chose désignée par un terme proche d'un point de vue logique, on peut donc trouver le contenu pour le contenant ou l'activité pour le lieu...
→ **Ex. :** « Paris a faim, Paris a froid. » (Paul ÉLUARD, « Courage », *Au rendez-vous allemand*, 1944.) [Paris désigne ici ses habitants.]

▶ **L'allégorie** représente une réalité abstraite de manière concrète.
→ **Ex. :** « Je vis cette faucheuse. Elle était dans son champ.
Elle allait à grands pas moissonnant et fauchant » (Victor HUGO, « Mors », *Les Contemplations*, 1856.) [Ici, Hugo fait de la mort, idée abstraite, une faucheuse dans les champs, figure concrète.]

▶ **La prosopopée** consiste à faire parler un mort, un animal, une chose personnifiée.
→ **Ex. :** « Et la rivière dit : « Je ne veux rien savoir,
Je coule pour moi seule et j'ignore les hommes. » (Jules SUPERVIELLE, « La Demeure entourée », *Le Forçat innocent*, 1930.)

▶ **La périphrase** remplace un mot par une expression de sens équivalent composée de plusieurs éléments. Dans l'exemple, la périphrase désigne Jason.
→ **Ex. :** « Ou comme celui-là qui conquit la Toison. » (Joachim Du BELLAY, *Les Regrets*, 1558.)

▶ **La personnification** donne à un objet ou un animal des attributs humains.
→ **Ex. :** « Vous dont la maison ne pleure pas » (René CHAR, *Feuilles d'Hypnos*, 1946.)

1 IDENTIFIER LES FIGURES D'INSISTANCE ET D'OPPOSITION ☻

Identifiez les figures d'insistance ou d'opposition présentes dans ces extraits. Expliquez l'effet recherché par les auteurs.

1 Au bois il y a un oiseau, son chant vous arrête et vous fait rougir.
Il y a une horloge qui ne sonne pas.
Il y a une fondrière avec un nid de bêtes blanches.
Il y a une cathédrale qui descend et un lac qui monte.
Il y a une petite voiture abandonnée dans le taillis, ou qui descend le sentier en courant, enrubannée.

Arthur RIMBAUD, « Enfance », *Illuminations*, 1872-1875.

2 Le voici. Vers mon cœur tout mon sang se retire.

Jean RACINE, *Phèdre*, 1677.

3 Tout l'hiver va rentrer dans mon être : colère
Haine, frissons, horreur, labeur dur et forcé,
Et, comme le soleil dans son enfer polaire,
Mon cœur ne sera plus qu'un bloc rouge et glacé.

Charles BAUDELAIRE, « Chant d'automne »,
Les Fleurs du mal, 1857.

4 J'ai tendresse pour toi, j'ai passion pour elle.

Pierre CORNEILLE, *Nicomède*, 1651.

5 Notre Lièvre n'avait que quatre pas à faire ;
J'entends de ceux qu'il fait lorsque, prêt d'être atteint,
Il s'éloigne des chiens, les renvoie aux calendes,
Et leur fait arpenter les landes.
Ayant, dis-je, du temps de reste pour brouter,
Pour dormir, et pour écouter
D'où vient le vent, il laisse la tortue
Aller son train de sénateur.
Elle part, elle s'évertue ;
Elle se hâte avec lenteur.

Jean de La FONTAINE, « Le Lièvre et la Tortue », *Fables*, 1678.

6 Nous ne désirons pas les choses parce qu'elles sont bonnes, mais nous les déclarons bonnes parce que nous les désirons.

Baruch SPINOZA, *Éthique*, 1677.

2 REPÉRER LES FIGURES D'AMPLIFICATION ET D'ATTÉNUATION ☻☻

Identifiez les figures d'amplification ou d'atténuation présentes dans ces extraits. Reformulez la pensée réelle des auteurs.

1 DOM JUAN, *en parlant de son père qui vient de quitter la scène.* – Eh, mourez le plus tôt que vous pourrez, c'est le mieux que vous puissiez faire. Il faut que chacun ait son tour, et j'enrage de voir des pères qui vivent autant que leurs fils.

(Il se met dans son fauteuil.)
SGANARELLE. – Ah, Monsieur, vous avez tort.
DOM JUAN. – J'ai tort ?
SGANARELLE. – Monsieur.
DOM JUAN, *se lève de son siège.* – J'ai tort ?
SGANARELLE. – Oui, Monsieur, vous avez tort d'avoir souffert ce qu'il vous a dit, et vous le deviez mettre dehors par les épaules. A-t-on jamais rien vu de plus impertinent ? Un père venir faire des remontrances à son fils, et lui dire de corriger ses actions, de se ressouvenir de sa naissance, de mener une vie d'honnête homme, et cent autres sottises de pareille nature. Cela se peut-il souffrir à un homme comme vous, qui savez comme il faut vivre ? J'admire votre patience, et si j'avais été en votre place, je l'aurais envoyé promener. Ô complaisance maudite, à quoi me réduis-tu ?

MOLIÈRE, *Dom Juan*, 1665.

2 Elle a vécu, Myrto, la jeune Tarentine.
Un vaisseau la portait aux bords de Camarine.
Là l'hymen, les chansons, les flûtes, lentement,
Devaient la reconduire au seuil de son amant.
Une clef vigilante a pour cette journée
Dans le cèdre enfermé sa robe d'hyménée
Et l'or dont au festin ses bras seraient parés
Et pour ses blonds cheveux les parfums préparés.
Mais, seule sur la proue, invoquant les étoiles,
Le vent impétueux qui soufflait dans les voiles
L'enveloppe. Étonnée, et loin des matelots,
Elle crie, elle tombe, elle est au sein des flots.

André CHÉNIER, « La Jeune Tarentine »,
Les Bucoliques, 1819.

3 Rien n'était si beau, si leste, si brillant, si bien ordonné que les deux armées. Les trompettes, les fifres, les hautbois, les tambours, les canons, formaient une harmonie telle qu'il n'y en eut jamais en enfer. Les canons renversèrent d'abord à peu près six mille hommes de chaque côté ; ensuite la mousqueterie ôta du meilleur des mondes environ neuf à dix mille coquins qui en infectaient la surface. La baïonnette fut aussi la raison suffisante de la mort de quelques milliers d'hommes. Le tout pouvait bien se monter à une trentaine de mille âmes. Candide, qui tremblait comme un philosophe, se cacha du mieux qu'il put pendant cette boucherie héroïque.

VOLTAIRE, *Candide ou l'Optimisme*, 1759.

4 Ce n'était pas un sot, non, non, et croyez-m'en,
Que le Chien de Jean de Nivelle.

Jean de La FONTAINE, « Le Faucon et le Chapon »,
Fables, 1678.

3 ÉTUDIER LES FIGURES

DE SUBSTITUTION ✷✷

Repérez les figures utilisées dans ces extraits. Explicitez-les.

1

Puis tu te sentiras la joue égratignée…
Un petit baiser, comme une folle araignée,
Te courra par le cou…
Et tu me diras : « Cherche ! », en inclinant la tête,
– Et nous prendrons du temps à trouver cette bête
– Qui voyage beaucoup…

Arthur RIMBAUD, « Rêvé pour l'hiver »,
Poésies, 1870.

2

La Nature est un temple où de vivants piliers
Laissent parfois sortir de confuses paroles ;
L'homme y passe à travers des forêts de symboles
Qui l'observent avec des regards familiers.

Charles BAUDELAIRE, « Correspondances »,
Les Fleurs du mal, 1857.

3

Il remarqua qu'en effet presque tous les cadavres étaient vêtus de rouge. Une circonstance lui donna un frisson d'horreur ; il remarqua que beaucoup de ces malheureux habits rouges vivent encore.

STENDHAL, *La Chartreuse de Parme*, 1839.

4 OBSERVER ET ANALYSER

DES FIGURES DE STYLE ✷✷✷

a. Repérez les accumulations présentes dans cet extrait. Pourquoi l'auteur les utilise-t-il ? Quel est l'effet produit ?
b. Relevez les métaphores. Que mettent-elles sur le même plan ?
c. De quel genre relève ce texte ? De quel type de discours s'agit-il ? En quoi les figures de style que vous avez relevées servent le projet de l'auteur ?

Ce qui arrêtait ces dames, c'était le spectacle prodigieux de la grande exposition de blanc. [….] Ensuite les galeries s'enfonçaient, dans une blancheur éclatante, une échappée boréale, toute une contrée de neige, déroulant l'infini des steppes tendues d'hermine, l'entassement des glaciers allumés sous le soleil. On retrouvait le blanc des vitrines du dehors, mais avivé, colossal, brûlant d'un bout à l'autre de l'énorme vaisseau, avec la flambée blanche d'un incendie en plein feu. Rien que du blanc, tous les articles blancs de chaque

rayon, une débauche de blanc, un astre blanc dont le rayonnement fixe aveuglait d'abord, sans qu'on pût distinguer les détails, au milieu de cette blancheur unique. Bientôt les yeux s'accoutumaient : à gauche, la galerie Monsigny allongeait les promontoires blancs des toiles et des calicots, les roches blanches des draps de lit, des serviettes, des mouchoirs ; tandis que la galerie Michodière, à droite, occupée par la mercerie, la bonneterie et les lainages, exposait des constructions blanches en boutons de nacre, un grand décor bâti avec des chaussettes blanches, toute une salle recouverte de molleton blanc, éclairée au loin d'un coup de lumière.

Émile ZOLA, *Au Bonheur des Dames*, 1883.

5 ÉTUDIER UNE MÉTAPHORE FILÉE ✷✷✷

a. Trouvez dans ce texte une métaphore filée et relevez les termes qui la composent.
b. Relevez les moyens stylistiques de mettre en évidence le froid et l'obscurité.

Dans la plaine rase, sous la nuit sans étoiles, d'une obscurité et d'une épaisseur d'encre, un homme suivait seul la grande route de Marchiennes à Montsou, dix kilomètres de pavé coupant tout droit, à travers les champs de betteraves. Devant lui, il ne voyait même pas le sol noir, et il n'avait la sensation de l'immense horizon plat que par les souffles du vent de mars, des rafales larges comme sur une mer, glacées d'avoir balayé des lieues de marais et de terres nues. Aucune ombre d'arbre ne tachait le ciel, le pavé se déroulait avec la rectitude d'une jetée, au milieu de l'embrun aveuglant des ténèbres.

L'homme […] marchait d'un pas allongé, grelottant sous le coton aminci de sa veste et de son pantalon de velours. Un petit paquet, noué dans un mouchoir à carreaux, le gênait beaucoup ; et il le serrait contre ses flancs, tantôt d'un coude, tantôt de l'autre, pour glisser au fond de ses poches les deux mains à la fois, des mains gourdes que les lanières du vent d'est faisaient saigner.

Émile ZOLA, *Germinal*, 1885.

6 RÉDIGER ✷✷✷

Décrivez à votre tour un lieu présentant une atmosphère ensoleillée et joyeuse. Pour ce faire, vous insérerez des figures de style.

PARTIE III

Outils d'analyse

▶▶▶August Macke, *Le Funambule* (détail), huile sur toile
(82 x 60 cm), 1914, Städtisches Kunstmuseum, Bonn.

NARRATEUR ET FOCALISATIONS

■ LE NARRATEUR

Définition

Le **narrateur**, « voix » qui raconte, appartient à la fiction. Il n'est pas forcément personnage et n'est jamais l'auteur (sauf dans le cas de l'autobiographie).

Le statut du narrateur

Il peut être personnage (héros ou simple témoin) dans un récit à la 1re personne.

Il peut être extérieur à l'histoire, « voix » anonyme plus ou moins présente : il peut s'effacer ou intervenir en manifestant ses sentiments, ses opinions, en s'adressant au lecteur. Plusieurs narrateurs peuvent intervenir dans le cas de récits emboîtés.

■ FOCALISATIONS ET POINTS DE VUE

Définition

La **focalisation** désigne le point de vue à partir duquel une scène est racontée, la situation du narrateur par rapport au récit. Différentes focalisations peuvent cohabiter.

Les focalisations

▶ **Focalisation zéro**

La narration ne se focalise sur aucun personnage. La **focalisation zéro** permet au lecteur une vision **dominante, surplombante**. Le narrateur est dit **omniscient** : il en sait plus que ses personnages ; il pénètre leurs pensées, **circule dans l'espace** (au détour d'une phrase, la narration peut informer le lecteur de ce qui se passe, en même temps, ailleurs) **et dans le temps** (il connaît le passé des personnages, sait de quoi leur futur sera fait).

→ **Ex. :** « [Saccard] prit les pincettes, se mit à tisonner. Cette manie de fouiller les cendres, pendant qu'il causait d'affaires, était chez lui un calcul qui avait fini par devenir une habitude. [...] Renée souffrait, le regardait faire un grand trou dans la cendre. »

Émile ZOLA, La Curée, 1872.

▶ **Focalisation interne**

La narration se focalise sur un personnage. Le point de vue est à **hauteur d'homme**. Le narrateur raconte ce que **sait, voit, ressent ce personnage**, parce qu'il est ce personnage ou parce qu'il adopte son point de vue. Le narrateur en sait autant qu'un personnage.

→ **Ex. :** « Les mains tremblantes de l'écrivain lâchèrent la lettre. Puis il réfléchit longuement. Confusément, montait en lui le souvenir quelconque d'une enfant du voisinage et d'une jeune fille, d'une femme rencontrée dans un établissement de nuit, mais ce souvenir restait vague et indistinct. »

Stefan ZWEIG, Lettre d'une inconnue, 1927.

▶ **Focalisation externe**

Le narrateur est un **témoin objectif** : il constate sans commenter. Il en sait moins que ses personnages. Cette focalisation donne l'impression qu'une caméra a enregistré la scène. Le lecteur **voit, entend** ce qui se passe mais ignore les pensées des personnages ; il n'apprend d'eux que ce qu'ils ont l'occasion de raconter, à voix haute. Le récit peut être **énigmatique**.

→ **Ex. :** « Il se leva ; sa casquette tomba. Toute la classe se mit à rire. Il se baissa pour la reprendre. Un voisin la fit tomber d'un coup de coude, il la ramassa encore une fois. »

Gustave FLAUBERT, Madame Bovary, 1857.

1 DISTINGUER AUTEUR ET NARRATEUR ✽

a. **Pour chacun des extraits suivants, indiquez qui est l'auteur, qui est le narrateur.**
b. **Indiquez les indices qui vous ont permis d'identifier le narrateur.**
c. **Quel extrait est autobiographique ?**

1 Mon enfant est mort hier ; trois jours et trois nuits, j'ai lutté avec la mort pour sauver cette petite et tendre existence ; pendant quarante jours, je suis restée assise à son chevet, tandis que la grippe secouait son pauvre corps brûlant de fièvre.

Stefan ZWEIG, *Lettre d'une inconnue*, 1927,
© Éditions Stock.

2 Pourquoi ai-je choisi d'écrire ? Enfant, je n'avais guère pris au sérieux mes gribouillages ; mon véritable souci avait été de connaître ; je me plaisais à rédiger mes compositions françaises, mais ces demoiselles me reprochaient mon style guindé […].

Simone DE BEAUVOIR, *Mémoires d'une jeune fille rangée*, 1958 © Éditions Gallimard.

3 Mon père était avocat, il avait épousé ma mère dans un âge assez avancé ; il en eut trois filles […]. Comme nous étions venues au monde à peu de distance les unes des autres, nous devînmes grandes toutes les trois ensemble.

Denis DIDEROT, *La Religieuse*, 1796.

4 Je suis le diable, le diable. Personne ne doit en douter. Il n'y a qu'à me voir d'ailleurs. Regardez-moi, si vous l'osez ! Noir, d'un noir roussi par les feux de la géhenne[1] […]. J'ai des cornes de poils blancs, raides, qui fusent hors de mes oreilles, et des griffes, des griffes. Combien de griffes ? Je ne sais pas. Cent mille peut-être. J'ai une queue plantée de travers, maigre, mobile, impérieuse, expressive pour tout dire, diabolique.
Je suis le diable et non un simple chat.

COLETTE, *La Paix chez les bêtes*, 1916, © Éditions Fayard.

1. l'enfer.

2 RECONNAÎTRE UNE FOCALISATION ✽✽

a. **Quelle est la focalisation des extraits suivants ?**
b. **Relevez les éléments qui vous ont permis de répondre et justifiez votre réponse en quelques phrases.**

1 Le premier homme s'arrêta net dans la clairière, et son compagnon manqua de lui tomber dessus. Il enleva son chapeau et en essuya le cuir avec l'index qu'il fit claquer pour en faire égoutter la sueur. Son camarade laissa tomber ses couvertures et, se jetant à plat ventre, se mit à boire à la surface de l'eau verte. Il buvait à grands coups,

en renâclant comme un cheval. Le petit homme s'approcha de lui nerveusement.
– Lennie, dit-il sèchement, Lennie, nom de Dieu, ne boit pas tant que ça.
Lennie continuait à renâcler dans l'eau dormante. Le petit homme se pencha et le secoua par l'épaule.

John STEINBECK, *Des souris et des hommes*, 1937,
© Éditions Gallimard

2 Gervaise […] regardait par les vitres, entre les bocaux de fruits et l'eau-de-vie, le mouvement de la rue, où l'heure du déjeuner mettait un écrasement de foule extraordinaire. […] des ouvriers […] entraient en face chez un boulanger ; et, lorsqu'ils reparaissaient, une livre de pain sous le bras, ils allaient trois portes plus haut, au *Veau à Deux Têtes*, manger […]. Quand Gervaise se penchait, elle apercevait encore une boutique de charcutier, pleine de monde […].

Émile ZOLA, *L'Assommoir*, 1877.

3 Tous deux avaient fini par se rendre une foule de services, à l'hôtel Boncœur. Coupeau allait lui chercher son lait, se chargeait de ses commissions, portait ses paquets de linge ; souvent, le soir, comme il revenait du travail le premier, il promenait les enfants sur les boulevards extérieurs. Gervaise, pour lui rendre ses politesses, montait dans l'étroit cabinet où il couchait sous les toits et elle visitait ses vêtements, remettant des boutons, reprisant les vestes de toile.

Émile ZOLA, *L'Assommoir*, 1877.

3 ANALYSER LES EFFETS PRODUITS ✽✽

Les extraits suivants sont rédigés en focalisation zéro. Mais la présence de la voix narrative varie.
a. **Classez les extraits en fonction de cette présence : du narrateur le plus effacé au narrateur le plus manifeste.**
b. **Expliquez quels sont les effets produits par cette plus ou moins grande présence. Quand le narrateur se manifeste, quel rôle joue-t-il ?**

1 L'enfant […] entra en la veine creuse et, gravant par le diaphragme jusques au-dessus des épaules (où la dite veine se part en deux), prit son chemin à gauche, et sortit par l'oreille senestre. Soudain qu'il fut né, ne cria comme les autres enfants : mies ! mies !, mais à haute voix s'écriait : à boire ! à boire ! à boire !, comme invitant tout le monde à boire […]. Je me doute que vous ne croyez assurément cette étrange nativité. Si ne le croyez, je ne m'en soucie, mais un homme de bien, un homme de bon sens, croit toujours ce qu'on lui dit et qu'il trouve par écrit.

François RABELAIS, *Gargantua*, 1535.

2 Micromégas, après avoir bien tourné, arriva dans le globe de Saturne. [...] il ne put d'abord, en voyant la petitesse du globe et de ses habitants, se défendre de ce sourire de supériorité qui échappe quelquefois aux plus sages. Car enfin Saturne n'est guère que neuf cents fois plus gros que la terre, et les citoyens de ce pays-là sont des nains qui n'ont que mille toises de haut ou environ. Il s'en moqua un peu d'abord avec ses gens, à peu près comme un musicien italien se met à rire de la musique de Lulli quand il vient en France. Mais comme le Sirien avait un bon esprit, il comprit bien vite qu'un être pensant peut fort bien n'être pas ridicule pour n'avoir que six mille pieds de haut.

VOLTAIRE, *Micromégas*, 1752.

3 Deux hommes parurent.
L'un venait de la Bastille, l'autre du Jardin des Plantes. [...]
Quand ils furent arrivés au milieu du boulevard, ils s'assirent, à la même minute, sur le même banc.
Pour s'essuyer le front, ils retirèrent leurs coiffures, que chacun posa près de soi ; et le petit homme aperçut, écrit dans le chapeau de son voisin : Bouvard ; pendant que celui-ci distinguait aisément dans la casquette du particulier en redingote le mot : Pécuchet.

Gustave FLAUBERT, *Bouvard et Pécuchet*, 1881.

4 Nous avons tous une mère, la terre. On rendit Fantine à cette mère.
Le curé crut bien faire, et fit bien peut-être, en réservant, sur ce que Jean Valjean avait laissé, le plus d'argent possible aux pauvres. Après tout, de qui s'agissait-il ? d'un forçat et d'une fille publique. C'est pourquoi il simplifia l'enterrement de Fantine, et le réduisit à ce strict nécessaire qu'on appelle la fosse commune.
Fantine fut donc enterrée dans ce coin gratis du cimetière qui est à tous et à personne, et où l'on perd les pauvres. Heureusement Dieu sait où retrouver l'âme.

Victor HUGO, *Les Misérables*, 1862.

4 VARIER LES FOCALISATIONS ✪✪✪

À partir du scénario suivant, rédigez trois courts récits dont les événements seront identiques. Inventez les circonstances et le dénouement.
« Deux hommes s'approchent d'un puits, l'un des deux tombe à l'intérieur.»

a. Rédigez le premier récit en focalisation zéro (n'oubliez pas de faire circuler votre narrateur omniscient dans l'espace, les pensées des personnages et le temps).
b. Rédigez le second en focalisation interne (choisissez librement le personnage dont vous adoptez le point de vue).

c. Rédigez le troisième en focalisation externe.

5 CHANGER DE POINT DE VUE ✪✪✪

Le texte suivant est rédigé en focalisation interne du point de vue du petit garçon.
a. Indiquez quels éléments permettent de reconnaître cette focalisation (verbes de pensée, vocabulaire, thème).
b. Quels effets produit ce choix de narration (personnage du père, registre, vision de la guerre) ?
c. Réécrivez le texte en conservant la 3e personne, mais en adoptant le point de vue du père.

Pendant la Seconde Guerre mondiale, un père part faire une promenade avec son fils. Le danger rôde et les parents de l'enfant utilisent un code à chacune de leurs sorties : un pot de géranium posé sur le rebord de la fenêtre. Sa disparition signale que le retour à la maison est impossible parce que la milice est passée.

Tout en haut le sentier tournait un peu, et redescendait de l'autre côté de la colline. De tout en haut on verrait la maison. On la voyait très bien. Ce qu'on voyait le mieux c'était la fenêtre de la cuisine, avec le pot de géranium tout vert et orange dans le soleil, et maman était derrière mais on ne la voyait pas.
Mais papa devait être fatigué, parce qu'avant d'arriver en haut, il s'assit. D'ordinaire on ne s'asseyait jamais sur ce tronc d'arbre. Il s'assit et attira son petit garçon entre ses genoux. Il dit : « Tu n'es pas fatigué ? »
– « Non », dit le petit garçon. Papa souriait mais c'était d'un seul côté de la bouche. Il lui caressait les cheveux, la joue. Il respira très fort et dit : « Il faut être très, très sage avec ta maman », et le petit garçon fit oui de la tête, mais il ne trouva rien à dire. « Un bon petit garçon », dit encore papa, et il se leva. Il prit son petit garçon sous les aisselles et il le souleva jusqu'à son visage et l'embrassa deux fois sur les deux joues, et il le remit par terre et dit d'une voix ferme : « Allons. » Ils se remirent en route. Ils arrivèrent en haut et on vit le mur du jardin, les deux mélèzes, la maison, la fenêtre de la cuisine.
Le pot de géranium... il n'y était plus.
Le petit garçon vit tout de suite que le pot de géranium n'était plus à la fenêtre de la cuisine. Papa aussi, sûrement. Parce qu'il s'arrêta en serrant la petite main dans la sienne, plus fort que jamais, et il dit : « Ça y est, je m'en doutais. »
Il restait immobile, à regarder, regarder, en répétant : « Bons dieux, comment ai-je pu... puisque je le savais, puisque je le savais... »
Le petit garçon aurait bien voulu demander quoi, mais il ne pouvait pas parce que papa lui serrait la main si fort. Et il commença d'avoir mal au cœur, comme le jour où il avait mangé trop de purée de marrons.

VERCORS, « Ce jour-là », *Le Silence de la mer*, 1943,

Fiche 2
CADRE ET STRUCTURE D'UN RÉCIT

■ LE CADRE SPATIO-TEMPOREL

Les indicateurs de lieu et de temps

Ils ancrent le récit dans un décor et une époque. Fortement marqué dans les romans, le cadre spatio-temporel est souvent moins présent dans les nouvelles et les récits courts.

→ **Ex. :** « En 1800, vers la fin du mois d'octobre, un étranger accompagné d'une femme et d'une petite fille, arriva devant les Tuileries à Paris. »

Honoré DE BALZAC, *La Vendetta*, 1830.

Les fonctions

La multiplication des indices spatio-temporels accentue l'illusion de réalité.

■ LA STRUCTURE DU RÉCIT

Un récit est constitué de plusieurs événements qui créent l'intrigue. Il peut être organisé de façon plus ou moins complexe.

Structure simple

Centré autour d'une intrigue principale – voire unique –, le récit suit les étapes du schéma narratif. C'est le schéma classique du conte, de la nouvelle et d'un certain nombre de romans.

→ **Ex. :** Dans « La Parure », une nouvelle de MAUPASSANT (1885), on peut distinguer :

▶ **La situation initiale**

Elle pose le cadre du récit. On la trouve dans l'incipit.

→ **Ex. :** Mathilde Loisel et son mari, modeste employé, sont invités à un bal au ministère ; sa riche amie Mme Forestier lui prête une rivière de diamants. Le couple passe une soirée magnifique.

▶ **L'événement perturbateur**

Il déclenche la quête du héros.

→ **Ex. :** En rentrant, Mathilde s'aperçoit qu'elle ne porte plus le collier.

▶ **Les péripéties**

Elles sont le centre du récit. Le héros s'accomplit au fil des péripéties.

→ **Ex. :** Après de vaines recherches, le couple achète, à crédit, un collier identique à celui qui a été perdu et le remet à Mme Forestier sans rien dire. Pendant dix ans, les Loisel travaillent très dur pour rembourser la somme empruntée, Mathilde y perd sa jeunesse et sa beauté. Un jour qu'elle rencontre son amie, elle décide de lui dire toute la vérité.

▶ **La résolution et la situation finale**

Le héros parvient au bout de sa quête. Cette résolution peut être surprenante dans le cas de la nouvelle, c'est la chute. Elle aboutit à un nouvel équilibre.

→ **Ex. :** Très émue, Mme Forestier explique à son amie que le collier prêté était une imitation qui ne valait rien.

Structure complexe

Des séquences narratives se combinent : c'est le schéma classique de la plupart des romans.

▶ **Récit linéaire et jeux avec la chronologie**

On suit les aventures du héros, avec éventuellement des analepses et des prolepses. ▶ p. 432

▶ **Le récit à tiroirs**

Le récit cadre (récit principal) inclut d'autres récits, selon la logique des poupées russes.

→ **Ex. :** Dans *Jacques le fataliste* (1796) de DIDEROT, on trouve comme récit-cadre le voyage de Jacques et de son maître, et de nombreux sous-récits.

1 ÉTUDIER LE CADRE SPATIO-TEMPOREL ✪

a. Relevez, dans ces deux incipit, les indications de lieu. Quels effets cherchent à produire les auteurs ?

b. Recherchez le genre de chacune de ces deux œuvres. Pouvez-vous situer chaque extrait dans le temps ? Mettez votre réponse en rapport avec le genre de l'œuvre.

1 Vers le milieu du mois de juillet de l'année 1838, une de ces voitures nouvellement mises en circulation sur les places de Paris et nommées des *milords*[1] cheminait, rue de l'Université, portant un gros homme de taille moyenne, en uniforme de capitaine de la garde nationale.

Dans le nombre de ces Parisiens accusés d'être si spirituels, il s'en trouve qui se croient infiniment mieux en uniforme que dans leurs habits ordinaires, et qui supposent chez les femmes des goûts assez dépravés pour imaginer qu'elles seront favorablement impressionnées à l'aspect d'un bonnet à poil et par le harnais[2] militaire.

La physionomie de ce capitaine appartenant à la deuxième légion respirait un contentement de lui-même qui faisait resplendir son teint rougeaud et sa figure passablement joufflue. À cette auréole que la richesse acquise dans le commerce met au front des boutiquiers retirés, on devinait l'un des élus de Paris, au moins ancien adjoint de son arrondissement. Aussi, croyez que le ruban de la Légion d'honneur ne manquait pas sur la poitrine, crânement bombée à la prussienne.

Campé fièrement dans le coin du milord, cet homme décoré laissait errer son regard sur les passants qui souvent, à Paris, recueillent ainsi d'agréables sourires adressés à de beaux yeux absents. Le milord arrêta[3] dans la partie de la rue comprise entre la rue de Bellechasse et la rue de Bourgogne, à la porte d'une grande maison nouvellement bâtie sur une portion de la cour d'un vieil hôtel à jardin.

Honoré DE BALZAC, *La Cousine Bette*, 1846.

1. cabriolets à quatre roues et à deux places. –
2. autrefois armure complète d'un homme d'armes. Par extension tout habit militaire. – 3. s'arrêta.

2 On avait projeté depuis cinq mois d'aller déjeuner aux environs de Paris, le jour de la fête de Mme Dufour, qui s'appelait Pétronille. Aussi, comme on avait attendu cette partie impatiemment, s'était-on levé de fort bonne heure ce matin-là. […]
Après avoir suivi l'avenue des Champs-Élysées et franchi les fortifications à la porte Maillot, on s'était mis à regarder la contrée.

En arrivant au pont de Neuilly, M. Dufour avait dit : « Voici la campagne enfin ! » – et sa femme, à ce signal, s'était attendrie sur la nature. Au rond-point de Courbevoie, une admiration les avait saisis devant l'éloignement des horizons. À droite, là-bas, c'était Argenteuil, dont le clocher se dressait ; au-dessus apparaissaient les buttes de Sannois et le moulin d'Orgemont. À gauche, l'aqueduc de Marly se dessinait sur le ciel clair du matin, et l'on apercevait aussi, de loin, la terrasse de Saint-Germain ; tandis qu'en face, au bout d'une chaîne de collines, des terres remuées indiquaient le nouveau fort de Cormeilles.

Guy DE MAUPASSANT, *Une partie de campagne*, 1881.

2 ANALYSER DES INCIPIT ✪✪

a. Après avoir lu l'incipit suivant, lisez l'incipit de *La Cousine Bette* de Balzac (exercice 1). Mettez en rapport le contenu de chaque incipit avec le titre du roman : quelle remarque pouvez-vous faire ?

b. Relevez les informations données dans ces deux incipit. Pourquoi l'incipit d'*Aurélien* est-il surprenant ?

c. Montrez que les intentions des auteurs diffèrent.

La première fois qu'Aurélien vit Bérénice, il la trouva franchement laide. Elle lui déplut, enfin. Il n'aima pas comment elle était habillée. Une étoffe qu'il n'aurait pas choisie. Il avait des idées sur les étoffes. Une étoffe qu'il avait vue sur plusieurs femmes. Cela lui fit mal augurer de celle-ci qui portait un nom de princesse d'Orient[1] sans avoir l'air de se considérer dans l'obligation d'avoir du goût. Ses cheveux étaient ternes ce jour-là, mal tenus. Les cheveux coupés, ça demande des soins constants. Aurélien n'aurait pas pu dire si elle était blonde ou brune. Il l'avait mal regardée. Il lui en demeurait une impression vague, générale, d'ennui et d'irritation. Il se demanda même pourquoi. C'était disproportionné. Plutôt petite, pâle, je crois… Qu'elle se fût appelée Jeanne ou Marie, il n'y aurait pas repensé, après coup. Mais Bérénice. Drôle de superstition. Voilà bien ce qui l'irritait. Il y avait un vers de Racine que ça lui remettait dans la tête, un vers qui l'avait hanté pendant la guerre, dans les tranchées, et plus tard démobilisé. Un vers qu'il ne trouvait même pas un beau vers, ou enfin dont la beauté lui semblait douteuse, inexplicable, mais qui l'avait obsédé, qui l'obsédait encore : « Je demeurai longtemps errant dans Césarée[2]… »
En général, les vers, lui… Mais celui-ci lui revenait et revenait. Pourquoi ? c'est ce qu'il ne s'expliquait pas.

Louis ARAGON, *Aurélien*, 1944, © Éditions Gallimard.

1. *Bérénice* est le titre d'une tragédie de Racine (1670) centrée autour des amours contrariées de cette princesse étrangère et de l'empereur romain Titus.
2. Vers extrait de *Bérénice,* tragédie de Racine (acte I, scène 4, v. 235), prononcé par Antiochus, roi oriental amoureux de la princesse. Césarée, située en Judée, est la capitale du royaume de Bérénice.

1 • Le récit : roman et nouvelle
2 • Le théâtre
3 • La poésie
4 • La littérature d'idées
5 • Les registres et effets du texte

3 MAÎTRISER LES ÉTAPES DU SCHÉMA NARRATIF **

Remettez dans l'ordre les quatre étapes du schéma de « Mademoiselle FiFi » (1882), de Maupassant.

a. Révoltée contre l'occupant, Rachel poignarde Mademoiselle FiFi ; elle s'enfuit et demeure introuvable.

b. Les officiers font venir des prostituées. Après s'être montré brutal avec l'une d'entre elles nommée Rachel, Mademoiselle FiFi, sous l'emprise de l'alcool, finit par insulter la France.

c. Réfugiée dans le clocher, Rachel est nourrie par le curé qui fait de nouveau retentir la cloche. Après la guerre, elle épouse un patriote touché par son courage et devient une « dame ».

d. Pendant la guerre de 1870, des officiers prussiens occupent en Normandie un château qu'ils saccagent par désœuvrement.

Le plus cruel d'entre eux, efféminé et méprisant, est surnommé « Mademoiselle FiFi ». Personne n'ose rien dire : seul le curé proteste en refusant de faire sonner la cloche de son église.

4 ÉTUDIER UNE NOUVELLE À CHUTE ***

La fin de la nouvelle à chute de Fredric Brown est coupée.

a. **Repérez les trois premières étapes du schéma narratif.**

b. **Imaginez et rédigez les deux dernières étapes et résumez-les.**

Il fut tiré du sommeil par la sonnerie du réveil, mais resta couché un bon moment après l'avoir fait taire, à repasser une dernière fois les plans qu'il avait établis pour une escroquerie dans la journée et un assassinat le soir.

Il n'avait négligé aucun détail, c'était une simple récapitulation finale. À vingt heures quarante-six, il serait libre dans tous les sens du mot. Il avait fixé le moment parce que c'était son quarantième anniversaire et que c'était l'heure exacte où il était né. Sa mère, passionnée d'astrologie, lui avait souvent rappelé la minute précise de sa naissance. Lui-même n'était pas superstitieux, mais cela flattait son sens de l'humour de commencer sa vie à quarante ans, à une minute près.

Le narrateur évoque les dettes du personnage et son projet de détourner 100 000 dollars.

Et jamais il ne serait pris. Son départ, sa destination, sa nouvelle identité, tout était prévu et fignolé, il n'avait négligé aucun détail. Il y travaillait depuis des mois.

Sa décision de tuer sa femme, il l'avait prise un peu après coup. Le mobile était simple : il la détestait. […]

Il avait eu beaucoup de mal à ne pas éclater de rire devant l'opportunité du cadeau d'anniversaire qu'elle lui avait fait (la veille, avec vingt-quatre heures d'avance) : une belle valise neuve. Elle l'avait aussi amené à accepter de fêter son anniversaire en allant dîner en ville, à sept heures. Elle ne se doutait pas de ce qu'il avait préparé pour continuer la fête. Il la ramènerait à la maison avant vingt heures quarante-six et satisferait son goût pour les choses bien faites en se rendant veuf à la minute précise. Il y avait aussi un avantage pratique à la laisser morte : s'il l'abandonnait vivante et endormie, elle comprendrait ce qui s'était passé et alerterait la police en constatant, au matin, qu'il était parti. S'il la laissait morte, le cadavre ne serait pas retrouvé avant deux et peut-être trois jours, ce qui lui assurerait une avance bien plus confortable.

À son bureau, tout se passa à merveille ; quand l'heure fut venue d'aller retrouver sa femme, tout était paré[1]. Mais elle traîna devant les cocktails et traîna encore au restaurant ; il en vint à se demander avec inquiétude s'il arriverait à la ramener à la maison, avant vingt heures quarante-six. C'était ridicule, il le savait bien, mais il avait fini par attacher une grande importance au fait qu'il voulait être libre à ce moment-là et non une minute avant ou une minute après. Il gardait l'œil sur sa montre.

Attendre d'être entrés dans la maison l'aurait mis en retard de trente secondes. Mais sur le porche, dans l'obscurité, il n'y avait aucun danger ; il ne risquait rien, pas plus qu'à l'intérieur de la maison. Il abattit la matraque de toutes ses forces […].

Fredric BROWN, « Cauchemar en jaune », *Fantômes et farfafouilles*, 1963, © Éditions Denoël.

1. prêt.

5 COMPOSER UNE NOUVELLE ***

a. **Imaginez une nouvelle qui, sur le modèle de «La Parure» de Maupassant** ▶ p. 429, **repose sur un malentendu, une méprise. Établissez-en le schéma narratif.**

b. **À la manière des deux incipit de l'exercice 2, rédigez pour votre nouvelle deux situations initiales, l'une conventionnelle, qui pose le cadre spatio-temporel et présente les personnages, et l'autre qui se distingue en refusant les conventions narratives.**

c. **Rédigez la résolution et la chute de votre nouvelle.**

HISTOIRE ET RÉCIT

▊ TEMPS ET CHRONOLOGIE

Définitions

L'**histoire** est composée des événements fictifs construisant une intrigue, le **récit** narre ces événements censés s'être déroulés dans un cadre spatio-temporel précis.

▶ Temps de l'histoire

Il concerne le déroulement des **événements fictifs**. Il ressemble à celui d'une histoire réelle : il comporte une chronologie et se mesure en heures, en mois, en années, etc.

▶ Temps du récit

Il concerne la **manière** dont les événements de l'histoire sont racontés. Il dépend des choix de la narration. Il se mesure en nombre de lignes, de paragraphes, de pages, etc. Il ne suit pas forcément la chronologie.

Chronologie et distorsions

▶ Analepse

Le récit ne respecte pas l'ordre chronologique : il propose un **retour en arrière**.

▶ Prolepse

Le récit ne respecte pas la chronologie de l'histoire : il évoque un fait futur. Il s'agit d'une **anticipation** du récit sur l'histoire.

→ Ex. : « On verra plus tard que, pour de tout autres raisons, le souvenir de cette impression devait jouer un rôle important dans ma vie. »

Marcel PROUST, *À la recherche du temps perdu*, 1913-1927.

▊ RYTHMES DU RÉCIT

On appelle **rythme du récit** le rapport entre le temps de l'histoire (la durée fictive des événements racontés) et le temps du récit (la durée de la lecture).

Scène

Dans une **scène**, temps de l'histoire et temps du récit se superposent. Une scène détaille et installe souvent une intensité dramatique, comporte souvent des dialogues.

Sommaire

Dans un **sommaire**, le temps du récit est inférieur au temps de l'histoire.

→ Ex. : Ils vécurent heureux et eurent beaucoup d'enfants.

Pause

Dans la **pause**, l'intrigue s'interrompt pour une description, un discours explicatif.

Ellipse

L'**ellipse** passe un ou plusieurs événements de l'histoire sous silence, soit parce que ces événements sont sans intérêt, soit parce que le contenu de l'ellipse est laissé à l'imagination du lecteur. Dans l'exemple, l'ellipse concerne une scène érotique.

→ Ex. : « C'est donc toi ! dit-elle en se précipitant dans ses bras.

Qui pourra décrire l'excès de bonheur de Julien ? Celui de Mathilde fut presque égal. »

STENDHAL, *Le Rouge et le Noir*, 1830.

EXERCICES

1 RESTITUER UNE CHRONOLOGIE ✷

Dans chacun des extraits suivants :
a. Placez les événements évoqués dans le récit dans l'ordre dans lequel ils ont eu lieu dans le temps de l'histoire.
b. Nommez le procédé utilisé par la narration.
c. Expliquez son rôle, pour chacun des extraits, dans la connaissance des personnages évoqués.

1 Sa femme, plus âgée que lui, était une Créole toujours belle et lente comme un après-midi de fin juin.
Au début, on l'avait prise ici pour une sauvage, mais, pas du tout. Elle sortait, paraît-il, d'un couvent espagnol très célèbre qui donnait l'éducation supérieure à toutes les filles de bonnes familles du Mexique […].

Jean GIONO, *Un roi sans divertissement*, 1948,
© Éditions Gallimard.

2 Alors, Frédéric se rappela les jours déjà lointains où il enviait l'inexprimable bonheur de se trouver dans une de ces voitures, à côté d'une de ces femmes. Il le possédait, ce bonheur-là, et n'en était pas *joyeux*.

Gustave FLAUBERT, *L'Éducation sentimentale*, 1869.

3 À l'époque de ses malheurs il y avait près d'une année que la duchesse avait fait une rencontre singulière : un jour qu'elle avait la *luna*[1], comme on dit dans le pays, elle était allée à l'improviste, sur le soir, à son château de Sacca, situé au-delà de Colorno, sur la colline qui domine le Pô.

STENDHAL, *La Chartreuse de Parme*, 1839.

1. état mélancolique (l'histoire se passe en Italie).

2 ÉTUDIER UNE PROLEPSE ✷

Les extraits suivants présentent une prolepse.
a. Repérez-la.
b. Expliquez sa fonction : quels effets cela produit-il sur le lecteur ?

1 – Laisse-moi, Lisbeth, je t'expliquerai tout cela demain !…
Mais, comme on va le voir, Valérie ne devait bientôt plus pouvoir rien expliquer à personne.

Honoré DE BALZAC, *La Cousine Bette*, 1846.

2 « Je voudrais tant la retrouver, m'écriai-je. Tranquillisez-vous, on se retrouve toujours », répondit Albertine. Dans le cas particulier, elle se trompait ; je n'ai jamais retrouvé ni identifié la belle jeune fille à la cigarette. On verra du reste pourquoi, pendant longtemps je dus cesser de la chercher.

Marcel PROUST, *Sodome et Gomorrhe*, 1921-1922.

3 La même nuit elle eut le bonheur de lui faire parvenir une lettre. […]. Ce fut huit jours après qu'eut lieu le mariage de la sœur du marquis Crescenzi, où la duchesse commit une énorme imprudence dont nous rendrons compte en son lieu.

STENDHAL, *La Chartreuse de Parme*, 1839.

3 ANALYSER UN INCIPIT ✷✷

a. Sur quel procédé cet incipit est-il construit ?
b. À quel moment de la vie du narrateur correspond le 1er paragraphe ? Justifiez votre réponse en citant le texte.
c. Où se trouve-t-il, à votre avis ? Pourquoi ? Justifiez votre réponse en relevant les éléments qui vous ont permis de répondre.
d. Quels effets cet incipit produit-il sur le lecteur ? Justifiez votre réponse.

Relativement à la très-étrange et pourtant très-familière histoire que je vais coucher par écrit, je n'attends ni ne sollicite la créance[1]. Vraiment, je serais fou de m'y attendre dans un cas où mes sens eux-mêmes rejettent leur propre témoignage. Cependant, je ne suis pas fou, – et très certainement je ne rêve pas. Mais demain je meurs, et aujourd'hui je voudrais décharger mon âme. Mon dessein immédiat est de placer devant le monde, clairement, succinctement[2] et sans commentaire, une série de simples événements domestiques. Dans leurs conséquences, ces événements m'ont terrifié, – m'ont torturé –, m'ont anéanti. Cependant, je n'essayerai pas de les élucider. Pour moi, ils ne m'ont guère présenté que de l'horreur : – à beaucoup de personnes ils paraîtront moins terribles que *baroques*[3]. Plus tard peut-être, il se trouvera une intelligence qui réduira mon fantôme à l'état de lieu commun, – quelque intelligence plus calme, plus logique et beaucoup moins excitable que la mienne, qui ne trouvera dans les circonstances que je raconte avec terreur qu'une succession ordinaire de causes et d'effets très-naturels.
Dès mon enfance, j'étais noté pour la docilité et l'humanité de mon caractère. Ma tendresse de cœur était même si remarquable qu'elle avait fait de moi le jouet de mes camarades. J'étais particulièrement fou des animaux et mes parents m'avaient permis de posséder une grande variété de favoris.

Edgar Allan POE, *Le Chat noir*
(traduction de Baudelaire), 1847.

1. la confiance.
2. brièvement.
3. bizarres.

EXERCICES

4 COMPARER DEUX RÉCITS ✸✸✸

a. Repérez les éléments communs aux deux extraits.
b. Comparez l'ordre dans lequel ils sont disposés dans les deux récits.
c. Commentez les changements opérés par Hugo : quels effets veut-il produire sur le lecteur en modifiant l'ordre de la narration ?

*Le 4 décembre 1851, l'armée de Napoléon Bonaparte tire sur des insurgés qui ont dressé des barricades, et sur la foule proche. Un enfant de sept ans et demi est tué. Hugo commence immédiatement la rédaction d'*Histoire d'un crime. *Il met ensuite ce récit en vers.*

1 E.P. s'arrêta devant une maison haute et noire. Il poussa une porte d'allée qui n'était pas fermée, puis une autre porte, et nous entrâmes dans une salle basse, toute paisible, éclairée d'une lampe.

Cette chambre semblait attenante à une boutique. Au fond, on entrevoyait deux lits côte à côte, un grand et un petit. Il y avait au-dessus du lit un portrait de femme, et, au-dessus du portrait, un rameau de buis bénit.

La lampe était posée sur une cheminée où brûlait un petit feu.

Près de la lampe, sur une chaise, il y avait une vieille femme, penchée, courbée, pliée en deux, comme cassée, sur une chose qui était dans l'ombre et qu'elle avait dans ses bras. Je m'approchai. Ce qu'elle avait dans les bras, c'était un enfant mort.

La pauvre femme sanglotait silencieusement.

E.P., qui était de la maison, lui toucha l'épaule et dit :
– Laissez voir.

La vieille femme leva la tête, et je vis sur ses genoux un petit garçon, pâle, à demi déshabillé, joli, avec deux trous rouges au front. [...]

Victor HUGO, Histoire d'un crime, 1852.

2

L'enfant avait reçu deux balles dans la tête.
Le logis était propre, humble, paisible, honnête ;
On voyait un rameau bénit sur un portrait.
Une vieille grand-mère était là qui pleurait.
Nous le déshabillions en silence. Sa bouche,
Pâle, s'ouvrait ; la mort noyait son œil farouche ;
Ses bras pendants semblaient demander des appuis.
Il avait dans sa poche une toupie en buis.
On pouvait mettre un doigt dans les trous de ses plaies.
Avez-vous vu saigner les mûres dans les haies ?
Son crâne était ouvert comme un bois qui se fend.
L'aïeule regarda déshabiller l'enfant
Disant : Comme il est blanc ! approchez donc la [lampe !
Dieu ses pauvres cheveux sont collés sur sa tempe !
Et quand ce fut fini, le prit sur ses genoux.

Victor HUGO, « Souvenir de la nuit du 4 »
Les Châtiments, 1853.

5 ÉTUDIER LES RYTHMES D'UN RÉCIT ✸✸✸

a. En comparant le temps de l'histoire et le temps du récit, nommez le (ou les) procédé(s) utilisé(s) dans les passages surlignés.
b. Justifiez le choix de ces différents rythmes.
c. Repérez une ellipse. Quelle scène n'est pas racontée ici ? Pourquoi ?

Un souvenir qui me fait frémir encore et rire tout à la fois, est celui d'une chasse aux pommes qui me coûta cher. Ces pommes étaient au fond d'une dépense[1] qui, par une jalousie[2] élevée, recevait du jour de la cuisine. Un jour que j'étais seul dans la maison, je montai sur la may[3] pour regarder dans le jardin des Hespérides[4] ce précieux fruit dont je ne pouvais approcher. J'allai chercher la broche pour voir si elle y pourrait atteindre : elle était trop courte. Je l'allongeai par une autre petite broche qui servait pour le menu gibier ; car mon maître aimait la chasse. Je piquai plusieurs fois sans succès ; enfin je sentis avec transport que j'amenais une pomme. Je tirai très doucement : déjà la pomme touchait à la jalousie : j'étais prêt à la saisir. Qui dira ma douleur ? La pomme était trop grosse, elle ne put passer par le trou. Que d'inventions ne mis-je point en usage pour la tirer ! Il fallut trouver des supports pour tenir la broche en état, un couteau assez long pour fendre la pomme, une latte pour la soutenir. À force d'adresse et de temps je parvins à la partager, espérant tirer ensuite les pièces l'une après l'autre : mais à peine furent-elles séparées, qu'elles tombèrent toutes deux dans la dépense. Lecteur pitoyable, partagez mon affliction.

Je ne perdis point courage ; mais j'avais perdu beaucoup de temps. Je craignais d'être surpris ; je renvoie au lendemain une tentative plus heureuse, et je me remets à l'ouvrage tout aussi tranquillement que si je n'avais rien fait, sans songer aux deux témoins indiscrets qui déposaient contre moi dans la dépense.

Le lendemain, retrouvant l'occasion belle, je tente un nouvel essai. Je monte sur mes tréteaux, j'allonge la broche, je l'ajuste ; j'étais prêt à piquer... Malheureusement le dragon ne dormait pas ; tout à coup la porte de la dépense s'ouvre : mon maître en sort, croise les bras, me regarde, et me dit : « Courage !... » La plume me tombe des mains.

Bientôt, à force d'essuyer de mauvais traitements, j'y devins moins sensible [...]

Jean-Jacques ROUSSEAU, Les Confessions, 1782.

1. lieu où l'on range les provisions
2. ouverture partiellement fermée par des lattes.
3. auge de pierre destinée à recevoir l'huile d'olive dans un pressoir.
4. jardin réservé aux Dieux dans la mythologie grecque.

Fiche 4
LA DESCRIPTION : FORMES ET FONCTIONS

Dans un récit, les séquences descriptives sont des **pauses** qui alternent avec les séquences narratives pour représenter un **lieu**, un **objet** ou un **personnage**.

LES FORMES DE LA DESCRIPTION

La description autonome

▶ **Un genre littéraire**

Il s'agit d'une **forme descriptive, indépendante**, à valeur esthétique ou morale, comme le portrait.

▶ **Une séquence descriptive**

La description apparaît de manière isolée, **sans aucun mode d'insertion** particulier.

L'insertion de la description dans un récit ou un dialogue

▶ **La description dépend d'une action**

Elle est provoquée par l'arrivée d'un nouveau personnage, par la découverte d'un nouveau lieu, par l'apparition d'un objet essentiel, ou encore par le lever du soleil qui illumine l'espace.

→ **Ex. :** « À peine entre-t-on dans la ville que l'on est étourdi par le fracas d'une machine bruyante et terrible en apparence. »

STENDHAL, *Le Rouge et le Noir*, 1830.

▶ **La description dépend de la perception d'un personnage**

Dans le cas d'une focalisation interne, la description devient subjective.

▶ **La description dépend d'un discours**

Des interlocuteurs échangent leurs impressions sur ce qui s'offre à leur vue.

→ **Ex. :** « Elle est charmante, dit Eugène, après avoir regardé Mᵐᵉ de Nucingen.
– Elle a les cils blancs.
– Oui, mais quelle jolie taille mince !
– Elle a de grosses mains. »

Honoré DE BALZAC, *Le Père Goriot*, 1835.

LES FONCTIONS DE LA DESCRIPTION

La fonction esthétique
Elle répond aux choix personnels de l'auteur, à son style et au courant auquel il se rattache.

La fonction réaliste et documentaire
Une description minutieuse et ancrée dans un contexte précis crée l'illusion du réel.

La fonction narrative
Le lecteur se trouve informé de tous les indices nécessaires à la compréhension de l'intrigue. Ce type de description peut être un élément moteur de l'action et motiver la lecture par un effet d'attente.

La fonction argumentative
La description permet un jugement de l'auteur qui cherche à persuader ses lecteurs.

La fonction symbolique
Par le recours aux images, aux connotations, aux allusions historiques ou culturelles, le narrateur délivre un sens caché, symbolique, qui correspond à sa vision du monde.

1 ÉTUDIER UN PORTRAIT ✪

a. **Repérez les verbes et le temps propres à la description. Pourquoi peut-on parler, pour ce portrait, de genre autonome ?**

b. **Quelle est la particularité morale d'Iphis ? Appuyez votre réponse sur des citations précises.**

c. **Quel est le registre dominant de l'extrait ? Justifiez votre réponse.**

Iphis voit à l'église un soulier d'une nouvelle mode, il regarde le sien, et en rougit, il ne se croit plus habillé : il était venu à la messe pour s'y montrer, et il se cache ; le voilà retenu par le pied dans sa chambre tout le reste du jour : il a la main douce, et il l'entretient avec une pâte de senteur : il a soin de rire pour montrer ses dents ; il fait la petite bouche, et il n'y a guère de moments où il ne veuille sourire : il regarde ses jambes, il se voit au miroir, l'on ne peut être plus content de personne, qu'il l'est de lui-même : il s'est acquis une voix claire et délicate, et heureusement il parle gras : il a un mouvement de tête, et je ne sais quel adoucissement dans les yeux, dont il n'oublie pas de s'embellir : il a une démarche molle et le plus joli maintien qu'il est capable de se procurer : il met du rouge, mais rarement, il n'en fait pas habitude, il est vrai aussi qu'il porte des chausses et un chapeau, et qu'il n'a ni boucles d'oreilles ni collier de perles ; aussi ne l'ai-je pas mis dans le chapitre des femmes.

Jean DE LA BRUYÈRE, « Iphis », *Les Caractères*, 1688.

2 REPÉRER ET ANALYSER
UNE DESCRIPTION DANS UN RÉCIT ✪✪

a. **Repérez les descriptions dans l'extrait. Quel est l'effet produit par cette découverte progressive du personnage masculin ?**

b. **Quel élément de la fiction narrative rend possible la description ? Pourquoi est-elle subitement interrompue ?**

c. **Sur quels éléments le regard de la jeune fille s'attarde-t-il ? En quoi ce regard est-il indirectement révélateur de ses émotions ?**

D'abord elle ne vit rien, aveuglée par cette flamme minuscule comme par un météore, et brusquement elle fut debout sans savoir ce qu'elle faisait. Étendu en travers du grand fauteuil de velours cerise aux reflets de braise, un garçon d'environ dix-sept ans dormait dans une de ces attitudes à la fois tragiques et nonchalantes par lesquelles le sommeil s'apparente à la mort. Sa tête se renversait en arrière, découvrant un cou vigoureux qui s'échappait d'une chemise en lambeaux ; un de ses bras s'allongeait avec raideur, la main à demi close semblant crispée sur la poignée d'une arme, alors que l'autre main reposait sur son ventre comme pour dissimuler une blessure. Il paraissait recru. Une de ses jambes était passée par-dessus le bras du fauteuil, l'autre étendue toute droite et le talon portant sur le sol.

Élisabeth lâcha l'allumette qui lui brûlait le bout des doigts. Dans l'obscurité qui se reformait autour d'elle avec un scintillement d'étoiles, elle s'aperçut qu'elle tremblait. Jamais elle n'avait vu quelqu'un d'aussi beau que ce dormeur.

Julien GREEN, *Minuit*, 1936, © Éditions Fayard.

3 DÉGAGER LES FONCTIONS
DES DESCRIPTIONS ✪✪✪

Quelle est la fonction de la description dans les extraits suivants ? Justifiez votre réponse avec précision.

1 Le 15 septembre 1840, vers six heures du matin, *la Ville-de-Montereau*, près de partir, fumait à gros tourbillons devant le quai Saint-Bernard.

Des gens arrivaient hors d'haleine ; des barriques, des câbles, des corbeilles de linge gênaient la circulation ; les matelots ne répondaient à personne ; on se heurtait ; les colis montaient entre les deux tambours, et le tapage s'absorbait dans le bruissement de la vapeur, qui, s'échappant par des plaques de tôle, enveloppait tout d'une nuée blanchâtre, tandis que la cloche, à l'avant, tintait sans discontinuer.

Enfin, le navire partit ; et les deux berges, peuplées de magasins, de chantiers et d'usines, filèrent comme deux larges rubans que l'on déroule.

Gustave FLAUBERT, *L'Éducation sentimentale*, 1869.

2 La tache commence par s'élargir, un des côtés se gonflant pour former une protubérance arrondie, plus grosse à elle seule que l'objet initial. Mais, quelques millimètres plus loin, ce ventre est transformé en une série de minces croissants concentriques, qui s'amenuisent pour n'être plus que des lignes, tandis que l'autre bord de la tache se rétracte en laissant derrière soi un appendice pédonculé. Celui-ci grossit à son tour, un instant ; puis tout s'efface d'un seul coup. Il n'y a plus, derrière la vitre, dans l'angle déterminé par le montant central et le petit bois, que la couleur beige-grisâtre de l'empierrement poussiéreux qui constitue le sol de la cour. Sur le mur d'en face, le mille-pattes est là, à son emplacement marqué, au beau milieu du panneau. Il s'est arrêté, petit trait oblique long de dix centimètres, juste à la hauteur du regard, à mi-chemin entre l'arête de la plinthe (au seuil du couloir) et le coin du plafond. La bête est immobile.

Alain ROBBE-GRILLET, *La Jalousie*, 1957, © Les Éditions de Minuit.

Fiche 5
LES DISCOURS RAPPORTÉS

LE DISCOURS DIRECT

Définition et enjeux

Le **discours direct** rapporte les paroles **comme elles ont été prononcées**. Il crée un effet de réel. Il apporte rythme et variété à un récit. Il permet aussi d'attribuer une voix à chaque personnage. Il révèle donc des caractères, une origine sociale.

Ponctuation

Les paroles sont mises entre **guillemets** ; la **proposition incise** est obligatoirement encadrée par des signes de ponctuation. Elle ne commence jamais par une majuscule.

→ Ex. : «Bonjour ! s'exclama-t-elle, bonjour à tous.»

Le verbe introducteur de dialogue est précédé par deux points.

→ Ex. : Il dit : «Merci.»

LE DISCOURS INDIRECT

Définition

Le **discours indirect** rapporte des paroles dans une **proposition subordonnée**.

→ Ex. : Il demanda si la table était mise.

Caractéristiques

Il n'est pas aussi fidèle que le discours direct ; les **marques d'oralité** disparaissent : les exclamations, les points de suspension indiquant une hésitation, par exemple.

LE DISCOURS INDIRECT LIBRE

Définition et caractéristiques

Le **discours indirect libre** présente à la fois des marques du discours direct et du discours indirect.

Enjeux

Il permet à la voix du narrateur et à la voix du personnage de se superposer sans qu'on sache exactement qui parle. Il est un outil de la focalisation interne.

→ Ex. : «Il met bas son fagot, il songe à son malheur./Quel plaisir a-t-il eu depuis qu'il est au monde ?»

Jean DE LA FONTAINE, «La Mort du Bûcheron», *Fables*, 1678.

Le deuxième vers présente du discours indirect libre, le temps et la forme directe de l'interrogative appartiennent au discours direct. La 3ᵉ personne appartient au discours indirect.

LE DISCOURS NARRATIVISÉ

Définition

Le **discours narrativisé** évoque des paroles sans les détailler.

Enjeux

Il permet de résumer un échange.

→ Ex. : «Il y eut encore des promesses et de grandes effusions.»

Marcel AYMÉ, *Contes du chat perché*, 1863.

EXERCICES

1 TRANSPOSER AU DISCOURS INDIRECT ✪

Transposez les paroles au discours indirect.

a. Il m'a dit : « Je suis venu hier. »

b. « Est-ce une plaisanterie ? » demanda-t-il.

c. Il affirma : « Je viendrai demain. »

d. « Où se trouve la gare ? demanda-t-il. Je me suis perdu. »

2 TRANSPOSER AU DISCOURS NARRATIVISÉ ✪

Transposez les paroles au discours narrativisé.

a. Il dit : « Je suis né un 14 juillet. C'était un soir d'orage et ma mère faillit mourir. »

b. « Quel spectacle magnifique ! s'exclama Hélène, cette représentation théâtrale m'a émerveillée ! »

c. « Il faut que je me mette au travail, il faut absolument que je me mette au travail », se répétait-il.

3 ANALYSER UN DISCOURS DIRECT ✪✪

a. À quel milieu social appartiennent les deux femmes qui dialoguent dans cet extrait ? Justifiez votre réponse.

b. Montrez, en vous appuyant sur des citations précises, que la manière de parler de chacune est révélatrice de ce milieu.

– Hé bien ! mère Bijou, dit la cantatrice à une vieille femme enveloppée d'étoffe dite *tartan*, et qui ressemblait à une portière endimanchée, nous voilà tous heureux ? votre fille a eu de la chance !

– Oh ! heureux... ma fille nous donne cent francs par mois, et elle va en voiture, et elle mange dans de l'argent, elle est *myonnaire* !... Olympe aurait bien pu me mettre hors de peine. À mon âge, travailler !... Est-ce un bienfait ?

– Elle a tort d'être ingrate, car elle vous doit sa beauté, reprit Josépha ; mais pourquoi n'est-elle pas venue me voir ? C'est moi qui l'ai tirée de peine en la mariant à mon oncle...

– Oui, madame, le père Thoul !... Mais il est ben vieux, ben cassé...

– Qu'en avez-vous donc fait ? Est-il chez vous ?... Elle a eu bien tort de s'en séparer, le voilà riche à millions...

– Ah ! Dieu de Dieu, fit la mère Bijou... c'est ce qu'on lui disait quand elle se comportait mal avec lui, qu'était la douceur même, pauvre vieux ! Ah ! le faisait-elle trimer ! Olympe a été pervertie, madame !

Honoré DE BALZAC, *La Cousine Bette*, 1846.

4 TRANSPOSER AUX DISCOURS DIRECT ET INDIRECT ✪✪

a. Transposez les souvenirs du « vieux » au discours direct.

b. Puis transposez-les au discours indirect.

Devant les flammes qui s'effaraient, le vieux remâchait des souvenirs. Ah ! bien sûr, ce n'était pas d'hier que lui et les siens tapaient la veine de charbon ! La famille travaillait pour la Compagnie des Mines de Montsou, depuis la création ; et cela datait de si loin ! il y avait déjà cent six ans...

Émile ZOLA, *Germinal*, 1885.

5 ANALYSER UN DISCOURS INDIRECT LIBRE ✪✪✪

a. Relevez les passages de discours indirect libre.

b. Transposez ces passages au discours direct.

c. Montrez qu'ils s'intègrent dans un point de vue interne en relevant les autres procédés de ce point de vue.

d. Pourquoi l'usage du discours indirect libre rend-il le passage plus pathétique ?

Gervaise, alcoolique et sans le sou, s'apprête à se prostituer. Elle erre et s'arrête devant L'Assommoir, un cabaret.

Plantée devant *L'Assommoir*, Gervaise songeait. Si elle avait eu deux sous, elle serait entrée boire la goutte. Peut-être qu'une goutte lui aurait coupé la faim. Ah ! elle en avait bu des gouttes ! Ça lui semblait bien bon tout de même. Et, de loin, elle contemplait la machine à soûler, en sentant que son malheur venait de là, et en faisant le rêve de s'achever avec de l'eau-de-vie, le jour où elle aurait de quoi. Mais un frisson lui passa dans les cheveux, elle vit que la nuit était noire. Allons, la bonne heure arrivait. C'était l'instant d'avoir du cœur et de se montrer gentille, si elle ne voulait pas crever au milieu de l'allégresse générale. D'autant plus que de voir les autres bâfrer ne lui remplissait pas précisément le ventre. Elle ralentit encore le pas, regarda autour d'elle.

[...] Une émotion de petite fille la serrait à la gorge ; elle ne sentait pas si elle avait honte, elle agissait dans un vilain rêve. Pendant un quart d'heure, elle se tint toute droite. Des hommes filaient, sans tourner la tête. Alors, elle se remua à son tour, elle osa accoster un homme qui sifflait, les mains dans les poches, et elle murmura d'une voix étranglée : « Monsieur, écoutez donc... »

Émile ZOLA, *L'Assommoir*, 1877.

Fiche 6
TEXTE ET REPRÉSENTATION

Le texte théâtral est avant tout un **support écrit** utile au metteur en scène et aux acteurs pour représenter un **spectacle**, même si une certaine liberté d'interprétation est toujours possible.

LE TEXTE THÉÂTRAL

La parole des personnages

▶ **Le dialogue**

Le dialogue peut prendre la forme d'un enchaînement rapide de répliques (la **stichomythie**) ou, au contraire, être ralenti par des répliques longues (les **tirades**).

▶ **Le récit**

Il s'agit de la **narration** d'une action non représentée sur scène.

→ Ex. : « L'onde approche, se brise et vomit à nos yeux,
Parmi des flots d'écume, un monstre furieux. »

Jean RACINE, Phèdre, 1677.

▶ **La parole individuelle**

Elle peut s'exprimer sous forme d'**aparté** (formulation discrète de remarques personnelles) ou de **monologue** (long discours argumentatif ou lyrique d'un personnage seul sur scène).

→ Ex. : « Ô femme ! femme ! femme ! créature faible et décevante !… nul animal créé ne peut manquer à son instinct : le tien est-il donc de tromper ?… »

BEAUMARCHAIS, Le Mariage de Figaro, 1784.

Les didascalies

Elles correspondent à **tout ce qui**, **dans le texte**, **n'est pas prononcé** par les acteurs.

→ Ex. : titre de la pièce, liste des personnages, division en actes et en scènes, noms des interlocuteurs, gestes et déplacements, indices de lieu et de temps, intonations, accessoires, silences, etc.

LA REPRÉSENTATION THÉÂTRALE

L'espace scénique

C'est le lieu de la représentation, il varie selon les époques et les cultures : l'hémicycle ouvert dans l'Antiquité ; l'église et la place publique à l'époque médiévale ; la salle restreinte ou la cour du roi à l'époque classique, etc.

L'espace dramatique

C'est le lieu imaginaire de l'intrigue qui prend vie grâce au **décor**, au **mobilier** et aux **accessoires**.

Le temps de la représentation

De quelques heures à une journée complète, la **durée** du spectacle reste en principe inférieure au temps de l'action. L'unité de temps correspond à une action de 24 heures maximum.

La mise en scène

Les effets **visuels** et **sonores** sont multiples : éclairage, bruitage, musique, costumes, projections vidéo, gestes, intonations, rires, pleurs, entrées et sorties des acteurs, expressions du visage, effets spéciaux, etc.

1 ÉTUDIER LA LISTE DES PERSONNAGES ✪

Que nous apprend cette liste sur le cadre spatio-temporel, sur le statut social des personnages, leur identité et leurs relations sur les thèmes et le genre de la pièce ?

THÉSÉE, fils d'Égée, roi d'Athènes.

PHÈDRE, femme de Thésée, fille de Minos et de Pasiphaé.

HIPPOLYTE, fils de Thésée et d'Antiope, reine des Amazones.

ARICIE, princesse du sang royal d'Athènes.

THÉRAMÈNE, gouverneur d'Hippolyte.

ŒNONE, nourrice et confidente de Phèdre.

ISMÈNE, confidente d'Aricie.

PANOPE, femme de la suite de Phèdre.

GARDES.

Jean RACINE, Phèdre, 1677.

2 ÉTUDIER UN DÉBUT DE PIÈCE ✪✪

a. Relevez les indices d'énonciation dans le prologue d'*Antigone*. Quelles informations obtient-on sur le personnage éponyme ?

b. À quels éléments perçoit-on l'atmosphère tragique de la pièce ?

c. Pourquoi peut-on dire que Jean Anouilh refuse l'artifice théâtral ?

Un décor neutre. Trois portes semblables. Au lever du rideau, tous les personnages sont en scène. Ils bavardent, tricotent, jouent aux cartes.
Le Prologue[1] se détache et s'avance.

LE PROLOGUE. – Voilà. Ces personnages vont vous jouer l'histoire d'Antigone. Antigone, c'est la petite maigre qui est assise là-bas, et qui ne dit rien. Elle regarde droit devant elle. Elle pense. Elle pense qu'elle va être Antigone tout à l'heure, qu'elle va surgir soudain de la maigre jeune fille noiraude et renfermée que personne ne prenait au sérieux dans la famille et se dresser seule en face du monde, seule en face de Créon, son oncle, qui est le roi. Elle pense qu'elle va mourir, qu'elle est jeune et qu'elle aussi, elle aurait bien aimé vivre. Mais il n'y a rien à faire. Elle s'appelle Antigone et il va falloir qu'elle joue son rôle jusqu'au bout… Et, depuis que ce rideau s'est levé, elle sent qu'elle s'éloigne à une vitesse vertigineuse de sa sœur Ismène, qui bavarde et rit avec un jeune homme, de nous tous, qui sommes là bien tranquilles à la regarder, de nous qui n'avons pas à mourir ce soir.

Jean ANOUILH, Antigone, 1944,
© Éditions de La Table ronde.

1. partie qui précède l'entrée du chœur dans le théâtre antique. Le prologue est incarné par un personnage chargé d'informer les spectateurs.

3 REPÉRER DIFFÉRENTS TYPES DE PRISE DE PAROLE ✪✪

Lisez les extraits suivants et précisez pour chacun d'eux s'il s'agit d'une stichomythie, d'une tirade, d'un récit ou d'un monologue. Justifiez votre réponse.

1 LE MENDIANT. – Alors voici la fin. La femme Narsès et les mendiants délièrent Oreste. Il se précipita à travers la cour. Il ne toucha même pas, il n'embrassa même pas Électre. Il a eu tort. Il ne la touchera jamais plus. Et il atteignit les assassins comme ils parlementaient avec l'émeute, de la niche en marbre. Et comme Égisthe penché disait aux meneurs que tout allait bien, et que tout désormais irait bien, il entendit crier dans son dos une bête qu'on saignait. Et ce n'était pas une bête qui criait, c'était Clytemnestre. Mais on la saignait. Son fils la saignait. Il avait frappé au hasard sur le couple, en fermant les yeux. Mais tout est sensible et mortel dans une mère, même indigne.

Jean GIRAUDOUX, Électre, 1937,
© Fondation Jean et Jean-Pierre Giraudoux.

2 BÉRÉNICE, à *Phénice*. –
Le temps n'est plus, Phénice, où je pouvais trembler.
Titus m'aime ; il peut tout ; il n'a plus qu'à parler.
Il verra le sénat m'apporter ses hommages,
Et le peuple de fleurs couronner ses images.
De cette nuit, Phénice, as-tu vu la splendeur ?
Tes yeux ne sont-ils pas tout pleins de sa grandeur ?
Ces flambeaux, ce bûcher, cette nuit enflammée,
Ces aigles, ces faisceaux, ce peuple, cette armée,
Cette foule de rois, ces consuls, ce sénat,
Qui tous de mon amant empruntaient leur éclat ;
Cette pourpre, cet or, que rehaussait sa gloire,
Et ces lauriers encor témoins de sa victoire ;
Tous ces yeux qu'on voyait venir de toutes parts
Confondre sur lui seul leurs avides regards ;
Ce port majestueux, cette douce présence.

Jean RACINE, Bérénice, 1670.

3 DON RODRIGUE. –
Ô miracle d'amour !
CHIMÈNE. –
　　　　　　　Ô comble de misères !
DON RODRIGUE. –
Que de maux et de pleurs nous coûteront nos pères !
CHIMÈNE. –
Rodrigue, qui l'eût cru ?
DON RODRIGUE. –
　　　　　　　Chimène, qui l'eût dit ?
CHIMÈNE. –
Que notre heur fût si proche, et sitôt se perdît ?
DON RODRIGUE. –
Et que si près du port, contre toute apparence,

Un orage si prompt brisât notre espérance ?
CHIMÈNE. –
Ah ! mortelles douleurs !
DON RODRIGUE. –

Ah ! regrets superflus !
CHIMÈNE. –
Va-t-en, encore un coup, je ne t'écoute plus.

Pierre CORNEILLE, *Le Cid*, 1637.

4 CŒLIO, *rentrant*. – Malheur à celui qui, au milieu de la jeunesse, s'abandonne à un amour sans espoir ! Malheur à celui qui se livre à une douce rêverie, avant de savoir où sa chimère le mène, et s'il peut être payé de retour ! Mollement couché dans une barque, il s'éloigne peu à peu de la rive ; il aperçoit au loin les plaines enchantées, de vertes prairies et le mirage léger de son Eldorado. Les vents l'entraînent en silence, et quand la réalité le réveille, il est aussi loin du but où il aspire que du rivage qu'il a quitté ; il ne peut ni poursuivre sa route ni revenir sur ses pas.

Alfred DE MUSSET, *Les Caprices de Marianne*, 1833.

---

4 ANALYSER UN MONOLOGUE ❋❋❋

a. À qui Octave s'adresse-t-il tour à tour ? Quels sont les thèmes de sa réflexion ? Justifiez votre réponse avec précision.
b. Repérez les différentes étapes de son discours. Délimitez-les et justifiez votre choix.
c. Quel est le registre dominant ? Quels en sont les effets produits ?

OCTAVE, *seul*. – Écris sur tes tablettes, Dieu juste, que cette nuit doit m'être comptée dans ton paradis. Est-ce bien vrai que tu as un paradis ? En vérité, cette femme était belle, et sa petite colère lui allait bien. D'où venait-elle ? c'est ce que j'ignore. Qu'importe comment la bille d'ivoire tombe sur le numéro que nous avons appelé ? Souffler une maîtresse à son ami, c'est une rouerie trop commune pour moi. Marianne ou toute autre, qu'est-ce que cela me fait ? La véritable affaire est de souper ; il est clair que Cœlio est à jeun. Comme tu m'aurais détesté, Marianne, si je t'avais aimée ! comme tu m'aurais fermé ta porte ! comme ton bélître[1] de mari t'aurait paru un Adonis[2], un Sylvain[3], en comparaison de moi ! Où est donc la raison de tout cela ? pourquoi la fumée de cette pipe va-t-elle à droite plutôt qu'à gauche ? voilà la raison de tout. – Fou ! trois fois fou à lier, celui qui calcule ses chances, qui met la raison de son côté ! La justice céleste tient une balance dans ses mains. La balance est parfaitement juste, mais tous les poids sont creux. Dans l'un il y a une pistole, dans l'autre un soupir amoureux, dans celui-là une migraine, dans celui-ci il y a le temps qu'il fait, et toutes les actions humaines s'en vont de haut en bas, selon ces poids capricieux.

Alfred DE MUSSET, *Les Caprices de Marianne*, 1833.

1. homme insignifiant.
2. amant d'Aphrodite.
3. divinité romaine.

---

5 ANALYSER DES IMAGES DE MISES EN SCÈNE ❋❋❋

a. Décrivez les éléments et les personnages qui apparaissent sur les deux photographies (costumes, expressions, décors, éclairage, etc.). Que symbolisent-ils ?
b. Analysez la position des personnages sur scène. Que pouvez-vous en déduire sur leur identité et leurs relations ?
c. Sur quels éléments originaux chacune des mises en scène repose-t-elle ? Quels sont, selon vous, les effets recherchés par les metteurs en scène ?

Britannicus de Jean Racine, mis en scène par **Bernard Pisani**, 1999, auditorium Saint-Germain, Paris.

En attendant Godot, de Samuel Beckett, mis en scène par **Luc Bondy**, 1999, théâtre de l'Odéon, Paris.

LA DOUBLE ÉNONCIATION

DÉFINITIONS

L'énonciation

L'**énonciation** désigne une situation de communication : un émetteur adresse un énoncé – écrit ou oral – à un destinataire.

La double énonciation

La communication au théâtre présente un **double niveau d'énonciation** :

▶ **1er niveau**

Les personnages dialoguent entre eux comme si le public était absent.

▶ **2e niveau**

À travers leurs paroles, l'auteur s'adresse aussi aux spectateurs.

Un énoncé au théâtre compte donc **deux émetteurs** (le personnage et l'auteur) et **deux destinataires** (le personnage et le spectateur).

EFFETS PRODUITS

Un spectateur bien informé et complice

▶ **Un spectateur bien informé**

L'**exposition** renseigne sur le lieu, l'époque et les personnages. Le **monologue** ou les **apartés** (répliques prononcées *à part*) lui permettent d'entrer dans les pensées d'un personnage.

→ **Ex. :** *Silvia, noble déguisée en soubrette, ignore que le prétendu valet Dorante qui la courtise et lui plaît est noble aussi.*

« SILVIA, *à part.* – Quel homme pour un valet ! *(Haut.)* [...] on m'a prédit que je n'épouserais jamais qu'un homme de condition, et j'ai juré depuis de n'en écouter jamais d'autres. »

MARIVAUX, *Le Jeu de l'amour et du hasard*, 1730.

▶ **Un spectateur complice**

Lors d'un **quiproquo**, le spectateur perçoit d'emblée le malentendu comique et s'en amuse. Dans le cas de l'**ironie tragique**, il constate un décalage entre le destin tragique, inéluctable, du héros et ses propos optimistes qui révèlent son aveuglement.

→ **Ex. :** *Œdipe – qui ignore encore que sa mère biologique est en réalité Jocaste – explique au Sphinx son intention de le tuer pour obtenir la récompense promise : épouser la reine de Thèbes, Jocaste.*

« ŒDIPE. – La reine Jocaste est veuve, je l'épouserai…

LE SPHINX. – Une femme qui pourrait être votre mère !

ŒDIPE. – L'essentiel est qu'elle ne le soit pas. »

Jean COCTEAU, *La Machine infernale*, 1934.

Un personnage porte-parole du dramaturge

À travers ses personnages, l'auteur peut **diffuser ses idées** (critiquer certains aspects de la société, exprimer les valeurs en lesquelles il croit, etc.) **en se protégeant de la censure** : ainsi, en imaginant dans *L'Île des esclaves* (1725) un échange provisoire de rôle entre maîtres et esclaves de l'Antiquité, Marivaux fustige les mauvais traitements infligés aux domestiques de son époque et donne aux maîtres « un cours d'humanité ».

1 ANALYSER LES EFFETS
DE LA DOUBLE ÉNONCIATION ✴

a. Quel est l'intérêt des didascalies pour le lecteur ?

b. En quoi consiste précisément l'ironie tragique dans cet extrait ?

c. Quel(s) effet(s) la double énonciation produit-elle sur le spectateur ?

Dans une petite ville, la rhinocérite (métamorphose d'êtres humains en rhinocéros) se propage. Bérenger, très inquiet devant la progression de l'épidémie, est venu rendre visite à son ami Jean, qui manifeste une étrange complaisance envers les rhinocéros.

BÉRENGER. – Si je comprends, vous voulez remplacer la loi morale par la loi de la jungle ! [...]

JEAN, *soufflant bruyamment.* – Je veux respirer.

BÉRENGER. – Réfléchissez, voyons, vous vous rendez bien compte que nous avons une philosophie que ces animaux n'ont pas, un système de valeurs irremplaçable. Des siècles de civilisation humaine l'ont bâti !...

JEAN, *toujours dans la salle de bains.* – Démolissons tout cela, on s'en portera mieux.

BÉRENGER. – Je ne vous prends pas au sérieux. Vous plaisantez, vous faites de la poésie.

JEAN. – Brrr... *(Il barrit presque.)*

BÉRENGER. – Je ne savais pas que vous étiez poète.

JEAN, *il sort de la salle de bains.* – Brrr... *(Il barrit de nouveau.)*

BÉRENGER. – Je vous connais trop bien pour croire que c'est là votre pensée profonde. Car, vous le savez aussi bien que moi, l'homme...

JEAN, *l'interrompant.* – L'homme... Ne prononcez plus ce mot !

BÉRENGER. – Je veux dire l'être humain, l'humanisme...

JEAN. – L'humanisme est périmé ! Vous êtes un vieux sentimental ridicule. *(Il entre dans la salle de bains.)*

BÉRENGER. – Enfin, tout de même, l'esprit...

JEAN, *dans la salle de bains.* – Des clichés ! vous me racontez des bêtises.

BÉRENGER. – Des bêtises !

JEAN, *de la salle de bains, d'une voix très rauque difficilement compréhensible.* – Absolument.

BÉRENGER. – Je suis étonné de vous entendre dire cela, mon cher Jean ! Perdez-vous la tête ? Enfin, aimeriez-vous être rhinocéros ?

JEAN. – Pourquoi pas ! Je n'ai pas vos préjugés.

Eugène IONESCO, *Rhinocéros*, 1959, © Éditions Gallimard.

2 REPÉRER DEUX
NIVEAUX D'ÉNONCIATION ✴✴

a. En relevant les informations données dans cette scène d'exposition, distinguez celles qui s'adressent à l'autre personnage et celles qui ne sont destinées qu'au spectateur.

b. D'après les indices fournis, quel(s) dénouement(s) possible(s) le spectateur peut-il imaginer ?

ALBINE. –
Quoi ? tandis que Néron s'abandonne au sommeil,
Faut-il que vous veniez attendre son réveil ?
Qu'errant dans le palais sans suite et sans escorte,
La mère de César veille seule à sa porte ?
Madame, retournez dans votre appartement.

AGRIPPINE. –
Albine, il ne faut pas s'éloigner un moment.
Je veux l'attendre ici. Les chagrins qu'il me [cause
M'occuperont assez tout le temps qu'il repose.
Tout ce que j'ai prédit n'est que trop assuré :
Contre Britannicus Néron s'est déclaré ;
L'impatient Néron cesse de se contraindre ;
Las de se faire aimer, il veut se faire craindre.
Britannicus le gêne, Albine ; et chaque jour
Je sens que je deviens importune à mon tour.

ALBINE. –
Quoi ? vous à qui Néron doit le jour qu'il respire,
Qui l'avez appelé de si loin à l'Empire ?
Vous qui déshéritant le fils de Claudius[1],
Avez nommé César[2] l'heureux Domitius[3] ?
Tout lui parle, Madame, en faveur d'Agrippine :
Il vous doit son amour.

AGRIPPINE. –
                    Il me le doit, Albine :
Tout, s'il est généreux, lui prescrit cette loi ;
Mais tout, s'il est ingrat, lui parle contre moi.
[...]
De quel nom cependant pouvons-nous appeler
L'attentat que le jour vient de nous révéler ?
Il sait, car leur amour ne peut être ignorée,
Que de Britannicus Junie est adorée ;
Et ce même Néron, que la vertu conduit,
Fait enlever Junie au milieu de la nuit.
Que veut-il ? Est-ce haine, est-ce amour qui [l'inspire ?
Cherche-t-il seulement le plaisir de leur nuire ?
Ou plutôt n'est-ce point que sa malignité
Punit sur eux l'appui que je leur ai prêté ?

Jean RACINE, *Britannicus*, 1669.

1. Britannicus, né du premier mariage de l'empereur Claude avec Messaline, et qui devait lui succéder.
2. titre donné aux empereurs romains.
3. nom de la famille d'origine de Néron.

3 ÉTUDIER UN QUIPROQUO ✷✷

a. Expliquez sur quoi porte précisément le quiproquo dans cet extrait. Pourquoi est-il particulièrement savoureux pour le spectateur ?

b. Quels mots permettent ce quiproquo ? Lequel l'interrompt ? Justifiez votre réponse.

c. Quelle conception de la femme et du mariage au xviie siècle Molière critique-t-il ici ?

Arnolphe, tuteur d'Agnès, a élevé la jeune fille dans une ignorance et un isolement complets, espérant pouvoir ainsi l'épouser sans crainte d'être trompé. Mais il apprend qu'elle a reçu le jeune Horace en son absence : il décide de contre-attaquer et lui propose de se marier pour ne plus vivre dans le péché.

AGNÈS. –
N'est-ce plus un péché lorsque l'on se marie ?

ARNOLPHE. –
Non.

AGNÈS. –
  Mariez-moi donc promptement, je vous prie.

ARNOLPHE. –
Si vous le souhaitez, je le souhaite aussi,
Et pour vous marier on me revoit ici.

AGNÈS. –
Est-il possible ?

ARNOLPHE. –
   Oui.

AGNÈS. –
    Que vous me ferez aise !

ARNOLPHE. –
Oui, je ne doute point que l'hymen ne vous plaise.

AGNÈS. –
Vous nous voulez, nous deux…

ARNOLPHE. –
     Rien de plus assuré.

AGNÈS. –
Que, si cela se fait, je vous caresserai !

ARNOLPHE. –
Hé ! La chose sera de ma part réciproque.

[…]

AGNÈS. –
Nous serons mariés ?

ARNOLPHE. –
   Oui.

AGNÈS. –
    Mais quand ?

ARNOLPHE. –
     Dès ce soir.

[…]

AGNÈS. –
Hélas ! que je vous ai grande obligation,
Et qu'avec lui j'aurai de satisfaction !

ARNOLPHE. –
Avec qui ?

AGNÈS. –
  Avec…, là.

ARNOLPHE. –
   Là… : là n'est pas mon compte.
À choisir un mari vous êtes un peu prompte.
C'est un autre, en un mot, que je vous tiens tout prêt.

MOLIÈRE, *L'École des femmes*, 1662.

4 ANALYSER

UN MONOLOGUE ARGUMENTATIF ✷✷✷

a. Étudiez les didascalies et l'énonciation : dans quel état d'esprit se trouve ici Figaro ?

b. Quelles critiques concernant la société de son temps le dramaturge peut-il ainsi exprimer ?

c. Rédigez à votre tour un monologue de 30 lignes à travers lequel un personnage fera le bilan de sa vie chaotique pour souligner les injustices qu'il a subies.

Le valet Figaro croit que Suzanne – qu'il a épousée le jour même – a accepté d'accorder un rendez-vous galant à son maître, le comte Almaviva. Désemparé, il se livre à une série de réflexions.

FIGARO, *seul, se promenant dans l'obscurité, dit du ton le plus sombre.* – […] Non, monsieur le Comte, vous ne l'aurez pas… vous ne l'aurez[1] pas. Parce que vous êtes un grand seigneur, vous vous croyez un grand génie !… Noblesse, fortune, un rang, des places, tout cela rend si fier ! Qu'avez-vous fait pour tant de biens ? Vous vous êtes donné la peine de naître, et rien de plus. Du reste, homme assez ordinaire ; tandis que moi, morbleu ! perdu dans la foule obscure, il m'a fallu déployer plus de science et de calculs pour subsister seulement, qu'on n'en a mis depuis cent ans à gouverner toutes les Espagnes : et vous voulez jouter… On vient… c'est elle… ce n'est personne. – La nuit est noire en diable, et me voilà faisant le sot métier de mari, quoique je ne le sois qu'à moitié ! (*Il s'assied sur un banc.*) Est-il rien de plus bizarre que ma destinée ? Fils de je ne sais pas qui, volé par des bandits, élevé dans leurs mœurs, je m'en dégoûte et veux courir une carrière honnête ; et partout je suis repoussé ! J'apprends la chimie, la pharmacie, la chirurgie, et tout le crédit d'un grand seigneur peut à peine me mettre à la main une lancette vétérinaire[2] ! […] Il s'élève une question sur la nature des richesses ; […] j'écris sur la valeur de l'argent et sur son produit net[3] : sitôt je vois du fond d'un fiacre baisser pour moi le pont d'un château fort, à l'entrée duquel je laissai l'espérance et la liberté.

BEAUMARCHAIS, *Le Mariage de Figaro*, 1784.

1. Figaro parle de Suzanne.
2. instrument de chirurgie.
3. bénéfice.

Fiche 8
VERS, STROPHES ET RIMES

LE VERS

Définition et caractéristiques

▶ **Le vers**

Il se définit par son nombre de syllabes. Les vers classiques sont souvent pairs (octosyllabe : 8 syllabes ; décasyllabe : 10 ; alexandrin : 12, etc.). La césure (//) coupe l'alexandrin classique en deux hémistiches. Le vers a aussi des coupes secondaires(/).

→ Ex. : « Allez, /rassurez-vous, // et cessez /de vous plaindre »

Jean RACINE, *Britannicus*, 1669.

▶ **Le vers libre**

Apparu plus récemment, le **vers libre** n'a ni longueur fixée ni rimes imposées.

▶ **Le verset**

C'est un vers libre qui s'étire sur plusieurs lignes (paragraphes du Coran ou de la Bible).

Le décompte des syllabes

Le « **e** » compte avant une consonne, mais pas en fin de vers ni devant une voyelle. La **diérèse** sépare en 2 syllabes 2 voyelles contiguës d'un mot, le mettant ainsi en valeur.

→ Ex. : « Les vi-olons vibrant derrière les collin(es). »

Charles BAUDELAIRE, *Les Fleurs du mal*, 1857.

La syntaxe et le vers : enjambement, rejet et contre-rejet

Le vers et le sens ne coïncident pas toujours : il y a **enjambement** quand l'unité de sens déborde sur le vers suivant. Un débordement très court (1 à 2 mots) s'appelle un **rejet**.

→ Ex. : « Le chevalier Atys, qui gratte/sa guitare [...] »

Paul VERLAINE, « En bateau », *Fêtes galantes*, 1869.

Le **contre-rejet**, lui, débute à la fin d'un vers et se poursuit sur le vers suivant.

→ Ex. : « Nous le déshabillions en silence. Sa bouche,/Pâle, s'ouvrait »

Victor HUGO, « Souvenir de la nuit du 4 », *Les Châtiments*, 1853.

LA STROPHE

Elle peut comporter 2 vers (distique), 3 (tercet), 4 (quatrain), 5 (quintil),10 (dizain) etc.

LES RIMES ET JEUX DE SONORITÉS

Qualité et quantité des rimes

Les **rimes sont pauvres** (un son en commun), **suffisantes** (deux sons) ou **riches** (au moins trois). Les **rimes** se finissant par un « e » muet sont **féminines**, les autres sont **masculines**.

→ Ex. : « songeait/plongeait » (rimes masculines riches)

Disposition des rimes

Les rimes sont **plates** ou **suivies** (AABB), **croisées** (ABAB) ou **embrassées** (ABBA).

Sonorités

La répétition d'une même voyelle est une **assonance**, celle d'une même consonne une **alli-tération**.

→ Ex. : « Pour qui sont ces serpents qui sifflent sur vos têtes ? »

Jean RACINE, *Andromaque*, 1667.

Fiche 9
LES FORMES POÉTIQUES

▊ LES FORMES FIXES

Au Moyen Âge

▶ **La ballade**

C'est un poème de 3 strophes (avec un refrain) comptant trois rimes et suivi d'un envoi deux fois plus court ; le vers détermine la strophe (l'octosyllabe donne un huitain par exemple).

▶ **Le rondeau**

C'est un poème de 12, 13 ou 15 vers comportant deux rimes, et un refrain (à la fin des strophes 2 et 3) qui reprend le vers 1.

À la Renaissance

▶ **Le sonnet**

C'est un ensemble de 14 vers, regroupés en deux quatrains et deux tercets. La disposition des rimes la plus fréquente est [ABBA] (quatrains), puis [CCD/EDE ou EED]. Le sonnet progresse vers le dernier vers qui crée un effet : c'est la chute (ou la pointe).

▶ **L'ode et l'hymne**

Ils célèbrent un personnage, un événement, un dieu, un héros ou une idée.

▊ LES FORMES MOINS STRICTES

Le XVIIᵉ siècle et le triomphe des formes courtes

▶ **L'épigramme et la satire**

Ce sont de courts poèmes de ton satirique ; l'**épigramme** est plus courte que la **satire**.

➜ **Ex. :** « Il vaut mieux au siècle où nous sommes/Faire des bottes que des vers »

François MAINARD, « Un nouveau riche », 1644.

▶ **L'épître**

C'est un discours présentant un aspect philosophique.

▶ **La fable**

C'est un court récit contenant une morale. La Fontaine alterne souvent octosyllabes et alexandrins.

Les autres formes

▶ **L'épopée**

Long poème racontant les exploits historiques ou mythiques d'un héros ou d'un peuple.

➜ **Ex. :** *L'Iliade* et *L'Odyssée* d'HOMÈRE, VIIIᵉ siècle av. J.-C.

▶ **Le calligramme et l'acrostiche**

Jeux graphiques de formes très variées : le premier rapproche le sujet du poème et sa disposition typographique ; dans le deuxième, les lettres du début des vers constituent un mot.

▶ **L'élégie**

C'est un poème **au ton plaintif.**

▊ LES FORMES LIBRES

Le vers libre et le verset ▶ p. 445

Le poème en prose

Toutes les caractéristiques de la poésie ont disparu à l'exception du rythme, de la musicalité et des figures de rhétorique.

EXERCICES

1 ÉTUDIER VERS ET RIMES ☺

a. **Identifiez la forme de ce poème. Quelle remarque pouvez-vous faire ?**

b. **Pour chaque vers, indiquez les coupes.**

c. **Identifiez la disposition et la qualité des rimes. Trouvez une association de rimes étonnantes.**

Engagé volontaire en 1914, Apollinaire est affecté à Nîmes dans un régiment d'artillerie. Quelques mois plus tôt, il a rencontré une femme qu'il surnomme Lou.

Adieu !

L'amour est libre il n'est jamais soumis au sort
Ô Lou le mien est plus fort encor que la mort
Un cœur le mien te suit dans ton voyage au Nord

Lettres Envoie aussi des lettres ma chérie
On aime en recevoir dans notre artillerie
Une par jour au moins une au moins je t'en prie

Lentement la nuit noire est tombée à présent
On va rentrer après avoir acquis du zan[1]
Une deux trois À toi ma vie À toi mon sang

La nuit mon cœur la nuit est très douce et très
[blonde
O Lou le ciel est pur aujourd'hui comme une onde
Un cœur le mien te suit jusques au bout du monde

L'heure est venue Adieu l'heure de ton départ
On va rentrer Il est neuf heures moins le quart
Une deux trois Adieu de Nîmes dans le Gard

        Guillaume APOLLINAIRE, *Poèmes à Lou*, 1915,
        © Éditions Gallimard.

1. bonbon à la réglisse.

2 ÉTUDIER FORMES ET SONORITÉS ☺☺

a. **Identifiez et justifiez la forme des poèmes suivants.**

b. **Nommez les vers des trois poèmes et indiquez disposition et qualité des rimes du texte 1.**

c. **Repérez des allitérations et des assonances dans tous les poèmes : parmi celles que vous avez identifiées, choisissez-en une, mettez-la en rapport avec le thème du poème et analysez l'effet suggéré.**

1 *Le poète imagine Robinson retourné à la civilisation et méditant sur son séjour dans l'île.*

[…] Crusoé ! – ce soir près de ton Île, le ciel qui se rapproche louangera la mer, et le silence multipliera l'exclamation des astres solitaires.
Tire les rideaux ; n'allume point :
C'est le soir sur ton Île et à l'entour, ici et là, partout où s'arrondit le vase sans défaut de la mer ; c'est le soir couleur de paupières, sur les chemins tissés du ciel et de la mer. […]

SAINT-JOHN PERSE, « La Ville », « Images à Crusoé »,
Éloges, 1911, © Éditions Gallimard.

2 La Grenouille qui se veut faire aussi grosse que le Bœuf

    Une Grenouille vit un Bœuf
    Qui lui sembla de belle taille.
Elle qui n'était pas grosse en tout comme un œuf
Envieuse s'étend, et s'enfle, et se travaille,
    Pour égaler l'animal en grosseur,
    Disant : « Regardez bien, ma sœur ;
Est-ce assez ? dites-moi ; n'y suis-je point encore ?
– Nenni - M'y voici donc ? – Point du tout. – M'y
[voilà ?
– Vous n'en approchez point. La chétive pécore[1]
    S'enfla si bien qu'elle creva.

Le monde est plein de gens qui ne sont pas plus
[sages :
Tout Bourgeois veut bâtir comme les grands
[Seigneurs,
Tout Prince a des Ambassadeurs,
Tout Marquis veut avoir des Pages[2].

      Jean DE LA FONTAINE, *Fables*, 1668.

1. de l'italien *pecora* : brebis. Désigne au figuré une femme stupide et prétentieuse.
2. seuls les rois et les princes avaient le privilège d'avoir auprès d'eux des pages.

3   Ondine[1]

– « Écoute ! – Écoute ! – C'est moi, c'est Ondine qui frôle de ces gouttes d'eau les losanges sonores de ta fenêtre illuminée par les mornes rayons de la lune ; et voici ; en robe de moire, la dame châtelaine qui contemple à son balcon la belle nuit étoilée et le beau lac endormi.

« Chaque flot est un ondin qui nage dans le courant, chaque courant est un sentier qui serpente vers mon palais, et mon palais est bâti fluide, au fond du lac, dans le triangle du feu, de la terre et de l'air.

« Écoute ! – Écoute ! – Mon père bat l'eau coassante d'une branche d'aulne verte, et mes sœurs caressent de leurs bras d'écume les fraîches îles d'herbes, de nénuphars et de glaïeuls, ou se moquent du saule caduc et barbu qui pêche à la ligne ! »

Sa chanson murmurée, elle me supplia de recevoir son anneau à mon doigt pour être l'époux d'une Ondine, et de visiter avec elle son palais pour être le roi des lacs.

Et comme je lui répondais que j'aimais une mortelle, boudeuse et dépitée, elle pleura quelques larmes, poussa un éclat de rire, et s'évanouit en giboulées qui ruisselaient blanches le long de mes vitraux bleus.

    Aloysius BERTRAND, « Ondine »,
    Gaspard de la nuit, 1842.

1. génie des eaux de la mythologie germanique.

3 ANALYSER LES PROCÉDÉS
POÉTIQUES POUR DÉNONCER ✦✦✦

a. Indiquez les caractéristiques de ces deux poèmes (genre, vers, rimes, rythme, etc.)
b. Que critique précisément chaque auteur dans son poème ? Quel registre est principalement employé ? Dégagez la structure de chaque poème et montrez qu'elle concourt à rendre efficace la critique.
c. Repérez et analysez pour chaque poème les procédés poétiques qui servent la dénonciation.

1 *Du Bellay observe les courtisans de son époque.*

Seigneur, je ne saurais regarder d'un bon œil
Ces vieux singes de cour, qui ne savent rien faire,
Sinon en leur marcher[1] les princes contrefaire[2],
Et se vêtir, comme eux, d'un pompeux appareil[3].

Si leur maître se moque, ils feront le pareil,
S'il ment, ce ne sont eux qui diront du[4] contraire,
Plutôt auront-ils vu, afin de lui complaire,
La lune en plein midi, à minuit le soleil.

Si quelqu'un devant eux reçoit un bon visage[5],
Ils le vont caresser, bien qu'ils crèvent de rage :
S'il le[6] reçoit mauvais, ils le montrent au doigt.

Mais ce qui plus contre eux quelquefois me dépite,
C'est quand devant le roi, d'un visage hypocrite,
Ils se prennent à rire, et ne savent pourquoi.

Joachim DU BELLAY, *Les Regrets*, 1558.

1. façon de marcher, démarche.
2. imiter.
3. ici, habit.
4. le.
5. un visage accueillant du roi.
6. le visage du roi.

2 *Le poète évoque la Martinique et dénonce la colonisation qui a plongé l'île dans la misère.*

[…]
ma négritude n'est pas une taie d'eau morte sur
[l'œil mort de la terre
ma négritude n'est ni une tour ni une cathédrale

elle plonge dans la chair rouge du sol
elle plonge dans la chair ardente du ciel
elle troue l'accablement opaque de sa droite
[patience.

Eia[1] pour le Kaïlcédrat[2] royal !
Eia pour ceux qui n'ont jamais rien inventé
pour ceux qui n'ont jamais rien exploré
pour ceux qui n'ont jamais rien dompté […]

Écoutez le monde blanc
horriblement las de son effort immense
ses articulations rebelles craquer sous les étoiles
[dures
ses raideurs d'acier bleu transperçant la chair
[mystique

écoute ses victoires proditoires[3] trompeter ses
[défaites
écoute aux alibis grandioses son piètre trébuchement
Pitié pour nos vainqueurs omniscients et naïfs !

Aimé CÉSAIRE, *Cahier d'un retour au pays natal*, 1939,
© Éditions Présence africaine.

1. synonyme de « Hourra ».
2. arbre tropical, symbole du continent noir.
3. qui ont le caractère de la trahison.

4 ÉTUDIER RYTHMES
ET FIGURES DE STYLE ✦✦✦

a. Repérez les deux parties du poème. Quelle figure de style les associe ?
b. Quelle autre figure de style structure le poème ? Mettez-la en rapport avec le titre.
c. Examinez la disposition du poème et les variations de vers : comment suggèrent-elles l'image de l'oiseau ? À quelle forme de poème s'apparente ce texte ?
d. Après avoir lu la chute du poème, comment peut-on interpréter la rime « moqueur »/« peur » ?
e. Comment les derniers vers justifient-ils le rapprochement entre l'oiseau et le cœur de la jeune fille ?

Chanson de l'oiseleur

L'oiseau qui vole si doucement
L'oiseau rouge et tiède comme le sang
L'oiseau si tendre l'oiseau moqueur
L'oiseau qui soudain prend peur
L'oiseau qui soudain se cogne
L'oiseau qui voudrait s'enfuir
L'oiseau seul et affolé
L'oiseau qui voudrait vivre
L'oiseau qui voudrait chanter
L'oiseau qui voudrait crier
L'oiseau rouge et tiède comme le sang
L'oiseau qui vole si doucement
C'est ton cœur jolie enfant
Ton cœur qui bat de l'aile si tristement
Contre ton sein si dur si blanc.

Jacques PRÉVERT, « Chanson de l'oiseleur », *Paroles*,
1945, © Éditions Gallimard.

5 RÉDIGER ✦✦✦

a. Sur le modèle du poème ci-dessus « La chanson de l'oiseleur », composez un poème reposant sur un rapprochement inattendu et dont la disposition et les effets suggéreront l'objet, la personne ou l'être vivant évoqué.
b. En vous inspirant du poème d'Aimé Césaire (exercice 3), rédigez un poème de forme libre où vous dénoncez une injustice qui vous semble inacceptable.

Fiche 10
L'ARGUMENTATION DIRECTE

CARACTÉRISTIQUES

Définition

Appartenant à la **littérature d'idées**, qui défend ou réfute des opinions dans des domaines variés : philosophie, science, politique, etc., l'argumentation est dite **directe** lorsque le locuteur énonce explicitement sa thèse ; elle relève donc exclusivement du **discours argumentatif, sans recourir à la fiction**, et revêt de multiples formes (discours, dialogue d'idées, article de presse, préface, sermon, etc.). Le XVIIIe **siècle**, qui célèbre les pouvoirs de la raison, lui réserve une place de choix.

Genres concernés

▶ **L'essai**

Écrit en prose, souvent enraciné dans l'**actualité** de l'auteur, l'essai permet à un auteur de **confronter** très librement **son point de vue à d'autres thèses**, souvent par le biais de citations commentées ; Montaigne inaugure le genre avec ses *Essais* (1580-1592). Caractérisé par **sa démarche expérimentale** (*exagium* en latin signifie « pesée, examen ») et sa **forme souple** « par sauts et à gambades » (Montaigne), il est écrit à la **première personne** et fait **participer activement le lecteur** en entamant une sorte de dialogue avec lui.

▶ **La lettre ouverte**

Elle présente toutes les caractéristiques de la **lettre** (en-tête, destinataire particulier, usage fréquent de la deuxième personne). Rendue **publique**, généralement dans un journal, elle est accessible à tous.

→ **Ex.** : « J'accuse », article écrit par Zola, publié dans le quotidien *L'Aurore* en 1898, défend Dreyfus condamné à mort pour trahison et révèle les vrais coupables.

▶ **Le manifeste**

C'est une **déclaration solennelle** par laquelle une personnalité ou un groupe **expose et défend de façon souvent polémique son programme**, dans les domaines politique (*Le Manifeste du parti communiste* de Karl Marx, 1848), social (*Le Manifeste des 343* : 343 femmes connues soutiennent la légalisation de l'avortement en 1971) ou artistique (le *Manifeste du surréalisme* d'André Breton en 1924).

▶ **Le pamphlet**

Écrit **satirique bref**, il s'attaque sans nuances à une institution ou à un personnage connu.

→ **Ex.** : Victor Hugo, en exil, rédige *Les Châtiments* (1866), un pamphlet pour fustiger Napoléon III.

EFFETS ET ENJEUX

Clarté de la visée argumentative

Elle énonce de façon non ambiguë la thèse défendue par l'auteur, contrairement à l'argumentation indirecte dont les leçons ne sont pas toujours explicites.

Développement de la capacité d'abstraction du lecteur

En proposant une réflexion théorique, elle stimule les facultés intellectuelles du lecteur.

CARACTÉRISTIQUES

Définition

Elle véhicule indirectement des idées par le biais de la **fiction**, mêlant ainsi **discours narratif et discours argumentatif**. Les personnages, déterminés par un nombre de traits limités, incarnent les diverses positions en présence.

Genres concernés

▶ **L'apologue**

C'est un **court récit**, en vers ou en prose, qui débouche, par le biais d'une analogie, sur une **leçon**, explicite ou non. En font partie : la **fable**, le **conte merveilleux ou philosophique**, les **paraboles des Évangiles** (dispensant l'enseignement moral issu des paroles du Christ) ou encore l'**utopie** (lieu imaginaire, modèle politique et social parfait, qui permet à l'auteur de critiquer implicitement les mœurs ou les institutions de son époque).

▶ **Le dialogue dans un récit, un poème ou au théâtre**

Il oppose deux thèses par le biais de personnages qui s'affrontent.

▶ **La poésie engagée**

Un engagement politique ou social est mis en valeur par le travail poétique.

→ **Ex.** : Louis Aragon, René Char et d'autres soutiennent la cause des résistants pendant la Seconde Guerre mondiale.

▶ **Le roman ou le théâtre à thèse**

Les personnages et l'intrigue illustrent la thèse de l'auteur.

→ **Ex.** : Malraux défend la nécessité de s'engager dans *La Condition humaine*, 1933 ▶ p. 488

▶ **La description, le portrait**

Ils comportent souvent une dimension argumentative.

→ **Ex.** : Dans *Les Caractères* (1688), La Bruyère souligne, au fil de ses portraits, les travers de la société du Grand Siècle ▶ p. 436

▶ **L'image**

Les arts visuels argumentent aussi.

→ **Ex.** : Le tableau de Delacroix *La Liberté guidant le peuple* (1830) ▶ p. 244 est une allégorie de la liberté.

EFFETS ET ENJEUX

S'exprimer en contournant la censure

Par la fiction, l'auteur peut énoncer de violentes critiques, sans les assumer en son nom.

→ **Ex.** : *Candide* ou *L'Ingénu* sont des contes philosophiques de Voltaire qui dénoncent les injustices de son temps.

Atteindre tous les publics

De lecture plus facile que la littérature d'idées, elle cherche à séduire le lecteur (charme de l'histoire, identification aux personnages, représentation animale plaisante des humains). Elle peut ainsi toucher tous les lecteurs, l'enfant comme l'universitaire.

Accroître la finesse d'analyse du lecteur

Ne délivrant pas toujours une leçon explicite, elle incite le lecteur à « faire la moitié du chemin » (Voltaire) en la dégageant lui-même et à développer ainsi son esprit critique.

1 CONNAÎTRE LE VOCABULAIRE

DE L'ARGUMENTATION ✪

Les termes suivants renvoient à des écrits ou à des discours argumentatifs fréquemment utilisés: en vous aidant d'un dictionnaire, définissez précisément chacun de ces genres.

une apologie – un blason – une caricature – une diatribe – une philippique – un dithyrambe – une oraison funèbre – un panégyrique – un plaidoyer – un réquisitoire.

2 ÉTUDIER DIFFÉRENTS

GENRES ARGUMENTATIFS ✪✪

a. En vous aidant du paratexte et des indices du texte, repérez s'il s'agit d'une argumentation directe ou indirecte et identifiez le genre précis de chaque texte.
b. Dégagez la thèse soutenue par l'auteur ou les thèses en présence.

1 L'or éclate, dites-vous, sur les habits de *Philémon*; Il éclate de même chez les marchands: Il est habillé des plus belles étoffes; le sont-elles moins toutes déployées dans les boutiques et à la pièce ? mais la broderie et les ornements y ajoutent encore la magnificence: je loue donc le travail de l'ouvrier: si on lui demande quelle heure il est, il tire une montre qui est un chef-d'œuvre; la garde de son épée est un onyx[1]; il a au doigt un gros diamant qu'il fait briller aux yeux, et qui est parfait; il ne lui manque aucune de ces curieuses bagatelles que l'on porte sur soi autant pour la vanité que pour l'usage, et il ne se plaint non plus toute sorte de parure qu'un jeune homme qui a épousé une riche vieille[2]. Vous m'inspirez enfin de la curiosité, il faut voir du moins des choses si précieuses; envoyez-moi cet habit et ces bijoux de Philémon; je vous quitte de la personne[3].
Tu te trompes, Philémon, si avec ce carrosse brillant, ce grand nombre de coquins qui te suivent, et ces six bêtes qui te traînent, tu penses que l'on t'en estime davantage; l'on écarte tout cet attirail qui t'est étranger, pour pénétrer jusques à toi, qui n'es qu'un fat[4].
Ce n'est pas qu'il faut quelquefois pardonner à celui qui avec un grand cortège, un habit riche et un magnifique équipage, s'en croit plus de naissance et plus d'esprit: il lit cela dans la contenance et dans les yeux de ceux qui lui parlent.

Jean DE LA BRUYÈRE, « Du mérite personnel »,
Les Caractères, 1688.

1. variété d'agate, pierre précieuse.
2. comme un jeune homme qui a épousé une riche vieille, il ne se refuse aucune parure.
3. je vous tiens quitte de.
4. sot et prétentieux.

2 Je sais qu'un gentilhomme, ayant traité chez lui une bonne compagnie, se vanta trois ou quatre jours après, par manière de jeu (car il n'en était rien), de leur avoir fait manger un chat en pâte; de quoi une demoiselle de la troupe prit une telle horreur qu'en étant tombée en un grand dévoiement d'estomac et fièvre, il fut impossible de la sauver. Les bêtes mêmes se voient comme nous sujettes à la force de l'imagination. Témoin les chiens qui se laissent mourir de deuil lors de la perte de leurs maîtres.

Michel DE MONTAIGNE, « De la force de
l'imagination », *Essais*, 1580.

3 *Ce poème mis en chanson est écrit au moment où la France mène des guerres coloniales, (désastre pour l'armée française à Diên Biên Phu en Indochine et début de la guerre d'Algérie où la France s'apprête à envoyer de jeune appelés).*

Le Déserteur

Monsieur le Président
Je vous fais une lettre
Que vous lirez peut-être
Si vous avez le temps
Je viens de recevoir
Mes papiers militaires
Pour partir à la guerre
Avant mercredi soir
Monsieur le Président
Je ne veux pas la faire
Je ne suis pas sur terre
Pour tuer des pauvres gens
C'est pas pour vous fâcher
Il faut que je vous dise
Ma décision est prise
Je m'en vais déserter
[…]

Je mendierai ma vie
Sur les routes de France
De Bretagne en Provence
Et je dirai aux gens:
Refusez d'obéir
Refusez de la faire
N'allez pas à la guerre
Refusez de partir
S'il faut donner son sang
Allez donner le vôtre
Vous êtes bon apôtre
Monsieur le Président
Si vous me poursuivez
Prévenez vos gendarmes
Que je n'aurai pas d'armes
Et qu'ils pourront tirer

Boris VIAN, *Le Déserteur,* paroles de Boris Vian,
musique de Boris Vian et Harold Berg, 1954,
© Éditions musicales Djanik
pour la France et le Benelux.

1 • Le récit : roman et nouvelle
2 • Le théâtre
3 • La poésie
4 • La littérature d'idées
5 • Les registres et effets du texte

4 L'autre jour, au fond d'un vallon,
Un serpent piqua Jean Fréron[1] ;
Que croyez-vous qu'il arriva ?
Ce fut le serpent qui creva.

> VOLTAIRE, *Épigramme contre Jean Fréron*, 1762.

1. écrivain et philosophe polémiste, il s'est attaqué aux philosophes des Lumières, s'attirant ainsi la haine féroce de Voltaire.

3 ÉTUDIER UNE ARGUMENTATION INDIRECTE ✪✪✪

a. Déterminez le genre du texte et repérez tous les procédés employés (titre, forme et structure du poème, figures de style, etc.) qui ont contribué à assurer le succès de ce texte auprès du public.

b. Quels défauts précis de Napoléon III le poète dénonce-t-il ici dans chaque strophe ?

c. D'après vous, quelles réactions Hugo cherche-t-il à susciter chez ses lecteurs ?

Violemment hostile au coup d'État du 2 décembre 1851, Victor Hugo se réfugie à Jersey et Guernesey d'où il ne reviendra qu'après la chute du Second Empire, 20 ans plus tard. Dans ce recueil composé durant l'exil, il proclame son admiration pour Napoléon Iᵉʳ, pour mieux accabler de ses sarcasmes Napoléon III qu'il surnomme « Napoléon le petit ».

Sa grandeur éblouit l'histoire.
Quinze ans, il fut
Le dieu que traînait la victoire
Sur un affût[1] ;
L'Europe sous sa loi guerrière
Se débattit. –
Toi, son singe, marche derrière,
Petit, petit.

Napoléon dans la bataille,
Grave et serein,
Guidait à travers la mitraille
L'aigle d'airain[2].
Il entra sur le pont d'Arcole[3],
Il en sortit. –
Voici de l'or, viens, pille et vole,
Petit, petit.

Berlin, Vienne, étaient ses maîtresses ;
Il les forçait,
Leste, et prenant les forteresses
Par le corset ;
Il triompha de cent bastilles
Qu'il investit. –
Voici pour toi, voici des filles[4],
Petit, petit.

Il passait les monts et les plaines,

Tenant en main
La palme, la foudre et les rênes[5]
Du genre humain ;
Il était ivre de sa gloire
Qui retentit. –
Voici du sang, accours, viens boire,
Petit, petit.

Quand il tomba, lâchant le monde,
L'immense mer
Ouvrit à sa chute profonde
Le gouffre amer[6] ;
Il y plongea, sinistre archange,
Et s'engloutit. –
Toi, tu te noiras dans la fange,
Petit, petit.

> Victor HUGO, « Chanson », *Les Châtiments*, 1853.

1. pièce de métal qui supporte le canon.
2. enseigne militaire en bronze ; au sens figuré, implacable, robuste.
3. victoire de Napoléon en Vénétie (1796) qui enleva le pont aux Autrichiens.
4. des prostituées au XIXᵉ siècle.
5. attributs à Rome des chefs militaires victorieux.
6. la mer (périphrase).

4 ANALYSER PUIS RÉDIGER ✪✪✪

Relisez le texte de La Bruyère, « Du mérite personnel » (exercice 2).

a. Quels défauts le moraliste veut-il blâmer à travers le comportement de Philémon ? Quels procédés utilise-t-il pour le critiquer ?

b. Rédigez un texte descriptif où vous dénoncez un comportement social de votre époque qui vous semble ridicule (grande importance accordée aux marques, utilisation incessante du portable, d'Internet, etc.). Vous pouvez utiliser les procédés employés par La Bruyère.

5 RÉDIGER ✪✪✪

Sur le modèle de la lettre ouverte de Boris Vian (exercice 2), justifiez au nom de certaines valeurs – que vous préciserez – un comportement qui, tout en étant puni par la loi actuelle (aide à des immigrés clandestins, squat dans des appartements non occupés, etc.), peut être humainement défendable.

Fiche 12
DÉMONTRER / DÉLIBÉRER / CONVAINCRE / PERSUADER

Définition

Argumenter consiste à développer une thèse dans le but de remporter l'adhésion du destinataire. Différentes stratégies sont possibles : démontrer, délibérer, convaincre et persuader.

DÉMONTRER

Définition

L'argumentation est **objective**, elle part d'une vérité et s'appuie sur des preuves universelles. Cette **démarche scientifique** aboutit à une conclusion **irréfutable**.

→ **Ex. :** les raisonnements dans les récits policiers permettant de confondre le coupable.

Les procédés

Lexique de la science et de la pensée ; registre didactique ; absence d'implication personnelle ; absence de modalisateurs (*peut-être*, *sembler*, *etc.*) ; connecteurs logiques ; exemples.

DÉLIBÉRER

Définition

La délibération est une discussion qui examine tous les aspects d'un problème avant d'aboutir à une décision : **débat** entre plusieurs interlocuteurs ou **monologue délibératif**.

→ **Ex. :** délibération du jury au cours d'un procès ou monologue d'un héros tragique face à un dilemme.

Les procédés

Indices d'énonciation qui signalent l'implication du locuteur et la prise en compte du destinataire ; interrogatives ; connecteurs logiques ; système hypothétique permettant d'envisager tous les cas de figure ; conjonctions de coordination posant une alternative (*soit/soit*).

CONVAINCRE

Définition

Le locuteur défend une opinion personnelle en faisant appel à la **réflexion**. Il énonce parfois une thèse réfutée pour mieux s'y opposer et faire entendre sa voix.

→ **Ex. :** raisonnement personnel d'un auteur dans un essai.

Les procédés

Lexique de la réflexion ; connecteurs logiques ; comparaisons explicatives ; exemples ; arguments logiques ; raisonnements inductif et déductif ; syllogisme.

PERSUADER

Définition

La persuasion repose sur une stratégie de **séduction** et le recours aux **sentiments** : crainte, pitié, surprise, dégoût, envie, indignation, etc.

Les procédés

Lexique des émotions ; termes évaluatifs ; indices d'énonciation ; interrogatives ; exclamatives ; impératives ; modalisateurs ; figures d'insistance ; registres ironique, satirique, pathétique ; arguments *ad hominem* et d'autorité.

1 RECONNAÎTRE DIFFÉRENTES STRATÉGIES ARGUMENTATIVES ⊕

a. Lisez les extraits suivants et précisez si les locuteurs cherchent à convaincre, à persuader, à démontrer ou à délibérer. Justifiez votre réponse par des indices précis.
b. Reformulez la thèse défendue dans chacun des textes.

1 Ce n'est pas un hasard si le discours tenu sur la légalisation de la drogue coïncide avec l'apparition du sida. On espère éviter ainsi le partage des seringues. Mais, ce faisant, on lutte contre une maladie en favorisant un autre phénomène non moins meurtrier. Car la légalisation de la drogue fera peut-être mal aux narcotrafiquants – mais sûrement plus mal encore aux toxicos. […]
Cette tendance à la législation survient aussi à un moment où certains pays, comme les États-Unis, connaissent un échec complet dans leur lutte contre la toxicomanie.
Pourtant, je crois qu'on peut encore gagner la bataille : 1) en luttant contre le blanchiment de l'argent ; 2) en aidant les pays du tiers-monde à retrouver dignité et autonomie (leur misère fait la richesse des marchands d'armes et de drogues) ; 3) en développant la prévention.

François CURTET, « Drogue légalisée, mort autorisée »,
© *Télérama*, n° 2092, 1990.

2 Il fut un temps où les savants considéraient avec dédain ceux qui tentaient de rendre leurs travaux accessibles à un large public. Mais, dans le monde actuel, une telle attitude n'est plus possible. Les découvertes de la science moderne ont mis entre les mains des gouvernements une puissance sans précédent dont ils peuvent user pour le bien ou pour le mal. Si les hommes d'État qui détiennent cette puissance n'ont pas au moins une notion élémentaire de sa nature, il n'est guère probable qu'ils sauront l'utiliser avec sagesse. Et, dans les pays démocratiques, une certaine formation scientifique est nécessaire, non seulement aux hommes d'État, mais aussi au grand public.

Bertrand RUSSEL, « Le divorce de la science
et de la culture », © *Le Courrier de l'UNESCO*, 1958.

3 – Sire, dit le Renard, vous êtes trop bon Roi ;
Vos scrupules font voir trop de délicatesse ;
Et bien, manger moutons, canaille, sotte espèce,
Est-ce un péché ? Non, non. Vous leur fîtes Seigneur
        En les croquant beaucoup d'honneur.
        Et quant au Berger l'on peut dire
        Qu'il était digne de tous maux,
Étant de ces gens-là qui sur les animaux
        Se font un chimérique empire.
Ainsi dit le Renard, et flatteurs d'applaudir.

Jean de LA FONTAINE, « Les Animaux malades
de la peste », *Fables*, 1678.

4 Et l'on ne doit jamais souffrir sans dire un mot,
De semblables affronts, à moins d'être un vrai sot.
Courons donc le chercher, ce pendard qui
                                    [m'affronte ;
Vous apprendrez, maroufle, à rire à nos dépens,
Et sans aucun respect, faire cocus les gens.
(Il revient après avoir fait quelques pas.)
Doucement, s'il vous plaît, cet homme a bien la mine
D'avoir le sang bouillant et l'âme un peu mutine ;
Il pourrait bien, mettant affront dessus affront,
Charger de bois mon dos comme il a fait mon front.
Je hais de tout mon cœur les esprits colériques,
Et porte grand amour aux âmes pacifiques ;
Je ne suis point battant, de peur d'être battu,
Et l'humeur débonnaire est ma grande vertu.
Mais mon humeur me dit que d'une telle offense
Il faut absolument que je prenne vengeance :
Ma foi ! laissons-le dire autant qu'il lui plaira ;
Au diantre qui pourtant rien de tout fera !
Quand j'aurai fait le brave, et qu'un fer, pour ma
                                    [peine,
M'aura d'un vilain coup transpercé la bedaine,
Que la ville ira le bruit de mon trépas,
Dites-moi, mon honneur, en serez-vous plus gras ?
La bière est un séjour trop mélancolique,
Et trop malsain pour ceux qui craignent la colique,
Et quant à moi, je trouve, ayant tout compensé,
Qu'il vaut mieux être encor cocu que trépassé.

MOLIÈRE, *Sganarelle ou le Cocu imaginaire*, 1660.

2 ÉTUDIER DES ARGUMENTS ET DES EXEMPLES ⊕⊕

a. Quels arguments viennent nourrir la thèse défendue par Rousseau ? Repérez-les et reformulez-les. Repérez les exemples qui illustrent son point de vue.
b. Quelle relation logique le connecteur « et » de la dernière phrase établit-il ? Justifiez votre réponse.

Je ne conçois qu'une manière de voyager plus agréable que d'aller à cheval ; c'est d'aller à pied. On part à son moment, on s'arrête à sa volonté, on fait tant et si peu d'exercice qu'on veut. On observe tout le pays ; on se détourne à droite, à gauche ; on examine tout ce qui nous flatte ; on s'arrête à tous les points de vue. Aperçois-je une rivière, je la côtoie ; un bois touffu, je vais sous son ombre ; une grotte, je la visite ; une carrière, j'examine les minéraux. Partout où je me plais, j'y reste. À l'instant que je m'ennuie, je m'en vais. Je ne dépends ni des chevaux ni du postillon. Je n'ai pas besoin de choisir des chemins tout faits, des routes commodes ; je passe partout où un homme peut passer ; je vois tout ce qu'un homme peut voir ; et, ne dépendant que de moi-même, je jouis de toute la liberté dont un homme peut jouir.

Jean-Jacques ROUSSEAU, *Émile ou De l'éducation*, 1762.

3 TROUVER DES ARGUMENTS

POUR CONVAINCRE ET PERSUADER ✪✪

Formulez, afin de soutenir les thèses exprimées ci-dessous, deux arguments logiques pour convaincre et deux arguments affectifs pour persuader.

a. Le Gouvernement doit encore durcir ses lois en matière de sécurité routière.

b. Le week-end, les adolescents ont besoin de se retrouver entre eux en dehors de toute institution scolaire ou familiale.

c. La lutte contre le travail et l'exploitation des enfants dans le monde ne doit jamais faiblir.

d. La protection de notre environnement doit rester une priorité pour l'État et pour chaque citoyen.

4 ANALYSER UNE IMAGE

ARGUMENTATIVE ✪✪

a. Sur quelles oppositions l'illustration du *Petit Journal* est-elle construite ?

b. Quel sentiment l'illustrateur cherche-t-il à susciter chez les lecteurs du journal ? Justifiez votre réponse.

c. Quels sont la thèse et l'argument contenus dans la légende ? Analysez la structure grammaticale des deux phrases qui la composent.

Le Petit journal illustré du 19 juillet 1908.
« La prison n'effraie pas les apaches.
La guillotine les épouvante. »

En 1908, la majorité des Français se montre favorable à l'exécution capitale qui ne sera abolie en France qu'en 1981.

5 ÉTUDIER UN MONOLOGUE

DÉLIBÉRATIF ✪✪✪

a. Quels types de phrases dominent dans ce monologue ? En quoi nous renseignent-elles sur l'état émotionnel du locuteur ?

b. Lorenzo ne cesse de s'interroger sur son identité. Quelles réponses envisage-t-il ? En quoi sont-elles contradictoires ?

c. À quels indices et références culturelles comprenez-vous que Lorenzo est voué à la mort ?

Lorenzo, âgé de dix-neuf ans, veut assassiner son cousin Alexandre de Médicis qui règne en tyran sur Florence.

LORENZO, *Seul.* – De quel tigre a rêvé ma mère enceinte de moi ? Quand je pense que j'ai aimé les fleurs, les prairies et les sonnets de Pétrarque[1], le spectre de ma jeunesse se lève devant moi en frissonnant. Ô Dieu ! pourquoi ce seul mot : « À ce soir », fait-il pénétrer jusque dans mes os cette joie brûlante comme un fer rouge ? De quelles entrailles fauves, de quels velus embrassements suis-je donc sorti ? Que m'avait fait cet homme ? Quand je pose ma main là, sur mon cœur, et que je réfléchis, – qui donc m'entendra dire demain : « Je l'ai tué », sans me répondre : « Pourquoi l'as-tu tué ? » Cela est étrange. Il a fait du mal aux autres, mais il m'a fait du bien, du moins à sa manière. Si j'étais resté tranquille au fond de mes solitudes de Cafaggiuolo, il ne serait pas venu m'y chercher, et moi je suis venu le chercher à Florence. Pourquoi cela ? Le spectre de mon père me conduisait-il, comme Oreste, vers un nouvel Égisthe ? M'avait-il offensé alors ? Cela est étrange, et cependant pour cette action j'ai tout quitté. La seule pensée de ce meurtre a fait tomber en poussière les rêves de ma vie ; je n'ai plus été qu'une ruine, dès que ce meurtre, comme un corbeau sinistre, s'est posé sur ma route et m'a appelé à lui. Que veut dire cela ? Tout à l'heure, en passant sur la place, j'ai entendu deux hommes parler d'une comète. Sont-ce bien les battements d'un cœur humain que je sens là, sous les os de ma poitrine ? Ah ! pourquoi cette idée me vient-elle si souvent depuis quelque temps ? – Suis-je le bras de Dieu ? Y a-t-il une nuée au-dessus de ma tête ? Quand j'entrerai dans cette chambre, et que je voudrai tirer mon épée du fourreau, j'ai peur de tirer l'épée flamboyante de l'archange, et de tomber en cendres sur ma proie. *(Il sort.)*

Alfred DE MUSSET, *Lorenzaccio*, 1834.

1. poète italien du XIVᵉ siècle, célèbre pour son recueil de poèmes d'amour, le *Canzonniere*.

1 • Le récit : roman et nouvelle
2 • Le théâtre
3 • La poésie
4 • La littérature d'idées
5 • Les registres et effets du texte

455

LES TYPES DE RAISONNEMENTS ET D'ARGUMENTS

■ LES TYPES DE RAISONNEMENTS

Définition
Un raisonnement sert à valider une thèse lors d'une démonstration ou d'une argumentation.

▶ Le raisonnement déductif
Il part d'une loi générale et en tire une conséquence logique pour un cas particulier.

→ **Ex.** : selon l'axiome d'Euclide, deux droites parallèles ne se coupent en aucun point (idée générale). Donc les deux droites se coupant au point A ne sont pas parallèles (conséquence particulière).

Le **syllogisme** est un cas particulier de raisonnement déductif en 3 étapes :

« Tous les hommes sont mortels [loi générale concernant tous les hommes]
Or Socrate est un homme [cas particulier]
Donc Socrate est mortel. » [conséquence pour ce cas particulier]

Attention aux faux syllogismes dont la structure formelle semble logique : « Tous les chats sont mortels, Socrate est mortel, donc Socrate est un chat. »

Eugène IONESCO, Rhinocéros, 1959.

▶ Le raisonnement inductif
C'est la démarche inverse : il part d'observations particulières pour aboutir à un principe général. Attention, les généralisations abusives, à partir d'un cas particulier, font la part belle aux préjugés : de l'accueil malpoli d'un hôte étranger, on ne peut conclure que tous les habitants de ce pays se comportent de la même façon.

→ **Ex.** : « Aujourd'hui [...] où l'Asie tout entière prend le visage d'une zone maladive, où les bidonvilles rongent l'Afrique [...], comment la prétendue évasion du voyage pourrait-elle réussir autre chose que nous confronter aux formes les plus malheureuses de notre existence historique ? »

Claude LÉVI-STRAUSS, Tristes tropiques, 1955.

▶ Le raisonnement par analogie
Il consiste à établir un rapprochement avec un domaine familier au destinataire.

→ **Ex.** : *Un vieux chef tahitien s'adresse au navigateur français Bougainville pour critiquer l'attitude colonialiste des Français.*

« Ce pays est à nous. Ce pays est à toi ! Et pourquoi ? Parce que tu y as mis le pied ? Si un Tahitien débarquait un jour sur vos côtes et qu'il gravât sur une de vos pierres ou sur l'écorce de l'un de vos arbres : ce pays appartient aux habitants de Tahiti, qu'en penserais-tu ? »

Denis DIDEROT, Supplément au voyage de Bougainville, 1773.

▶ Le raisonnement concessif
Le locuteur admet un argument qui s'oppose à sa thèse (concession), mais c'est souvent pour mieux montrer les faiblesses de la thèse adverse et renforcer finalement son point de vue.

→ **Ex.** : « Traduire de l'anglais en français, ce n'est pas un problème d'anglais, c'est un problème de français. Certes la connaissance de l'anglais est indispensable. Mais il s'agit pour le traducteur d'une connaissance passive [...] plus facile à acquérir que la possession active [...] impliquée par la rédaction en français. »

Michel TOURNIER, Le Vent Paraclet, 1978.

◗ Le raisonnement par l'absurde

Employé dans un contexte polémique, il imagine les conséquences absurdes d'une thèse.

➔ **Ex. :** *Dans un de ses discours, Rousseau dénonce les effets pervers du progrès sur l'homme. Voltaire répond.*

« On n'a jamais employé tant d'esprit à vouloir nous rendre bêtes ; il prend envie de marcher à quatre pattes, quand on lit votre ouvrage. Cependant, comme il y a plus de soixante ans que j'en ai perdu l'habitude, je sens malheureusement qu'il m'est impossible de la reprendre. »

VOLTAIRE, Lettre à Rousseau, 1755.

▣ LES TYPES D'ARGUMENTS

Définition

Un **argument** permet de soutenir une thèse. Un **contre-argument** sert à réfuter une thèse. Quelques arguments fréquents :

◗ L'argument d'expérience

Il s'appuie sur l'observation de faits (tirés de l'expérience vécue, de l'histoire, de l'actualité, etc.) dont la réalité semble incontestable.

➔ **Ex. :** « Se croire un personnage est fort commun en France [thèse] : /On y fait l'homme d'importance, /Et l'on n'est souvent qu'un bourgeois. » [argument d'expérience]

Jean de LA FONTAINE, « Le Rat et l'Éléphant », Fables, 1678.

◗ L'argument d'autorité

Il s'appuie sur la renommée d'une personne (citation d'un auteur réputé, référence à la théorie d'un grand penseur), d'une institution, sur la sagesse d'une maxime, ou sur des valeurs universellement admises comme la liberté, la tolérance, etc.

➔ **Ex. :** *Las Casas fait l'éloge des Indiens d'Amérique.*

« Comme l'a dit Christophe Colomb lui-même, le premier qui les rencontra : "Je ne peux pas croire qu'il y ait au monde meilleurs hommes." »

Jean-Claude CARRIÈRE, La Controverse de Valladolid, 1992.

◗ L'argument *ad hominem*

Il discrédite l'adversaire, s'attaque à son physique, à sa personnalité, à son passé plutôt qu'à ses idées. Il est souvent utilisé en politique.

➔ **Ex. :** *Rousseau a abandonné ses enfants, donc on ne peut, selon ses détracteurs, prendre au sérieux L'Émile, son traité d'éducation.*

◗ La question rhétorique

C'est en réalité une affirmation déguisée en interrogation, qui impose la réponse à l'auditoire.

➔ **Ex. :** *Alors que Céphise lui conseille d'épouser le Grec Pyrrhus, Andromaque, veuve d'Hector et fidèle à la mémoire de son mari, s'exclame :*

« Dois-je oublier Hector privé de funérailles,
Et traîné sans honneur autour de nos murailles ? »

Jean RACINE, Andromaque, 1667.

◗ L'alternative

Elle limite le choix à deux positions extrêmes, sans permettre d'adopter un parti pris nuancé.

➔ **Ex. :** « Ou bien on croit à la peine de mort et, dans ce cas-là, on la conserve. Ou bien l'on n'y croit pas et, dans ce cas-là, il faut l'abolir. C'est aussi simple que cela. Le reste, ce sont des faux-fuyants et ce sont des accommodements pour ne pas déplaire à l'opinion publique. »

Robert BADINTER, interview accordée à J-J. Servan Schreiber, © L'Express.

1 IDENTIFIER UN RAISONNEMENT ●●

a. Repérez dans ces deux extraits la thèse défendue et le (les) type(s) de raisonnement (s) employé(s).
b. Reformulez les arguments utilisés pour étayer la (les) thèse(s) en présence.

1 *Généticien de formation, Albert Jacquard publie des ouvrages destinés à éveiller la conscience collective des lecteurs.*

L'argument le plus souvent avancé par les défenseurs de l'astrologie et de tout ce qui gravite autour est la capacité de certains « voyants » à prévoir des événements à venir. Les médias mettent volontiers l'accent sur quelques exemples montrant une étonnante correspondance entre une prévision et une réalisation. Ainsi, une personne pense soudain à son fils qui vit au loin et apprend quelques jours plus tard qu'à l'heure même où elle a eu cette pensée, il était victime d'un accident. La probabilité de cette coïncidence est si faible qu'il semble nécessaire d'admettre qu'un pouvoir de divination ou de télépathie s'est exercé. En fait, ce raisonnement probabiliste est fautif. Il ne tient pas compte du nombre de fois où la même pensée s'est imposée à l'esprit sans qu'un événement ne vienne par la suite le justifier ; elle a par conséquent été rapidement oubliée. En privilégiant les cas où la coïncidence a été vérifiée, on fait apparaître comme un miracle ce qui n'est que l'un des innombrables possibles. Il suffit d'ailleurs de lire rétrospectivement les prévisions des voyants les plus célèbres interrogés rituellement en début d'année pour constater leur échec flagrant ; seules peuvent faire illusion les prévisions formulées avec une telle imprécision que n'importe quel événement peut leur correspondre. Il suffit d'avoir annoncé qu'au cours de l'année 1997 certaines princesses courront un grand danger pour se glorifier après coup d'avoir annoncé l'accident mortel de Diana.

Albert JACQUARD, *L'Équation du nénuphar*, 1998,
© Éditions Calmann-Lévy.

2 *Le 22 juin 1940, le général de Gaulle, réfugié en Angleterre, lance un appel à la radio pour inciter les Français à refuser les conditions désastreuses de l'armistice que Pétain vient de signer avec Hitler.*

Le Gouvernement français, après avoir demandé l'armistice, connaît maintenant les conditions dictées par l'ennemi. Il résulte de ces conditions que les forces françaises de terre, de mer et de l'air seraient entièrement démobilisées, que nos armées seraient livrées, que le territoire français serait occupé et que le Gouvernement français tomberait sous la dépendance de l'Allemagne et de l'Italie. On peut donc dire que cet armistice serait donc non seulement une capitulation, mais encore un asservissement.

Or, beaucoup de Français n'acceptent pas la capitulation ni la servitude, pour des raisons qui s'appellent l'honneur, le bon sens, l'intérêt supérieur de la Patrie. […]
Il est, par conséquent, nécessaire de grouper partout où cela se peut une force française aussi grande que possible. Tout ce qui peut être réuni, en fait d'éléments militaires français et de capacités françaises de production d'armement, doit être organisé partout où il y en a.
Moi, général de Gaulle, j'entreprends ici, en Angleterre, cette tâche nationale.

Charles DE GAULLE, proclamation,
juin 1940, © Éditions Plon.

3 Jetez les yeux sur toutes les nations du monde, parcourez toutes les histoires. Parmi tant de cultes inhumains et bizarres, parmi cette prodigieuse diversité de mœurs et de caractères, vous trouverez partout les mêmes idées de justice et d'honnêteté, partout les mêmes notions de bien et de mal. […]
Il est donc au fond des âmes un principe inné de justice et de vertu, sur lequel malgré nos propres maximes nous jugeons nos actions et celles d'autrui comme bonnes ou mauvaises, et c'est à ce principe que je donne le nom de conscience.

Jean-Jacques ROUSSEAU,
Émile ou De l'éducation, 1762.

2 IDENTIFIER UN TYPE D'ARGUMENT ●●

a. Repérez le(s) type(s) d'argument(s) employés dans les extraits suivants : indiquez leur nom.
b. Dégagez la thèse soutenue par le locuteur.

1 *Hugo cherche à sensibiliser et faire réfléchir les partisans de la peine de mort.*

De deux choses l'une :
Ou l'homme que vous frappez est sans famille, sans parents, sans adhérents dans ce monde. Et dans ce cas, il n'a reçu ni éducation, ni instruction, ni soins pour son esprit, ni soins pour son cœur ; et alors de quel droit tuez-vous ce misérable orphelin ? […] Personne ne lui a appris à savoir ce qu'il faisait. Cet homme ignore. Sa faute est à sa destinée, non à lui. Vous frappez un innocent.
Ou cet homme a une famille ; et alors croyez-vous que le coup dont vous l'égorgez ne blesse que lui seul ? que son père, que sa mère, que ses enfants n'en saigneront pas ? Non. En le tuant, vous décapitez toute sa famille. Et ici encore vous frappez des innocents.
Gauche et aveugle pénalité, qui, de quelque côté qu'elle se tourne, frappe l'innocent !

Victor HUGO, seconde Préface du *Dernier Jour d'un condamné*, 1832.

2 *Un débat a lieu en 1550 à Valladolid (Espagne) pour savoir si les Indiens d'Amérique réduits en esclavage par les conquistadors espagnols sont ou non des hommes. Le philosophe Sepùlveda prétend que leur absence de solidarité prouve qu'ils ne sont pas dignes d'être considérés comme des êtres humains ; le dominicain Las Casas, homme de terrain qui a vécu à leurs côtés, lui répond.*

LAS CASAS. – Monsieur le professeur, vous risquez-vous parfois hors de votre bibliothèque ?
SEPÙLVEDA. – Mais bien sûr.
LAS CASAS. – Avez-vous une idée de la peine de vivre ? [...] Sortez d'ici, comptez le nombre de miséreux que vous verrez dans les rues, la main tendue, de mendiants, d'estropiés, ici, dans le royaume le plus riche du monde, et revenez me parler de notre attitude solidaire. Ne savez-vous pas que la forêt sauvage commence là, à peine franchies les portes de chêne de ce couvent ?

Jean-Claude CARRIÈRE, *La Controverse de Valladolid*, 1992, © Éditions Flammarion.

3 ANALYSER UN RAISONNEMENT ✪✪

a. **Quel type de raisonnement imite le Logicien ?**
b. **Pourquoi aboutit-il à une conclusion erronée ?**

LE LOGICIEN, *au Vieux Monsieur.* – [...] Le chat a quatre pattes. Isidore et Fricot ont chacun quatre pattes. Donc Isidore et Fricot sont chats.
LE VIEUX MONSIEUR, *au Logicien.* – Mon chien aussi a quatre pattes.
LE LOGICIEN, *au Vieux Monsieur.* – Alors, c'est un chat. [...]
LE VIEUX MONSIEUR, *au Logicien après avoir longuement réfléchi.* – Donc logiquement, mon chien serait un chat.
LE LOGICIEN, *au Vieux Monsieur.* – Logiquement, oui. Mais le contraire est aussi vrai.

Eugène IONESCO, *Rhinocéros*, 1959 © Éditions Gallimard.

4 ÉTUDIER UN PLAIDOYER ✪✪✪

a. **Repérez et reformulez la thèse que prétend défendre le locuteur en début d'extrait. Montrez que ce texte possède une structure argumentative en apparence rigoureuse.**
b. **Repérez plusieurs raisonnements qui vous semblent mal étayer la thèse. Pourquoi ces raisonnements sont-ils irrecevables en dépit de leur logique apparente ?**
c. **Dégagez le registre du texte et la thèse implicitement défendue par l'auteur.**

Si j'avais à soutenir le droit que nous avons eu de rendre les nègres esclaves, voici ce que je dirais :
Les peuples d'Europe ayant exterminé ceux de l'Amérique, ils ont dû mettre en esclavage ceux de l'Afrique, pour s'en servir à défricher tant de terres.

Le sucre serait trop cher, si l'on ne faisait travailler la plante qui le produit par des esclaves.
Ceux dont il s'agit sont noirs depuis les pieds jusqu'à la tête ; et ils ont le nez si écrasé qu'il est presque impossible de les plaindre.
On ne peut se mettre dans l'esprit que Dieu, qui est un être très sage, ait mis une âme, surtout bonne, dans un corps tout noir. [...]
On peut juger de la couleur de la peau par celle des cheveux, qui, chez les Égyptiens, les meilleurs philosophes du monde, étaient d'une si grande conséquence, qu'ils faisaient mourir tous les hommes roux qui leur tombaient entre les mains.
Une preuve que les nègres n'ont pas le sens commun, c'est qu'ils font plus de cas d'un collier de verre que de l'or, qui, chez des nations policées, est d'une si grande conséquence.
Il est impossible que nous supposions que ces gens-là soient des hommes ; parce que, si nous les supposons des hommes, on commencerait à croire que nous ne sommes pas nous-mêmes chrétiens.

MONTESQUIEU, « De l'esclavage des nègres », *De l'esprit des lois*, 1748.

5 RÉDIGER ✪✪✪

a. **Sur le modèle du texte de Montesquieu (exercice 4) proposez en une trentaine de lignes une argumentation censée défendre une injustice sociale ou politique largement tolérée dans le monde (travail ou prostitution des enfants, absence d'eau potable dans certains pays, sexisme, intolérance religieuse, etc.), mais le ton ironique et le choix de vos raisonnements et de vos arguments doivent faire comprendre que vous cherchez en réalité à la dénoncer.**

Famille vivant près de la voie de chemin de fer, aux alentours de Manille, Philippines, 1999, photographie de **Sebastiao Salgado**.

b. **À partir de cette photo, rédigez en une trentaine de lignes un article de presse dénonçant les conditions de vie inhumaines ; il doit au moins comporter un raisonnement inductif, par analogie, concessif, ainsi qu'un argument d'autorité.**

Fiche 14
LE REGISTRE ÉPIQUE

■ CARACTÉRISTIQUES

Définition

Le registre épique emprunte ses caractéristiques au genre de l'**épopée**, poème antique et médiéval visant à susciter l'**admiration** et l'**effroi** devant les exploits du héros.

Le héros épique

Élu par les dieux pour représenter les autres hommes, il a des qualités morales et physiques exceptionnelles pour surmonter les épreuves. Il est vu comme un **sauveur**.

➜ Ex. : « Ils luttent maintenant, sourds, effarés, béants,
À grands coups de troncs d'arbre, ainsi que des géants. »

Victor HUGO, « Le Mariage de Roland », La Légende des siècles, 1883.

Le combat épique

Dans un contexte souvent **guerrier**, le héros doit lutter contre les forces naturelles, des monstres, des ennemis humains qui incarnent le **Mal face au Bien**. Dans un contexte plus moderne, le héros combat pour la liberté et la justice ; la conquête est celle de terres nouvelles ou de l'Espace.

■ PROCÉDÉS

L'exagération

Des phrases longues et amples donnent l'impression de grandeur et de puissance. C'est le **souffle épique**. Les figures de l'**hyperbole** et de la **gradation**, les superlatifs, les comparaisons et métaphores hyperboliques contribuent aussi à l'élargissement de la scène.

➜ Ex. : « Là vous en auriez vu la terre si jonchée
Que l'herbe du champ, si verte, si tendre,
Du sang qui coule devient toute vermeille. »

Chanson de Roland, XIIe siècle.

Le manichéisme (opposition simpliste du bien et du mal)

Les **antithèses** fréquentes permettent de distinguer clairement des personnages qui n'évoluent pas. On a recours alors à des simplifications. Le **singulier** du héros s'oppose au pluriel indistinct (les ennemis) et représente le groupe collectif (nation, peuple, armée, etc.).

➜ Ex. : « Il a conquis le ballon et seul, sans se presser, il descend vers le but adverse.
Ô majesté légère, comme s'il courait dans l'ombre d'un dieu !
Six garçons se jettent à sa poursuite ; et la glèbe jaillit derrière eux. »

Henry DE MONTHERLANT, Les Onze devant la porte dorée, 1924.

Les champs lexicaux

Champs lexicaux du surnaturel et du religieux, de la guerre, de la violence, de la brutalité.

➜ Ex. : « Le seul bruit de mon nom renverse les murailles,
Défait les escadrons, et gagne les batailles »

Pierre CORNEILLE, L'Illusion comique, 1535.

1 RECONNAÎTRE LE HÉROS ÉPIQUE ✸

À partir des textes suivants, dégagez les caractéristiques du héros épique.

1 Olivier et Roland, que n'êtes-vous ici !/Si vous étiez vivants, vous prendriez Narbonne,/ Paladins ! vous, du moins, votre épée était bonne,/Votre cœur était haut, vous ne marchandiez pas !/Vous alliez en avant sans compter tous vos pas !/Ô compagnons couchés dans la tombe profonde,/Si vous étiez vivants, nous prendrions le monde !/Grand Dieu ! que voulez-vous que je fasse à présent ?/Mes yeux cherchent en vain un brave au cœur puissant

Victor HUGO, « Aymerillot »,
La Légende des siècles, 1883.

2 C'est alors qu'apparut, tout hérissé de flèches,/ Rouge du flux vermeil de ses blessures fraîches,/ Sous la pourpre flottante et l'airain rutilant,/Au fracas des buccins qui sonnaient leur fanfare,/ Superbe, maîtrisant son cheval qui s'effare,/Sur le ciel enflammé, l'Imperator sanglant.

J.M. DE HEREDIA, *Les Trophées,* 1893.

2 REPÉRER LES PROCÉDÉS ÉPIQUES ✸✸

Relevez les procédés proprement épiques.

1 THÉRAMÈNE. – Un effroyable cri, sorti du fond des flots,/Des airs en ce moment a troublé le repos ;/Et du sein de la terre une voix formidable/Répond en gémissant à ce cri redoutable./ Jusqu'au fond de nos cœurs notre sang s'est glacé ;/Des coursiers attentifs le crin s'est hérissé./ Cependant sur le dos de la plaine liquide/S'élève à gros bouillons une montagne humide ;/L'onde approche, se brise, et vomit à nos yeux,/Parmi des flots d'écume, un monstre furieux.

Jean RACINE, *Phèdre,* 1677.

2 Trôs touchait de ses mains ses genoux, voulant l'implorer ; mais Achille, de son glaive, le blessa au foie. Le fois fit saillie au dehors ; le sang noir qui en sortait remplit le devant de la tunique ; et les ténèbres voilèrent les yeux de Trôs, tandis que la vie lui manquait.
Puis Achille blessa Moulios, en s'approchant, avec sa lance, à l'oreille ; et aussitôt, par l'autre oreille, sortit la pointe de bronze. Puis, contre le fils d'Agénor, Echéclos, par le milieu de la tête il poussa son épée à poignée. Tout entière l'épée tiédit de sang ; sur les yeux d'Echéclos s'abattirent la mort empourprée et le sort puissant.

HOMÈRE, *L'Iliade,* VIIIe siècle av. J.-C. traduction
d'Eugène Lasserre, © Éditions Flammarion.

3 L'épouvante glaça la gare, lorsqu'elle vit passer, dans un vertige de fumée et de flamme, ce train fou, cette machine sans mécanicien ni chauffeur.

Émile ZOLA, *La Bête humaine,* 1890.

3 ÉTUDIER UNE ÉPOPÉE MODERNE ✸✸✸

Relevez les champs lexicaux épiques. Pourquoi Zola utilise-t-il le registre épique pour décrire des soldes dans un grand magasin ?

À l'intérieur, sous le flamboiement des becs de gaz, qui, brûlant dans le crépuscule, avaient éclairé les secousses suprêmes de la vente, c'était comme un champ de bataille encore chaud du massacre des tissus. Les vendeurs, harassés de fatigue, campaient parmi la débâcle de leurs casiers et de leurs comptoirs, que paraissait avoir saccagés le souffle furieux d'un ouragan. On longeait avec peine les galeries du rez-de-chaussée, obstruées par la débandade des chaises ; il fallait enjamber, à la ganterie, une barricade de cartons, entassés autour de Mignot ; aux lainages, on ne passait plus du tout, Liénard sommeillait au-dessus d'une mer de pièces, où des piles restées debout, à moitié détruites, semblaient des maisons dont un fleuve débordé charrie les ruines ; et, plus loin, le blanc avait neigé à terre, on butait contre des banquises de serviettes, on marchait sur les flocons légers des mouchoirs.

Émile ZOLA, *Au Bonheur des Dames,* 1883.

4 ANALYSER UNE ÉPOPÉE BURLESQUE ✸✸✸

Retrouvez les caractéristiques de l'épopée. Quel effet produit l'énumération finale ?

Une attaque contre les vignes de son abbaye pousse le frère Jean à prendre les armes.

Il ôta son grand habit et s'empara du bâton de la croix, qui était en cœur de cormier, long comme une lance, bien équilibré en main, et parsemé de fleurs de lys presque toutes effacées. Il sortit ainsi, en chemise, son froc en écharpe. Avec son bâton de croix, il s'élança brusquement sur les ennemis qui, sans ordre ni drapeau ni trompette ni tambour, vendengeaient le clos. […] Aux uns, il écrabouillait la cervelle, aux autres il brisait bras et jambes, aux autres il disloquait les vertèbres du cou, aux autres il fracassait les reins, il leur cassait le nez, leur pochait les yeux, leur fendait les mandibules, leur enfonçait les dents au fond de la gueule, leur défonçait les omoplates, leur pourrissait les jambes, leur déboîtait la hanche, leur meurtrissait les membres.

François RABELAIS, *Gargantua,* 1534, traduit en français moderne par Guy Demerson, © Éditions du Seuil.

CARACTÉRISTIQUES

Définition

Le fantastique se définit par l'intrusion d'un **élément irrationnel** dans un contexte **réaliste** connu.

→ **Ex.**: Dans l'œuvre de Balzac, intitulée *Ursule Mirouët*, le personnage éponyme, a des visions. Le roman réaliste frôle le fantastique.

Une inquiétante étrangeté

Contrairement au **merveilleux**, qui se place dans un passé indéterminé et dans un monde où rien ne peut vraiment étonner, le fantastique inquiète et laisse dans l'indécision : y a-t-il une explication rationnelle aux phénomènes étranges ? La réalité est-elle celle que je vois ?

PROCÉDÉS

Les thèmes

▶ **Les angoisses de la conscience**

Le héros est sans cesse aux limites de la folie – explication rationnelle. Ses angoisses, ses cauchemars, ses visions sont dus à une conscience dérangée qui pourrait être soignée. Il a de la fièvre ou se trouve ivre. Un médecin entre souvent en scène. Il incarne la Raison.

▶ **Le doute**

Des atmosphères sombres et sinistres, des bruits inexpliqués et des personnages mystérieux se superposent au cadre réaliste et font douter de ce que l'on connaît.

→ **Ex.** : *Un personnage a glissé son anneau au doigt d'une statue pour être plus à son aise lors d'une séance d'exercice physique.*

« Le doigt de la Vénus est retiré, reployé ; elle serre la main, m'entendez-vous ? C'est ma femme, apparemment, puisque je lui ai donné mon anneau... »

Prosper Mérimée, *La Vénus d'Ille*, 1837.

Les figures de style propres au registre fantastique

Les **personnifications** d'objets inanimés, les **comparaisons** ou **métaphores** qui brouillent les repères rassurants, ainsi que les **antithèses** contribuent à dédoubler le réel.

Le narrateur

C'est par lui que l'inquiétude et le doute s'insinuent dans l'esprit du lecteur. Lui-même peut être spectateur des événements ou premier acteur. C'est son avis qui guide les impressions du lecteur. Il **modalise** son récit à l'aide de *peut-être*, *semblait*, du conditionnel et de phrases interrogatives.

→ **Ex.** : « Je fis cette nuit-là un rêve singulier, si toutefois c'était un rêve. »

Théophile Gautier, *Omphale*, 1834.

1 RECONNAÎTRE LES CARACTÉRISTIQUES DU FANTASTIQUE ✪

Comment l'auteur crée-t-il une atmosphère inquiétante à partir d'un cadre réaliste ?

– En 1876, au solstice d'automne, vers ce temps où le nombre, toujours croissant, des inhumations accomplies à la légère, – beaucoup trop précipitées enfin, – commençait à révolter la Bourgeoisie parisienne et à la plonger dans les alarmes, un certain soir, sur les huit heures, à l'issue d'une séance de spiritisme des plus curieuses, je me sentis, en rentrant chez moi, sous l'influence de ce spleen héréditaire dont la noire obsession déjoue et réduit à néant les efforts de la Faculté. [...] Ce soir-là donc, une fois dans ma chambre, en allumant un cigare aux bougies de la glace, je m'aperçus que j'étais mortellement pâle ! et je m'ensevelis dans un ample fauteuil, vieux meuble en velours grenat capitonné où le vol des heures, sous mes longues songeries, me semble moins lourd.

VILLIERS DE L'ISLE-ADAM, *Contes cruels*, 1867.

2 ANALYSER LES PROCÉDÉS QUI CRÉENT LE FANTASTIQUE ✪✪

a. **Comment l'auteur fait-il monter l'angoisse du lecteur (adverbes, lexique) ?**
b. **Quel aspect du registre fantastique clôt l'extrait ?**

Elle s'approcha peu à peu de la petite porte par laquelle avait disparu le médecin, et prêta l'oreille. Elle suspendit sa respiration, écouta… et n'entendit rien. Tout à coup un bruit à la fois sourd et pesant, comme celui d'un corps qui tombe, retentit au-dessus de sa tête… il lui sembla même entendre un gémissement étouffé. Levant vivement les yeux, elle vit tomber quelques parcelles de peinture écaillée, détachées sans doute par l'ébranlement du plancher supérieur.
Ne pouvant résister davantage à son effroi, Adrienne courut à la porte par laquelle elle était entrée avec le docteur, afin d'appeler quelqu'un. À sa grande surprise, elle trouva cette porte fermée du dehors. Pourtant, depuis son arrivée, elle n'avait entendu aucun bruit de clef dans la serrure, qui du reste était extérieure. De plus en plus effrayée, la jeune fille se précipita vers la petite porte par laquelle avait disparu le médecin, et auprès de laquelle elle venait d'écouter… Cette porte était aussi extérieurement fermée… Voulant cependant lutter contre la terreur qui la gagnait invinciblement, Adrienne appela à son aide la fermeté de son caractère, et voulut, comme on dit vulgairement, se raisonner.

Eugène SUE, *Le Juif errant*, 1844-1845.

3 ÉTUDIER LE PASSAGE DU RÉEL AU FANTASTIQUE ✪✪

a. **Le héros se trouve dans la boutique d'un antiquaire après avoir voulu se suicider. À quoi voit-on que l'histoire est en train de basculer dans le fantastique ?**
b. **Détaillez les éléments rationnels que s'efforce de voir le héros.**

Une lueur en quittant le ciel fit reluire un dernier reflet rouge en luttant contre la nuit, il leva la tête, vit un squelette à peine éclairé qui pencha dubitativement son crâne de droite à gauche, comme pour lui dire : Les morts ne veulent pas encore de toi ! En passant la main sur son front pour en chasser le sommeil, le jeune homme sentit distinctement un vent frais produit par je ne sais quoi de velu qui lui effleura les joues, et il frissonna. Les vitres ayant retenti d'un claquement sourd, il pensa que cette froide caresse digne des mystères de la tombe venait de quelque chauve-souris. Pendant un moment encore, les vagues reflets du couchant lui permirent d'apercevoir indistinctement les fantômes par lesquels il était entouré ; puis toute cette nature morte s'abolit dans une même teinte noire.

Honoré DE BALZAC, *La Peau de chagrin*, 1831.

4 ÉTUDIER UNE NOUVELLE FANTASTIQUE ✪✪✪

Pour quelle raison peut-on parler d'un « fantastique ordinaire » ? Quel autre registre peut-on noter ?

Ce jour-là, 25 mars dernier, Pétersbourg fut le théâtre d'une aventure des plus étranges. Le barbier Ivan Yakovlévitch, domicilié avenue de l'Ascension [...] se réveilla d'assez bonne heure et perçut une odeur de pain chaud. [...]. Respectueux des convenances, Ivan Yalovlévitch passa son habit par-dessus sa chemise et se mit en devoir de déjeuner. Il posa devant lui une pincée de sel, prit son couteau et, la mine grave, coupa son pain en deux. Il aperçut alors, à sa grande surprise, un objet blanchâtre au beau milieu ; il le tâta précautionneusement du couteau, le palpa du doigt… [...] Il fourra alors les doigts dans le pain et en retira… un nez ! Les bras lui en tombèrent. Il se frotta les yeux, palpa l'objet de nouveau : un nez, c'était bien un nez, et même, semblait-il, un nez de connaissance ! L'effroi se peignit sur les traits d'Ivan Yakovlévitch. Mais cet effroi n'était rien comparé à l'indignation de sa respectable épouse. « Où as-tu bien pu couper ce nez, bougre d'animal ? » s'exclama-t-elle.

Nicolas GOGOL, « Le Nez »,
Nouvelles de Pétersbourg, 1836.

Fiche 16
LE REGISTRE COMIQUE

Définition
Le comique est par excellence le registre de la **comédie** théâtrale et de la **farce**, mais il se rencontre aussi dans d'autres genres. Il vise à faire **rire** et comporte **différents degrés**.

LES SOURCES DE COMIQUE

Le comique de mots

▶ **Jeu sur les mots ou les niveaux de langue**
Le jeu de mots apparaît de manière inattendue et provoque parfois un double sens.

▶ **Jeu sur les sons**
Ils créent un effet de surprise ou révèlent un sens caché : l'anagramme permute les lettres d'un mot, la contrepèterie les syllabes d'une phrase, le calembour joue sur la ressemblance sonore des mots.

→ Ex. : Contrepèterie : « Allez pères de la foi ! Allez fère de la poi. » (Honoré DE BALZAC)

→ Ex. : Calembour : Louis XVIII sur son lit de mort : « Allons ! Finissons-en, Charles attend ! » (« charlatans » et évocation de son successeur, Charles X.)

Le comique de gestes
Ce type de comique est très présent dans la farce, la *commedia dell'arte* et le cinéma muet.

→ Ex. : gestuelle exubérante, ridicule, grimaces, mimes, chutes, coups échangés, etc.

Le comique de situation
Le comique de situation joue sur l'effet de surprise et il provient souvent d'un stratagème.

→ Ex. : personnage caché, déguisement, ruse, etc.

Les interlocuteurs ne parviennent pas à s'entendre : ils ignorent certains aspects d'un sujet.

→ Ex. : quiproquo, malentendu, etc.

Le comique de caractère
Il exagère les défauts d'un personnage type : *l'avare, l'hypocrite, le débauché, le naïf*, etc.

→ Ex. : « HARPAGON, *il crie au voleur dès le jardin, et vient sans chapeau.* – Au voleur ! Au voleur ! À l'assassin ! Au meurtrier ! Justice, juste ciel ! Je suis perdu, je suis assassiné, on m'a coupé la gorge, on m'a dérobé mon argent. »

MOLIÈRE, *L'Avare*, 1668.

FORMES ET FONCTIONS DU COMIQUE

Des formes variées
Le comique se décline sous différentes formes : le **burlesque** concerne une situation sérieuse décrite de manière triviale (dans le cas inverse, l'on parle d'**héroï-comique**). La **parodie** caricature un style, un genre ou une œuvre. La **satire** dénonce. L'**ironie** consiste à exprimer le contraire de ce que l'on veut faire entendre. L'**humour** permet de plaisanter à propos d'une réalité sérieuse. L'**humour noir** traite des sujets les plus graves. L'**autodérision** est une forme d'humour appliqué à soi-même. L'**absurde** s'exprime par une attitude ou une parole qui crée un effet de non-sens pour dénoncer l'absurdité de la condition humaine.

Fonctions
Selon qu'il est grossier, subtil, léger ou sérieux, le comique assure des fonctions diverses : il peut **divertir**, **dénoncer** ou **pousser à la réflexion**.

1 IDENTIFIER LES SOURCES DE COMIQUE ⊕

Indiquez la source de comique pour chaque extrait.

1 MAÎTRE DE PHILOSOPHIE. – Non, Monsieur : tout ce qui n'est point prose est vers ; et tout ce qui n'est point vers est prose.
MONSIEUR JOURDAIN. – Et comme l'on parle, qu'est-ce que c'est donc que cela ?
MAÎTRE DE PHILOSOPHIE. – De la prose.
MONSIEUR JOURDAIN. – Quoi ? quand je dis : « Nicole apportez-moi mes pantoufles, et me donnez mon bonnet de nuit », c'est de la prose ?
MAÎTRE DE PHILOSOPHIE. – Oui, Monsieur.
MONSIEUR JOURDAIN. – Par ma foi ! il y a plus de quarante ans que je dis de la prose sans que j'en susse rien, et je vous suis le plus obligé du monde de m'avoir appris cela.

MOLIÈRE, *Le Bourgeois gentilhomme*, 1670.

2 Après le tremblement de terre qui avait détruit les trois quarts de Lisbonne, les sages du pays n'avaient pas trouvé un moyen plus efficace pour prévenir une ruine totale que de donner au peuple un bel auto-da-fé ; il était décidé par l'université de Coïmbre que le spectacle de quelques personnes brûlées à petit feu, en grande cérémonie, est un secret infaillible pour empêcher la terre de trembler. […] Candide fut fessé en cadence, pendant qu'on chantait ; le Biscayen et les deux hommes qui n'avaient point voulu manger de lard furent brûlés, et Pangloss fut pendu, quoique ce ne soit pas la coutume. Le même jour la terre trembla de nouveau avec un fracas épouvantable.

VOLTAIRE, *Candide ou l'Optimisme*, 1759.

2 REPÉRER LES FORMES DE COMIQUE ⊕⊕

a. Quel est le thème développé dans l'extrait suivant ?
b. Quelle forme de comique apparaît ? Expliquez les intentions de l'auteur.

ESTRAGON. – Viens voir. *(Il entraîne Vladimir vers l'arbre. Ils s'immobilisent devant. Silence.)* Et si on se pendait ?
VLADIMIR. – Avec quoi ?
ESTRAGON. – Tu n'as pas un bout de corde ?
VLADIMIR. – Non.
ESTRAGON. – Alors on ne peut pas.
VLADIMIR. – Allons-nous-en.
ESTRAGON. – Attends, il y a ma ceinture.
VLADIMIR. – C'est trop court.
ESTRAGON. – Tu tireras sur mes jambes.
VLADIMIR. – Et qui tirera sur les miennes ?

Samuel BECKETT, *En attendant Godot*, 1952,
© Les Éditions de Minuit.

3 ÉTUDIER UN RÉCIT COMIQUE ⊕⊕⊕

a. Quels éléments confirment le caractère extra-ordinaire de la naissance de Gargantua ? Pourquoi sont-ils comiques ?
b. À quels indices peut-on reconnaître qu'il s'agit de l'écriture parodique d'un récit épique ?

Gargantua, fils de Grandgousier et de Gargamelle, naît dans de « bien étranges » conditions.

Par suite de cet accident[1], les cotylédons de la matrice se relâchèrent au-dessus, et l'enfant les traversa d'un saut ; il entra dans la veine creuse et, grimpant à travers le diaphragme jusqu'au-dessus des épaules, à l'endroit où la veine en question se partage en deux, il prit son chemin à gauche et sortit par l'oreille de ce même côté.
Sitôt qu'il fut né, il ne cria pas comme les autres enfants : « Mie ! mie ! », mais il s'écriait à haute voix : « À boire ! à boire ! à boire ! » comme s'il avait invité tout le monde à boire, si bien qu'on l'entendit par tout le pays de Busse et de Biberais.

François RABELAIS, *Gargantua*, 1534, traduit en français moderne par Guy Demerson,
© Éditions du Seuil.

1. Gargamelle est malade pour avoir mangé trop de tripes.

4 ANALYSER UNE IMAGE COMIQUE ⊕⊕⊕

a. D'où provient l'effet comique de l'iconographie ?
b. Quel message le dessinateur cherche-t-il à faire passer ? De quelle forme de comique s'agit-il ?

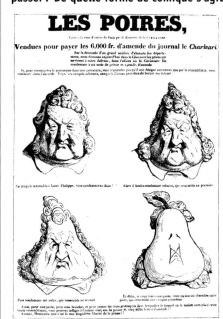

Charles Philippon, caricature de Louis-Philippe parue dans le journal *Le Charivari*, 1834.

1 • Le récit : roman et nouvelle

2 • Le théâtre

3 • La poésie

4 • La littérature d'idées

5 • Les registres et effets du texte

465

LES REGISTRES TRAGIQUE ET PATHÉTIQUE

■ LE REGISTRE TRAGIQUE

Définition
Le registre tragique est lié au genre théâtral de la **tragédie**, mais on le trouve dans d'autres genres. Il suscite **terreur et pitié** chez le lecteur ou le spectateur.

Caractéristiques

▶ **La situation tragique**

Elle est sans issue. Une **puissance** supérieure exerce une force qui **écrase** le héros (le destin, la fatalité, la société, les passions, l'hérédité, etc.). Sa volonté est vaine.

➜ **Ex. :** « Le choix des dieux, contraire à mes amours,
Livrait à l'univers le reste de mes jours. »

Jean RACINE, *Bérénice*, 1670.

▶ **Le héros tragique**

Il lutte contre la fatalité et suscite l'**admiration**. Il est lucide sur la condition humaine.

➜ **Ex. :** « J'étais né pour servir d'exemple à ta colère. »

Jean RACINE, *Andromaque*, 1667.

▶ **Les formes particulières de la douleur**

Ce sont des supplications au Ciel, des imprécations (qui vouent autrui au malheur), des phrases interrompues par l'émotion, des figures exprimant l'écrasement, l'impasse, le déchirement.

➜ **Ex. :** « L'ingrate mieux que vous saura me déchirer,
Et je lui porte enfin mon cœur à dévorer. »

Jean RACINE, *Andromaque*, 1667.

■ LE REGISTRE PATHÉTIQUE

Définition
Le registre pathétique suscite la **compassion** du spectateur ou du lecteur en jouant sur sa sensibilité et ses **émotions**.

Caractéristiques

▶ **La situation**

Elle est douloureuse, mais les obstacles rencontrés sont évitables et peuvent être le résultat du hasard ou de la volonté humaine.

▶ **Le héros**

Il est proche du lecteur, qui s'identifie à lui et le plaint. Il suscite la pitié ou l'**attendrissement** et la **plainte**.

➜ **Ex. :** « Ce malheureux père de famille […], ce faible vieillard de soixante-huit ans fut donc condamné au plus horrible des supplices… »

VOLTAIRE, *Histoire des Calas*, 1762.

▶ **Les formes de la douleur**

Les lamentations, les champs lexicaux de la plainte et les phrases exclamatives forment le registre pathétique.

➜ **Ex. :** « Ciel ! que vois-je ? […] c'est là, là, que ma main criminelle versa le sang d'un infortuné. Ô mon Dieu ! »

PIXÉRÉCOURT, *Coelina ou l'Enfant du mystère*, 1800.

1 ÉTUDIER DES SITUATIONS TRAGIQUES ✪

a. Faites le portrait du héros tragique à partir des extraits suivants.

b. Qu'appelle-t-on une situation tragique ?

① AGAMEMNON. – Heureux qui, satisfait de son humble fortune,/Libre du joug superbe où je suis attaché,/Vit dans l'état obscur où les dieux l'ont caché !

Jean RACINE, Iphigénie, 1674.

② TITUS. – Je sentis le fardeau qui m'étoit imposé ;/Je connus que bientôt, loin d'être à ce que j'aime,/Il falloit, cher Paulin, renoncer à moi-même.

Jean RACINE, Bérénice, 1670.

③ ORESTE. – Oui, je te loue, ô ciel, de ta persévérance !/Appliqué sans relâche au soin de me punir,/Au comble des douleurs tu m'as fait parvenir.

Jean RACINE, Andromaque, 1667.

④ PHÈDRE. – Tu me haïssais plus, je ne t'aimais pas moins./[…] J'ai langui, j'ai séché, dans les feux, dans les larmes.

Jean RACINE, Phèdre, 1677.

2 IDENTIFIER LES CARACTÉRISTIQUES DU PATHÉTIQUE ✪

a. Quelles caractéristiques du pathétique retrouvez-vous dans cet extrait ? Justifiez votre réponse.

b. Quelle émotion le lecteur est-il censé ressentir ?

① Vous redeviendrez honnête en redevenant heureuse. Et même, écoutez, je vous le déclare dès à présent, si tout est comme vous le dites, et je n'en doute pas, vous n'avez jamais cessé d'être vertueuse et sainte devant Dieu. Oh ! pauvre femme !
C'en était plus que la pauvre Fantine n'en pouvait supporter. Avoir Cosette ! sortir de cette vie infâme ! vivre libre, riche, heureuse, honnête, avec Cosette ! voir brusquement s'épanouir au milieu de sa misère toutes ces réalités du paradis ! Elle regarda comme hébétée cet homme qui lui parlait, et ne put que jeter deux ou trois sanglots : oh ! oh ! oh ! Ses jarrets plièrent, elle se mit à genoux devant M. Madeleine, et, avant qu'il eût pu l'en empêcher, il sentit qu'elle lui prenait la main et que ses lèvres s'y posaient. Puis elle s'évanouit.

Victor HUGO, Les Misérables, 1862.

② Fantine se dressa en sursaut, appuyée sur ses bras roides et sur ses deux mains, elle regarda Jean Valjean, elle regarda Javert, elle regarda la religieuse, elle ouvrit la bouche comme pour parler, un râle sortit du fond de sa gorge, ses dents claquèrent, elle étendit les bras avec angoisse, ouvrant convulsivement les mains, et cherchant autour d'elle comme quelqu'un qui se noie, puis elle s'affaissa subitement sur l'oreiller. Sa tête heurta le chevet du lit et vint retomber sur sa poitrine, la bouche béante, les yeux ouverts et éteints. Elle était morte.

Victor HUGO, Les Misérables, 1862.

3 DISTINGUER DES REGISTRES ✪✪

Quels registres distinguez-vous dans chaque texte ? Justifiez votre réponse en prenant appui sur la situation, les émotions provoquées et les procédés.

① « ŒDIPE. – Hélas ! hélas ! malheur à moi !/Où donc m'emporte sur la terre/ma route accablée ? où se perd/ma voix sur les ailes du vent ?/destin maudit, où donc es-tu venu t'abattre !…. »

SOPHOCLE, Œdipe roi, vers 425 av. J.-C.

② « ÉLECTRE. – Écoute !… Écoute le bruit de leurs ailes, pareil au ronflement d'une forge. Elles nous entourent, Oreste. Elles nous guettent ; tout à l'heure elles s'abattront sur nous, et je sentirai mille pattes gluantes sur mon corps. Où fuir, Oreste ? Elles enflent, elles enflent, les voilà grosses comme des abeilles, elles nous suivront partout en épais tourbillons. Horreur ! Je vois leurs yeux, leurs millions d'yeux qui nous regardent. […] Ce sont les Érinnyes, Oreste, les déesses du remords. »

Jean-Paul SARTRE, Les Mouches, 1943,
© Éditions Gallimard.

4 RÉDIGER ✪✪✪

En vous inspirant des extraits précédents, réécrivez le passage suivant de façon pathétique.

Aujourd'hui, maman est morte. Ou peut-être hier, je ne sais pas. J'ai reçu un télégramme de l'asile : « Mère décédée. Enterrement demain. Sentiments distingués. » Cela ne veut rien dire. C'était peut-être hier. […] J'ai demandé deux jours de congé à mon patron et il ne pouvait pas me les refuser avec une excuse pareille. Mais il n'avait pas l'air content. Je lui ai même dit : « Ce n'est pas de ma faute. » Il n'a pas répondu. J'ai pensé alors que je n'aurai pas dû lui dire cela. En somme, je n'avais pas à m'excuser. C'était plutôt à lui de me présenter ses condoléances. Mais il le fera sans doute après-demain, quand il me verra en deuil. Pour le moment, c'est un peu comme si maman n'était pas morte. Après l'enterrement, au contraire, ce sera une affaire classée et tout aura revêtu une allure plus officielle.

Albert CAMUS, L'Étranger, 1942,
© Éditions Gallimard.

Fiche 18
LES REGISTRES LYRIQUE ET ÉLÉGIAQUE

◾ LE REGISTRE LYRIQUE

Définition

▶ **Le lyrisme**
Il se manifeste par l'expression des **sentiments personnels**, heureux ou malheureux.

▶ **La musicalité lyrique**
Le mot «lyrique», dérivé de «**lyre**», a conservé l'idée de **musicalité** dans l'expression «art lyrique», qui désigne l'opéra.

L'expression du Moi
Le registre lyrique accorde une place importante au locuteur, à ses émotions et à son **expérience personnelle**. La **première personne** est omniprésente et s'adresse souvent à un **destinataire** : le double du *je*, l'être aimé, le lecteur ou une entité universelle (Dieu, la nature, le temps, etc.)

→ **Ex. :** «Demain, dès l'aube, à l'heure où blanchit la campagne
Je partirai. Vois-tu, je sais que tu m'attends.»

Victor HUGO, *Les Contemplations*, 1856.

L'expression des sentiments
L'intensité des émotions peut être suggérée par divers procédés : le **réseau lexical des sentiments** (de la joie à la souffrance), les **interjections lyriques** («Hélas!», «Las!», «Ô», etc.), la **ponctuation expressive** et les **figures d'insistance** (hyperbole, anaphore, gradation croissante, etc.).

→ **Ex. :** «"Levez-vous vite, orages désirés qui devez emporter René dans les espaces d'une autre vie!" Ainsi disant, je marchais à grands pas, le visage enflammé, le vent sifflant dans ma chevelure, ne sentant ni pluie, ni frimas, enchanté, tourmenté, et comme possédé par le démon de mon cœur.»

François-René DE CHATEAUBRIAND, *René*, 1802.

Les thèmes lyriques

▶ **Thèmes personnels**
Les mêmes thèmes reviennent fréquemment. Il s'agit de ceux qui touchent la vie personnelle : l'**amour**, la **solitude**, le **temps qui passe**, la **nature**, la **foi**, le **pays natal**, etc.

▶ **Thèmes universels**
Pourtant, le registre lyrique ne se réduit pas à un témoignage intime, il prend souvent une **dimension universelle** et **philosophique**. Ainsi, il devient révélateur des sentiments de l'homme en général.

→ **Ex. :** «Je reste là, perdu dans l'horizon lointain,/Et songe que l'Espace est sans borne, sans borne,/Et que le Temps n'aura jamais… jamais de fin.»

Jules LAFORGUE, *Derniers vers*, 1890.

◾ LE REGISTRE ÉLÉGIAQUE

Définition
Le registre élégiaque ne s'applique qu'à l'expression de la **plainte** et du **regret**.
L'élégie est d'abord une forme poétique antique. C'est à l'époque romaine que les sentiments de tristesse et de mélancolie s'appliquent à l'élégie de manière plus systématique.

Les thèmes élégiaques
La **mort**, la **souffrance amoureuse**, l'**abandon**, la **solitude** en sont les thèmes principaux.

1 IDENTIFIER DES THÈMES LYRIQUES ✪

a. Effectuez un relevé précis des champs lexicaux dominants dans le poème suivant.

b. Commentez les thèmes lyriques qui y sont développés.

Comme on voit sur la branche au mois de mai
[la rose,
En sa belle jeunesse, en sa première fleur
Rendre le ciel jaloux de sa vive couleur,
Quand l'aube de ses pleurs au point du jour
[l'arrose ;

La grâce dans sa feuille, et l'amour se repose,
Embaumant les jardins et les arbres d'odeur ;
Mais, battue ou de pluie, ou d'excessive ardeur,
Languissante elle meurt, feuille à feuille déclose[1].

Ainsi en ta première et jeune nouveauté,
Quand la Terre et le Ciel honoraient ta beauté,
La Parque[2] t'a tuée, et cendre tu reposes.

Pour obsèques reçois mes larmes et mes pleurs,
Ce vase plein de lait, ce panier plein de fleurs,
Afin que vif[3] et mort ton corps ne soit que roses.

Pierre DE RONSARD, *Second livre des amours*, 1578.

1. ouverte.
2. les Parques, divinités romaines, sont trois sœurs maîtresses de la vie humaine.
3. vivant.

2 ANALYSER DES PROCÉDÉS LYRIQUES ✪✪

a. Comment le poète manifeste-t-il sa présence ?

b. Quels sentiments sont exprimés dans le poème ? Justifiez votre réponse.

c. Par quels procédés d'écriture l'intensité des émotions est-elle suggérée ?

Mon rêve familier

Je fais souvent ce rêve étrange et pénétrant
D'une femme inconnue, et que j'aime, et qui
[m'aime,
Et qui n'est, chaque fois, ni tout à fait la même
Ni tout à fait une autre, et m'aime et me
[comprend.

Car elle me comprend, et mon cœur transparent
Pour elle seule, hélas ! cesse d'être un problème
Pour elle seule, et les moiteurs de mon front blême,
Elle seule les sait rafraîchir, en pleurant.

Est-elle brune, blonde ou rousse ? – Je l'ignore.
Son nom ? Je me souviens qu'il est doux et sonore,
Comme ceux des aimés que la vie exila.

Son regard est pareil au regard des statues,
Et, pour sa voix, lointaine, et calme, et grave, elle a
L'inflexion des voix chères qui se sont tues.

Paul VERLAINE, *Poèmes saturniens*, 1866.

3 ÉTUDIER LE REGISTRE ÉLÉGIAQUE ✪✪

a. Comment le poète manifeste-t-il sa présence ?

b. Quels termes et expressions renvoient aux sentiments de regret et de plainte ?

c. Étudiez la musicalité du poème : analysez les sons et le rythme.

Tristesse

J'ai perdu ma force et ma vie,
Et mes amis et ma gaieté ;
J'ai perdu jusqu'à la fierté
Qui faisait croire à mon génie.

Quand j'ai connu la Vérité,
J'ai cru que c'était une amie ;
Quand je l'ai comprise et sentie,
J'en étais déjà dégoûté.

Et pourtant elle est éternelle,
Et ceux qui se sont passés d'elle
Ici-bas ont tout ignoré.

Dieu parle, il faut qu'on lui réponde.
Le seul bien qui me reste au monde
Est d'avoir quelquefois pleuré.

Alfred DE MUSSET, *Poésies nouvelles*, 1850.

4 ÉTUDIER LE LYRISME DANS UN ROMAN ✪✪✪

a. Quels sont les thèmes évoqués par les personnages ? Justifiez votre réponse en relevant les champs lexicaux dominants. Pourquoi sont-ils lyriques ?

b. Comment les personnages s'impliquent-ils dans le dialogue ? Relevez les pronoms et les verbes d'émotions.

c. Comment expriment-ils leur enthousiasme ?

– Avez-vous du moins quelques Promenades dans les environs ? continuait Mme Bovary parlant au jeune homme.

– Oh ! fort peu, répondit-il. Il y a un endroit que l'on nomme la Pâture, sur le haut de la côte, à la lisière de la forêt. Quelquefois, le dimanche, je vais là, et j'y reste avec un livre, à regarder le soleil couchant.

– Je ne trouve rien d'admirable comme les soleils couchants, reprit-elle, mais au bord de la mer, surtout.

– Oh ! j'adore la mer, dit M. Léon.

– Et puis ne vous semble-t-il pas, répliqua Mme Bovary, que l'esprit vogue plus librement sur cette étendue sans limites, dont la contemplation vous élève l'âme et donne des idées d'infini, d'idéal ?

– Il en est de même des paysages de montagnes.

Gustave FLAUBERT, *Madame Bovary*, 1857.

1 • Le récit : roman et nouvelle

2 • Le théâtre

3 • La poésie

4 • La littérature d'idées

5 • Les registres et effets du texte

469

LES REGISTRES DIDACTIQUE, POLÉMIQUE ET SATIRIQUE

Les registres de l'argumentation concernent les textes qui exposent des **savoirs**, défendent des **idées**, soutiennent une **thèse** à l'aide d'**arguments**, critiquent un point de vue ou dénoncent une situation. L'**essai**, le **pamphlet** (écrit de combat), le **plaidoyer** et le **réquisitoire** (dans le domaine juridique) ainsi que le **conte philosophique** relèvent essentiellement de ces registres.

■ LE REGISTRE DIDACTIQUE

▶ Définition
Sa fonction est d'**instruire**. On le trouve dans un dictionnaire, dans la bouche d'un personnage de roman, dans une lettre, une préface, la morale d'une fable, etc. Il transmet un savoir, pratique ou théorique, apporte un enseignement.

→ **Ex. :** « Le dénouement doit résulter de l'action même et non d'une intervention divine. »

ARISTOTE, Poétique, vers 347 av. J.-C.

▶ Caractéristiques
L'auteur tend à l'**objectivité** scientifique. Le ton est neutre. Les tournures sont impersonnelles et généralisantes. On trouve des exemples, parfois des schémas.

■ LE REGISTRE POLÉMIQUE

▶ Définition
Sa fonction est la **réfutation** d'arguments dans un discours de combat (en grec, *polemikos* désigne ce qui est « relatif à la guerre »). L'**adversaire** est clairement identifié, l'attaque est virulente et le public, ou le lecteur, est souvent pris à témoin.

▶ Caractéristiques
L'auteur peut considérer que tous les coups sont permis (exagération, mauvaise foi, etc.) et l'agressivité (sarcasme, invective, etc.) fait partie de la stratégie de persuasion.

→ **Ex. :** « Dans ce sac ridicule où Scapin s'enveloppe
Je ne reconnais plus l'auteur du *Misanthrope*. »

BOILEAU, Art poétique, 1674.

■ LE REGISTRE SATIRIQUE

▶ Définition
Sa fonction est la même que celle du registre polémique, mais son arme est essentiellement la **moquerie**. Il vient de l'Antiquité où la satire était un poème à visée morale.

→ **Ex. :** les *Satires* de JUVÉNAL.

▶ Caractéristiques
L'**ironie**, la **caricature**, un lexique **péjoratif**, les figures d'exagération comme l'**hyperbole**, les procédés d'**interpellation** et les arguments *ad hominem* caractérisent le registre satirique.

1 IDENTIFIER PROCÉDÉS

ET CARACTÉRISTIQUES DE L'IRONIE ✪

D'où vient l'ironie ? Nommez les figures de style et détaillez la structure des phrases et des textes.

1 Remarquez bien que les nez ont été faits pour porter des lunettes ; aussi avons-nous des lunettes. Les jambes sont visiblement instituées pour être chaussées, et nous avons des chausses. Les pierres ont été formées pour être taillées et pour en faire des châteaux ; aussi monseigneur a un très beau château : le plus grand baron de la province doit être le mieux logé.

Voltaire, *Candide*, 1759.

2 D'ailleurs, ce roi est un grand magicien : il exerce son empire sur l'esprit même de ses sujets ; il les fait penser comme il veut. S'il n'a qu'un million d'écus dans son trésor, et qu'il en ait besoin de deux, il n'a qu'à leur persuader qu'un écu en vaut deux…

Montesquieu, *Les Lettres persanes,* 1721.

3 Que contiennent les écrits des philosophes les plus connus ? Quelles sont les leçons de ces amis de la sagesse ? A les entendre ne les prendrait-on pas plutôt pour une troupe de charlatans criant, chacun de son côté, sur une place publique : Venez à moi, c'est moi seul qui ne me trompe point ? […] O grands philosophes ! que ne réservez-vous pour vos amis et pour vos enfants ces leçons profitables ?

Jean-Jacques Rousseau, *Discours sur les sciences et sur les arts*, 1750.

2 ÉTUDIER UN DÉBAT ✪✪

a. Quel est le sujet du débat ? Qui parle entre guillemets ? Que reproche-ton à Hugo ?
b. Comment Hugo amène-t-il le lecteur à le suivre dans sa thèse ?

Vous regardez mes vers, pourvus d'ongles et d'ailes,/Refusant de marcher derrière les modèles, […]/On m'empoigne ; on me fait passer mon examen ;/La Sorbonne[1] bredouille et l'école griffonne ;/De vingt plumes jaillit la colère bouffonne :/« Que veulent ces affreux novateurs ? ça, des vers !/Devant leurs livres noirs, la nuit, dans l'ombre ouverts,/Les lectrices ont peur au fond de leurs alcôves. […]/L'alexandrin saisit la césure, et la mord ;/[…] Revenons à la règle et sortons de l'opprobre[2] ; […]

Victor Hugo, « Quelques mots à un autre »,
Les Contemplations, 1856.

1. faculté.
2. honte.

3 DÉTERMINER LE REGISTRE UTILISÉ ✪✪

a. Dégagez la structure du passage suivant.
b. Quel fait scandalise Léon Bloy ?
c. En étudiant le lexique, les hyperboles, les métaphores et l'ironie, nommez le registre utilisé.

Les deux cimetières

Le premier vaut à peine qu'on en parle. C'est celui des pauvres, la fosse commune, le charroi des *macchabées*[1], la bousculade, les blasphèmes et les ordures des croque-morts immondes qui n'espèrent aucun pourboire. […] Ce qui navre de charité, c'est la foule des petites tombes. Il faut ce spectacle pour savoir ce qu'on tue d'enfants dans les abattoirs de la misère. […] Après le cimetière des pauvres, c'est une sensation plus bizarre de visiter le Cimetière des Chiens. Beaucoup de personnes ignorent probablement qu'il existe. Il va sans dire que c'est le cimetière des chiens riches, les chiens pauvres n'y ayant aucun droit. […] On est forcé de se demander si la sottise décidément n'est pas plus haïssable que la méchanceté même. Je ne pense pas que le mépris des pauvres ait jamais pu être plus nettement, plus insolemment déclaré. […] Il y a là des monuments qui ont coûté la subsistance de vingt familles ! […] Et ces regrets éternels, ces attendrissements lyriques des salauds et des salaudes qui ne donneraient pas un centime à un de leurs frères mourant de faim !

Léon Bloy, *Le Sang du pauvre*, 1909.

1. chariot transportant les morts.

4 ANALYSER UNE CARICATURE ✪✪

a. Observez ce portrait. Que remarquez-vous ?
b. Pourquoi cette œuvre est-elle satirique ?

Honoré Daumier, « L'Obséquieux » (portrait du comte Auguste Hilarion de Keratry, député), 1831, musée d'Orsay, Paris.

1 • Le récit : roman et nouvelle

2 • Le théâtre

3 • La poésie

4 • La littérature d'idées

5 • Les registres et effets du texte

471

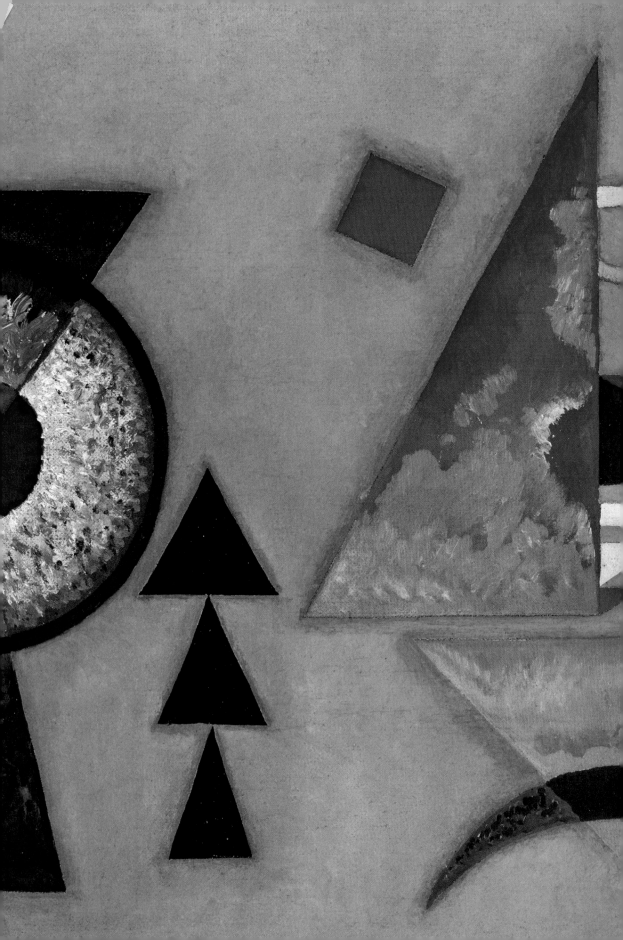

PARTIE IV

Méthodes
vers le bac

▶▶▶ Wassily Kandinsky, *Weiches Hart* (détail), huile sur toile, 1927, galerie Maeght, Paris.

MÉTHODE

Objectifs
• Repérer les contraintes
• Déterminer le type d'argumentation
• Chercher les arguments

Au bac, un sujet d'invention est toujours lié à un texte. La très grande majorité des sujets d'invention invite à argumenter.

Un sujet d'invention demande donc de mettre son imagination au service d'un sujet en tenant compte d'un texte. Il faut être capable de jongler avec plusieurs paramètres à la fois.

▶▶▶ÉTAPE 1 DÉTERMINER GENRE ET REGISTRE

▶ **Repérer le genre imposé par le sujet**
- Faut-il rédiger un dialogue théâtral ? Un dialogue de roman ? Une narration ? Un monologue ? Une page de journal intime ?
- Quand le genre est déterminé, lister toutes les caractéristiques à respecter (personne grammaticale, disposition du texte, temps verbaux, composition, ponctuation, etc.).

▶ **Déterminer le (ou les) registre(s) à employer**
Ils peuvent être clairement indiqués par le sujet ou à induire du genre demandé. (Si le sujet demande de rédiger un monologue de tragédie, les registres tragique et pathétique seront présents même si le sujet ne les évoque pas).

▶▶▶ÉTAPE 2 DÉTERMINER LE TYPE D'ARGUMENTATION

▶ **Repérer les termes invitant à construire une argumentation et les analyser**
Les formes d'argumentation demandées sont très diverses. Il faut donc se poser les bonnes questions :
- Vers quel type d'argumentation devez-vous orienter votre devoir ? (Éloge, blâme, délibération, etc.)
- Une thèse est-elle imposée par des mots évoquant le réquisitoire ou le plaidoyer ?
- Faut-il envisager de défendre deux thèses qui s'affrontent car la forme du débat est imposée ?
- Le sujet invite-t-il à évoquer d'autres thèses ?

▶▶▶ÉTAPE 3 RECHERCHER DES ARGUMENTS ET DES EXEMPLES

▶ **Rechercher les arguments**
- Formuler les arguments que vous pourrez intégrer à votre production. Ne jamais commencer à rédiger avant d'avoir listé les arguments qui structureront l'argumentation.
- Si le sujet suppose un débat, la confrontation de deux thèses, élaborer un tableau permettant d'inscrire face à face les arguments et les réfutations.

▶ **Rechercher des exemples**
Même si un sujet ne le demande pas expressément, il est toujours souhaitable de se montrer cultivé. Si le sujet s'y prête, ne pas hésiter à évoquer quelques œuvres littéraires.

	1 • L'écriture d'invention
	2 • Le paragraphe argumentatif
	3 • La lecture analytique : vers le commentaire
	4 • Le sujet de réflexion : vers la dissertation
	5 • L'oral
	6 • La lecture d'image
	7 • Le corpus et la question de synthèse

APPLICATION

Genre

> **Exemple de sujet :** «Vous avez remporté le 1er prix du concours de **poésie** organisé dans votre lycée et le rédacteur en chef **du journal de l'établissement** vous demande d'écrire un **article** dans lequel vous **défendez** votre conception de la poésie et le rôle que, personnellement, vous lui attribuez. **Rédigez cet article.** »

Type d'argumentation

▶▶▶ÉTAPE 1 DÉTERMINER GENRE ET REGISTRE

▶ **Le genre**
- Il est indiqué par : «rédacteur en chef du journal» et «écrire un article». L'argumentation doit être élaborée dans le cadre et le style journalistique. Mais il s'agit d'un journal de lycée, cet aspect doit être évoqué.

▶ **Éléments caractéristiques de l'article de journal**
- Un titre : «Un poète en herbe», «Naissance d'un poète», «Le concours de poésie du lycée», etc.
- Un chapeau : «Le concours de poésie du lycée a été remporté par Augustine Lefort, élève de 1re L. Nous la félicitons et lui accordons cet espace pour exprimer sa conception de la poésie.»

▶ **Le registre**
- Le sujet n'indique rien de précis quant au registre à employer. Mais si vous choisissez de défendre la poésie lyrique, vous pourrez faire appel à ce registre dans certains passages de votre argumentation.

▶▶▶ÉTAPE 2 DÉTERMINER LE TYPE D'ARGUMENTATION

▶ **Argumentation**
- «vous défendez» incite à orienter l'argumentation vers l'éloge et le plaidoyer. Avec «votre conception» et «personnellement», le sujet vous invite à ne défendre qu'une seule thèse. Mais il vous suggère d'évoquer éventuellement d'autres thèses puisque votre conception personnelle du rôle de la poésie peut se définir par opposition à d'autres.
- Si vous choisissez de défendre la poésie lyrique, vous pouvez l'opposer à la poésie engagée.

▶▶▶ÉTAPE 3 RECHERCHER DES ARGUMENTS
ET DES EXEMPLES

▶ **Arguments en faveur de la poésie lyrique**
- Elle permet d'exprimer ses sentiments et offre donc un moment d'intimité avec soi-même.
- Le travail de la forme versifiée apporte de l'apaisement à ses tourments.
- La musicalité poétique est particulièrement apte à l'expression des sentiments.

▶ **Exemples :**
- Un tel sujet invite à évoquer le poème qui a permis de remporter le prix. Attention, il ne s'agit pas de le composer mais de l'évoquer. Quel était son thème ? Quels sentiments exprimait-il ? Dans quelles circonstances a-t-il été écrit ?
- Quelques poèmes ou poètes peuvent être évoqués : parce qu'ils vous ont inspiré, parce qu'ils vous accompagnent partout, parce que vous les admirez, parce qu'ils vous touchent, etc.

1 RESPECTER LES CARACTÉRISTIQUES D'UN GENRE ✪

Le sujet suivant vous invite à respecter le genre du journal intime. Après l'avoir lu, répondez aux questions.

Sujet 1 « Ayant surmonté ces faiblesses, mon domicile et mon ameublement étant établis aussi bien que possible, je commençai mon journal dont je vais vous donner ici la copie. »

Daniel DEFOE, Robinson Crusoé, 1719.

Vous rédigerez deux ou trois pages de ce journal dans lesquelles Robinson, à partir des éléments de sa vie quotidienne sur l'île, réfléchit à la condition de tout naufragé.

a. Quels termes vous permettent de comprendre qu'il s'agit d'un journal intime ?

b. Combien de dates utiliserez-vous ? Une ou plusieurs ? Justifiez votre réponse.

c. Utiliserez-vous l'en-tête « Cher journal » caractéristique du journal intime ? Justifiez votre réponse.

d. Pour évoquer « des éléments de sa vie quotidienne sur l'île », utiliserez-vous le passé simple ou le passé composé ? Justifiez votre réponse.

e. Quel temps utiliserez-vous pour introduire les méditations de Robinson concernant « la condition de tout naufragé » ? Indiquez le temps et sa valeur.

2 IDENTIFIER LES CARACTÉRISTIQUES DE LA LETTRE ✪

Le sujet suivant vous invite à rédiger une lettre. Après l'avoir lu, répondez aux questions.

Sujet 2 Dans une lettre datée du 20 avril 1751, Jean-Jacques Rousseau, en réponse à une lettre de Mme de Francueil, se justifie d'avoir abandonné ses cinq enfants. Écrivez la lettre dans laquelle celle-ci formule des reproches argumentés qu'elle adresse à Rousseau.

a. Qui sont l'expéditeur et le destinataire de la lettre que le sujet vous demande de composer ?

b. Parmi les dates suivantes, une seule conviendra à la lettre demandée. Laquelle ?
12 janvier 1751 – 15 avril 1751 – 20 avril 1751 – 27 avril 1751

c. Justifiez votre réponse : pourquoi les autres ne conviennent-elles pas ?

3 TROUVER DES ARGUMENTS ✪

a. Indiquez si les sujets suivants vous invitent à trouver des arguments pour une seule thèse ou si vous devrez confronter deux thèses.

b. Justifiez votre réponse en vous appuyant sur les mots du sujet qui vous ont permis de répondre.

Sujet 3 Composez un apologue en prose (fable ou conte) qui fera l'éloge de la curiosité ou de l'audace. Vous prendrez le temps de préciser le contexte et de caractériser nettement les personnages dont l'histoire s'achèvera par une morale explicite.

Sujet 4 Face à Antigone qui a enfreint les lois de la cité édictées par son oncle Créon, roi de Thèbes, pour enterrer son frère, Ismène sa sœur défend les lois de la cité. Rédigez le dialogue théâtral qui oppose les deux sœurs.

Sujet 5 « Être ou ne pas être ? » (William SHAKESPEARE, *Hamlet*, 1603). Partir ou ne pas partir ? Pardonner ou ne pas pardonner ? À votre tour, composez un monologue théâtral qui commence par l'expression d'une alternative et qui appartienne au registre tragique. Vous veillerez à ce que le lecteur ou le spectateur dispose des éléments nécessaires à la bonne compréhension de la situation.

Sujet 6 À sa parution, le texte de Victor Hugo, « Réponse à un acte d'accusation » publié dans les *Contemplations* en 1856, suscite un vif débat dans la presse. Vous écrivez alors un article polémique dans lequel vous défendez ou, au contraire, vous attaquez sa conception de la poésie selon laquelle celle-ci doit employer tous les moyens expressifs qu'elle désire, sans se plier aux règles.

4 INDIQUER LE GENRE ET SES CARACTÉRISTIQUES ✪✪

a. Indiquez le genre imposé en soulignant les termes qui vous ont permis de répondre pour chaque sujet.
b. Listez les caractéristiques du genre qu'il vous faut respecter et mettre en œuvre dans votre production.

Sujet 7 Un personnage de votre invention se trouve confronté à un dilemme. Dans un monologue théâtral, il envisage de manière raisonnée ses deux alternatives afin de prendre une décision. Rédigez ce monologue.

Sujet 8 Composez un apologue (fable ou conte) pour lequel vous inventerez deux dénouements possibles qui aboutiront à deux morales différentes, voire opposées.

Sujet 9 Vous avez composé un recueil de poèmes, en prose ou en vers, faisant une large part au rêve et à l'imaginaire. Vous écrivez à un éditeur pour le convaincre de publier cet ouvrage et défendre votre démarche poétique.

5 CHOISIR LE (OU LES) REGISTRE(S) ✪✪

Relisez tous les sujets et indiquez quel(s) registre(s) ils imposent ou suggèrent.

1 ● L'écriture d'invention

2 ● Le paragraphe argumentatif

3 ● La lecture analytique : vers le commentaire

4 ● Le sujet de réflexion : vers la dissertation

5 ● L'oral

6 ● La lecture d'image

7 ● Le corpus et la question de synthèse

6 TROUVER DES ARGUMENTS ❊❊❊

Relisez le sujet 4 et trouvez au moins quatre arguments en faveur des lois de la cité qu'Ismène pourrait employer dans un débat l'opposant à sa sœur qui a choisi de ne pas les respecter.

7 ARGUMENTER À PARTIR D'UN TEXTE ❊❊❊

Le texte suivant présente la lettre de Rousseau évoquée au sujet 2. Après l'avoir lu, imaginez les reproches formulés par Mᵐᵉ de Francueil auxquels répond chaque passage surligné.

Oui, madame, j'ai mis mes enfants aux Enfants-Trouvés ; j'ai chargé de leur entretien l'établissement fait pour cela. Si ma misère et mes maux m'ôtent le pouvoir de remplir un soin si cher, c'est un malheur dont il faut me plaindre, et non un crime à me reprocher. Je leur dois la subsistance, je la leur ai procurée meilleure ou plus sûre au moins que je n'aurais pu la leur donner moi-même ; cet article est avant tout. Ensuite, vient la déclaration de leur mère qu'il ne faut pas déshonorer. Vous connaissez ma situation ; je gagne au jour la journée mon pain avec assez de peine ; comment nourrirais-je encore une famille ? Et si j'étais contraint de recourir au métier d'auteur, comment les soucis domestiques et les tracas des enfants me laisseraient-ils, dans mon grenier, la tranquillité d'esprit nécessaire pour faire un travail lucratif ? Les écrits que dicte la faim ne rapportent guère et cette ressource est bientôt épuisée. Il faudrait donc recourir aux protections, à l'intrigue, au manège ; briguer quelque vil emploi ; le faire valoir par les moyens ordinaires, autrement il ne me nourrira pas, et me sera bientôt ôté ; enfin, me livrer moi-même à toutes les infamies pour lesquelles je suis pénétré d'une si juste horreur. Nourrir, moi, mes enfants et leur mère, du sang des misérables ! Non, madame, il vaut mieux qu'ils soient orphelins que d'avoir pour père un fripon.

Accablé d'une maladie douloureuse et mortelle, je ne puis espérer encore une longue vie ; quand je pourrais entretenir, de mon vivant, ces infortunés destinés à souffrir un jour, ils paieraient chèrement l'avantage d'avoir été tenus un peu plus délicatement qu'ils ne pourront l'être où ils sont. Leur mère, victime de mon zèle indiscret, chargée de sa propre honte et de ses propres besoins, presque aussi valétudinaire[1], et encore moins en état de les nourrir que moi, sera forcée de les abandonner à eux-mêmes ; et je ne vois pour eux que l'alternative de se faire décrotteurs ou bandits, ce qui revient bientôt au même. Si du moins leur état était légitime, ils pourraient trouver plus aisément des ressources. Ayant à porter à la fois le déshonneur de leur naissance et celui de leur misère, que deviendront-ils ? Que ne me suis-je marié, me direz-vous ? Demandez à vos injustes lois, madame. Il ne me convenait pas de contracter un engagement éternel, et jamais on ne me prouvera qu'aucun devoir m'y oblige. Ce qu'il y a de certain, c'est que je n'en ai rien fait, et que je n'en veux rien faire. « Il ne faut pas faire des enfants quand on ne peut pas les nourrir. » Pardonnez-moi, madame, la nature veut qu'on en fasse puisque la terre produit de quoi nourrir tout le monde ; mais c'est l'état des riches, c'est votre état qui vole au mien le pain de mes enfants. La nature veut aussi qu'on pourvoie à leur subsistance ; voilà ce que j'ai fait ; s'il n'existait pas pour eux un asile, je ferais mon devoir et me résoudrais à mourir de faim moi-même plutôt que de ne pas les nourrir.

Ce mot d'Enfants-Trouvés vous en imposerait-il, comme si l'on trouvait ces enfants dans les rues, exposés à périr si le hasard ne les sauve ? Soyez sûre que vous n'auriez pas plus d'horreur que moi pour l'indigne père qui pourrait se résoudre à cette barbarie : elle est trop loin de mon cœur pour que je daigne m'en justifier. Il y a des règles établies ; informez-vous de ce qu'elles sont, et vous saurez que les enfants ne sortent des mains de la sage-femme que pour passer dans celles d'une nourrice. Je sais que ces enfants ne sont pas élevés délicatement : tant mieux pour eux, ils en deviennent plus robustes ; on ne leur donne rien de superflu, mais ils ont le nécessaire ; on n'en fait pas des messieurs, mais des paysans ou des ouvriers. Je ne vois rien, dans cette manière de les élever, dont je ne fisse choix pour les miens. Quand j'en serais le maître, je ne les préparerais point, par la mollesse, aux maladies que donnent la fatigue et les intempéries de l'air à ceux qui n'y sont pas faits. Ils ne sauraient ni danser, ni monter à cheval ; mais ils auraient de bonnes jambes infatigables. Je n'en ferais ni des auteurs ni des gens de bureau ; je ne les exercerais point à manier la plume, mais la charrue, la lime ou le rabot, instruments qui font mener une vie saine, laborieuse, innocente, dont on n'abuse jamais pour mal faire, et qui n'attire point d'ennemis en faisant bien. C'est à cela qu'ils sont destinés ; par la rustique éducation qu'on leur donne, ils seront plus heureux que leur père.

1. personne dont la santé est fragile.

Jean-Jacques ROUSSEAU, « Lettre à Mᵐᵉ de Francueil », 1751.

Objectifs
• Identifier le type d'exercice demandé
• Repérer les différents traits de langue de l'auteur à imiter
• Respecter un genre, un registre

MÉTHODE

Transposition et imitation sont des travaux d'invention possibles. Ils font appel à des qualités d'observation du texte à imiter et à une bonne connaissance des genres et registres.

▶▶▶ ÉTAPE 1 IDENTIFIER L'EXERCICE DEMANDÉ

▶ **Poursuivre**
Il s'agit de **continuer** un texte donné en imitant l'auteur au plus près. Ce peut être un récit ou un discours.

▶ **Transposer**
Il faut **réécrire** un texte en changeant de contexte (historique, social, etc.), de genre (passer du récit au théâtre, de la poésie au récit, etc.), de registre (du registre didactique au registre fantastique, etc.), de thèse ou de point de vue.

▶ **Détourner**
Le sujet demande de réécrire un texte pour en caricaturer les procédés et s'en moquer (la **parodie**) ou pour imiter fidèlement un auteur et lui rendre hommage (le **pastiche**).

▶▶▶ ÉTAPE 2 IDENTIFIER LES TRAITS D'ÉCRITURE

▶ **Le genre**
Faut-il imiter un dialogue romanesque ? un texte théâtral ? une lettre argumentative ? un discours oratoire ? Il faut penser à la date et à l'adresse pour une lettre, aux didascalies pour le théâtre, etc.

▶ **La situation d'énonciation**
Il est nécessaire d'observer soigneusement qui parle (le locuteur), à qui (le ou les interlocuteurs), et dans quel contexte (époque, lieu).

▶ **Le registre**
Quels traits propres aux registres connus pouvez-vous repérer ? Un registre polémique dans un débat argumentatif ? Un registre tragique dans une pièce de théâtre ? Y a-t-il de l'ironie ?
▶ Les registres et effets du texte, p. 460

▶ **Les procédés**
Quelles sont les figures de style (anaphores, phrases inachevées, etc.) propres à l'auteur ? Quelle syntaxe particulière peut-on noter (phrases très longues, phrases nominales, etc.) ? Quel est le lexique employé (vocabulaire technique, mots familiers, etc.) ? Y a-t-il des jeux de mots, des noms propres significatifs ?

▶▶▶ ÉTAPE 3 RÉDIGER UN TEXTE

▶ **Poursuivre**
On reprend la dernière phrase du texte. Le travail est construit et se clôt sur une fin.

▶ **Transposer**
Selon l'énoncé, il faut adapter un genre ou un registre (dont on retrouve les caractéristiques au brouillon), lister des arguments, savoir précisément quelle thèse est défendue ou attaquée.
▶ Les registres didactique, polémique et satirique, p. 470

▶ **Détourner**
La parodie joue sur l'amplification, l'inversion, les anachronismes, les calembours et divers jeux de mots. Le pastiche demande de trouver un autre thème, un autre objet, d'autres personnages, mais reprend fidèlement les traits d'écriture de l'auteur à imiter.

APPLICATION

Exemple de sujet : «C'était une de ces coiffures d'ordre composite, où l'on retrouve les éléments du bonnet à poil, du chapska, du chapeau rond, de la casquette de loutre et du bonnet de coton, une de ces pauvres choses, enfin, dont la laideur muette a des profondeurs d'expression comme le visage d'un imbécile. Ovoïde et renflée de baleines, elle commençait par trois boudins circulaires ; puis, s'alternaient, séparés par une bande rouge, des losanges de velours et de poils de lapin ; venait ensuite une façon de sac qui se terminait par un polygone cartonné, couvert d'une broderie en soutache compliquée, et d'où pendait, au bout d'un long cordon trop mince, un petit croisillon de fils d'or, en manière de gland. Elle était neuve ; la visière brillait. »

Gustave FLAUBERT, *Madame Bovary*, 1857.

Pastichez Flaubert en décrivant un objet remarquable.

▶▶▶ ÉTAPE 1 IDENTIFIER L'EXERCICE DEMANDÉ

▶ **Un pastiche**

Le but de l'exercice est de mettre en avant les traits d'écriture de cette description tant dans sa composition que dans son rythme.

▶▶▶ ÉTAPE 2 IDENTIFIER LES TRAITS D'ÉCRITURE

▶ **Le genre**

Il s'agit de la description d'une casquette. La structure du texte est à l'image de l'objet décrit : une construction assez désordonnée qui donne l'impression que le narrateur ne sait pas par quel bout se saisir de cette «coiffe». Mais on remarque une logique «commençait... puis... ensuite... se terminait... »

La description associe des formes, des couleurs, des matières extrêmement variées. Le lexique est précis, voire technique.

▶ **Les procédés**

On remarque des accumulations par énumérations, une comparaison («comme le visage d'un imbécile»), la présence d'une phrase longue suivie d'une phrase très courte.

▶▶▶ ÉTAPE 3 RÉDIGER UN TEXTE

« Le lit des deux époux était à lui seul un monument. Entouré, comme un château, de tourelles et de colonnes qui se tordaient et se déroulaient, recouvert de couvertures à franges et de draps brodés, caché sous un baldaquin qui avait été un voile de mariée et dont les trous laissaient passer les mouches, la couche se dressait vers le ciel, temple du sommeil et pyramide des temps modernes. Il était confortable, Ignace ronflait. »

On rend compte de la surcharge, du ridicule, du mauvais goût, de l'aspect hétéroclite et indescriptible du lit. Une comparaison apparaît. La première phrase est très longue, la suivante, très courte.

2 ● Le paragraphe
argumentatif

3 ● La lecture analytique :
vers le commentaire

4 ● Le sujet de réflexion :
vers la dissertation

5 ●
L'oral

6 ● La lecture
d'image

7 ● Le corpus et la
question de synthèse

1 TRANSPOSER ✪

Réécrivez le texte de Victor Hugo en supprimant les marques de la subjectivité pour en faire un texte totalement neutre.

Démontez-moi cette vieille échelle boiteuse des crimes et des peines et refaites-la. Refaites votre pénalité, refaites vos codes, refaites vos prisons, refaites vos juges. Remettez-y les lois au pas des mœurs. Messieurs, il se coupe trop de têtes par an en France. Puisque vous êtes en train de faire des économies, faites-en là-dessus. Puisque vous êtes en verve de suppressions, supprimez le bourreau. Avec la solde de vos quatre-vingts bourreaux, vous payerez six cents maîtres d'école. Songez au gros du peuple. Des écoles pour les enfants, des ateliers pour les hommes. Savez-vous que la France est un des pays de l'Europe où il y ait le moins de natifs qui sachent lire ? Quoi ! la Suisse sait lire, la Belgique sait lire, le Danemark sait lire, la Grèce sait lire, l'Irlande sait lire et la France ne sait pas lire ? C'est une honte.

Victor HUGO, *Claude Gueux*, 1834.

2 CHANGER DE FOCALISATION ✪

a. En vue de transposer ce texte, identifiez la focalisation utilisée ici. Quels en sont les indices ?
b. Réécrivez le texte en focalisation interne du point de vue de l'hôte.

L'hôte avait compté sur onze jours de maladie à un écu par jour ; mais il avait compté sans son voyageur. Le lendemain, dès cinq heures du matin, d'Artagnan se leva, descendit lui-même à la cuisine, demanda, outre quelques autres ingrédients dont la liste n'est pas parvenue jusqu'à nous, du vin, de l'huile, du romarin, et, la recette de sa mère à la main, se composa un baume dont il oignit ses nombreuses blessures, renouvelant ses compresses lui-même et ne voulant admettre l'adjonction d'aucun médecin. Grâce sans doute à l'efficacité du baume de Bohême, et peut-être aussi grâce à l'absence de tout docteur, d'Artagnan se trouva sur pied dès le soir même, et à peu près guéri le lendemain. Mais, au moment de payer ce romarin, cette huile et ce vin, seule dépense du maître qui avait gardé une diète absolue, tandis qu'au contraire le cheval jaune, au dire de l'hôtelier du moins, avait mangé trois fois plus qu'on n'eût raisonnablement pu le supposer pour sa taille, d'Artagnan ne trouva dans sa poche que sa petite bourse de velours râpé ainsi que les onze écus qu'elle contenait ; mais quant à la lettre adressée à M. de Tréville, elle avait disparu.

Alexandre DUMAS, *Les Trois Mousquetaires*, 1844.

3 CHANGER DE SUJET ✪✪

À la manière de Montherlant, décrivez un exploit sportif en respectant le registre identifié.

Un ailier est un enfant perdu.
Il a conquis le ballon et seul, sans se presser, il descend vers le but adverse. Ô majesté légère, comme s'il courait dans l'ombre d'un dieu ! Six garçons se jettent à sa poursuite ; et la glèbe jaillit derrière eux. On dirait son sillage déployé, force fraîche, cette houle humaine, ce large et gracieux éventail qui balaie de son vent la plaine. Devant lui sautille la bête perfide, à demi captive, irritée, qu'on mène à coups de caresses rageuses et de l'intérieur du pied, et ses pieds sont intelligents, et ses genoux sont intelligents. Magnifique est la gravité dure de ce jeune visage jamais vu que riant. Il court, il est talonné, et il y a en lui quelque chose d'immobile. Ses yeux sont baissés sur le ballon comme sur la page de Virgile. Sur sa poitrine découverte je vois briller ses médailles d'or. Ange gardien, inspirez son jeu ! Soudain le ballon en l'air, comme une noire et rapide boule de feu. Soudain lui qui s'envole ; et ses omoplates comme la naissance d'ailes coupées. Et le claquement musical du cuir, comme le rire de la bête perfide, parce que c'est loupé, loupé, loupé. Un geste dominateur de l'arbitre. Un coup de sifflet plein d'étendue. Je songe à une phrase du manuel : « Un ailier est un enfant perdu… »

Henry de MONTHERLANT, *Les Onze devant la porte dorée*, 1924, © Éditions Grasset.

4 TRANSFORMER UN POÈME EN ROMAN ✪✪

Faites de ce poème de Baudelaire une scène de rencontre romanesque.

La rue assourdissante autour de moi hurlait.
Longue, mince, en grand deuil, douleur majestueuse,
Une femme passa, d'une main fastueuse
Soulevant, balançant le feston et l'ourlet ;

Agile et noble, avec sa jambe de statue.
Moi, je buvais, crispé comme un extravagant,
Dans son œil, ciel livide où germe l'ouragan,
La douceur qui fascine et le plaisir qui tue.

Un éclair… puis la nuit ! — Fugitive beauté
Dont le regard m'a fait soudainement renaître,
Ne te verrai-je plus que dans l'éternité ?

Ailleurs, bien loin d'ici ! trop tard ! *jamais* peut-être !
Car j'ignore où tu fuis, tu ne sais où je vais,
Ô toi que j'eusse aimée, ô toi qui le savais !

Charles BAUDELAIRE, « À une passante »,
Les Fleurs du mal, 1857.

1 • L'écriture d'invention

2 • Le paragraphe argumentatif

3 • La lecture analytique : vers le commentaire

4 • Le sujet de réflexion : vers la dissertation

5 • L'oral

6 • La lecture d'image

7 • Le corpus et la question de synthèse

5 COMPARER DEUX VERSIONS ✦✦

a. Le texte 2 est-il une parodie ou un pastiche du texte 1 ? Quelle est l'intention de l'imitation ?
b. Détaillez les procédés utilisés par Apollinaire dans son imitation.

1 « Il pleure dans mon cœur
Comme il pleut sur la ville.
Quelle est cette langueur
Qui pénètre mon cœur ? »

Paul VERLAINE, *Romances sans paroles*, 1874.

2 « Il flotte dans mes bottes
Comme il pleut sur la ville
Au diable cette flotte
Qui pénètre mes bottes. »

Guillaume APOLLINAIRE, *Œuvres poétiques*, 1956,
© Éditions Gallimard.

6 ANALYSER DES PROCÉDÉS DE TRANSFORMATION ✦✦

a. L'écriture journalistique et publicitaire est un réservoir de parodies. Trouvez-en au moins cinq exemples. Nommez à chaque fois le procédé de transformation utilisé.
b. Renseignez-vous sur *Le Chapelain Décoiffé* de Racine et Boileau et détaillez les procédés utilisés dans cette parodie du *Cid* de Corneille :

Ô rage, ô désespoir ! Ô perruque m'amie !
N'as-tu donc tant vécu que pour cette infamie ?
N'as-tu trompé l'espoir de tant de perruquiers
Que pour voir en un jour flétrir tant de lauriers ?

Nicolas BOILEAU, *Le Chapelain Décoiffé*, 1664.

c. Les critiques littéraires ont souvent repris les titres des auteurs étudiés pour leur propre ouvrage. Identifiez ces œuvres.
Splendeurs et misères d'Honoré de Balzac – La Tentation de saint Gustave – À l'ombre de Marcel Proust – Le Parti Pris des Mots – À la Recherche de Marcel Proust.

7 POURSUIVRE UN TEXTE ✦✦✦

En respectant le genre, le registre et les traits d'écriture du texte suivant, rédigez une suite d'une vingtaine de lignes. (Emma, accompagnée de son chevalier servant, va rendre visite à sa fille mise en nourrice.)

Pour arriver chez la nourrice il fallait, après la rue, tourner à gauche, comme pour gagner le cimetière, et suivre, entre des maisonnettes et des cours, un petit sentier que bordaient des troènes. Ils étaient en fleur et les véroniques aussi, les églantiers, les orties, et les ronces légères, qui s'élançaient des buissons. Par le trou des haies, on apercevait, dans les masures, quelque pourceau sur un fumier, ou des vaches embricolées[1], frottant leurs cornes contre le tronc des arbres. Tous les deux, côte à côte, ils marchaient doucement, elle s'appuyant sur lui et lui retenant son pas qu'il mesurait sur les siens ; devant eux, un essaim de mouches voltigeait, en bourdonnant dans l'air chaud. Ils reconnurent la maison à un vieux noyer qui l'ombrageait. Basse et couverte de tuiles brunes, elle avait en dehors, sous la lucarne de son grenier, un chapelet d'oignons suspendu. Des bourrées, debout contre la clôture d'épines, entouraient un carré de laitues, quelques pieds de lavande et des pois à fleurs montés sur des rames. De l'eau sale coulait en s'éparpillant sur l'herbe, et il y avait tout autour plusieurs guenilles indistinctes, des bas de tricot, une camisole d'indienne rouge, et un grand drap de toile épaisse étalé en long sur la haie. Au bruit de la barrière, la nourrice parut, tenant sur son bras un enfant qui tétait. Elle tirait de l'autre main un pauvre marmot chétif, couvert de scrofules[2] au visage, le fils d'un bonnetier de Rouen, que ses parents trop occupés de leur négoce laissaient à la campagne.

Gustave FLAUBERT, *Madame Bovary*, 1857.

1. vache attachée avec une lanière pour l'empêcher de brouter.
2. maladie de peau liée à des carences alimentaires.

8 RÉDIGER UNE SUITE DE TEXTE ✦✦✦

a. Quelles sont les intentions du pastiche de Marcel Proust ci-dessous ?
b. Quels traits de style propres à Flaubert pouvez-vous reconnaître ? (Aidez-vous du texte de l'exercice 7.)
c. Rédigez deux phrases qui pourraient prolonger le pastiche de Proust.

À la manière de Flaubert.
La chaleur devenait étouffante, une cloche tinta, des tourterelles s'envolèrent, et, les fenêtres ayant été fermées sur l'ordre du président, une odeur de poussière se répandit. Il était vieux, avec un visage de pitre, une robe trop étroite pour sa corpulence, des prétentions à l'esprit ; et ses favoris égaux, qu'un reste de tabac salissait, donnaient à toute sa personne quelque chose de décoratif et de vulgaire.

Marcel PROUST, *Pastiches et mélanges*, 1919.

3. COMPRENDRE UNE QUESTION

Objectifs
- Éviter le hors-sujet
- Identifier les notions
- Comprendre la consigne

Il existe plusieurs types de questions : comprendre une citation, repérer un procédé d'écriture, analyser une figure de style, identifier une démarche argumentative, etc.
Même si ces questions entraînent des réponses différentes, les attentes sont les mêmes pour chacune d'elles : rédiger un paragraphe argumentatif étroitement lié à la question et bien organisé.

Texte support :

MOLIÈRE, *L'Avare*, acte IV, scène 7, 1668.

Vieil avare, Harpagon vient de s'apercevoir qu'on lui a dérobé sa cassette d'argent enterrée dans son jardin. Le public sait que le valet de son fils est l'auteur du vol, mais le bourgeois totalement désemparé l'ignore.

1   HARPAGON, *il crie au voleur dès le jardin, et vient sans chapeau.* – Au voleur ! au voleur ! à l'assassin ! au meurtrier ! Justice, juste ciel ! Je suis perdu, je suis assassiné, on m'a coupé la gorge, on m'a dérobé mon argent ! Qui peut-ce être ? Qu'est-il devenu ? Où est-il ? Où se cache-t-il ? Que ferai-je pour le trouver ? Où courir ? Où ne pas courir ? N'est-il point là ? N'est-il point ici ? Qui est-ce ? Arrête ! Rends-moi mon
5   argent, coquin !... *(il se prend lui-même le bras.)* Ah ! c'est moi. Mon esprit est troublé, et j'ignore où je suis, qui je suis, et ce que je fais. Hélas ! mon pauvre argent, mon pauvre argent, mon cher ami, on m'a privé de toi, et, puisque tu m'es enlevé, j'ai perdu mon support, ma consolation, ma joie ; tout est fini pour moi, et je n'ai plus que faire au monde : sans toi, il m'est impossible de vivre. C'en est fait, je n'en puis plus, je me meurs, je suis mort, je suis enterré. N'y a-t-il personne qui veuille me ressusciter, me
10   rendant mon cher argent, ou en m'apprenant qui l'a pris ? Euh ! que dites-vous ? Ce n'est personne. Il faut, qui que ce soit qui ait fait le coup, qu'avec beaucoup de soin on ait épié l'heure ; et l'on a choisi justement le temps que je parlais à mon traître de fils. Sortons. Je veux aller quérir la justice et faire donner la question à toute ma maison : à servantes, à valets, à fils, à fille, et à moi aussi. Que de gens assemblés ! Je ne jette mes regards sur personne qui ne me donne des soupçons, et tout me semble mon
15   voleur. Eh ! de quoi est-ce qu'on parle là ? de celui qui m'a dérobé ? Quel bruit fait-on là-haut ? Est-ce mon voleur qui y est ? De grâce, si l'on sait des nouvelles de mon voleur, je supplie que l'on m'en dise. N'est-il point caché là parmi vous ? Ils me regardent tous et se mettent à rire. Vous verrez qu'ils ont part, sans doute, au vol que l'on m'a fait. Allons vite, des commissaires, des archers, des prévôts, des juges, des gênes[1], des potences et des bourreaux. Je veux faire pendre tout le monde ; et, si je ne retrouve mon
20   argent, je me pendrai moi-même après.

1. tortures.

Mots-clés

Exemple de sujet : Identifier et analyser les **sources** du **comique** présentes dans le **monologue** d'Harpagon ? Vous veillerez à **organiser votre réponse** et à l'**illustrer d'exemples précis**.

Type de consigne

	1 • L'écriture d'invention
	2 • Le paragraphe argumentatif
	3 • La lecture analytique : vers le commentaire
	4 • Le sujet de réflexion : vers la dissertation
	5 • L'oral
	6 • La lecture d'image
	7 • Le corpus et la question de synthèse

MÉTHODE

▶▶▶ÉTAPE 1 REPÉRER LES MOTS-CLÉS

▶ **Souligner les mots-clés de la question**
Un mot-clé renseigne sur le thème, le genre, le registre, le type de texte, le courant littéraire, etc.

▶ **Expliquer les mots-clés sur une feuille de brouillon**
• Rédiger une brève définition des mots soulignés.
• Reformuler par le recours aux synonymes.

▶▶▶ÉTAPE 2 IDENTIFIER LE TYPE DE CONSIGNE

▶ **Repérer le type de tâche à effectuer**
• Encadrer le (ou les) mot(s) indiquant le travail à effectuer (« analyser », « commenter » « confronter », etc.)
• Pour les questions introduites par un mot interrogatif : la consigne est suggérée de manière implicite et amène souvent à suivre plusieurs démarches.
Exemple : « Par quels arguments le locuteur défend-il son point de vue ? » Cette question suppose de repérer les arguments, de les identifier en indiquant de quel type d'argument il s'agit puis de le reformuler.
▶ **Anticiper les étapes à suivre**
Noter au brouillon les étapes à suivre pour être sûr de ne rien oublier.
▶ **Procéder aux premiers repérages**
• en effectuant des relevés précis ;
• en établissant des regroupements.

APPLICATION

▶ **Mots-clés**
« sources » – « comique » – « monologue »

▶ **Explication**
• **sources** : tous les éléments à l'origine du rire : un mot, un geste, une situation ;
• **comique** : le comique peut avoir des formes et des fonctions diverses ;
• **monologue** : il faudra prendre en compte la mise en scène théâtrale et le cas particulier et artificiel du monologue.

▶ **Les tâches à effectuer**
• « Identifier et analyser » ; « organiser » ; « illustrer ».

▶ **Les étapes à suivre et les repérages**
• **Première étape :** repérer les sources de comique et les classer par type : gestes, mots, situation, caractère.
Exemple : comique de geste.
• **Deuxième étape :** expliquer les procédés identifiés.
Exemple : Harpagon s'empoigne lui-même sans se reconnaître, donnant l'illusion d'un dédoublement de sa personne.
• **Troisième étape :** justifier les repérages par des citations précises.
Exemple : « Qui est-ce ? Arrête ! *(Il se prend lui-même le bras.)* Rends-moi mon argent, coquin !.... Ah ! c'est moi. » (l. 5)
• **Quatrième étape :** analyser les citations.
Exemple : état d'agitation extrême et de colère (impératifs, cris, insultes), puis retour à la réalité après quelques secondes de lucidité (points de suspension, passage de la 2e à la 1re personne).

4. JUSTIFIER SA RÉPONSE EN INSÉRANT DES EXEMPLES

Objectifs
- Faire le bon choix
- Savoir insérer l'exemple
- Développer une idée

Texte support: Molière, *L'Avare*, acte IV, scène 7, 1668. ▶ p. 482

MÉTHODE

APPLICATION

▶▶▶ÉTAPE 1 CHOISIR LES EXEMPLES

Les différents types d'exemples
- Exemple culturel: littéraire, pictural, cinématographique, etc.
- Exemple documentaire: issu de journaux, dictionnaires, ouvrages spécialisés.
- Extrait de texte: citation.

Nombre et longueur
- Éviter les listes d'exemples.
- Lier l'exemple à la réponse.

Les types d'exemples
- **personnifications affectives:** «Mon cher ami, on m'a privé de toi» (l. 7); «Sans toi, il m'est impossible de vivre» (l. 8)
- **hyperboles:** «à l'assassin! au meurtrier!» (l. 1-2); «Je suis perdu, je suis assassiné! On m'a coupé la gorge» (l. 2); «si je ne retrouve mon argent, je me pendrai moi-même après!» (l. 20)
- **comique de geste:** «*(Il se prend lui-même le bras.)*» (l. 5)

▶▶▶ÉTAPE 2 INTÉGRER LES EXEMPLES À LA RÉPONSE

Les conventions à respecter
- Chaque citation doit apparaître entre guillemets, recopiée avec précision et exactitude.
- En cas de modification, utiliser les crochets. Signaler les éventuelles coupes par le signe [...].

Les modes d'insertion
Utiliser des verbes introducteurs (*affirmer, revendiquer, dénoncer*, etc.). L'insertion directe pourra être annoncée par les deux-points. D'autres formules d'inclusion sont possibles: «comme le prouve», «c'est le cas de», etc.

Les conventions et l'insertion directe
Exemple: Les expressions affectives «mon cher ami, on m'a privé de toi» et «Sans toi, il m'est impossible de vivre» permettent de rendre compte de l'état d'agitation dans lequel se trouve le personnage.

▶▶▶ÉTAPE 3 EXPLOITER LES EXEMPLES

Expliquer
- Les exemples doivent être reformulés, précisés et expliqués de manière à prouver qu'ils n'ont pas été choisis au hasard.

Analyser
- Éviter le résumé passif et la paraphrase. Vous devez identifier les procédés d'écriture (procédés lexicaux, grammaticaux, de style et de versification) et en analyser les effets produits.

Analyser: le discours excessif et la personnification
Exemple: Le personnage suscite le rire par l'excès de sa réaction face au vol: il semble aimer autant son argent qu'il pourrait aimer un «ami», puisqu'il le personnifie et emploie des termes et des adjectifs possessifs affectueux: «cher», «toi».

5. CONSTRUIRE UN PARAGRAPHE ARGUMENTATIF

1 • L'écriture d'invention

2 • Le paragraphe argumentatif

3 • La lecture analytique : vers le commentaire

4 • Le sujet de réflexion : vers la dissertation

5 • L'oral

6 • La lecture d'image

7 • Le corpus et la question de synthèse

Objectifs
- Structurer sa réponse
- Développer une idée
- Être convaincant

Texte support : Molière, *L'Avare*, acte IV, scène 7, 1668. ▶ p. 482

MÉTHODE

▶▶▶ ÉTAPE 1 OUVRIR LE PARAGRAPHE

▶ **Quelques conventions à respecter**
Le paragraphe commence toujours par un alinéa suivi d'une majuscule.

▶ **Les premières phrases**
Il convient d'annoncer et de préciser clairement l'idée directrice du paragraphe.

▶▶▶ ÉTAPE 2 DÉVELOPPER L'IDÉE DIRECTRICE

▶ **Formuler des arguments expliquant l'idée directrice**

▶ **Illustrer les arguments**
Les arguments doivent, au fur et à mesure de leur formulation, être explicités par des exemples culturels ou documentaires et par des citations choisies et insérées avec soin.

▶ **Hiérarchiser, organiser, utiliser des connecteurs logiques**

▶▶▶ ÉTAPE 3 CLORE UN PARAGRAPHE

▶ **Formuler un bilan**
Il convient de récapituler l'essentiel de ce qui a été vu dans le paragraphe.

APPLICATION

▶ Le registre comique est prédominant dans ce monologue. **En effet**, l'enjeu de ce texte est avant tout de faire rire les spectateurs. **[idée directrice du paragraphe]**

▶ **En premier lieu**, le personnage suscite le rire par l'excès disproportionné de sa réaction face au vol : il semble aimer autant son argent qu'il pourrait aimer un ami, puisqu'il le personnifie et emploie des termes et des adjectifs possessifs affectueux. Les expressions affectives « mon cher ami, on m'a privé de toi » (l. 7) et « Sans toi, il m'est impossible de vivre » (l. 8) permettent effectivement de rendre compte de l'état d'agitation dans lequel se trouve le personnage. Aussi, dès les premières lignes, il n'hésite pas à qualifier ce vol de pur assassinat, il en appelle « au meurtrier » et il jure qu'« on [lui] a coupé la gorge » (l. 2). À la fin de la tirade, Harpagon envisage même sa propre mort : « et, si je ne retrouve mon argent, je me pendrai moi-même après ! ». **Dans un second temps**, nous constatons que la perte de son argent lui est si douloureuse qu'Harpagon devient victime d'hallucinations ridicules : la didascalie nous informe qu'il pense arrêter le voleur en « se pren[ant] lui-même le bras » (l. 5). À ces comiques de caractère, de mots et de geste s'ajoute **enfin** le comique de répétition. L'esprit égaré, Harpagon ne sait que faire ni que dire ; il s'exclame et s'agite en tous sens, incapable de formuler un discours clair et organisé. Il se répète : « au voleur ! » (l. 1), « je suis » (l. 2) « on m'a » (l. 2), « n'est-il point » (l. 4), « mon pauvre argent » (l. 6) ce qui ne peut manquer de provoquer le rire des spectateurs. **[développement organisé]**

▶ **Ainsi**, le registre comique, plus qu'il ne distrait le public, crée une distance entre le personnage et lui, distance nécessaire à la réflexion et à l'esprit critique des spectateurs. **[conclusion du paragraphe]**

EXERCICES

1 RESPECTER LES CONVENTIONS ❂

Après avoir lu le texte suivant, prenez connaissance du paragraphe de commentaire concernant les relations entre les différents personnages. Les citations ont été mal insérées. Retrouvez les erreurs commises et réécrivez le paragraphe correctement.

L'avocat ouvrit une porte. Thérèse Desqueyroux, dans ce couloir dérobé du palais de justice, sentit sur sa face la brume et, profondément, l'aspira. Elle avait peur d'être attendue, hésitait à sortir. Un homme, dont le col était relevé, se détacha d'un platane ; elle reconnut son père. L'avocat cria : « Non-lieu » et, se retournant vers Thérèse :

« Vous pouvez sortir : il n'y a personne. »

Elle descendit des marches mouillées. Oui, la petite place semblait déserte. Son père ne l'embrassa pas, ne lui donna pas même un regard ; il interrogeait l'avocat Duros qui répondait à mi-voix, comme s'ils eussent été épiés. Elle entendait confusément leurs propos :

« Je recevrai demain l'avis officiel du non-lieu.

– Il ne peut plus y avoir de surprise ?

– Non : les carottes sont cuites, comme on dit.

– Après la déposition de mon gendre, c'était couru.

– Couru... couru... On ne sait jamais.

– Du moment que, de son propre aveu, il ne comptait jamais les gouttes...

– Vous savez, Larroque, dans ces sortes d'affaires, le témoignage de la victime... » La voix de Thérèse s'éleva :

« Il n'y a pas eu de victime.

– J'ai voulu dire : victime de son imprudence, madame. »

Les deux hommes, un instant, observèrent la jeune femme immobile, serrée dans son manteau, et ce blême visage qui n'exprimait rien. Elle demanda où était la voiture ; son père l'avait fait attendre sur la route de Budos, en dehors de la ville, pour ne pas attirer l'attention.

Ils traversèrent la place : des feuilles de platane étaient collées aux bancs trempés de pluie. Heureusement, les jours avaient bien diminué. D'ailleurs, pour rejoindre la route de Budos, on peut suivre les rues les plus désertes de la sous-préfecture. Thérèse marchait entre les deux hommes qu'elle dominait du front et qui de nouveau discutaient comme si elle n'eût pas été présente mais, gênés par ce corps de femme qui les séparait, ils le poussaient du coude.

François MAURIAC, *Thérèse Desqueyroux*, 1927, © Éditions Grasset & Fasquelle.

Paragraphe rédigé : L'incipit du roman de Mauriac présente trois personnages, Thérèse Desqueyroux, héroïne éponyme, nommée dès la deuxième phrase, son père, M. Larroque, et leur avocat, Duros ; un autre personnage est désigné par deux périphrases : « mon gendre et la victime ». Le sens se construit essentiellement grâce au dialogue : l'époux de Thérèse, probablement malade « il ne comptait jamais les gouttes », aurait été victime d'une tentative d'empoisonnement, tentative niée par sa femme. Immédiatement, les relations entre les personnages paraissent tendues. La froideur s'installe entre Thérèse et son père qui ne lui témoigne aucune affection et qui « ne l'embrass[e] même pas » ; l'intensif même traduisant cette distance. L'avocat semble en désaccord avec sa cliente sur son interprétation des faits et la correction qu'il apporte à ses propos ressemble à des excuses sans conviction et révèle une méfiance prudente vis-à-vis de Thérèse. En revanche, une certaine connivence se crée entre le père et l'avocat qui dialoguent en ignorant la jeune femme : « les deux hommes [...] qui de nouveau discutaient [...] présente ». Dans la dernière phrase, Thérèse apparaît véritablement comme un obstacle physique. Les hommes se trouvent « gênés par ce corps de femme qui les séparait » et qu'ils cherchent à écarter en « le pouss[ant] du coude ».

2 INSÉRER UNE CITATION ❂

Après avoir lu les textes qui suivent, vous répondrez à la question posée en proposant deux manières différentes d'insérer les citations.

Quelle est la thèse défendue dans chacun des extraits suivants ? Vous justifierez votre réponse en vous référant aux textes.

1

Je n'aime pas la guerre, je n'aime aucune sorte de guerre. Ce n'est pas par sentimentalité. Je suis resté quarante-deux jours devant le fort de Vaux et il est difficile de m'intéresser à un cadavre désormais. Je ne sais pas si c'est une qualité ou un défaut : c'est un fait. Je déteste la guerre.

Jean GIONO, « Lettre aux paysans sur la pauvreté et la paix », *Écrits pacifistes*, 1938, © Éditions Grasset.

2

Laissez-vous aller, allongez-vous, ne résistez pas à l'appel de la sieste, à ce plongeon voluptueux dans le sommeil diurne ! Dormez, rêvez, rompez les amarres avec la rive du quotidien chronométré ! Décidez de votre temps, siestez !

Thierry PAQUOT, *L'Art de la sieste*, 1998, © Éditions Zulma.

1 • L'écriture d'invention

2 • Le paragraphe argumentatif

3 • La lecture analytique : vers le commentaire

4 • Le sujet de réflexion : vers la dissertation

5 • L'oral

6 • La lecture d'image

7 • Le corpus et la question de synthèse

3 ANALYSER LES VERBES INTRODUCTEURS ✪✪

Classez dans un tableau les verbes et expressions introducteurs qui vous sont proposés en fonction du sens auquel ils renvoient.

analyse – prouve – précise – démontre – craint – déplore – fait apparaître – selon *x* – constate – conteste – rétorque – s'interroge – s'indigne – complète – partage – montre – pour *x* – préconise – insiste – s'exclame – met en évidence – donne l'exemple de – doute – illustre – se dresse contre – défend – explique – refuse – se demande si – revendique – ajoute

illustration	confirmation	opposition	réflexion
d'après *x*	souligne que	s'insurge contre	estime

4 EXPLOITER LES EXEMPLES ✪✪✪

Réécrivez le paragraphe « rédigé » en exploitant les exemples surlignés de manière à enrichir l'analyse du texte.

Un sentiment de malaise inexprimable commença donc à fermenter dans tous les cœurs jeunes. Condamnés au repos par les souverains du monde, livrés aux cuistres de toute espèce, à l'oisiveté et à l'ennui, les jeunes gens voyaient se retirer d'eux les vagues écumantes contre lesquelles ils avaient préparé leur bras. Tous ces gladiateurs frottés d'huile se sentaient au fond de l'âme une misère insupportable. Les plus riches se firent libertins ; ceux d'une fortune médiocre prirent un état et se résignèrent soit à la robe, soit à l'épée ; les plus pauvres se jetèrent dans l'enthousiasme à froid, dans les grands mots, dans l'affreuse mer de l'action sans but. Comme la faiblesse humaine cherche l'association et que les hommes sont troupeaux de nature, la politique s'en mêla. On s'allait battre avec les gardes du corps sur les marches de la chambre législative, on courait à une pièce de théâtre où Talma portait une perruque qui le faisait ressembler à César, on se ruait à l'enterrement d'un député libéral. Mais des membres des deux partis opposés, il n'en était pas un qui, en rentrant chez lui, ne sentît amèrement le vide de son existence et la pauvreté de ses mains.

En même temps que la vie du dehors était si pâle et si mesquine, la vie intérieure de la société prenait un aspect sombre et silencieux.

Alfred de MUSSET, *La Confession d'un enfant du siècle*, 1836.

Paragraphe rédigé : Dans l'extrait de *La Confession d'un enfant du siècle*, Musset présente un contexte historique responsable du désespoir et de l'ennui des jeunes citoyens. En effet, l'auteur utilise deux expressions qui font référence à l'histoire pour bien mettre en évidence ce qui oppose les deux forces en présence : d'un côté, « les souverains du monde », de l'autre, « Tous ces gladiateurs frottés d'huile ». Le lexique dépréciatif, « repos », « oisiveté » et « ennui », résume ce que ces rois proposent aux jeunes. De plus, des adjectifs péjoratifs renforcés par des intensifs, « si pâle et si mesquine », qualifient la vie politique qui s'offre à eux. Or, l'histoire est censée offrir des activités périlleuses à la jeunesse, des tempêtes, comme le montre la métaphore des « vagues écumantes », mais les jeunes gens « [ont] préparé leurs bras » en pure perte : Musset insiste sur l'idée qu'ils sont « condamnés au repos » en les représentant comme des spectateurs inutiles. Le vocabulaire juridique apparaît : « condamnés », « livrés ». Finalement, l'ennui de la jeunesse est suggéré par la juxtaposition de trois exemples de « combats », vaines tentatives pour meubler l'ennui. Chacun de ces groupes est désigné par l'indéfini « on ».

5 RÉDIGER UN PARAGRAPHE ✪✪✪

Rédigez un paragraphe de commentaire dans lequel vous montrerez que le poète donne à la femme aimée une fonction d'éducatrice et de guide. Vous citerez le texte avec exactitude.

J'ai tout appris de toi sur les choses humaines
Et j'ai vu désormais le monde à ta façon
J'ai tout appris de toi comme on boit aux
fontaines
Comme on lit dans le ciel les étoiles lointaines
Comme au passant qui chante on reprend sa
chanson
J'ai tout appris de toi jusqu'au sens du frisson

J'ai tout appris de toi pour ce qui me concerne
Qu'il fait jour à midi qu'un ciel peut être bleu
Que le bonheur n'est pas un quinquet de
taverne
Tu m'as pris par la main dans cet enfer moderne
Où l'homme ne sait plus ce que c'est qu'être deux
Tu m'as pris par la main comme un amant
heureux

Louis ARAGON, « Prose du bonheur et d'Elsa »,
Le Roman inachevé, 1956, © Éditions Gallimard.

6. LIRE UNE PAGE DE RÉCIT

Une page de récit, si simple soit-elle à la lecture, est un texte élaboré : pour l'expliquer ou le commenter, il faut être attentif à un certain nombre d'éléments caractéristiques du genre.

Texte support :

André MALRAUX, *La Condition humaine*, 1933.

Après un long séjour en Extrême-Orient, et notamment en Chine en pleine guerre civile (1927), Malraux rédige son troisième roman, La Condition humaine, *pour lequel il obtiendra le prix Goncourt. L'extrait suivant en constitue l'incipit.*

21 MARS 1927
Minuit et demi.

1   Tchen tenterait-il de lever la moustiquaire ? Frapperait-il au travers ? L'angoisse lui tordait l'estomac ; il connaissait sa propre fermeté, mais n'était capable en cet instant que d'y songer avec hébétude, fasciné par ce tas de mousseline blanche qui tombait du plafond sur un corps moins visible qu'une ombre, et d'où sortait seulement ce pied à demi incliné par le sommeil, vivant quand même – de la chair
5   d'homme. La seule lumière venait du building voisin : un grand rectangle d'électricité pâle, coupé par les barreaux de la fenêtre dont l'un rayait le lit juste au-dessous du pied comme pour en accentuer le volume et la vie. Quatre ou cinq klaxons grincèrent à la fois. Découvert ? Combattre, combattre des ennemis qui se défendent, des ennemis éveillés !

    La vague de vacarme retomba : quelque embarras de voitures (il y avait encore des embarras de voi-
10   tures, là-bas, dans le monde des hommes...). Il se retrouva en face de la tache molle de la mousseline et du rectangle de lumière, immobiles dans cette nuit où le temps n'existait plus.

    Il se répétait que cet homme devait mourir. Bêtement : car il savait qu'il le tuerait. Pris ou non, exécuté ou non, peu importait. Rien n'existait que ce pied, cet homme qu'il devait frapper sans qu'il se défendît – car, s'il se défendait, il appellerait.

15   Les paupières battantes, Tchen découvrait en lui, jusqu'à la nausée, non le combattant qu'il attendait, mais un sacrificateur. Et pas seulement aux dieux qu'il avait choisis : sous son sacrifice à la révolution grouillait un monde de profondeurs auprès de quoi cette nuit écrasée d'angoisse n'était que clarté. « Assassiner n'est pas seulement tuer... » Dans ses poches, ses mains hésitantes tenaient, la droite un rasoir fermé, la gauche un court poignard. [...] Le rasoir était plus sûr, mais Tchen sentait qu'il ne
20   pourrait jamais s'en servir ; le poignard lui répugnait moins. Il lâcha le rasoir dont le dos pénétrait ses doigts crispés ; le poignard était nu dans sa poche, sans gaine. Il le fit passer dans sa main droite, la gauche retombant sur la laine de son chandail et y restant collée. Il éleva légèrement le bras droit, stupéfait du silence qui continuait à l'entourer, comme si son geste eût dû déclencher quelque chute. Mais non, il ne se passait rien : c'était toujours à lui d'agir.

© Éditions Gallimard.

1 • L'écriture d'invention

2 • Le paragraphe argumentatif

3 • La lecture analytique : vers le commentaire

4 • Le sujet de réflexion : vers la dissertation

5 • L'oral

6 • La lecture d'image

7 • Le corpus et la question de synthèse

MÉTHODE

▶▶▶ÉTAPE 1 SITUER L'EXTRAIT ET IDENTIFIER SES CARACTÉRISTIQUES

▶ **Étudier le titre**
▶ **Déterminer le genre du texte**
Roman (psychologique, historique), nouvelle, (réaliste, fantastique), conte, etc. ?
▶ Les registres et effets du texte, p. 460
▶ **Dégager les thèmes**

▶ **Situer le texte à l'intérieur de l'œuvre**

▶ **Étudier les formes de discours**
S'agit-il de raconter, décrire, expliquer, argumenter ? ▶ Les discours rapportés, p. 437

▶ **Identifier et interpréter les registres**
Quels sont les effet(s) sur le lecteur ?
▶ Les registres tragique et pathétique, p. 466

▶▶▶ÉTAPE 2 ÉTUDIER SYSTÈME NARRATIF ET RÔLE DES PERSONNAGES

▶ **Déterminer le statut du narrateur**
• Qui raconte ? Quel point de vue adopte-t-il ?
• Quelle relation établit-il avec le lecteur ?
▶ Narrateur et focalisations, p. 426
▶ **Étudier temps de la narration et de l'histoire**
▶ Modes, temps et valeurs, p. 395
▶ **Analyser les descriptions**
Comment la description est-elle insérée dans le récit ? Quelle est sa fonction ?
▶ La description, formes et fonctions, p. 435

▶ **Les personnages et leurs rôles**
Donner l'illusion de la réalité ? Être un modèle pour la société ou son miroir ? Être le porte-parole des réflexions de l'écrivain ?

▶▶▶ÉTAPE 3 ÉLABORER UNE PROBLÉMATIQUE

▶ L'étude du texte doit amener à dégager un projet de lecture appelé problématique.

APPLICATION

▶ **Le titre** annonce une réflexion philosophique.
▶ **Genre du texte**
Roman avec arrière-plan historique : révolution en Chine. Datation très précise : « 21 mars 1927 ». Il s'agit donc d'un roman-reportage.
▶ **Thème**
Assassinat imminent, mais hésitation.
▶ **Situation de l'extrait**
Incipit *in medias res* : lecteur plongé au cœur d'un assassinat comme dans un roman policier.
▶ **Formes de discours**
Discours narratif (verbes d'action au passé simple) et descriptif (verbes à l'imparfait) : hésitation du personnage au moment d'agir.
▶ **Registre**
Le registre pathétique révèle l'angoisse de Tchen : le lecteur épouse son état d'esprit.

▶ **Statut du narrateur**
Narrateur externe qui s'adresse au lecteur, 2 questions (l. 1). Focalisation interne « Tchen découvrait en lui » (l. 15) : empathie du lecteur pour Tchen.
▶ **Temps de la narration et de l'histoire**
Rythme ralenti : « le temps n'existait plus » (l. 11).
▶ **Descriptions**
• Lieu limité au champ de vision de Tchen : comme au cinéma, plan moyen (le lit), rapproché (le pied) et profondeur de champ (building voisin).
• Contraste entre la « lumière » (l. 11), les bruits de l'extérieur et l'« ombre » (l. 4), le silence de la chambre : Tchen seul.
▶ **Rôle des personnages**
• Une victime anonyme (« homme » (l. 5), « corps » (l. 3)) réduite à son pied (synecdoque) : pas d'identification du lecteur avec ce corps.
• Tchen prêt à tuer (champ lexical de la certitude, du devoir : il « savait », « devait » (l. 12)) pour servir la cause politique, mais répulsion pour son rôle (« nausée (l. 15 ; « sacrificateur » (l. 16) et non héros) et découverte de la fascination pour la mort (« fasciné » (l. 3), « stupéfait » (l. 23)) enfouie dans son inconscient (« monde de profondeurs » (l. 17)).

▶ Dès la première page, le lecteur est plongé dans une scène de crime. Mais c'est l'angoisse de l'assassin et non celle de la victime qu'il est amené à partager.

MÉTHODE

> ▶▶▶ ÉTAPE 4 ÉLABORER LE PLAN DÉTAILLÉ
>
> ▶ **Trouver les axes de lecture en fonction de la problématique**
> Un axe est une perspective d'étude de certains aspects du texte.
> ▶ **Élaborer les sous-parties**
> ▶ Construire un paragraphe argumentatif, p. 485

APPLICATION

I. UN INCIPIT OPPRESSANT...

a. Le suspense d'un roman policier

• Incipit *in medias res* : lecteur plongé au cœur d'un assassinat, verbes d'action au passé simple.

• Absence d'informations sur le lieu, les personnages (victime anonyme, homme réduit à son pied par synecdoque (l. 4, 6, 13)), atmosphère haletante, tournures elliptiques, phrases brèves : « Découvert ? » (l. 7) : la curiosité du lecteur est piquée.

• L'arrêt du temps : le temps est ralenti avec l'emploi du temps subjectif (« cette nuit où le temps n'existait plus » (l. 11)) ; valeur du conditionnel (« frapperait-il », (l. 1)) et des imparfaits (« ses mains [...] tenaient » (l. 18)) exacerbe l'attente du lecteur.

b. La dramatisation d'une scène de cinéma

• Description en focalisation interne qui épouse le champ de vision limité de Tchen : plan moyen (le lit), rapproché (le pied) et profondeur de champ (« lumière » (l. 5), « klaxons » (l. 7)).

• Scène classique de meurtre dans l'obscurité, qui privilégie jeux d'ombre, avec une comparaison « moins visible qu'une ombre » (l. 3-4), et de lumière (« un grand rectangle d'électricité pâle » (l. 5)).

c. Un décor contrasté, symbole de l'enfermement mental de Tchen

• Contraste entre deux mondes : silence, obscurité et immobilité dans la chambre (lieu clos de la mort) et la ville bruyante et animée.

• Le rectangle blanc de lumière « coupé par les barreaux de la fenêtre » (l. 6) suggère l'enfermement de Tchen dans son tourment : bruits émoussés « klaxons grincèrent » (l. 7), « vacarme retomba » (l. 9), Tchen coupé du monde des vivants « là-bas, dans le monde des hommes », (l. 10).

II. ...RÉVÉLATEUR DES TOURMENTS DE L'ASSASSIN

a. Les hésitations d'un novice révolutionnaire

• Un être au service de la révolution : cause politique sacralisée, « sacrificateur », « sacrifice », « dieux », (l. 16). Modalisateurs de la certitude « il savait » (l. 12) et expressions de la nécessité : « il devait mourir » (l. 12). Un parallélisme répété : « pris ou non, exécuté ou non, peu importait » (l. 12-13).

• Un novice hésitant : double question initiale, champs lexicaux de l'incapacité « n'était capable » (l. 2), « il ne pourrait jamais » (l. 20) et de l'émotion « mains hésitantes » (l. 18), « paupières battantes » (l. 15). Il est spectateur de son acte et non acteur (dernière phrase).

b. La répulsion devant la mise à mort dégradante

• Répugnance pour le rasoir, arme plus efficace mais moins noble que le poignard : « il ne pourrait jamais s'en servir » (l. 20).

• Ne combat pas héroïquement un adversaire, mais tue misérablement une victime endormie : « sacrificateur » (l. 16), exclamation rageuse (« combattre, combattre des ennemis qui se défendent, des ennemis éveillés ! » (l. 7)).

c. La fascination pour la mort

• Une révélation déstabilisante sur sa « condition d'homme » : il comprend que « assassiner n'est pas seulement tuer » (l. 18), avec une mise en valeur par l'utilisation du discours direct. Tchen se découvre happé par le désir de tuer « hébétude », « fasciné » (l. 2-3), « stupéfait » (l. 23). Cruauté enfouie dans l'inconscient de l'homme avec une antithèse : la nuit qui devient clarté face aux profondeurs de l'inconscient.

• Profonde angoisse : répétitions de « angoisse » sous une forme hyperbolique « L'angoisse lui tordait l'estomac » (l. 1), « nuit écrasée d'angoisse » (l. 17).

Texte support ① Victor Hugo, *Les Misérables*, 1862.

Une insurrection républicaine a lieu à Paris en 1832. Pour ses camarades insurgés, retranchés derrière une barricade, Gavroche, gamin des rues âgé de douze ans ramasse des cartouches intactes sur les morts.

Le spectacle était épouvantable et charmant. Gavroche, fusillé, taquinait la fusillade. Il avait l'air de s'amuser beaucoup. C'était le moineau becquetant les chasseurs. Il répondait à chaque décharge par un couplet. On le visait sans cesse, on le manquait toujours. Les gardes nationaux et les soldats riaient en l'ajustant. Il se couchait, puis se redressait, s'effaçait dans un coin de porte, puis bondissait, disparaissait, reparaissait, se sauvait, revenait, ripostait à la mitraille par des pieds de nez, et cependant pillait les cartouches, vidait les gibernes[1] et remplissait son panier. Les insurgés, haletants d'anxiété, le suivaient des yeux. La barricade tremblait ; lui, chantait. Ce n'était pas un enfant, ce n'était pas un homme ; c'était un étrange gamin fée. On eût dit le nain invulnérable de la mêlée. Les balles couraient après lui, il était plus leste qu'elles. Il jouait on ne sait quel effrayant jeu de cache-cache avec la mort ; chaque fois que la face camarde[2] du spectre s'approchait, le gamin lui donnait une pichenette[3].

Une balle pourtant, mieux ajustée ou plus traître que les autres, finit par atteindre l'enfant feu follet[4]. On vit Gavroche chanceler, puis il s'affaissa. Toute la barricade poussa un cri ; mais il y avait de l'Antée[5] dans ce pygmée[6] ; pour le gamin toucher le pavé, c'est comme pour le géant toucher la terre ; Gavroche n'était tombé que pour se redresser ; il resta assis sur son séant, un long filet de sang rayait son visage, il éleva ses deux bras en l'air, regarda du côté d'ou était venu le coup, et se mit à chanter :

> Je suis tombé par terre,
> C'est la faute à Voltaire,
> Le nez dans le ruisseau,
> C'est la faute à…

Il n'acheva point. Une seconde balle du même tireur l'arrêta court. Cette fois il s'abattit la face contre le pavé, et ne remua plus. Cette petite grande âme venait de s'envoler.

1. sac à cartouches des soldats.
2. qui a le nez plat et écrasé. Mort en langage populaire.
3. petit coup donné avec le doigt, chiquenaude (familier).
4. flamme légère et fugitive.
5. géant de la mythologie grecque qui reprend force dès qu'il touche terre.
6. population vivant dans la forêt équatoriale et caractérisée par sa petite taille.

1 ANALYSER FOCALISATION ET RYTHME DU RÉCIT ✪✪

a. Qui le pronom « on » désigne-t-il au cours de l'extrait ? Montrez que la focalisation employée par le narrateur contribue à faire de cette scène un véritable spectacle.

b. Comment le narrateur fait-il éprouver au lecteur les craintes des insurgés concernant le sort de leur camarade ?

c. Étudiez les procédés employés pour ralentir le récit de la scène (valeur des temps, composition du passage, rythme du récit, commentaires du narrateur, discours rapportés, etc.).

2 ÉTUDIER UN PERSONNAGE ET DES REGISTRES ✪✪

a. Montrez que cette scène s'apparente à un jeu d'enfant. Comment le narrateur rappelle-t-il pourtant sans cesse le caractère tragique du spectacle ?

b. Quelles sont les deux qualités dont fait preuve Gavroche au cours de cette scène ? Par quels procédés sont-elles mises en valeur ?

c. Repérez et étudiez les différentes images poétiques employées pour désigner le jeune garçon. Comment contribuent-elles à faire de Gavroche un héros épique ? Montrez que dans la dernière phrase la mort de l'enfant ressemble à une apothéose.

d. Quel sens politique peut-on donner à la chanson de Gavroche ? Quelles valeurs le garçon symbolise-t-il ?

3 DÉGAGER UNE PROBLÉMATIQUE ✪✪✪

À partir des éléments d'étude, rédigez la problématique qui pourrait servir de projet de lecture à un commentaire.

1 • L'écriture d'invention

2 • Le paragraphe argumentatif

3 • La lecture analytique : vers le commentaire

4 • Le sujet de réflexion : vers la dissertation

5 • L'oral

6 • La lecture d'image

7 • Le corpus et la question de synthèse

Texte support ② Albert Camus, *L'Étranger*, 1942.

Sur une plage proche d'Alger, le narrateur Meursault et son ami Raymond rencontrent un Arabe, le frère de l'ancienne maîtresse de Raymond qui lui reproche d'avoir maltraité sa sœur. Pour éviter que l'altercation violente entre les deux hommes ne tourne mal, Meursault a demandé à son ami de lui remettre son revolver. À la recherche d'une source d'eau fraîche il se retrouve, par hasard, seul face à l'Arabe.

J'ai pensé que je n'avais qu'un demi-tour à faire et ce serait fini. Mais toute une plage vibrante de soleil se pressait derrière moi. J'ai fait quelques pas vers la source. L'Arabe n'a pas bougé. Malgré tout, il était encore assez loin. Peut-être à cause des ombres sur son visage, il avait l'air de rire. J'ai attendu. La brûlure du soleil gagnait mes joues et j'ai senti des gouttes de sueur s'amasser dans mes sourcils. C'était le même soleil que le jour où j'avais enterré maman et, comme alors, le front surtout me faisait mal et toutes ses veines battaient ensemble sous la peau. A cause de cette brûlure que je ne pouvais plus supporter, j'ai fait un mouvement en avant. Je savais que c'était stupide, que je ne me débarrasserais pas du soleil en me déplaçant d'un pas. Mais j'ai fait un pas, un seul pas en avant. Et cette fois, sans se soulever, l'Arabe a tiré son couteau qu'il m'a présenté dans le soleil. La lumière a giclé sur l'acier et c'était comme une longue lame étincelante qui m'atteignait au front. Au même instant, la sueur amassée dans mes sourcils a coulé d'un coup sur les paupières et les a recouvertes d'un voile tiède et épais. Mes yeux étaient aveuglés derrière ce rideau de larmes et de sel. Je ne sentais plus que les cymbales du soleil sur mon front et, indistinctement, le glaive éclatant jailli du couteau toujours en face de moi. Cette épée brûlante rongeait mes cils et fouillait mes yeux douloureux. C'est alors que tout a vacillé. La mer a charrié un souffle épais et ardent. Il m'a semblé que le ciel s'ouvrait de toute son étendue pour laisser pleuvoir du feu. Tout mon être s'est tendu et j'ai crispé ma main sur le revolver. La gâchette a cédé, j'ai touché le ventre poli de la crosse et c'est là, dans le bruit à la fois sec et assourdissant, que tout a commencé. J'ai secoué la sueur et le soleil. J'ai compris que j'avais détruit l'équilibre du jour, le silence exceptionnel d'une plage où j'avais été heureux. Alors, j'ai tiré encore quatre fois sur un corps inerte où les balles s'enfonçaient sans qu'il y parût. Et c'était comme quatre coups brefs que je frappais sur la porte du malheur.

© Éditions Gallimard.

1 INTERPRÉTER UN POINT DE VUE ET UN RYTHME ✪

a. Quel est le rythme du récit par rapport au temps de l'histoire ? Interprétez ce choix.
b. Pourquoi le point de vue adopté dans cette scène ne joue-t-il pas le rôle attendu ?
c. Que sait-on de « l'Arabe » ? Quel est son rôle dans cette scène ?

2 ÉTUDIER UN ÉLÉMENT DU DÉCOR ✪

a. À partir des figures de style, de la construction des phrases et des verbes employés, montrez que le soleil est présenté comme une force agissante.
b. Montrez qu'il est vécu par Meursault comme une source de souffrance et d'agression. En quoi la nature est-elle associée dans l'extrait à l'idée de mort, voire de fin du monde ?

3 ÉTUDIER UN PERSONNAGE ✪✪

a. Montrez que Meursault n'est maître ni de sa tête ni de son corps. Étudiez également l'incohérence entre sa pensée et ses gestes.
b. Relevez les exemples de comportement enfantin de Meursault.
c. Montrez que le crime est la conséquence d'un implacable engrenage.
d. Pourquoi la situation du meurtrier Meursault est-elle au fond paradoxale ?
e. Dans quelle mesure Meursault acquiert-il une certaine clairvoyance après le meurtre ?
f. À quel genre littéraire le personnage de Meursault s'apparente-t-il ? Appuyez-vous sur les éléments d'étude et la métaphore finale des *coups* pour répondre.
g. Montrez que toute la scène est placée sous le signe de l'absurde.

4 ANALYSER UN TITRE ✪✪

a. Pourquoi le comportement de Meursault est-il étrange tout au long de la scène ?
b. Qui d'après cette scène le titre peut-il désigner ?

5 FORMULER LE PROJET DE LECTURE ✪✪

Formulez un projet de lecture en vous appuyant sur la situation paradoxale de Meursault, meurtrier et victime.

6 CONSTRUIRE DES SOUS-PARTIES ✪✪✪

Construisez pour chaque axe deux sous-parties détaillées.
Axe 1 – L'influence du soleil sur Meursault.
Axe 2 – Un personnage jouet du destin et incarnation de l'absurde.

1 • L'écriture d'invention

2 • Le paragraphe argumentatif

3 • La lecture analytique : vers le commentaire

4 • Le sujet de réflexion : vers la dissertation

5 • L'oral

6 • La lecture d'image

7 • Le corpus et la question de synthèse

7. LIRE UNE PAGE DE THÉÂTRE

Objectifs
• Comprendre le contexte
• Déterminer les liens entre les personnages
• Comprendre les enjeux de la scène

Le théâtre est un des genres majeurs de la littérature. Lire une page de théâtre est donc un exercice important qui doit reposer sur l'étude des codes théâtraux mais aussi s'intégrer dans la compréhension de la pièce.

Texte support :

MOLIÈRE, *Dom Juan*, acte I, scène 3 (extrait)

Dom Juan juste après la nuit de noces quitte sa femme Done Elvire pour prolonger sa vie de séducteur. Done Elvire le poursuit pour lui demander des explications. Dans les scènes précédentes, Sganarelle a présenté Dom Juan comme « un grand seigneur méchant homme » et Dom Juan a fait l'éloge de l'infidélité en expliquant à Sganarelle les raisons qui le poussent à aller de femme en femme.

Acte I, scène 3. DONE ELVIRE, DOM JUAN, SGANARELLE

1 DONE ELVIRE. – Me ferez-vous la grâce, Dom Juan, de vouloir bien me reconnaître ? et puis-je au moins espérer que vous daigniez tourner le visage de ce côté ?

DOM JUAN. – Madame, je vous avoue que je suis surpris, et que je ne vous attendais pas ici. [...] voilà Sganarelle qui sait pourquoi je suis parti.

5 SGANARELLE. – Moi, Monsieur ? Je n'en sais rien, s'il vous plaît.

DONE ELVIRE. – Hé bien ! Sganarelle, parlez. Il n'importe de quelle bouche j'entende ces raisons.

DOM JUAN, *faisant signe d'approcher à Sganarelle*. – Allons, parle donc à Madame.

SGANARELLE. – Que voulez-vous que je dise ?

DONE ELVIRE. – Approchez, puisqu'on le veut ainsi, et me dites un peu les causes d'un départ si prompt.

10 DOM JUAN. – Tu ne répondras pas ?

SGANARELLE. – Je n'ai rien à répondre. Vous vous moquez de votre serviteur.

DOM JUAN. – Veux-tu répondre, te dis-je ?

SGANARELLE. – Madame...

DONE ELVIRE. – Quoi ?

15 SGANARELLE, *se retournant vers son maître*. – Monsieur...

DOM JUAN. – Si...

SGANARELLE. – Madame, les conquérants, Alexandre et les autres mondes sont causes de notre départ[1]. Voilà, Monsieur, tout ce que je puis dire.

DONE ELVIRE. – Vous plaît-il, Dom Juan, nous éclaircir ces beaux mystères ?

20 DOM JUAN. – Madame, à vous dire la vérité...

DONE ELVIRE. – Ah ! que vous savez mal vous défendre pour un homme de cour, et qui doit être accoutumé à ces sortes de choses ! J'ai pitié de vous voir la confusion que vous avez.

1. Dans la scène précédente, Dom Juan compare son infidélité aux conquêtes d'Alexandre.

MÉTHODE

APPLICATION

►►►ÉTAPE 1 SITUER LE TEXTE

► **Repérer le genre théâtral**
Le texte est-il un extrait de comédie, de tragédie ou de drame ? Être attentif au nom de l'auteur, aux personnages et au langage.

► **Situer le texte dans l'œuvre**
Est-ce une scène d'exposition, de dénouement ?

► **Repérer le type de scène**
S'agit-il d'une tirade ? D'un monologue ? D'un échange de répliques ? Quel est le rythme des échanges ?

► **Étudier la double énonciation et les attentes du lecteur-spectateur**
  ► La double énonciation, p. 442

► **Reformuler l'enjeu de la scène**
Quels sont les enjeux de l'échange ? Convaincre un personnage ? L'affronter ? Déclarer son amour ?

►►►ÉTAPE 2 ÉTUDIER LES PERSONNAGES

► **Définir les personnages en présence**

► **Repérer comment se distribue la parole**
• Comparer la quantité de parole de chaque personnage (souvent, celui qui s'empare de la parole domine).
• Étudier qui parle à qui et dans quel but (Qui pose des questions ? Qui use de l'impératif ? Qui interrompt qui ?).

► **Étudier les didascalies**
  ► Texte et représentation, p. 439

► **Étudier le registre**
  ► Le registre comique, p. 464

►►►ÉTAPE 3 ÉLABORER UNE PROBLÉMATIQUE

► Le travail sur le texte doit mener à l'élaboration d'un projet de lecture, appelé problématique.

► **Genre théâtral**
Ce texte est extrait d'une comédie de Molière. On note la présence de nobles (Done Elvire/Dom Juan) et d'un valet.

► **Situation dans l'œuvre**
La scène prend place dans l'acte d'exposition : c'est la 1re fois que Done Elvire apparaît.

► **Type de scène**
Les répliques brèves s'enchaînent rapidement.

► **Double énonciation**
Le lecteur-spectateur a entendu définir Dom Juan comme « grand seigneur méchant homme », il a entendu son plaidoyer de l'inconstance. Voir Dom Juan face à une femme l'intéresse : Dom Juan sera-t-il conforme à ce que l'on sait déjà de lui ?

► **Enjeu**
Done Elvire vient exiger des explications. Les obtient-elle ?

► **Personnages**
La liste des personnages précise leurs relations : Done Elvire est l'épouse de Dom Juan, Sganarelle est son valet.

► **Distribution de la parole**
Done Elvire s'adresse essentiellement à Dom Juan : l'interrogative domine. Dom Juan se dérobe en s'adressant à Sganarelle : presque toutes les paroles adressées au valet par les 2 personnages ont valeur impérative. Sganarelle est cerné. On note des interruptions nombreuses : il faut définir leur valeur (embarras, hésitation, autorité, impolitesse, etc.).

► **Didascalies**
La didascalie interne signale l'embarras de Dom Juan, l'autre didascalie signale son autorité sur son valet.

► **Registre**
La situation est comique : Dom Juan se dérobe, le valet est obligé de répondre à la place de son maître, l'obéissance du valet est comique « les conquérants, Alexandre... » (l. 17)

► Une scène paradoxale : il s'agit d'une situation d'affrontement, mais l'affrontement n'a pas lieu.

1 • L'écriture d'invention

2 • Le paragraphe argumentatif

3 • La lecture analytique : vers le commentaire

4 • Le sujet de réflexion : vers la dissertation

5 • L'oral

6 • La lecture d'image

7 • Le corpus et la question de synthèse

MÉTHODE

▶▶▶ ÉTAPE 4 ÉLABORER LE PLAN DÉTAILLÉ

▶ **Trouver les axes de lecture en fonction de la problématique**
Un axe est une perspective d'étude de certains aspects du texte.

▶ **Élaborer les sous-parties** ▶ Construire un paragraphe argumentatif, p. 485

APPLICATION

I. UNE SITUATION D'AFFRONTEMENT

a. Situation et double énonciation
- Scène d'exposition : 1er face-à-face de Dom Juan avec une femme.
- Le lecteur est curieux : Dom juan se conduira-t-il en « grand seigneur méchant homme » ?

b. Done Elvire, une femme digne et obstinée : un personnage de tragédie
- Done Elvire ne perd jamais de vue ce pour quoi elle est venue, entendre « les causes d'un départ si prompt » (l. 9) : champ lexical de l'explication « raisons », « les causes », « éclaircir ces beaux mystères » ; elle pose de nombreuses questions, use d'impératifs « approchez », « dites » (l. 9), d'interjections fermes : « Hé bien ! » (l. 6), « Quoi ? » (l. 14).
- Évolution : Done Elvire commence par une extrême politesse « me ferez-vous la grâce », « puis-je au moins espérer » (l. 1) ; elle ne se laisse pas désarçonner par les stratégies de Dom Juan « Il n'importe de quelle bouche j'entende… » (l. 6) ; se montre lucide à la fin : « que vous savez mal vous défendre » (l. 21). Elle a compris que Dom Juan ne peut que mentir quant aux raisons de son départ ; elle interrompt Dom Juan : elle n'attend plus rien de lui ; colère, ironie amère « ces beaux mystères » (l. 19) et mépris « j'ai pitié » (l. 22) la submergent.

c. Dom Juan embarrassé et dominé
- La didascalie interne « daigniez tourner le visage de ce côté » (l. 2) : Dom Juan fait semblant de ne pas la reconnaître.
- Étonnement : « je suis surpris » (l. 3), « je ne vous attendais pas » (l. 3), « confusion » (l. 22). Hésitation, manque d'assurance : se laisse interrompre à la fin.

II. UNE SCÈNE COMIQUE

a. Les stratégies de Dom Juan
- Voir Dom Juan embarrassé face à une femme est déjà comique en soi.
- Il opte pour la lâcheté : met son valet en difficulté « voilà Sganarelle » (l. 4), use de son autorité sur lui par les gestes : didascalie « faisant signe… », les impératifs « allons, parle » (l. 7), les questions menaçantes « Tu ne répondras pas ? », « Veux-tu répondre, te dis-je ? » (l. 12), la menace pure « Si… » (l. 16).
- Sa capacité à inverser la situation : il est en difficulté, il met son valet en difficulté.

b. Sganarelle cerné mais rusé
- Sa situation est cocasse : innocent, il se retrouve en 1re ligne. Ses tentatives pour échapper aux stratégies de Dom Juan le rendent ridicule : il exprime sa stupeur « Moi ? » (l. 5), supplie « s'il vous plaît » (l. 5), « Monsieur… » (l. 15), avoue son incompétence « je n'en sais rien », « je n'ai rien à répondre » (l. 5 et 11)
- Il se retrouve cerné par les 2 personnages : aux injonctions de son maître s'ajoutent celles de Done Elvire « parlez », « approchez », « dites » (l. 6 et 9).
- Mais il se venge avec esprit : il obéit, il donne les « causes de [leur] départ » (l. 17) mais en renvoyant le ridicule sur son maître grâce à l'énumération absurde « les conquérants, Alexandre et les autres mondes » (l. 17) qui met à plat la tirade de Dom Juan de la scène précédente.

c. Rythme endiablé et effets boomerang
- Le rythme rapide de la scène ajoute une dynamique : phrases brèves, interruptions, etc.
- Dom Juan retourne la situation en sa faveur en mettant Sganarelle en difficulté, mais ce dernier lui rend la pareille tout en obéissant à son maître.

Texte support ① BEAUMARCHAIS, *Le Mariage de Figaro*, 1784.

ACTE PREMIER

Le théâtre représente une chambre à demi démeublée, un grand fauteuil de malade est au milieu. Figaro, avec une toise¹, mesure le plancher. Suzanne attache à sa tête, devant une glace, le petit bouquet de fleurs d'orange, appelé chapeau de la mariée².

Scène première. FIGARO, SUZANNE.

FIGARO. – Dix-neuf pieds³ sur vingt-six.

SUZANNE. – Tiens, Figaro, voilà mon petit chapeau ; le trouves-tu mieux ainsi ?

FIGARO *lui prend les mains.* – Sans comparaison, ma charmante. Oh ! que ce bouquet virginal, élevé sur la tête d'une jeune fille, est doux, le matin des noces, à l'œil amoureux d'un époux !....

SUZANNE *se retire.* – Que mesures-tu donc là, mon fils⁴ ?

FIGARO. – Je regarde, ma petite Suzanne, si ce beau lit que Monseigneur nous donne aura bonne grâce ici.

SUZANNE. – Dans cette chambre ?

FIGARO. – Il nous la cède.

SUZANNE. – Et moi je n'en veux point.

FIGARO. – Pourquoi ?

SUZANNE. – Je n'en veux point.

FIGARO. – Mais encore ?

SUZANNE. – Elle me déplaît.

FIGARO. – On dit une raison.

SUZANNE. – Si je n'en veux pas dire ?

FIGARO. – Oh quand elles sont sûres de nous !

SUZANNE. – Prouver que j'ai raison serait accorder que je puisse avoir tort. Es-tu mon serviteur, ou non ?

FIGARO. – Tu te prends de l'humeur contre la chambre du château la plus commode, et qui tient le milieu des deux appartements. La nuit, si Madame est incommodée, elle sonnera de ton côté ; zeste⁵ ! en deux pas tu es chez elle. Monseigneur veut-il quelque chose ? il n'a qu'à tinter du sien ; crac ! en trois sauts me voilà rendu.

SUZANNE. – Fort bien ! mais, quand il aura « tinté » le matin pour te donner quelque bonne et longue commission, zeste ! en deux pas il est à ma porte, et crac ! en trois sauts…

FIGARO. – Qu'entendez-vous par ces paroles ?

SUZANNE. – Il faudrait m'écouter tranquillement.

FIGARO. – Eh qu'est-ce qu'il y a ? Bon Dieu !

SUZANNE. – Il y a, mon ami, que las de courtiser les beautés des environs, Monseigneur le Comte Almaviva veut rentrer au château, mais non pas chez sa femme ; c'est sur la tienne, entends-tu, qu'il a jeté ses vues, auxquelles il espère que ce logement ne

nuira pas […]. Tu croyais, bon garçon ! que cette dot qu'on me donne était pour les beaux yeux de ton mérite ?

FIGARO. – J'avais assez fait pour l'espérer⁶.

SUZANNE. – Que les gens d'esprit sont bêtes !

FIGARO. – On le dit.

SUZANNE. – Mais c'est qu'on ne veut pas le croire.

FIGARO. – On a tort.

SUZANNE. – Apprends qu'il la destine à obtenir de moi, secrètement, certain quart d'heure, seul à seule, qu'un ancien droit du seigneur⁷… Tu sais qu'il était triste !

FIGARO. – Je le sais tellement que, si Monsieur le Comte, en se mariant, n'eût pas aboli ce droit honteux, jamais je ne t'eusse épousée dans ses domaines.

SUZANNE. – Hé bien ! s'il l'a détruit, il s'en repend et c'est de ta fiancée qu'il veut le racheter en secret aujourd'hui.

FIGARO. – […] Ah ! s'il y avait moyen d'attraper ce grand trompeur, de le faire donner dans un bon piège, et d'empocher son or !

SUZANNE. – De l'intrigue, et de l'argent ; te voilà dans ta sphère.

1. longue règle de 2 mètres environ.
2. bouquet posé sur la tête de la mariée le jour des noces.
3. environ 30 cm.
4. terme amical ou de prière.
5. interjection pour marquer la rapidité d'une action.
6. allusion au *Barbier de Séville* : Figaro y aide le Comte à séduire sa future femme.
7. droit de cuissage.

1 ÉTUDIER UN DÉCOR ✪

a. Relevez, dans les didascalies et le dialogue, tous les éléments qui laissent entendre qu'un déménagement est en cours.

b. Où se trouve cette chambre destinée à Suzanne et Figaro ?

c. Quel élément manque encore à cette chambre ? En quoi est-il symbolique des enjeux de la pièce ?

2 COMPRENDRE UN GENRE ✪✪

a. En vous appuyant sur des citations précises, identifiez la classe sociale des deux personnages en scène. À quel genre théâtral appartiennent-ils ?

b. Quels thèmes abordés dans cet extrait confirment le genre de la pièce ?

c. Montrez que le rythme des échanges est vif (enchaînement des répliques, reprise de certaines expressions, interruptions, etc.) et relevez les éléments appartenant au registre dominant.

d. Relevez les indices concernant l'unité de temps.

1 • L'écriture d'invention

2 • Le paragraphe argumentatif

3 • La lecture analytique : vers le commentaire

4 • Le sujet de réflexion : vers la dissertation

5 • L'oral

6 • La lecture d'image

7 • Le corpus et la question de synthèse

497

3 ÉTUDIER LES PERSONNAGES ❋❋❋

a. Quel personnage domine l'échange ? Justifiez votre réponse.

b. Quelles sont les intentions du Comte Almaviva ? Relevez les étapes du dévoilement, par Suzanne, de ces intentions. Que révèlent-elles des rapports maîtres-valets à l'époque ?

c. Pourquoi Suzanne répugne-t-elle tout d'abord à éclaircir son refus de cette chambre ? Quelle réaction de la part de Figaro craint-elle ?

d. Quels traits de caractère peut-on, d'après cet extrait, attribuer à Figaro ? Quels sentiments manifeste-t-il à l'égard de son maître ? Comment ces sentiments évoluent-ils ?

e. Que comprend-on des intentions des futurs époux à la fin de ce passage ? Que peut-on supposer quant à la suite de la pièce ?

4 FORMULER UN PROJET DE LECTURE ❋❋❋

En vous appuyant sur les questions précédentes, formulez le projet de lecture du commentaire ainsi que les deux axes.

Texte support ② **Jean RACINE, *Andromaque*, 1667.**
Après la défaite de Troie, Andromaque, troyenne, est prisonnière de Pyrrhus qui tombe amoureux d'elle et menace de tuer son fils si elle le rejette encore une fois. Céphise, sa confidente, lui conseille d'accepter. Voici la réponse d'Andromaque aux exhortations de Céphise qui fait l'éloge de l'amour de Pyrrhus et souligne qu'il oublie ses ancêtres grecs, en aimant une Troyenne.

Dois-je les oublier, s'il ne s'en souvient plus ?
Dois-je oublier Hector privé de funérailles,
Et traîné sans honneur autour de nos murailles ?
Dois-je oublier son père à mes pieds renversé,
Ensanglantant l'autel qu'il tenait embrassé ?
Songe, songe, Céphise à cette nuit cruelle
Qui fut pour tout un peuple une nuit éternelle.
Figure-toi Pyrrhus, les yeux étincelants,
Entrant à la lueur de nos palais brûlants,
Sur tous mes frères morts se faisant un passage,
Et de sang tout couvert échauffant le carnage.
Songe aux cris des vainqueurs, songe aux cris
       [des mourants,
Dans la flamme étouffés, sous le fer expirants ;
Peins-toi dans ces horreurs Andromaque éperdue.
Voilà comme Pyrrhus vint s'offrir à ma vue ;
Voilà par quels exploits il sut se couronner ;
Enfin voilà l'époux que tu me veux donner.
Non, je ne serai point complice de ses crimes ;
Qu'il nous prenne, s'il veut, pour dernières victimes.
Tous nos ressentiments lui seraient asservis.

1 ÉTUDIER LES ENJEUX DE LA TIRADE ❋

a. Quel est l'enjeu de cette tirade ?

b. Quelle est l'interlocutrice d'Andromaque ? Relevez tous les indices de sa présence (impératifs, pronoms personnels, ponctuation, etc.).

c. Quel type de questions ouvre la tirade ? Leur fonction est-elle d'interroger Céphise ? Quelle est leur fonction ? Que dévoilent-elles des sentiments qui animent Andromaque face à la proposition de Céphise ?

d. Dans quel autre passage Andromaque manifeste-t-elle ces mêmes sentiments ?

2 ÉTUDIER LA STRUCTURE DE LA TIRADE ❋❋

a. Comment est composée cette tirade ? Relevez les différents moments et justifiez votre réponse.

b. Que remarquez-vous quant à la succession des impératifs adressés à Céphise ? Quelle progression observez-vous entre le 1er et le dernier ? De quel domaine relèvent-ils ? À quelle faculté, à quel sens de Céphise s'adressent-ils de manière de plus en plus insistante ?

c. Quels autres termes peut-on associer à cette faculté que veut éveiller Andromaque ?

d. Cette manière d'argumenter vous paraît-elle efficace ? Pourquoi ? Quels sentiments Andromaque éveille-t-elle en nous ?

3 ANALYSER LA TIRADE : UNE PEINTURE ❋❋

a. Relevez tous les éléments qui font de la tirade d'Andromaque une peinture (décor, couleurs, lignes).

b. Comment Pyrrhus est-il représenté dans le tableau ?

c. Quels autres détails rendent ce tableau particulièrement horrible ?

4 ÉTUDIER UN THÈME : LE PASSÉ ❋❋❋

a. Relevez tous les termes qui renvoient aux Troyens. Que remarquez-vous ? Que représente Andromaque par rapport à eux ?

b. Quelle figure de style s'impose aux premiers vers ? Quels termes (et quels thèmes) met-elle en valeur ? Quel lien, quelle responsabilité d'Andromaque à son peuple disparu révèlent-ils ?

c. Quelle forme grammaticale les verbes prennent-ils du vers 5 au vers 13 ? Pourquoi ? Quel est l'effet produit ?

5 CONSTRUIRE DES SOUS-PARTIES ❋❋❋

À partir des deux axes indiqués, construisez deux sous-parties détaillées du plan de commentaire.

Axe 1 – Rappel à l'ordre de Céphise par un devoir de mémoire fièrement revendiqué…

Axe 2 – … qui repose sur un passé rendu éternellement présent.

Objectifs
• Étudier forme et thèmes
• Étudier le rôle des figures de style
• Trouver un projet de lecture et construire le plan

La poésie se fonde sur un usage différent de la langue puisque formes, sonorités, rythmes, figures de style, etc., y acquièrent un rôle plus important que dans tout autre genre littéraire. Commenter un poème exige donc une extrême attention à la langue et la capacité de mettre en relation le sens et l'écriture.

Texte support:

Jules Laforgue, *Œuvres complètes*, 1903.

Méditation grisâtre

1   Sous le ciel pluvieux noyé de brumes sales,
       Devant l'Océan blême, assis sur un îlot,
       Seul, loin de tout, je songe au clapotis du flot,
       Dans le concert hurlant des mourantes rafales

5   Crinière échevelée ainsi que des cavales,
       Les vagues se tordant arrivent au galop
       Et croulent à mes pieds avec de longs sanglots
       Qu'emporte la tourmente aux haleines brutales.

       Partout le grand ciel gris, le brouillard et la mer,
10   Rien que l'affolement des vents balayant l'air.
       Plus d'heures, plus d'humains, et solitaire, morne,

       Je reste là, perdu dans l'horizon lointain,
       Et songe que l'Espace est sans borne, sans borne,
       Et que le Temps n'aura jamais... jamais de fin.

1 • L'écriture d'invention

2 • Le paragraphe argumentatif

3 • La lecture analytique : vers le commentaire

4 • Le sujet de réflexion : vers la dissertation

5 • L'oral

6 • La lecture d'image

7 • Le corpus et la question de synthèse

MÉTHODE et APPLICATION

▶▶▶ÉTAPE 1 DÉGAGER THÈMES ET REGISTRES

▶ **Étudier le titre**
- Il associe un terme abstrait («Méditation», activité proprement humaine) et un terme concret, une couleur : «grisâtre», qui connote la tristesse.
- Échos à «Méditation» : «je songe» (v. 3 et v. 13).
- Échos à «grisâtre» : «ciels pluvieux» et «brumes sales» (v. 1), «Océan blême» (v. 2), «ciels gris», «brouillards» (v. 9). Tristesse et angoisse envahissent tout le poème.

▶ **Identifier forme(s) de discours et thèmes**
- Poème descriptif : le vocabulaire de l'espace met face à face un «je» isolé et immobile «assis sur un îlot» (v. 2) et la nature représentée par «le ciel» (v. 1) et «la mer» (v. 9) confondus par les «brumes» (v. 1), «le brouillard» (v. 9), agités par les mêmes «vents» (v. 10). Présence de l'infini, contraste entre petitesse de l'homme et immensité du décor. ▶ Les formes de discours, p. 414

▶ **Étudier les registres**
Mélancolie, chagrin «sanglots», «tourmente»; présence d'une certaine violence : «hurlant» (v. 4) «échevelée» (v. 5), «affolement» (v. 10), de l'angoisse : registre lyrique. ▶ Les registres et effets du texte, p. 460

▶▶▶ÉTAPE 2 INTERPRÉTER LA FORME : RYTHMES, SONORITÉS, FIGURES DE STYLES

▶ **Étudier le rapport versification/syntaxe**
- Sonnet en alexandrins. Rimes embrassées, plates, puis croisées.
- 4 phrases, une pour chaque quatrain : une phrase nominale ouvre le 1er tercet ; une phrase enjambe les 2 tercets.
- Accélération du rythme dans le 2e quatrain : enjambements et extrême rareté de la ponctuation accentuent la violence de la scène.
- Ralentissement au vers 11 par multiplication de virgules : traduit la lassitude et l'accablement.
- Les points de suspension étirent le dernier vers, accentuent l'idée d'infini. ▶ Vers, strophes et rimes, p. 445 et ▶ Les formes poétiques, p. 446

▶ **Étudier les sonorités**
- v. 1 : diérèse pour «pluvi-eux», mot mis en valeur.
- v. 4 : allitération en [r], harmonie imitative qui suggère le bruit du concert hurlant.
- v. 5 : allitération en [k] souligne la violence.
  ▶ Vers, strophes et rimes, p. 445
  ▶ Les formes poétiques, p. 446
  ▶ Le sens des mots, p. 412

▶ **Repérer et interpréter les figures de style**
- La nature semble souffrir «les vagues se tordant» (v. 6), «mourantes rafales» (v. 4), «longs sanglots» (v. 7), «tourmente» (v. 8) : thème de la maladie, de la mort, accentuation de l'atmosphère d'angoisse.
- La métaphore filée au 2e quatrain : «crinière», «cavales», «galop» : effet de vitesse, de violence.
- Répétitions et anaphores : insistance angoissante sur l'absence de limite. Rapprochement de l'«Espace» du «Temps» par les majuscules et l'infini. ▶ Les figures de style, p. 420

▶▶▶ÉTAPE 3 ÉLABORER UNE PROBLÉMATIQUE

▶ Il s'agit d'un texte descriptif, d'un tableau, mais la nature décrite semble présenter l'intériorité tourmenté du «je».

MÉTHODE

▶▶▶ ÉTAPE 4 ÉLABORER LE PLAN DETAILLÉ

▶ **Trouver les axes de lecture en fonction de la problématique**
Un axe est une perspective d'étude de certains aspects du texte.
▶ **Élaborer les sous-parties**
  ▶ Construire un paragraphe argumentatif, p. 485

APPLICATION

I. UN TABLEAU

a. Éléments en présence et composition
- Face-à-face je/Nature : petitesse/immensité.
- Espace organisé par un réseau lexical qui place les éléments : « sous », « devant », « dans », « à mes pieds », « partout ».
- Espace organisé par le regard du « je », au centre de la scène.

b. Couleurs
- 2 grandes masses en présence : le « ciel » (v. 1) et l'« Océan » (v. 2) confondus par une même couleur « grisâtre ».
- Confusion des masses pour créer l'infini : « brumes » (v. 1), « brouillard » (v. 9) recouvrent le tout ; eau dans le ciel « pluvieux » (v. 1), aquarelle. Même agitation : « rafales », « vents » pour le ciel, « vagues » (v. 6) qui « croulent » au pied du « je » ; « concert hurlant » (v. 4) pour le ciel, « longs sanglots » (v. 7) pour les vagues.

c. Une nature déchaînée
- Vocabulaire de l'excès : « hurlant », « échevelée », « tourmente », « brutale », « affolement » : produit un chaos généralisé renforcé par les allitérations.
- Métamorphose de la mer en un troupeau de chevaux par la métaphore filée ; rapidité soulignée par les enjambements du 2e quatrain : représentation d'une nature indomptable.

II. UN PAYSAGE-MIROIR DE L'ÂME : LA MÉDITATION

a. Solitude
- Vocabulaire : « seul » (v. 1), « loin de tout » (v. 1), « solitaire » (v. 11), « îlot » (v. 2), « perdu » (v. 12). Image d'un homme prisonnier, vulnérable.
- « Îlot » : lieu minuscule qui devient « là » ; « je reste là » (v. 12). Le mot lui-même est minuscule.
- Le personnage cerné au milieu de la nature déchaînée ; il est aussi écrasé : le 1er mot du poème est « sous » symbole d'impuissance.

b. Le paysage : reflet d'un état d'âme
- Le titre associe la couleur (thématique picturale) à une activité humaine relayée par 2 occurrences de « songe ». La méditation est aussi évoquée par la position du « je », « assis ». (Elle peut faire penser à la sculpture de Rodin, *Le Penseur*.)
- Connotation des couleurs : humeur noire, « grisâtre » trouve un écho psychologique dans « morne » (v. 11).
- Polysémie de « tourmente » (v. 8) : tempête mais aussi souffrance.
- Fusion entre paysage et lyrisme par les personnifications : « sanglots » associés à « vagues », de même « pluvieux » évoque les larmes et le vocabulaire de la maladie est associé à la nature « mourantes rafales » (v. 4), « se tordant » (v. 6) suggérant la souffrance. Fusion qui produit un affolement évoquant l'angoisse.

c. Condition tragique de l'homme
- Petitesse de l'homme face à infini de l'« Espace » et du « Temps » comme symbole de l'homme face à son néant : solitude.
- Lassitude, accablement souligné par le ralentissement des vers 11 et 12.
- Insistance sur l'infini par répétitions finales et par étirement du dernier vers grâce aux points de suspension.

Texte support • Jacques Réda, *Retour au calme*, 1989.

La Bicyclette

Passant dans la rue un dimanche à six heures,
[soudain,
Au bout d'un corridor fermé de vitres en losange,
On voit un torrent de soleil qui roule entre des
[branches
Et se pulvérise à travers les feuilles d'un jardin,
Avec des éclats palpitants au milieu du pavage
Et des gouttes d'or – en suspens aux rayons
[d'un vélo.
C'est un grand vélo noir, de proportions parfaites,
Qui touche à peine au mur. Il a la grâce d'une bête
En éveil dans sa fixité calme : c'est un oiseau.
La rue est vide. Le jardin continue en silence
De déverser à flots ce feu vert et doré qui danse
Pieds nus, à petits pas légers sur le froid du
[carreau.
Parfois un chien aboie ainsi qu'aux abords d'un
[village.
On pense à des murs écroulés, à des bois, des
[étangs.
La bicyclette vibre alors, on dirait qu'elle entend.
Et voudrait-on s'en emparer, puisque rien ne
[l'entrave,
On devine qu'avant d'avoir effleuré le guidon
Éblouissant, on la verrait s'enlever d'un seul bond
À travers le vitrage à demi noyé qui chancelle,
Et lancer dans le feu du soir les grappes d'étincelles
Qui font à présent de ses roues deux astres en
[fusion.

© Éditions Gallimard.

1 ÉTUDIER LA VERSIFICATION ✪

a. Comptez le nombre de syllabes des vers et observez les rimes et leur disposition. Qu'en concluez-vous sur la nature du vers utilisé ?
b. Repérez le seul alexandrin du poème. Reliez la forme du vers à son contenu.

2 ÉTUDIER LE CADRE SPATIO-TEMPOREL ✪

a. Relevez tous les éléments construisant le cadre spatio-temporel de cette scène.
b. Peut-on mettre tous les lieux évoqués sur le même plan ? Pourquoi ?

3 DÉGAGER L'ENJEU DU TEXTE ✪✪

a. Relevez les étapes de cette description en justifiant votre démarche.
b. Relevez, dans l'ordre de leur apparition, les occurrences du pronom indéfini *on* ainsi que les verbes qui les accompagnent : commentez le résultat obtenu.
c. À quelle logique correspond la dernière occurrence du pronom *on* et du verbe qui l'accompagne ? Quels autres vers appartiennent à cette logique ?
d. Que peut-on en déduire quant à l'enjeu du texte, au trajet de cette description ? Quelle fonction ce poème accorde-t-il à l'écriture poétique ?

4 ÉTUDIER LES MÉTAMORPHOSES DU VÉLO ✪✪✪

a. Quelle est la 1re métamorphose du vélo ? Relevez toutes les figures de style qui permettent cette transformation.
b. Quelle est la 2e métamorphose du vélo ? Relevez les figures de style qui permettent cette transformation.

5 ÉTUDIER LES MÉTAPHORES DE LA LUMIÈRE ✪✪✪

a. Commentez le verbe utilisé au v. 3 pour exprimer l'apparition du soleil. Quelle est la métaphore sous-jacente ? Quel terme (présent dans le poème) justifie cette métaphore ? Comment est-elle filée dans le poème ?
b. À quels autres éléments est jointe la lumière du soleil au vers 3 ? Repérez les vers et les figures de style qui complètent ces deux alliances dans la suite du poème. Quel est l'effet produit ?
c. Repérez une métaphore qui personnifie la lumière. Commentez son effet.

6 CONSTRUIRE DES SOUS-PARTIES ✪✪✪

À partir des deux axes indiqués, construisez 2 sous parties détaillées du plan de commentaire.
Axe 1 – Une scène banale...
Axe 2 – ... métamorphosée par la force poétique du langage.

1 • L'écriture d'invention

2 • Le paragraphe argumentatif

3 • La lecture analytique : vers le commentaire

4 • Le sujet de réflexion : vers la dissertation

5 • L'oral

6 • La lecture d'image

7 • Le corpus et la question de synthèse

9. LIRE UN SUJET DE DISSERTATION

MÉTHODE

Objectifs
• Comprendre les enjeux d'un sujet
• Adopter la bonne démarche

La dissertation est un exercice qui demande, à partir d'un sujet, **d'organiser une réflexion** et de l'illustrer par l'analyse **d'exemples littéraires**.

▶▶▶ ÉTAPE 1 ANALYSER LES MOTS-CLÉS

▶ **Repérer et définir les mots-clés**
Définir chaque terme de l'énoncé (utiliser le dictionnaire, chercher des synonymes, des notions proches ou au contraire opposées pour mieux cerner les enjeux du sujet).

▶ **Identifier les relations logiques entre les mots-clés**
Le sujet évoque-t-il une opposition entre deux notions? Une relation de cause à effet? Une équivalence?

▶▶▶ ÉTAPE 2 COMPRENDRE LA DÉMARCHE ATTENDUE ET CHOISIR LE PLAN

▶ **Le sujet se présente comme une question ouverte: plan thématique**
• Le sujet demande d'explorer une notion et ses différents aspects à partir des connaissances concernant la notion.
Exemple: «Quelles sont pour vous les fonctions du comique?» Le plan **thématique** consiste à construire 2 ou 3 parties organisées autour des différentes fonctions du comique que vous connaissez (fonction de divertissement, fonction satirique et critique, etc.).

▶ **Le sujet invite à étayer une thèse précise: plan analytique**
• Le sujet demande de trouver des arguments qui illustrent le bien-fondé de la thèse proposée.
Exemple: «Montrez que le spectateur ne peut pas totalement s'identifier au personnage de théâtre.» Le plan **analytique** consiste à construire 2 ou 3 parties autour de 2 ou 3 idées argumentées étayant la thèse:
I. Le personnage n'est pas une personne mais un être fictif.
II. Il illustre souvent un trait de caractère de manière hyperbolique.
III. Il est actant.

▶ **Le sujet invite à discuter une thèse, une citation (ou à confronter deux thèses): plan critique**
• Le sujet peut présenter les **deux thèses**: «Quelle est la fonction essentielle de l'utopie: faire rêver ou faire réfléchir?» Dans ce cas, on commence dans la 1re partie par étayer la thèse avec laquelle on est le moins d'accord, et on défend en 2e partie celle avec laquelle on est d'accord. On peut tenter, en 3e partie, de dépasser l'opposition.
• Le sujet peut aussi ne présenter **qu'une thèse**: «L'utopie a-t-elle pour fonction essentielle de faire rêver?» La difficulté dans ce cas est de formuler la (ou les) thèse(s) implicite(s) avec laquelle (lesquelles) il faut confronter la thèse présente explicitement dans le sujet. On commence donc par analyser la pertinence de la thèse fournie par le sujet en 1re partie, puis on nuance: on envisage les limites, les failles de cette thèse en 2e partie. On peut aussi éventuellement tenter de dépasser l'opposition en 3e partie.

▶▶▶ ÉTAPE 3 REFORMULER LA PROBLÉMATIQUE

▶ **S'approprier une problématique**
Reformuler le sujet en termes **personnels** permet de vérifier si l'on a bien compris et de développer les idées contenues dans les mots-clés.

▶ **Rendre explicites les enjeux d'un sujet**
Il faut souvent poser plusieurs questions et proposer plusieurs reformulations pour cerner tous les enjeux d'un seul sujet et bien mettre en évidence les pistes à explorer.

APPLICATION

Discuter et porter un jugement

Exemple de sujet: « Le **théâtre** est-il **selon vous** une **bonne tribune pour défendre des idées** ? »

Mots-clés   Établir une relation entre 2 notions

▶▶▶ ÉTAPE 1 ANALYSER LES MOTS-CLÉS

▶ **Les mots-clés du sujet**
  • « Le théâtre » : genre qui se découvre de deux manières (lecture et scène), qui connaît de nombreux sous-genres (comédie, tragédie, etc.) et qui est né dans l'Antiquité. Peut-on répondre à la question posée par le sujet de la même manière pour le théâtre de toutes les époques ?
  • « Tribune » : lieu qui permet d'exprimer publiquement ses opinions devant un auditoire. Le terme a une connotation politique.
  • « Défendre des idées » : exprimer une opinion, défendre une cause, argumenter (convaincre et/ou persuader).
▶ **Le sujet établit un rapport d'équivalence entre « théâtre » et « tribune »**
  • Il faut donc chercher les points communs entre les deux, réfléchir aux liens entre le théâtre et l'argumentation sous toutes ses formes, aux possibilités que le théâtre offre à un auteur engagé.

▶▶▶ ÉTAPE 2 COMPRENDRE LA DÉMARCHE ATTENDUE ET CHOISIR LE PLAN

▶ **Le sujet invite à porter un jugement**
  • « selon vous », « bonne tribune ».
▶ **Le sujet ne présente qu'une thèse mais invite à la discuter**
  • Il s'agit de discuter une vision du théâtre, de porter un jugement à propos de la thèse affirmant que le théâtre est une bonne tribune pour défendre des idées. Il faut donc choisir un plan critique et trouver les thèses auxquelles confronter la thèse explicite, c'est-à-dire d'autres conceptions du théâtre.
▶ **Exemple de plan**
  I. Le théâtre est une bonne tribune pour défendre des idées, il permet à un auteur de s'engager.
  II. Mais ne faire du théâtre qu'un lieu à valeur politique est réducteur : il a bien d'autres fonctions.

▶▶▶ ÉTAPE 3 REFORMULER LA PROBLÉMATIQUE

▶ **1re reformulation:** Pourquoi le théâtre est-il un genre permettant à un auteur de défendre ses opinions ?
  • Cette reformulation permet de bien mettre en évidence quelle thèse le sujet demande de discuter.
▶ **Reformulations complémentaires**: Le théâtre n'est-il qu'une bonne tribune pour défendre des idées ? N'a-t-il pas d'autres fonctions importantes elles aussi ? Le théâtre est-il le meilleur moyen pour un auteur de défendre ses idées ?
  • Ces reformulations permettent de trouver des pistes pour discuter la thèse, de trouver les thèses implicites avec lesquelles confronter la thèse explicite.

MÉTHODE

Objectifs
• Chercher des arguments
• Chercher des exemples
• Trouver les sous-parties

La réflexion menée dans la dissertation doit être organisée. Il faut donc construire un plan en 2 ou 3 parties qui elles-mêmes doivent être organisées en 2, 3 ou 4 sous-parties. La réflexion doit présenter des arguments illustrés par l'analyse d'exemples.

▶▶▶ÉTAPE 1 CHERCHER DES ARGUMENTS ET DES EXEMPLES

▶ **Où trouver les arguments et exemples ?**
• Dans le corpus qui accompagne, au bac, le sujet de dissertation.
• Dans les œuvres étudiées durant l'année : un sujet est toujours relié à un des objets d'étude du programme.
• Dans sa culture personnelle : plus on lit, plus on est à même de comprendre les enjeux d'un sujet et d'illustrer son argumentation de manière pertinente et variée.

▶ **Comment procéder ?**
• Après avoir compris quelle démarche et quel type de plan sont suggérés par le sujet, il faut rassembler, au brouillon, des éléments permettant de mener la réflexion.
• Au cours de la réflexion, noter les idées et les œuvres (titre, nom d'auteur) sur lesquelles l'argumentation peut s'appuyer, repérer dans les textes du corpus les citations qui peuvent alimenter la réflexion.
• Il est conseillé de prévoir plusieurs feuilles : une pour chaque partie du plan, de façon à classer dès le brouillon les arguments et exemples.

▶▶▶ÉTAPE 2 ÉLABORER UN PLAN DÉTAILLÉ

▶ **Qu'est-ce qu'une sous-partie ?**
• Une sous-partie est un paragraphe argumenté qui permet d'organiser sa réflexion dans chacune des grandes parties.
• Elle est composée d'un argument développé et illustré par un ou plusieurs exemples analysés et d'une ouverture qui permet de passer au paragraphe suivant.
▶ **Construire un paragraphe argumentatif, p. 485**

▶ **Comment procéder ?**
• Il faut organiser les sous-parties en présentant les arguments par ordre de force croissante.

1 • L'écriture d'invention

2 • Le paragraphe argumentatif

3 • La lecture analytique : vers le commentaire

4 • Le sujet de réflexion : vers la dissertation

5 • L'oral

6 • La lecture d'image

7 • Le corpus et la question de synthèse

APPLICATION

▶▶▶ ÉTAPE 1 CHERCHER DES ARGUMENTS ET DES EXEMPLES

▶ **La thèse explicite doit être étayée (avant d'être discutée)**
• Par les pièces où un auteur s'engage, ou qui présentent des personnages qui s'affrontent : *L'École des femmes* de Molière (éducation des filles, choix d'un époux) ; *Les Mains sales* de Sartre (action violente en politique) ; *Le Mariage de Figaro* de Beaumarchais (rapports maîtres-valets), etc.
• En se posant les bonnes questions : comment un auteur valorise-t-il la thèse d'un personnage (personnage plus drôle, plus sympathique, temps de parole plus long, etc.) ?
• Trouver les spécificités du genre théâtral qui en font « une bonne tribune » (présence d'un auditoire, etc.).

▶ **Procéder de même pour les autres thèses**
• Chercher d'autres fonctions du théâtre et des pièces qui illustrent ces fonctions : distraire, amuser (le théâtre de boulevard, la comédie, la farce, etc.) ; émouvoir, étudier le cœur humain (la tragédie, les pièces de Marivaux, etc.).

▶▶▶ ÉTAPE 2 ÉLABORER UN PLAN DÉTAILLÉ

I. LE THÉÂTRE EST UNE BONNE TRIBUNE POUR UN AUTEUR ENGAGÉ

a. Théâtre comme spectacle vivant
• Des spectateurs nombreux (ex. : la taille des théâtres antiques).
• La présence d'acteurs en chair et en os crée une magie, une écoute attentive.
• La double énonciation : l'auteur s'adresse, par l'intermédiaire de ses personnages, à des spectateurs qui réagissent par le rire, l'émotion : grand pouvoir de persuasion du théâtre.

b. Théâtre comme lieu du débat libre
• Le dialogue entraîne échange, débat, confrontation d'idées. C'est par le dialogue que la philosophie commence (Platon), donc le théâtre est une excellente tribune pour défendre des idées car lien naturel entre dialogue et débat.
• Un bon nombre de pièces de théâtre est fondé sur le conflit (ex. : les comédies de Molière présentent souvent des jeunes gens en conflit avec un père tyrannique).
• Argumentation indirecte : un auteur peut s'exprimer en contournant la censure (ce n'est pas directement Beaumarchais qui défend le mérite contre la naissance à la fin du XVIIIe siècle dans *Le Mariage de Figaro*, c'est son personnage Figaro ; Anouilh met en scène des personnages de la mythologie pour évoquer la question de la tyrannie en pleine occupation allemande grâce à son *Antigone*, etc.).

c. Des personnages soigneusement imaginés
• Personnage porte-parole de l'auteur : plus sympathique, plus amusant, plus convaincant (Figaro est plus débrouillard, plus drôle, plus spirituel que son maître).
• La distribution de la parole peut privilégier le porte-parole de l'auteur (Agnès prend de plus en plus la parole au fur et à mesure que *L'École des femmes* avance).

II. MAIS LE THÉÂTRE A BIEN D'AUTRES FONCTIONS

a. Fonction de pur divertissement
• Plaisir aux différents types de comique (vaudeville : le trio femme-mari-amant dans le placard est une valeur sûre, farce, comédie, etc.)
• Théâtre : loisir culturel comme cinéma, musée....

b. Exploration du cœur humain
• Les tragédies classiques (Corneille, Racine) mettent en scène des passions (jalousie, ambition, etc.), des personnages pathétiques. Le théâtre de Marivaux (*Le Jeu de l'amour et du hasard*) ou de Musset (*On ne badine pas avec l'amour*) explore les relations amoureuses.

c. Fonction esthétique
• Magie des décors, costumes, jeu de lumières, enchantement par la beauté (certains auteurs veulent dissocier le théâtre de la pure parole, comme par exemple Artaud dans *Le Théâtre et son double*).

11. RÉDIGER UNE DISSERTATION

Objectifs
• Présenter une dissertation
• Construire l'introduction et la conclusion

MÉTHODE

▶▶▶ ÉTAPE 1 RÉDIGER UNE INTRODUCTION

▶ **Construction :** elle compte 4 étapes mais un ou deux paragraphes au plus.
• 1er paragraphe : l'introduction débute sur une ou deux phrases destinées à donner envie de lire la copie et à amener vers le sujet.
• Présentation et analyse du sujet.
• Formulation de la problématique.
• 2e paragraphe : présentation du plan adopté.
▶ **Présentation :** il faut sauter deux lignes après l'introduction.
▶ **Conseils :**
• Le « nous » de modestie est envisageable (« Nous étudierons... »), mais écrire sans est plus élégant : il suffit de mettre en position de sujet grammatical ce dont il est question.
• Bannir les annonces tonitruantes et lourdes (« Dans une 1re partie... dans une 2e partie... ») préférez « d'abord », « ensuite », et éventuellement « enfin ».
Clarifier en consacrant une phrase pour chacune des parties (2 si le devoir comporte 2 parties, 3 pour 3 parties).
• D'une manière générale, ne jamais se mettre en scène en tant qu'élève en train de rédiger une dissertation. Ne pas montrer les « coulisses » du devoir : les mots « dissertation », « plan », « parties », « sous-parties », « problématique », etc., ne doivent pas apparaître.

▶▶▶ ÉTAPE 2 RÉDIGER UNE PARTIE

▶ **Construction :** une partie comporte au minimum 3 paragraphes :
• Un 1er petit paragraphe présente la thèse qui est défendue dans la partie.
• Ensuite, les paragraphes argumentatifs s'enchaînent : 2 si le plan de la partie comporte 2 sous-parties, 3 si le plan comporte 3 sous-parties, etc.
▶ **Présentation :** Bien respecter les règles de l'alinéa de sorte que la construction soit visible.

▶▶▶ ÉTAPE 3 RÉDIGER UNE TRANSITION

▶ **Construction :**
• La transition présente un bilan de la 1re partie et ouvre vers la 2e partie. C'est une étape capitale, car elle articule les parties et justifie donc le choix du plan.
▶ **Présentation :** sauter une ligne avant et après la transition.

▶▶▶ ÉTAPE 4 RÉDIGER LA CONCLUSION

▶ **Construction :** la conclusion compte 2 temps.
• Un bilan qui résume la démarche et répond à la problématique posée en introduction.
• Une ouverture, c'est-à-dire un élargissement vers une question que le traitement du sujet permet de soulever.
▶ **Présentation :** sauter 2 lignes avant la conclusion, qui ne compte qu'un paragraphe.

APPLICATION

Sujet support : « Le théâtre est-il selon vous une bonne tribune pour défendre des idées ? »

▶▶▶ ÉTAPE 1 RÉDIGER UNE INTRODUCTION

▶ Créateur mais aussi citoyen, l'écrivain se donne souvent pour mission d'influer sur la société dans laquelle il vit en défendant des opinions et des causes. **[Phrase accroche]** C'est pourquoi il est légitime de se demander si le théâtre est une bonne tribune pour défendre des idées. **[Reprise du sujet]** Il s'agit d'étudier comment le dialogue qui fonde le genre et qui peut être lu ou écouté, et le dispositif mettant en présence des acteurs et des spectateurs, permettent à un auteur de s'engager et d'être entendu. Mais il s'agit aussi de se demander si le théâtre est essentiellement destiné à accueillir les idées politiques ou sociales d'un auteur. **[Analyse du sujet et formulation de la problématique]**

Le théâtre, parce le dialogue peut facilement devenir débat d'idées, offre indiscutablement un dispositif propice à l'engagement. **[Annonce de la 1ʳᵉ partie]** Il n'en reste pas moins vrai que ne faire du théâtre qu'un espace politique est réducteur. **[Annonce de la 2ᵉ partie]**

▶▶▶ ÉTAPE 2 RÉDIGER UNE PARTIE (1ʳᵉ partie)

▶ En raison de son dispositif permettant à un public plus ou moins vaste de se réunir pour écouter des acteurs prononçant et jouant le dialogue imaginé par un dramaturge, le théâtre permet indiscutablement à un auteur de faire entendre sa voix et par conséquent ses idées. **[Paragraphe qui présente les enjeux de la partie]**

En effet, le théâtre permet de rassembler un auditoire parfois impressionnant : les constructions de l'Antiquité dont nous avons gardé des traces nous font découvrir des espaces circulaires extrêmement vastes, pouvant accueillir des milliers de spectateurs. Toute la cité se pressait aux représentations des tragédies et des comédies que les dramaturges créaient dans le cadre de concours. Même dans les espaces plus restreints des théâtres à l'italienne ou des bâtisses actuelles, le public représente un auditoire attentif face à des acteurs costumés, un décor et des lumières qui favorisent l'écoute en créant un espace magique. De plus, la double énonciation permet au dramaturge de s'adresser aux lecteurs-spectateurs par l'intermédiaire du dialogue que prononcent les acteurs : chaque réplique s'adresse à un personnage, certes, mais surtout au lecteur-spectateur, ce phénomène étant particulièrement net lors des monologues. Et le public réagit par le rire, par des émotions diverses, décuplées par le nombre. Il est donc indiscutable que le théâtre offre au dramaturge un grand pouvoir de persuasion. **[1ʳᵉ sous-partie]**

En outre, parce qu'il est fondé sur le dialogue, le théâtre permet le débat. Ce lien naturel entre le théâtre et la confrontation d'idées nous est révélé par la naissance de la philosophie : les premiers textes philosophiques sont écrits par Platon sous forme de dialogues mettant en scène Socrate et divers interlocuteurs. Il est donc indéniable que le théâtre est « une bonne tribune pour défendre des idées » puisque le dialogue est immédiatement lié à l'argumentation, à la contradiction, au débat d'idées. On peut d'ailleurs noter que de nombreuses pièces sont fondées sur le conflit : les comédies de Molière présentent souvent des jeunes gens en désaccord avec des pères tyranniques. On voit par exemple Agnès, dans *L'École des femmes*, argumenter face à Arnolphe, tuteur qui abuse de son autorité, pour justifier son droit de choisir librement un époux. Il est évident que Molière défend ici le droit des jeunes gens à disposer d'eux-mêmes dans une société où tel n'est pas le cas. Le théâtre permet, par conséquent, une argumentation indirecte : le dramaturge peut s'exprimer en contournant la censure puisqu'il ne parle pas en son nom propre mais au travers de ses personnages. Ce n'est pas en son nom que Beaumarchais défend, dans *Le Mariage de Figaro*, le mérite face à la naissance (annonçant ainsi un des grands acquis de la Révolution française), mais à travers son personnage de Figaro. De la même manière, Anouilh met en scène des personnages de la mythologie dans *Antigone* pour évoquer la question de la tyrannie et de la désobéissance en pleine occupation allemande. Ces différents exemples montrent bien que le dialogue, au théâtre, est un prétexte et un moyen, pour le dramaturge, de défendre des causes et d'inviter les spectateurs à réfléchir. **[2ᵉ sous-partie]**

Et afin d'obtenir l'assentiment du public aux idées qui lui sont chères, un auteur imagine soigneusement ses personnages et son dialogue : il peut faire d'un personnage son porte-parole et rendre ses idées plus séduisantes en faisant de lui le personnage le plus sympathique, le plus spirituel de l'œuvre. Il est évident que les idées que défend Figaro attirent les faveurs des spectateurs car il est plus drôle, plus débrouillard, plus méritant que son maître qui s'est, selon Figaro, « contenté de naître ». Le dramaturge peut aussi privilégier les idées d'un personnage en accordant à celui-ci un temps de parole plus grand, une plus grande capacité à argumenter : les idées du personnage en question sont donc mieux développées et mieux entendues. La parole d'Agnès prend, par exemple, de plus en plus de place et de présence au fur et à mesure que l'intrigue de *L'École des femmes* se déroule. La distribution de la parole est donc un moyen efficace pour faire entendre des idées et faire adhérer le public à celles que le dramaturge veut défendre. **[3ᵉ sous-partie]**

▶▶▶ÉTAPE 3 RÉDIGER UNE TRANSITION

▶ Par son dispositif architectural, par le dialogue et par la conception des personnages, le théâtre offre indiscutablement au dramaturge une bonne tribune pour faire entendre et défendre des idées. C'est un genre particulièrement efficace pour le dramaturge engagé qui veut avoir une influence sur les débats d'idées de son époque et peut-être sur l'évolution d'une société. **[Bilan de la 1ʳᵉ partie]** Mais le théâtre, comme tous les genres littéraires d'ailleurs, ne peut être réduit à une seule fonction. **[Ouverture vers la 2ᵉ partie]**

▶▶▶RÉDIGER LA 2ᵉ PARTIE (en suivant la même démarche que pour la 1ʳᵉ partie)

▶▶▶ ÉTAPE 4 RÉDIGER LA CONCLUSION

▶ Ainsi, le théâtre semble un genre particulièrement apte à devenir une tribune pour défendre des idées, pour être caisse de résonance des débats qui préoccupent une société, voire pour susciter des controverses et faire progresser les mœurs, les idées politiques, sociales, etc. Cela dit, les dramaturges ne sont pas tous tournés vers l'engagement, ils peuvent souhaiter faire de l'espace théâtral le laboratoire d'expérimentations visuelles et sonores, le lieu d'analyse et d'expression des sentiments humains... **[Bilan du devoir]** Mais les nouveaux médias offrent à tout auteur qui souhaite défendre des causes et participer au débat citoyen des tribunes susceptibles de toucher un auditoire bien plus vaste que le public des théâtres.
On peut d'ailleurs se demander quelle sera la place du théâtre dans les décennies à venir, puisqu'il est concurrencé et le sera de plus en plus par la prolifération de tribunes en tous genre et d'images dont les possibilités de nous étonner (effets spéciaux, 3D...), ne cessent de grandir. **[Ouverture]**

EXERCICES

1 • L'écriture d'invention

2 • Le paragraphe argumentatif

3 • La lecture analytique : vers le commentaire

4 • Le sujet de réflexion : vers la dissertation

5 • L'oral

6 • La lecture d'image

7 • Le corpus et la question de synthèse

1 CHOISIR UN PLAN ○

Pour chacun des sujets suivants, indiquez s'il invite à :
– explorer une notion en vue d'un plan thématique ;
– justifier une thèse en vue d'un plan analytique ;
– discuter une thèse en vue d'un plan critique.

Sujet 1 Comment peut-on expliquer l'intérêt constant porté par les lecteurs au genre romanesque depuis son apparition ?

Sujet 2 La poésie est-elle seulement l'expression de sentiments personnels ?

Sujet 3 « On ne doit parler, on ne doit écrire que pour l'instruction », écrit La Bruyère dans la préface des *Caractères* (1694). Vous discuterez ce point de vue.

Sujet 4 Qu'est-ce qu'une argumentation efficace ? Vous répondrez à cette question en vous appuyant sur les textes étudiés en classe et sur votre culture personnelle.

Sujet 5 « Un poème est un mystère dont le lecteur doit chercher la clef » affirme Mallarmé au xixe siècle. Vous illustrerez cette affirmation en vous appuyant précisément sur les poèmes étudiés en classe et sur votre culture personnelle.

Sujet 6 Les aspects comiques d'une pièce de théâtre ne servent-ils qu'à faire rire ?

2 FORMULER LE SUJET ○○

À partir des différentes thèses présentées dans les plans suivants :
a. Indiquez de quel type de plan il s'agit et à quelle démarche il correspond.
b. Formulez le sujet qui a été posé.

Plan 1 :
I. La fable est un puissant moyen de distraction.
II. Mais elle permet aussi de faire réfléchir son lecteur.
III. En fait, les fables nous permettent de méditer sur les hommes et la société tout en nous divertissant.

Plan 2 :
I. L'efficacité argumentative des fables tient à la séduction du récit.
II. Cette efficacité tient aussi à la morale qui apporte une leçon à méditer.
III. Cette efficacité est renforcée par le fait que le lecteur doit développer sa capacité à lire entre les lignes, surtout quand la fable ne présente pas de morale explicite.

Plan 3 :
I. Le théâtre est une bonne tribune pour défendre des idées, car c'est un lieu de parole vivante où l'auteur s'adresse au spectateur grâce à la double énonciation.
II. C'est aussi une bonne tribune pour un auteur, car il peut faire s'affronter des opinions différentes dans les dialogues que mènent les personnages.
III. Enfin, l'auteur peut donner au personnage qui est son porte-parole des arguments plus efficaces et un caractère plus sympathique.

Plan 4 :
I. La poésie permet d'exprimer des sentiments.
II. Elle est aussi un moyen efficace pour dénoncer les injustices d'une société.
III. Mais elle est aussi un jeu avec le langage.

3 CONSTRUIRE DES SOUS-PARTIES ○○

À partir du Plan 1 de l'exercice 2, construisez, en les détaillant, deux sous-parties pour chacune des deux premières parties proposées.

4 RÉÉCRIRE ○○

Voici deux annonces de plan bien lourdes. Réécrivez-les en effaçant les « nous », les formules tonitruantes et les répétitions.

Annonce 1 : Dans une première partie, nous montrerons que le comique permet de faire rire le lecteur, de l'amuser. Ensuite nous verrons que le comique a aussi une fonction satirique (société ou défaut humain), puis nous verrons que le comique permet de dédramatiser une situation, de prendre du recul.

Annonce 2 : Nous verrons dans une première partie que la poésie permet à l'auteur d'exprimer des émotions très variées, puis ensuite, dans une deuxième partie, nous verrons que la poésie permet aussi à un auteur de défendre des idées, de s'engager. En troisième partie, nous verrons que la poésie peut aussi être un jeu avec les mots et proposer une nouvelle manière de percevoir le langage.

5 PROBLÉMATISER ET CONSTRUIRE ○○○

Pour chacun des sujets suivants :
a. Repérez et définissez les mots-clés.
b. Reformulez le sujet de façon à le problématiser.
c. Proposez un plan.

Sujet 7 À partir des études menées en classe et de votre propre expérience de spectateur, vous vous demanderez si la représentation est indispensable pour apprécier pleinement une pièce de théâtre.

Sujet 8 « Mon héroïne est mienne et n'appartient qu'à moi », écrit Milan Kundera. Pensez-vous que le personnage de roman soit une création uniquement issue de l'imagination du romancier ?

6 ANALYSER UN CORPUS ✪✪✪

Après avoir pris connaissance des textes suivants, et du sujet de dissertation :
a. Trouvez 3 fonctions au costume de théâtre.
b. Relevez dans les différents textes les exemples permettant d'illustrer chacune de ces fonctions.

Sujet 9 À partir des extraits du corpus, vous vous demanderez quelles fonctions on peut attribuer au costume de théâtre.

Texte 1 – MOLIÈRE, *L'Avare,* acte II, scène 5, 1668.

Harpagon, avare et veuf, veut épouser Mariane que son fils Cléante aime en secret. Il a recours à une entremetteuse, Frosine, qui le flatte pour en obtenir de l'argent.

FROSINE. – Voilà de belles drogues[1] que des jeunes gens, pour les aimer ! Ce sont de beaux morveux, de beaux godelureaux[2], pour donner envie de leur peau ! et je voudrais bien savoir quel ragoût[3] il y a à eux !

HARPAGON. – Pour moi, je n'y en comprends point, et je ne sais pas comment il y a des femmes qui les aiment tant.

FROSINE. – Il faut être folle fieffée. Trouver la jeunesse aimable ! est-ce avoir le sens commun ? Sont-ce des hommes que de jeunes blondins ? et peut-on s'attacher à ces animaux-là ?

HARPAGON. – C'est ce que je dis tous les jours, avec leur ton de poule laitée et leurs trois petits brins de barbe relevés en barbe de chat, leurs perruques d'étoupe[4], leurs hauts-de-chausses[5] tout tombants et leurs estomacs débraillés.

FROSINE. – Eh ! cela est bien bâti auprès d'une personne comme vous ! Voilà un homme cela ! Il y a là de quoi satisfaire à la vue, et c'est ainsi qu'il faut être fait et vêtu pour donner de l'amour.

HARPAGON. – Tu me trouves bien ?

FROSINE. – Comment ! vous êtes à ravir, et votre figure est à peindre. Tournez-vous un peu, s'il vous plaît. Il ne se peut pas mieux. Que je vous voie marcher. Voilà un corps taillé, libre et dégagé comme il faut, et qui ne marque aucune incommodité.

HARPAGON. – Je n'en ai pas de grandes, Dieu merci ! Il n'y a que ma fluxion[6] qui me prend de temps en temps.

FROSINE. – Cela n'est rien. Votre fluxion ne vous sied point mal, et vous avez grâce à tousser.

HARPAGON. – Dis-moi un peu : Mariane ne m'a-t-elle point encore vu ? n'a-t-elle point pris garde à moi en passant ?

FROSINE. – Non. Mais nous nous sommes fort entretenues de vous. Je lui ai fait un portrait de votre personne, et je n'ai pas manqué de lui vanter votre mérite et l'avantage que ce lui serait d'avoir un mari comme vous.

HARPAGON. – Tu as bien fait, et je t'en remercie.

FROSINE. – J'aurais, Monsieur, une petite prière à vous faire. *(Il prend un air sévère.)* J'ai un procès que je suis sur le point de perdre, faute d'un peu d'argent, et vous pourriez facilement me procurer le gain de ce procès si vous aviez quelque bonté pour moi. Vous ne sauriez croire le plaisir qu'elle aura de vous voir. *(Il reprend un air gai.)* Ah ! que vous lui plairez ! et que votre fraise[7] à l'antique fera sur son esprit un effet admirable ! Mais surtout elle sera charmée de votre haut-de-chausses, attaché au pourpoint[8] avec des aiguillettes[9]. C'est pour la rendre folle de vous ; et un amant aiguilleté sera pour elle un ragoût merveilleux.

HARPAGON. – Certes, tu me ravis de me dire cela.

1. remèdes désagréables.
2. élégants prétentieux.
3. goût.
4. résidu tiré du chanvre ou du lin.
5. pantalons.
6. bronchite chronique.
7. collerette amidonnée et tuyautée qui se portait autour du cou, sous HENRI IV.
8. veste.
9. sorte de lacets.

Texte 2 – Samuel BECKETT, *En attendant Godot,* acte 1, 1952.

VLADIMIR. – Quand j'y pense… depuis le temps… je me demande… ce que tu serais devenu… sans moi… *(Avec décision).* Tu ne serais plus qu'un petit tas d'ossements à l'heure qu'il est, pas d'erreur.

ESTRAGON *(piqué au vif).* – Et après ?

VLADIMIR *(accablé).* – C'est trop pour un seul homme. *(Un temps. Avec vivacité).* D'un autre côté, à quoi bon se décourager à présent, voilà ce que je me dis. Il fallait y penser il y a une éternité, vers 1900.

ESTRAGON. – Assez. Aide-moi à enlever cette saloperie.

VLADIMIR. – La main dans la main on se serait jeté en bas de la tour Eiffel, parmi les premiers. On portait beau alors. Maintenant il est trop tard. On ne nous laisserait même pas monter. *(Estragon s'acharne sur sa chaussure).* Qu'est-ce que tu fais ?

ESTRAGON. – Je me déchausse. Ça ne t'est jamais arrivé, à toi ?

VLADIMIR. – Depuis le temps que je te dis qu'il faut les enlever tous les jours. Tu ferais mieux de m'écouter.

ESTRAGON *(faiblement).* – Aide-moi !

VLADIMIR. – Tu as mal ?

ESTRAGON. – Mal ! Il me demande si j'ai mal !

VLADIMIR *(avec emportement).* – Il n'y a jamais que toi qui souffres ! Moi je ne compte pas. Je voudrais pourtant te voir à ma place. Tu m'en dirais des nouvelles.

ESTRAGON. – Tu as eu mal ?

VLADIMIR. – Mal ! Il me demande si j'ai eu mal !

ESTRAGON *(pointant l'index).* – Ce n'est pas une raison pour ne pas te boutonner.

VLADIMIR *(se penchant).* – C'est vrai. *(Il se boutonne).* Pas de laisser-aller dans les petites choses.

ESTRAGON. – Qu'est-ce que tu veux que je te dise, tu attends toujours le dernier moment.

VLADIMIR *(rêveusement).* – Le dernier moment... *(Il médite).* C'est long, mais ce sera bon. Qui disait ça ?

ESTRAGON. – Tu ne veux pas m'aider ?

VLADIMIR. – Des fois je me dis que ça vient quand même. Alors je me sens tout drôle. *(Il ôte son chapeau, regarde dedans, y promène sa main, le secoue, le remet).* Comment dire ? Soulagé et en même temps... *(Il cherche)...* épouvanté. *(Avec emphase).* É-POU-VAN-TÉ. *(Il ôte à nouveau son chapeau, regarde dedans).* Ça alors ! *(Il tape dessus comme pour en faire tomber quelque chose, regarde à nouveau dedans, le remet).* Enfin... *(Estragon, au prix d'un suprême effort, parvient à enlever sa chaussure. Il regarde dedans, y promène sa main, la retourne, la secoue, cherche par terre s'il n'en est pas tombé quelque chose, ne trouve rien, passe sa main à nouveau dans la chaussure, les yeux vagues).* – Alors ?

ESTRAGON. – Rien.

VLADIMIR. – Fais voir.

ESTRAGON. – Il n'y a rien à voir.

VLADIMIR. – Essaie de la remettre.

ESTRAGON *(ayant examiné son pied).* – Je vais le laisser respirer un peu.

VLADIMIR. – Voilà l'homme tout entier, s'en prenant à sa chaussure alors que c'est son pied le coupable. *(Il enlève encore une fois son chapeau, regarde dedans, y passe la main, le secoue, tape dessus, souffle dedans, le remet).* Ça devient inquiétant. *(Silence. Estragon agite son pied, en faisant jouer les orteils, afin que l'air y circule mieux).*

© Éditions de Minuit.

Texte 3 – Eugène IONESCO, *Rhinocéros*, 1959.

Deux amis se retrouvent, dans une ville où une étrange maladie, la « rhinocérite » (symbole du totalitarisme), transforme peu à peu les habitants, sauf Bérenger, en rhinocéros.

JEAN, *l'interrompant.* – Vous êtes dans un triste état, mon ami.

BÉRENGER. – Dans un triste état, vous trouvez ?

JEAN. – Je ne suis pas aveugle. Vous tombez de fatigue, vous avez encore perdu la nuit, vous bâillez, vous êtes mort de sommeil...

BÉRENGER. – J'ai un peu mal aux cheveux...

JEAN. – Vous puez l'alcool !

BÉRENGER. – J'ai un petit peu la gueule de bois, c'est vrai !

JEAN. – Tous les dimanches matin, c'est pareil, sans compter les jours de la semaine.

BÉRENGER. – Ah non, en semaine c'est moins fréquent, à cause du bureau...

JEAN. – Et votre cravate, où est-elle ? Vous l'avez

perdue dans vos ébats !

BÉRENGER, *mettant la main à son cou.* – Tiens, c'est vrai, c'est drôle, qu'est-ce que j'ai bien pu en faire ?

JEAN, *sortant une cravate de la poche de son veston.* – Tenez, mettez celle-ci.

BÉRENGER. – Oh, merci, vous êtes bien obligeant. *(Il noue la cravate à son cou.)*

JEAN, *pendant que Bérenger noue sa cravate au petit bonheur.* – Vous êtes tout décoiffé ! *(Bérenger passe les doigts dans ses cheveux.)* Tenez, voici un peigne ! *(Il sort un peigne de l'autre poche de son veston.)*

BÉRENGER, *prenant le peigne.* – Merci. *(Il se peigne vaguement.)*

JEAN. – Vous ne vous êtes pas rasé ! Regardez la tête que vous avez. *(Il sort une petite glace de la poche intérieure de son veston, la tend à Bérenger qui s'y examine ; en se regardant dans la glace, il tire la langue.)*

BÉRENGER. – J'ai la langue bien chargée.

JEAN, *reprenant la glace et la remettant dans sa poche.* – Ce n'est pas étonnant !... *(Il reprend aussi le peigne que lui tend Bérenger, et le remet dans sa poche.)* La cirrhose[1] vous menace, mon ami.

BÉRENGER, *inquiet.* – Vous croyez ?...

JEAN, *à Bérenger qui veut lui rendre la cravate.* – Gardez la cravate, j'en ai en réserve.

BÉRENGER, *admiratif.* – Vous êtes soigneux, vous.

JEAN, *continuant d'inspecter Bérenger.* – Vos vêtements sont tout chiffonnés, c'est lamentable, votre chemise est d'une saleté repoussante, vos souliers... *(Bérenger essaie de cacher ses pieds sous la table.)* Vos souliers ne sont pas cirés... Quel désordre !... Vos épaules...

BÉRENGER. – Qu'est-ce qu'elles ont, mes épaules ?...

JEAN. – Tournez-vous. Allez, tournez-vous. Vous vous êtes appuyé contre un mur... *(Bérenger étend mollement sa main vers Jean.)* Non, je n'ai pas de brosse sur moi, cela gonflerait les poches. *(Toujours mollement, Bérenger donne des tapes sur ses épaules pour en faire sortir la poussière blanche ; Jean écarte la tête.)* Oh là là... Où donc avez-vous pris cela ?

BÉRENGER. – Je ne m'en souviens pas.

JEAN. – C'est lamentable, lamentable ! J'ai honte d'être votre ami.

BÉRENGER. – Vous êtes bien sévère...

1. maladie du foie.

© Éditions Gallimard.

1 • L'écriture d'invention

2 • Le paragraphe argumentatif

3 • La lecture analytique : vers le commentaire

4 • Le sujet de réflexion : vers la dissertation

5 • L'oral

6 • La lecture d'image

7 • Le corpus et la question de synthèse

12. PRÉPARER UN EXPOSÉ

Objectifs
• Effectuer des recherches
• Synthétiser les informations
• Se préparer à l'oral

MÉTHODE

Cet exercice suppose de savoir effectuer des recherches rapidement et efficacement avant de les regrouper sous la forme d'un compte-rendu organisé. Il est donc essentiel de procéder méthodiquement avant la restitution orale à la classe.

▶▶▶ ÉTAPE 1 TROUVER DES INFORMATIONS

▶ **Sélectionner les sources qui seront utiles**

• Déterminer les domaines correspondant aux thèmes fixés par l'énoncé et à la question générale qui en découle : littérature, histoire, art, science, théâtre, cinéma, etc.

• Consulter des ouvrages informatifs (dictionnaires, encyclopédies, etc.), puis des ouvrages plus spécialisés (manuels scolaires, journaux, essais, etc.). Explorer Internet en réfléchissant au préalable aux mots-clés qui lanceront la recherche.

▶ **Mener une enquête**

• Au C.D.I. du lycée : consulter les dossiers élaborés par d'autres élèves les années antérieures ainsi que le logiciel de recherche documentaire du C.D.I. Ne pas hésiter à demander de l'aide auprès du documentaliste.

• Au musée, au théâtre, à la médiathèque, auprès d'un professeur, d'un auteur, d'un comédien, d'un metteur en scène, d'un historien, etc.

▶▶▶ ÉTAPE 2 SÉLECTIONNER ET ORGANISER LES INFORMATIONS

▶ **Lire les informations et retenir l'essentiel**

• Première lecture sélective : titre, auteur, date, quatrième de couverture, table des matières, titres en caractères gras, etc.

• Seconde lecture approfondie des pages sélectionnées : surligner au fil de la lecture les informations qui répondent à la problématique de l'exposé.

• S'interroger sur la spécificité de chaque document : quels mots-clés ? Quelle prise de position ? Quels arguments ? Quel enchaînement logique ? Quelle époque ? Quel courant culturel ? Quelles influences ?

▶ **Classer les informations**

• Les idées essentielles sont à reformuler sous forme de titres et les idées complémentaires sous forme de sous-titres. Étapes obligées : introduction (présentation du sujet, puis questionnement général, puis annonce des axes), développement (deux axes minimum, puis sous-parties), conclusion (bilan puis ouverture vers de nouvelles perspectives).

▶▶▶ ÉTAPE 3 RÉALISER LE DOSSIER POUR L'ORAL

▶ **La mise en forme**

Pour capter l'attention des auditeurs, un exposé oral doit être dynamique. Il faut éviter de rédiger puis de lire : privilégier les notes, la restitution orale sera plus vivante.

▶ **Insérer les références aux documents**

Chaque idée essentielle est rattachée à une source particulière et illustrée d'exemples précis : chiffres, citations, références culturelles, événements historiques, etc.

▶ **Se préparer à l'intervention orale**

• « Répétition » avant le jour J : s'exprimer à partir de la prise de notes, anticiper les enchaînements, estimer la durée de l'intervention, etc.

• Répartir les tâches et le temps de parole équitablement si le travail a été réalisé en groupe.

• Prévoir le matériel nécessaire quelques jours auparavant : photocopies, rétroprojecteur, vidéoprojecteur, lecteurs DVD et CD, ordinateur, etc.

MÉTHODE

Objectifs
• Lancer une recherche
• Trouver des informations
• Exploiter ses recherches

Consulter Internet pour récolter des informations peut faire gagner du temps, mais aussi en prendre beaucoup ! La recherche sur Internet nécessite beaucoup de rigueur et de méthode.

▶▶▶ÉTAPE 1 LES MOTEURS DE RECHERCHE

▶ **Définition**
- Si Google reste le plus consulté, il en existe beaucoup d'autres : AltaVista, Lycos, Voilà, etc.
- Un méta-moteur consulte l'ensemble des moteurs de recherche : Ariane6, 123trouver, etc.

▶ **Les types de documents**
- On peut consulter textes, images, vidéos, plans, documents audio, etc.

▶ **Les liens**
- Les sites sont classés du plus pertinent au plus éloigné de la recherche.
- On peut accéder à des dictionnaires et encyclopédies, à des articles de presse, des conférences, des travaux réalisés par des spécialistes ou par des amateurs, des forums de discussion, etc.
- **Attention :** les auteurs des sites ne sont pas tous experts. Tout le monde peut créer un site ou modifier un site déjà existant, Wikipédia. Il faut toujours vérifier les informations obtenues.
- Quelques sites sérieux : Europeana (documents numérisés du patrimoine européen), Curiosphere. tv (vidéos éducatives pour les lycéens), INA (Institut national de l'audiovisuel), Gallica (collection de la Bibliothèque Nationale de France), Lexilogos (dictionnaires).

▶▶▶ÉTAPE 2 LANCER UNE RECHERCHE

▶ **Le choix des mots-clés**
- Cibler quelques mots-clés : inutile de formuler des phrases trop longues.
- Si la recherche concerne plusieurs thèmes, reliez les mots-clés par le signe « + ».
Exemple : Hugo + théâtre

▶ **Obtenir des informations spécifiques**
- Concernant une personne : taper son prénom puis son nom, le tout entre guillemets.
- Retrouver un extrait de texte : taper une citation exacte de ce texte entre guillemets.
- Faire précéder votre mot-clé du mot qui précise le type d'information souhaité.
Exemples : définition métonymie ; conjugaison asseoir ; étymologie genèse ; biographie Hugo, etc.

▶▶▶ÉTAPE 3 MIEUX UTILISER UN MOTEUR DE RECHERCHE

▶ **Les recherches restreintes**
Les moteurs de recherche proposent de restreindre les recherches à une langue ou à un type de document.
Exemples : Rechercher dans : ⬤ Web ⭕ Pages francophones ⭕ Pages : France
Web Images Vidéos Maps Actualités Livres

▶ **La présentation d'un site**
Dans la liste des résultats obtenus, on trouve en noir le nom du site, sa description ou ses premiers mots, et en vert l'adresse Web, etc.

▶ **Pour mieux naviguer**
- Certains liens apparaissent dès la page d'accueil.
Recherche avancée/Préférences de recherches
- La recherche « J'ai de la chance » ouvre directement la page du premier lien trouvé.
- Les sites en « .com » sont commerciaux ; les « .org » renvoient à des institutions importantes souvent internationales ; la finale est parfois un indicatif de pays (« .fr » : France, « .gr » : Grèce) ; la finale « .edu » assure que les pages sont éditées par des institutions éducatives. Vous pouvez sélectionner cette finale à la ligne « Domaines » dans « Recherche avancée ».

▶ **Que faire des documents consultés ?**
- **Attention :** il faut sélectionner et reformuler les informations obtenues. Les copier/coller vous donnent l'impression de gagner du temps, mais ils ne vous apportent rien.

1 • L'écriture d'invention

2 • Le paragraphe argumentatif

3 • La lecture analytique : vers le commentaire

4 • Le sujet de réflexion : vers la dissertation

5 • L'oral

6 • La lecture d'image

7 • Le corpus et la question de synthèse

14. DÉCRIRE UNE IMAGE

Objectifs
- Identifier l'image
- Analyser les choix de l'artiste
- Identifier les points de vue

MÉTHODE

L'étymologie du terme «image» renvoie à la fois à l'imitation et à la représentation d'une réalité selon un point de vue. L'artiste peut ainsi proposer sa vision, son interprétation du monde.

▶▶▶ÉTAPE 1 DÉFINIR L'IMAGE

▶ **Entrer en contact avec l'image**
- Identifier l'auteur, le titre, la date de production, le lieu de conservation de l'œuvre grâce à la légende ou le commanditaire de l'œuvre pour une affiche publicitaire.

▶ **Prendre en compte l'aspect matériel de l'image**
- La nature de l'image (tableau, photographie, etc.), la technique (peinture à l'huile, aquarelle, collage), les dimensions, le cadre (rectangulaire, carré, ovale), le support (murs, voûte, cartons) impliquent des démarches différentes et jouent un rôle dans la réception et l'interprétation de l'œuvre.

▶ **Considérer les liens entre l'image et le texte ou le contexte**
- L'image constitue-t-elle l'illustration d'un évènement? Des textes sont-ils insérés dans l'image? Quelle est leur nature (slogan, bulles, etc.)?

▶▶▶ÉTAPE 2 ANALYSER LES CHOIX DE L'ARTISTE

▶ **S'interroger sur ce qui est représenté**
- S'agit-il d'une représentation **figurative** (qui prend le réel pour modèle) ou **abstraite** (dont le sujet n'a aucun référent dans le monde réel)?
- Quel est l'objet, le personnage ou l'univers représenté?
- Les éléments qui composent l'image sont-ils nombreux ou l'artiste a-t-il choisi la sobriété?

▶ **Analyser la composition de l'image**
- **Le champ visuel** est ce qui est représenté dans l'espace de l'image. Le **hors-champ** est ce que l'image ne montre pas mais ce que l'imaginaire du spectateur rétablit pour compléter l'œuvre.

▶ **Les différents plans**
- Quels sont les différents **plans qui structurent l'image**?

▶ **Le cadrage**
- Comment le sujet est-il mis en valeur? Dans le **gros plan**, le cadrage est resserré. Dans le **plan d'ensemble**, le cadrage est beaucoup plus large.

▶ **La perspective**
- Cette technique permet à l'artiste de passer du réel en trois dimensions à une surface à deux dimensions. Lorsque la perspective est respectée, les **lignes de fuite** (les principaux axes qui donnent l'illusion de la profondeur) convergent vers le **point de fuite**.

▶ **Analyser la géométrie de l'image : les effets de ligne**
- Repérer les **lignes de force** qui structurent l'image : sont-elles verticales? horizontales? obliques?
- Repérer les compositions en triangle ou pyramidales.

▶ **Étudier les couleurs et la lumière**
- Quelles sont les couleurs dominantes? Couleurs chaudes (rouge, jaune) ou froides (vert, bleu)?
- Quels sont les effets de lumière? Y a-t-il un contraste violent entre la lumière et l'ombre (le clair-obscur)?

▶▶▶ÉTAPE 3 CONSIDÉRER L'IMAGE COMME UN DISCOURS

L'image est un message que l'artiste adresse au spectateur. Le point de vue adopté traduit la relation entre celui qui voit et l'objet soumis au regard.

▶ **Étudier le point de vue adopté**
- Se situe-t-il au niveau du personnage? Que signifie cette position neutre?
- La représentation est-elle faite par au-dessus (vue en plongée)? Quel est le résultat visuel?
- Est-elle faite par en dessous (vue en contre-plongée)? Que traduit ce point de vue?

▶ **Étudier la place du récepteur de l'œuvre (celui qui regarde)**
- Des personnages regardent-ils le spectateur? A-t-il une position de témoin, de complice, de voyeur? Est-il pris à parti ou ignoré?
- Y a-t-il des personnages qui sont comme des doubles du spectateur?

Théodore Géricault, *Le Radeau de la Méduse,* huile sur toile (491 x 716cm), 1819, musée du Louvre, Paris.

▶▶▶ÉTAPE 1 DÉFINIR L'IMAGE

▶ **Entrer en contact avec l'image**

• *Le Radeau de la Méduse* est une œuvre de 1819 du peintre Géricault. Elle est conservée au musée du Louvre à Paris.

▶ **Prendre en compte l'aspect matériel de l'image**

• Ce tableau au cadrage rectangulaire et aux dimensions monumentales (491 x 716 cm) a été peint sur toile à la peinture à l'huile.

▶ **Considérer les liens entre l'image et le contexte**

• Le titre du tableau fait référence à un fait-divers qui s'est produit trois ans avant la création du tableau. La frégate *La Méduse* fit naufrage en septembre 1816 au large des côtes africaines. Elle devait rejoindre le Sénégal pour succéder aux colons anglais. Mais l'inexpérience de son commandant, engagé pour sa loyauté envers la monarchie et non pour ses expériences maritimes, fut à l'origine de ce drame.

• Si les deux tiers des passagers trouvèrent refuge dans des canots de sauvetage, environ cent cinquante personnes embarquèrent sur un radeau de fortune. Pendant treize jours sous un soleil de plomb, une centaine d'hommes se déchirèrent pour assurer leur survie et certains se livrèrent à des actes de cannibalisme.

• Les membres de l'équipage de l'*Argus*, un bateau envoyé pour les secourir, passèrent une première fois au large sans les apercevoir: c'est cet espoir déçu que peint Géricault. Lors d'une autre tentative de sauvetage, ils ne découvrirent qu'une dizaine de survivants.

1 • L'écriture d'invention

2 • Le paragraphe argumentatif

3 • La lecture analytique: vers le commentaire

4 • Le sujet de réflexion: vers la dissertation

5 • L'oral

6 • La lecture d'image

7 • Le corpus et la question de synthèse

▶▶▶ÉTAPE 2 ANALYSER LES CHOIX DE L'ARTISTE

▶ **S'interroger sur ce qui est représenté**
• Des cadavres et une dizaine d'hommes dont les corps s'enchevêtrent, s'entassent sur le radeau de fortune qui se défait puisque des planches dérivent au large. L'espace est saturé et le radeau apparaît comme le lieu d'un huis clos tragique.

▶ **Analyser la composition de l'image**
• **Le champ visuel**
En bas à droite, la pointe du radeau appartient au hors-champ et la tête du cadavre envahit l'espace imaginaire du spectateur qui devient le témoin impuissant de ce drame.
• **Les différents plans**
Le tableau montre au premier plan l'embarcation de fortune. Des morts et des vivants se côtoient. Au second plan, Géricault peint le paysage d'une mer démontée, sous un ciel de tempête représenté à l'arrière-plan. Sur la ligne d'horizon, à droite, se détache la frêle silhouette de l'*Argus*.
• **Le cadrage et la perspective**
– Il s'agit d'un plan d'ensemble.
– La perspective est écrasée, accordant ainsi une large place à l'espace dramatique que constitue le radeau. Le point de fuite principal appartient au hors-champ à droite. Il se situe dans la direction du regard de l'homme noir et donc de l'*Argus*.

▶ **Analyser la géométrie de l'image**
• La lecture du tableau se fait de gauche à droite en suivant une ligne de force ascendante ou diagonale qui part du corps blanchâtre du cadavre en bas à gauche pour conduire le regard du spectateur jusqu'à la silhouette du bateau en haut à droite. La partie gauche du tableau est consacrée aux mourants, tandis que l'autre est réservée aux corps tendus vers l'espoir qu'incarne l'*Argus*.
• La composition s'organise autour d'une pyramide principale qui se décline en deux pyramides : l'une a pour sommet le linge brandi par l'homme noir, la seconde la pointe du mât à gauche. La base pyramidale que constitue la mer en furie est instable et précaire.

▶ **Étudier les couleurs et la lumière**
• Le peintre utilise une palette de couleurs chaudes, qui va du blanc au brun foncé. Seul le drapé rouge qui entoure le personnage assis en bas à gauche se détache.
• La lumière qui vient du haut à gauche éclaire les personnages présents sur le radeau. Cette mise en relief des personnages par la luminosité contribue à accroître la tension dramatique en focalisant le regard du spectateur sur eux.

▶▶▶ÉTAPE 3 CONSIDÉRER L'IMAGE COMME UN DISCOURS

▶ **Étudier le point de vue adopté**
• Il s'agit d'un cadrage frontal. Le cadrage met le spectateur au même niveau que les personnages pour le confronter de plain-pied au sort de cette humanité abandonnée de tous.

▶ **Étudier la place de celui qui regarde, le récepteur de l'œuvre**
• L'homme entouré d'un linge rouge en bas à gauche est le seul à être tourné vers l'espace des spectateurs, mais son regard reste dans le vague. Il médite sur le sort réservé au jeune cadavre qu'il enlace. Il devient le double du spectateur qui s'interroge à son tour sur ce drame.

1 • L'écriture d'invention

2 • Le paragraphe argumentatif

3 • La lecture analytique : vers le commentaire

4 • Le sujet de réflexion : vers la dissertation

5 • L'oral

6 • La lecture d'image

7 • Le corpus et la question de synthèse

APPLICATION [2]

Campagne de l'Unicef en faveur d'Haïti, 2010.

►►►ÉTAPE 1 DÉFINIR L'IMAGE

▷ **Entrer en contact avec l'image**
- Il s'agit d'une campagne d'appel aux dons lancée par l'Unicef (association de défense des droits des enfants) en 2010 pour la reconstruction des écoles de l'île d'Haïti touchée par un terrible séisme en janvier de la même année.

▷ **Prendre en compte la consistance matérielle de l'image**
- L'image est un photomontage : une photo de classe prise avant le séisme est superposée à une photographie des ruines, conséquences du drame. Cette affiche rectangulaire en couleur a été déclinée sur divers supports (journaux, affiches dans les transports en commun, etc.), ce qui a fait varier ses dimensions.

▷ **Considérer les liens entre l'image et le texte**
- On identifie le slogan : « Construisons l'école qui reconstruira ces enfants », suivi d'un appel aux dons : « Donnez 10 euros par mois pour Haïti », et enfin le commanditaire de cette affiche : l'Unicef et son logo, la mention de son site Internet ainsi qu'un numéro d'appel. Ces textes sont insérés dans l'image et complètent son discours.

▶▶▶ÉTAPE 2 ANALYSER LES CHOIX DE L'ARTISTE

▶ **S'interroger sur ce qui est représenté**
• Dans un paysage désolé, des enfants et leur institutrice posent pour la photographie de classe. Ils semblent ignorer le cadre qui les entoure. Au milieu des décombres, on identifie des bâtiments en ruine, une chaise renversée, un bureau détruit qui laisse penser qu'il s'agit de l'ancien emplacement de leur école.

▶ **Analyser la composition de l'image**
• **Le champ visuel**
Le spectateur n'a pas de peine à imaginer que ce spectacle de fin du monde se prolonge dans le hors-champ.
• **Les différents plans**
Au premier plan, des gravats s'entassent, au second plan, une classe d'écoliers pose et à l'arrière-plan un horizon nuageux prolonge la grisaille du décor.
• **Le cadrage**
Le plan d'ensemble met en valeur l'omniprésence des ruines qui envahissent l'espace. Pourtant, au milieu du chaos, se dressent les rangées d'écoliers.
• **La perspective**
Les lignes de fuite convergent vers le sommet d'une montagne. L'illusion de la profondeur est donnée grâce à la perspective échelonnée.

▶ **Analyser la géométrie de l'image**
• **Les effets de ligne**
– Les lignes horizontales structurent l'image : les lignes d'écriture qui semblent gravées dans un bloc de béton dont la forme ovale répond au groupe d'enfants répartis en trois rangées ; les lignes parallèles des étapes des bâtiments à droite.
– Des lignes verticales sont aussi présentes. En effet, les enfants debout au centre du photomontage attirent le regard. Le caractère officiel de la photographie de classe contraste avec l'anéantissement du décor.

▶ **Étudier les couleurs et la lumière**
• Le blanc éclatant des chemises d'uniforme ainsi que le gris du ciel, des ruines et de la poussière composent ce paysage quasi monochrome. Le bas bleu de l'uniforme des écoliers, la jupe rouge de l'institutrice, le bandeau bleu dans lequel figure la mention de l'organisme apportent de rares taches de couleur à cette image.
• La scène est diurne, la lumière est naturelle et diffuse.

▶▶▶ÉTAPE 3 CONSIDÉRER L'IMAGE COMME UN DISCOURS

▶ **Étudier le point de vue adopté**
• Le point de vue adopté est celui du photographe de l'école. Stoïques, les enfants et l'institutrice le regardent en prenant la pose.

▶ **Étudier la place de celui qui regarde, le récepteur de l'œuvre**
• Le regard du photographe se confond avec celui du spectateur qui devient le témoin de cette tragédie. Parce que tous posent devant lui, il est invité à prendre fait et cause pour les victimes du séisme.

15. INTERPRÉTER UNE IMAGE

Objectifs
- Inscrire l'œuvre dans son contexte
- Dégager les significations de l'œuvre
- Faire le lien avec d'autres œuvres

MÉTHODE

En tenant compte des éléments techniques de la description (▶ **Décrire une image, p. 514**), on peut offrir une interprétation de l'image. Comme l'analyse littéraire, ce travail interprétatif comporte des étapes. Il est essentiel, car l'image offre plusieurs significations : elle est par définition polysémique. Il s'agit donc d'interroger l'interaction entre l'image et le récepteur de l'œuvre.

▶▶▶ ÉTAPE 1 INTERROGER LE CONTEXTE DE L'IMAGE

▶ **Prendre en compte la dimension biographique**
- Y a-t-il des éléments biographiques qui peuvent éclairer la compréhension de l'œuvre ?
- Quelles sont les conditions de création de l'œuvre (commande officielle, privée, etc.) ?

▶ **Prendre en compte le contexte social, historique et politique**
- L'œuvre se fait-elle l'écho d'un événement ? Prend-elle parti pour une cause ?

▶ **Identifier le genre de l'image**
- Depuis le XVIIe siècle, il existe une **hiérarchie des genres : la peinture d'histoire** représentait le genre le plus prestigieux (sujet historique, mythologique ou religieux) avec des toiles de grandes dimensions ; venaient ensuite le genre du **portrait**, les **scènes de genre**, les **natures mortes** et enfin le **paysage**.
- Quels sont les canons esthétiques en vigueur ? L'œuvre correspond-elle à ces normes ?

▶ **Prendre en compte le contexte artistique**
- Rattacher éventuellement l'œuvre à un mouvement culturel qui peut expliquer les choix artistiques.

▶▶▶ ÉTAPE 2 COMPRENDRE LES ENJEUX DE L'IMAGE

▶ **Identifier le premier niveau explicite de signification**
- La **dénotation** de l'image, c'est ce qu'elle signifie au premier abord de manière objective et explicite.

▶ **Identifier les connotations de l'image**
- L'image s'appuie sur des figures de style, des procédés pour délivrer ses significations. Chaque image peut recourir à plusieurs procédés.
- Met-elle en place une comparaison, une opposition entre deux personnages, deux univers ?
- Est-elle une allégorie ? Fait-elle appel à des symboles ? Convoque-t-elle des clichés ? A-t-elle recours à l'hyperbole ?

▶ **Tirer parti des textes jouant avec l'image**
- Si l'image accompagne un texte, que lui ajoute-t-elle ? Si elle comprend des textes, quel rôle jouent ces derniers ? Y a-t-il complémentarité ? opposition ? jeux ?

▶ **Dégager les fonctions de l'image**
- L'image a-t-elle un ancrage dans le réel (fonction **référentielle**) ?
- L'image se présente-t-elle comme un récit (fonction **narrative**) ?
- L'image est-elle une représentation allégorique (fonction **symbolique**) ?
- L'image est-elle au service d'une thèse, d'un éloge, d'un blâme (fonction **argumentative**) ?

▶▶▶ ÉTAPE 3 METTRE EN RELATION LES ŒUVRES ENTRE ELLES

▶ **Autour d'un même thème ou mythe**
- **La reprise d'un mythe ou d'un thème** est un moyen pour l'artiste de se confronter à ses prédécesseurs, de leur rendre hommage tout en affirmant sa singularité.

▶ **Mettre en relation les différents arts**
- L'artiste s'est-il inspiré d'une œuvre littéraire ?
- Son œuvre a-t-elle à son tour influencé des romanciers, dramaturges ou poètes ? des musiciens ? des cinéastes ?

1 • L'écriture d'invention

2 • Le paragraphe argumentatif

3 • La lecture analytique : vers le commentaire

4 • Le sujet de réflexion : vers la dissertation

5 • L'oral

6 • La lecture d'image

7 • Le corpus et la question de synthèse

APPLICATION [1]

Image support : Géricault, *Le Radeau de la Méduse*, 1819, musée du Louvre, Paris. ▶ p. 515

▶▶▶ÉTAPE 1 INTERROGER LE CONTEXTE DE L'IMAGE

▶ **Prendre en compte la dimension biographique**
- Le jeune Géricault (1791-1824) expose ce tableau au Salon officiel en 1819. Il espère, par cette œuvre monumentale, conquérir l'estime publique.
- Pour réaliser son œuvre, il recueille les témoignages de deux survivants, visite des mourants à l'hôpital et ramène même chez lui des morceaux de cadavres pour que son œuvre soit réaliste.

▶ **Prendre en compte le contexte social, historique et politique**
- Pour exposer au Salon officiel, les peintres doivent éviter les sujets polémiques. Pour être accepté, Géricault donne un titre neutre à son tableau intitulé *Scène d'un naufrage*. Mais cette précaution n'empêche pas le scandale.

▶ **Identifier le genre de l'image**
- Cette œuvre appartient au genre le plus prestigieux : la **peinture d'Histoire** par son sujet, sa maîtrise de la touche, son traitement de la lumière et par son caractère monumental.
- Mais le peintre, loin de représenter les grands de son monde, leurs batailles ou leurs exploits, s'attache à rendre compte d'un fait-divers que la monarchie de Louis xviii avait tenté, en vain, d'étouffer.

▶ **Prendre en compte le contexte artistique**
- Le tableau est marqué par le **romantisme**. En mettant en scène des hommes livrés à eux-mêmes, en proie aux plus vives passions et en refusant l'inspiration antique, biblique ou historique, le peintre brise les canons classiques. Il privilégie le mouvement et l'expressivité.

▶▶▶ÉTAPE 2 IDENTIFIER LES ENJEUX DE L'IMAGE

▶ **Identifier le premier niveau de signification, le message explicite**
   ▶ Décrire une image, p. 514

▶ **Identifier les connotations de l'image**
- L'image s'organise autour d'une **opposition entre espoir et désespoir**.
- **Les lignes ascendantes** formées par les bras tendus vers la droite et celles descendantes formées par les cadavres s'opposent. La diagonale accompagne le passage du désespoir à l'espoir, de la mort à la vie.
- **La voile de fortune** gonflée d'un vent contraire à la direction de l'*Argus* est de mauvais augure. Elle s'oppose au groupe de droite formé des hommes qui portent l'homme noir.
- **Le jeu des échelles** oppose aussi la grande taille du radeau et le frêle *Argus*.
- La couleur rouge qui entoure le personnage méditatif suggère les scènes de cannibalisme sans qu'elles soient représentées. Elle contraste avec la lividité mortuaire des cadavres.
- Le jeu de clair-obscur accentue la dramatisation de la scène.

▶ **Dégager les fonctions de l'image**
- L'œuvre de Géricault a une **fonction référentielle** puisqu'elle renvoie à un fait-divers datant de 1816. Étant donné qu'elle met en scène un épisode de cette épopée tragique, elle a une **fonction narrative** qui se met au service de la **fonction allégorique** car elle présente au spectateur le tableau pathétique des passions humaines.
- La **fonction argumentative** est présente puisque certains y ont lu une **dénonciation d'un régime monarchique corrompu** qui récompense la fidélité politique et non le mérite (▶ Décrire une image, p. 514) et une **interrogation sur l'égalité des peuples**, l'espoir des hommes étant porté par l'homme noir.

▶▶▶ÉTAPE 3 METTRE EN RELATION LES ŒUVRES ENTRE ELLES

- Le tableau illustre les liens qui unissent la littérature et la peinture. L'homme en bas à gauche accoudé près de son fils mort rappelle **Ugolin**. Enfermé avec ses enfants dans une tour par son ennemi, cet homme aurait mangé les cadavres de ses propres fils dans l'espoir de leur survivre.
- Le poète italien **Dante** s'empare de cette légende du xiiie siècle dans son œuvre *La Divine Comédie*.
- Cette histoire a inspiré des artistes du xixe siècle, dont le poète **Jules Laforgue** (« Le Vaisseau-fantôme », *Des Fleurs de bonne volonté*), le peintre **Delacroix** ou les sculpteurs **Carpeaux** et **Rodin**.

1 • L'écriture d'invention

2 • Le paragraphe argumentatif

3 • La lecture analytique : vers le commentaire

4 • Le sujet de réflexion : vers la dissertation

5 • L'oral

6 • La lecture d'image

7 • Le corpus et la question de synthèse

APPLICATION [2]

Image support : Campagne de *l'Unicef* en faveur d'Haïti, 2010. ► p. 517

▶▶▶ÉTAPE 1 INTERROGER LE CONTEXTE DE L'IMAGE

▶ **Prendre en compte la dimension biographique**
• L'Unicef est une des agences de l'Organisation des Nations unies : elle se consacre à la défense des droits des enfants.

▶ **Prendre en compte le contexte social, historique et politique**
• L'île d'Haïti a été touchée en janvier 2010 par un violent séisme qui a fait 230 000 morts, 300 000 blessés et un million de sans-abris. La destruction d'infrastructures et d'habitations a mis à mal toute l'organisation de l'État haïtien.

▶ **Identifier le genre de l'image**
• Le contraste entre le genre codifié qu'est la photographie de classe et le paysage apocalyptique est saisissant.

▶ **Prendre en compte le contexte artistique**
• Il s'agit d'une campagne d'appel aux dons dont le but premier est de recueillir de l'argent. L'image et le texte doivent émouvoir le spectateur pour l'inciter à participer à la reconstruction des écoles du pays.

▶▶▶ÉTAPE 2 IDENTIFIER LES ENJEUX DE L'IMAGE

▶ **Identifier le premier niveau de signification, le message explicite**
   ► Décrire une image, p. 514

▶ **Identifier les connotations de l'image**
• L'image s'organise autour d'un réseau d'oppositions :
– **destruction/construction** : les lignes horizontales s'opposent aux lignes verticales. Alors que tout s'affaisse, les enfants, debout au milieu des ruines, incarnent l'espoir d'un monde nouveau.
– **passé/avenir** : la perspective spatiale peut se lire comme une projection temporelle ; certes, l'horizon est mince et l'avenir incertain, mais le regard, attiré par le point de fuite de l'image, traduit l'aspiration de voir un jour ces enfants retrouver le chemin de l'école.
• Ce cliché représente la condition de tous les écoliers de Port-au-Prince, la ville la plus sévèrement touchée par le séisme.

▶ **Tirer parti des textes jouant avec l'image**
• Le slogan complète l'image. Il joue sur la polysémie du verbe « construire » puisque le sens propre (bâtir de nouveaux établissements) est étroitement lié à son sens figuré. Il faut permettre à ces enfants, dont certains sont orphelins, de dépasser ce traumatisme. L'emploi du mode impératif puis du futur de l'indicatif associe leur avenir et donc celui du pays à l'engagement des spectateurs.

▶ **Dégager les fonctions de l'image**
• L'image a un **ancrage dans le réel** puisqu'elle fait référence à l'une des plus grandes catastrophes naturelles récentes.
• L'image a une fonction **symbolique** puisqu'elle est une représentation allégorique de l'espoir.
• L'image a une fonction **argumentative**. Elle doit susciter l'émotion chez le spectateur pour le faire réagir en faisant appel à son humanité et à sa générosité.

▶▶▶ÉTAPE 3 METTRE EN RELATION LES ŒUVRES ENTRE ELLES

• De nombreuses organisations non gouvernementales ont recours à ce type de campagne de dons. Le registre pathétique est fréquemment convoqué dans leurs stratégies de communication afin d'émouvoir le spectateur. Cette rhétorique de l'émotion peut se retrouver dans les photoreportages qui couvrent les conflits mondiaux pour les agences de presse.

Objectifs
• Identifier les différentes étapes d'un film
• Analyser une image mobile

MÉTHODE

En 1895, les frères Lumière inventent le cinéma qui combine l'image fixe et le mouvement. Pour conduire une analyse filmique, il convient de prendre en compte ces deux paramètres.

▶▶▶ÉTAPE 1 EXPLOITER LE SCÉNARIO

▶ **Du synopsis au story-board**

• Le **synopsis** est la première forme très résumée de l'histoire. Le **scénario** déroule de façon précise les séquences, elles-mêmes formées par des **plans** (qui sont une succession d'images fixes à raison de 24 images par seconde au cinéma). Ces derniers sont initialement représentés sous forme de dessins dans le **story-board**. Un **photogramme** est la plus petite unité de prise de vue. Il s'agit d'une image isolée d'un film.

▶ **Identifier les étapes du schéma narratif du film**

• Repérer, comme pour un texte littéraire, la situation initiale, l'élément perturbateur, les péripéties, la résolution et la situation finale.

• Chaque séquence (dont l'équivalent est le chapitre de roman) s'articule-t-elle autour d'une unité de temps ? de lieu ? d'action ?

• Rechercher le plan le plus court et le plan le plus long du film et expliquer ces choix temporels.

• Isoler un photogramme représentatif d'un des enjeux du film, puis l'analyser comme pour un tableau ou une photographie.

• Repérer l'articulation entre les paroles et les images : s'agit-il de dialogues, d'une voix off ? Ce qui est dit correspond-il à ce qui est montré ?

▶▶▶ÉTAPE 2 COMPRENDRE LES CHOIX DU MONTAGE

▶ **Le montage**

• C'est l'art d'enchaîner les séquences et les plans.

• L'ordre des images suit-il la linéarité du récit (montage chronologique) ?

• Joue-t-il comme un roman sur des ellipses et des retours en arrière ?

• Les effets sonores sont alors également fixés (voix, musique, etc.).

• La bande-son accompagne-t-elle l'image ? Suggère-t-elle autre chose que ce qui est montré ?

▶ **Identifier les différents fondus pour l'image**

• Au cinéma, un **fondu** est la transition entre deux plans : on remplace progressivement une image par une autre. On distingue :

• **Le fondu au noir:** la première scène s'assombrit progressivement jusqu'à ce que l'écran devienne entièrement noir.

• **Le fondu au blanc:** l'image pâlit et devient blanche.

• **Le fondu enchaîné :** deux prises de vue se superposent, en diminuant la luminosité de la première tout en augmentant celle de la seconde. Il s'agit donc d'un moyen de transition d'un plan à un autre. Il peut servir à mettre en évidence la similitude entre deux situations, deux personnages, deux cadres.

▶ **Identifier les différents fondus pour le son**

• **Le fondu de fermeture :** c'est la baisse du niveau sonore jusqu'au silence.

• **Le fondu d'ouverture :** on part du silence et, progressivement, le niveau sonore se stabilise.

• **Le fondu enchaîné :** il consiste à baisser graduellement le volume d'un signal sonore tout en en augmentant un second.

▶▶▶ÉTAPE 3 IDENTIFIER LES MOUVEMENTS DE CAMÉRA

• La caméra peut pivoter autour d'un axe horizontal ou vertical (à la façon d'une tête), on a alors un plan **panoramique**.

• Elle peut aussi avancer ou reculer à l'aide d'un chariot, il s'agit du ***travelling*** avant ou arrière.

• Pour le **zoom,** la caméra ne bouge pas mais l'image passe d'un plan d'ensemble à un gros plan (zoom avant) ou l'inverse (zoom arrière).

• Quels sont les effets de sens que ces mouvements peuvent créer ?

▶▶▶ ÉTAPE 4 ANALYSER UN PHOTOGRAMME

▶ **Point de vue et angle de l'image**

• L'image filmique peut imiter un point du vue objectif, elle est comme un regard extérieur neutre ; elle peut, à l'inverse, être subjective et retranscrire le point de vue d'un personnage (comme le point de vue interne dans un roman).

• Son **angle** peut être horizontal : la caméra est alors à hauteur d'homme. La **plongée** filme au-dessus du personnage, tandis que la **contre-plongée** le filme par en dessous.

• Quels sont les effets ainsi créés ?

▶ **Le cadrage, le champ, le contre-champ et le hors-champ**

• L'image peut mettre en valeur différents plans :

– le **plan d'ensemble** montre le décor ;

– un **plan de demi-ensemble** présente le personnage dans son décor ;

– le **plan moyen** filme le personnage en pied ;

– le **plan américain** le cadre à mi-cuisse ;

– le **plan rapproché** est au niveau de la poitrine ;

– le **gros plan** se fixe sur le visage et le **très gros plan** sur un détail.

• Le **champ** désigne l'espace visible à l'image.

– Le **hors-champ** renvoie à l'espace que le spectateur ne peut qu'imaginer.

– Le **contre-champ** est l'espace directement opposé à l'image (une scène de dialogue alterne champ et contre-champ).

EXERCICES

1 ANALYSER LE FORMAT ✪

Jean Auguste-Dominique Ingres, *Le Bain turc*, huile sur toile (108 x 110 cm), 1867, musée du Louvre, Paris.

a. Quelle est l'originalité de ce format ?

b. Quelles relations faites-vous entre le titre du tableau et le format de l'œuvre ?

c. Quels effets sont créés par le hors-champ ?

d. Quels liens pouvez-vous faire entre l'occupation de l'espace et le format ?

2 ANALYSER LA COMPOSITION ✪

Edward Hopper, *New York Movie*, huile sur toile (81,9 x 101,9 cm), 1939, MoMA, New-York.

a. Étudiez le contraste des couleurs. Que constatez-vous ?

b. Le tableau est clairement séparé en deux univers opposés : quelles sont les oppositions que vous pouvez relever ?

c. Quels sont les effets créés par la composition ?

3 IDENTIFIER LE GENRE PICTURAL ✪

David, *Bonaparte franchissant les Alpes au Grand Saint-Bernard*, 1800, huile sur toile (260 x 221 cm), musée national du Château, Rueil-Malmaison, France.

a. Quelles sont les dimensions de l'œuvre ? De quel genre relève-t-elle ?

b. Comment les lignes de force de cette œuvre participent-elles de son dynamisme ?

c. Faites une recherche sur Bonaparte. À quel moment historique correspond ce tableau ?

d. Quelle est la fonction première de cette œuvre ?

4 DÉGAGER LES FONCTIONS DE L'IMAGE ✪

Kevin Carter, *Vautour regardant un enfant*, 1993.

a. Décrivez cette photographie.

b. Quels procédés dramatisent cette scène ?

c. Où se situe le photographe ? À qui peut-on l'assimiler ?

d. Quelle est la fonction de cette photographie ?

1 • L'écriture d'invention

2 • Le paragraphe argumentatif

3 • La lecture analytique : vers le commentaire

4 • Le sujet de réflexion : vers la dissertation

5 • L'oral

6 • La lecture d'image

7 • Le corpus et la question de synthèse

5 FORMULER DES HYPOTHÈSES ET CONNAÎTRE UNE LÉGENDE ✪✪

Jean-Auguste-Dominique Ingres, *Francesca da Rimini et Paolo Malatesta*, huile sur toile (235 x 165 cm), 1820, musée Bonnat, Bayonne, France.

a. Selon vous, que raconte cette scène ?
b. Quand se déroule-t-elle ? Justifiez votre réponse.
c. Faites une recherche sur la légende de Paolo et Francesca. Quel moment de l'histoire Ingres décide-t-il de représenter ? Pourquoi ce choix ?

6 ANALYSER UN DESSIN DE PRESSE ✪✪

Dessin de **Plantu**, 2007.

a. Sur quelles oppositions est fondé ce dessin ?
b. Que remarquez-vous quant à l'utilisation des couleurs ? Quels sont ses effets ?
c. Quelle est la fonction principale de l'image ?

7 ANALYSER UNE PHOTOGRAPHIE ✪✪

Robert Doisneau, *Le Baiser de l'hôtel de ville*, 1950.

Quels procédés concourent à faire de ce baiser un moment intime et figé dans le temps ?

8 ANALYSER UNE AFFICHE DE FILM ✪✪

Entre les murs, affiche du film de **Laurent Cantet**, 2008.

a. Quelles sont les attitudes des élèves au premier plan ? À l'arrière plan ? Justifiez votre réponse.
b. Analysez la composition de l'image. Y a-t-il des effets de symétrie ? d'opposition ?
c. Que pointent les doigts levés ? Quel rôle jouent ces images dans l'image ?
d. Quelles relations pouvez-vous établir entre le titre et l'image ?
e. Formulez des hypothèses sur le synopsis. Regardez le film. Le film est-il fidèle à ce que l'affiche semble annoncer ?
f. Vous pouvez lire le roman *Entre les murs* de François Bégaudeau (2006) dont le film est une adaptation. Est-elle fidèle ? Justifiez votre réponse.

9 IDENTIFIER LE CONTEXTE HISTORIQUE ✦✦✦

Robert Rauschenberg, *Retroactive I (Kennedy)*, huile et encre sur toile (213,4 x 152,4 cm), 1963, Wadsworth Atheneum Museum of Art.

a. Relevez différents indices qui permettent d'identifier le contexte historique. Quels sont les effets créés par les techniques employées ?
b. Comment l'artiste envisage-t-il son époque ?

10 ANALYSER UNE BANDE DESSINÉE ✦✦

Jacques Tardi, Benjamin Legrand et Dominique Grange, New *York Mi Amor*, 2009, © Casterman.

a. Quelles caractéristiques permettent d'identifier le type de document ?
b. Après avoir relevé les indices permettant d'identifier le moment de l'histoire du xxᵉ siècle représenté, faites une recherche plus approfondie sur cet événement.
c. Comment les personnages sont-ils représentés ? Quels sont les effets ainsi créés ?

d. Identifiez le point de vue et le cadrage de chaque vignette. Quels sont les effets ainsi produits ?
e. Quels sont les liens entre le texte et l'image ?

11 ANALYSER DES PHOTOGRAMMES ✦✦

Le Pianiste, film de **Roman Polinski**, 2002.

a. **Décrivez ce photogramme avec précision.**
b. **Quel univers est représenté ? Faites des hypothèses sur le cadre spatio-temporel. Renseignez-vous ensuite pour retrouver l'événement historique représenté.**
c. **Quel plan est utilisé ? Quel cadrage ? Quels sont les effets ainsi créés ?**
d. **Comment le personnage principal est-il mis en valeur ? Relevez tous les procédés qui y participent.**
e. **Que traduisent son attitude et son regard ? Où se situe le spectateur par rapport au personnage ? Quels effets sont ainsi créés ?**

Marie Antoinette, film de **Sofia Coppola**, 2006.

a. **Comment l'image est-elle structurée ?**
b. **À partir du titre du film, des costumes et des décors, identifiez les deux personnages principaux puis les personnages secondaires.**
c. **Quelle semble être la relation entre les deux personnages ? Quels sont les indices qui vous ont conduit à cette hypothèse ?**
d. **Quel cadrage est retenu ? Pourquoi ?**
e. **Où semble positionnée la caméra ? Quel point de vue est donc employé ? Quels effets cela crée-t-il ?**

12 DÉCRYPTER UNE CAMPAGNE DE PRÉVENTION ✪✪✪

Campagne de prévention de la Sécurité routière, 2008.

a. Décrivez les différents plans.
b. Étudiez la composition de l'image.
c. Analysez le jeu des couleurs.
d. Pourquoi le choix de faire poser Karl Lagerfeld, styliste réputé, est-il au service du slogan ?
e. Faites l'analyse stylistique du slogan. Commentez les effets créés ?
f. Quelle est la fonction principale de cette image ? Quels sont les procédés utilisés ?

13 METTRE EN RELATION DES ŒUVRES ✪✪✪

Jean-Michel Basquiat, *La Joconde*, huile sur toile, 1983, collection privée.

a. Quelle œuvre reconnaissez-vous ? Qui l'a réalisée ? Quand ? Pourquoi est-elle aussi connue ?
b. Comment Jean-Michel Basquiat s'empare-t-il de cette œuvre ? Que conserve-t-il du modèle original ? Quelles modifications apporte-t-il ? Selon vous, quelles sont ses intentions ?
c. Cherchez d'autres variations picturales de *La Joconde* : quelles relations l'œuvre produite entretient-elle avec le modèle original ?

Caspar David Friedrich, *Femme à la fenêtre*, huile sur toile (44 x 37 cm), 1833, Nationalgalerie, Berlin.

a. Montrez que les lignes structurent le tableau en deux espaces qui s'opposent.
b. Que contemple la jeune femme ? Quels sentiments peut-on lui associer ?
c. Y a-t-il des éléments qui participent à une fonction symbolique de l'image ?
d. Pourquoi le personnage est-il représenté de dos ? Quels sont les effets créés sur le spectateur ?
e. À quel mouvement culturel peut-on rattacher cette œuvre ?

Salvador Dalì, *Jeune fille à la fenêtre*, huile sur carton pierre (105 x 75,5 cm), 1925, musée de la Reine Sofia, Madrid.

a. Comparez les deux personnages féminins (tableaux B et C). Que constatez-vous ?
b. Comparez les paysages contemplés.
c. Comparez les atmosphères qui se dégagent respectivement des deux tableaux B et C. En quoi s'opposent-elles ?

1 • L'écriture d'invention

2 • Le paragraphe argumentatif

3 • La lecture analytique : vers le commentaire

4 • Le sujet de réflexion : vers la dissertation

5 • L'oral

6 • La lecture d'image

7 • Le corpus et la question de synthèse

Objectifs
• Comparer des textes sur une notion définie pour en dégager la singularité
• Structurer une réponse synthétique

L'exercice consiste à répondre à une question qui porte sur un ensemble de textes appelé *corpus*; les textes peuvent se ressembler ou s'opposer, se compléter, s'éclairer les uns les autres : il faut donc bien analyser le corpus et la question pour trouver un plan synthétique qui permette de confronter les textes qui ne doivent pas être étudiés l'un après l'autre.

Textes supports :

Texte 1 : Prosper MÉRIMÉE, *La Vénus d'Ille*, 1837.
Texte 2 : Guy de MAUPASSANT, « Apparition », 1883.

Texte 1

Pour mieux lancer la balle dans une partie de jeu de paume, un jeune homme a passé l'anneau – qu'il destinait à sa future épouse – au doigt d'une statue de Vénus située à l'angle du terrain. Le soir venu, après son mariage, il confie au narrateur un étrange incident.

1 « Vous savez bien, mon anneau ? poursuivit-il après un silence.
– Hé bien ! On l'a pris ?
– Non.
– En ce cas, vous l'avez ?
5 – Non... je... je ne puis l'ôter du doigt de cette diable de Vénus.
– Bon ! vous n'avez pas tiré assez fort.
– Si fait... Mais la Vénus... elle a serré le doigt. »
Il me regardait fixement d'un air hagard, s'appuyant à l'espagnolette[1] pour ne pas tomber.
« Quel conte ! lui dis-je. Vous avez trop enfoncé l'anneau. Demain vous l'aurez avec des tenailles. Mais
10 prenez garde de gâter la statue.
– Non, vous dis-je. Le doigt de la Vénus est retiré, reployé ; elle serre la main, m'entendez-vous ?... C'est ma femme apparemment, puisque je lui ai donné mon anneau. Elle ne veut plus le rendre. »

1. poignée tournante d'une fenêtre ; les personnages sont installés dans le salon du père du marié.

Texte 2

Pour rendre service, le narrateur va chercher des papiers dans le château abandonné par son ami depuis le décès de l'épouse aimée. Près du secrétaire, une femme, apparition fantomatique, le supplie de peigner ses longs cheveux. De retour chez lui, il s'interroge.

1 Alors, pendant une heure, je me demandai anxieusement si je n'avais pas été le jouet d'une hallucination. Certes, j'avais eu un de ces incompréhensibles ébranlements nerveux, un de ces affolements du cerveau qui enfantent les miracles, à qui le Surnaturel doit sa puissance.
Et j'allais croire à une vision, à une erreur de mes sens, quand je m'approchai de ma fenêtre. Mes yeux, par
5 hasard, descendirent sur ma poitrine. Mon dolman[1] était plein de cheveux, de longs cheveux de femme qui s'étaient enroulés aux boutons !
Je les saisis un à un et je les jetai dehors avec des tremblements dans les doigts.

1. veste portée dans l'armée par les chasseurs à cheval.

Exemple de question : Montrez que ces deux textes relèvent du registre fantastique.

ETAPE 1 EXAMINER LE CORPUS

Comprendre le rapprochement des textes
• Lire attentivement textes et paratextes pour comprendre ce qui justifie leur rapprochement : objet(s) d'étude ? thèmes ? thèse ? époque ou mouvement littéraire ? genre ? registres ?

Définir les liens entre les textes
• Les textes se complètent-ils ? se ressemblent-ils ? s'opposent-ils ?

ETAPE 2 ANALYSER LA QUESTION

Repérer les mots-clés et reformuler la question afin de l'expliciter
• Les genres, les formes de discours ou les registres.
• Les procédés stylistiques.
• Le sens des textes : titre, thèmes communs, idées dominantes, analyse d'un personnage, etc.

Mobiliser ses connaissances sur la notion
• La notion à traiter implique souvent de bien maîtriser les outils d'analyse ; lister au brouillon les principales caractéristiques de la notion à analyser : registre, genre, etc.

ETAPE 3 ÉLABORER LE PLAN AU BROUILLON

Trouver des éléments de réponse
• Confronter les textes en utilisant les connaissances concernant la notion à traiter et la particularité de chaque extrait.
• Pour chaque élément de réponse trouvé, noter les citations précises ou les exemples correspondants (avec numéro de vers ou de ligne).

Organiser le plan
• Éviter de traiter les textes séparément.
• Le plan doit comporter 2 ou 3 éléments de réponse correspondant à autant de paragraphes ; regrouper les éléments de réponse semblables dans un même paragraphe.
• Classer les éléments de réponse de manière progressive, de l'argument le plus simple au plus complexe.

Le rapprochement
• Les deux textes ont une époque (le XIXe siècle), un genre (le récit) et un registre (le fantastique) communs.

Les liens entre les textes
• Par leurs multiples points communs, les textes se ressemblent.

Mots-clés et reformulation
• « Registre fantastique ». La question invite à mettre en évidence les marques du registre fantastique dans les deux textes.

Connaissances mobilisées
• Le registre fantastique se définit par l'irruption dans l'univers quotidien d'un événement surprenant ; le personnage qui en est témoin hésite entre deux types d'explications, rationnelle ou surnaturelle.

▶ Le registre fantastique, p. 462

Éléments de réponse
• **Monde normal**
Texte 1 : salle de jeu de paume, activité sportive.
Texte 2 : château délaissé, service à un ami.
• **Événement étrange**
Texte 1 : impossible de retirer l'alliance du doigt de la statue (l. 5).
Texte 2 : apparition du fantôme de la morte.
• **Explication rationnelle**
Texte 1 : bague trop enfoncée (l. 9).
Texte 2 : « hallucination » (l. 1).
• **Explication surnaturelle**
Texte 1 : la statue s'anime, se croit mariée (l. 7, 11, 12).
Texte 2 : la présence des cheveux semble confirmer la présence d'un fantôme (l. 5, 6).

Plan
Il comporte 4 éléments de réponse. Classement : l'ordre suit ici la logique de la définition du fantastique (circonstances, élément perturbateur, hypothèses rationnelle et surnaturelle).

1 • L'écriture d'invention

2 • Le paragraphe argumentatif

3 • La lecture analytique : vers le commentaire

4 • Le sujet de réflexion : vers la dissertation

5 • L'oral

6 • La lecture d'image

7 • Le corpus et la question de synthèse

529

Objectifs
- Présenter une réponse organisée
- Rédiger une analyse littéraire
- S'exprimer avec clarté et précision

MÉTHODE

La réponse synthétique à une question portant sur un corpus de textes doit être structurée et entièrement rédigée. Elle comporte une introduction, un développement formé de 3 ou 4 paragraphes argumentatifs, ainsi qu'une conclusion.

▶▶▶ ÉTAPE 1 RÉDIGER L'INTRODUCTION (en 1 seul paragraphe)

▶ **Présenter les textes du corpus**
- Présenter rapidement les différents textes (titre, auteur, date; éventuellement résumé très bref des extraits et points communs qui réunissent ces différents textes).

▶ **Annoncer la question**
- Annoncer la question sous forme de question directe ou indirecte («il s'agit d'analyser», «nous étudierons», etc.). Vous devez proscrire l'emploi du «je».

▶▶▶ ÉTAPE 2 RÉDIGER LE DÉVELOPPEMENT
(en 3 ou 4 paragraphes)

▶ **Construire méthodiquement les paragraphes**
- ▶ Construire un paragraphe argumentatif, p. 485
- Commencer par formuler l'idée directrice.
- Penser à l'alinéa, aux majuscules en début de paragraphe. Utiliser des connecteurs logiques à l'intérieur du paragraphe et d'un paragraphe à l'autre.
- Insérer et commenter des exemples et citations.
- ▶ Justifier sa réponse en insérant des exemples, p. 484
- Formuler en fin de paragraphe une conclusion qui dégage l'essentiel de l'analyse et ouvre vers l'idée directrice du paragraphe suivant.

▶▶▶ ÉTAPE 3 RÉDIGER LA CONCLUSION (en 1 seul paragraphe)

▶ **Établir le bilan de l'analyse**
- Introduite par un connecteur logique («Pour conclure», «Ainsi», etc.), elle récapitule les arguments puis répond clairement à la question posée, en soulignant éventuellement la singularité des textes.

▶ **Proposer une ouverture**
- Elle peut clore la réponse en envisageant la question sous un autre angle, en comparant avec d'autres extraits de la même œuvre, d'autres œuvres, d'autres formes d'art, d'autres époques, etc.

▶▶▶ ÉTAPE 4 SE RELIRE

- Attention, il faut bien se relire pour vérifier l'orthographe, la syntaxe, la ponctuation et pour s'assurer que les idées sont formulées clairement et s'enchaînent bien.

1 • L'écriture
d'invention

2 • Le paragraphe
argumentatif

3 • La lecture analytique :
vers le commentaire

4 • Le sujet de réflexion :
vers la dissertation

5 •
L'oral

6 • La lecture
d'image

7 • Le corpus et la
question de synthèse

APPLICATION

Textes supports ▸ p. 528 :

Texte 1 : **Prosper MÉRIMÉE**, *La Vénus d'Ille*, 1837.

Texte 2 : **Guy de MAUPASSANT**, « **Apparition** », 1883.

Exemple de question : Montrez que ces deux textes relèvent du registre fantastique.

▶▶▶ ÉTAPE 1 RÉDIGER L'INTRODUCTION

▶ Dans les deux extraits des nouvelles intitulées *La Vénus d'Ille* et « Apparition », respectivement écrites par Mérimée et Maupassant en 1837 et 1883, le narrateur raconte la survenue d'un
étrange incident **[Présentation des textes]**. Nous étudierons leurs caractéristiques fantastiques **[Annonce de la question]**.

▶▶▶ ÉTAPE 2 RÉDIGER LE DÉVELOPPEMENT
(1er élément de réponse)

▶ C'est dans ces circonstances ordinaires que survient dans les deux extraits un événement des
plus étranges, plongeant les personnages dans l'angoisse **[Idée directrice]**. Dans le texte de
Mérimée, le jeune marié ne peut plus récupérer l'anneau qu'il avait laissé – pour jouer – au doigt
de la statue ; il le répète au narrateur « d'un air hagard » (l. 8) : « je ne puis l'ôter du doigt de
cette diable de Vénus » (l. 5), « Le doigt de la Vénus est retiré, reployé » (l. 11). Dans le texte de
Maupassant, l'apparition de l'épouse décédée est un élément inquiétant. **[Commentaires des
citations significatives]**. Dans les deux cas, un incident très troublant vient perturber les
repères familiers d'un monde réglé : les personnages vont alors tenter de proposer diverses
explications **[Conclusion]**.

▶ Procéder de même pour rédiger les **autres éléments de réponse**.

▶▶▶ ÉTAPE 3 RÉDIGER LA CONCLUSION

▶ Ainsi, les deux textes présentent bien toutes les caractéristiques du registre fantastique. Dans
le texte de Maupassant, la solitude du narrateur, unique témoin de la scène et sans interlocuteur pour le rassurer, plonge d'emblée le lecteur dans une atmosphère plus terrifiante que celle
du texte de Mérimée **[Bilan de l'analyse]**. La fin des deux nouvelles permettra-t-elle au lecteur
d'échapper au malaise grandissant en optant pour l'une des deux hypothèses ? **[Ouverture
possible]**

1 TROUVER CE QUI FAIT L'UNITÉ D'UN CORPUS ✪

a. Lisez les corpus suivants et trouvez ce qui justifie le rapprochement des textes.

b. Pour le corpus 2, formulez la question permettant de confronter les textes.

Corpus 1

Objet d'étude : « Le théâtre : texte et représentation »

Texte 1 – Pierre CORNEILLE, *Cinna*, acte I, scène 1, 1641

Texte 2 – MOLIÈRE, *Dom Juan*, acte I, scène 1, 1665

Texte 3 – Jean RACINE, *Phèdre*, acte I, scène 1, 1677

Corpus 2

Texte 1

Je définis la cour un pays où les gens
Tristes, gais, prêts à tout, à tout indifférents,
Sont ce qu'il plaît au Prince, ou s'ils ne peuvent
l'être,
Tâchent au moins de le paraître,
Peuple caméléon, peuple singe du maître,
On dirait qu'un esprit anime mille corps ;
C'est bien là que les gens sont de simples ressorts.

Jean de LA FONTAINE, *Fables*, 1678.

Texte 2

Il en est, des manières et de la façon de vivre comme des modes : les Français changent de mœurs, selon l'âge de leur roi. Le monarque pourrait même parvenir à rendre la nation grave, s'il l'avait entrepris. Le Prince imprime le caractère de son esprit à la cour ; la cour, à la ville ; la ville, aux provinces. L'âme du souverain est un moule qui donne la forme à tous les autres.

De Paris, le 8 de la lune de Saphar, 1717 [avril].

MONTESQUIEU, *Lettres persanes*, 1721.

2 ANALYSER UNE QUESTION ✪✪

a. Pour chaque question, repérez les mots-clés.

b. Reformulez la question, en l'explicitant, de façon à montrer que vous l'avez bien comprise.

Question 1 : Identifiez et analysez dans les textes du corpus les éléments caractéristiques d'une scène d'exposition.

Question 2 : Quels sont les registres dominants de ce corpus ? Par quels procédés sont-ils mis en place ? Quel est l'effet recherché ?

Question 3 : Étudiez les marques de la présence du locuteur dans les textes.

Question 4 : À partir de ces trois textes, caractérisez le personnage d'Antigone.

Question 5 : À quels genres appartiennent ces textes ?

Question 6 : Explicitez les principaux arguments employés par les femmes dans les textes du corpus.

Question 7 : Quels éléments caractérisent l'univers de la prison dans ces différents poèmes ?

3 RÉDIGER INTRODUCTION ET CONCLUSION ✪✪✪

a. Lisez attentivement le corpus et analysez la question proposée.

b. Trouvez au moins 3 éléments de réponse et rédigez au brouillon le plan détaillé du développement.

c. Rédigez l'introduction et la conclusion de la réponse.

Question : Quels effets les auteurs de ces trois documents cherchent-ils à produire en évoquant l'issue de la bataille de Waterloo ?

Dans les textes 1 et 2, l'armée prussienne du général Blücher, qui vient de rejoindre celle du duc de Wellington à la tête des armées alliées, fond sur la garde impériale de Napoléon Ier.

Texte 1. René de CHATEAUBRIAND, *Mémoires d'outre-tombe*, 1848.

Les Français emportèrent d'abord, à l'aile gauche de l'ennemi, les hauteurs qui dominent le château d'Hougoumont jusqu'aux fermes de la Haie-Sainte et de Papelotte ; à l'aile droite ils attaquèrent le village de Mont-Saint-Jean ; la ferme de la Haie-Sainte est enlevée au centre par le prince Jérôme[1]. Mais la réserve prussienne paraît vers Saint-Lambert à six heures du soir : une nouvelle et furieuse attaque est donnée au village de la Haie-Sainte ; Blücher survient avec des troupes fraîches et isole du reste de nos troupes déjà rompues les carrés de la garde impériale. Autour de cette phalange immortelle, le débordement des fuyards entraîne tout parmi des flots de poussière, de fumée ardente et de mitraille, dans des ténèbres sillonnées de fusées à la congrève[2], au milieu des rugissements de trois cents pièces d'artillerie et du galop précipité de vingt-cinq mille chevaux : c'était comme le sommaire de toutes les batailles de l'Empire. Deux fois les Français ont crié : Victoire ! deux fois leurs cris sont étouffés sous la pression des colonnes ennemies. Le feu de nos lignes s'éteint ; les cartouches sont épuisées ; quelques grenadiers blessés, au milieu de trente mille morts, de cent mille boulets sanglants, refroidis et conglobés[3] à leurs pieds, restent debout appuyés sur leur mousquet, baïonnette brisée, canon sans charge. Non loin d'eux l'homme des batailles[4] écoutait, l'œil fixe, le dernier coup de canon qu'il devait entendre de sa vie. Dans ces champs de carnage, son frère Jérôme combattait encore avec ses bataillons expirants accablés par le nombre, mais son courage ne put ramener la victoire.

1. le plus jeune frère de Napoléon Ier, roi de Westphalie.

2. engin balistique du nom de son inventeur William Congreve (1772-1828).

3. entassés.

4. Napoléon Ier.

1 • L'écriture d'invention

2 • Le paragraphe argumentatif

3 • La lecture analytique : vers le commentaire

4 • Le sujet de réflexion : vers la dissertation

5 • L'oral

6 • La lecture d'image

7 • Le corpus et la question de synthèse

Texte 2. Victor Hugo, « L'Expiation »,
Les Châtiments, 1853.

L'espoir changea de camp, le combat changea
d'âme,
La mêlée en hurlant grandit comme une flamme.
La batterie anglaise écrasa nos carrés.
La plaine où frissonnaient les drapeaux déchirés,
Ne fut plus, dans les cris des mourants qu'on
égorge,
Qu'un gouffre flamboyant, rouge comme une
forge ;
Gouffre où les régiments, comme des pans de
murs,
Tombaient, où se couchaient comme des épis
mûrs
Les hauts tambours-majors aux panaches
énormes,
Où l'on entrevoyait des blessures difformes !
Carnage affreux ! moment fatal ! l'homme[1]
inquiet
Sentit que la bataille entre ses mains pliait.
Derrière un mamelon la garde était massée.
La garde, espoir suprême et suprême pensée !
– Allons ! faites donner la garde, cria-t-il !
[…]
Tous[2], ceux de Friedland et ceux de Rivoli[3],
Comprenant qu'ils allaient mourir dans cette
fête,
Saluèrent leur dieu, debout dans la tempête.
Leur bouche, d'un seul cri, dit : vive l'empereur !
Puis à pas lents, musique en tête, sans fureur,
Tranquille, souriant à la mitraille anglaise,
La garde impériale entra dans la fournaise.
Hélas ! Napoléon, sur sa garde penché,
Regardait, et, sitôt qu'ils avaient débouché
Sous les sombres canons crachant des jets de
soufre,
Voyait l'un après l'autre, en cet horrible gouffre,
Fondre ses régiments de granit et d'acier
Comme fond une cire au souffle du brasier.
Ils[2] allaient, l'arme au bras, fronts hauts, graves,
stoïques
Pas un ne recula. Dormez, morts héroïques !
Le reste de l'armée hésitait sur leurs corps
Et regardait mourir la garde. – C'est alors
Qu'élevant tout à coup sa voix désespérée,
La Déroute géante à la face effarée,
Qui, pâle, épouvantant les plus fiers bataillons,
Changeant subitement les drapeaux en haillons,
À de certains moments, spectre fait de fumées,
Se lève grandissant au milieu des armées,
La Déroute apparut au soldat qui s'émeut,
Et, se tordant les bras, cria : Sauve qui peut !
Sauve qui peut ! affront ! horreur ! toutes les
bouches

Criaient ; à travers champs, fous, éperdus,
farouches,
Comme si quelque souffle avait passé sur eux,
Parmi les lourds caissons et les fourgons
poudreux,
Roulant dans les fossés, se cachant dans les
seigles,
Jetant shakos[4], manteaux, fusils, jetant les aigles[5],
Sous les sabres prussiens, ces vétérans, ô deuil !
Tremblaient, hurlaient, pleuraient, couraient.
[– En un clin d'œil
Comme s'envole au vent une paille enflammée,
S'évanouit ce bruit qui fut la grande armée,
Et cette plaine, hélas ! où l'on rêve aujourd'hui,
Vit fuir ceux devant qui l'univers avait fui !
Quarante ans sont passés, et ce coin de la terre,
Waterloo, ce plateau funèbre et solitaire,
Ce champ sinistre où Dieu mêla tant de néants,
Tremble encor d'avoir vu la fuite des géants !

1. Napoléon Ier.
2. les soldats de la garde impériale.
3. Friedland est une victoire de Bonaparte sur les
Autrichiens (1797) et Rivoli de Napoléon sur les Russes
(1807).
4. coiffures rigides, à visière.
5. enseignes militaires, portant l'emblème de Napoléon.

Document 3. Clément-Auguste Andrieux, *La Bataille de Waterloo, 18 juin 1815*, 1852.

Clément Auguste Andrieux, *Vue de la bataille de Waterloo*, le 18 juin 1815, huile sur toile (110 x 193 cm), 1852, musée du château de Versailles.

4 RÉDIGER UN DÉVELOPPEMENT ❋❋❋

À partir du plan établi au brouillon dans l'exercice précédent, rédigez entièrement le développement de la réponse à la question posée.

Biographies

Guillaume APOLLINAIRE (1880-1918)

Sa jeunesse est marquée par l'errance, aux côtés de sa mère d'abord, seul ensuite. De retour en France après plusieurs années de voyage en Europe, il côtoie très vite l'avant-garde artistique et littéraire, publie des contes libertins, rédige des articles de critique d'art. En 1913, paraît son premier recueil poétique, *Alcools*, qui connaît immédiatement un grand succès. À la déclaration de guerre, il s'engage volontairement. Au front, il écrit les *Calligrammes* ainsi que les *Poèmes à Lou*. Démobilisé à cause d'une blessure à la tête, il rentre à Paris et écrit une pièce de théâtre, *Les Mamelles de Tirésias*, sous-titrée « drame surréaliste ». Il meurt en 1918 de la grippe espagnole.

Louis ARAGON (1897-1982)

Il rencontre très tôt André Breton et Philippe Soupault, avec lesquels il fonde le groupe surréaliste. Entre 1924 et 1926, il publie des textes qui font office de manifestes pour le groupe (*Une vague de rêves*, *Le Paysan de Paris*). Cependant, sa rencontre avec Elsa Triolet, écrivain russe qui devient sa compagne, puis son adhésion au parti communiste, provoquent la rupture avec Breton. Les nombreux recueils poétiques qu'il publie par la suite (*Le Crève-cœur*, *Les Yeux d'Elsa*, *Le Fou d'Elsa*) sont inspirés par sa passion pour Elsa, et par son amour de la patrie, qu'il défend avec courage sous l'Occupation en s'engageant dans la Résistance.

Honoré DE BALZAC (1799-1850)

Après une enfance malheureuse à Tours et des études de droit, il se lance dans l'édition où il fait faillite : endetté à vie, il consacre ses nuits à écrire des œuvres publiées en feuilletons et réunies pour la plupart dans *La Comédie humaine*. Cette vaste fresque de 95 romans (*Les Chouans*, 1829 ; *La Peau de chagrin*, 1831 ; *Le Père Goriot*, 1835 ; *Le Lys dans la vallée*, 1836 ; *La Cousine Bette*, 1846, etc.) comportant plus de 3000 personnages – dont 600 réapparaissent d'une œuvre à l'autre – tend à « faire concurrence à l'État civil ». Considéré comme le pionnier du réalisme, Balzac cherche à découvrir les lois qui régissent la société : sur le modèle de la classification zoologique, il répertorie des « types » (vieil avare, jeune ambitieux, etc.) et étudie l'influence du milieu. Forcené de l'écriture, il meurt d'épuisement, après avoir épousé une grande admiratrice, Madame Hanska.

Charles BAUDELAIRE (1821-1867)

Orphelin de père très jeune, solitaire et mélancolique, il voue une haine tenace à son beau-père, le général Aupick. En 1841, il fait un voyage à l'île Bourbon (la Réunion), qui l'éveille à la poésie de la mer et de l'exotisme. À son retour, il mène une vie de dandy, oisive et luxueuse, grâce à l'héritage paternel qu'il dilapide rapidement. C'est alors qu'il rencontre Jeanne Duval, qui restera sa compagne jusqu'à sa mort. Peu intéressé par la politique, il devient critique d'art, traduit l'écrivain américain Edgar Allan Poe, dont il salue le génie, et rencontre Apollonie Sabatier, à laquelle il voue une adoration platonique. En 1857, paraît le recueil *Les Fleurs du mal*, aussitôt censuré. Baudelaire est condamné pour immoralité. Bien qu'il soit miné par la maladie, il écrit encore, publie les *Poèmes en prose*, et meurt à l'âge de quarante-six ans terrassé par une attaque.

Pierre-Augustin CARON DE BEAUMARCHAIS (1732-1799)

Il œuvre pour la reconnaissance du métier d'écrivain en fondant par exemple la Société des écrivains et en éditant de nombreux ouvrages. Avec sa trilogie *Le Barbier de Séville* (1775), *Le Mariage de Figaro* (1784) et *La Mère coupable* (1792), qui suit les aventures de Figaro, valet contestataire, il connaît le succès. Mais si ces deux premières œuvres font écho aux tumultes prérévolutionnaires, la dernière s'essaie au genre dramatique sérieux, inauguré par Diderot, qu'il théorise dans son *Essai sur le genre dramatique sérieux* en 1767. Il voit dans le drame bourgeois une nouvelle voie qui impose ce genre comme l'intermédiaire entre le tragique et le comique. Ainsi la séparation classique entre les deux grands genres théâtraux s'efface.

Samuel BECKETT (1906-1989)

Il est d'origine irlandaise. À vingt et un ans, alors qu'il sort d'un restaurant, un clochard le poignarde. Après son hospitalisation, il retrouve son agresseur qui lui avoue ne pas savoir pourquoi il a commis ce geste. Cette anecdote l'a beaucoup marqué. Dans son œuvre romanesque : *Molloy* et *Malone meurt* (1951) et théâtrale : *En attendant Godot* (1952), *Fin de partie* (1957) et *Oh les beaux jours* (1963), le sentiment de l'absurde se manifeste par une parole qui se vide de son sens et se déploie dans le ressassement. Ses personnages toujours en marge sont des « clowns tristes » qui attendent que la pièce se termine. Tragique et comique sont indissociables pour dire « l'innommable » (titre de l'un de ses romans en 1953). Il reçoit le prix Nobel en 1969.

Jacques-Bénigne BOSSUET (1627-1704)

Ordonné prêtre en 1652, il se fait connaître comme prédicateur à Metz, puis à la cour de Louis XIV. Ce dernier lui confie l'éducation de son fils, le Grand Dauphin. Bossuet veut avant tout préparer son élève au métier de roi en rappelant que le droit divin donne aussi des devoirs envers Dieu. On lui confie les oraisons funèbres des grands personnages (Anne d'Autriche, la Reine Marie-Thérèse, etc.). Évêque de Meaux, il fait figure de chef de l'Église de France et intervient sur de nombreux points théologiques et politiques.

André BRETON (1896-1966)

Après des études de médecine, il se passionne pour la poésie, participe au mouvement Dada, puis fonde avec Aragon et Soupault le groupe surréaliste, dont il théorise les idées dans plusieurs textes-manifestes. Chef de file doué d'un grand charisme, il fédère le groupe autour de lui, communique sa fougue et son dynamisme. Cependant, cette aura n'est pas sans revers : exigeant et autoritaire, Breton bannit avec violence ceux qui, à ses yeux, s'éloignent de l'idéologie surréaliste, et s'isole progressivement. Extrêmement prolifique, il produit une œuvre d'une grande diversité : récits (*Nadja*, *L'Amour fou*, *Arcane 17*), recueils poétiques (*Clair de terre*, *Poisson soluble*) et écrits sur l'art.

François-René DE CHATEAUBRIAND (1768-1848)

Jeune aristocrate mélancolique, il passe sa jeunesse dans le château de Combourg avec sa sœur bien-aimée Lucile. La Révolution l'oblige à quitter la France pour l'Amérique, puis il émigre en Angleterre où il vit pauvrement, tout en découvrant de grands auteurs anglais comme Shakespeare, Milton, Ossian. Plus tard, après un bref retour en France, il fuit le régime napoléonien et voyage en Orient. Avec le retour de la monarchie, il revient en France et mène une carrière politique brillante : ambassadeur en Suède, à Berlin, puis à Londres, ministre des Affaires étrangères, il joue un rôle prépondérant dans les relations de la France avec l'étranger. Après la révolution de 1830, il se retire de la vie politique et se consacre à la rédaction de ses Mémoires, publiés, selon sa volonté, après sa mort, sous le titre *Mémoires d'outre-tombe*.

Jean COCTEAU (1889-1963)

Issu d'une famille de la grande bourgeoisie parisienne, il est âgé de neuf ans lorsque son père se suicide. Artiste complet, il jette des ponts entre les différents arts : dessinateur, peintre, poète (*Le Cap de Bonne-Espérance*, 1919), romancier (*Les Enfants terribles*, 1929), dramaturge (*La Voix humaine*, 1930 ; *La Machine infernale*, 1934 ; *Les Parents terribles*, 1938), cinéaste (*La Belle et la Bête*, 1946 ; *Orphée*, 1950 ; *Le Testament d'Orphée*, 1960), il n'a de cesse de dire un monde où la cruauté est toujours poétique et où le réel se confond avec le mythe.

Pierre CORNEILLE (1606-1684)

Avocat de profession, il écrit d'abord des poèmes et des comédies : *Mélite ou les Fausses lettres* (1629), *La Place royale* (1634). C'est avec *Médée*, en 1635, qu'il acquiert une renommée certaine qui lui permet de faire partie des dramaturges protégés par Richelieu. La tragi-comédie du *Cid* (1637), ainsi que la célèbre querelle qui en découle font de Corneille un auteur célébré et critiqué. En 1640, il revient au devant de la scène avec *Horace*. Les pièces qui suivent sont des triomphes : *Cinna* (1641) ; *Polyeucte* (1642) ; etc. En 1647, il entre à l'Académie française. Sa pratique se double d'une réflexion critique (*Discours sur l'art dramatique*, 1660). On retrouve dans ses textes théoriques l'éloge du théâtre que constituait déjà, en 1636, *L'Illusion comique*, pièce la plus baroque de Corneille qui, par la suite, tout en gardant son originalité, se plia davantage au goût classique dominant.

Jean Le Rond, dit D'ALEMBERT (1717-1783)

Mathématicien brillant, Jean Le Rond, dit D'Alembert, rejoint Diderot en 1751 pour la rédaction de l'*Encyclopédie*. L'objectif est de faire le point sur les connaissances contemporaines et de lutter contre les préjugés par la raison. D'Alembert se voit chargé du *Discours Préliminaire*, des recherches scientifiques et de l'article Genève, qui entraîne la brouille avec Rousseau. Malgré les protestations de nombreux partis religieux, la publication des différents tomes peut avoir lieu, mais D'Alembert préfère se retirer dès 1758.

René DESCCARTES (1596-1650)

Grand savant, il est à la fois mathématicien, physicien et philosophe. Auteur du *Discours de la Méthode*, il pose les fondements d'une pensée rationnelle qui marque définitivement la France. Esprit encyclopédique, il ambitionne d'expliquer toute la nature, en faisant table rase de ce qui l'a précédé. Discret, il se fait cependant des disciples et parcourt toute l'Europe, séjournant principalement en Hollande.

Robert DESNOS (1900-1945)

Il intègre le groupe surréaliste en 1922, et se distingue par son étonnante fécondité créatrice au cours des séances de sommeil hypnotique et d'écriture automatique, au point d'être surnommé « le dormeur éveillé ». Il publie en 1930 un recueil poétique intitulé *Corps et biens*, très imprégné par ce travail sur les associations verbales et l'exploration du monde du sommeil. Il rompt avec le groupe dans les années 30 et se consacre au journalisme et à la radio, tout en continuant à écrire. En 1944, il est arrêté par la Gestapo et déporté à cause de ses activités dans la Résistance. Il meurt en juin 1945 dans un camp en Tchécoslovaquie.

Denis DIDEROT (1713-1784)

Menant une vie de bohème durant la première période de sa vie, il fait figure de libre penseur, passionné et engagé. Il est emprisonné au Château de Vincennes en 1749 pour avoir exprimé son scepticisme et son matérialisme. La vie de Diderot est essentiellement marquée par la création de l'*Encyclopédie* dont la publication s'étend de 1751 à 1772, période durant laquelle le philosophe n'a pas cessé de rédiger des articles polémiques en déjouant la censure, toujours à la recherche de nouveaux auteurs pour collaborer à cet immense projet qu'il conduit avec D'Alembert. Diderot s'est illustré dans de nombreux domaines, il a notamment révolutionné le genre romanesque avec *Jacques le fataliste et son maître* en 1778.

Paul ÉLUARD (1895-1952)

Il s'engage très tôt dans le mouvement Dada, puis intègre le groupe surréaliste et s'y montre particulièrement actif, participant notamment à la rédaction de recueils collectifs. Poète de l'amour, Éluard renouvelle le lyrisme amoureux par la liberté de son écriture et la richesse de ses images poétiques. Les recueils *Capitale de la douleur* (1926) et *L'Amour la poésie* (1929) en témoignent. Dans les années 30, il rompt avec Breton pour se rapprocher du parti communiste. Dès lors, il prône une poésie engagée dans la lutte contre le fascisme. Sous l'Occupation, comme Aragon et Desnos, il publie des poèmes de Résistance, parmi lesquels le célèbre poème « Liberté ».

François FÉNELON (1651-1715)

Ordonné prêtre à 24 ans, il se fait connaître comme pédagogue auprès de jeunes filles converties au catholicisme, avant d'être nommé précepteur du duc de Bourgogne, petit-fils de Louis XIV. Pour lui, il rédige en 1699 un apologue, *Télémaque, manuel à l'usage d'un futur roi*, où il aborde des questions politiques autant que religieuses et esthétiques. Archevêque de Cambrai, il est cependant mis à l'écart à la suite de querelles théologiques et d'une condamnation du *Télémaque*, lu comme une satire du règne de Louis XIV.

Gustave FLAUBERT (1821-1880)

Fils de chirurgien, il allie sens aigu de l'observation et tempérament romantique exalté. Après avoir fréquenté les milieux littéraires parisiens et séjourné en Orient, il se retire près de Rouen. Le procès contre *Madame Bovary* le rend célèbre. Après le succès de *Salammbô* (1862), roman sur les guerres de Carthage puis l'échec de *L'Éducation sentimentale* (1869), il publie des œuvres brèves comme *Trois contes* (1877) et meurt d'épuisement, sans achever son « encyclopédie de la bêtise humaine » : *Bouvard et Pécuchet*. Dans ses romans ironiques où des héros ordinaires connaissent désillusions et échecs, Flaubert tend à l'objectivité impersonnelle, s'affirmant comme un maître du réalisme critique. Conduit par l'exigence du style, il teste la justesse de ses phrases dans son « gueuloir », rêvant d'un « livre sur rien ».

Jean GENET (1910-1986)

Écrivain au parfum de scandale, il donne à lire sa propre légende dans son autobiographie *Journal d'un voleur*, 1949. L'Assistance publique, les maisons de redressement et la prison sont les décors de son enfance. Ses larcins et ses délits lui valent d'être menacé de prison à vie. Des artistes, dont son ami Cocteau, interviennent auprès du Président de la République qui le gracie. Son œuvre littéraire qu'il s'agisse de romans comme *Notre-Dame-des-Fleurs* ou de pièces de théâtre, (*Les Bonnes,* 1947 ; *Le Balcon*, 1956 ; *Les Paravents*, 1961) se nourrit d'interrogations sur la transgression, l'identité sexuelle, le mal.

Jean GIRAUDOUX (1882-1944)

Diplomate et homme de Lettres, il mène de front deux carrières. Auteur d'essais, de romans et de pièces de théâtre, il est fortement marqué par la montée en puissance du totalitarisme. Il nourrit ses pièces de ses réflexions sur la guerre, la fatalité et la condition humaine. Influencé par les mythes de l'Antiquité, Giraudoux n'hésite pas à revisiter le théâtre classique qu'il adapte à son époque moderne avec originalité et fantaisie. Il se révèle le plus grand dramaturge de l'entre-deux-guerres. Sa rencontre avec le metteur en scène Louis Jouvet en 1928 marque ses plus grandes créations : *Amphitryon* (1929), *Judith* (1931), *Intermezzo* (1933), *La Guerre de Troie n'aura pas lieu* (1935), *Électre* (1937) et *Ondine* (1939).

Edmond et Jules DE GONCOURT (1822-1896) et (1830-1870)

Grâce à l'héritage maternel, les deux frères se consacrent à l'art et à la littérature. À partir de l'étude documentée de cas sociaux ou pathologiques, ils rédigent ensemble des romans dénonçant hypocrisie sociale et souffrance du peuple. En 1865, *Germinie Lacerteux,* qui narre la déchéance d'une domestique hystérique et nymphomane, fait scandale ; ils revendiquent aussi une « écriture artiste ». Leur *Journal,* poursuivi après la mort de Jules, est un témoignage satirique sur la vie littéraire de l'époque. Edmond se lie à Zola, Daudet et Huysmans. À sa mort, la vente de son importante collection d'objets d'art permet de créer, selon ses vœux, une académie littéraire qui décerne le prix Goncourt pour récompenser la meilleure œuvre en prose de l'année.

Victor HUGO (1802-1885)

Après une « blonde enfance » passée aux Feuillantines, il affirme en 1816 : « Je veux être Chateaubriand ou rien ». En 1822, il se marie avec Adèle (dont il aura quatre enfants), publie son premier recueil poétique, *Odes*, son premier roman, *Han d'Islande*, et s'engage dans la voie du romantisme. En 1830, la bataille d'*Hernani* consacre le triomphe du drame romantique. Les succès s'enchaînent avec *Le Dernier jour d'un condamné* (1829), *Notre-Dame de Paris* (1831), quatre recueils poétiques, *Ruy Blas* (1838). Mais la mort de sa fille Léopoldine en 1843 marque un tournant dans sa vie. Après un deuil douloureux, il reprend l'écriture (*Les Contemplations*, 1856) et se lance dans l'action politique qui le mènera à s'opposer à Napoléon III. En exil (1851-1870), il poursuit son activité littéraire et politique, et reprend, dès son retour à Paris, ses fonctions de député puis de sénateur, incarnant ainsi, jusqu'à sa mort, les idéaux de la république.

Jorys-Karl HUYSMANS (1848-1907)

Fonctionnaire toute sa vie, il se consacre tôt à la littérature. Il défend *L'Assommoir* de Zola, participe aux soirées de Médan, publie des romans naturalistes : *Les Sœurs Vatard* (1879), *À vau-l'eau* (1882). Puis il explore d'autres voies : *À rebours* (1884) s'ouvre au symbolisme et à une nouvelle esthétique décadente (son héros Des Esseintes, dandy névrosé, veut échapper à l'ennui en construisant un monde imaginaire et artificiel coupé de la société). Après une phase mystique puis satanique, Huysmans opte pour un « naturalisme spiritualiste » et se convertit au catholicisme en 1892 (*Là-Bas*, 1891 ; *En route*, 1895), annonçant les grands écrivains religieux du XXᵉ siècle (Péguy, Claudel ou Mauriac).

Jean DE LA BRUYÈRE (1645-1696)

D'abord avocat, il est ensuite nommé précepteur du duc de Bourbon. Cette fonction lui permet de fréquenter et d'observer la cour, qu'il juge avec sévérité. De ses observations, il tire *Les Caractères*, réédités neuf fois de son vivant, qui lui donnent un pouvoir certain sur les idées du siècle. Mélange de portraits, parfois à clés, et de maximes lucides sur les mœurs de son temps, l'œuvre est d'abord la dénonciation de l'hypocrisie et la recherche de la vérité.

Jean DE LA FONTAINE (1621-1695)

Principalement connu pour ses *Fables*, il est aussi l'auteur de contes (*Contes et nouvelles en vers*, 1665, 1666 et 1671), de poèmes, de comédies, d'un roman et de livrets d'opéra. D'abord maître des Eaux et Forêts, il se tourne très vite vers la littérature. Il rencontre Molière, Madame de Sévigné et Racine. Les *Fables*, inspirées des auteurs grecs, latins et orientaux, sont publiées en 1668, en 1678 puis en 1693. En renouvelant le genre de la fable, La Fontaine a su faire preuve de diversité et d'efficacité. Il remporte un succès immédiat, mais il n'obtient pas les faveurs de Louis XIV qui retarde son entrée à l'Académie française jusqu'en 1684.

Madame DE LA FAYETTE (1634-1693),

Auteur non avoué de plusieurs romans, elle fréquente les milieux précieux et la cour de Louis XIV où se tissent les intrigues. Avec *La Princesse de Clèves*, le roman français quitte les invraisemblances et les longueurs du roman baroque. Il intègre les bienséances et rend compte, à travers la peinture de la cour de Henri II, des mœurs du XVIIᵉ siècle. C'est également le premier roman français à bénéficier d'une campagne de presse, dans laquelle les lecteurs donnent leur avis sur l'histoire, et d'une réflexion critique sur son genre.

Alphonse DE LAMARTINE (1790-1869)

Il passe sa jeunesse dans le château familial de Milly, près de Mâcon, menant, en contact avec la nature, une vie d'aristocrate oisif et pieux, consacrée à la lecture et à l'écriture. En 1816, à Aix-les-Bains, près du lac du Bourget, il rencontre la jeune Julie Charles, dont la mort prématurée lui inspirera des poèmes dans lesquels il confie sa douleur (*Méditations poétiques*, 1820). Il connaît alors un succès immédiat. Puis il se marie avec une jeune anglaise, voyage beaucoup et poursuit son œuvre poétique (*Nouvelles Méditations*, 1823 ; *Harmonies*, 1830). Lors de la Révolution de 1830, il affirme ses idées libérales et devient député en 1833, fonction qu'il assume jusqu'en 1851, tout en continuant de publier. Il échoue cependant à l'élection présidentielle de 1848. Il vit alors dans sa propriété de Saint-Point et ne cesse d'écrire jusqu'à sa mort en 1869.

Stéphane MALLARMÉ (1842-1898)

Lecteur de Hugo, Gautier, et Baudelaire, il entre en poésie dès l'âge de vingt ans. Il publie des poèmes dans diverses revues et traduit Edgar Allan Poe auquel il voue une grande admiration. Cependant, son aspiration à la poésie pure se heurte à l'impuissance à écrire, et il ne trouve pas entière satisfaction dans ses poèmes, qui n'atteignent pas son idéal esthétique, alors même qu'ils inspirent la jeune génération, notamment les poètes symbolistes. Il réunit la plupart de ses poèmes, parmi lesquels *Hérodiade*, « L'Après-midi d'un faune » et « L'Azur », dans un recueil publié en 1887. Ses dernières années de création poétique sont marquées par une quête accrue de perfection verbale, tendant vers l'hermétisme.

Pierre Carlet DE Chamblain DE MARIVAUX (1688-1763)

Journaliste, romancier et dramaturge, il n'est pas toujours compris de son époque. Il écrit pour la troupe des comédiens italiens de 1722 à 1740, exploitant à souhait les facéties du personnage d'Arlequin. On divise traditionnellement son œuvre théâtrale en deux types de pièces : les intrigues amoureuses d'un genre nouveau, *La Surprise de l'amour* (1722) ; *Le Jeu de l'amour et du hasard* (1730) ; *Les Fausses Confidences* (1737), etc. et les intrigues sociales qui reprennent les idées des Lumières : *L'Île des esclaves* (1725) ; *La Colonie* (1729), etc. Marivaux apporte au théâtre un nouveau langage d'une apparente légèreté, mais en réalité chargé de subtilités, de non-dits et de souffrances psychologiques, qui donne naissance au mot « marivaudage ».

Guy DE MAUPASSANT (1850-1893)

D'origine normande, il est formé par Flaubert, ami de sa mère. Il participe aux soirées de Médan chez Zola, connaît un certain succès avec sa nouvelle réaliste « Boule de Suif » et mène une vie mondaine de dandy. Ses 300 contes : *La maison Tellier, Mademoiselle Fifi, Contes du jour et de la nuit* dont « La Parure » (1885) et ses 6 romans : *Une Vie* (1883) ; *Bel-ami* (1885) ; *Pierre et Jean* (1888) font la satire amère de l'hypocrisie des « honnêtes gens » ; le réalisme est, selon lui, l'art de « donner l'illusion complète du vrai » (*Le Roman*, 1880). Il écrit aussi des nouvelles fantastiques (*La Main*, 1883 ; *La Chevelure*, 1884 ; *Le Horla*, 1886, etc.) où les personnages, angoissés et hantés par l'idée de la mort, explorent les confins de la folie. Atteint lui-même de troubles mentaux, il meurt dans un asile.

Jean-Baptiste Poquelin, dit MOLIÈRE (1622-1673)

Il fonde sa compagnie « l'Illustre Théâtre » et endosse dès lors toutes les fonctions que son métier lui impose : comédien, metteur en scène, dramaturge, régisseur. Après s'être essayé à la tragédie, c'est avec la comédie qu'il triomphe : *L'Étourdi*, (1655). De retour à Paris, le roi Louis XIV est séduit par ses pièces (*Les Précieuses ridicules*, 1659) et lui accorde sa protection à de nombreuses reprises (*L'Avare, Le Misanthrope*) car les critiques virulentes que Molière porte à l'égard de ses contemporains lui valent de nombreux soucis avec les autorités religieuses. Certaines pièces sont censurées (*Dom Juan*, 1665), d'autres interdites : *Tartuffe* en 1664 et 1669. Il s'éteint quelques heures après la quatrième représentation de sa pièce, *Le Malade imaginaire*.

Charles-Louis DE Secondat, baron DE MONTESQUIEU (1689-1755)

Issu d'une famille noble de magistrats, il suit des études de droit puis il devient président du parlement de Bordeaux. Rendu célèbre par la publication des *Lettres persanes* en 1721, il est reçu à l'Académie française en 1727. Ses nombreux voyages en Europe ont nourri ses réflexions économiques, scientifiques et philosophiques qu'il présente essentiellement dans son essai *De l'esprit des lois* publié en 1748. Penseur politique, il a notamment contribué à l'élaboration du principe de séparation des trois pouvoirs.

Alfred DE MUSSET (1810-1857)

Issu d'une famille aisée, il mène une vie de dandy débauché et hésite longtemps sur sa vocation, avant de se tourner vers l'écriture. Son premier recueil poétique, *Contes d'Espagne et d'Italie* (1829), le rend célèbre. Il subit cependant plusieurs déceptions au théâtre, et, s'il écrit encore des pièces : *Lorenzaccio* et *On ne badine pas avec l'amour*, il décide de ne plus les faire jouer. En 1833, il rencontre George Sand et vit avec elle une liaison passionnée qui dure deux années. Leur douloureuse rupture résonne longtemps dans ses œuvres ultérieures, comme *Les Nuits* ou *La Confession d'un enfant du siècle*. Élu à l'Académie française en 1852, et enfin reconnu au théâtre, Musset connaît la gloire, mais achève sa vie dans l'alcool et la mélancolie.

Jean RACINE (1639-1699)

Issu d'une famille modeste et orphelin jeune, il suit une scolarité de grande qualité à l'abbaye de Port-Royal grâce à l'appui de sa grand-mère maternelle. En 1658, il rejoint Paris et, malgré l'opposition farouche de ses formateurs qui voient dans le théâtre un moyen de corruption, il côtoie la troupe de Molière. Son ascension mondaine est fulgurante. De 1667 à 1677, Racine écrit 9 pièces. Parmi elles figurent *Andromaque* (1667) ou encore *Britannicus* (1669). Après *Iphigénie* (1674), Racine est anobli et connaît encore de nombreux succès dont celui rencontré avec *Phèdre* (1677). Après une longue interruption, Racine revient au théâtre en 1688, à la demande de Mme de Maintenon, avec des tragédies bibliques : *Esther* (1689) et *Athalie* (1691). Au faîte de sa gloire, il a alors un appartement à Versailles. En 1699, se sachant mourant, il demande à être enterré à Port-Royal.

Arthur RIMBAUD (1854-1891)

Adolescent prodige, il est un excellent élève, à Charleville, dans les Ardennes, et découvre grâce à son professeur les auteurs contemporains. Ce rebelle épris de liberté fugue en 1870, et rejoint Paris sur l'invitation de Verlaine, à qui il avait envoyé ses premiers poèmes. Il reprend son errance, entraînant Verlaine qui le surnomme « l'homme aux semelles de vent » tout en poursuivant son œuvre. Il se détache peu à peu de la tradition, invente une nouvelle langue poétique, crée le vers libre, écrit des poèmes en prose (qui sont publiés plus tard, en 1886, sous le titre *Les Illuminations*). Blessé par Verlaine lors d'une dispute (1873), bouleversé, il écrit *Une saison en enfer*, récit sur son expérience, puis renonce à sa carrière d'écrivain. Aventurier solitaire, il parcourt le monde, exerçant divers métiers, pendant que Verlaine s'occupe de faire connaître ses premiers poèmes.

Jean-Jacques ROUSSEAU (1712-1778)

Autodidacte, il commence par gagner sa vie comme maître de musique, sous la protection de Madame de Warens, qui le sort d'une vie errante et pauvre. Ami de Diderot, il collabore à l'*Encyclopédie*, puis se fait connaître comme défenseur de la vie simple et de la vertu avec le *Discours sur les Sciences et les Arts* puis le *Discours sur l'origine et les fondements de l'inégalité parmi les hommes*. Il y évoque la bonté naturelle de l'homme face aux injustices de la société. *L'Émile, Le Contrat Social, La Nouvelle Héloïse* reprennent son goût pour la nature. Un sentiment de persécution et diverses querelles le poussent à la fin de sa vie à écrire ses *Confessions* puis, replié sur lui-même les *Rêveries du promeneur solitaire*.

Jean-Paul SARTRE (1905-1980)

Orphelin de père à un an, il est élevé par sa mère et ses grands-parents maternels. Il intègre l'École normale supérieure en 1924 et est reçu 1er à l'agrégation de philosophie en 1929. Il rencontre Simone de Beauvoir la même année. En 1938 paraît *La Nausée*. Avec la guerre s'affirme l'impératif de l'engagement que Sartre proclame dans le cycle romanesque des *Chemins de la liberté*. Parallèlement il fait représenter Les *Mouches* (1943) et *Les Mains sales* (1948). Le théâtre est pour lui une tribune. Père de l'existentialisme, il publie en 1943 *L'Être et le Néant* et en 1945 *L'Existentialisme est un humanisme*. Sartre se veut résolument un écrivain « en situation ». Il s'engage même politiquement et épouse l'idéologie marxiste. L'année de la parution des *Mots* (1964), il reçoit le Prix Nobel de littérature, qu'il refuse.

Marie-Henri Beyle, dit STENDHAL (1783-1842)

En rupture avec sa famille grenobloise bienpensante, il s'engage en 1800 dans l'armée puis l'administration de Bonaparte qu'il admire. Menant une vie mondaine, il découvre l'Italie, la musique et l'amour. Il publie sous le nom de Stendhal des essais sur la « cristallisation amoureuse » (*De l'amour*, 1822) et sur la modernité du romantisme (*Racine et Shakespeare*, 1825). Auteur de récits autobiographiques (*Vie de Henry Brulard*, inachevé), il est surtout célèbre pour ses romans de formation, *Le Rouge et le Noir* (1830) et *La Chartreuse de Parme* (1839), dont les analyses politique, sociale et psychologique révèlent son ambition de constituer une fresque de son époque. Ses multiples intrusions d'auteur pour commenter, non sans tendresse ou ironie, l'attitude de ses personnages rendent son réalisme très subjectif.

Paul VERLAINE (1844-1896)

Après une enfance sage à Metz, il s'installe à Paris où il fréquente les cafés littéraires et publie ses deux premiers recueils, *Poèmes saturniens* (1866) et *Fêtes galantes* (1869). En 1870, son troisième recueil, *La Bonne Chanson*, lui est inspiré par sa jeune épouse, Mathilde Mauté de Fleurville. Mais il la quitte rapidement pour vagabonder aux côtés du jeune Rimbaud, en Belgique et en Angleterre. Pendant cette vie de bohème, il publie *Romances sans paroles* (1874). Lors d'une dispute avec Rimbaud, il le blesse légèrement, ce qui lui vaudra deux ans de prison. Cette période l'amène à la méditation et il publie plus tard un recueil dont le titre laisse entrevoir son état d'esprit : *Sagesse* (1880), puis *Jadis et Naguère* (1884). Le succès arrive alors qu'il est ruiné physiquement, moralement et financièrement. Le « prince des poètes » meurt misérablement dans un hôpital.

François Marie Arouet, dit VOLTAIRE (1694-1778)

Dramaturge, essayiste : *Traité sur la tolérance* (1763) ; *Dictionnaire philosophique* (1764), conteur : *Zadig* (1747) ; *Candide* (1759) et poète, il est sans doute le philosophe le plus redouté pour sa verve satirique et ironique. Embastillé puis exilé en Angleterre, il collabore à la rédaction de l'*Encyclopédie*, défend les opprimés et lutte toute sa vie contre l'intolérance, la torture et le fanatisme religieux. Après un séjour à Berlin et en Suisse, il s'installe à Ferney pour y poursuivre son combat contre « l'infâme ». Historiographe du roi Louis xv en 1745, élu à l'Académie française en 1746 et acclamé à quatre-vingt-quatre ans par la société parisienne, Voltaire est une figure incontournable des Lumières.

Émile ZOLA (1840-1902)

De père italien, il débute dans le journalisme à Paris, défendant les Républicains et les impressionnistes (dont Cézanne, son ami d'enfance aixois). En 1868 il entame *Les Rougon-Macquart*, « histoire naturelle et sociale d'une famille sous le Second Empire » (20 romans). Voulant rivaliser avec *La Comédie humaine*, il explore tous les milieux : petit et grand commerce (*Le Ventre de Paris*, 1873 ; *L'Assommoir*, 1877 ; *Au bonheur des Dames*, 1883), mineurs (*Germinal*, 1885), prostituées (*Nana*, 1880), etc. Après l'immense succès de *L'Assommoir*, il organise des soirées à Médan où il expose sa conception scientifique du naturalisme, sans jamais renoncer à la peinture épique et mythique des bouleversements de la société moderne. Écrivain engagé, il contribue à innocenter Dreyfus : lettre ouverte « J'accuse » en 1898. Conspué et condamné par la justice, il meurt asphyxié.

Glossaire

Alexandrin : vers de douze syllabes.

Allégorie : forme concrète et symbolique donnée à une idée, un concept, une abstraction.

Allitération : répétition d'une même consonne.

Analepse : retour en arrière.

Analogie : mise en relation, pour aider à la compréhension, d'objets, de phénomènes ou de situations appartenant à des domaines différents.

Anaphore : répétition d'un mot ou d'un groupe de mots au début de plusieurs vers ou phrases.

Antiphrase : procédé ironique qui consiste à énoncer le contraire de ce que l'on veut faire comprendre.

Antithèse : figure de style consistant à rapprocher dans une même phrase ou un même vers deux termes de sens opposé.

Aparté : de l'italien *a parte* : « à part ». Procédé par lequel un personnage feint de ne s'adresser qu'à lui-même, comme si ses parole passaient inaperçus des autres personnages présents sur scène.

Aphorisme : brève maxime.

Apologie : justification, éloge, d'une institution ou d'une personne.

Apologue : récit en vers ou en prose à visée argumentative et didactique.

Apostrophe : figure de style consistant à interpeller quelqu'un ou quelque chose. Dans la poésie lyrique, elle est introduite par « Ô ».

Assonance : répétition d'une même voyelle.

Blason : poème faisant l'éloge du corps féminin ou d'une partie de son corps.

Cabale : intrigue secrète organisée contre une personne pour nuire à sa réputation. Au XVIIᵉ siècle, il s'agissait notamment de perturber une représentation théâtrale pour signer l'échec d'un acteur ou d'un dramaturge.

Catharsis : terme grec signifiant « purgation » que l'on emploie pour désigner le processus par lequel le spectateur se trouve « purgé », « purifié » de ses passions par le spectacle d'une destinée tragique.

Chiasme : figure de construction consistant à disposer les éléments d'une phrase de manière croisée.

Concession : étape de l'argumentation dans laquelle on admet les arguments de l'adversaire, souvent pour mieux les réfuter ensuite.

Connotation : sens implicite d'un mot, qui s'ajoute au sens propre (dénotation) en fonction du contexte.

Contre-rejet : effet de détachement à la rime du vers précédent d'un mot qui appartient syntaxiquement au vers suivant.

Controverse : débat.

Coryphée : chef du chœur dans la tragédie grecque antique.

Déduction : raisonnement qui, d'un enchaînement de propositions générales, dégage une conséquence logique sous forme de proposition particulière.

Didactique : qui vise à apporter un enseignement.

Didascalies : indications scéniques destinées au metteur en scène, aux comédiens, au décorateur et à l'imaginaire du lecteur.

Élégie : poème évoquant, sur le ton de la plainte, la perte, la séparation…

Ellipse : épisode passé sous silence.

Enjambement : procédé poétique consistant à rejeter un ensemble syntaxique au vers suivant, alors qu'il dépend du vers précédant du point de vue du sens.

Épidictique : qui concerne l'éloge ou le blâme.

Épisode : à l'origine, partie de la tragédie grecque qui en compte trois alternant avec les interventions du chœur. Par extension, action secondaire rattachée à l'intrigue principale.

Éponyme : adjectif qui qualifie un personnage qui donne son nom à l'œuvre.

Exorde : première partie d'un discours oratoire destiné à capter l'attention de l'auditoire.

Exposition : au théâtre, scène(s) ouvrant une pièce et donnant les informations nécessaires au spectateur pour qu'il comprenne l'action.

Farce : petite pièce bouffonne qui trouve son origine au Moyen Âge mettant en scène des personnages grotesques.

Gradation ou crescendo : intensification progressive, notamment par l'emploi de termes de plus en plus forts.

Hémistiche : ½ alexandrin.

Hybris (ou *ubris*) : démesure dont fait preuve le héros tragique par orgueil, en outrepassant sa condition d'homme et qui peut conduit le personnage à la gloire mais plus souvent à sa perte.

Hyperbole : procédé d'exagération, l'expression dit plus que le réel.

Hypotypose : figure de style qui consiste à décrire une scène avec des images frappantes de sorte que le lecteur ait l'impression de la voir se dérouler sous ses yeux.

Induction : raisonnement qui part d'une collection d'observations pour aboutir à une loi générale.

Ironie tragique : décalage entre les informations détenues par le spectateur et le propos vainement optimiste d'un personnage de tragédie.

Litote : atténuation d'une expression pour en renforcer le sens.

Lyrisme : expression musicale et poétique des sentiments personnels.

Métaphore : image par rapprochement d'un comparant et d'un comparé sans outil de comparaison ou par substitution du comparant au comparé.

Métonymie : figure qui consiste à désigner un élément par un terme proche d'un point de vue logique.

Monologue : tirade d'un personnage seul en scène.

Mythe : récit fondateur qui vise à expliquer l'origine, la place et le rôle de l'homme dans l'univers.

Néologisme : désigne la création d'un mot.

Octosyllabe : vers de huit syllabes.

Ode : poème lyrique faisant l'éloge de quelqu'un ou quelque chose.

Oratoire : qui caractérise l'art de l'éloquence.

Oxymore : alliance de termes inconciliables.

Pamphlet : écrit polémique et virulent.

Paratexte : indications qui accompagnent un texte ou une œuvre : couverture, préface, notes, dédicace, 4e de couverture…

Périphrase : remplacement d'un mot par une expression de sens équivalent composée de plusieurs éléments.

Parodie : imitation d'une œuvre ou d'un genre tournant le modèle en ridicule.

Péroraison : conclusion d'un discours oratoire.

Personnification : figure de style consistant à attribuer à une chose, un animal ou une entité abstraite des attributs humains.

Placet : écrit destiné à plaire à une personne de pouvoir pour lui demander justice, obtenir de lui sa protection ou une faveur.

Plaidoyer : discours visant à défendre avec conviction une personne ou une idée.

Poème en prose : poème sans vers et sans rimes, intégrant à la prose des effets musicaux (rythmes, sonorités) et des images poétiques.

Pointe (du sonnet) ou chute : désigne le 14e et dernier vers d'un sonnet qui doit apporter un point d'orgue au poème.

Polyphonie : superposition de voix ou lignes musicales indépendantes. En littérature : présence de plusieurs narrateurs, de plusieurs épistoliers…

Polysémie : capacité d'un terme à prendre plusieurs sens.

Prolepse : anticipation sur le récit.

Prologue : dans la tragédie grecque, partie qui précède l'entrée du chœur et qui expose le sujet de l'intrigue.

Protagoniste : acteur principal d'une tragédie grecque antique. Par extension, personnage principal d'une pièce de théâtre puis celui de toute œuvre littéraire.

Quatrain : strophe composée de quatre vers.

Réfutation : étape de l'argumentation qui consiste à infirmer la thèse adverse.

Rejet : procédé poétique consistant à rejeter un mot ou un bref ensemble syntaxique au début du vers suivant, alors qu'il dépend du vers précédant du point de vue du sens.

Réquisitoire : discours visant à condamner une personne ou une idée.

Rhétorique : concerne l'ensemble des techniques de l'argumentation.

Rime féminine : rime se terminant par un « e » muet.

Rime masculine : rime se terminant par toute autre lettre que le « e » muet.

Satire : œuvre dans laquelle l'auteur fait ouvertement la critique d'une époque, d'une politique, d'une société, d'une personne en tournant en dérision ses vices et défauts.

Scène : dans un récit épisode raconté en détail.

Sommaire : dans un récit, résumé d'un certain nombre d'événements.

Sonnet : forme poétique fixe composée de deux quatrains et deux tercets, et présentant un schéma de rimes imposé.

Sophisme : raisonnement à première vue logique mais en réalité erroné.

Stichomythie : au théâtre, dialogue rapide et vif dans lequel chaque réplique n'est formée que d'un temps de parole très bref.

Syllogisme : raisonnement déductif partant de deux propositions (appelées prémisses) pour en déduire une troisième.

Tercet : strophe composée de trois vers.

Thèse : opinion que l'on soutient à l'aide d'arguments et d'exemples dans une argumentation.

Tirade : longue réplique d'un personnage. Morceau de bravoure récurrent dans la plupart des tragédies et comédies du XVIIe siècle.

Topos : cliché, lieu commun, poncif.

Tragi-comédie : pièce de théâtre, en vogue au XVIIe siècle, qui présente des caractéristiques de la tragédie (situation sérieuse, personnages nobles) et de la comédie (éléments comiques, dénouement heureux).

Type : ensemble des traits caractéristiques (physiques, sociaux et moraux) qui définit une catégorie particulière de personnage.

Vers libre : vers sans mètre précis qui n'obéit pas forcément à la règle de la rime.

Index des auteurs et des œuvres

Cet index renvoie aux auteurs et aux œuvres dont les extraits sont proposés dans le manuel, ainsi qu'aux œuvres faisant l'objet d'une lecture d'image ou d'un dossier histoire des arts. Les numéros en couleur renvoient aux parties Lecture, Langue, Outils d'analyse et Méthodes du manuel.

XIXe siècle

LE ROMANTISME

Marqué par de multiples soulèvements, le xixe siècle connaît une grande instabilité sociale et politique. En rupture avec les règles d'imitation et de respect du classicisme et en réaction contre le retrait du «je» dans la littérature d'idée des Lumières, les auteurs romantiques français, influencés par le romantisme anglais et allemand, revendiquent une sensibilité lyrique. Écrivains déchirés entre le sublime et le grotesque, entre rêve et réalité, ils font de la poésie romantique leur genre de prédilection et n'hésitent pas à s'engager dans l'histoire pour défendre leurs idéaux.

Textes fondateurs

- *Mémoires d'Outre-Tombe*, François-René de Chateaubriand, 1849
- Préface aux *Méditations poétiques*, Lamartine, 1820
- Préface de *Cromwell*, Hugo, 1827

Écrivains représentatifs

Alfred de Vigny
(1797-1863)

François René de Chateaubriand
(1768-1848)

Alphonse de Lamartine
(1790-1869)

Victor Hugo
(1802-1885)

Alfred de Musset
(1810-1857)

Gérard de Nerval
(1808-1855)

XIXe siècle

LE RÉALISME ET LE NATURALISME

Les précurseurs du réalisme appartiennent à la génération romantique de 1830, mais ils s'en distinguent par une volonté d'analyser le réel plutôt que de le transcender. C'est principalement vers le genre romanesque que se tournent les auteurs réalistes. Soucieux de détailler les composantes sociales, psychologique et historique de leurs œuvres, ils réunissent une imposante documentation avant d'écrire. Le naturalisme qui se constitue autour de Zola, se situe dans la lignée du réalisme mais accentue le souci du détail jusqu'à considérer l'auteur comme un scientifique, un «expérimentateur» méthodique. Paradoxalement, cet idéal d'objectivité absolue se mêle souvent à une subjectivité et une métaphorisation du réel.

Textes fondateurs

- Avant-propos à *La Comédie humaine*, Balzac, 1842
- Préface au *Réalisme*, Champfleury, 1857
- *Le Roman expérimental*, Zola, 1880
- Préface à *Pierre et Jean*, Maupassant, 1888

Écrivains représentatifs

Gustave Flaubert
(1821-1880)

Honoré de Balzac
(1799-1850)

Stendhal
(1783-1842)

Émile Zola
(1840-1902)

Guy de Maupassant
(1850-1893)

Edmond et Jules de Goncourt
(1822-1896) et (1830-1870)

Joris-Karl Huysmans
(1848-1907)